THE GLEED

EAL

LATVIEŠU-ANGĻU / ANGĻU-LATVIEŠU

vārdnīca

Ap 25 000 vārdu

dictionary

LATVIAN-ENGLISH / ENGLISH-LATVIAN

Approx. 25 000 entries

LATVIEŠU-ANGĻU
vārdnīca

dictionary
LATVIAN-ENGLISH

Sastādīja *Dzintra Kalniņa*
Mākslinieks *Uldis Baltutis*

ISBN 9984–700–57–7

Angļu–latviešu, latviešu–angļu vārdnīcā ir ap 25 000 plašāk lietojamo vārdu. Vārdnīca domāta skolu jaunatnei un visiem, kas mācās angļu valodu, dodas tūrisma vai darījumu braucienos.

Angļu alfabēts **English Alphabet**

Aa	Bb	Cc	Dd	Ee	Ff
Gg	Hh	Ii	Jj	Kk	Ll
Mm	Nn	Oo	Pp	Qq	Rr
Ss	Tt	Uu	Vv	Ww	Xx
Yy	Zz				

VĀRDNĪCAS UZBŪVE

Angļu pamatvārdi sakārtoti alfabēta secībā.

Fonētiskā transkripcija parādīta visiem pamatvārdiem, kā arī lietvārdu daudzskaitļa nekārtnajām formām, nekārtno darbības vārdu *Past Indefinite* un *Past Participle* formām, īpašības un apstākļa vārdu nekārtnajām komparatīva un superlatīva formām un vietniekvārdu *this* un *that* daudzskaitļa formām.

Vārda daļa, kas atrodas aiz tildes (~), pievienojama tai pamatvārda daļai, kas atrodas zīmes || priekšā, piem.:

casualt||y... ~ies *pl* – zaudējumi, upuri (*karā*) (*jālasa*: casualties).

Ja pamatvārds piemēros atkārtojas nemainītā veidā, tas parasti ir saīsināts, dodot tikai sākuma burtu ar punktu, piem.:

care [keə] **I** *n*... to take c. (*of*) – rūpēties...

Homonīmi doti kā atsevišķi šķirkļi, ikvienu no tiem apzīmējot ar mazajiem latīņu burtiem a, b, c utt. augšējā labajā stūrī, piem.:

angle[a] ['æŋgl] *n* **1.** leņķis; **2.** viedoklis

angle[b] ['æŋgl] *v* makšķerēt.

Ar pustrekniem romiešu cipariem parādītas dažādās vārdšķiras, ja to izstrādājums dots vienā šķirklī, piem.:

worth [wɜ:θ] **I** *n* vērtība; cena; **II** *a predic* vērts.

Ar pustrekniem arābu cipariem apzīmētas vārda dažādās nozīmes, piem.:

wool *n* **1.** vilna; **2.** vilnas audums.

Ja angļu vārdkopai vai izteicienam ir vairākas nozīmes, tās apzīmētas ar gaišu arābu ciparu un apaļo iekavu, piem.:

go... to g. off – 1) sprāgt; 2) izdoties.

Kvadrātiekavās doti fakultatīvie vārdi vai fakultatīvās vārda daļas, piem.:

gram[me] ['græm] *n* grams.

Apaļajās iekavās slīpiem (kursīviem) burtiem iespiestais teksts ir skaidrojums, piem.:

change I *n* **1.** pārmaiņa; **2.** (*veļas*) kārta...

Idiomātiskie izteicieni, kas neiederas nevienā no dotajām nozīmēm, ievietoti aiz romba (◇) visa izstrādājuma vai attiecīgās vārdšķiras izstrādājuma beigās, piem.:

apart [ə'pɑ:t] *adv* savrup; ◇ a. from – neatkarīgi no.

Starp tulkojumiem, kas ir tuvi sinonīmi, likts komats; ja nozīmes atšķirība starp tulkojumiem ir lielāka, tie cits no cita atdalīti ar semikolu.

Ja angļu pamatvārds vai kāda no tā nozīmēm vieni paši nav tulkojami, bet lietojami tikai raksturīgos savienojumos, tad aiz pamatvārda vai nozīmes cipara likts kols, kam seko attiecīgais savienojums ar tulkojumu, piem.:

addict ['ædikt] *n*: drug a. – narkomāns.

Lietvārdu daudzskaitļa nekārtnās formas, īpašības un apstākļa vārdu nekārtnās salīdzināmās pakāpes un darbības vārdu nekārtnās pamatformas parādītas apaļajās iekavās aiz pamatvārda, piem.:

goose [gu:s] *n* (*pl* geese [gi:s])...

bad [bæd] *a* (*comp* worse [wɜ:s]; *sup* worst [wɜ:st])...

grind [graind] *v* (*p. un p.p.* ground [graʊnd])...

Rekcija angļu vārdiem dota tikai tajos gadījumos, ja tā angļu un latviešu valodā nesakrīt, piem.:

glaze [gleiz] *v* ... **2.** (*in*) iestiklot

Nepieciešamības gadījumā angļu vārdiem pievienoti stilistiskie un lietošanas sfēras apzīmējumi.

Vārdnīcā dots angļu valodā biežāk lietojamo saīsinājumu saraksts un angļu lietvārdu daudzskaitļa neregulārās formas.

Saīsinājumi Abbreviations used

a – adjective, īpašības vārds
adv – adverb, apstākļa vārds
amer. – amerikānisms
anat. – anatomija
arhit. – arhitektūra
astr. – astronomija
attr. – attributive use, atributīvi lietots
av. – aviācija
biol. – bioloģija
bot. – botānika
comp. – comparative degree, pārākā pakāpe
conj. – conjunction, saiklis
dat. – datortermins
ek. – ekonomika
el. – elektrība
filoz. – filozofija
fiz. – fizika
fiziol. – fizioloģija
glezn. – glezniecība
gram. – gramatika
ģeogr. – ģeogrāfija
ģeol. – ģeoloģija
inf – infinitive, nenoteiksme
int – interjection, izsauksmes vārds
jur. – jurisprudence
jūrn. – jūrniecība
kul. – kulinārija
ķīm. – ķīmija
lauks – lauksaimniecība
lat. – latīņu valoda
lit. – literatūra
mat. – matemātika
med. – medicīna
mil. – militārs termins
mod.v – modal verb, modālais darbības vārds
mūz. – mūzika
n – noun, lietvārds
p – past tense, pagātne
pārn. – pārnestā nozīmē
partic – particle, partikula
pers. – person, persona
piem. – piemēram
pl – plural, daudzskaitlis
pol. – politisks termins
p.p. – past participle, pagātnes divdabis
predic – used predicatively, lie tots predikatīvi
prep – preposition, prepozīcija
pres – present tense, tagadne
pron – pronoun, vietniekvārds
rel. – reliģija

saīs	–	saīsinājums
sar.	–	sarunvalodā lietots vārds vai izteiciens
sing	–	singular, vienskaitlis
sk.	–	skatīt
sl.	–	slang, žargons
smb.	–	somebody, kāds
smth.	–	something, kaut kas
sp.	–	sports
sup	–	superlative degree, vispārākā pakāpe
tehn.	–	tehnika
u. c.	–	un citi
u. tml.	–	un tamlīdzīgi
v	–	verb, darbības vārds
vēst.	–	vēsture
zool.	–	zooloģija

A

A

a [ə] **1.** *gram. nenoteiktais artikuls līdzskaņa priekšā*: a boy – zēns; **2.** viens; n a year – pēc [viena] gada
abandon [ə'bændən] *v* **1.** pamest, atstāt; **2.** atmest (*piem., cerības*); **3.** ļauties; nodoties
abandoned [ə'bændənd] *a* **1.** pamests; atstāts; **2.** izlaidīgs
abase [ə'beis] *v* **1.** pazemināt (*amatā*); degradēt; **2.** pazemot
abash [ə'bæʃ] *v* [sa]mulsināt; ~ed – apmulsis
abate [ə'beit] *v* **1.** mazināt; **2.** pazemināt (*cenu*); **3.** anulēt; **4.** mazināties; atslābt
abbess ['æbis] *n* klostera priekšniece
abbey ['æbi] *n* abatija; klosteris
abbot ['æbət] *n* abats
abbreviation [əˌbri:vi'eiʃən] *n* saīsinājums
ABC [ˌeibi:'si:] *n* **1.** alfabēts; **2.** ābece; **3.** pamati
abdicate ['abdikeit] *v* atteikties (*no troņa, tiesībām u. tml.*)
abdomen ['æbdəmen] *n* vēderdobums; vēders
abed [ə'bed] *adv* gultā
abend [abnormal end] *n dat.* anormālā apture
abet [ə'bet] *v* kūdīt; musināt
abide [ə'baid] *v* (*p. un p.p.* abode [ə'bəʊd] **1.** [no]gaidīt; **2.** (*noliegumа un jautājuma teikumos*) [pa]ciest
ability [ə'biləti] *n* **1.** spēja; prasme; **2.** spējas; talants
abject ['æbdʒekt] *a* **1.** nožēlojams; **2.** zemisks
abjure [əb'dʒʊə] *v* atsaukt; atteikties
ablase [ə'bleiz] *a predic* **1.** liesmojošs; **2.** kvēlojošs; mirdzošs
able ['eibl] *a* **1.** spējīgs; apdāvināts; **2.**: to be a. – varēt; spēt; prast
ably ['eibli] *adv* prasmīgi
aboard [ə'bɔ:d] *adv* uz klāja; uz kuģa; lidmašīnā
abolish [ə'bɒliʃ] *v* atcelt (*ar likumu*); likvidēt
abolition [ˌæbə'liʃən] *n* izbeigšana; likvidēšana
abominable [ə'bɔminəbl] *a* riebīgs; pretīgs
abortion [ə'bɔ:ʃən] *n* **1.** aborts; **2.** neveiksme
about [ə'baʊt] **I** *adv* **1.** apkārt; **2.** gandrīz; a. ready – gandrīz gatavs; **3.** netālu; tuvumā; **II** *prep* **1.** apkārt; **2.** apmēram (*par laiku*); **3.** par; sakarā ar
above [ə'bʌv] **I** *adv* **1.** augšā; augšup; **2.** iepriekš; agrāk; **II** *prep* **1.** virs; **2.** pāri par; a. zero – virs

A

nulles; a. measure – pārmērīgs; ◇ above all – vispirms; galvenokārt

abrade [ə'breid] *v* nobrāzt

abreast [ə'brest] *adv* blakus; līdzās

abridge [ə'bridʒ] *v* **1.** saīsināt (*piem., tekstu*); **2.** (*piem., tiesību*) ierobežojums

abroad [ə'brɔ:d] *adv* **1.** ārzemēs; uz ārzemēm; ◇ to go a. – braukt uz ārzemēm; **2.** plaši; visur

abrogate ['æbrəgeit] *v* atcelt, anulēt (*piem., likumu*)

abrupt [ə'brʌpt] *a* **1.** pēkšņs; negaidīts; **2.** kraujš, stāvs; **3.** aprauts

absence ['æbsəns] *n* **1.** prombūtne; **2.** trūkums

absent ['æbsənt] *a* **1.** promesošs; to be a. – nebūt klāt; **2.** izklaidīgs

absentee [,æbsən'ti:] *n* (*darba*) kavētājs

absent-minded [,æbsənt'maindid] *a* izklaidīgs

absolute ['æbsəlu:t] *a* **1.** pilnīgs, absolūts; **2.** absolūts, neierobežots (*par varu*); **3.** tīrs; bez piejaukuma

absolutely ['æbsəlu:tli] *adv* **1.** pilnīgi, absolūti; **2.** neapšaubāmi

absorb [əb'sɔ:b] *v* uzsūkt, absorbēt

abstain [əb'stein] *v* (*from*) atturēties

abstinence ['æbstinəns] *n* atturība

abstract ['æbstrækt] **I** *n* īss apskats; anotācija; konspekts; **II** *a* abstrakts

abstraction *n* **1.** abstrakcija; **2.** atšķiršana; nošķiršana; **3.** izklaidība

absurd [əb'sɜ:d] *a* **1.** absurds, bezjēdzīgs; **2.** smieklīgs; muļķīgs

abundance [ə'bʌndəns] *n* pārpilnība; bagātība; ◇ a. of the heart – jūtu pārpilnība

abundant [ə'bʌndənt] *a* pārpilns; bagātīgs

abuse [ə'bju:z] *v* **1.** ļaunprātīgi izmantot; **2.** apvainot; **3.** sagrozīt

abut [ə'bʌt] *v* **1.** robežoties; **2.** balstīties (*uz*)

abutment [ə'bʌtmənt] *n* **1.** robeža; **2.** *arhit.* pamatne; balsts, a. stone – pamatakmens

abyss [ə'bis] *n* bezdibenis

acacia [ə'keiʃə] *n* akācija

academic [ækə'demik] *a* akadēmijas-; universitātes-; augstskolas-; a. degree – zinātniskais grāds

academy [ə'kædəmi] *n* **1.** akadēmija; **2.** (*augstākā vai vidējā*) mācību iestāde

accede [æk'si:d] *v* (*to*) **1.** piekrist; pievienoties; **2.** stāties (*amatā*); iestāties (*organizācijā, partijā*)

accelerate [ək'seləreit] *v* **1.** paātrināt; **2.** paātrināties

acceleration [əksələ'reiʃən] *n* **1.** paātrināšana, akselerācija; **2.** *fiziol* akcelerācija

accent ['æksənt] **I** *n* **1.** uzsvars, akcents; **2.** izruna, akcents; **II** *v* [æk'sent] uzsvērt, akcentēt

accept [ək'sept] *v* **1.** pieņemt; **2.** atzīt par pareizu; **3.** akceptēt

accepted [ək'septid] *a* vispārpieņemts; a. truth – vispāratzīta patiesība

access [ˈækses] *n* **1.** pieeja; piekļūšana; **2.** *dat.* piekļuve; a. control – piekļuves vadība; a. method – pieejas metode; a. network – piekļuves tīkls; a. path – piekļuves ceļš; a. point – pieejas punkts; a. rights – piekļuves tiesības

accessible [ækˈsesəbl] *a* pieejams; sasniedzams

accident [ˈæksidənt] *n* **1.** nelaimes gadījums; avārija; **2.** gadījums; nejaušība; by a. – nejauši

accidental [ˌæksiˈdentl] *a* nejaušs; gadījuma-

accomodate [əˈkɒmədeit] *v* izvietot; iekārtot (*piem., viesnīcā*)

accommodation [əˌkɒməˈdeiʃən] *n* dzīvojamās telpas; apmešanās vieta

accomodation address [əˌkɒməˈdeiʃnəˌdres] *n* adrese «pēc pieprasījuma»

accompaniment [əˈkʌmpənimənt] *n* *mūz.* pavadījums

accompany [əˈkʌmpəni] *v* **1.** pavadīt; **2.** *mūz.* pavadīt, akompanēt

accomplish [əˈkʌmpliʃ] *v* **1.** [pa]veikt; [pa]beigt; **2.** pilnveidot; izkopt

accord [əˈkɔ:d] **I** *n* **1.** saskaņa, harmonija; vienprātība; **2.** vienošanās; **II** *v* (*with*) saskanēt, harmonēt

accordance [əˈkɔ:dəns] *n* saskaņa; atbilstība

according [əˈkɔ:diŋ]: a. to – saskaņā ar; a. to him – pēc viņa domām

accordingly [əˈkɔ:diŋli] *adv* **1.** tādējādi; **2.** atbilstoši

accordion [əˈkɔ:diən] *n* akordeons

accost [əˈkɒst] *v* **1.** uzrunāt; **2.** uzmākties

account [əˈkaʊnt] *n* **1.** rēķins; konts; a. current – tekošais konts; **2.** labums; peļņa; **3.** iemesls; pamats; on a. of – dēļ; on no a. – nekādā ziņā

accountant [əˈkaʊntənt] *n* grāmatvedis

accounting [əˈkaʊntiŋ] *n* atskaite; a. cost – kalkulācija; *dat.* uzskaitīšana, uzskaite; a. management *dat.* – uzskaites pārvaldība

accredit [əˈkredit] *v* pilnvarot, akreditēt

accrete [æˈkri:t] *v* pieaugt; saaugt

accumulate [əˈkju:mjʊleit] *v* **1.** uzkrāt; **2.** uzkrāties

accurate [ˈækjʊrət] *a* rūpīgs; precīzs

accusation [ˌækjʊˈzeiʃən] *n* apsūdzība

accustom [əˈkʌstəm] *v* pieradināt; to a. oneself (*to*) – pierast

ace [eis] *n* **1.** acs (*kāršu vai kauliņu spēlē*); **2.** dūzis (*kāršu spēlē*)

ache [eik] **I** *n* (smeldzošas) sāpes; **II** *v* **1.** sāpēt; smelgt; **2.** (*for*) alkt

achieve [əˈtʃi:v] *v* sasniegt (*piem., mērķi*)

achievement [əˈtʃi:vmənt] *n* sasniegums; a. sheet – sekmju lapa

acid [ˈæsid] **I** *n* **1.** skābe; **2.** *sl* LSD (*narkotika*); **II** *a* skābs

A

acknowledge [ək'nɒlidʒ] *v* **1.** atzīt; **2.** apliecināt

acknowledgment [ək'nɒlidʒmənt] *n* **1.** atzīšana; **2.** apliecinājums (*ar parakstu*); **3.** atzinība; pateicība

acorn ['eikɔ:n] *n* [ozol]zīle

acoustic [ə'ku:stik] *a* **1.** akustisks; **2.** *anat.* dzirdes-

acoustics [ə'ku:stiks] *n* akustika

acquaint [ə'kweint] *v* iepazīstināt; to be ~ed (*with*) – būt pazīstamam

acquaintance [ə'kweintəns] *n* **1.** pazīšanās; **2.** paziņa

acquest [æ'kwest] *n* ieguvums

acquire [ə'kwaiə] *v* **1.** iegūt; iemantot (*piem., slavu*); **2.** apgūt (*piem., iemaņas*)

acquirement [ə'kwaiəmənt] *n* **1.** iegūšana; iemantošana; **2.** apgūšana; **3.**: ~s *pl* – iemaņas, prasme

acrobat ['ækrəbæt] *n* akrobāts

across [ə'krɒs] **I** *adv* šķērsām (*pāri*); **II** *prep* pāri

act [ækt] **I** *n* **1.** rīcība; solis; **2.** (*parlamenta*) lēmums; likums; **3.** (*lugas*) cēliens; **II** *v* **1.** darboties; rīkoties; **2.** tēlot (*lomu*)

action ['ækʃn] *n* **1.** darbība; **2.** rīcība; **3.** *jur.* prasība; to bring an a. – iesniegt prasību; **4.** kauja; **5.** iedarbība; **6.** tiesas prāva

activation *n dat.* aktivizācija

active ['æktiv] *a* **1.** aktīvs; darbīgs; **2.** iedarbīgs; **3.**: a. voice *gram.* – darāmā kārta

activity [æk'tivəti] *n* **1.** aktivitāte, darbīgums; **2.** nodarbošanās

actor ['æktə] *n* aktieris

actress ['æktrəs] *n* aktrise

actual ['æktʃʊəl] *a* **1.** īsts; patiess; reāls; **2.** aktuāls

actualit||y [ˌæktʃʊ'æliti] *n* **1.** īstenība; realitāte; **2.**: ~ies *pl* – faktiskie apstākļi

acumen [ə'kju:men] *n* prāta asums

acute [ə'kju:t] *a* **1.** (*par jūtām*) īsts; liels; **2.** (*par sāpēm*) ass; **3.** (*par skaņu*) spalgs, griezīgs; **4.** (*par leņķi*) šaurs

ad [æd] *sar saīs. no* **advertisement** reklāma; sludinājums

adage ['ædidʒ] *n* paruna; sakāmvārds

adapt [ə'dæpt] *v* **1.** piemērot, pielāgot; **2.** adaptēt (*tekstu*)

adapter *n dat.* adapteris; a. routing – adaptīvā maršrutēšana

add [æd] *v* **1.** pielikt; pievienot; **2.** *mat.* saskaitīt

adder ['ædə] *n* **1.** odze; **2.** *amer.* zalktis; **3.**: flying a. – spāre

addict ['ædikt] *n*: drug a. – narkomāns

addition [ə'diʃn] *n* **1.** *mat.* saskaitīšana; **2.** pielikums; papildinājums

addle ['ædl] **I** *a* sapuvis; bojāts; a. egg – veca ola; **II** *v* pūt; bojāties

address [ə'dres] **I** *n* **1.** adrese; a. alignment *dat.* – adreses izlīdzināšana; a. bus *dat.* – adrešu kopne;

2. uzruna; runa; **II** *v* **1.** uzrunāt; **2.** adresēt

addressee [ˌædre'si:] *n* adresāts

adduce [ə'dju:s] *v* minēt (*faktus*), sniegt (*pierādījumus*)

adept ['ædept] **I** *n* lietpratējs; **II** *a* lietpratīgs

adequate ['ædikwət] *a* **1.** pietiekams; **2.** atbilstošs

adhere [əd'hiə] *v* **1.** pielipt; **2.** stingri ievērot

adhesive [əd'hi:siv] *a* lipīgs; a. tape – līmlente

adjective ['ædʒiktiv] *n gram.* īpašības vārds, adjektīvs

adjoin [ə'dʒəin] *v* atrasties blakus

adjourn [ə'dʒɜ:n] *v* **1.** atlikt (*piem., sēdi*); **2.** *sar.* pāriet (*uz citu telpu*)

adjust [ə'dʒʌst] *v* **1.** sakārtot; **2.** piemērot, pielāgot; **3.** noregulēt

adman ['ædmæn] *n* reklāmaģents

administer [əd'ministə] *v* **1.** pārvaldīt; vadīt; **2.** uzlikt (*sodu*)

administration [ədˌminis'treiʃən] *n* **1.** pārvaldīšana; vadīšana; **2.** (*soda*) uzlikšana; **3.** *amer.* valdība

admiral ['ædmərəl] *n* admirālis

admiration [ˌædmə'reiʃn] *n* apbrīna

admire [əd'maiə] *v* apbrīnot

admirer [əd'maiərə] *n* pielūdzējs

admission [əd'miʃn] *n* **1.** uzņemšana (*piem., skolā*); **2.** ieeja; a. free – ieeja brīva; **3.** atzīšana (*piem., par pareizu*)

admit [əd'mit] *v* **1.** uzņemt (*piem., skolā*); **2.** ielaist (*telpā*); **3.** atzīt (*faktu*); **4.** pieļaut, pieņemt

admittance [əd'mitəns] *n* ieeja; no a. – ieeja aizliegta

admonish [əd'mɒniʃ] *v* **1.** pamācīt; aizrādīt; **2.** brīdināt; **3.** pārmest

ado [ə'du:] *n* **1.** kņada, troksnis; **2.** grūtības; ◊ much a. about nothing – liela brēka, maza vilna

adolescent ['ædəlesnt] *n* pusaudzis; pusaudze

adopt [ə'dɒpt] *v* **1.** adoptēt; **2.** izmantot (*metodi*); **3.** pieņemt (*lēmumu*)

adore [ə'dɔ:] *v* dievināt; pielūgt

adorn [ə'dɔ:n] *v* rotāt, greznot

adroit [ə'drɔit] *a* veikls; atjautīgs

adult ['ædʌlt] *n* pieaugušais

adulterate **I** *a* [ə'dʌltərit] viltots, neīsts; **II** *v* [ə'dʌltəreit] atšķaidīt

advance [əd'vɒ:ns] **I** *n* **1.** virzīšanās uz priekšu; **2.** progress; **3.** avanss; **4.** paaugstinājums (*amatā*); **II** *v* **1.** virzīties uz priekšu; **2.** progresēt; **3.** izmaksāt avansu; **4.** paaugstināt amatā

advanced [əd'vɑ:nst] *a* **1.** progresīvs; **2.** uz priekšu pavirzījies; **3.** uzlabots, modernizēts

advantage [əd'vɑ:ntidʒ] **I** *n* **1.** priekšrocība; **2.** labums; izdevīgums; **II** *v* **1.** dot priekšroku; **2.** sekmēt

adventure [əd'ventʃə] **I** *n* **1.** piedzīvojums; **2.** riskants pasākums; avantūra; **3.**: by a. – nejauši; by hard a. – par nelaimi; **II** *v* riskēt

A

adverb [ˈædvɜ:b] *n gram.* apstākļa vārds, adverbs

advertise [ˈædvətaiz] *v* reklamēt; ievietot sludinājumu

advertisement [ədˈvɜ:tismənt] *n* reklāma; sludinājums

advice [ədˈvais] *n* **1.** padoms; **2.** konsultācija; **3.**: ~s *pl* – paziņojums

advise [ədˈvaiz] *v* dot padomu; ieteikt

advised [ədˈvaizd] *a* pārdomāts

adviser [ədˈvaizə] *n* padomdevējs; konsultants; legal a. – juriskonsults

advocate I *n* [ˈædvəkət] **1.** aizstāvis; piekritējs; **2.** advokāts; **II** *v* [ˈædvəkeit] aizstāvēt; atbalstīt

aegis [ˈi:dʒis] *n* aizgādība, šefība

aeon [ˈi:ən] *n* mūžība

aerate [ˈeəreit] *v* **1.** vēdināt; ventilēt; **2.** gāzēt; **3.** pakļaut gaisa iedarbībai

aerial [ˈeəriəl] **I** *n* antena; **II** *a* gaisa-

aerobics [eəˈrəʊbiks] *n pl* aerobika

aesthetic [i:sˈθetik] *a* estētisks

aesthetics [i:sˈθetiks] *n* estētika

affable [ˈæfəbl] *a* laipns

affair [əˈfeə] *n* lieta; darīšanas; foreign ~s – (*valsts*) ārlietas; home ~s – (*valsts*) iekšlietas

affect [əˈfekt] *v* **1.** ietekmēt; **2.** skart (*intereses*)

affection [əˈfekʃn] *n* (*for*) pieķeršanās (*kādam*)

affectionate [əˈfekʃnət] *a* mīlošs; sirsnīgs

affined [əˈfaind] *a* radniecīgs

affirm [əˈfɜ:m] *v* **1.** apgalvot; **2.** *jur.* apstiprināt

affix I *n* [ˈæfiks] pielikums; **II** *v* [æˈfiks] piestiprināt; uzspiest (*zīmogu*)

afflict [əˈflikt] *v* mocīt; sāpināt

affliction [əˈflikʃən] *n* **1.** bēdas; ciešanas; **2.** nelaime

afford [əˈfɔ:d] *v* **1.** atļauties; **2.** dot; sniegt

affire [əˈfɜə] lieta, darīšanas

afraid [əˈfreid] *a* nobijies

afresh [əˈfreʃ] *adv* no jauna, atkal

after [ˈɑ:ftə] **I** *adv* pēc tam; **II** *prep* **1.** pēc; **2.** aiz; **III** *conj* pēc tam, kad

afferlife [ˈɑ:ftəlaif] *n* **1.** aizkapa dzīve; **2.** mūža otrā puse

afternoon [ˌɑ:ftəˈnu:n] *n* pēcpusdiena; good a! – labdien! (*satiekoties dienas otrajā pusē*)

afterwards [ɑ:ftəwədz] *adv* pēc tam; vēlāk

again [əˈgen] *adv* **1.** atkal, no jauna; **2.** bez tam; turklāt

against [əˈgenst] *prep* **1.** pret; **2.** uz

age [eidʒ] *n* **1.** vecums; gadi; **2.** pilngadība; to be under a. – būt nepilngadīgam; **3.** laikmets; periods; stone a. – akmens laikmets; the Middle Ages – viduslaiki; **4.** *sar.* mūžība

agency [ˈeidʒənsi] *n* aģentūra

agenda [əˈdʒendə] *n* darba (dienas) kārtība

agent [ˈeidʒənt] *n* aģents; pārstāvis

aggravate [ˈægrəveit] *v* pasliktināt; saasināt

agitate [ˈædʒiteit] *v* **1.** satraukt; uzbudināt; **2.** aģitēt; **3.** apspriest

agitation [ˈædʒiˈteiʃn] *n* **1.** satraukums; uzbudinājums; **2.** aģitācija

ago [əˈgəʊ] *adv* pirms; long a. – sen

agony [ˈægəni] *n* **1.** agonija; **2.** mokas; ciešanas

agree [əˈgri:] *v* **1.** (*with, to*) piekrist; **2.** atbilst; saskanēt; **3.** saprasties; sadzīvot

agreeable [əˈgri:əbl] *a* **1.** patīkams; **2.** piemērots

agreement [əˈgri:mənt] *n* **1.** saskaņa; saprašanās; **2.** vienošanās; līgums; trade a. – tirdzniecības līgums; to come to an a. – vienoties

agricultural [ˌægriˈkʌltʃərəl] *a* lauksaimniecības-; zemkopības-

agriculture [ˈægriˌkʌltʃə] *n* lauksaimniecība; zemkopība

agronomy [əˈgrɒnəmi] *n* agronomija

aground [əˈgraʊnd] *adv* uz sēkļa

ahead [əˈhed] *adv* uz priekšu; priekšā; go a.! – turpini!

aid [eid] **I** *n* **1.** palīdzība; first a. – pirmā palīdzība; **2.** palīgs; **3.**: ~s *pl* – palīglīdzekļi; **II** *v* palīdzēt

ail [eil] *v* **1.** sāpēt; **2.** slimot

aim [eim] **I** *n* **1.** mērķis; nolūks; **2.** mērķis (*šaušanai*); **II** *v* **1.** (*at*) tēmēt, mērķēt; **2.** tiekties

aimless [ˈeimlis] *a* bezmērķīgs

air [eə] **I** *n* **1.** gaiss; a. service – gaisa satiksme; **2.** izskats; izturēšanās; **II** *a* gaisa-; aviācijas-; **III** *v* **1.** vēdināt; žāvēt (*drēbes u. c.*)

airbase [ˈeəbeis] *n* aviobāze

aircraft [ˈeəkrɑ:ft] *n* **1.** lidmašīna; **2.** aviācija

airfield [ˈeəfi:ld] *n* lidlauks

airless [ˈeəlis] *a* smacīgs

airline [ˈeəlain] *n* aviolīnija

airmail [ˈeəmeil] *n* gaisa pasts

airplane [ˈeəplein] *n* lidmašīna

airport [ˈeəpɔ:t] *n* lidosta

airshed [ˈeəʃəd] *n* angārs

ajar [əˈdʒɑ:] *adv* pusvirus (*par durvīm, logu*)

alarm [əˈlɑ:m] **I** *n* trauksme; **II** *v* sacelt trauksmi

alarm[clock] [əˈlɑ:m(klɒk)] *n* modinātājpulkstenis

albumen [ˈælbjʊmin] *n* **1.** olas baltums; **2.** olbaltumviela

alcohol [ˈælkəhɒl] *n* alkohols, spirts

alcoholic [ˌælkəˈhɒlik] **I** *n* alkoholiķis; **II** *a* alkoholisks

alcove [ˈælkəʊ] *n* **1.** niša; **2.** lapene; dārza mājiņa

alder [ˈɔ:ldə] *n* alksnis; black a. – melnalksnis; a. buckthorn – krūklis

ale [eil] *n* alus

alert [əˈlə:t] **I** *n* trauksme; a. box *dat.* – trauksmes lodziņš; **II** *a* **1.** modrs; **2.** nasks; veikls

algorithm *n* algoritms; a. validation *dat.* – algoritma validācija; ~ic reliability *dat.* – algoritmiskais drošums

A

alien [ˈeiliən] **I** *n* ārzemnieks; **II** *a* **1.** ārzemju-; **2.** svešs; nepieņemams

alike [əˈlaik] *a* vienāds; līdzīgs

alimony [ˈæliməni] *n* **1.** *jur.* alimenti; **2.** iztika; uzturs

alive [əˈlaiv] *a* **1.** dzīvs; **2.** mundrs

all [ɔ:l] **I** *n pron* viss; visi; **II** *a* **1.** viss; a. the day – visu dienu; **2.** jebkāds; in a. respects – visādā ziņā; **III** *adv* pilnīgi, gluži; a. alone – 1) pilnīgi viens; 2) patstāvīgi

allay [əˈlei] *v* **1.** mazināt; remdēt (*sāpes*); **2.** nomierināt; **3.** norimt (*par vētru*)

allergic [əˈlɜ:dʒik] *a* alerģisks

alley [ˈæli] *n* **1.** šaura ieliņa; **2.** aleja

alliance [əˈlaiəns] *n* savienība

allocate [ˈæləʊkeit] *v* piešķirt; asignēt

allow [əˈlaʊ] *v* **1.** atļaut; **2.** pieļaut

allowance [əˈlaʊəns] *n* (*naudas*) pabalsts; (*noteikta*) naudas summa

all-round [ˈɔ:lraund] **I** *n sp.* daudzcīņa; **II** *a* vispusīgs, daudzpusīgs

all-rounder [ˌɔ:lˈraundə] *n* **1.** vispusīgi attīstīts cilvēks; **2.** *sp* daudzcīņnieks

all-time [ˈɔ:ltaim] *a* nepārspēts

all-wool [ˈɔ:lwʊl] *a* tīrvilnas-

ally I *n* [ˈælai] sabiedrotais; **II** [əˈlai] apvienot; to be ~ied (*to*) – būt tuvam

almighty [ɔ:lˈmaiti] *a* visvarens; visspēcīgs

almost [ˈɔ:lməʊst] *adv* gandrīz

aloft [əˈlɒft] *adv* augšā; augšup

alone [əˈləʊn] **I** *a* viens pats; **II** *adv* tikai; vienīgi

along [əˈlɒŋ] **I** *adv* **1.** uz priekšu; **2.** līdzi; come a.! – nāc līdzi!; **II** *prep* gar, pa; a. the street – pa ielu

alongside [əˌlɒŋˈsaid] *adv* blakus, līdzās

aloud [əˈlaʊd] *adv* skaļi, skaļā balsī

alphabet [ˈælfəbet] *n* alfabēts

already [ɔ:lˈredi] *adv* jau

also [ˈɔ:lsəʊ] *adv* arī

alter [ˈɔ:ltə] *v* **1.** mainīt, grozīt; **2.** mainīties, grozīties

alteration [ˌɔ:ltəˈreiʃən] *n* pārmaiņas

altercation [ˌɔ:ltə:ˈkeiʃn] *n* strīds; disputs

although [ɔ:lˈðəʊ] *conj* kaut gan; lai gan

altitude [ˈæltitju:d] *n* **1.** augstums (*virs jūras līmeņa*); **2.**: ~s *pl* augstiene

altogether [ˌɔ:ltəˈgeðə] *adv* **1.** pilnīgi; **2.** visumā; **3.** kopā

always [ˈɔ:lwəz] *adv* vienmēr

am [æm, əm] *1. pers. pres. sing no* **to be**

amain [əˈmein] no visa spēka

amalgamated [əˈmælgəmeitid] *a* apvienots; saliedēts

amass [əˈmæs] *v* vākt; uzkrāt

amateur [ˈæmətə] *n* amatieris

amazement [əˈmeizmənt] *n* pārsteigums; izbrīns

ambassador [æmˈbæsədə] *n* vēstnieks; a. Extraordinary and Pleni-

potentiary – ārkārtējais un pilnvarotais vēstnieks
amber [ˈæmbə] *n* dzintars
ambiguous [æmˈbigjʊəs] *a* **1.** divdomīgs; **2.** neskaidrs
ambition [æmˈbiʃn] *n* **1.** godkāre; **2.** mērķis
ambitious [æmˈbiʃəs] *a* godkārīgs
ambulance [ˈæmbjʊləns] *n* ātrās medicīniskās palīdzības automobilis
amend [əˈmend] *v* labot; laboties
amends [əˈmendz] *n pl* kompensācija
amerce [əˈmɜ:s] *v* uzlikt naudas sodu
amiable [ˈeimiəbl] *a* draudzīgs; laipns; patīkams
amid, amidst [əˈmid, əˈmidst] *prep* starp (*vairākiem*); vidū
amiss [əˈmis] *adv* nepareizi; ačgārni
among [əˈmʌŋ] *prep* vidū; starp
amount [əˈmaʊnt] **I** *n* **1.** summa; **2.** daudzums; **II** *v* (*to*) sasniegt (*summu*)
amour [ˈæmʊə] *n* mīlas dēka
amphibian [æmˈfibiən] *n zool.* abinieks
ample [ˈæmpl] *a* **1.** plašs, ietilpīgs; **2.** bagātīgs; pietiekams
amuse [əˈmju:z] *v* uzjautrināt; kavēt laiku
amusement [əˈmju:zmənt] *n* izprieca; izklaidēšanās
amusing [əˈmju:ziŋ] *a* uzjautrinošs; amizants
an [æn, ən] *gram. nenoteiktais artikuls patskaņa vai neizrunājamā h priekšā;* an apple – ābols, an hour – stunda
analyse [ˈænəlaiz] *v* analizēt
analysis [əˈnæləsis] *n* (*pl* analyses [əˈnæləsi:z]) analīze
anatomy [əˈnætəmi] *n* anatomija
ancestor [ˈænsistə] *n* sencis; priekštecis
anchor [ˈæŋkə] **I** *n* enkurs; to cast a. – izmest enkuru; to weigh a. – pacelt enkuru; **II** *v* **1.** noenkurot; **2.** noenkuroties
ancient [ˈeinʃənt] *a* sens; antīks; a. art – antīkā māksla
and [ænd, ənd] *conj* un
anent [əˈnent] *prep* attiecībā (*uz*)
anew [əˈnju:] *adv* no jauna; vēlreiz
angel [ˈeindʒəl] *n* eņģelis
anger [ˈæŋgə] **I** *n* dusmas; **II** *v* sadusmot
angle[a] [ˈæŋgl] *n* **1.** leņķis; **2.** stūris; **3.** viedoklis
angle[b] [ˈæŋgl] *v* makšķerēt
angler [ˈæŋglə] *n* makšķernieks
Anglican [ˈæŋglikən] *a* anglikāņu-; A. church – Anglikāņu baznīca
angry [ˈæŋgri] *a* dusmīgs; nikns
anguist [æŋgwiʃ] *n* ciešanas; sāpes
animal [ˈæniml] **I** *n* dzīvnieks; lops; **II** *a* dzīvnieku-; lopu-; ◇ a. spirits – dzīvesprieks
animated [ˈænimeitid] *a* dzīvs; rosīgs
animus [ˈæniməs] *n* naids; naidīgums

A

ankle [ˈæŋkl] *n* potīte
annexe **I** *n* [ˈæneks] **1.** pielikumi; papildinājums; **2.** piebūve; **II** *v* [əˈneks] **1.** aneksēt; **2.** pievienot
anniversary [ˌæniˈvɜːsəri] *n* gadadiena
announce [əˈnaʊns] *v* **1.** pasludināt; paziņot; **2.** pieteikt (*apmeklētāju*)
announcement [əˈnaʊnsmənt] *n* sludinājums; paziņojums
announcer [əˈnaʊnsə] *n* diktors
annoy [əˈnɔi] *v* **1.** kaitināt; **2.** traucēt
annual [ˈænjʊəl] **I** *n* gadagrāmata; **II** *a* ikgadējs; gada-
anodyne [ˈænəʊdain] **I** *n* sāpes nomierinošs līdzeklis; **II** *a* nomierinošs
another [əˈnʌθə] *a* **1.** cits; **2.** vēl viens; a. cup of coffee? – vai vēlaties vēl vienu tasi kafijas?; **II** *pron* otrs; a. yet? – vēl kāds?
answer [ˈɑːnsə] **I** *n* atbilde; **II** *v* atbildēt
ant [ænt] *n* skudra; white a. – termīts
ant-eater [ˈæntˌiːtə] *n* skudrlācis
ante meridiem [ˈæntiməˈridiəm] *adv.* (*saīs.* a. m. [ˈeiem]) – no rīta, priekšpusdienā
anthem [ˈænθəm] *n* himna; national a. – valsts himna
ant-hill [ˈænthil] *n* skudru pūznis
antibiotic [ˌæntibaiˈɒtik] **I** *n* antibiotika; **II** *a* antibiotisks
anticipate [ænˈtisipeit] *v* **1.** aizsteigties priekšā; **2.** paredzēt; nojaust; **3.** gaidīt; cerēt; (*iepriekš*) priecāties
antidote [ˈæntidəʊt] pretinde, pretlīdzeklis
antique [ænˈtiːk] *a* sens; antīks
antiskid [ˈæntiskid] *a* neslīdošs
anxiety [æŋˈzaiəti] *n* **1.** nemiers; bažas; **2.** dedzīga vēlēšanās
any [ˈeni] *pron* **1.** [kaut] kāds; can you find a. explanation? – vai jums ir kāds paskaidrojums?; **2.** jebkurš; ikviens; katrs; a. one – jebkurš
anybody [ˈeniˌbɔdi] *pron* **1.** kāds; is a. in? – vai kāds ir mājās?; **2.** jebkurš, ikviens
anyhow [ˈenihaʊ] *adv* **1.** kaut kā; pavirši; **2.** katrā ziņā
anyone [ˈeniwʌn] *pron sk.* **anybody**
anything [ˈeniθiŋ] *pron* **1.** kaut kas; **2.** viss; jebkas
anywhere [ˈeniweə] *adv* **1.** kaut kur; **2.** visur, jebkur
anywise [ˈeniwaiz] *adv* jebkurā veidā
apart [əˈpɑːt] *adv* nomaļus; savrup; ◇ a. from – neatkarīgi no
apartment [əˈpɑːtmənt] *n* **1.** istaba; **2.** *amer.* dzīvoklis; **3.**: ~s *pl* – dzīvoklis
ape [eip] **I** *n* pērtiķis; **II** *v* ķēmoties
aperitif [ˈɑːˌperiˈtiːf] *n* aperitīvs
apex [ˈeipeks] *n* (*pl* apexes [ˈeipeksiz] *vai* apices [ˈeipisiːz]) virsotne; galotne
apiarist [ˈeipiərist] *n* biškopis
apiece [əˈpiːs] *adv* **1.** gabalā; how much is it a.? – cik tas maksā gabalā?; **2.** katram
apologize [əˈpɒlədʒaiz] *v* (*for smth. to smb.*) atvainoties

apology [ə'pɒlədʒi] *n* atvainošanās; to make (offer) an a. – avainoties

apparently [ə'pærəntly] *adv* acīmredzot

appeal [ə'pi:l] **I** *n* **1.** aicinājums; uzsaukums; **2.** lūgums; **3.** pievilcība; **II** *v* **1.** aicināt; apelēt; **2.** lūgt; **3.** patikt

appear [ə'piə] *v* **1.** parādīties; **2.** uzstāties (*uz skatuves*); **3.** (*par preses izdevumu*) iznākt, nākt klajā; **4.** likties, šķist

apperance [ə'piərəns] *n* **1.** parādīšanās; **2.** uzstāšanās (*uz skatuves*); **3.** (*preses izdevuma*) iznākšana; **4.** izskats; āriene

append [ə'pend] *v* pielikt; piekārt

appendix [ə'pendiks] *n* (*pl* appendices [ə'pendisi:z]) **1.** (*grāmatas*) pielikums; **2.** *anat.* apendikss

appetite ['æpitait] *n* **1.** ēstgriba; **2.** tieksme, kāre

appetizer ['æpitaizə] *n* *amer.* uzkožamais

applaud [ə'plɔ:d] *v* aplaudēt

apple ['æpl] *n* ābols

apple-pie [,æpl'pai] *n* ābolu pīrāgs

apple-tree ['æpltri:] *n* ābele

applicant ['æplikənt] *n* pretendents; kandidāts; reflektants

application [,æpli'keiʃən] *n* **1.** iesniegums; lūgums; **2.** lietošana; **3.** (*piem., pārsēja*) uzlikšana; **4.** *dat.* lietojums; a. entity – lietojumslāņa entītija; a. layer – lietojumslānis; a. software – lietojumprogrammatūra

applied [ə'plaid] *a* lietišķs; praktisks; a. art – lietišķā māksla

apply [ə'plai] *v* **1.** (*for*) griezties (*pēc palīdzības, atļaujas u. tml.*); **2.** lietot; **3.** uzlikt (*piem., pārsēju*); **4.** (*to*) attiekties (*uz*)

appoint [ə'pɔint] *v* **1.** iecelt (*amatā*); **2.** noteikt (*laiku, vietu*)

appointment [ə'pɔintmənt] *n* **1.** iecelšana (*amatā*); **2.** amats; **3.** norunāta tikšanās

apposite ['æpəzit] *a* noderīgs; piemērots

appreciate [ə'pri:ʃieit] *v* **1.** novērtēt; **2.** augstu vērtēt; cienīt; **3.** saprast; cienīt

apprentice [ə'prentis] *n* māceklis

apprize [ə'praiz] *v* novērtēt

approach [ə'prəʊtʃ] **I** *n* **1.** tuvošanās; **2.** (*arī pārn.*) pieeja; **II** *v* **1.** tuvoties; **2.** griezties (*pie*); uzsākt sarunas

appropriate **I** *a* [ə'prəʊpriət] (*to, for*) piemērots; atbilstošs; **II** *v* [ə'prəʊprieit] asignēt, piešķirt (*līdzekļus*)

approval [ə'pru:vl] *n* atzinība; atzinīgs novērtējums

approve [ə'pru:v] *v* **1.** (*of*) atzīt par labu; atzinīgi novērtēt; **2.** apstiprināt (*lēmumu*)

apricot ['eiprikɒt] *n* aprikoze

April ['eiprəl] *n* aprīlis

apron ['eiprən] *n* priekšauts

apt [æpt] *a* **1.** piemērots; **2.** (*at*) spējīgs; **3.** (*to*) ar noslieci (*uz ko*)

A

A

aqualung [ˈækwəlʌŋ] *n* akvalangs
aquaplane [ˈækwəˌplein] *n* ūdens-slēpes
aquatics [əˈkwætiks] *n pl* ūdens-sports
arable [ˈærəbl] *a* arams (*par zemi*)
arbiter [ˈɑ:bitə] *n* arbitrs, šķīrēj-tiesnesis
arbitrary [ˈɑ:bitrəri] *a* patvaļīgs
arboriculture [ˈɑ:bərikʌltʃə] *n* mež-kopība
arc [ɑ:k] *n* varavīksne
arch[a] [ɑ:tʃ] *n* **1.** arka; velve; **2.** loks
arch[b] [ɑ:tʃ] *a* viltīgs, šķelmīgs
archaic [ɑ:keiik] *a* arhaisks; novecojis
archipelago [ˌɑ:kiˈpeləgəʊ] *n* arhipe-lāgs
architect [ˈɑ:kitekt] *n* arhitekts
architecture [ˈɑ:kitektʃə] *n* arhitek-tūra
ardent [ˈɑ:dənt] *a* dedzīgs; kvēls
ardour [ˈɑ:də] *n* degsme; kvēle
are [ɑ:, ə] *1. pers. pres. pl no* **to be**
area [ˈeəriə] *n* **1.** laukums; platība; **2.** zona
arena [əˈri:nə] *n* arēna
aren't [ɑ:nt] *sar. saīs. no* **are not**
argue [ˈɑ:gju] *v* **1.** argumentēt; pie-rādīt; **2.** strīdēties
argument [ˈɑ:gjʊmənt] *n* **1.** argu-ments; **2.** strīds
argy-bargy [ˈɑ:dʒiˈbɑ:dʒi] *n* strīds, ķilda
aria [ˈɑ:riə] *n mūz.* ārija
arid [ˈærid] *a* sauss, neauglīgs (*par augsni*)
arise [əˈraiz] *v* (*p.* arose [əˈrəuz]; *p. p.* arisen [əˈrizn]) rasties
arithmetic [əˈriθmətik] *n* aritmētika
arm[a] *n* roka (*no pleca līdz plaukstai*)
arm[b] [ɑ:m] **I** *n* (*parasti pl*) ieroči; in ~s – apbruņots; **II** *v* **1.** apbruņot; **2.** apbruņoties
armament [ˈɑ:məmənt] *n* **1.** bruņo-šanās; **2.** bruņotie spēki
armchair [ˈɑ:mtʃeə] *n* atzveltnes krēsls
armed [ɑ:md] *a* bruņots
arm-in-arm [ˈɑ:minˈɑ:m] *adv.* zem rokas
army [ˈɑ:mi] *n* armija
around [əˈraʊnd] **I** *adv* **1.** vis-apkārt; **2.** tuvumā; to hang a. *sar.* – būt tuvumā; **II** *prep* **1.** ap-kārt, ap; **2.** *amer.* apmēram, aptuveni
arouse [əˈraʊz] *v* modināt, radīt (*piem., aizdomas*)
arrange [əˈreindʒ] *v* **1.** sakārtot; **2.** norunāt; vienoties; **3.** *mūz.* aranžēt
array *n dat.* masīvs; a. descriptor *dat.* – masīva deskriptors; a. pro-cessor *dat.* – matricprocesors
arrears [əˈriəz] *n pl* parāds; a. of rent – īres parāds
arrest [əˈrest] **I** *n* arests, apcieti-nājums; **II** *v* arestēt, apcietināt
arresting [əˈrestiŋ] *a* saistošs; pievil-cīgs
arrival [əˈraivl] *n* **1.** ierašanās; at-braukšana; **2.** atbraucēji
arrive [əˈraiv] *v* **1.** (*at, in*) ierasties; atbraukt **2.** pienākt (*par laiku*)

arrogance [ˈærəgəns] *n* augstprātība; uzpūtība

arrogant [ˈærəgənt] *a* augstprātīgs; uzpūtīgs

arrow [ˈærəʊ] *n* bulta; a. keys *dat.* – bulttaustiņi

art [ɑ:t] *n* **1.** māksla; **2.** viltība; **3.**: ~s *pl* – humanitārās zinātnes; faculty of Arts – filoloģijas fakultāte

artful [ˈɑ:tfʊl] *a* viltīgs

article [ˈɑ:tikl] *n* **1.** raksts; **2.** priekšmets; prece; ~s of daily necessity – pirmās nepieciešamības priekšmeti; **3.** paragrāfs; pants; **4.** *gram.* artikuls

artificial [ˌɑ:tiˈfiʃəl] *a* mākslīgs; a. respiration – mākslīgā elpināšana

artisan [ˌɑ:tiˈzæn] *n* amatnieks

artist [ˈɑ:tist] *n* **1.** mākslinieks; **2.** meistars

artistry [ˈɑ:tistri] *n* (*māksliniecískā*) meistarība, tehnika

artless [ˈɑ:tlis] **1.** nemākslots; vienkāršs; **2.** nemākulīgs

arty-crafty [ˈɑ:tiˈkrɑ:fti] *a* diletantisks; samākslots

as [æz, əz] *conj* **1.** tā kā; **2.** kad; **3.** kā; ◇ as if – it kā; as for – attiecībā uz; as far as – līdz; as well (*teikuma beigās*) – arī; as long as possible – cik ilgi vien iespējams

asend [əˈsend] *v* kāpt; pacelties

ascension [əˈsenʃən] *n* **1.** (*spīdekļa*) uzlēkšana; **2.**: the A. [Day] – Debesbraukšanas diena

ascribe [əˈskraib] *v* attiecināt (*uz*); piedēvēt

ash[a] [æʃ] **1.** pelni; **2.**: ~es *pl* – pīšļi

ash[b] [æʃ] *n* osis; mountain a. – pīlādzis

ashamed [əˈʃeimd] *a predic* nokaunējies

ashtray [ˈæʃtrei] *n* pelnutrauks

aside [əˈsaid] *adv* sānis; malā

ask [ɑ:sk] *v* **1.** jautāt; **2.** lūgt; **3.** ielūgt; uzaicināt; to a. for a dance – uzlūgt uz deju; **4.** prasīt

aslant [əˈslɑ:nt] **I** *adv* slīpi; **II** *prep* šķērsām pāri

asleep [əˈsli:p] *a predic* guļošs; to fall a. – aizmigt

asp [æsp] *n* **1.** apse; **2.** odze

aspect [ˈæspekt] *n* **1.** izskats; āriene; izteiksme; **2.** novietojums; **3.** aspekts; viedoklis

asperse [əˈspɜ:s] *v* apmelot

asphalt [ˈæsfælt] **I** *n* asfalts; **II** *v* asfaltēt

aspire [əˈspaiə] *v* censties, tiekties

asquint [əˈskwint] *adv* greizi; šķībi

ass [æs] *n* ēzelis; ◇ to make an a. of oneself – izturēties muļķīgi

assail [əˈseil] *v* **1.** uzbrukt; **2.** (*enerģiski*) ķerties (*pie darba*)

assay [əˈsei] *n* **1.** pārbaude; **2.** (*dārgmetāla*) raudze

assemble [əˈsembl] *v* **1.** pulcēties; **2.** montēt

assembly [əˈsembli] *n* **1.** sapulce; **2.** asambleja; **3.** montāža

assert [əˈsɜ:t] *v* **1.** apgalvot; **2.** aizstāvēt

A

assertion [ə'sɜ:ʃən] *n* **1.** apgalvojums; **2.** (*tiesību*) aizstāvēšana

assertive [ə'sə:tiv] *a* **1.** noteikts; pārliecinošs; **2.** pašpārliecināts; **3.** neatlaidīgs; uzstājīgs

assign [ə'sain] *v* **1.** piešķirt; asignēt; **2.** noteikt (*laiku, robežas*); **3.** iecelt (*amatā*)

assignee [ˌæsai'ni:] *n* pilnvarotais

assist [ə'sist] *v* **1.** palīdzēt; atbalstīt; **2.** (*at*) būt klāt; piedalīties

assistance [ə'sistəns] *n* palīdzība; atbalsts

assistant [ə'sistənt] *n* palīgs; asistents; shop a. – pārdevējs

associate I *n* [ə'səʊʃiət] kompanjons; partneris; **II** *a* [ə'səʊʃiət] apvienots; **III** *v* [ə'səʊʃieit] asociēties; saistīties

association [əˌsəʊsi'eiʃn] *n* **1.** asociācija; apvienība; **2.** biedrošanās; saiešanās; **3.** (*ideju*) asociācija; sakars; saistība

assonance ['æsənəns] *n* saskaņa

assortment [ə'sɔ:tmənt] *n* sortiments; izvēle

assume [ə'sju:m] *v* **1.** pieņemt (*izskatu, īpašību*); **2.** uzņemties (*vadību*); **3.** pieņemt (*kā patiesību, argumentu*)

assurance [ə'ʃʊərəns] *n* **1.** apgalvojums; **2.** pašpārliecība; pašpaļāvība; **3.** apdrošināšana

assure [ə'ʃʊə] *v* **1.** apgalvot; **2.** pārliecināt; **3.** apdrošināt (*dzīvību*)

assurer [ə'ʃʊərə] *n* apdrošināšanas aģents, apdrošinātājs

astonish [ə'stɒniʃ] *v* pārsteigt; radīt izbrīnu

astonishment [ə'stɒniʃmənt] *n* pārsteigums; izbrīns

astral ['æstrəl] *a* astrāls; zvaigžņu-

astute [ə'stju:t] *a* viltīgs; gudrs; vērīgs

at [æt, ət] *prep* **1.** (*norāda vietu*): at home – mājās, **2.** (*norāda laiku*): at two o'clock – pulksten divos; **3.** (*norāda stāvokli*): at leisure – vaļas brīdī; ◇ at first – vispirms; at once – tūlīt

ate *p.* no **eat**

atheism ['eiθiizəm] *n* ateisms

athlete ['æθli:t] *n* **1.** sportists; **2.** atlēts

athletic [æθ'letik] *a* **1.** sporta-; **2.** atlētisks

athletics [æθ'letiks] *n* atlētika

atlas ['ætləs] *n* atlants

atmosphere ['ætməsfiə] *n* atmosfēra

atoll ['ætɔl] *n* atols, koraļļu sala

atom ['ætəm] *n* **1.** atoms; **2.** *sar.* druska

atomizer ['ætəmaizə] *n* pulverizators

atonement [ə'təʊnmənt] *n* **1.** (*vainas*) izpirkšana; **2.** atlīdzība; **3.** *rel.* grēku izpirkšana

atop [ə'tɒp] *adv* augšā; virsotnē

attach [ə'tætʃ] *v* piestiprināt

attachment [ə'tætʃmənt] *n* **1.** piestiprināšana; **2.** pieķeršanās (*kādam*)

attack [ə'tæk] **I** *n* **1.** uzbrukums; **2.** (*slimības*) lēkme; **II** *v* uzbrukt

attain [ə'tein] *v* sasniegt

attempt [ə'tempt] **I** *n* mēģinājums; **II** *v* mēģināt

attend [ə'tend] *v* **1.** apmeklēt (*piem., skolu*); **2.** (*on, upon*) apkalpot; **3.** (*to*) rūpēties (*par*); gādāt (*par*); **4.** pavadīt; sekot

attendance [ə'tendəns] *n* **1.** apmeklēšana; klātbūtne; **2.** apkalpošana; **3.** apmeklētība; **4.** auditorija; klausītāji

attendant [ə'tendənt] *n* **1.** pavadonis; **2.** apkalpotājs

attending [ə'tendiŋ] *a*: a. physician – ārstējošais ārsts

attention [ə'tenʃən] *n* **1.** uzmanība; to pay a. (*to*) – pievērst uzmanību; **2.** gādība

attentive [ə'tentiv] *a* **1.** uzmanīgs; **2.** laipns; **3.** gādīgs

attest [ə'test] *v* [ap]liecināt

attic ['ætik] *n* bēniņi; mansards

attitude ['ætitju:d] *n* attieksme; izturēšanās

attorney [ə'tɜ:ni] *n* pilnvarotais; pārstāvis; by a. – pēc pilnvaras

attract [ə'trækt] *v* **1.** pievilkt; saistīt; **2.** valdzināt

attraction [ə'trækʃən] *n* **1.** pievilkšana; **2.** pievilcība; **3.** atrakcija

attractive [ə'træktiv] *a* pievilcīgs; valdzinošs

attribute ['ætribju:t] *n* **1.** īpašība; raksturīga pazīme; **2.** *gram.* apzīmētājs

auction ['ɔ:kʃən] **I** *n* izsole, ūtrupe; **II** *v* pārdot ūtrupē

audience ['ɔ:diəns] *n* **1.** skatītāji; klausītāji; **2.** audience, pieņemšana

audit ['ɔ:dit] **I** *n* (*norēķinu*) pārbaude; revīzija; **II** *v* pārbaudīt (*norēķinus*)

augur ['ɔ:gə] **I** *n* pareģis; **II** *v* pareģot

August ['ɔ:gest] *n* augusts

august [ɔ:'gʌst] *a* cēls, dižens

aunt [ɑ:nt] *n* krustmāte

aura ['ɔ:rə] *n* **1.** liega smarža; **2.** *med.* aura

aural ['ɔ:rɔl] *a* auss-; dzirdes-

aurist ['ɔ:rist] *n* ausu ārsts

austere [ɔs'tiə] *a* **1.** bargs, stingrs; skarbs; **2.** askētisks

autel [ɔ:'tel] *n* motelis

authentic [ɔ:'θentik] *a* **1.** autentisks; īsts; **2.** *sar.* sirsnīgs; patiess

author ['ɔ:θə] *n* autors; rakstnieks

authorit||y [ɔ:'θɑrəti] *n* **1.** vara; tiesības; **2.**: ~ies *pl* – varas institūcijas; **3.** autoritāte (*speciālists*); **4.** pilnvara

authorize ['ɔ:θəraiz] *v* **1.** pilnvarot; **2.** atļaut; **3.** autorizēt (*tulkojumu*)

autograph ['ɔ:təgrɑ:f] *n* autogrāfs

automatic [,ɔ:tə'mætik] *a* automātisks

automation [,ɔ:tə'meiʃən] *n* **1.** automatizācija; **2.** automātika

autonomous [ɔ'tɒnəməs] *a* autonoms

auto-suggestion ['ɔ:təʊsə'dʒestʃən] *n* pašiedvesma

autumn ['ɔ:təm] *n* rudens

auxiliary [ɔ:g'ziljəri] **I** *n* **1.** palīgs;

A

2. *gram.* palīgdarbības vārds; **II** *a* palīga-; a. device *dat.* – palīgierīce; a. storage *dat.* – palīgatmiņa

available [ə'veiləbl] *a* **1.** pieejams; dabūjams; **2.** derīgs

avarice ['ævəris] *n* mantrausība; skopums

avenue ['ævənju:] *n* **1.** aleja; **2.** *amer.* avēnija, prospekts

average ['ævəridʒ] **I** *n* caurmērs; on the a. – caurmērā; **II** *a* **1.** caurmēra-; vidējs; **2.** parasti; viduvēji

avert [ə'vɜ:t] *v* novērst (*nelaimi*)

avid ['ævid] *a* (*for*, *of*) alkatīgs, kārs

avoid [ə'vɔid] *v* **1.** izvairīties; **2.** *jur.* anulēt; atcelt

avouch [ə'vautʃ] *v* **1.** garantēt; **2.** apstiprināt

avow [ə'vəʊ] *v* atzīt

avowal [ə'vaʊəl] *n* atzīšanās

awake [ə'weik] **I** *a predic* **1.** pamodies; **2.** modrs; **II** *v* (*p.* awoke [ə'wəʊk]; *p. p.* awoke [ə'wəʊk] *vai* awaked [ə'weikt]) **1.** uzmodināt; **2.** pamosties

award [ə'wɔ:d] **I** *n* **1.** godalga; **2.** (*tiesnešu, žūrijas*) lēmums; **3.** sods; **II** *v* **1.** piešķirt (*godalgu*); **2.** piespriest (*sodu*)

aware [ə'weə] *a predic:* to be a. (*of*) – apzināties; saprast

away [ə'wei] *adv* **1.** prom; **2.** (*norāda uz nepārtrauktu darbību*)*:* to talk a. – nepārtraukti runāt

aweary [ə'wiəri] *a* noguris; nomocījies

awful ['ɔ:fl] *a* šausmīgs

awfully ['ɔ:fli] *adv sar.* ārkārtīgi, ļoti

awhile [ə'wail] *adv* uz brītiņu

awkward ['ɔ:kwəd] *a* **1.** neveikls, lempīgs; **2.** neērts, neveikls (*par stāvokli*)

awoke *p. no* **awake II**

ax[e] [æks] *n* cirvis

axis ['æksis] *n* (*pl* axes ['æksi:z]) ass

azure ['æʒə] **I** *n* [debess] zilgme; **II** *a* debeszils

B

babble ['bæbl] **I** *n* **1.** (*bērna*) čalas; burbuļošana; tērgāšana; **2.** *dat.* šķērstroksnis; **II** *v* tērgāt; čalot; burbuļot

babler ['bæblə] *n* pļāpa

baby ['beibi] *n* bērns; mazulis

baby-sitter ['beibi,sitə] *n* aukle

baby-tooth ['beibitu:θ] *n* piena zobs

baccy ['bæki] *n* tabaka

bachelor ['bætʃələ] *n* **1.** vecpuisis; **2.** bakalaurs

bachelorhood ['bætʃələhud] *n* bakalaura grāds

back [bæk] **I** *n* **1.** mugura; **2.** (*krēsla*) atzveltne; **3.** otrā puse; **4.** *sp* aizsargs; **II** *a* pakaļējais; b. entrance – pagalma ieeja; **III** *v* **1.** kāpties atpakaļ; to b. the car – braukt ar automobili atpakaļgaitā; **2.** atbalstīt; **3.** derēt, likt (*uz zirgu*); **IV** *adv* **1.** atpakaļ; **2.** sāņus; **3.** pirms

backbite ['bækbait] *v* (*p* backbit ['bækbit]; *p. p.* backbitten ['bæk,bitn]) apmelot

backbone ['bækbəʊn] *n* mugurkauls; b. network *dat.* – pamattīkls

background ['bækgraʊnd] *n* **1.** fons; dibenplāns; b. job *dat.* – fona darbs; **2.** cēlonis; pamats; **3.** sagatavotība; kvalifikācija

backoff *n dat.* atkāpšanās

back-out ['bækaʊt] *n* atteikšanās

backplane *n dat.* aizmugures plate; b. bus – aizmugures plates kopne

backside ['bæksaid] *n* pakaļpuse, mugurpuse; b. cashe *dat.* – aizmugures kešatmiņa

backspace *n dat.* atpakaļatkāpe; b. key *dat.* – atkāpšanās taustiņš

back-talk ['bæktɔ:k] *n* nekaunīga atbilde

backward ['bækwəd] **I** *a* **1.** atpakaļējs (*par kustību*); **2.** atpalicis; **II** *adv* atpakaļ

bacon ['beikən] *n* speķis; bekons; ◇ to save one's b. – glābt savu ādu

bad [bæd] *a* (*comp* worse [wɜ:s]; *sup* worst [wɜ:st]) **1.** slikts, ļauns; **2.** bojāts (*par pārtiku);* to go b. – sabojāties; **3.** slims; **4.** stiprs (*par sāpēm*)

bade *p.* no **bid**

badge [bædʒ] *n* nozīme; žetons

badger ['bædʒə] **I** *n* āpsis; **II** dzīt; vajāt; **2.** tirdīt

bag [bæg] *n* **I** **1.** maiss; **2.** soma; **3.** portfelis; **4.** medījums; **II** *v* bāzt maisā

baggage ['bægidʒ] *n amer.* bagāža

bail [beil] **I** *n* **1.** galvojums; drošības nauda; **2.** galvotājs; **II** *v* **1.** galvot; **2.** atbrīvot pret galvojumu (drošības naudu)

bait [beit] *n* ēsma

bake [beik] *v* **1.** cept; **2.** cepties; **3.** sauļoties

baker ['beikə] *n* maiznieks; ◇ ~ 's dozen – velna ducis

bakerware ['beikwɜə] *n* ugunsizturīgi trauki

balance ['bæləns] **I** *n* **1.** svari; **2.** līdzsvars; **3.** *grām.* bilance; **II** *v* **1.** līdzsvarot; **2.** *grām.* noslēgt bilanci

balcony ['bælkəni] *n* balkons

bald [bɔ:ld] *a* **1.** plikpaurains; **2.** kails

ball[a] [bɔ:l] *n* **1.** bumba; **2.** kamols

ball[b] [bɔ:l] *n* balle

ballet ['bælei] *n* balets

ballet-dancer ['bæli,dɑ:nsə] *n* baletdejotājs; baletdejotāja

ballistik [bə'listik] *a* ballistisks

ballot ['bælət] **I** *n* **1.** balsošana; **2.** vēlēšanu biļetens; **II** *v* balsot

ballot-box ['bælətbɒks] *n* vēlēšanu urna

ballot-paper ['bælət,peipə] *n* vēlēšanu biļetens

B

B

ball-point ['bɔ:lpɔint] *n* lodīšu pildspalva

balm [bɑ:m] *n* **1.** balzams; **2.** mierinājums

balmy ['bɑ:mi] *a* **1.** aromātisks; **2.** maigs (*par klimatu*); **3.** *sl.* jucis, ķerts

ban [bæn] **I** *n* aizliegums; **II** *v* aizliegt

banana [bə'nɑ:nə] *n* **1.** banānkoks; **2.** banāns

band[a] [bænd] *n* **1.** lente; saite; **2.** (*radioviļņu*) diapazons

band[b] [bænd] *n* **1.** orķestris; **2.** banda; ◇ the b. begins to play – situācija kļūst nopietna

bandage ['bændidʒ] **I** *n* pārsējs; **II** *v* pārsiet

bandog [bændɔg] *n* ķēdes suns

bang [bæŋ] *n* **1.** rībiens; klaudziens; **2.** sitiens; trieciens

bangle ['bæŋgl] *n* rokassprādze

bank[a] [bæŋk] *n* **1.** (*upes*) krasts; **2.** valnis; uzbērums; **3.** sēklis

bank[b] [bæŋk] **I** *n* **1.** banka; **2.** fonds; **II** *v* turēt bankā; noguldīt bankā

banknote ['bæŋknəʊt] *n* banknote

bankrupt ['bæŋkrʌpt] **I** *n* bankrotētājs; **II** *a* bankrotējis; to go b. bankrotēt

bankruptcy ['bæŋkrəptsi] *n* bankrots

banquet ['bæŋkwit] **I** *n* bankets; **II** *v* rīkot banketu

baptism ['bæptizəm] *n* kristīšana, kristības

baptize [bæp'taiz] *v* kristīt

bar[a] [bɑ:] **I** *n* **1.** stienis; stienītis; **2.** (*šokolādes*) tāfelīte; **3.** bulta, aizšaujamais; **4.** (*paceļamā*) barjera; **5.** šķērslis; kavēklis; **II** *v* **1.** aizbultēt (*durvis*); **2.** aizšķērsot; **3.** aizliegt

bar[b] [bɑ:] *n* **1.** barjera (*tiesas zālē*); **2.**: the B. – advokatūra

bar[c] [bɑ:] *n* **1.** (*bufetes*) lete; **2.** bārs

barbecue ['bɑ:bikju:] **I** *n* **1.** restes (*gaļas cepšanai*); **2.** (*uz restēm*) cepta gaļa; **3.** pikniks; **II** *v* cept gaļu (*uz restēm*)

barber ['bɑ:bə] *n* bārddzinis; frizieris

barberry ['bɑ:bəri] *n bot.* bārbele

barcode ['bɑ:kəʊd] *n* svītrkods

bard [bɑ:d] *n* bards

bare [bɜə] *a* **1.** kails; neapsegts; **2.** trūcīgs

barefoot ['bɜəfʊt] *adv* basām kājām

barely ['bɜəli] *adv* **1.** nabadzīgi; **2.** tikko; **3.** tikai

bargain ['bɑ:gin] **I** *n* **1.** darījums; to strike a b. – noslēgt darījumu; **2.** izdevīgs pirkums; **II** *v* kaulēties

barge [bɑ:dʒ] *n* liellaiva

bark[a] [bɑ:k] **I** *n* (*koka*) miza; **II** *v* noplēst mizu (*kokam*); **3.** nobrāzt (*ādu*)

bark[b] [bɑ:k] **I** *n* riešana; rejas; ◇ his b. is worse than his bite – suns, kas rej, nekož; **II** *v* **1.** riet; **2.** uzkliegt

barley ['bɑ:li] *n* mieži

barmy ['bɑ:mi] *a* **1.** putojošs; **2.** *sl.* jucis, ķerts

barn [bɑ:n] *n* klēts; šķūnis
baroque [bə'rɒk] *n:* the b. – baroks
barrack ['bærək] *n* **1.** baraka; **2.**: ~s *pl* – kazarmas
barrage ['bærɑ:ʒ] *n* **1.** aizsprostojums; **2.** dambis
barren ['bærən] *a* **1.** neauglīgs; **2.** bezsaturīgs; tukšs
barret ['bærət] *n* berete
barrier ['bæriə] *n* **1.** barjera; **2.** šķērslis, kavēklis
barrow[a] ['bærəʊ] *n* **1.** pakalns; **2.** kapkalns
barrow[b] ['bærəʊ] *n* **1.** nestuves; **2.** ķerra
base[a] [beis] *n* **1.** pamats; **2.** bāze; **3.** pjedestāls; **4.** *sp.* starts
base[b] [beis] *a* **1.** zemisks; nekrietns; **2.** vienkāršs (*par metālu*)
baseball ['beisbɔ:l] *n* beisbols
basement ['beismənt] *n* **1.** (*celtnes*) pamats; **2.** pagraba stāvs
basic ['beisik] *a* pamata-
basin ['beisn] *n* **1.** bļoda; trauks; **2.** baseins
basis ['beisis] *n* (*pl* bases ['beisi:z]) pamats
bask [bɑ:sk] *v* gozēties; sildīties
basket ['bɑ:skit] *n* grozs
basketball ['bɑ:skitbɔ:l] *n* basketbols
basketry ['bɑ:skitri] *n* pinumi
bat[a] [bæt] *n* sikspārnis; ◇ as blind as a b. – pilnīgi akls
bat[b] [bæt] **I** *n* **1.** nūja; **2.** runga; **II** *v* sist ar nūju
batch [bætʃ] *n* **1.** (*maizes*) cepiens; **2.** grupa; partija
bath [bɑ:θ] *n* **1.** vanna; pelde; **2.** (*parasti pl*) pirts
bathe [beið] **I** *n* peldēšanās; **II** *v* peldēties
bathing ['beiðiŋ] *n* peldēšanās; b. costume – peldkostīms
bathrobe ['bɑ:θrəʊb] *n* peldmētelis
bathroom ['bɑ:θrʊm] *n* vannas istaba
bathtub ['bɑ:θtʌb] *n amer.* vanna
baton ['bætɒn] *n* **1.** (*policista*) steks; **2.** (*diriģenta*) zizlis
battle ['bætl] **I** *n* kauja; cīņa; **II** *v* cīnīties
bauble ['bɔ:bl] *n* nieciņš; greznumlieta
bay [bei] *n* līcis; joma
be [bi:, bi] *v* (*p. sing* was [wɒz, wəz]; *pl* were [wɜ:, wə]; *p. p.* been [bi:n, bin]) **1.** būt, pastāvēt; **2.** būt, atrasties; where is my friend? – kur ir mans draugs?; **3.** būt, notikt; **4.** maksāt; how much is it? – cik tas maksā?; **5.** (*v – saitiņa*)*:* he is a teacher – viņš ir skolotājs; **6.** (*kā palīgverbs*): 1) *veido ilgstošos laikus*: she is sleeping – viņa pašlaik guļ; 2) *veido pasīvu:* he was given a pen – viņam tika iedota pildspalva; **7.** (*ar inf izsaka vajadzību*): I am to do it – man tas jāizdara; ◇ to be **about** – posties; to be **back** – atgriezties; to be **in** – būt mājās; to be **on** – tikt izrādītam (*par filmu, lugu*); to be **out** – nebūt mājās; to be **up** – būt nomodā

beach [bi:tʃ] *n* pludmale

beacon [ˈbi:kən] *n* **1.** bāka; **2.** signāl-uguns; **3.** boja

bead [bi:d] *n* **1.** krellīte, pērlīte; ~s – krelles; **2.** piliens, lāse

beak [bi:k] *n* knābis

beam [bi:m] **I** *n* **1.** sija; baļķis; **2.** (*gaismas*) stars; **II** *v* izstarot (*gaismu*)

bean [bi:n] *n* **1.** pupa; **2.** *sl.* pauris; **3.** *sl.* skanošais (*nauda*)

beany [ˈbi:ni] *a sl.* **1.** dzīvespriecīgs; jautrs; **2.** jucis; ķerts

bear[a] [beə] *n* lācis; *astr:* Great B. – Lielais Lācis; Little B. – Mazais Lācis

bear[b] [beə] *v* (*p.* bore [bɔ:]; *p. p.* borne [bɔ:n]) **1.** nest; **2.** izturēt; paciest; **3.** (*p. p.* born [bɔ:n]) dzemdēt; to be born – piedzimt

beard [biəd] *n* bārda

beast [bi:st] *n* zvērs; dzīvnieks

beastly [ˈbi:stli] *a sar.* šausmīgs, briesmīgs

beat [bi:t] **I** *n* **1.** sitiens; **2.** *mūz.* takts; **3.** *sar.* grāvējs; **II** *v* (*p.* beat [bi:t]; *p. p.* beat [bi:t] *vai* beaten [ˈbi:tn]) **1.** dauzīt; **2.** sakaut; **3.** pukstēt (*par sirdi*); **4.** *sar.* pārspēt

beatax [ˈbi:tæks] *n* kaplis

beaten [ˈbi:tn] **I** *a* **1.** sakauts; uzvarēts; **2.** iemīts; **II** *v p. p.* no **beat II**

beautician [bju:ˈtiʃn] *n* kosmetologs; kosmetoloģe

beautiful [ˈbju:təfʊl] *a* skaists

beauty [ˈbju:ti] *n* **1.** skaistums; **2.** skaistule

beauty-salon [ˈbju:tiˌsælɒn] *n* skaistumkopšanas salons

beaver [ˈbi:və] *n* bebrs

became *p. no* **become**

because [biˈkɒz] *conj* **1.** tādēļ ka; tā kā; **2.**: b. of – dēļ

beck [bek] *n* mājiens

become [biˈkʌm] *v* (*p.* became [biˈkeim]; *p. p.* become [biˈkʌm]) **1.** kļūt, tapt; **2.** (*of*) notikt; **3.** piestāvēt (*par apģērbu*)

bed [bed] *n* **1.** gulta; guļvieta; **2.** dobe; **3.** (*upes*) gultne

bedclothes [ˈbedkləʊðz] *n pl* gultasveļa

bedding [ˈbediŋ] *n* **1.** gultas piederumi; **2.** pakaiši

bedroom [ˈbedrʊm] *n* guļamistaba

bed-sittingroom [ˌbedˈsitiŋrʊm] *n* (*apvienota*) dzīvojamā un guļamistaba

bedtime [ˈbedtaim] *n* gulētiešanas laiks

bee [bi:] *n* bite

beech [bi:tʃ] *n* dižskābardis

beef [bi:f] *n* liellopu gaļa

beefsteak [ˈbi:fsteik] *n* bifšteks

beef-tea [ˈbi:fti:] *n sar.* buljons

beefy [ˈbi:fi] *a* gaļīgs, muskuļains

beekeeping [ˈbi:ˌki:piŋ] *n* biškopība

been *p. p. no* **be**

beer [biə] *n* alus

beeswax [ˈbi:zwæks] *n* vasks

beet [bi:t] *n* biete; white b. – cukurbiete

beetle [bi:tl] *n* vabole

befit [bi'fit] *v* piederēties, pieklāties

before [bi'fɔ:] **I** *adv* agrāk; **II** *prep* pirms; the day b. yesterday – aizvakar; **III** *conj* pirms

beforehand [bi'fɔ:hænd] *adv* iepriekš

befoul [bi'faʊl] *v* apgānīt

beg [beg] *v* **1.** lūgt; lūgties; **2.** ubagot

began *p. no* **begin**

beggar ['bəgə] *n* ubags

begin [bi'gin] *v* (*p.* began [bi'gæn]; *p. p.* begun [bi'gʌn]) **1.** sākt; **2.** sākties

beginner [bi'ginə] *n* iesācējs

beginning [bi'giniŋ] *n* sākums

begun *p. p. no* **begin**

behave [bi'heiv] *v* **1.** uzvesties; izturēties; **2.** *tehn.* darboties; strādāt

behaviour [bi'heiviə] *n* **1.** uzvedība; **2.** *tehn.* darbība

behind [bi'haind] **I** *adv* aizmugurē; **II** *prep* aiz; b. the times – vecmodīgs

beige [beiʒ] *n* smilškrāsa

being ['bi:iŋ] *n* **1.** eksistence; to come into b. – rasties; **2.** radījums; human b. – cilvēks

belief [bi'li:f] *n* **1.** (*in*) ticība; **2.** pārliecība

believe [bi'li:v] *v* **1.** ticēt; **2.** domāt; uzskatīt; I b. so – man tā šķiet (*atbildē*); I b. not – laikam ne

bell [bel] *n* zvans

bellboy ['belbɔi] *n* izsūtāmais zēns (*viesnīcā*)

belly ['beli] *n* **1.** vēders; **2.** piepūstas buras

belly-ache ['belieik] *n sar.* vēdersāpes

belong [bi'lɒŋ] *v* **1.** piederēt; **2.** attiekties

belongings [bi'lɒŋiŋz] *n pl* manta; iedzīve

beloved [bi'lʌvd] **I** *n* mīļotais; mīļotā; **II** *a* iemīļots

below [bi'ləʊ] **I** *adv* apakšā; zemāk; as said b. – kā tālāk minēts; **II** *prep* zem

belt [belt] **I** *n* **1.** josta; siksna; **2.** josla; **3.** (*konveijera*) lente; **II** *v* **1.** apjozt; **2.** pērt ar siksnu

bench [bentʃ] *n* **1.** sols; **2.** darbgalds; **3.** dzega

bend [bend] **I** *n* līkums; **II** *v* (*p. un p. p.* bent [bent]) **1.** [sa]liekt; [sa]locīt; **2.** [sa]liekties; [sa]locīties

benefaction [,beni'fækʃən] *n* labdarība

beneficial [,beni'fiʃəl] *a* labvēlīgs, izdevīgs

benefit ['benefit] *n* **1.** labums; izdevīgums; **2.** pabalsts

bent[a] [bent] *n* tieksme; nosliece

bent[b] *p. un p. p. no* **bend II**

berry ['beri] *n* **1.** oga; **2.** *amer. sl.* dolārs

beside [bi'said] *prep* blakus; līdzās

besides [bi'saidz] *adv* bez tam; turklāt

besiege [bi'si:dʒ] *v* **1.** ielenkt; **2.** apstāt, apbērt (*piem., ar lūgumiem*)

best [best] **I** *n* vislabākais; at b. – labākajā gadījumā; **II** *a* (*sup no* **good II, well I**) **1.** vislabākais; **2.** vislielākais; **III** *adv* (*sup no* **well II**) **1.** vislabāk; **2.** visvairāk

B

B

bestowal [bi'stəʊl] *n* balva, apbalvojums

bet [bet] **I** *n* derības; **II** *v* (*p. un p. p.* bet [bet] *vai* betted ['betid]) saderēt

betray [bi'trei] *v* nodot

betrayal [bi'triəl] *n* nodevība

betrothal [bi'trəʊðəl] *n* saderināšanās

better ['betə] **I** *a* (*comp no* **good II**, **well I**) labāks; **II** *adv* (*comp no* **well II**) labāk

betting ['betiŋ] *n* derības

between [bi'twi:n] *prep* starp

beverage ['bəvəridʒ] *n* dzēriens

beware [bi'weə] *v* sargāties

beyond [bi'jɒnd] **I** *adv* tālumā; viņā pusē; **II** *prep* aiz; viņpus; ◇ b. belief – neticami

bias ['baiəs] *n* **1.** slīpums; **2.** (*against*) aizspriedums

bib [bib] *v* žūpot

Bible ['baibl] *n* Bībele

bicker ['bikə] **I** *n* strīds, ķilda; **II** *v* ķildoties

bicycle ['baisikl] **I** *n* velosipēds; **II** *v* braukt ar velosipēdu

bid [bid] *v* (*p.* bade [beid]; *p. p.* bidden ['bidn]) solīt (*cenu*)

bidden *p. p. no* **bid**

big [bɪg] *a* **1.** liels; **2.** skaļš; **3.** pieaudzis

bike [baik] *n sar.* velosipēds

bilberry ['bilbəri] *n* mellene; red b. – brūklene

bill [bil] *n* **1.** likumprojekts; **2.** rēķins; **3.** saraksts; **4.** afiša; **5.** *amer.* banknote

billiards ['biljədz] *n pl* biljards

billion ['biljən] *n* **1.** biljons; **2.** *amer.* miljards

billy-goat ['biligəʊt] *n* āzis

bin [bin] *n* **1.** lāde; **2.** atkritumu tvertne

bind [baind] *v* (*p. un p. p.* bound [baʊnd]) **1.** [sa]siet; apsiet; **2.** iesiet (*grāmatu*); **3.** uzlikt par pienākumu

binding ['baindiŋ] *n* iesējums

binge [bindʒ] *n sar.* uzdzīve, iedzeršana

binoculars [bi'nɒkjʊləz] *n pl* binoklis

biography [bai'ɒgrəfi] *n* biogrāfija

biology [bai'ɒlədʒi] *n* bioloģija

birch [bɜ:tʃ] **I** *n* **1.** bērzs; **2.** bērza žagars; **II** *v* pērt ar žagaru

bird [bɜ:d] *n* putns; gay b. – jokdaris; ◇ a b. in the hand is worth two in the bush – labāk zīle rokā nekā mednis kokā

bird's-eye *n bot.* bezdelīgactiņa

bird–dog ['bɜ:ddɒg] *n* putnu suns

Biro ['baiərəʊ] *n* lodīšu pildspalva

birth [bɜ:θ] *n* **1.** dzemdības; **2.** dzimšana

birthday ['bɜ:θdei] *n* dzimšanas diena

birthpill ['bɜ:θpil] *n* pretapaugļošanās tablete

birth-place ['bɜ:θpleis] *n* dzimšanas vieta

birth-rate ['bɜ:θreit] *n* dzimstība

biscuit ['biskit] *n* [sauss] cepums

bishop ['biʃəp] *n* **1.** bīskaps; **2.** laidnis (*šahā*)

bissextile [bi'sekstail] **I** *n* garais gads; **II** *a:* the b. day – 29. februāris
bit[a] [bit] *n* kumoss; gabaliņš; *a* [little] b. – mazliet; ◇ to do one's b. – izpildīt savu pienākumu
bit[b] [bit] *n* (*zirga*) laužņi
bit[c] *p. no* **bite II**
bitch [bitʃ] *n* kuce; b. wolf – vilcene
bite [bait] **I** *n* **1.** kodiens; **2.** kumoss; **3.** dzēliens; **II** *v* (*p.* bit [bit]; *p. p.* bitten ['bitn]) **1.** iekost; **2.** [ie]dzelt; **3.** piekosties (*par zivīm*)
bitten *p. p. no* **bite II**
bitter ['bitə] *a* **1.** rūgts; **2.** ass; skarbs; b. wind – griezīgs vējš; b. words – skarbi vārdi
black [blæk] *a* **1.** melns; **2.** drūms, bezcerīgs; **3.** ļauns
blackberry ['blækbəri] *n* kazene
blackbird ['blækbɜ:d] *n* melnais strazds
blackboard ['blækbɔ:d] *n* tāfele
blackcock ['blækkɔk] *n* rubenis
blackmail ['blækmeil] **I** *n* šantāža; **II** *v* šantažēt
blade [bleid] *n* **1.** (*naža*) asmens; **2.** (*aira*) lāpstiņa
bladebone ['bleidbəʊn] *n anat.* lāpstiņa
blame [bleim] **I** *n* vaina; **II** *v* vainot; who is to b.? – kurš ir vainīgs?
blanch [blɑ:ntʃ] *v* balināt
blank [blæŋk] *a* **1.** neaprakstīts; **2.** tukšs; bezsaturīgs
blanket ['blæŋkit] **I** *n* (*vilnas*) sega; ◇ to put a wet b. over smb. – apliet kādu kā ar aukstu ūdeni; **II** *v* apsegt
blast [blɑ:st] *n* **1.** (*vēja*) brāzma; **2.** sprādziens
blatant ['bleitənt] *a* skaļš; vulgārs
blaze [bleiz] **I** *n* **1.** liesma; **2.** (*dusmu*) uzliesmojums; **II** *v* liesmot
blazon ['bleizn] *n* ģerbonis
blazing ['bleiziŋ] *a* degošs
bleach [bli:tʃ] **I** *n* balināšanas līdzeklis; **II** *v* balināt
bleak [bli:k] *a* drūms, nemīlīgs
bled *p. un p. p. no* **bleed**
bleed [bli:d] *v* (*p. un p. p.* bled [bled]) asiņot
blend [blend] **I** *n* **1.** (*šķirņu*) maisījums; **2.** (*krāsu, toņu*) pāreja; saplūsme; **II** *v* (*p. un p. p.* blended ['blendid] *vai* blent [blent]) **1.** sajaukt; samaisīt; **2.** sajaukties; **3.** saplūst (*par krāsām, toņiem*); **4.** harmonēt
blender ['blendə] *n* (*virtuvē*) maisīšanas aparāts
blent *p. p. no* **blend II**
bless [bles] *v* (*p.* un *p.p.* blessed [blest] *vai* blest [blest]); **1.** svētīt; **2.** aplaimot; **3.** slavēt
blessing ['blesiŋ] *n* **1.** svētība; **2.** svētlaime
blest *p.p. no* **bless**
blew *p. no* **blow**[b]
blind [blaind] **I** *n* (*loga*) aizlaidne; Venetion b. – žalūzija; **II** *a* akls; b. alley – strupceļš; ◇ b. Tom – aklās vistiņas (*rotaļa*)
blink [bliŋk] *v* **1.** mirkšķināt; **2.** mirgot
blister ['blistə] *n* čulga; tulzna

B

blizzard ['blizəd] *n* sniega vētra
blob [blɒb] *n* lāse
bloc [blɒk] *n pol.* bloks; apvienība
block [blɒk] **I** *n* **1.** klucis; bluķis; **2.** (*pilsētas*) kvartāls; **3.** aizsprostojums; (*satiksmes*) sastrēgums; **4.** *dat.* bloks; b. code – blokkods; b. encryption – bloku šifrēšana; **5.**: ~s *pl* – (*rotaļu*) klucīši; ◇ chip of the old b. – tēvs, kas tēvs; **II** *v* aizsprostot (*ceļu*)
blond [blɒnd] **I** *n* gaišmatis; **II** *a* gaišmatains
blonde [blɒnd] *n* gaišmate
blood [blʌd] *n* asinis; b. pressure – asinsspiediens; b. test – asinsanalīze
blood-sucker ['blʌd,sʌkə] *n* **1.** dēle; **2.** *pārn.* asinssūcējs
blood-vessel ['blʌd,vesl] *n* asinsvads
bloody ['blʌdi] **I** *a* **1.** asiņains; **2.** *sl.* sasodīts; **II** *adv sl.* sasodīti; ļoti
bloom [blu:m] **I** *n* **1.** zieds; **2.** ziedēšana; **3.** plaukums; **II** *v* **1.** ziedēt; **2.** plaukt
blossom ['blɒsəm] **I** *n* zieds; **II** *v* ziedēt; plaukt
blot [blɒt] **I** *n* **1.** traips; **2.** kauna traips; **II** *v* notraipīt
blouse [blaʊz] *n* blūze
blow[a] [bləʊ] *n* sitiens; trieciens
blow[b] [bləʊ] *v* (*p.* blew [blu:]; *p. p.* blown [bləʊn]) pūst; to b. one's nose – šņaukt degunu; ◇ to b. **up.** – uzspridzināt
blowball ['bləʊbɔ:l] *n* pienene
blown *p. p.* no **blow**[b]
blow-up ['bləʊʌp] *n* **1.** fotopalielinājums; **2.** *sl.* izgāšanās; **3.** sprādziens
blue [blu:] *a* **1.** [gaiši] zils; **2.** *sar.* grūtsirdīgs; nomākts
bluebottle ['blu:bɔtl] *n* **1.** *bot.* pulkstenīte; **2.** gaļas muša
blueprint ['blu:print] *n* gaismas kopija
blues [blu:z] *n* **1.** grūtsirdība; nomāktība; **2.** *mūz.* blūzs
bluet ['blu:it] *n* rudzupuķe
blunder ['blʌndə] **I** *n* rupja kļūda; **II** *v* kļūdīties
blunt [blʌnt] *a* **1.** truls, neass; **2.** skarbs
blush [blʌʃ] *v* nosarkt
boa [bɔ:] *n* **1.** žņaudzējčūska; **2.** boa
board[a] [bɔ:d] **I** *n* **1.** dēlis; **2.** (*kuģa, lidmašīnas*) borts; **II** *v* **1.** apšūt ar dēļiem; **2.** uzkāpt (*uz kuģa*); iekāpt (*lidmašīnā*)
board[b] [bɔ:d] *n* valde; padome
boarding-school ['bɔ:diŋsku:l] *n* internātskola
boast [bəʊst] **I** *n* lielība; **II** *v* lielīties
boat [bəʊt] **I** *n* laiva; kuģis; **II** *v* braukt ar laivu
bobbysox ['bɒbisɒks] *n pl amer.* īsās zeķes
bobbysoxer ['bɒbi'sɒksə] *n amer. sar.* pusaudze
bobcat ['bɒbkæt] *n* lūsis
bobsled/bobsleigh ['bɒbsled, 'bɒbslei] *n sp.* bobslejs
body ['bɒdi] *n* **1.** ķermenis; **2.** rumpis; **3.** korpuss; **4.** (*cilvēku*) grupa
bodyguard ['bɒdigɑ:d] *n* miesassargs

bog [bɒg] *n* purvs
bog-berry [ˈbɒg,beri] *n* dzērvene
bogus [ˈbəʊgəs] *a* fiktīvs, viltots
boil[a] [bɔil] *n* augonis
boil[b] [bɔil] *v* **1.** vārīt; **2.** vārīties; **3.** dusmoties; ◇ to b. **away** – iztvaikot; to b. **over** – iet pāri malām
boiler [ˈbɔilə] *n* [tvaika] katls
bold [bəʊld] *a* **1.** drošs, drosmīgs; **2.** nekaunīgs
bolt [bəʊlt] **I** *n* bulta, aizšaujamais; **II** *v* aizbultēt
bond [bɒnd] *n* **1.** saistības; **2.** obligācija; bona; **3.** saite; saites; **4.** parādzīme
bone [bəʊn] *n* **1.** kauls; **2.** asaka
bonfire [ˈbɒnfaiə] *n* ugunskurs
bonhomie [ˈbɒnəmi] *n* labsirdība
bonus [ˈbəʊnəs] *n* prēmija
bony [ˈbəʊni] *a* **1.** kaulains; **2.** asakains
book [bʊk] **I** *n* grāmata; **II** *v* **1.** pasūtīt; nopirkt (*biļeti*); **2.** iereģistrēt; **3.** *sar.* ielūgt
bookcase [ˈbʊkkeis] *n* grāmatskapis
booking-office [ˈbʊkiŋ,ɒfis] *n* biļešu kase
bookkeeping [ˈbʊk,ki:piŋ] *n* grāmatvedība
booklet [ˈbʊklit] *n* brošūra
bookseller [ˈbʊk,selə] *n* grāmatu pārdevējs
bookshop [ˈbʊkʃɒp] *n* grāmatveikals
boom [bu:m] *n* **1.** *ek.* straujš uzplaukums; **2.** skaļa reklāma; kņada
boon [bu:n] *n* **1.** pakalpojums; **2.** priekšrocība
boot [bu:t] *n* **1.** zābaks; **2.** (*automobiļa*) bagāžnieks; ◇ he has his heart in his b. – viņam dūša papēžos
boots [bu:ts] *n* apkalpotājs (*viesnīcā*)
booty [ˈbu:ti] *n* laupījums
booze [bu:z] *sar.* **I** *n* iedzeršana; **II** *v* dzert; žūpot
boozy [ˈbu:zi] *a sar.* iereibis
bo-peep [,bəʊˈpi:p] *n* paslēpes
border [ˈbɔ:də] **I** *n* **1.** robeža; **2.** mala; **II** *v* (*on, upon*) robežoties
borderland [ˈbɔ:dəlænd] *n* pierobežas josla
bore[a] [bɔ:] **I** *n* urbums; **II** *v* urbt
bore[b] [bɔ:] **I** *n* **1.** garlaicīgs cilvēks; **2.** garlaicīga nodarbošanās; **II** *v* apnikt; garlaikot
bore[c] *p. no* **bear**[b]
born [bɔ:n] **I** *a* dzimis; **II** *p. p. no* **bear**[b]
borne *p. p. no* **bear**[b]
borrow [ˈbɒrəʊ] *v* aizņemties
bosom [ˈbuzəm] *n* **1.** krūtis; **2.** azote
boss [bɒs] *n sar.* **1.** saimnieks; uzņēmējs; **2.** meistars
botany [ˈbɒtəni] *n* botānika
both [bəʊθ] **I** *pron* abi; **II** *conj*: b. ... and ... – gan ..., gan ...
bother [ˈbɒðə] *v* **1.** apgrūtināt; traucēt; **2.** raizēties; don't b.! – nepūlieties!
bottle [ˈbɒtl] *n* pudele; hotwater b. – termofors

B

bottle-feeding [ˈbɒtlˌfiːdiŋ] *n* (*zīdaiņa*) mākslīgā barošana

bottom [ˈbɒtəm] *n* **1.** (*jūras, upes, trauka*) dibens; **2.** apakša; **3.** būtība, pamats; ◇ at the b. of one's heart – sirds dziļumos

bought *p. un p. p. no* **buy**

boulder [ˈbəʊldə] *n* laukakmens

bouncer [ˈbaʊnsə] *n* melis, lielībnieks

bound *p. un p. p. no* **bind**

boundless [ˈbaundlis] *a* bezgalīgs

bouquet [bəʊˈkei] *n* (*puķu*) pušķis

boutique [buːˈtiːk] *n* (*modes preču*) veikals

bow[a] [baʊ] **I** *n* palocīšanās (*sveicinot*); **II** *v* palocīties (*sveicinot*)

bow[b] [bəʊ] *n* **1.** (*šaujamais*) loks; **2.** (*vijoles*) lociņš; **3.** sasieta lente; **4.** varavīksne

bowels [ˈbaʊəlz] *n pl* zarnas; iekšas

bowl [bəʊl] *n* **1.** kauss; pokāls; **2.** bļoda

bowler [ˈbaʊlə] *n* katliņš

bowling [ˈbəʊliŋ] *n* ķegļu spēle

box[a] [bɒks] *n* **1.** kārba; kaste; **2.** (*teātra*) loža; **3.** *dat.* lodziņš

box[b] [bɒks] **I** *n* **1.** sitiens; **2.** bokss; **II** *v* **1.** iesist ar dūri; **2.** boksēties

boxer [ˈbɒksə] *n* bokseris

boxing [ˈbɒksiŋ] *n* bokss

box-office [ˈbɒksˌɒfis] *n* (*teātra*) kase

boy [bɔi] *n* zēns; puika; puisis

boyfriend [ˈbɔifrend] *n* draugs (*meitenei*)

bra [brɑː] *n sar.* krūšturis

braces [ˈbreisiz] *n pl* bikšturi

bracket [ˈbrækit] *n* **1.** iekava; **2.** grupa; kategorija

brag [bræg] **I** *n* lielīšanās; **II** *v* lielīties (*of*)

braid [breid] **I** *n* (*matu*) pīne; **II** *v* [sa]pīt (*matus*)

brain [brein] *n* **1.** smadzenes; **2.**: ~s *pl* – prāts

brainsick [ˈbreinsik] *a* ārprātīgs

brainstorm [ˈbreinstɔːm] *n sar. amer.* spoža ideja

brainwork [ˈbreinwɜːk] *n* garīgais darbs

brainy [ˈbreini] *a* saprātīgs

brake[a] [breik] **I** *n* bremze; **II** *v* bremzēt

brake[b] [breik] *n* paparde

bran [bræn] *n* klijas

branch [brɑːntʃ] *n* **1.** zars; **2.** nozare; **3.** filiāle; **4.** (*ceļa, upes*) atzarojums

brand [brænd] *n* **1.** fabrikas marka; **2.** šķirne

brandy [ˈbrændi] *n* brendijs, konjaks; cherry b. – ķiršu liķieris

brass [brɑːs] *n* **1.** misiņš; **2.** *sar.* nauda; **3.** *sar.* nekaunība

brassiere [ˈbræsiə] *n* krūšturis

brave [breiv] *a* drosmīgs, drošsirdīgs

bravery [ˈbreivəri] *n* drosme, drošsirdība

Brazilian [brəˈziliən] **I** *n* brazīlietis; brazīliete; **II** *a* Brazīlijas-; brazīliešu-

breach [bri:tʃ] *n* **1.** caurums; robs; **2.** (*likuma*) pārkāpums

bread [bred] *n* maize

break [breik] **I** *n* **1.** caurums; robs; **2.** pārtraukums, starpbrīdis; **3.**: b. of day – rītausma; **II** *v* (*p.* broke [brəuk]; *p. p.* broken [ˈbrəukən]) **1.** salauzt; sasist; **2.** salūzt; saplīst; **3.** pārkāpt (*likumu*); **4.** pārspēt (*rekordu*)

breakdown [ˈbreikdaʊn] *n* **1.** sabrukums; nervous b. – nervu sabrukums; **2.** *tehn.* avārija; **3.** *mil.* pārrāvums

breakfast [ˈbrekfəst] **I** *n* brokastis; **II** *v* brokastot

breakneck [ˈbreiknek] *a* bīstams

breakthrough [ˈbreikθru:] *n* **1.** *mil.* pārrāvums; **2.** liels sasniegums (atklājums)

breakwater [ˈbreikˌwɔ:tə] *n* viļņlauzis; mols

bream [bri:m] *n* plaudis

breast [brest] **I** *n* **1.** krūts; krūtis; **2.** sirds; sirdsapziņa; **II** *v* stāties pretī

breaststroke [ˈbreststrəʊk] *n sp.* brass

breath [breθ] *n* elpa; out of b. – aizelsies; to take b. – atvilkt elpu

breathe [bri:ð] *v* elpot

breathing [ˈbri:ðiŋ] *n* elpošana

bred *p. un p. p. no* **breed II**

breed [bri:d] **I** *n* (*dzīvnieku*) šķirne; suga; **II** *v* (*p. un p. p.* bred [bred]) **1.** audzēt (*lopus*); **2.** audzināt; **3.** vairoties

breeze[a] [bri:z] *n* viegls vējiņš, brīze

breeze[b] [bri:z] *n* dundurs

brew [bru:] *v* **1.** brūvēt (*alu*); **2.** uzliet (*tēju*); **3.** tuvoties (*par negaisu, vētru*)

bribe [braib] **I** *n pārn.* kukulis; **II** *v* piekukuļot

brick [brik] *n* **1.** ķieģelis; **2.** *sar.* lāga zēns

bridal [ˈbraidl] *n* kāzas

bride [braid] *n* līgava; jaunlaulātā

bridegroom [ˈbraidgru:m] *n* līgavainis; jaunlaulātais

bridge [bridʒ] *n* tilts

bridle [ˈbraidl] **I** *n* iemaukti; **II** *v* **1.** uzlikt iemauktus; **2.** iegrožot; savaldīt

brief [bri:f] *a* īss; in b. – īsumā

briefcase [ˈbri:fkeis] *n* (*ādas*) mape; b. computer *dat.* – portfeļdators

brier [ˈbraiə] *n* mežrozīte

bright [brait] *a* **1.** spilgts; **2.** attapīgs; **3.** dzidrs; caurspīdīgs

brilliant [ˈbriliənt] *a* **1.** spožs; **2.** lielisks

brim [brim] *n* (*trauka*) mala

bring [briŋ] *v* (*p. un p. p.* brought [brɔ:t]) atnest; atvest; ◊ to b. **about** – radīt; izraisīt; to b. **back** – 1) atnest atpakaļ; 2) atsaukt atmiņā

brisk [brisk] *a* **1.** mundrs; rosīgs; **2.** dzirkstošs (*par dzērienu*)

brittle [ˈbritl] *a* trausls; viegli lūstošs

broad [brɔ:d] *a* **1.** plats; **2.** plašs; **3.** nepārprotams; **4.** rupjš

broadcast [ˈbrɔ:dkɑ:st] **I** *n* **1.** radiopārraide; **2.** *dat.* apraide; b. medium

B

dat. – apraides vide; b. storm *dat.* – apraides vētra; **II** *v* pārraidīt pa radio

broadly [ˈbrɔ:dli] *adv* plati; plaši

broil[a] [brɒil] *n* kņada, ķilda

broil[b] [brɒil] *v* cept (*uz uguns*)

broke *p. no* **break II**

broken [ˈbrəʊkən] **I** *a* **1.** salauzts; **2.** izputināts; izputējis; **3.** lauzīts (*par valodu*); **II** *p. p. no* **break II**

broker [ˈbrəʊkə] *n* mākleris; starpnieks

brolly [ˈbrɒli] *n sar.* lietussargs

bronchitis [brɒŋˈkaitis] *n* bronhīts

bronze [brɒnz] **I** *n* bronza; **II** *a* bronzas-; **III** *v* bronzēt

brood [bru:d] **I** *n* perējums; **II** *v* perēt

brook [brʊk] *n* strauts

broom [bru:m] *n* slota

broth [brɒθ] *n* buljons

brother [ˈbrʌðə] *n* brālis

brother-in-law [ˈbrʌðərinˌlɔ:] *n* svainis

brought *p. un p. p. no* **bring**

brow [braʊ] *n* uzacs

browbeat [ˈbraʊbi:t] *v* iebaidīt

brown [braʊn] *a* brūns; b. bread – rupjmaize

bruise [bru:z] *n* zilums, sasitums

brunette [bru:ˈnet] *n* tumšmate

brush [brʌʃ] **I** *n* **1.** suka; **2.** ota; **II** *v* **1.** tīrīt ar suku; **2.** sukāt (*matus*)

brutal [ˈbru:tl] *a* brutāls, rupjš

bubbly-joc [ˈbʌblidʒɒk] *n* tītars

bucket [ˈbʌkit] *n* spainis

buckwheat [ˈbʌkwi:t] *n* griķi

bud [bʌd] **I** *n* pumpurs; **II** *v* pumpuroties

budget [ˈbʌdʒit] *n* budžets

buffet [ˈbʊfei] *n* bufete, bārs

buffon [ˈbəˈfu:n] **I** *n* āksts; **II** *v* ākstīties

bug [bʌg] *n* **1.** blakts; **2.** kukainis; **3.** *dat.* blusa; ◇ big b. – liels vīrs

build [bild] *v* (*p. un p. p.* built [bilt]) celt; būvēt; ◇ to b. **up** – 1) apbūvēt; 2) veidot; uzkrāt

builder [ˈbildə] *n* celtnieks

building [ˈbildiŋ] *n* **1.** celtne, ēka; **2.** celtniecība

built *p. un p. p. no* **build**

built-in [ˌbiltˈin] *a* iebūvēts (*sienā*)

bulb [bʌlb] *n* **1.** *bot.* sīpolaugs; **2.** spuldze

bulk [bʌlk] *n* **1.** liels apjoms; **2.** lielākā daļa; b. eraser *dat.* – lielapjoma dzēsējs

bulky [ˈbʌlki] *a* liels; masīvs

bull [bʊl] *n* bullis

bullet [ˈbʊlit] *n* **1.** lode; **2.** *dat.* aizzīme

bull-headed [ˈbulhedid] *a* stūrgalvīgs

bully [ˈbʊli] *n* kauslis; huligāns

bum [bʌm] *n* sēžamvieta

bun [bʌn] *n* smalkmaizīte

bunch [bʌntʃ] *n* **1.** saišķis; **2.** *sar.* bars, kompānija

B

bungalow [ˈbʌŋgələʊ] *n* bungalo, (*vienstāva*) vasarnīca

bur [bɜ:] *n* dadzis

burberry [ˈbə:bəri] *n* lietusmētelis

burden [ˈbɜ:dn] *n* nasta; krava

burdock [ˈbə:dɔk] *n* diždadzis

bureau [ˈbjʊərəʊ] *n* birojs

bureaucracy [bjuəˈrɔkrəsi] *n* birokrātija

burglar [ˈbɜ:glə] *n* kramplauzis

burial [ˈberiəl] *n* bēres

burn [bɜ:n] **I** *n* apdegums; **II** *v* (*p. un p. p.* burnt [bɜ:nt]) **1.** [sa]degt; apdegt; **2.** [sa]dedzināt; apdedzināt

burning [ˈbɜ:niŋ] *a* degošs

burnt *p. un p. p. no* **burn II**

burrow [ˈbʌrəʊ] **I** *n* (*dzīvnieka*) ala; **II** *v* rakt alu; slēpties alā (*par dzīvnieku*)

burst [bɜ:st] **I** *n* sprādziens; b. error *dat.* – sprādzienkļūda; b. mode – sprādzienrežīms; **II** *v* (*p. un p. p.* burst [bɜ:st]) sprāgt; ◇ to b. **in** – iedrāzties; to b. **out** – uzliesmot; sākties (*par karu, epidēmiju*)

bury [ˈberi] *v* **1.** apglabāt, apbedīt; **2.** paslēpt

bus [bʌs] *n* **1.** autobuss; **2.** *dat.* maģistrāle, kopne; b. arbitration – kopņu arbitrāža; b. master – kopnes vedējs; b. topology – maģistrāles topoloģija

bush [bʊʃ] *n* krūms; krūmājs

business [ˈbiznis] *n* **1.** nodarbošanās; profesija; **2.** darīšanas; **3.** bizness

businessman [ˈbiznismæn] *n* biznesmenis

busker [ˈbʌskə] *n* ielas muzikants

bust [bʌst] *n* **1.** krūšutēls; **2.** (*sievietes*) krūtis

busy [ˈbizi] *a* **1.** aizņemts; nevaļīgs; **2.** dzīvs; rosīgs

but [bʌt] **I** *prep* izņemot; the last b. one – priekšpēdējais; **II** *conj* bet

butcher [ˈbʊtʃə] *n* miesnieks; the ~'s *pl* – gaļas veikals

butter [ˈbʌtə] **I** *n* sviests; **II** *v* uzziest sviestu

butterfly [ˈbʌtəflai] *n* **1.** tauriņš; **2.** tauriņstils (*peldēšanā*)

butterine [ˈbʌtəri:n] *n* margarīns

buttermilk [ˈbʌtəmilk] *n* paniņas

button [ˈbʌtn] **I** *n* **1.** poga; **2.** (*zvana*) poga; **3.** pumpurs; **II** *v* aizpogāt

buttonhole [ˈbʌtnhəʊl] *n* pogcaurums

buttress [ˈbʌtris] *v* atbalstīt

buy [bai] *v* (*p. un p. p.* bought [bɔ:t]) **1.** [no]pirkt; **2.** *amer.* izmaksāt

buyer [ˈbaiə] *n* pircējs

by [bai] **I** *adv* **1.** blakus; līdzās; **2.** garām; **II** *prep* **1.** (*norāda vietu*) pie; by the lake – pie ezera; **2.** (*norāda laiku*) līdz; by tomorrow – līdz rītdienai; **3.** (*norāda darbības veidu*) ar; no; by tram – ar tramvaju; **4.** (*norāda darītāju*): a novel by M. Twain – M. Tvena romāns

bye-bye [ˌbaiˈbai] *int. sar.* paliec sveiks!

byegones [ˈbaigɔnz] *n pl* pagājušais; vecas pārestības
by-end [ˈbaiənd] *n* blakusmērķis
by-name [ˈbaineim] *n* palama
bypass [ˈbaipɑ:s] **I** *n* apvedceļš; **II** *v* apbraukt
by-product [ˈbaiˌprɒdʌkt] *n* blakusprodukts
bystander [ˈbaiˌstændə] *n* aculiecinieks
by-way [ˈbaiwei] *n* blakusceļš
by-work [ˈbaiwɜ:k] *n* blakusdarbs

C

cab [kæb] **I** *n* taksometrs; **II** *v* braukt ar taksometru
cabal [kəˈbæl] *n* **1.** intriga; **2.** politiska kliķe
cabbage [ˈkæbidʒ] *n* kāposti
cabin [ˈkæbin] *n* **1.** kajīte; **2.** kabīne; **3.** būda
cabinet [ˈkæbinit] *n* ministru kabinets; valdība
cable [ˈkeibl] **I** *n* **1.** tauva; **2.** kabelis; **3.** telegramma; **II** *v* telegrafēt
cableway [ˈkeiblwei] *n* trošu ceļš
cache *n dat.*: c. memory – kešatmiņa; c. server – kešserveris
cafe [ˈkæfei] *n* kafejnīca
cage [keidʒ] **I** *n* **1.** būris; krātiņš; sprosts; **2.** *sl.* cietums; **II** *v* ieslodzīt krātiņā
cake [keik] *n* **1.** kūka; torte; **2.** gabals
calamity [kəˈlæmiti] *n* posts; nelaime
calculate [ˈkælkjʊleit] *v* **1.** kalkulēt, aprēķināt; **2.** domāt; uzskatīt
calculator [ˈkælkjʊleitə] *n* kalkulators
calendar [ˈkəlində] *n* **1.** kalendārs; **2.** saraksts
calf [kɑ:f] *n* (*pl* calves [kɑ:vz]) teļš
call [kɔ:l] **I** *n* **1.** sauciens; kliedziens; **2.** izsaukums; **3.** apmeklējums; c. gate *dat.* – izsaukuma ventilis; **II** *v* **1.** [pa]saukt; **2.** nosaukt; **3.** izsaukt; **4.** apmeklēt
call-boy [ˈkɔ:lbɔi] *n* izsūtāmais
call-box [ˈkɔ:lbɒks] *n* telefona kabīne
caller [ˈkɔ:lə] *n* apmeklētājs
calling [ˈkɔ:liŋ] *n* profesija; nodarbošanās; c. user *dat.* – izsaucējlietotājs
callous [ˈkæləs] *a* **1.** raupjš; tulznains; **2.** cietsirdīgs
calorie [ˈkæləri] *n* kalorija
calm [kɑ:m] *a* kluss; mierīgs
came *p. no* **come**
camel [ˈkæməl] *n* **1.** kamielis; **2.** dzeltenbrūna krāsa
camera [ˈkæmərə] *n* **1.** fotoaparāts; **2.** kinokamera; kinoaparāts
camomile [ˈkæməmail] *n* kumelīte
camp [kæmp] **I** *n* nometne; **II** *v* dzīvot nometnē

campaign [kæm'pein] *n* kampaņa
camp-bed [ˌkæmp'bed] *n* saliekamā gulta
camping ['kæmpiŋ] *n* kempings
can[a] [kæn] **I** *n* **1.** kanna; **2.** konservu kārba; **II** *v* konservēt
can[b] [kæn, kən] *mod. v* (*p.* could [kʊd]) varēt; spēt; prast; c. you read? – vai tu proti lasīt?
canal [kə'næl] *n* (*mākslīgi veidots*) kanāls
canary [kə'neəri] **I** *n* kanārijputniņš; **II** *a* spilgti dzeltens
cancel ['kænsəl] *v* **1.** atcelt; anulēt; **2.** izsvītrot; **3.** dzēst (*markas*)
cancer ['kænsə] *n* **1.** *med.* vēzis; **2.** *pārn.* ļaunums
candid ['kændid] *a* atklāts; vaļsirdīgs; sirsnīgs
candidate ['kændidət] *n* kandidāts; c. key *dat.* – kandidātatslēga
candied ['kændid] *a* iecukurots; c. fruits – sukāde
candle ['kændl] *n* svece
candle-stick ['kændlstik] *n* svečturis
candy ['kændi] *n* **1.** stiklene; **2.** ~ies *pl amer.* konfektes; saldumi
cane [kein] *n* **1.** niedre; **2.** (*niedres*) spieķis
canister ['kænistə] *n* skārda kārba
canned [kænd] *a* konservēts
cannot ['kænət] *mod v.* **can** *nolieguma forma*
canny ['kæni] *a* veikls, izmanīgs
canoe [kə'nu:] *n* kanoe; smailīte
can't [kɑ:nt] *sar. saīs. no* **cannot**
canteen [kæn'ti:n] *n* (*dienesta*) ēdnīca
canvas ['kænvəs] *n* **1.** audekls; brezents; **2.** glezna; audekls
canyon ['kænjən] *n* kanjons
cap [kæp] *n* **1.** cepure; žokejcepure; **2.** peldcepure
capability *n* **1.** spēja; **2.** *dat.* spēja; mandāts; c. testing – spēju testēšana
capable ['keipəbl] *a* spējīgs; apdāvināts
capacity [kə'pæsəti] *n* **1.** tilpums; **2.** ietilpība; **3.** stāvoklis; **4.** *tehn.* jauda
cape[a] [keip] *n* zemesrags
cape[b] [keip] *n* apmetnis (*ar kapuci*)
capital[a] ['kæpitl] *n* kapitāls
capital[b] ['kæpitl] **I** *n* **1.** galvaspilsēta; **2.** lielais burts; **II** *a sar.* lielisks
Capitol ['kæpitl] *n* ASV Kongresu nams
captain ['kæptin] *n* kapteinis
caption ['kæpʃən] *n* **1.** (*raksta*) virsraksts; **2.** paraksts (*zem ilustrācijas*); **3.** *jur.* arests
capture ['kæptʃə] *v* **1.** arestēt; sagrābt; **2.** sagūstīt
car [kɑ:] *n* **1.** automobilis; **2.** (*tramvaja, amer. arī dzelzceļa*) vagons
caravan ['kærəvæn] *n* **1.** karavāna; **2.** autofurgons
caraway ['kɜərəwei] *n* ķimenes
carbon-paper ['kɑ:bənˌpeipə] *n* kopējamais papīrs
card [kɑ:d] *n* **1.** (*spēļu*) kārts; **2.** karte; calling c. – vizītkarte

C

C

cardboard [ˈkɑ:dbɔ:d] *n* kartons
cardiac [ˈkɑ:diæk] **I** *n med.* sirdslīdzeklis; **II** *a* sirds-; c. infarction – miokarda infarkts
cardigan [ˈkɑ:digən] *n* vilnas jaka
cardinal[a] [ˈkɑ:dinl] *n* kardināls
cardinal[b] [ˈkɑ:dinl] *a* **1.** galvenais, pamata-; **2.** spilgti sarkans
care [keə] **I** *n* **1.** rūpes; gādība; to take c. (*of*) – rūpēties; **2.** piesardzība; uzmanība; take c.! – uzman[iet]ies; **II** *v* **1.** (*for*) rūpēties; gādāt; **2.** (*about*) raizēties
career [kəˈriə] *n* **1.** karjera; **2.** nodarbošanās; profesija
careerist [kəˈriərist] *n* karjerists
carefree [ˈkeəfri:] *a* bezrūpīgs
careful [ˈkeəfəl] *a* **1.** rūpīgs; gādīgs; **2.** piesardzīgs; uzmanīgs
careless [ˈkeələs] *a* neuzmanīgs; paviršs
caress [kəˈres] **I** *n* glāsts; **II** *v* glāstīt; apmīļot
carmine [ˈkɑ:main] *a* karmīnsarkans
carnation [kɑ:ˈneiʃn] *n* (*dārza*) neļķe
carnival [ˈkɑ:nivəl] *n* karnevāls
carousal [kəˈraʊzəl] *n* iedzeršana
carp [kɑ:p] *n* karpa
carpenter [ˈkɑ:pintə] *n* namdaris, galdnieks
carpet [ˈkɑ:pit] *n* **1.** paklājs; **2.** (*puķu, zāles*) sega, klājums
carriage [ˈkæridʒ] *n* **1.** ekipāža; rati; **2.** (*pasažieru*) vagons; **3.** pārvadāšana; transports; c. return *dat.* – rakstatgrieze
carrier [ˈkæriə] *n* **1.** nesējs; **2.** *amer.* pastnieks; **3.** (*motocikla*) blakusvāģis; **4.** *med.* baciļu nēsātājs; **5.** *dat.* nesējfrekvence; c. detect – nesēja atklāšana; c. sense – nesēja jušana
carrot [ˈkærət] *n* burkāns
carraty [ˈkærəti] *a* **1.** oranžsarkans; **2.** sarkanmatains
carry [ˈkæri] **I** *n dat.* pārnese; **II** *v* **1.** vest; pārvadāt; **2.** nest; iznēsāt; **3.** balstīt; **4.** izturēties; uzvesties; **5.** aizraut; ¦ to c. **on** – turpināt; to c. **out** – realizēt
cartoon [kɑ:ˈtu:n] *n* **1.** karikatūra; **2.** animated c. – multiplikācijas filma
cartridge [ˈkɑ:tridʒ] *n* **1.** patrona; **2.** *amer.* kasete; **3.** *dat.* kasetne
carve [kɑ:v] *v* griezt (*kokā, kaulā*); kalt (*akmenī*)
carver [ˈkɑ:və] *n* **1.** kokgriezējs; kaulgriezējs; **2.** gravieris
case[a] [keis] *n* **1.** gadījums; **2.** *jur.* lieta; **3.** *med.* slimības gadījums; **4.** *gram.* locījums
case[b] [keis] *n* **1.** kaste; kārba; **2.** futrālis; maksts; **3.** spilvendrāna
cash [kæʃ] **I** *n* **1.** nauda; **2.** (*arī* ready c., hard c.) skaidra nauda; c. register – kases aparāts; **II** *v* saņemt naudu (*pret čeku*)
cashier [kæˈʃiə] *n* kasieris
cask [kɑ:sk] *n* muca
cassette [kəˈset] *n* kasete
cast [kɑ:st] **I** *n* **1.** metiens, sviediens;

2. veidne; 3. (*rakstura*) veidojums; 4. *teātr.* tēlotāju sastāvs; **II** *v* (*p. un p. p.* cast [kɑ:st]) **1.** mest, sviest; **2.** sadalīt (*lomas*)

caster sugar [ˌkɑ:stəˈʃʊgə] *n* pūdercukurs

castigate [ˈkæstigeit] *v* **1.** sodīt; **2.** kritizēt; nosodīt

castle [ˈkɑ:sl] *n* **1.** pils; **2.** tornis (*šahā*)

casual [ˈkæʒʊəl] *a* **1.** nejaušs; **2.** gadījuma rakstura-; **3.** paviršs; **4.** ikdienas- (*par apģērbu*)

casualt||y [ˈkæʒʊəlti] *n* **1.** nelaimes gadījums; **2.** nelaimes gadījumā cietušais; **3.**: ~ies *pl* – zaudējumi, upuri (*karā*)

cat [kæt] *n* kaķis

catalogue [ˈkætəlɒg] *n* katalogs

catastrophe [kəˈtæstrəfi] *n* katastrofa

catcall [ˈkætkɔ:l] *v* izsvilpt

catch [kætʃ] **I** *n* loms; **II** *v* (*p. un p. p.* caught [kɔ:t]) **1.** noķert; saķert; **2.** pagūt; paspēt; **3.** saslimt; aplipt; **4.** uztvert (*domu*)

category [ˈkætigəri] *n* kategorija; šķira

caterer [ˈkeitərə] *n* sagādnieks

cathedral [kəˈθi:drəl] *n* katedrāle

catholic [ˈkæθəlik] **I** *n* katolis; **II** *a* katoļu-

cattle [ˈkætl] *n* liellopi

caught *p. un p. p. no* **catch II**

cauliflower [ˈkɒliˌflaʊə] *n* ziedkāposti

cause [kɔ:z] **I** *n* **1.** cēlonis; **2.** iemesls; pamats; **3.** *pārn.* lieta; **4.** *jur.* prāva; **II** *v* radīt; izraisīt

caution [ˈkɔ:ʃən] **I** *n* **1.** piesardzība; **2.** brīdinājums; **II** *v* brīdināt

cave [keiv] *n* ala

caveat [ˈkeiviæt] *n* **1.** brīdinājums; **2.** *jur.* protests

caviar[e] [ˈkæviɑ:] *n* kaviārs

cavity [ˈkæviti] *n* caurums; dobums

cavy [ˈkeivi] *n* jūrascūciņa

caw [kɔ:] **I** *n* ķērkšana; **II** *v* ķērkt

cayenne [keiˈen] *n* sarkanie pipari

cease [si:s] *v* **1.** beigt; pārtraukt; **2.** mitēties; pārstāt

ceiling [ˈsi:liŋ] *n* griesti

celebrate [ˈselibreit] *v* svinēt

celebration [ˌseliˈbreiʃən] *n* svinības

celebrity [siˈlebrəti] *n* **1.** slava; **2.** slavenība

celery [ˈseləri] *n* selerija

cell [sel] *n* **1.** (*cietuma*) kamera; **2.** *biol.* šūna; **3.** *el.* elements

cellar [ˈselə] *n* pagrabs

cellist [ˈtʃelist] *n* čellists

cemetery [ˈsemitri] *n* kapsēta

census [ˈsensəs] *n* (*statistiska*) skaitīšana

cent [sent] *n* cents; per c. – procents

centenary [senˈti:nəri] *n* **1.** gadsimts; **2.** simtgade

centigrade [ˈsentigreid] *a* simtgrādu-; c. thermometre – Celsija termometrs

centimetre [ˈsentimi:tə] *n* centimetrs

centipede [ˈsentipi:d] *n* simtkājis

central [ˈsentrəl] *a* centrāls; galvenais

centre [ˈsentə] **I** *n* **1.** centrs; **2.** *sp.* centra spēlētājs; **II** *v* koncentrēt

century [ˈsentʃəri] *n* gadsimts

ceramics [siˈræmiks] *n* keramika

cereal [ˈsiəriəl] **I** *n* (*parasti pl*) **1.** graudaugi; **2.** miltu ēdiens; **II** *a* graudu-; miltu-

cerebration [seriˈbreiʃn] *n* **1.** smadzeņu darbība; **2.** domāšana

ceremony [ˈseriməni] *n* ceremonija

certain [ˈsɜːtn] *a* **1.** drošs; neapšaubāms; **2.** pārliecināts; **3.** zināms; kāds

certainly [ˈsɜːtnli] *adv* bez šaubām, protams

certainty [ˈsɜːtnti] *n* drošība; noteiktība

certificate [səˈtifikət] *n* apliecība

chafe [tʃeif] **I** *n* **1.** nobrāzums; **2.** dusmas; **II** *v* **1.** berzēt; **2.** dusmoties

chafer [ˈtʃeifə] *n* maijvabole

chaff [tʃɑːf] *n* pelavas

chain [tʃein] *n* **1.** ķēde; **2.** (*kalnu*) grēda

chair [tʃeə] *n* **1.** krēsls; take a ch., please! – sēdieties, lūdzu!; **2.** katedra; profesūra; **3.** priekšsēdētāja vieta; ◇ ch. days – vecums

chair-bed [ˈtʃeəbed] *n* dīvānkrēsls

chair-lift [ˈtʃeəlift] *n* trošu ceļš

chairman [ˈtʃeəmən] *n* priekšsēdētājs

chalk [tʃɔːk] **I** *n* krīts; **II** rakstīt ar krītu

chalk-stone [ˈtʃɔːkstəʊn] *n* kaļķakmens

challenge [ˈtʃælindʒ] *n* **1.** izaicinājums (*uz sacensību*); **2.** sarežģīta problēma, grūts uzdevums

chamber [ˈtʃeimbə] *n* (*parlamenta*) palāta

champagne [ʃæmˈpein] *n* šampanietis

champion [ˈtʃæmpiən] *n* **1.** čempions; **2.** cīnītājs; aizstāvis

championship [ˈtʃæmpiənʃip] *n* **1.** meistarsacīkstes; čempionāts; **2.** čempiona nosaukums

chance [tʃɑːns] *n* **1.** gadījums; nejaušība; by ch. – nejauši; **2.** iespēja; izdevība; **3.** laime; veiksme

chandelier [ˈʃændəliə] *n* lustra

change[a] [tʃeindʒ] **I** *n* **1.** pārmaiņa; **2.** (*veļas*) kārta; **3.** sīknauda; (*mainot*) izdotā nauda; **4.** pārsēšanās (*citā satiksmes līdzeklī*); **II** *v* **1.** mainīt; pārmainīt; **2.** pārģērbties; **3.** samainīt (*naudu*); **4.** pārsēsties (*citā satiksmes līdzeklī*); ◇ to ch. **down** – ieslēgt mazāku ātrumu

change[b] [tʃeindʒ] *n* birža

channel [ˈtʃænl] *n* **1.** jūras šaurums; **2.** kanāls; **3.** (*informācijas*) avots

chaos [ˈkeiɔs] *n* haoss

chap[a] [tʃæp] *v* **1.** sasprēgāt; **2.** saplaisāt

chap[b] [tʃæp] *n* vaigs

chapel [ˈtʃæpəl] *n* kapela

chapter [ˈtʃæptə] *n* **1.** (*grāmatas*) nodaļa; **2.** periods

character [ˈkæriktə] *n* **1.** raksturs;

2. raksturīga pazīme; 3. reputācija; 4. *lit.* tēls, raksturs; 5. burts; rakstu zīme; 6. *dat.* rakstzīme; c. set – rakstzīmju kopa; string – rakstzīmju virkne

characteristic [ˌkəriktə'ristik] *a* raksturīgs

characterize ['kæriktəraiz] *v* **1.** raksturot; **2.** būt raksturīgam

charge [tʃɑ:dʒ] **I** *n* **1.** lādiņš; **2.** cena; maksa; ~s *pl* – izdevumi; **3.** pārziņa; aizbildniecība; **4.** apsūdzība; **II** *v* **1.** uzlādēt (*akumulatoru, ieroci*); **2.** ņemt maksu; **3.** (*with*) uzticēt; uzdot; **4.** apsūdzēt

charity ['tʃæriti] *n* **1.** labdarība; **2.** žēlsirdība

charm [tʃɑ:m] **I** *n* burvīgums; pievilcība; **II** *v* apburt; valdzināt

charming ['tʃɑ:miŋ] *a* burvīgs; valdzinošs

chart [tʃɑ:t] **I** *n* **1.** (*jūras*) karte; **2.** diagramma; tabula; **II** *v* zīmēt karti

chase [tʃeis] **I** *n* pakaļdzīšanās; vajāšana; **II** *v* dzīties pakaļ

chasm ['kæzəm] *n* bezdibenis, aiza

chat [tʃæt] **I** *n* tērzēšana; **II** *v* tērzēt

chatterbox ['tʃætəbɒks] *n* pļāpa

cheap [tʃi:p] **I** *a* lēts; **II** *adv* lēti

cheat [tʃi:t] **I** *n* **1.** krāpšana; **2.** krāpnieks; **II** *v* krāpt

check [tʃek] **I** *n* **1.** kavēklis; **2.** kontrole; pārbaude; c. box *dat.* – izvēles rūtiņa; **3.** (*garderobes*) numurs; **4.** šahs (*šahā*); **5.** *amer.* čeks; **II** *v* **1.** aizkavēt; aizturēt; **2.** kontrolēt; pārbaudīt; **3.** pieteikt šahu (*šahā*); ◇ to ch. **in** – reģistrēties (*viesnīcā*); to ch. **up** – pārbaudīt; to ch. **out** – izrakstīties no viesnīcas

checkmate ['tʃekmeit] **I** *n* šahs un mats; **II** *v* pieteikt matu (*šahā*)

checkpoint *n dat.* kontrolpunkts

checksum *n dat.* kontrolsumma

check-up ['tʃekʌp] *n* **1.** (*medicīniskā*) pārbaude; **2.** revīzija

cheek [tʃi:k] **I** *n* **1.** vaigs; **2.** sēžamvieta; **3.** nekaunība; **II** *v* izturēties nekaunīgi

cheek tooth ['tʃi:ktu:θ] *n* dzeroklis

cheese [tʃi:z] *n* **1.** siers; **2.** *sar.* (*arī* cottage ch.) biezpiens

chemical ['kemikəl] *a* ķīmisks; ķīmijas-

chemicals ['kəmikəls] *n pl* ķimikālijas

chemise [ʃə'mi:z] *n* (*sieviešu*) krekls

chemist ['kemist] *n* **1.** ķīmiķis; **2.** aptiekārs; ~'s – aptieka

chemistry ['kemistri] *n* ķīmija

cheque [tʃek] *n* čeks

chequebook ['tʃekbʊk] *n* čeku grāmatiņa

chequered ['tʃekəd] *a* **1.** rūtains; **2.** raibs

cherry ['tʃeri] **I** *n* ķirsis; ch. brandy – ķiršu liķieris; ◇ to lose one's ch. – zaudēt nevainību; **II** *a* ķiršsarkans

chess [tʃes] *n* šahs; ~ board – šaha galdiņš; ~ man – šaha figūra

C

chest [tʃest] *n* **1.** kaste; lāde; **2.** *anat.* krūškurvis

chestnut [ˈtʃesnʌt] **I** *n* kastanis; **II** *a* kastaņkrāsas-

chew [tʃu:] *v* košļāt

chewing-gum [ˈtʃu(:)iŋgʌm] *n* košļājamā gumija

chicken [ˈtʃikin] *n* **1.** cālis; **2.** vista (*ēdiens*)

chickenpox [ˈtʃikinpɒks] *n med.* vējbakas

chief [tʃi:f] **I** *n* **1.** vadītājs; priekšnieks; šefs; **2.** (*cilts*) virsaitis; **II** *a* galvenais; pamata-

chiefly [ˈtʃi:fli] *adv* galvenokārt

child [tʃaild] *n* (*pl* children [ˈtʃildrən]) bērns; c. directory *dat.* – bērndirektorijs; c. process *dat.* – bērnprocess

childhood [ˈtʃaildhʊd] *n* bērnība

chill [tʃil] **I** *n* **1.** vēsums; aukstums; **2.** saaukstēšanās; **II** *a* vēss; **III** *v* **1.** atdzesēt; **2.** sastingt; **3.** rūdīt

chilly [ˈtʃili] *a* vēss; drēgns (*par laiku*); **2.** salīgs (*par cilvēku*)

chime [tʃaim] **I** *n* zvani; zvanu skaņas; **II** *v* zvanīt (*par zvaniem*)

chimney [ˈtʃimni] *n* skurstenis; dūmvads

chimpanzee [ˌtʃimpənˈzi:] *n* šimpanze

chin [tʃin] *n* zods; ◇ up to the ch. – līdz ausīm

china [ˈtʃainə] **I** *n* porcelāns; **II** *a* porcelāna-

chip [tʃip] *n* **1.** skaida; šķila; **2.** šķemba; lauska; **3.** *dat.* mikroshēma; **4.**: ~s *pl sar.* – (*salmiņos sagriezti*) cepti kartupeļi

chisel [ˈtʃizl] *n* kalts

chitterlings [ˈtʃitəliŋz] *n* iekšas

chocolate [ˈtʃɒkəlit] *n* **1.** šokolāde; **2.**: ~ s *pl* – šokolādes konfektes

choice [tʃɔis] *n* **1.** izvēle; **2.** izeja; I have no ch. – man nav citas izejas

choir [ˈkwaiə] *n* koris

choky [ˈtʃəʊki] *a* smacīgs

choose [tʃu:z] *v* (*p.* chose [tʃəʊz]; *p. p.* chosen [ˈtʃəʊzn]) **1.** izvēlēties; **2.** *sar.* gribēt; vēlēties

chop [tʃɒp] **I** *n* (*cūkas, jēra*) karbonāde; **II** *v* [sa]cirst

chopper [ˈtʃɒpə] *n* **1.** kapājamais nazis; **2.** *amer.* biļešu kontrolieris

choreography [ˌkɒriˈɒgrəfi] *n* horeogrāfija

chorus [ˈkɔ:rəs] *n* **1.** koris; **2.** piedziedājums (*korim*)

chose *p. no* **choose**

chosen *p. p. no* **choose**

Christian [ˈkristʃən] **I** *n* kristietis; kristiete; **II** *a* kristīgs

Christmas [ˈkrisməs] *n* Ziemassvētki

Christmas-tree [ˈkrisməstri:] *n* Ziemassvētku eglīte

chronic [ˈkrɒnik] *a* hronisks

chronicle [ˈkrɒnikl] *n* hronika

chrysanthemum [kriˈsænθəməm] *n* krizantēma

chub [tʃʌb] *n* sapals

church [tʃɜ:tʃ] *n* baznīca; ch. service – dievkalpojums

churchyard [ˈtʃɜ:tʃjɑ:d] *n* kapsēta

cicatrice [ˈsikətris] *n* rēta

cicatrize [ˈsikətraiz] *v* sadzīt (*par brūci*)

cigar [siˈgɑ:] *n* cigārs

cigarette [ˌsigəˈret] *n* cigarete

cinder [ˈsində] *n* **1.** izdedži; **2.** ~s *pl* pelni

Cinderella [ˌsindaˈrelə] *n* Pelnrušķīte

cinder-path [ˈsindəpɑ:θ] *n* skrejceļš

cine-film [ˈsinifilm] *n* kinolente

cinema [ˈsinəmə] *n* **1.** kino, kinematogrāfija; **2.** kinoteātris

cinnamon [ˈsinəmən] *n* kanēlis

cipher [ˈsaifə] **I** *n* **1.** šifrs; **2.** arābu cipars; **3.** nulle; **II** *v* šifrēt

circle [ˈsɜ:kl] **I** *n* **1.** riņķis; aplis; **2.** (*parasti pl*) aprindas; **3.** cikls; **4.** *teātr.* balkons; **II** *v* riņķot

circuit [ˈsɜ:kit] *n* **1.** riņķojums; **2.** apkārtmērs; **3.** *el.* ķēde; short c. – īssavienojums; **4.** *dat.* shēma; c. switching – ķēžu komutācija

circulate [ˈsɜ:kjʊleit] *v* **1.** cirkulēt; **2.** būt apgrozībā (*par naudu*); **3.** izplatīt (*baumas u. tml.*)

circulation [ˌsɜ:kjʊˈleiʃən] *n* **1.** cirkulācija; **2.** (*naudas*) apgrozība; **3.** (*laikrakstu, žurnālu*) tirāža

circumstance [ˈsɜ:kəmstəns] *n* apstāklis; gadījums

circus [ˈsɜ:kəs] *n* **1.** cirks; **2.** laukums (*no kura starveidā aiziet ielas*)

citizen [ˈsitizn] *n* **1.** pilsonis; **2.** pilsētnieks; pilsētniece

citizenship [ˈsitiznʃip] *n* pavalstniecība

city [ˈsiti] *n* **1.** lielpilsēta; **2.**: the C. – Sitija (*Londonas finanšu un komercijas centrs*)

citybilly [ˈsitiˌbili] *n* ielu dziedātājs (*muzikants*)

civic [ˈsivik] *a* pilsoņa-; pilsoņu-

civil [ˈsivl] *a* **1.** pilsoņu-; c. rights – pilsoņtiesības; **2.** civil-; c. case *jur.* – civillieta

civilian [siˈviliən] **I** *n* **1.** civilpersona; **2.**: ~s *pl* – civiliedzīvotāji; **II** *a* civil-

civilization [ˌsivəlaiˈzeiʃən] *n* civilizācija

clad *p. un p. p. no* **clothe**

claim [kleim] **I** *n* **1.** prasība; pretenzija; **2.** reklamācija; **II** *v* **1.** [pie]prasīt; pretendēt; **2.** apgalvot

clam-bake [ˈklæmbeik] *n* **1.** pikniks; **2.** ballīte

clap [klæp] *v* plaukšķināt, aplaudēt

claret [ˈklærət] *n* **1.** sarkanvīns; **2.** tumšsarkana krāsa

clarinet [ˌklæriˈnet] *n* klarnete

clarity [ˈklæriti] *n* skaidrība

clash [klæʃ] **I** *n* **1.** žvadzoņa; **2.** sadursme; **II** *v* **1.** žvadzēt; **2.** nonākt sadursmē

clasp [klɑ:sp] **I** *n* **1.** sprādze; **2.** apkampiens; **3.** rokasspiediens; **II** *v* **1.** saspradzēt; **2.** apkampt; **3.** spiest (*roku*); to c. hands – lauzīt rokas (*izmisumā*)

claspknife [ˈklɑ:spnaif] *n* savāžamais nazis

class [klɑ:s] **I** *n* **1.** *pol.* šķira; **2.** grupa; kategorija; **3.** klase (*skolā*); **4.** (*mācību*) stunda; kurss; **5.** *biol.* klase; **II** *a* šķirisks; šķiru-; **III** *v* klasificēt; šķirot

C

classic [ˈklæsik] **I** *n* klasiķis; **II** *a* klasisks

classify [ˈklæsifai] *v* klasificēt

classmate [ˈklɑ:smeit] *n* klasesbiedrs

clause [klɔ:z] *n* **1.** *gram.* teikums; **2.** (*līguma*) pants

claw [klɔ:] *n* **1.** (*zvēra*) nags; **2.** (*vēža*) spīles; **3.** *tehn.* knaibles

clay [klei] *n* **1.** māls; māli; **2.** māla pīpe

clayey [ˈkleii] *a* mālains; c. soil – smilšmāls

clean [kli:n] **I** *a* **1.** tīrs; spodrs; **2.** balts, neaprakstīts; **3.** *pārn.* neaptraipīts; **II** *v* tīrīt; spodrināt

cleaner [ˈkli:nə] *n* apkopējs; apkopēja

clear [kliə] **I** *a* **1.** skaidrs; **2.** dzidrs; caurspīdīgs; **3.** brīvs (*par ceļu*); **4.** vesels, pilns; **II** *v* **1.** novākt; notīrīt; **2.** atbrīvot (*ceļu, vietu*); **3.** noskaidroties (*par laiku*); **4.** pārvarēt (*šķērsli*)

cleartex [kliəˈtext] *n dat.* atklāts teksts

clench [klentʃ] *v* **1.** sažņaugt (*dūri*); **2.** sakost (*zobus*)

clergy [ˈklɜ:dʒi] *n* garīdzniecība

clergyman [ˈklɜ:dʒimən] *n* garīdznieks

clerk [klɑ:k] *n* ierēdnis

clever [ˈklevə] *a* **1.** gudrs; **2.** veikls, izveicīgs

client [ˈklaiənt] *n* **1.** klients; **2.** (*pastāvīgs*) pircējs

cliff [klif] *n* klints; krauja

climate [ˈklaimit] *n* klimats

climb [klaim] *v* kāpt; rāpties; ◇ to c. **down** – 1) kāpt lejā; 2) piekāpties

clinch [klintʃ] **I** *n tehn.* skava; **II** *v* **1.** kniedēt; **2.** galīgi izšķirt (*jautājumu u. tml.*)

cling [kliŋ] *v* (*p. un p. p.* clung [klʌŋ]) **1.** pieķerties; pielipt; **2.** piekļauties

clinic [ˈklinik] *n* klīnika

clip[a] [klip] **I** *n* saspraude; **II** *v* saspraust

clip[b] [klip] *v* **1.** cirpt; apgriezt; **2.** izgriezt (*piem., no avīzes*)

clipping [ˈklipiŋ] *n* (*avīzes*) izgriezums

cloak [kləʊk] *n* apmetnis; mantija

cloakroom [ˈkləʊkrʊm] *n* **1.** ģērbtuve; **2.** *amer.* bagāžas glabātava

clock [klɒk] **I** *n* (*galda, sienas, torņa*) pulkstenis; **II** *v* uzrādīt laiku (*sportā*)

clockface [ˈklɒkfeis] *n* ciparnīca

clockwise [ˈklɒkwaiz] *adv* pulksteņrādītāju kustības virzienā

clod [ˈklɔd] *n* **1.** zemes pika; **2.** stulbenis

clog [klɔg] **I** *n* **1.** koka tupele; **2.** kavēklis; **II** *v* **1.** kavēt (*piem., kustību*); **2.** piesārņot

close[a] [kləʊs] **I** *a* **1.** slēgts; **2.** smacīgs; **3.** tuvs; ciešs; **4.** pamatīgs; rūpīgs; **II** *adv* tuvu; c. upon – gandrīz

close[b] [kləʊz] **I** *n* beigas; noslēgums; **II** *v* **1.** slēgt; **2.** beigt

close-set [ˈkləʊsˈset] *a* ciešs

closing-time [ˈkləʊziŋtaim] *n* (*veikalu, iestāžu*) slēgšanas laiks

clot [klɔt] **I** *n* **1.** trombs; **2.** pika; kunkulis; **II** *v* sarecēt (*par asinīm*)

cloth [klɒθ] *n* audums; drāna

clothe [kləʊð] *v* (*p. un p. p.* clothed [kləʊðd]) apģērbt

clothes [kləʊðz] *n pl* apģērbs; drēbes

clothesline [ˈkləʊðzlain] *n* veļas aukla

cloud [klaʊd] *n* mākonis

cloud-burst [ˈklaʊdbɜ:st] *n* lietusgāze

cloudless [ˈklaʊdlis] *a* bez mākoņiem

cloudy [ˈklɑʊdi] *a* apmācies

clove [kləʊv] *n* **1.** ķiploka daiviņa; **2.** krustnagliņa

clover [ˈkləʊvə] *n* āboliņš; ◊ to live in c. – dzīvot kā nierei taukos

clown [klaʊn] *n* klauns

club[a] [klʌb] *n* **1.** runga; **2.** (*hokeja*) nūja

club[b] [klʌb] **I** *n* klubs; **II** *v* sapulcēties

clumsy [ˈklʌmzi] *a* neveikls

clung *p. un p. p. no* **cling**

cluster [ˈklʌstə] *n* **1.** ķekars; **2.** (*koku*) puduris; **3.** (*bišu*) spiets; **4.** *dat.* klasteris; c. controller *dat.* – klastera kontrolleris

coach[a] [kəʊtʃ] *n* **1.** kariete; **2.** (*pasažieru*) vagons

coach[b] [kəʊtʃ] **I** *n* **1.** treneris; **2.** repetitors; mājskolotājs; **II** *v* **1.** trenēt; **2.** sagatavot (*eksāmeniem*)

coal [kəʊl] *n* ogle; akmeņogles

coalmine [ˈkəʊlmain] *n* ogļraktuves

coarse [kɔ:s] *a* rupjš; c. food – vienkārša barība

coast [kəʊst] **I** *n* (*jūras*) krasts; piekraste; **II** *v* braukt gar krastu

coat [kəʊt] *n* **1.** (*vīriešu*) svārki; žakete; **2.** mētelis; **3.**: c. of arms – ģerbonis; **3.** (*sniega, krāsas u. tml.*) kārta

cobble [ˈkɒbl] *n* bruģakmens

cobweb [ˈkɒbweb] *n* zirnekļa tīkls

cock [kɒk] *n* **1.** gailis; **2.** (*putnu*) tēviņš

cockchafer [ˈkɒkˌtʃeifə] *n* maijvabole

cockroach [ˈkɒkrəʊt] *n* tarakāns

coconut [ˈkəʊkənʌt] *n* kokosrieksts

cod [kɒd] *n sar.* menca

code [kəʊd] *n* **1.** kodekss; **2.** kods; šifrs

codle [ˈkɒdl] *v* lutināt

cod-liver [ˈkɒdlivə] *n*: c.-l. oil – zivju eļļa

coeval [kəʊˈi:vl] *n* laikabiedrs

coexistence [ˌkəʊigˈzistəns] *n* līdzāspastāvēšana

coffee [ˈkɒfi] *n* kafija; white c. – kafija ar pienu

coffee-grinder [ˈkɒfiˌgraində] *n* kafijas dzirnaviņas

coffin [ˈkɒfin] *n* zārks

cogent [ˈkɒʊdʒent] *a* pārliecinošs (*piem., par argumentu*)

cognac [ˈkɒnjæk] *n* konjaks

cognace [ˈkɒgneit] *a* radniecisks

coiffure [kwɑ:ˈfjuə] *n* frizūra

C

coin [kɔin] *n* monēta
coin-box ['kɒinbəks] *n* (*telefona*) automāts
coincide [ˌkəʊin'said] *v* sakrist
coincidence [kəʊ'insidəns] *n* **1.** sakritība; **2.** saskaņa; atbilstība
cold [kəʊld] **I** *n* **1.** aukstums; **2.** saaukstēšanās; to catch c. – saaukstēties; **II** *a* **1.** auksts; **2.** vienaldzīgs
cold-livered ['kəʊld'livəd] *a* bezkaislīgs
collaborate [kə'læbəreit] *v* sadarboties
collaboration [kəˌlæbə'reiʃən] *n* sadarbība
collapse [kə'læps] **I** *n* **1.** sabrukšana; sagrūšana; **2.** sabrukums; **3.** *med.* kolapss; **II** *v* **1.** sabrukt; sagrūt; **2.** zaudēt spēkus
collar ['kɒlə] *n* **1.** apkakle; apkaklīte; **2.** kaklasiksna
collate [kə'leit] *v* salīdzināt (*ar oriģinālu*)
colleague ['kɒli:g] *n* kolēģis; kolēģe
collect [kə'lekt] *v* **1.** [sa]vākt; **2.** kolekcionēt; krāt; **3.** pulcēties; sanākt
collective [kə'lektiv] *a* kolektīvs
collector [kə'lektə] *n* **1.** (*nodokļu*) ievācējs; **2.** kolekcionārs
college ['kɒlidʒ] *n* **1.** koledža; **2.** kolēģija
collie ['kɒli] *n* Skotijas aitu suns, kollijs
collier ['kɒliə] *n* ogļracis
collision [kə'liʒən] *n dat.* sadursme; c. avoidance *dat.* – sadursmju nepieļaušana; c. entorcement *dat.* – sadursmes pastiprināšana
collocate ['kɔləʊkeit] *v* izvietot, izkārtot
colloquial [kə'ləʊkwiəl] *a* sarun- (*par valodu, vārdu*)
colonel ['kɜ:nl] *n* pulkvedis
colonial [kə'ləʊniəl] *a* koloniāls; koloniju-
colour ['kʌlə] *n* **1.** krāsa; nokrāsa; **2.** krāsa; krāsviela; **3.** (*sejas*) sārtums; **4.** kolorīts
colt [kəʊlt] *n* kumeļš
column ['kɒləm] *n* **1.** *arhit., mil.* kolonna; **2.** stabs; stabiņš; c. chart *dat.* – stabiņu diagramma; **3.** sleja
comb [kəʊm] **I** *n* ķemme; **II** *v* ķemmēt
combat ['kɒmbæt] **I** *n* kauja; **II** *v* cīnīties
combination [ˌkɒmbi'neiʃən] *n* kombinācija
combine **I** *n* ['kɒmbain] **1.** kombains; **2.** kombināts; sindikāts; **II** *v* [kəm'bain] **1.** apvienot; **2.** apvienoties; **3.** kombinēt
combustion [kəm'bʌstʃən] *n* [sa]degšana
come [kʌm] *v* (*p.* came [keim]; *p. p.* come [kʌm]) **1.** atnākt; atbraukt; **2.** kļūt; ◇ to c. **about** – notikt; to c. **across** – nejauši satikt; to c. **along** – iet līdzi; to c. **back** – atgriezties; to c. **in** – ienākt; to c. **off** – 1) notrūkt; 2) norisināties; to c. **out** – 1) iznākt (*par grāmatu*); 2) izrādīties

comeback [ˈkʌmbæk] *n* **1.** atgriešanās (*pie varas u. tml.*); **2.** *amer.* atmaksa

comedy [ˈkɒmidi] *n* komēdija

comfort [ˈkʌmfət] **I** *n* **1.** mierinājums; **2.** komforts; **II** *v* mierināt

comfortable [ˈkʌmftəbl] *a* ērts; komfortabls

comforter [ˈkʌmfətə] *n* **1.** silta vilnas šalle; **2.** *amer.* vatēta sega

command [kəˈmɑ:nd] **I** *n* **1.** komanda; pavēle; c. button *dat.* – komandpoga; **2.** pavēlniecība; **3.** (*valodas*) prasme; **II** *v* **1.** pavēlēt; **2.** komandēt

comment [ˈkɒment] **I** *n* **1.** domas (*par kaut ko*); atsauksme; **2.** *dat.* komentārs; **II** *v* izteikt domas (*par kaut ko*)

commentary [ˈkɑməntəri] *n* komentāri

commerce [ˈkɒmɜ:s] *n* tirdzniecība; komercija

commercial [kəˈmɜ:ʃəl] **I** *n* reklāmraidījums; **II** *a* tirdzniecības-; c. treaty – tirdzniecības līgums

commingle [kɒˈmiŋgl] *v* **1.** sajaukt; **2.** sajaukties

commission [kəˈmiʃən] *n* **1.** pilnvarojums; **2.** komisija; komiteja; **3.** komisijas nauda; **4.** uzdevums

commit [kəˈmit] *v* **1.** uzticēt; **2.** izdarīt (*noziegumu, pašnāvību*); **3.** nodot; atdot

commodity [kəˈmɒditi] *n* patēriņa priekšmets; prece

common [ˈkɒmən] *a* **1.** kopējs; kopīgs; **2.** vienkāršs; parasts; c. area, c. bus *dat.* – datorkopne

commonplace [ˈkɒmənpleis] *a* banāls, nodrāzts

commonwealth [ˈkɒmənwelθ] *n* valsts; republika

communicate [kəˈmju:nikeit] *v* **1.** (*to*) paziņot; darīt zināmu; **2.** sazināties

communication [kəˌmju:niˈkeiʃən] *n* **1.** sakari; satiksme; **2.** sazināšanās

community [kəˈmju:niti] *n* **1.** kopiena; **2.** sabiedrība; **3.** (*interešu*) kopība; **4.** apdzīvota vieta

commute [kəˈmju:t] *v* **1.** aizstāt; **2.** mīkstināt (*sodu*); **3.** regulāri braukāt

compact **I** *n* [ˈkɒmpækt] **1.** *sl.* mazlitrāžas automobilis; **2.** pūdernīca (*ar presētu pūderi*); **II** *a* [kəmˈpækt] kompakts; blīvs

companion [kəmˈpæniən] *n* **1.** biedrs; **2.** ceļabiedrs; pavadonis

company [ˈkʌmpəni] *n* **1.** sabiedrība; kompānija; **2.** (*teātra*) trupa

comparative [kəmˈpærətiv] *a* **1.** salīdzinošs; **2.** relatīvs

compartment [kəmˈpɑ:tmənt] *n* **1.** nodalījums; **2.** kupeja

compass [ˈkʌmpəs] *n* **1.** kompass; **2.**: ~es *pl* – cirkulis; **3.** apkārtmērs

compassion [kəmˈpæʃən] *n* līdzjūtība

compel [kəmˈpel] *v* piespiest; likt

compensate [ˈkɒmpenseit] *v* atlīdzināt, kompensēt

C

C

compere [ˈkɒmpeə] *n* konferansjē
compete [kəmˈpi:t] *v* **1.** sacensties; **2.** konkurēt
competition [ˌkɒmpiˈtiʃən] *n* **1.** sacensība; sacīkstes; **2.** konkurence; **3.** konkurss
compile [kəmˈpail] *v* **1.** kompilēt; **2.** sastādīt (*vārdnīcas u. tml.*); **3.** vākt (*materiālus*)
complain [kəmˈplein] *v* (*about, of*) sūdzēties; žēloties (*piem., par sāpēm*)
complaint [kəmˈpleint] *n* **1.** sūdzība; **2.** kaite; slimība
complete [kəmˈpli:t] **I** *a* pilns; pilnīgs; **II** *v* pabeigt
complex [ˈkɒmpleks] **I** *n* komplekss; **II** *a* **1.** sarežģīts, komplicēts; **2.** salikts
complexion [kəmˈplekʃən] *n* **1.** sejas krāsa; **2.** aspekts
complicate [ˈkɒmplikeit] *v* sarežģīt
compliment I *n* [ˈkɒmplimənt] **1.** kompliments; to pay a c. – izteikt komplimentu; **2.**: ~s *pl* – apsveikums; sveicieni; **II** *v* [ˈkɒmpliment] **1.** teikt komplimentus; **2.** (*on*) apsveikt
complimentary [ˌkɔmpliˈmentəri] *a* **1.** glaimojošs; **2.** apsveikuma-; c. ticket – ielūgums
compose [kəmˈpəʊz] *v* **1.** sastādīt; **2.** sacerēt; komponēt; **3.** nomierināt
composed [kəmˈpəʊzd] *a* nosvērts
composer [kəmˈpəʊzə] *n* komponists
composition [ˌkɒmpəˈziʃən] *n* **1.** kompozīcija; **2.** sastāvs; **3.** skaņdarbs; **4.** (*skolas*) sacerējums
composure [kɒmˈpəʊʒə] *n* **1.** nosvērtība; **2.** savaldība
compound [ˈkɒmpaʊnd] **I** *n* maisījums; **II** *a* salikts
comprehensive [ˌkɒmpriˈhensiv] *a* vispusīgs; plašs
compress I *n* [ˈkɒmpres] komprese; **II** *v* [kəmˈpres] saspiest
comprise [kəmˈpraiz] *v* ietvert; saturēt
compromise [ˈkɒmprəmaiz] **I** *n* kompromiss; **II** *v* **1.** ielaisties kompromisā; **2.** kompromitēt
compulsory [kəmˈpʌlsəri] *a* piespiedu; obligāts
computer [kəmˈpju:tə] *n* dators
comrade [ˈkɒmrid] *n* biedrs
conceal [kənˈsi:l] *v* [no]slēpt; noklusēt
concede [kənˈsi:d] *v* **1.** pieļaut; **2.** piekāpties
conceivable [kənˈsi:vəbl] *a* iedomājams; aptverams
concentrate [ˈkɒnsəntreit] *v* **1.** koncentrēt; **2.** koncentrēties
concentration [ˌkɒnsənˈtreiʃən] *n* koncentrācija
conception [kənˈsepʃən] *n* **1.** koncepcija; uztvere; **2.** jēdziens
concern [kənˈsɜ:n] **I** *n* **1.** rūpes; bažas; **2.** darīšana; **3.** koncerns; **II** *v* **1.** attiekties; **2.** bažīties
concerning [kənˈsɜ:niŋ] *prep* attiecībā uz

concert [ˈkɒnsət] **I** *n* **1.** koncerts; **2.** saskaņa; **II** *v* saskaņot

concession [kənˈseʃən] *n* **1.** piekāpšanās; **2.** *ek.* koncesija

concise [kənˈsais] *a* īss; koncentrēts

conclude [kənˈklu:d] *v* **1.** pabeigt; **2.** noslēgt (*līgumu*); **3.** secināt

conclusion [kənˈklu:ʒən] *n* **1.** nobeigums; **2.** secinājums; slēdziens

concrete [ˈkɒŋkri:t] **I** *n* betons; **II** *a* konkrēts

concurrence [kənˈkʌrəns] *n* **1.** (*apstākļu*) sakritība; sagadīšanās; **2.** vienošanās

concussion [kənˈkʌʃən] *n* (*smadzeņu*) satricinājums

condemn [kənˈdem] *v* **1.** nosodīt; **2.** notiesāt

condence [kənˈdens] *v* **1.** kondensēt; sabiezināt; **2.** kondensēties; sabiezēt

condiment [kɒndimənt] *n* garšviela

condition [kənˈdiʃən] *n* **1.** nosacījums; **2.** stāvoklis; **3.**: ~s *pl* – apstākļi

condole [kənˈdəʊl] *v* izteikt līdzjūtību

condolence [kənˈdəʊləns] *n* līdzjūtība

condom [kɒndəm] *n* prezervatīvs

conduct I *n* [ˈkɒndʌkt] **1.** uzvedība; **2.** vadīšana; **II** *v* [kənˈdʌkt] **1.**: to c. oneself – uzvesties; **2.** vadīt; **3.** diriģēt

conductor [kənˈdʌktə] *n* **1.** konduktors; **2.** diriģents; **3.** *fiz.* vadītājs

cone [kəʊn] *n* **1.** konuss; **2.** čiekurs

confectionery [kənˈfekʃənəri] *n* **1.** konditoreja; **2.** konditorejas izstrādājumi

confer [kənˈfɜ:] *v* **1.** (*on*) piešķirt (*grādu*); **2.** (*with*) konsultēties

conference [ˈkɒnfərəns] *n* konference, apspriede

confess [kənˈfes] *v* **1.** atzīt (*vainu*); atzīties; **2.** *rel.* sūdzēt grēkus

confession [kənˈfeʃən] *n* **1.** (*vainas*) atzīšana; atzīšanās; **2.** grēksūdze

confide [kənˈfaid] *v* **1.** (*in*) uzticēties; **2.** (*to*) uzticēt (*noslēpumu*)

confidence [ˈkɒnfidəns] *n* **1.** uzticēšanās; uzticība; **2.** paļāvība; pārliecība; **3.** pašpaļāvība

confident [ˈkɒnfidənt] *a* **1.** paļāvīgs; pārliecināts; **2.** pašpaļāvīgs; pašapzinīgs

confidential [ˌkɒnfiˈdenʃəl] *a* slepens

confine [kənˈfain] *v* **1.** ierobežot; **2.** ieslodzīt cietumā

confirm [kənˈfɜ:m] *v* **1.** apstiprināt; **2.** *rel.* iesvētīt

confirmation [ˌkɒnfəˈmeiʃn] *n* **1.** apstiprinājums; **2.** ratificēt (*līgumu*); **3.** *rel.* iesvētīšana

conflict [ˈkɒnflikt] *n* konflikts

confuse [kənˈfju:z] *v* **1.** sajaukt; **2.** apmulsināt

confusion [kənˈfju:ʒən] *n* **1.** juceklis; **2.** apmulsums

confute [kənˈfju:t] *v* atspēkot

congenial [kənˈdʒi:niəl] *a* **1.** (*with, to*) radniecīgs; **2.** (*to*) labvēlīgs

C

C

congratulate [kən'grætʃʊleit] *v* (*on, upon*) apsveikt (*ar*)

congratulation [kən,grætʃʊ'leiʃən] *n* **1.** apsveikšana; **2.** (*parasti pl*) apsveikums

congress ['kɒŋgres] *n* kongress

conifer ['kəʊnifə] *n* skujkoks

conjugate ['kɒndʒʊgeit] *v gram.* locīt (*darbības vārdu*)

conjunction [kən'dʒʌŋkʃən] *n* **1.** savienojums; **2.** *gram.* saiklis

conk ['kɒŋk] *n sl.* deguns

connate ['kɒneit] *a* **1.** iedzimts; **2.** piemītošs

connect [kə'nekt] *v* **1.** savienot; saistīt; **2.** savienoties

connection [kə'nekʃən] *n* **1.** savienojums; **2.** saistība; **3.** radniecība

conquer ['kɒŋkə] *v* iekarot; uzvarēt

conscience ['kɒnʃəns] *n* sirdsapziņa

conscientious [,kɒnʃi'enʃəs] *a* apzinīgs; rūpīgs

consciousness ['kɒnʃəsnis] *n* **1.** samaņa; **2.** apziņa

consent [kən'sent] **I** *n* piekrišana; **II** *v* piekrist

consequence ['kɒnsikwəns] *n* **1.** sekas; in c. – rezultātā; **2.** svarīgums

consequently ['kɒnsikwəntli] *adv* tātad

conservation [,kɒnsə'veiʃn] *n* saglabāšana

conservative [kən'sɜ:vətiv] **I** *n* konservatīvais; **II** *a* konservatīvs

conservatoire [kən'sɜ:vətwɑ:] *n* konservatorija

conservatory [kən'sɜ:vətri] *n* **1.** siltumnīca; **2.** *amer.* konservatorija

conserve [kən'sɜ:v] **I** *n* (*parasti pl*) augļu konservi; **II** *v* saglabāt

consider [kən'sidə] *v* **1.** apsvērt; apdomāt; **2.** uzskatīt

considerable [kən'sidərəbl] *a* ievērojams; liels

consideration [kən,sidə'reiʃən] *n* **1.** apsvēršana; apdomāšana; **2.** apsvērums

consign [kən'sain] *v* **1.** uzticēt; **2.** nosūtīt

consist [kən'sist] *v* (*of*) sastāvēt

consistent [kən'sistənt] *a* konsekvents, izturēts

consolation [,kɒnsə'leiʃən] *n* mierinājums

console [kən'səʊl] *v* mierināt

consolidate [kən'sɒlideit] *v* **1.** nostiprināt; **2.** nostiprināties

consonant ['kɒnsənənt] *n gram.* līdzskanis

conspicuous [kən'spikjʊəs] *a* uzkrītošs

conspire [kən'spaiə] *v* rīkot sazvērestību

constable ['kʌnstəbl] *n* policists

constant ['kɒnstənt] *a* **1.** pastāvīgs, konstants; **2.** nelokāms (*par uzskatu*)

constantly ['kɒnstəntl] *adv* pastāvīgi; vienmēr

constellation [,kɒnstə'leiʃən] *n* zvaigznājs

constipation [,kɒnsti'peiʃən] *n* (*vēdera*) aizcietējums

constituency [kənˈstitjʊənsi] *n* **1.** vēlētāji; **2.** vēlēšanu apgabals

constituent [kənˈstitjʊənt] **I** *n* **1.** sastāvdaļa; **2.** vēlētājs; **II** *a* **1.** sastāv-; **2.** vēlēšanu-; **3.** likumdošanas-

constitute [ˈkɒnstitju:t] *v* **1.** radīt; sastādīt; **2.** iecelt; pilnvarot

constitution [ˌkɒnstiˈtju:ʃn] *n* **1.** konstitūcija; **2.** ķermeņa uzbūve

constrain [kənˈstrein] *v* piespiest; likt

construct [kənˈstrʌkt] *v* **1.** celt, būvēt; **2.** radīt; veidot

construction [kənˈstrʌkʃn] *n* **1.** celtniecība, būvniecība; **2.** celtne; **3.** konstrukcija

constructive [kənˈstrʌktiv] *a* **1.** celtniecības-; **2.** konstruktīvs

consultation [ˌkɒnsəlˈteiʃn] *n* **1.** konsultācija; **2.** (*ārstu*) konsilijs

consulting [kənˈsʌltiŋ] *a* konsultējošs; c. room – (*slimnieku*) pieņemamā telpa; c. hours – pieņemšanas stundas

consume [kənˈsju:m] *v* **1.** patērēt; **2.** apēst; **3.** iztērēt

consumer [kənˈsju:mə] *n* patērētājs; c. goods – plaša patēriņa preces

consumption [kənˈsʌmpʃən] *n* patērēšana; patēriņš

contact [ˈkɒntækt] *n* **1.** saskare; **2.** *el.* kontakts

contagious [kənˈteidʒəs] *a* infekcijas ; lipīgs (*par slimību*)

contain [kənˈtein] *v* **1.** saturēt, ietvert; **2.** apvaldīt (*piem., jūtas*)

container [kənˈteinə] *n* konteiners

contemplation [ˈkɒntemˈpleiʃən] *n* **1.** vērošana; **2.** pārdomas; **3.** nodoms

contemporary [kənˈtempərəri] **I** *n* **1.** laikabiedrs; **2.** vienaudzis; **II** *a* mūsdienu-

contempt [kənˈtempt] *n* (*for*) nicinājums; to hold in c. – nicināt

contend [kənˈtend] *v* **1.** cīnīties; **2.** strīdēties; **3.** apgalvot

content[a] [ˈkɒntent] *n* (*parasti pl*) saturs

content[b] [kənˈtent] **I** *a* apmierināts; **II** *v* apmierināt

contest I *n* [ˈkɒntest] **1.** strīds; **2.** sacensība; **II** *v* [kənˈtest] **1.** strīdēties; **2.** sacensties

contiguous [kəntiˈgjuəs] *a* blakus esošs

continent [ˈkɒntinənt] *n* kontinents

continuation [kənˌtinjʊˈeiʃn] *n* turpinājums

continue [kənˈtinju:] *v* **1.** turpināt; **2.** turpināties; **3.** saglabāt

continuous [kənˈtinjʊəs] *a* nepārtraukts

contra [ˈkɒntrə] *prep* pret; pro and c. – «par» un «pret»

contract [ˈkɒntrækt] *n* kontrakts, līgums

contradict [ˌkɒntrəˈdikt] *v* **1.** būt pretrunā; **2.** noliegt; atsaukt

contrary [ˈkɒntrəri] **I** *n* pretējība; **II** *a* pretējs; **III** *adv* pretēji

contrast I *n* [ˈkɒntrɑ:st] kontrasts;

pretstats; **II** *v* [kən'trɑ:st] **1.** pretstatīt; **2.** kontrastēt

contribute [kən'tribju:t] *v* **1.** veicināt; sekmēt; **2.** ziedot (*naudu*); **3.** dot ieguldījumu (*piem., zinātnē*); **4.** darboties līdzi (*laikrakstā u. tml.*)

contribution [ˌkɒntri'bju:ʃən] *n* **1.** palīdzība; **2.** (*naudas*) ziedojums; **3.** devums; ieguldījums (*piem., zinātnē*); **4.** raksts (*laikrakstā*); **5.** kontribūcija

control [kən'trəʊl] **I** *n* **1.** vadība; **2.** kontrole; pārbaude; **3.** ierobežošana; regulēšana; **4.** *dat.* vadība; vadīkla; c. block – vadības bloks; c. bus – vadības kopne; c. character – vadības rakstzīme; **II** *v* **1.** vadīt; **2.** kontrolēt; pārbaudīt; **3.** ierobežot; regulēt

convalescence [ˌkɒnvə'lesns] *n* atveseļošanās

convent ['kɒnvənt] *n* (*parasti sieviešu*) klosteris

convention [kən'venʃn] *n* **1.** sanāksme; **2.** līgums; konvencija

conventional [kən'venʃənl] *a* vispārpieņemts

conversant [kən'və:sənt] *a* kompetents; lietpratīgs

conversation [ˌkɒnvə'seiʃn] *n* saruna

conversion [kən'vɜ:ʃən] *n* **1.** pārvēršana; **2.** pārvēršanās

convert [kən'vɜ:t] *v* (*into*) pārvērst

convey [kən'vei] *v* **1.** pārvadāt; transportēt; **2.** paziņot; **3.** izteikt (*domu*)

conviction [kən'vikʃn] *n* **1.** pārliecība; **2.** *jur.* notiesāšana

convince [kən'vins] *v* (*of*) pārliecināt

cook [kʊk] **I** *n* pavārs; **II** *v* **1.** vārīt; gatavot ēdienu; **2.** vārīties

cooker ['kʊkə] *n* **1.** plīts; **2.** kastrolis

cookery ['kʊkəri] *n* kulinārija

cookery-book ['kʊkəribuk] *n* pavārgrāmata

cool [ku:l] **I** *a* **1.** vēss; **2.** mierīgs; aukstasinīgs; ◇ as c. as a cucumber – nesatricināmi mierīgs; **3.** *sl.* kolosāls; **II** *v* **1.** atdzist; **2.** atdzesēt

cooperate [kəʊ'ɒpəreit] *v* sadarboties

cooperation [kəʊˌɒpəreiʃən] *n* **1.** sadarbība; **2.** atbalsts

cooperative [kəʊ'ɒpərətiv] **I** *n* kooperatīvs; c. processing *dat.* – kooperatīvā apstrāde; **II** *a* **1.** kopējs; apvienots; **2.** kooperatīvs; kooperācijas-

coordinate [kəʊ'ɔ:dineit] *v* koordinēt; saskaņot

cope [kəʊp] *v* **1.** tikt galā; **2.** mēroties spēkiem

copper ['kɒpə] *n* varš

copy ['kɒpi] **I** *n* **1.** kopija; c. protection *dat.* – pretkopēšanas aizsardzība; **2.** eksemplārs; **3.** reprodukcija; **4.** rokraksts; manuskripts; **II** *v* [no]kopēt

copybook ['kɒpibʊk] *n* burtnīca

copyright ['kɒpirait] *n* autortiesības

coquet [kəʊ'ket] **I** *a* koķets; **II** *v* koķetēt

coral ['kɒrəl] **I** *n* korallis; **II** *a* koraļļa-

cord [kɔ:d] *n* **1.** aukla; virve; **2.** *anat.* saite; spinal c. – muguras smadzenes

cordial [ˈkɔ:diəl] *a* sirsnīgs

cork [kɔ:k] **I** *n* korķis; c. jacket – glābšanas josta; **II** *v* aizkorķēt

corn[a] [kɔ:n] *n* **1.** grauds; **2.** graudaugi; labība; **3.** *amer.* kukurūza

corn[b] [kɔ:n] *n* varžacs

corn[c] [kɔ:n] *v* sālīt (*gaļu*)

corner [ˈkɔ:nə] **I** *n* **1.** stūris; kakts; **2.** *sp.* stūra sitiens; **II** *v* iedzīt strupceļā

corner-stone [ˈkɔ:nəstəʊn] *n* stūrmanis

cornflakes [ˈkɔ:nfleiks] *n pl* kukurūzas pārslas

cornflower [ˈkɔ:nflaʊə] *n* rudzupuķe

cornucopia [ˌkɔ:njʊˈkəʊpjə] *a* pārpilnības rags

corporal[a] [kɔ:pərəl] *n mil.* kaprālis

corporal[b] [ˈkɔ:pərəl] *a* miesas-; ķermeņa-

corollary [kəˈrɒləri] *n* secinājums

corpse [kɔ:ps] *n* līķis

correct [kəˈrekt] **I** *a* pareizs; **II** *v* [iz]labot; koriģēt

correction [kəˈrekʃn] *n* **1.** labošana; **2.** labojums

correspond [ˌkɒrisˈpɒnd] *v* **1.** (*to*) atbilst; **2.** (*with*) sarakstīties

correspondence [ˌkɒrisˈpɒndəns] *n* **1.** atbilstība; **2.** sarakste; by c. – neklātienē

correspondent [ˌkɒrisˈpɒndənt] **I** *n* korespondents; **II** *a* atbilstošs

corrupt [kəˈrʌpt] **I** *a* **1.** samaitāts; izvirtis; **2.** pērkams; piekukuļojams; **II** *v* **1.** samaitāt; **2.** piekukuļot

corruption [kəˈrʌpʃən] *n* **1.** samaitāšana; demoralizēšana; **2.** pērkamība; korupcija

cosmetik [kɒzˈmetik] **I** *n* (*parasti pl*) kosmētika; **II** *a* kosmētisks

cost [kɒst] **I** *n* cena; vērtība; **II** *v* (*p. un p. p.* cost [kɒst]) [iz]maksāt

cosy [ˈkəʊzi] *a* omulīgs, mājīgs

cot [kɒt] *n* **1.** bērnu gultiņa; **2.** *amer.* saliekamā gulta; **3.** *jūrn.* koja

cote [kəʊt] *n* aizgalds

cottage [ˈkɒtidʒ] *n* vasarnīca; c. cheese – biezpiens

cotton [ˈkɒtn] **I** *n* **1.** kokvilna; **2.** kokvilnas audums; **II** *a* kokvilnas-

cotton-wool [ˌkɒtnˈwʊl] *n* vate

couch [kaʊtʃ] *n* tahta; kušete

couchette [kuˈʃet] *n* **1.** kupeja; **2.** guļamvagons

cough [kɒf] **I** *n* klepus; **II** *v* klepot

cough-drop [ˈkɒfdrɒp] *n* pretklepus tablete

could *p. no* **can**[b]

counsel [ˈkaʊnsəl] **I** *n* **1.** apspriede; **2.** padoms; **3.** advokāts; **II** *v* dot padomu

count [kaʊnt] **I** *n* rēķins; to lose c. – sajaukt rēķinu; blood c. – asinsanalīze; **II** *v* skaitīt; saskaitīt

counter[a] [ˈkaʊntə] *n* lete

counter[b] [ˈkaʊntə] **I** *n sp.* pretsitiens; **II** *a* pretējs; **III** *v* **1.** darboties

pretī; **2.** *sp.* dot pretsitienu; **IV** *adv* pretējā virzienā
counterpart [ˈkaʊntəpɑ:t] *n* dublikāts; kopija
counterpoise [ˈkaʊntəpɔiz] *n* **1.** pretsvars; **2.** līdzsvars
counting-house [ˈkaʊntiŋhaʊs] *n* grāmatvedība
country [ˈkʌntri] *n* **1.** zeme; valsts; **2.** dzimtene; **3.** lauki (*pretstatā pilsētai*)
contry-folk [ˈkʌntrifəʊk] *n pl* lauku iedzīvotāji
countryman [ˈkʌntrimən] *n* **1.** tautietis; **2.** laucinieks
contryseat [ˈkʌntriˈsi:t] *n* lauku īpašums
countryside [ˈkʌntrisaid] *n* **1.** apvidus; **2.** lauki (*pretstatā pilsētai*)
county [ˈkaʊnti] *n* **1.** grāfiste (*Anglijā*); **2.** apgabals (*ASV*)
couple [ˈkʌpl] **I** *n* **1.** pāris; divi; **2.** pāris (*piem., vīrs un sieva*); **II** *v* savienot
coupon [ˈku:pɒn] *n* kupons; talons
courage [ˈkʌridʒ] *n* drosme, drošsirdība
courageous [kəˈreidʒəs] *a* drosmīgs, drošsirdīgs
course [kɔ:s] *n* **1.** virziens; kurss; **2.** norise; **3.** (*lekciju, apmācību*) kurss; **4.** ēdiens; ◇ of c. – protams
court [kɔ:t] **I** *n* **1.** tiesa; **2.** galms; **3.** spēļu laukums; **4.** pagalms; **II** *v* parādīt uzmanību (*sievietei*)
courtesy [ˈkɜ:tisi] *n* pieklājība; laipnība
cousin [ˈkʌzn] *n* **1.** brālēns; **2.** māsīca
cover [ˈkʌvə] **I** *n* **1.** pārvalks; pārsegs; **2.** vāks; **3.** aploksne; **4.** (*grāmatas*) vāks; iesējums; **II** *v* **1.** apsegt; **2.** noiet; nobraukt (*attālumu*); **3.** aptvert; attiekties (*uz kaut ko*)
covet [ˈkʌvit] *v* iekārot; tīkot
cow [kaʊ] *n* govs
coward [ˈkaʊəd] *n* gļēvulis
cowboy [ˈkaʊbɔi] *n* kovbojs
coy [kɔi] *a* kautrīgs; bikls
cozen [ˈkʌzn] *v* piekrāpt
crab [kræb] *n* krabis
crack [kræk] **I** *n* **1.** pļauka; **2.** plaisa, sprauga; **3.** *sl.* ielaušanās; **II** *v* **1.** krakšķēt; **2.** iesprāgt; **3.** šķelt (*riekstu*)
cracker [ˈkrækə] *n* **1.** petarde; **2.** sauss cepums; **3.** *dat.* kramplauzis; **4.**: ~s *pl* – riekstu knaibles
cradle [ˈkreidl] **I** *n* šūpulis; **II** *v* šūpot
craft [krɒ:ft] *n* **1.** amats; **2.** kuģis; **3.** viltība; krāpšana
craftsman [ˈkrɑ:ftsmən] *n* amatnieks
crag [kræg] *n* klints
cram [kræm] *v* **1.** piebāzt; **2.** iekalt; iemācīties
cranberry [ˈkrænbəri] *n* dzērvene
crane [krein] *n* **1.** dzērve; **2.** celtnis
cranny [ˈkræni] *n* sprauga; plaisa
crap [kræp] *n sl* **1.** mēsli; **2.** muļķība
crash [kræʃ] **I** *n* **1.** rībiens; blīkšķis; **2.** sabrukums; bankrots; **II** *v*

1. norībēt; noblīkšķēt; **2.** bankrotēt; **3.** (*down*) sabrukt
crass [kræs] *a* **1.** rupjš; **2.** pilnīgs
crave [kreiv] *v* **1.** lūgt, lūgties; **2.** (*for*) kārot; alkt
crawl [krɔ:l] **I** *n sp.* krauls; **II** *v* **1.** rāpot; līst; **2.** lēni kustēties
crayfish [ˈkreifiʃ] *n* (*upes*) vēzis
craze [kreiz] *n* mānija; aizraušanās
crazy [ˈkreizi] *a* **1.** ārprātīgs; jucis; **2.** *sar.* (*about*) aizrāvies (*ar*)
creak [kri:k] **I** *n* čīkstoņa; **II** *v* čīkstēt
cream [kri:m] *n* **1.** (*saldais*) krējums; sour c. – skābais krējums; **2.** krēms
crease [kri:s] **I** *n* **1.** kroka; **2.** iegludināta vīle (*biksēs*); **II** *v* **1.** burzīties; **2.** iegludināt vīli (*biksēs*)
create [kriˈeit] *v* **1.** radīt; **2.** izraisīt
creation [kriˈeiʃən] *n* **1.** radīšana; **2.** (*mākslas, zinātnes*) darbs
creative [kriˈeitiv] *a* radošs; c. work – radošs darbs
creature [ˈkri:tʃə] *n* dzīva būtne
credentials [kriˈdenʃlz] *n* (*parasti pl*) **1.** pilnvara; mandāts; **2.** akreditēšanas raksts
credible [ˈkredəbl] *a* ticams
credit [ˈkredit] *n* **1.** uzticība; **2.** kredīts; to allow c. – piešķirt kredītu; **3.** gods; **4.** nopelns; **5.** *amer.* ieskaite
credit card [ˈkredit kɑ:d] *n* kredītkarte
credulity [kriˈdju:ləti] *n* lētticība
creed [kri:d] *n* **1.** *rel.* ticība; **2.** pārliecība
creep [kri:p] *v* (*p. un p. p.* crept [krept]) **1.** rāpot; līst; **2.** vīties (*par ložņaugu*)
creeper [ˈkri:pə] *n* vīteņaugs
creepy [ˈkri:pi] *a* šaušalīgs
cremation [kriˈmeiʃən] *n* kremācija
crept *p. un p. p. no* **creep**
cress [ˈkres] *n* krese
crescent [ˈkresnt] **I** *n* **1.** pusmēness; mēness sirpis; **2.** pusloks; **II** *a* **1.** puslokveida-; **2.** augošs
crew [kru:] *n* **1.** (*kuģa*) komanda (*apkalpe*); **2.** brigāde
crib [krib] **I** *n* špikeris; **II** *v* (*off*) špikot
cricket[a] [ˈkrikit] *n* circenis
cricket[b] [ˈkrikit] *n* krikets; ◇ not c. – negodīgi
crime [kraim] *n* noziegums
criminal [ˈkriminl] **I** *n* noziedznieks; **II** *a* krimināls; noziedzīgs
crimson [ˈkrimzn] *a* tumšsarkans
cripple [ˈkripl] **I** *n* kroplis; **II** *v* sakropļot
crisis [ˈkraisis] *n* (*pl* crises [ˈkraisi:z]) krīze
crisp [krisp] *a* trausls; kraukšķīgs
critic [ˈkritik] *n* kritiķis
critical [ˈkritikəl] *a* kritisks; c. software *dat.* – kritiskā programmatūra, c. value *dat.* – kritiskā vērtība
criticism [ˈkritisizəm] *n* kritika
criticize [ˈkritisaiz] *v* **1.** kritizēt; **2.** nosodīt
croak [krəʊk] **I** *n* **1.** kurkstēšana; **2.** ķērkšana; **II** *v* **1.** kurkstēt; **2.** ķērkt
crocodile [ˈkrɒkədail] *n* krokodils
crochet [ˈkrəʊʃei] **I** *n* **1.** tamborēšana;

C

2. tamborējums; 3. kvadrātiekava; II *v* tamborēt

crony [krəʊni] *n* sirdsdraugs

crook [krʊk] *n* **1.** āķis; **2.** (*ceļa, upes*) līkums; **3.** *sar.* krāpnieks, blēdis

crooked ['krʊkid] *a* **1.** saliekts; līks; **2.** negodīgs; blēdīgs

crop [krɒp] **I** *n* **1.** raža; **2.** (*augoša*) labība; **3.** *lauks.* kultūra; **II** *v* **1.** novākt ražu; **2.** dot ražu; ◇ to c. **up** – negaidīti rasties

cross [krɒs] **I** *n* krusts; krucifikss; c. assembler *dat.* – krosasambleris; c. compiler *dat.* – kroskompilators; **II** *a sar.* dusmīgs; īgns; **III** *v* krustot; šķērsot

crossbreed ['krɒsbri:d] *n biol.* krustojums, hibrīds

crosscheck *dat.* šķērspārbaude

crosscountry [,krɒs'kʌntri] *a* apvidus-; lauku-

cross-cut ['krɒskʌt] *n* **1.** īsākais ceļš; **2.** šķērsgriezums

crossing ['krɒsing] *n* **1.** krustojums; šķērsojums; **2.** (*ielas, dzelzceļa*) pāreja; pārbrauktuve

crossover ['krɒs,əʊə] *n* pārbrauktuve

crossroads ['krɒsrəʊdz] *n* ceļu krustojums

crosstalk *dat.* šķērsruna

crosunder ['krɒs,ʌndə] *n* apakšzemes pāreja

crosswalk ['krɒswɔ:k] *n* gājēju pāreja

crossword ['krɒswɜ:d] *n* krustvārdu mīkla

crow [krəʊ] *n* vārna; ◇ as the c. flies – taisnā līnijā

crowd [kraʊd] **I** *n* pūlis; drūzma; **II** *v* **1.** pulcēties; drūzmēties; **2.** pārpildīt

crown [kraʊn] *n* **1.** kronis; **2.** (*karaļa*) vara; tronis

crucial ['kru:ʃəl] *a* izšķirošais; kritisks

crude [kru:d] *a* **1.** jēls; neapstrādāts; **2.** rupjš; neaptēsts (*par cilvēku, manierēm*)

cruel ['kru:əl] *a* cietsirdīgs; nežēlīgs

cruelty ['kruəlti] *n* cietsirdība; nežēlība

cruise ['kru:z] *n* (*jūras*) brauciens

cruiser ['kru:zə] *n* **1.** kreiseris; **2.** *amer.* policijas patruļvienība

crumb [krʌm] *n* **1.** (*maizes*) drupata; **2.** *pārn.* druska

crumpet ['krʌmpit] *n* smalkmaizīte

crumple ['krʌmpl] *v* **1.** burzīt; **2.** burzīties

crush [krʌʃ] **I** *n* **1.** spiešanās; drūzmēšanās; **2.** augļu sula; **3.** *sl.* aizraušanās; **II** *v* **1.** saspiest; **2.** sagraut; izspiest (*sulu*)

crust [krʌst] *n* garoza; ◇ to earn one's c. – nopelnīt sev iztiku

cry [krai] **I** *n* **1.** kliedziens; sauciens; **2.** raudas; **II** *v* **1.** kliegt; sasaukt; **2.** raudāt; ◇ to c. **down** – 1) nosist cenu; 2) nosodīt; to c. **up** – cildināt

cryptic ['kriptik] *a* noslēpumains

cub [kʌb] *n* **1.** (*plēsīga zvēra*) mazulis; **2.** zaļknābis

cube [kju:b] *mat.* **I** *n* kubs; **II** *v* kāpināt kubā

cuckoo [ˈkʊku:] *n* dzeguze

cucumber [ˈkju:kʌmbə] *n* **1.** gurķis; **2.** *sl.* dolārs

cuddle [ˈkʌdl] **I** *n* glāsts; apskāviens; **II** *v* glāstīt; apskaut

cuff[a] [kʌf] *n* aproce

cuff[b] [kʌf] *n* dunka

cultivate [ˈkʌltiveit] *v* **1.** kultivēt; **2.** attīstīt (*spējas*)

culture [ˈkʌltʃə] *n* kultūra

cup [kʌp] *n* **1.** tase; **2.** *sp.* kauss

cupboard [ˈkʌbəd] *n* trauku skapis, bufete

cupidity [kjuˈpidəti] *n* alkatība

cur [kə:] *n* krancis

cure [kjʊə] **I** *n* **1.** ārstniecisks līdzeklis; **2.** ārstēšana; ārstniecisks kurss; **II** *v* **1.** ārstēt; **2.** konservēt (*gaļu u. tml.*)

curiosity [ˌkjʊəriˈɒsiti] *n* **1.** ziņkārība; **2.** zinātkāre; **3.** dīvainība

curious [kjʊəriəs] *a* **1.** ziņkārīgs; **2.** zinātkārs; **3.** dīvains

curl [kɜ:l] **I** *n* sproga; **II** *v* **1.** sasprogot; **2.** sprogoties

currant [ˈkʌrənt] *n* **1.** korinte; **2.**: black c. – upene; red c. – jāņoga

currency [ˈkʌrənsi] *n* **1.** izplatība; **2.** valūta; nauda

current [ˈkʌrənt] **I** *n* **1.** plūsma; **2.** (*notikumu*) gaita; c. directory *dat.* – aktuālais direktorijs; c. drive *dat.* – aktuālais diskdzinis; c. loop *dat.* – strāvas cilpa; **3.** *el.* strāva; **II** *a* **1.** visparizplatīts; **2.** pašreizējs

curse [kɜ:s] **I** *n* **1.** lāsts; **2.** lādēšanās; lamāšanās; **II** *v* **1.** nolādēt; **2.** lādēties; lamāties

curtain [ˈkɜ:tn] *n* **1.** aizkars; **2.** priekškars

curve [kɜ:v] **I** *n* **1.** līkne; c. follower *dat.* – līknes sekotājs; **2.** (*ceļa*) līkums; **II** *v* **1.** izliekt; **2.** izliekties; **3.** aizlocīties (*par ceļu*)

cushion [ˈkʊʃn] *n* spilvens

cushy [ˈkuʃi] *a sl.* viegls, izdevīgs (*par darbu*)

costody [ˈkʌstədi] *n* **1.** aizbildnība; **2.** arests; ieslodzījums; to take into c. – apcietināt

custom [ˈkʌstəm] *n* **1.** paraža; **2.** ieradums; **3.**: ~s *pl* – muitas nodoklis, muita

customer [ˈkʌstəmə] *n* pircējs, klients

custom-house [ˈkʌstəmhaʊs] *n* muitnīca

cut [kʌt] **I** *n* **1.** grieziens; **2.** (*zobena u. tml.*) cirtiens; **3.** (*apģērba*) piegriezums; **4.** (*cenu*) pazeminājums; **II** *v* (*p. un p. p.* cut [kʌt]) **1.** iegriezt; **2.** nogriezt; **3.** *dat.* izgriezt; c. and paste – izgriezt un ielīmēt; **4.** cirst, skaldīt; **5.** pļaut; **6.** krustoties (*par līnijām*); **7.** pazemināt (*cenas*); ◇ to c. **down** – samazināt (*izdevumus*); to c. **in** – iejaukties; to c. **off** – nogriezt; to c. **out** – izgriezt

cutlet [ˈkʌtlit] *n* (*teļa, jēra*) karbonāde
cutting [ˈkʌtiŋ] **I** *n* (*avīzes*) izgriezums; **II** *a* ass; griezīgs
cybernetics [ˌsaibəˈnetiks] *n* kibernētika
cycle [ˈsaikl] **I** *n* **1.** cikls; **2.** *sar.* velosipēds; **II** *v* braukt ar velosipēdu
cycling [ˈsaikliŋ] *n* riteņbraukšana
cyclist [ˈsaiklist] *n* riteņbraucējs
cyclone [ˈsaikləʊn] *n* ciklons
cyclopaedia [ˌsaikləʊˈpi:diə] *n* enciklopēdija
cynicism [ˈsinisizəm] *n* cinisms
cynosure [ˈsainəsjʊə] *n* **1.** *astr.* Mazais Lācis (zvaigznājs); **2.** *astr.* Polārzvaigzne
cypress [ˈsaipris] *n* ciprese
czar [zɑ:] *n* cars
czarina [zɑ:ri:nə] *n* cariene

D

dab [dæb] *n* bute
dachshund [dækshʊnd] *n* taksis (*suns*)
dad, **daddy** [dæd, ˈdædi] *n sar.* tētis
daffodil [ˈdæfədil] *n* dzeltenā narcise
dagger [ˈdægə] *n* duncis
dahlia [ˈdeiliə] *n* dālija
daily [ˈdeili] **I** *n* dienas avīze; **II** *a* ikdienas-; **III** *adv* ik dienas, katru dienu
dairy [ˈdeəri] *n* **1.** pienotava; **2.** piena veikals; d. produce – piena produkti
daisy [ˈdeizi] *n* margrietiņa; *dat* d. chain – ziedlapķēde
dalle [dæl] *n* **1.** podiņš; **2.** flīze; **3.** dakstiņš
dally [ˈdæli] *v* **1.** uzjautrināties; **2.** koķetēt
dam [ˈdæm] **I** *n* dambis,aizsprosts; **II** *v* aizdambēt, aizsprostot
damage [ˈdæmidʒ] **I** *n* **1.** bojājums; **2.** zaudējums; **3.**: ~s *pl jur.* – atlīdzība par zaudējumiem; **II** *v* **1.** sabojāt; **2.** nodarīt zaudējumus
damn [dæm] **I** *n* lāsts; **II** *v* nolādēt
damp [dæmp] *a* mitrs; drēgns
dance [dɑ:ns] **I** *n* **1.** deja; **2.** deju vakars; dejas; **II** *v* dejot
dancer [ˈdɑ:nsə] *n* dejotājs; dejotāja
dandelion [ˈdændilaiən] *n* pienene
dandriff [ˈdændrit] *n* blaugznas
Dane [dein] *n* vācu dogs
danger [ˈdeindʒə] *n* **1.** briesmas; **2.** draudi
dangerous [ˈdeindʒrəs] *a* bīstams
dare [deə] *v* (*p.* dared [deəd] *vai* durst [dɜ:st]; *p. p.* dared [deəd]) **1.** uzdrošināties, uzdrīkstēties; **2.** riskēt; **3.** izaicināt; ◇ I d. say – man liekas

daring ['deəriŋ] **I** *n* drosme, bezbailība; pārdrošība; **II** *a* drosmīgs, bezbailīgs

dark [dɑ:k] **I** *n* tumsa; **II** *a* **1.** tumšs; **2.** melnīgsnējs

darkness ['dɑ:knis] *n* **1.** tumsa; **2.** nelaime, posts

darling ['dɑ:liŋ] *n* mīļotais; mīļotā

darn [dɑ:n] *v* lāpīt (*zeķes*)

dash [dæʃ] **I** *n* **1.** mešanās (*uz priekšu*); **2.** *sp.* izrāviens; **3.** rāviens; trieciens; **4.** enerģija; uzņēmība; **5.** domuzīme; **II** *v* mesties

date[a] [deit] **I** *n* **1.** datums; **2.** laiks; out of d. – novecojis; up to d. – moderns; **3.** *sar.* satikšanās; **II** *v* datēt

date[b] [deit] *n* datele

date-block ['deitblɒk] *n* noplēšamais kalendārs

datum ['deitəm] *n* (*pl* data ['deitə]) (*parasti pl*) dati; ziņas

daughter ['dɔ:tə] *n* meita; d. board *dat.* – meitasplate

daughter-in-law ['dɔ:tərinlɔ:] *n* vedekla

daw [dɔ:] *n* kovārnis

dawdler ['dɔ:dlə] *n* slaists

dawn [dɔ:n] **I** *n* rītausma; **II** *v* aust

day [dei] *n* diena; by d. – dienā; d. by d. – ik dienas; d. off – brīvdiena; the d. before yesterday – aizvakar; the d. after tomorrow – parīt; this d. week – pēc nedēļas; some d. – kādreiz (*nākotnē*)

daybreak ['deibreik] *n* rītausma

daydreamer ['dei,dri:mə] *n* sapņotājs

daylight ['deilait] *n* dienas gaisma

dayshift ['deiʃift] *n* dienas maiņa

daytaler ['deiteilə] *n* dienas strādnieks

daytime ['deitaim] *n* diena

dead [ded] *a* miris; nedzīvs; d. likk *dat.* – atmirusī saite

deadlock ['dedlɒk] *n* **1.** bezizejas stāvoklis; strupceļš; **2.** *dat.* strupsaķere

deaf [def] *a* kurls

deaf-and-dumb ['defən'dʌm] *a* kurlmēms

deal [di:l] **I** *n* **1.** daudzums; a great (good) d. (*of*) – daudz; **2.** darījums; vienošanās; **II** *v* (*p. un p. p.* dealt [delt]); **1.** izdalīt; izsniegt; **2.** (*in*) tirgoties (*ar*); **3.** apieties; izturēties; **4.** (*with*) aplūkot (*jautājumu*)

dealer ['di:lə] *n* tirgotājs

dealing ['di:liŋ] *n* **1.** izturēšanās; **2.**: ~s *pl* – 1) darīšanas; 2) tirdznieciski darījumi

dealt *p. un p. p. no* **deal**

dean [di:n] *n* dekāns

death [deθ] *n* nāve

death-cup ['deθkʌp] *n* mušmire

death-rate ['deθreit] *n* mirstība

debate [di'beit] **I** *n* debates; diskusija; **II** *v* debatēt; diskutēt

debt [det] *n* parāds; to run (get) into d. – iekrist parādos

debtor ['detə] *n* parādnieks

decant [di'kænt] *v* pārliet

decanter [di'kæntə] *n* karafe

D

decathlon [di'kæθlɔn] *n sp.* desmitcīņa

decay [di'kei] **I** *n* **1.** pūšana; trūdēšana; **2.** pagrimums; **II** *v* **1.** pūt; trūdēt; **2.** pagrimt; **3.** vārgt

decease [di'si:s] **I** *n* nāve; **II** *v* mirt

deceive [di'si:v] *v* krāpt; maldināt

decent ['di:snt] *a* piedienīgs; pieklājīgs

deception [di'sepʃən] *n* krāpšana; blēdība

decide [di'said] *v* izlemt; izšķirt

decimal ['desiməl] **I** *n* decimāldaļskaitlis; **II** *a* decimāls

decision [di'siʒən] *n* **1.** lēmums; **2.** apņēmība; noteiktība

decisive [di'saisiv] *a* izšķirošs

deck [dek] *n* (*kuģa*) klājs

declaration [,deklə'reiʃən] *n* paziņojums; deklarācija

declare [di'kleə] *v* **1.** paziņot; deklarēt; **2.**: have you anything to d.? – vai jums ir kas muitojams?

decline [di'klain] **I** *n* **1.** pagrimums; **2.** (*veselības stāvokļa*) pasliktināšanās; **II** *v* **1.** noraidīt; atteikt; **2.** pagrimt; **3.** pasliktināties (*par veselības stāvokli*); **4.** *gram.* deklinēt

declivity [di'klivəti] *n* nogāze

declivous [di'klaivəs] *a* slīps; kraujš

decoding *n dat.* dekodēšana

decorate ['dekəreit] *v* **1.** dekorēt; **2.** nokrāsot (*sienas*); iztapsēt; **3.** apbalvot (*ar ordeni*)

decoration [,dekə'reiʃən] *n* **1.** dekorēšana; **2.** dekorējums, rotājums; **3.** (*ēkas*) apdare; **4.** ordenis; godazīme

decrease I *n* ['di:kri:s] mazināšanās; **II** *v* [di:'kri:s] mazināties

decree [di'kri:] **I** *n* dekrēts; **II** *v* izdot dekrētu

decry [di'krai] *v* nopelt

decryption *n dat.* atšifrēšana; d. key – atšifrēšana

dedicate ['dedikeit] *v* (*to*) veltīt

deduce [di'dju:s] *v* secināt

deduct [di'dʌkt] *v* atvilkt, atskaitīt

deed [di:d] *n* darbība; rīcība

deem [di:m] *v* uzskatīt

deep [di:p] **I** *n* **1.** dziļums; **2.** bezdibenis; **II** *a* **1.** dziļš; **2.** tumšs; piesātināts (*par krāsu*); **3.** zems (*par balsi, skaņu*); **III** *adv* dziļi; ◇ still waters run d. – klusie ūdeņi ir dziļi

deep-sea ['di:psi:] *n* atklāta jūra, selga

deer [diə] *n* (*pl* deer [diə]) briedis

defame [di'feim] *v* apmelot; celt neslavu

default [di'fɔ:lt] **I** *n* **1.** trūkumi; **2.** neierašanās tiesā; **II** *v* neierasties tiesā

defeat [di'fi:t] **I** *n* sakāve; **II** *v* **1.** sakaut; uzvarēt; **2.** sagraut (*piem., cerības*)

defect ['di:fekt] *n* defekts; trūkums

defective [di'fektiv] *a* **1.** nepilnīgs; nepietiekams; **2.** bojāts

defence [di'fens] *n* aizstāvēšana; aizsardzība

defend [di'fend] *v* **1.** aizstāvēt; aizsargāt; **2.** aizstāvēties
defensive [di'fensiv] **I** *n* aizsardzība; **II** *a* aizsardzības-
deference ['defərəns] *n* cieņa; godbijība
deficiency [di'fiʃənsi] *n* trūkums
defile ['di:fail] *n* aiza
define [di'fain] *v* noteikt; definēt
definite ['definit] *a* noteikts
definition [,defi'niʃən] *n* definīcija
defray [di'frei] *v* samaksāt
defrost [,di:'frɒst] *v* atkausēt
deft [deft] *a* veikls, izveicīgs
degree [di'gri:] *n* **1.** grāds; two ~s below zero – divi grādi zem nulles; **2.** pakāpe; to a certain d. – zināmā mērā; **3.** [zinātnisks] grāds; **4.** *gram.* salīdzināmā pakāpe
deign [dein] *v* labpatikt
deity ['di:'ti] *n* dievība
delay [di'lei] **I** *n* **1.** aizkavēšana; novilcināšana; **2.** *dat.* aizkave; **II** *v* aizkavēt; novilcināt
delegate I *n* ['deligit] delegāts; **II** *v* ['deligeit] deleģēt, sūtīt
delegation [,deli'geiʃən] *n* delegācija
deliberate [di'libərit] *a* **1.** tīšs; **2.** piesardzīgs; apdomīgs
delicacy ['delikəsi] *n* **1.** smalkjūtība; **2.** smalkums; izsmalcinātība; delikātums; **3.** gardums; delikatese; **4.** trauslums
delicate ['delikit] *a* **1.** smalkjūtīgs; delikāts; **2.** smalks; izsmalcināts; **3.** trausls (*par veselību*); **4.** maigs (*par krāsu*)
delicious [de'liʃəs] *a* **1.** brīnišķīgs; **2.** garšīgs
delight [di'lait] **I** *n* prieks; bauda; patika; **II** *v* sajūsmināt; iepriecināt
delimit [di:'limit] *v* norobežot
deliver [di'livə] *v* **1.** piegādāt (*pastu, preces*); **2.** nolasīt (*lekciju*); teikt (*runu*)
delivery [di'livəri] *n* (*pasta, preču*) piegāde; early d. – rīta pasts
delly ['deli] *n sar.* **1.** kulinārijas veikals; **2.** aukstie uzkožamie
deluge ['delju:dʒ] *n* **1.** plūdi; **2.** lietusgāze
demand [di'mɑ:nd] **I** *n* **1.** prasība; **2.** *ek.* pieprasījums; in d. – pieprasīts; on d. – pēc pieprasījuma; **II** *v* **1.** prasīt; **2.** pieprasīt
demented [di'mentid] *a* ārprātīgs
demission [di'miʃən] *n* (*of*) demisija
democracy [di'mɒkrəsi] *n* demokrātija
demographic [,demə'græfik] *a* demogrāfisks
demolish [di'mɒliʃ] *v* sagraut
demonstration [,deməns'treiʃən] *n* **1.** demonstrēšana; **2.** demonstrācija
denial [di'naiəl] *n* **1.** noliegums; **2.** atteikums
denote [di'nəʊt] *v* **1.** apzīmēt; **2.** nozīmēt; norādīt
denounce [di'naʊns] *v* apsūdzēt; denuncēt

D

D

dense [dens] *a* biezs; blīvs
density [ˈdensəti] *n* biezums; blīvums
dent [dent] *n tehn.* zobs
dental [ˈdentl] *a* zobu-; d. plate – zobu protēze
dentist [ˈdentist] *n* zobārsts
denture [ˈdentʃə] *n* zobu protēze
deny [diˈnai] *v* **1.** noliegt; **2.** noraidīt; atteikt; **3.** atteikties
depart [diˈpɑ:t] *v* **1.** aiziet; aizbraukt; **2.** atiet (*par vilcienu*); **3.** nomirt
department [diˈpɑ:tmənt] *n* **1.** nodaļa; d. store – universālveikals; **2.** departaments; **3.** *amer.* ministrija; **4.** fakultāte
departure [diˈpɑ:tʃə] *n* **1.** aiziešana; aizbraukšana; **2.** (*vilciena*) atiešana
depend [diˈpend] *v* (*on, upon*) **1.** būt atkarīgam; **2.** paļauties; to d. on one's parents – atrasties vecāku apgādībā
dependence [diˈpendəns] *n* **1.** atkarība; **2.** paļāvība
depict [diˈpikt] *v* **1.** zīmēt; **2.** attēlot, aprakstīt
deplore [diˈplɔ:] *v* nožēlot; apraudāt
deposit [diˈpɒzit] **I** *n* **1.** noguldījums (*bankā*); **2.** iemaksa; **3.** nogulsnes; **4.** *ģeol.* atradne; **II** *v* **1.** noguldīt (*naudu*); **2.** iemaksāt; **3.** nogulsnēt
depot *n* **1.** [ˈdepəʊ] *mil.* noliktava; **2.** [ˈdi:pəu] *amer.* stacija
depress [diˈpres] *v* nospiest, nomākt
depression [diˈpreʃn] *n* **1.** nomāktība; **2.** *ek.* depresija
deprive [diˈpraiv] *v* (*of*) atņemt
depth [depθ] *n* **1.** dziļums; **2.**: ~s *pl* – dzīles, dzelme; **3.** vidus-
depurate [ˈdepjʊreit] *v* **1.** attīrīt; **2.** attīrīties
depute [diˈpju:t] *v* **1.** deleģēt; **2.** pilnvarot
deputy [ˈdepjʊti] *n* vietnieks
describe [disˈkraib] *v* attēlot, aprakstīt
desert **I** *n* [ˈdezət] tuksnesis; **II** *v* [diˈzɜ:t] **1.** pamest; atstāt; **2.** dezertēt
deserve [diˈzɜ:v] *v* pelnīt (*uzslavu, sodu*)
desiccate [ˈdesikeit] *v* izžāvēt, izkaltēt
desing [diˈzain] **I** *n* **1.** projekts; plāns; **2.** zīmējums; raksts; **3.** nodoms; **II** *v* **1.** konstruēt; projektēt; **2.** iecerēt
designer [diˈzainə] *n* projektētājs
desirable [diˈzaiərəbl] *a* **1.** vēlams; **2.** iekārojams
desire [diˈzaiə] **I** *n* vēlēšanās; **II** *v* vēlēties
desist [diˈzist] *v* (*from*) atturēties
desk [desk] *n* **1.** rakstāmgalds; **2.** (*skolas*) sols
desktop [desktɔp] *n dat.* darbvirsma; d. computer *dat.* – galddators; d. publishing *dat.* – datorizdevniecība
despair [diˈspeə] *n* izmisums; bezcerība
desperate [ˈdespərit] *a* izmisīgs
despise [diˈspaiz] *v* nicināt
despite [diˈspait] *prep* par spīti

despoil [dis'pɒil] *v* (*of*) laupīt
despotic [di'spɒtik] *a* despotisks
dessert [di'zɜ:t] *n* saldais ēdiens
destination [ˌdesti'neiʃən] *n* **1.** [gala]mērķis; **2.** *dat.* adresāts, saņēmējs; d. address – saņēmēja adrese; d. code – adresāta kods; d. field – adresāta lauks
destiny ['destini] *n* liktenis
destruction [di'strʌkʃn] *n* sagraušana
detach [di'tætʃ] *v* atdalīt; atšķirt
detached [di'tætʃt] *a* **1.** atsevišķs; savrups; d. house – savrupmāja; **2.** objektīvs
detail ['di:teil] *n* detaļa; sīkums
detain [di'tein] *v* **1.** aizkavēt; **2.** aizturēt (*algu*)
detect [di'tekt] *v* atklāt; uziet
detective [di'tektiv] **I** *n* detektīvs; **II** *a* detektīv-
detergent [di'tɜ:dʒənt] *n* mazgāšanas līdzeklis
determination [diˌtɜ:mi'neiʃən] *n* **1.** noteikšana; **2.** noteiktība; apņēmība
determine [di'tɜ:min] *v* **1.** noteikt; **2.** nolemt, izšķirties
devalue [di:'vælju:] *v* devalvēt; mazināt vērtību
devastate ['devəsteit] *v* izpostīt
develop [di'veləp] *v* **1.** attīstīt; **2.** attīstīties; **3.** izveidot
development ['di'veləpmənt] *n* **1.** attīstība; **2.** izveide; d. system *dat.* – izstrādes sistēma; **3.**: ~s *pl* – notikumi
device [di'vais] *n* **1.** ierīce; mehānisms; d. driver *dat.* – ierīces draiveris; d. sharing *dat.* – ierīces koplietošana; **2.** plāns; projekts; **3.** emblēma; devīze
devil ['devl] *n* velns; lucky d. – laimes luteklis
devise [di'vaiz] *v* izgudrot
devote [di'vəʊt] *v* veltīt, ziedot
devoted [di'vəʊtid] *a* uzticīgs
devotion [di'vəʊʃən] *n* uzticība
dew [dju:] *n* rasa
dexterous ['dekstərəs] *a* veikls, izveicīgs
diagnosis [ˌdaiəg'nəʊsis] *n* (*pl* diagnoses [ˌdaiəg'nəʊsi:z]) diagnoze
dial [daiəl] **I** *n* **1.** ciparnīca; **2.** (*telefona aparāta*) ciparripa; **II** *v* uzgriezt telefona numuru
diameter [dai'æmitə] *n* diametrs
diamond ['daiəmənd] *n* **1.** dimants; briljants; **2.** *mat.* rombs
diary ['daiəri] *n* dienasgrāmata
dictate [dik'teit] *v* diktēt
dictation [dik'teiʃən] *n* diktāts
dictatorship [dik'teitəʃip] *n* diktatūra
dictionary ['dikʃnəri] *n* vārdnīca
did *p.* no **do**
didy ['didi] *n* (*bērnu*) autiņš
die [dai] *v* **1.** [no]mirt; **2.** norimt (*par vēju*); izdzist (*par uguni*)
die-away ['daiəwei] *n* novīšana
diet ['daiət] *n* **1.** uzturs; ēdiens; **2.** diēta
differ ['difə] *n* **1.** atšķirties; **2.** (*from, with*) nepiekrist
difference ['difrəns] *n* **1.** atšķirība;

D

2. starpība; 3. nesaskaņas; domstarpības; 4. *mat.* starpība

different [ˈdifrənt] *a* 1. atšķirīgs; citāds; 2. dažāds

D

difficult [difikəlt] *a* grūts; smags

difficulty [ˈdifikəlti] *n* 1. grūtības; 2. šķērslis; kavēklis

diffident [ˈdifidənt] *a* 1. nedrošs; bikls; 2. (*in, of*) neuzticīgs, aizdomu pilns

diffuse *n* [diˈfju:s] *n* izplatīt

dig [dig] *v* (*p. un p. p.* dug [dʌg]) rakt

digest I *n* [ˈdaidʒest] īss izklāsts; **II** *v* [diˈdʒest] 1. sagremot (*barību*); 2. izprast

digestion [daiˈdʒestʃən] *n* gremošana

digit [ˈdidʒit] *n* cipars; d. place *dat.* – šķira; pozīcija; d. circuit *dat.* – ciparshēma, ciparķēde

digital [ˈdidʒitl] *a* cipara-; ciparu-

dignity [ˈdigniti] *n* 1. cieņa; 2. tituls

dike [daik] *n* 1. grāvis; 2. aizsprosts; dambis

diligent [ˈdilidʒənt] *a* uzcītīgs; čakls; rūpīgs

dill [dil] *n* dilles

dim [dim] *n* 1. nespodrs; blāvs; 2. neskaidrs; miglains; 3. vājš (*par redzi*)

dime [daim] *n amer.* desmitcentu monēta

dimension [diˈmenʃən] *n* 1. dimensija; 2.: ~s *pl* – apjoms

diminish [diˈminiʃ] *v* 1. samazināt; 2. samazināties

dine [dain] *v* 1. pusdienot; 2. pacienāt ar pusdienām

diner [ˈdainə] *n amer.* 1. restorānvagons; 2. ceļmalas kafejnīca

dining-car [ˈdainiŋkɑ:] *n* restorānvagons

dinner [ˈdinə] *n* pusdienas

dinner-jacket [ˈdinə,dʒækit] *n* smokings

dip [dip] **I** *n* 1. iemērkšana; iegremdēšana; 2. ieniršana; **II** *v* 1. iemērkt; iegremdēt; 2. ienirt

diploma [diˈpləʊmə] *n* diploms

diplomacy [diˈpləʊməsi] *n* diplomātija

diplomatic [,dipləˈmætik] *a* diplomātisks

direct [diˈrekt] **I** *a* 1. taisns; 2. tiešs; d. speech *gram.* – tiešā runa; d. access *dat.* – tiešā piekļuve; **II** *v* 1. parādīt ceļu; 2. vērst; virzīt

direction [ˈdiˈrekʃn] *n* 1. virziens; 2. norādījums; instrukcija

directly [diˈrektli] *adv* 1. taisni; 2. tūlīt; nekavējoties

directory [diˈrektəri] *n* adrešu grāmata

dirk [dɜ:k] *n* duncis

dirt [dɜ:t] *n* 1. netīrumi, dubļi; 2. zeme

dirty [ˈdɜ:ti] *a* 1. netīrs; 2. zemisks

disability [,disəˈbiliti] *n* nespēja; nevarība

disabled [disˈeibld] *a* sakropļots; nespējīgs

disadvantage [,disədˈvɑ:ntidʒ] *n* 1. neizdevīgs stāvoklis; 2. zaudējums

disaffirm [disə'fɜ:m] *v* **1.** noliegt; **2.** *jur.* atcelt
disagree [ˌdisə'gri:] *v* nepiekrist
disagreeable [disə'griəbl] *a* nepatīkams
disappear [ˌdisə'piə] *v* pazust; izzust
disappoint [ˌdisə'pɒint] *v* sarūgtināt
disapproval [ˌdisə'pru:vəl] *n* neatzīšana (*par labu*)
disapprove [ˌdisə'pru:v] *v* (*of*) nosodīt; neatzīt (*par labu*)
disarm [dis'ɑ:m] *v* **1.** atbruņot; **2.** atbruņoties
disarray ['disə'rei] **I** *n* nekārtība; **II** *v* radīt nekārtību
disaster [di'zɑ:stə] *n* posts; nelaime
disastrous [di'zɑ:strəs] *a* nelaimi nesošs; postošs
disc [disk] *n* disks
discard [dis'kɑ:d] *v* atmest (*kā nederīgu*)
discharge [dis'tʃɑ:dʒ] *v* **1.** izkraut; **2.** izšaut; **3.** atbrīvot (*no darba*)
discipline ['disiplin] *n* disciplīna
disclose [dis'kləʊz] *v* atklāt; atsegt
disco ['diskəʊ] *n sar.* diskotēka
discontent [ˌdiskən'tent] **I** *n* neapmierinātība; **II** *a* neapmierināts
discontinuance [ˌdiskən'tinjʊəns] *n* pārtraukšana
discord ['diskɔ:d] *n* **1.** nesaskaņa; strīds; **2.** *mūz.* disonanse; ◇ apple of d. – strīda ābols
discount ['diskaʊnt] **I** *n* atlaide; **II** *v* [dis'kaʊnt] **1.** nolaist cenu; samazināt vērtību; **2.** neņemt vērā
discourage [dis'kʌridʒ] *v* **1.** (*from*) atrunāt; **2.** zaudēt drosmi; **3.** atņemt drosmi
discover [dis'kʌvə] *v* atklāt; atrast
discovery [dis'kʌvəri] *n* atklājums
discreet [di'skri:t] *a* **1.** uzmanīgs; piesardzīgs; **2.** diskrēts
discrete [dis'kri:t] *a* nošķirts; atsevišķs
discretion [di'skreʃən] *n* **1.** uzmanība; piesardzība; **2.** rīcības brīvība
discriminate [di'skrimineit] *v* **1.** atšķirt; izšķirt; **2.** diskriminēt
discus ['diskəs] *n sp.* disks
discuss [di'skʌs] *v* apspriest; pārrunāt; diskutēt
discussion [di'skʌʃən] *n* apspriešana; pārrunas; diskusija
disease [di'zi:z] *n* slimība
disgrace [dis'greis] **I** *n* kauns; negods; **II** *v* pazemot; apkaunot
disguise [dis'gaiz] *v* **1.** pārģērbties; maskēties; **2.** slēpt
disgust [dis'gʌst] **I** *n* riebums; pretīgums; **II** *v* iedvest riebumu
disgusting [dis'gʌstiŋ] *a* riebīgs; pretīgs
dish [diʃ] *n* **1.** šķīvis; **2.**: ~es *pl* – trauki; **3.** ēdiens
dishearten [dis'hɑ:tn] *v* laupīt cerības (*vai* drosmi)
dishonest [dis'ɒnist] *a* negodīgs
dishonour [dis'ɔnə] **I** *n* negods; **II** *v* darīt kaunu

dishwasher [ˈdiʃˌwɒʃə] *n* trauku mazgājamā mašīna
disillusion [ˌdisiˈlu:ʒən] *n* vilšanās
disinfect [ˌdisinˈfekt] *v* dezinficēt
D
disk [disk] *n* disks; d. drive *dat.* – diskdzinis
dislike [disˈlaik] **I** *n* nepatika; antipātija; **II** *v* izjust nepatiku
dislocate [ˈdisləkeit] *v* izmežģīt
dismiss [disˈmis] *v* **1.** atlaist (*no darba*); **2.** atvairīt (*domu*); **3.** slēgt (*sapulci*); **4.** *jur.* izbeigt (*lietu*)
disorder [disˈɔ:də] *n* **1.** nekārtība; **2.** *med.* traucējums
dispatch [diˈspætʃ] **I** *n* **1.** (*pasta*) nosūtīšana; **2.** ziņojums; **II** *v* **1.** nosūtīt (*pa pastu*); **2.** ātri izpildīt
dispatcher [diˈspætʃə] *n* **1.** ekspeditors; **2.** dispečers
dispel [disˈpel] *v* izkliedēt (*bažas*)
dispense [diˈspens] *v* izsniegt; izdalīt; ◇ to d. **with** – iztikt bez
disperse [diˈspɜ:s] *v* **1.** izklīdināt; **2.** izklīst
displace [disˈpleis] *v* pārvietot
display [diˈsplei] **I** *n* **1.** izstāde; **2.** *dat.* displejs, d. console *dat.* – displejpults; **II** *v* **1.** izstādīt; **2.** izrādīt (*jūtas u. tml.*)
displeasing [disˈpli:ziŋ] *a* nepatīkams
disposal [diˈspəʊzəl] *n* **1.** likvidēšana; **2.** pārziņa; rīcība
dispose [diˈspəʊz] *v* **1.** izvietot; **2.** (*of*) likvidēt, tikt vaļā (*no*); **3.** noskaņot
dispossess [ˌdispəˈzes] *v* **1.** atņemt (*īpašumu*); **2.** izdzīt; **3.** atbrīvot
disprove [ˈdisˈpru:v] *v* atspēkot
dispute [disˈpju:t] **I** *n* **1.** disputs; debates; **2.** strīds; **II** *v* **1.** diskutēt; apspriest; **2.** strīdēties; **3.** apstrīdēt
disregard [ˌdisriˈgɑ:d] **I** *n* (*of, for*) nevērība; **II** *v* neievērot; ignorēt
disrepute [ˈdisriˈpju:t] *n* slikta slava; negods
disseminate [diˈsemineit] *v* **1.** sēt; **2.** izplatīt
distance [ˈdistəns] *n* **1.** attālums; distance; **2.** tālums; in the d. – tālumā; from a d. – notālēm; **3.** starplaiks; laika posms
distant [ˈdistənt] *a* **1.** tāls; attāls; d. relative – attāls radinieks; **2.** atturīgs
distensible [disˈtensəbl] *a* elastīgs
distinct [diˈstiŋkt] *a* **1.** atšķirīgs; īpatns; **2.** skaidrs; noteikts
distinction [diˈstiŋkʃn] *n* **1.** atšķirība; īpatnība; **2.** izcilība
distinguish [diˈstiŋgwiʃ] *v* **1.** atšķirt; **2.** pamanīt
distinguished [diˈstiŋgwiʃt] *a* izcils; ievērojams
distort [diˈstɔ:t] *v* **1.** sagrozīt (*piem., faktus*); **2.** *tehn.* deformēt
distract [diˈstrækt] *v* novērst (*piem., uzmanību*)
distress [diˈstres] **I** *n* **1.** bēdas; ciešanas; **2.** posts; briesmas; **II** *v* sagādāt ciešanas
distribute [diˈstribju:t] *v* **1.** izdalīt; sadalīt; **2.** izplatīt

distribution [ˌdistriˈbju:ʃən] *n* sadalīšana; sadale

district [ˈdistrikt] *n* rajons; apgabals

distrust [disˈtrʌst] **I** *n* neuzticība; **II** *v* neuzticēties

disturb [diˈstɜ:b] *v* **1.** traucēt; **2.** uztraukt

ditch [ditʃ] *n* grāvis

diverse [daiˈvə:s] *a* atšķirīgs; dažāds

divert [daiˈvɜ:t] *v* **1.** novirzīt; novērst (*uzmanību*); **2.** uzjautrināt; izklaidēt

divide [diˈvaid] *v* **1.** dalīt; sadalīt; **2.** dalīties; sadalīties

diving [ˈdaiviŋ] *n* niršana; ūdenslēkšana

division [diˈviʒən] *n* **1.** dalīšana; **2.** daļa; nodaļa; **3.** *mil.* divīzija

divorce [diˈvɔ:s] **I** *n* laulības šķiršana; šķiršanās; **II** *v* šķirties (*no vīra, sievas*)

dizzy [ˈdizi] **I** *a* apreibis; **II** *v* **1.** reibināt; **2.** samulsināt

do [du:, dʊ] *v* (*p.* did [did]; *p. p.* done [dʌn]) **1.** darīt; veikt; nothing ~ing! – neko darīt!; **2.** sakārtot; **3.** derēt, būt derīgam; pietikt; **4.** iztikt; **5.** klāties; he is ~ing well – viņam klājas labi; **6.** beigt; **7.** (*kā palīgverbu lieto jautājuma un nolieguma teikumos*)*:* do you speak English? – vai jūs runājat angliski?; **8.** (*lieto uzsvaram*)*:* do come! – lūdzu, atnāciet!; ◇ to do **away** (*with*) – atmest; to do **into** – pārtulkot; to do **up** – 1) sakārtot; 2) nogurdināt; ◇ how do you do! – sveicināti!; that will do! – diezgan!; nothing ~ing! – neko darīt!

doc [dɔk] *n sar.* ārsts

dock[a] [dɒk] *n* doks

dock[b] [dɒk] *n* skābene; skābenes

doctor [ˈdɒktə] *n* **1.** ārsts; **2.** doktors (*zinātnisks grāds*)

document [ˈdɒkjʊmənt] *n* dokuments

doesn't [dʌznt] *saīs. no* does not

dog [dɒg] *n* **1.** suns; **2.** (*vilku, lapsu*) tēviņš; **3.** *sar.* puisis; lucky d. – laimes bērns; lazy d. – sliņķis; ◇ d. in the manger – suns uz siena kaudzes

doing [ˈdu:iŋ] *n* darbība; rīcība

doll [dɒl] *n* lelle

dollar [ˈdɒlə] *n* dolārs

dolphin [ˈdɒlfin] *n* delfīns

dome [dəʊm] *n* kupols

domestic [dəˈmestik] *a* **1.** mājas-; ģimenes-; **2.** iekšzemes-

dominate [ˈdɒmineit] *v* **1.** būt pārsvarā; **2.** valdīt

dominion [dəˈminiən] *n* **1.** valdīšana; vara; **2.**: ~s *pl* – valdījumi

done *p. p. no* **do**

donkey [ˈdɒŋki] *n* ēzelis

don't [dəʊnt] *saīs. no* do not; d. care state *dat.* – patvaļīgs stāvoklis

doom [du:m] **I** *n* liktenis; **II** *v* nolemt (*kam neizbēgamam*)

doomsday [ˈdu:mzdei] *n rel.* Pastardiena

door [dɔ:] *n* durvis; ◇ out of ~s – ārpus mājas; svaigā gaisā

D

doorstep ['dɔ:step] *n* slieksnis
doorway ['dɔ:wei] *n* ieeja
dope [dəʊp] *n* **1.** dopings; narkotika; **2.** smērviela
dorm [dɔ:m] (*saīs. no* dormitory) *n* kopmītne
dorp [dɔ:p] *n* ciems
dot [dɒt] *n* punkts; d. file *dat.* – punktdatne; d. matrix *dat.* – punktmatrica
doting ['dəʊtiŋ] *a* mīlošs
double ['dʌbl] **I** *n* **1.** divkāršs daudzums; **2.** līdzinieks, dubultnieks; **3.** dubultspēle (*tenisā*); **4.** dublieris; **II** *a* **1.** divkāršs, dubults; **2.** divējāds; **3.** divkosīgs; **III** *v* **1.** divkāršot, dubultot; **2.** dublēt; **IV** *adv* divkārši, dubulti
doubt [daʊt] **I** *n* šaubas; **II** *v* šaubīties
doubtful ['daʊtful] *a* apšaubāms; šaubīgs
doubtless ['daʊtlis] *adv* bez šaubām
dough [dəʊ] *n* (*maizes*) mīkla
dove [dʌv] *n* balodis; dūja
down [daʊn] **I** *n*: ~load *dat.* – lejupielāde; **II** *adv* **1.** lejā; lejup; **2.** līdz pat; **III** *prep* lejup pa
downpour ['daʊnpɔ:] *n* lietusgāze
downstairs [ˌdaʊn'steəz] *adv* **1.** lejup (*pa kāpnēm*); **2.** lejā; apakšējā stāvā
downward ['daʊnwəd] **I** *a* **1.** lejupejošs; **2.** nomākts; **II** *adv* lejup
doze [dəʊz] **I** *n* snauda; **II** *v* snaust
dozen ['dʌzn] *n* ducis; ◇ baker's (devil's) d. – velna ducis
draft [drɑ:ft] **I** *n* **1.** projekts; **2.** skice; uzmetums; **3.** čeks; **II** *v* **1.** sastādīt projektu; **2.** uzskicēt
drag [dræg] **I** *n* **1.** bremze; **2.** kavēklis; **II** *v* **1.** vilkt; **2.** vilkties
dragon ['drægən] *n* pūķis
dragon-fly ['drægənflai] *n* spāre
drain [drein] **I** *n* **1.** drena; **2.** kanalizācijas caurule; **II** *v* drenēt; nosusināt (*augsni*)
dramatic [drə'mætik] *a* **1.** dramatisks; **2.** pārsteidzošs
dramatist ['dræmətist] *n* dramaturgs
drank *p. no* **drink II**
drapery ['dreipəri] *n* **1.** drapējums; **2.** audumi
drastic ['dræstik] *a* **1.** iedarbīgs (*par līdzekli*); **2.** radikāls
draught ['drɑ:ft] *n* **1.** loms; **2.** caurvējš; **3.** malks; **4.**: ~s *pl* – dambrete
draw [drɔ:] **I** *n* **1.** vilkšana; **2.** loterija; **3.** neizšķirta spēle; **II** *v* (*p.* drew [dru:]; *p. p.* drawn [drɔ:n]) **1.** vilkt; **2.** izvilkt; **3.** saistīt (*uzmanību u. tml.*); **4.** zīmēt; **5.** beigt neizšķirti (*spēli*)
drawback ['drɔ:bæk] *n* **1.** vaina; trūkums; **2.** šķērslis
drawer [drɔ:] *n* atvilktne
drawers [drɔ:z] *n pl* apakšbikses
drawing ['drɔ:iŋ] *n* **1.** zīmēšana; **2.** zīmējums
drawn *p. p. no* **draw II**

dread [dred] **I** *n* bailes; šausmas; **II** *v* baidīties

dreadful ['dredfl] *a* šausmīgs; briesmīgs

dream [dri:m] **I** *n* sapnis; **II** *v* **1.** (*p. un p. p.* dreamt *vai* dreamed [dremt]) sapņot; **2.** (*nolieguma teikumos*) iedomāties

dreamt *p. un p. p. no* **dream II**

dreamy ['dri:mi] *a* **1.** sapņains; **2.** iedomu-; nereāls

dreary ['driəri] *a* drūms

dress [dres] **I** *n* tērps; kleita; **II** *v* **1.** apģērbt; **2.** apģērbties; **3.** pārsiet (*ievainojumu*); **4.** frizēt; **5.** gatavot (*ēdienu*)

dressing ['dresiŋ] *n* **1.** ģērbšanās; **2.** pārsienamais materiāls; **3.** (*salātu*) mērce; **4.** mēslojums

dressing-gown ['dresiŋgaʊn] *n* rītasvārki

drew *p. no* **draw II**

dribble ['dribl] *v* **1.** pilēt; **2.** driblēt (*bumbu*)

dried [draid] *a* žāvēts; kaltēts

drill[a] [dril] *n* **1.** treniņš; **2.** *mil.* ierindas mācība

drill[b] [dril] **I** *n* urbis; **II** *v* urbt

drily ['draili] *adv* sausi; neinteresanti

drink [driŋk] **I** *n* **1.** dzēriens; soft ~s *sar.* – bezalkoholiski dzērieni; **2.** (*arī* strong d.) alkoholisks dzēriens; **3.** malks; **II** *v* (*p.* drank [dræŋk]; *p. p.* drunk [drʌŋk]) dzert

drinker ['driŋkə] *n* dzērājs

drip [drip] *v* pilēt

drive [draiv] **I** *n* izbraukums (*automobilī*); **II** *v* (*p.* drove [drəʊv]; *p. p.* driven ['drivn]) **1.** dzīt; trenkt; **2.** vadīt (*automobili*); **3.** iedzīt (*naglu*); **4.** novest (*kādā stāvoklī*)

driver ['draivə] *n* **1.** vadītājs; braucējs; **2.** *tehn.* dzinējs

driving ['draiviŋ] *n* braukšana; d. licence – autovadītāja tiesības

drop [drɒp] **I** *n* **1.** piliens; **2.** (*piem., vīna*) malks; **3.**: ~s *pl med.* – pilieni; **4.** pazemināšanās; **II** *v* **1.** pilēt; **2.** (*nejauši*) nomest; **3.** pazemināties; krist (*par cenām*); ◇ to d. **in** – apciemot; iegriezties; to d. **off** – samazināties

drought [draʊt] *n* sausums

drove[a] *p. no* **drive II**

drove[b] [drəʊv] *n* **1.** ganāmpulks; **2.** pūlis; bars

drown [draʊn] *v* **1.** noslīcināt; **2.** slīkt; to be ~ed – noslīkt

drowse [draʊz] **I** *n* snauda; **II** *v* snaust

drowsy ['draʊzi] *a* **1.** miegains; **2.** iemidzinošs

drug [drʌg] *n* **1.** zāles; medikaments; **2.** narkotika; d. addict [taker] – narkomāns; d. habit – narkomānija

druggist ['drʌgist] *n* aptiekārs; farmaceits

drugstore ['drʌgstɔ:] *n amer.* aptieka

drum [drʌm] **I** *n* **1.** bungas; **2.** *tehn.* cilindrs; **II** *v* sist bungas

drunk [drʌŋk] **I** *a* piedzēries; **II** *p. p. no* **drink II**

D

drunkard [ˈdrʌŋkəd] *n* dzērājs

dry [drai] **I** *a* **1.** sauss; **2.** izslāpis; **II** *v* **1.** kaltēt, žāvēt; **2.** izkalst, izžūt

dry-cleaner's [ˌdraiˈkli:nəz] *n* ķīmiskā tīrītava

dub [dʌb] *v* dublēt (*filmu*)

duck [dʌk] *n* pīle

duct [dʌkt] *n* vads; kanāls (*parasti organismā*)

due [dju:] **I** *n* **1.** (*kādam*) pienācīgā daļa; **2.**: ~s *pl* – nodoklis; nodeva; custom ~s – muitas nodoklis; **3.**: ~s *pl* – biedru nauda; **II** *a* **1.** pienācīgs; it is d. to him to speak – viņam pienākas runāt; **2.** sagaidāms; **3.**: d. to – radies (*kaut kā*) rezultātā; d. to cold – aukstuma dēļ

dug *p. un p. p. no* **dig**

dull [dʌl] *a* **1.** neass, truls; **2.** vājš (*par dzirdi, redzi*); **3.** garlaicīgs; **4.** blāvs; nespodrs

dumb [dʌm] *a* **1.** mēms; **2.** *amer. sl.* muļķīgs, stulbs

dumbbell [ˈdʌmbel] *n* hantele

dummy [ˈdʌmi] *n* **1.** manekens; **2.** makets; **3.** knupis

dump [dʌmp] **I** *n* **1.** izgāztuve; **2.** atkritumu kaudze; **3.** *dat.* izmete; **II** *v* **1.** izgāzt; **2.** *amer.* dot dzeramnaudu

dumpling [dʌmpliŋ] *n* **1.** klimpa; **2.** mīklā cepts ābols

dumps [dʌmps] *n pl* grūtsirdība; to be in the d. – būt grūtsirdīgam

dune [dju:n] *n* kāpa

duplex [ˈdju:pleks] **I** *n dat.* duplekss; **II** *a* dubults

duplicate [ˈdju:plikit] **I** *n* dublikāts; kopija; **II** *v* izgatavot kopiju

durable [ˈdjʊərəbl] *a* **1.** ilgstošs; **2.** izturīgs

duration [djʊˈreiʃn] *n* ilgums

during [ˈdjʊəriŋ] *prep* laikā; d. weekend – nedēļas nogalē

durst *p. no* **dare**

dusk [dʌsk] *n* krēsla

dust [dʌst] **I** *n* putekļi; **II** *v* **1.** apkaisīt (*ar miltiem*); **2.** slaucīt putekļus

dustbin [ˈdʌsˌbin] *n* atkritumu spainis

duster [ˈdʌstə] *n* putekļu lupata

dustpan [ˈdʌstpæn] *n* saslauku liekšķere

dutiable [ˈdju:tiəbl] *a* muitojams

duty [ˈdju:ti] *n* **1.** pienākums; **2.** dienests; dežūra; **3.** nodoklis

duty-free [ˌdju:tiˈfri:] *a* nemuitojams

dwarf [dwɔ:f] *n* **1.** punduris; **2.** rūķis

dwell [dwel] *v* (*p. un p. p.* dwelt [dwelt]) **1.** (*at, in*) dzīvot; mājot; **2.** (*on, upon*) pakavēties (*piem., pie jautājuma*)

dwelling [ˈdweliŋ] *n* mājoklis

dwelling-house [ˈdweliŋhaus] *n* dzīvojamais nams

dwelt *p. un p. p. no* **dwell**

dwindle [ˈdwindl] *v* samazināties; panīkt

dye [dai] **I** *n* krāsa; krāsviela; **II** *v* **1.** (*ķīmiski*) krāsot; **2.** nokrāsoties

E

each [i:tʃ] *pron* **1.** katrs; ikviens; **2.**: e. other – viens otru
eager [ˈi:gə] *a* **1.** kārs; **2.** kvēls; dedzīgs
eagle [ˈi:gl] *n* ērglis
eagle-eyed [ˌi:glˈaid] *a* acīgs; vērīgs
ear[a] [iə] **1.** auss; **2.** dzirde; **3.** (*adatas*) acs
ear[b] [iə] *n* vārpa
ear-catcher [ˈiəˌkætʃə] *n* lipīga melodija
eardrop [iədrɒp] *n* auskars
early [ˈɜ:li] **I** *a* agrs; **II** *adv* **1.** agri; **2.** drīz
earn [ɜ:n] *v* **1.** nopelnīt; **2.** izpelnīties
earnest[a] [ˈɜ:nist] **I** *n*: in e. – nopietni; **II** *a* **1.** nopietns; **2.** kaislīgs, dedzīgs
earnest[b] [ˈɜ:nist] *n* rokasnauda; ķīla
earnings [ˈɜ:niŋz] *n pl* izpeļņa
earring [ˈiəˌriŋ] *n* auskars
earth [ɜ:θ] *n* **1.** zeme; augsne; **2.** zemeslode; pasaule; **3.** cietzeme
earthenware [ˈɜ:θnweə] *n* māla trauki; keramika
earthnut [ˈɜ:θnʌt] zemesrieksts
earthquake [ˈɜ:θkweik] *n* zemestrīce
earthworm [ˈɜ:θwə:m] *n* slieka
ease [i:z] **I** *n* **1.** miers; atpūta; **2.** nepiespiestība; dabiskums; **II** *v* **1.** atvieglot (*ciešanas*); remdēt (*sāpes*); **2.** palaist vaļīgāk; atslābināt; **3.** ievalkāt (*apavus*)
easel [ˈi:zl] *n* molberts
easily [ˈi:zili] *adv* **1.** viegli; **2.** bez šaubām
east [i:st] **I** *n* austrumi; **II** *a* austrumu-
Easter [ˈi:stə] *n* Lieldienas
eastern [ˈi:stən] *a* austrumu-
easy [ˈi:zi] **I** *a* **1.** viegls; viegli veicams; **2.** ērts; **3.** dabisks; **II** *adv* viegli
easygoing [ˈi:ziˌgəʊiŋ] *a* bezrūpīgs
eat [i:t] *v* (*p.* ate [et]; *p. p.* eaten [ˈi:tn]) ēst; ◇ to e. humblepie – norīt apvainojumu
ebb [eb] *n* bēgums
echo [ˈekəʊ] *n* atbalss
eclipse [iˈklips] *n astr.* aptumsums
ecology [iˈkɒlədʒi] *n* ekoloģija
economic [ˌekəˈnɒmik] *a* **1.** ekonomisks; saimniecisks; **2.** ienesīgs
economical [ˌekəˈnɒmikl] *n* taupīgs
economics [ˌekəˈnɒmiks] *n* ekonomika
edge [edʒ] *n* **1.** mala; **2.** asmens; **3.** šķautne
edit [ˈedit] *v* **1.** rediģēt; **2.** samontēt (*filmu*)
edition [iˈdiʃən] *n* **1.** (*grāmatas u. tml.*) izdevums; **2.** metiens, tirāža
editor [ˈeditə] *n* redaktors
educate [ˈedjʊkeit] *v* audzināt; izglītot
education [ˌedjʊˈkeiʃn] *n* **1.** izglītība; **2.** audzināšana
educator [ˈedjʊkeitə] *n* pedagogs

eel [i:l] *n* zutis

effect [i'fect] *n* **1.** sekas; rezultāts; **2.** iedarbība; ietekme; **3.** iespaids; efekts

effective [i'fektiv] **I** *n* **1.** *mil.* kareivis (*aktīvā karadienestā*); **2.** *ek.* metāla nauda; **II** *a* **1.** efektīvs, iedarbīgs; **2.** efektīgs

effect [i'fekt] **I** *n* **1.** sekas; rezultāts; cause and c. – cēlonis un sekas; **2.**: ~s *pl* mantas

efficient [i'fiʃənt] *a* **1.** efektīvs, iedarbīgs; **2.** prasmīgs; spējīgs; **3.** produktīvs

effluent ['eflʊənt] *n* **1.** (*upes*) izteka; **2.** kaitīgie notekūdeņi, izplūdes gāzes

egg [eg] *n* **1.** ola; **2.** *mil. sl.* bumba; granāta

eggmass ['egmæs] *n sl.* intelektuāļi; inteliģence

eggplant ['egplɑ:nt] *n* baklažāns

eglantine [e'gləntain] *n* mežroze

either ['aiðə] **I** *pron* **1.** viens no diviem; viens vai otrs; **2.** jebkurš; **II** *adv* (*nolieguma teikumā*) arī; **III** *conj*: e. ... or ... – vai nu ..., vai ...

elastic [i'læstik] **I** *n* ieveramā gumija; **II** *a* **1.** elastīgs; **2.** spējīgs piemēroties

elbow ['elbəʊ] *n* **1.** elkonis; **2.** (*ceļa, upes*) līkums; **3.** *amer. sl.* policists

elbow-chair ['elbəʊtʃeə] *n* atzveltnes krēsls

elder ['eldə] *a* (*comp no* **old**) vecāks

elderly ['eldəli] *a* pavecs, padzīvojis

eldest ['eldist] *a* (*sup no* **old**) visvecākais

elect [i'lekt] *v* vēlēt; ievēlēt

election [i'lekʃən] *n* vēlēšanas

elective [i'lektiv] *a* **1.** vēlēšanu-; **2.** *amer.* fakultatīvs

electorate [i'lektərit] *n* vēlētāji

electric [i'lektrik] *a* **1.** elektrisks; **2.** aizraujošs

electricity [i,lek'trisiti] *n* elektrība; elektroenerģija

electronic [i,lek'trɒnik] *a* elektronu-; elektronisks

electronics [i,lek'trɒniks] *n* elektronika

elegy ['elədʒi] *n* elēģija

element ['elimənt] *n* **1.** elements; daļa; **2.** *ķīm.* elements; **3.**: ~s *pl* – (*zinātnes*) pamati

elemental [,elimentl] *a* **1.** stihisks; **2.** pamata-

elementary [,eli'mentəri] *a* elementārs

elephant ['elifənt] *n* zilonis

elevate ['eliveit] *v* **1.** pacelt; **2.** (to) paaugstināt (*amatā*)

elevator ['eliveitə] *n* **1.** celtnis; **2.** *amer.* lifts; **3.** elevators

eliminatc [i'limineit] *v* likvidēt; novērst

elision [i'liʒn] *n* elīzija; izlaidums

elitist [i'li:tist] *a* elitārs

elk [elk] *n* alnis

elm [elm] goba

eloquent ['eləkwənt] *a* daiļrunīgs

else [els] **I** *adv* **1.** vēl; bez tam; what

e.? – kas vēl?; **2.** citādi; **II** *pron* cits

elsewhere [els'weə] *adv* kaut kur citur

embark [im'bɑ:k] *v* **1.** kraut kuģī; **2.** kāpt uz kuģa; **3.** (*on*) uzsākt

embarrass [im'bærəs] *v* apmulsināt

embassy ['embəsi] *n* sūtniecība

ember ['embə] *a:* E. days *bazn.* – gavēnis

embezzle [im'bəzl] *v* piesavināties; izšķiest

embody [im'bɒdi] *v* **1.** iemiesot; **2.** ietvert; iekļaut

embroider [im'brɔidə] *v* izšūt

embryo ['embriəʊ] *n biol.* embrijs

emerald ['emərəld] *n* smaragds

emerge [i'mɜ:dʒ] *v* parādīties

emergency [i'mɜ:dʒənsi] *n* avārija; neparedzēts gadījums; kritisks stāvoklis

eminence ['eminəns] *n* **1.** uzkalns; **2.** augsts stāvoklis; **3.**: E. – eminence (*kardināla tituls*)

eminent ['eminənt] *a* izcils, ievērojams

emotion [i'məʊʃən] *n* **1.** saviļņojums; **2.**: ~s *pl* – jūtas, emocijas

emperor ['empərə] *n* imperators

emphasis ['emfəsis] *n* **1.** (*pl* emphases ['emfəsi:z]) (*vārda, zilbes*) uzsvars; **2.** *dat.* izcēlums

emphasize ['emfəsaiz] *v* uzsvērt

empire ['empaiə] *n* impērija

empiric [em'pirik] **I** *n* empīriķis; **II** *a* empīrisks

employ [im'plɔi] *v* **1.** nodarbināt; algot; **2.** izmantot; lietot; **3.** pavadīt laiku

employee [ˌemplɔi'i:] *n* kalpotājs, darbinieks

employer [im'plɔiə] *n* darba devējs

E

employment [im'plɔimənt] *n* **1.** nodarbinātība; **2.** darbs; out of e. – bez darba

empty ['empti] **I** *a* **1.** tukšs; **2.** *sar.* izsalcis; **II** *v* **1.** iztukšot; **2.** iztukšoties; **3.** ietecēt (*par upi*)

emulation [ˌemjʊ'leiʃən] *n* **1.** sacensība; **2.** *dat.* emulēšana

enable [i'neibl] *v* dot iespēju (*ko izdarīt*)

enamel [i'næməl] **I** *n* **1.** emalja; **2.** glazūra; **II** *v* emaljēt

enamelware [i'næməlwɛə] *n* emaljas trauki

enamelware [i'næməlwɛə] *n* emaljas trauki

encase [in'keis] *v* ielikt kastē

encasement [in'keismənt] *n* **1.** futrālis, maksts; **2.** apvalks

encash [in'kæʃ] *v* **1.** iekasēt skaidrā naudā; **2.** realizēt

encephalitis [enˌkəfə'laitis] *n med.* encefalīts

encipher [in'saitə] *v* šifrēt

encircle [in'sə:kl] *v* **1.** apņemt, ietvert; **2.** ielenkt

enclasp [in'klɑ:sp] *v* apskaut, apkampt

enclose [in'kləʊz] *v* **1.** iežogot; norobežot; **2.** pievienot (*vēstulei*)

enclosure [in'kləuʒə] *n* **1.** iežogota vieta; iežogojums; **2.** pievienojums (*vēstulei*); **3.** saduršanās (*ar grūtībām*)

encoder *n dat.* kodētājs

encounter [in'kaʊntə] **I** *n* **1.** (*nejauša*) sastapšanās; **2.** sadursme; **II** *v* **1.** (*nejauši*) sastapt; **2.** sadurties (*piem., ar grūtībām*); **3.** nonākt sadursmē

E

encourage [in'kʌridʒ] *v* **1.** iedrošināt; uzmundrināt; **2.** veicināt

encryption *n dat.* šifrēšana

encyclop[a]edia [en,saikləʊ'pi:diə] *n* enciklopēdija

end [end] **I** *n* **1.** gals; beigas; **2.** mērķis; nolūks; **3.** rezultāts; iznākums; happy e. – laimīgas beigas; ◇ in the e. – galu galā; odds and ~s – visādi sīkumi; **II** *v* **1.** beigt; **2.** (*in, with*) beigties (*ar*)

ending ['endiŋ] *n* **1.** gali, beigas; **2.** *gram.* (vārda) galotne; izskaņa

endless ['endlis] *a* bezgalīgs, nebeidzams

endlong ['endlɔŋ] *adv* stāvus; taisni; vertikāli

endurance [in'djʊərəns] *n* izturība

endure [in'djuə] *v* **1.** izturēt, paciest; **2.** ilgt

enemy ['enəmi] *n* ienaidnieks; pretinieks

energetic [,enə'dʒetik] *a* enerģisks

energy ['enədʒi] *n* enerģija

enforce [in'fɔ:s] *v* **1.** uzspiest ar varu; **2.** realizēt dzīvē

engage [in'geidʒ] *v* **1.** pieņemt darbā; **2.** (*in*) nodarboties (*ar ko*); **3.** saderināties; **4.** aizņemt (*laiku*); I am ~d – es esmu aizņemts

engaging [in'geidʒiŋ] *a* pievilcīgs, patīkams

engine ['endʒin] *n* **1.** motors; dzinējs; **2.** lokomotīve

engineer [,endʒi'niə] *n* **1.** inženieris; **2.** mehāniķis; **3.** *amer.* mašīnists

engineering [,endʒi'niəriŋ] *n* tehnoloģija; tehnika

engraving [in'greiviŋ] *n* gravējums; gravīra

enigma [i'nigmə] *n* noslēpums; mīkla

enjoin [in'dʒɔin] *v* **1.** prasīt; pavēlēt; **2.** *jur.* aizliegt

enjoy [in'dʒɔi] *v* **1.** baudīt; **2.**: he ~s good health – viņam ir laba veselība

enjoyment [in'dʒɔimənt] *n* prieks; patika

enlarge [in'lɑ:dʒ] *v* **1.** palielināt; paplašināt; **2.** palielināties; paplašināties

enlighten [in'laitn] *v* **1.** izglītot; apgaismot; **2.** (*about, on*) informēt

enlightenment [in'laitnmənt] *n* izglītība

enlist [in'list] *v* **1.** brīvprātīgi iestāties (*karadienestā*); **2.** iesaukt (*karadienestā*)

enormous [i'nɔ:məs] *a* milzīgs

enough [i'nʌf] *adv* diezgan, pietiekami; sure e. – bez šaubām

enaunce [i'naʊns] *v* izteikt

enrich [in'ritʃ] *v* **1.** bagātināt; **2.** uzlabot (*garšu*); **3.** mēslot (*augsni*)

enrol[l] [in'rəʊl] *v* **1.** reģistrēt; ierakstīt (*sarakstā*); **2.** iesaistīties

ensnare [in'snɜə] *v* **1.** noķert slazdā; **2.** *pārn.* ievilināt

ensure [in'ʃʊə] *v* nodrošināt; garantēt

enter ['entə] *v* **1.** ienākt; ieiet; **2.** iestāties (*piem., skolā*); **3.** ierakstīt (*sarakstā*); ¦ to e. **for** – pieteikties (*par dalībnieku*); to e. **upon** – uzsākt

enterprise ['entəpraiz] *n* **1.** uzņēmums; **2.** pasākums; **3.** iniciatīva

entertain [ˌentə'tein] *v* **1.** uzņemt (*viesus*); **2.** izklaidēt

entertainment [ˌentə'teinmənt] *n* **1.** laika kavēklis; izklaide; **2.** (*viesu*) uzņemšana

enthusiasm [in'θju:ziæzəm] *n* entuziasms; sajūsma

enthusiast [in'θju:ziæst] *n* entuziasts

entire [in'taiə] *a* pilnīgs; viss

entirely [in'taiəli] *adv* pilnīgi; pavisam; viscaur

entitle [in'taitl] *v* **1.** dot nosaukumu; **2.** (*to*) dot tiesības (*uz*)

entity *n dat.* entītija; e. title *dat.* – entītijas nosaukums

entomb [in'tu:m] *v* apbedīt, aprakt

entr'acte ['ɒntrækt] *n* starpbrīdis

entrance ['entrəns] *n* **1.** ieiešana; **2.** ieeja; **3.** iestāšanās

entry ['entri] *n* **1.** ieiešana; ienākšana; **2.** ieeja; **3.** ieraksts; **4.** šķirklis (*vārdnīcā*); **5.** *amer.* (*laika perioda*) sākums; e. of a week – nedēļas sākums

entwine [intwain] *v* **1.** iepīt; **2.** apvīt

enumerate [i'nju:məreit] *v* uzskaitīt

envelop [in'veləp] *v* **1.** ietīt; **2.** apņemt

envelope ['envələʊp] *n* aploksne; apvalks

enviable ['enviəbl] *a* apskaužams

envious ['enviəs] *a* skaudīgs

environment [in'vaiərənmənt] *n* apkārtējā vide; e. protection – dabas aizsardzība

envoy ['envɔi] *n* **1.** aģents; **2.** vēstnieks; sūtnis

envy ['envi] **I** *n* skaudība; **II** *v* apskaust

epic ['epik] **I** *n* **1.** episka poēma; **2.** *sar.* daudzsēriju piedzīvojumu filma; **II** *a* episks

epidemic [ˌepi'demik] **I** *n* epidēmija; **II** *a* epidēmisks

epilogue ['epilɔg] *n* epilogs

epighany [i'pifəni] *n* epifānija

episcopal [i'piskəpəl] *a* bīskapa-

epithet ['epiθet] *n* epitets

epitome [i'pitəmi] *n* konspekts

epoch ['i:pɒk] *n* laikmets

equal ['i:kwəl] **I** *a* **1.** vienlīdzīgs; vienāds; **2.** (*to*) piemērots; atbilstošs; **II** *v* līdzināties

equality [i'kwɒliti] *n* vienlīdzība

equate [i'kweit] *v* **1.** nolīdzināt; **2.** *mat.* vienādot

equator [i'kweitə] *n* ekvators

equestrian [iķwestriən] **I** *n* jātnieks;

II *a* jāšanas-; jātnieka-; e. sport – jāšanas sports
equip [i'kwip] *v* **1.** apgādāt (*ar ko*); **2.** (*with*) dot (*zināšanas*)
equipment [i'kwipmənt] *n* iekārta, piederumi
E
equipose ['ekwipɔiz] **I** *n* līdzsvars; **II** *v* līdzsvarot
equitable ['ekwitəbl] *a* taisnīgs, objektīvs
equivalent [i'kwivələnt] *a* ekvivalents
era ['iərə] *n* ēra; laikmets
eradiate [i'ridieit] *v* izstarot
erase [i'reiz] *v* **1.** nodzēst, izdzēst; **2.** *amer. sl.* nogalināt
erect [i'rekt] **I** *a* vertikāls; taisns; **II** *v* **1.** uzcelt, uzbūvēt; **2.** iztaisnot; **3.** samontēt
err [ə:] *v* kļūdīties; maldīties
errand ['erənd] *n* uzdevums; to run [on] ~s – būt par izsūtāmo
errant ['erənt] *a* klejojošs
erratic [i'rætik] *a* **1.** nepastāvīgs; **2.** neparasts; ekscentrisks
erroneous [i'rəʊniəs] *a* kļūdains
error ['erə] *n* kļūda; maldīšanās; e. checking *dat.* – kļūdu pārbaude; e. log – kļūdu žurnāls
eructation [,i:rʌk'teiʃn] *n* atraugas
eruption [i'rʌpʃən] *n* **1.** (*vulkāna*) izvirdums; **2.** *med.* izsitumi; **3.** (*zoba*) šķilšanās
escalate ['eskəleit] *v* **1.** saasināt (*konfliktu*); **2.** celties (*par cenām*)
escalator ['eskəleitə] *n* eskalators
escape [i'skeip] **I** *n* **1.** bēgšana; **2.** izglābšanās; **II** *v* **1.** izbēgt; **2.** izglābties; **3.** izgaist (*no atmiņas*)
eschew [is'tʃu:] *v* izvairīties
esoteric [,esəʊ'terik] *a* ezoterisks; noslēpumains
especial [i'speʃəl] *a* sevišķs, speciāls
espionage [,espiə'nɑ:ʒ] *n* spiegošana
espose [i'spaʊz] *v* atbalstīt, veicināt (*ideju, pasākumu*)
essay ['esei] **I** *n* **1.** eseja; apraksts; **2.** mēģinājums; **II** *v* mēģināt; pārbaudīt
essence ['esns] *n* **1.** būtība; **2.** esence
essential [i'senʃəl] *a* būtisks
establish [i'stæbliʃ] *v* **1.** nodibināt; izveidot; **2.** iekārtot; **3.** nostiprināt
establishment [i'stæbliʃmənt] *n* **1.** nodibināšana; **2.** iestāde; uzņēmums; **3.**: the E. – 1) valsts pamati; valdošās aprindas; valdošā elite
estate [i'steit] *n* **1.** īpašums; real e. – nekustams īpašums; **2.** muiža; **3.** (*apbūves*) rajons
estimate **I** *n* ['estimit] **1.** novērtējums; **2.** tāme; **II** *v* ['estimeit] **1.** novērtēt; **2.** sastādīt tāmi
estrangement [i'streindʒmənt] *n* atsvešināšanās
etch [etʃ] *v* gravēt; kodināt
etching ['etʃiŋ] *n* **1.** gravēšana; **2.** gravīra; oforts
eternal [i'tɜ:nl] *a* **1.** mūžīgs; **2.** *sar.* nepārtraukts

eternity [i'tɜ:nəti] *n* mūžība

ether ['i:θə] *n* **1.** ēters; **2.** *ķīm.* ēteris

Euromarket ['jʊərəmɑ:kit] *n* Eiropas kopējais tirgus

evacuate [i'vækjʊeit] *v* **1.** evakuēt; **2.** *tehn.* izsūknēt; izretināt (*gaisu*)

evade [i'veid] *v* **1.** izvairīties; **2.** apiet (*piem., likumu*)

evaluate [i'væljʊeit] *v* novērtēt

evaluation [i,vælju'eiʃən] *n* novērtējums

evaporate [i'væpəreit] *v* **1.** iztvaikot, izgarot; **2.** iztvaicēt

evangel [i'vændʒəl] *n rel.* evaņģēlijs

eve [i:v] *n* (*svētku*) priekšvakars; New Year's e. – Vecgada vakars

even ['i:vən] **I** *a* **1.** gluds; līdzens; **2.** vienmērīgs; **3.** *mat.* pārskaitļa-; **II** *v* nolīdzināt; **III** *adv* pat; e. if you are right – pat ja jums ir taisnība

evening ['i:vniŋ] *n* **1.** vakars; e. star – Venera; **2.** sarīkojums

event [i'vent] *n* **1.** gadījums; **2.** rezultāts; **3.** sacensības; **4.** (*sabiedrisks*) pasākums

eventually [i'ventʃʊəli] *adv* galu galā; beidzot

everlasting [,evə'lɑ:stiŋ] **I** *n* mūžība; **II** *a* **1.** mūžīgi; **2.** izturīgs; **3.** apnicīgs

ever ['evə] *adv* **1.** vienmēr; **2.** kādreiz, jebkad

evergreen ['evəgri:n] **I** *n* mūžzaļš augs; **II** *a* mūžzaļš

everlasting [,evə'lɑ:stiŋ] **I** *n* mūžība; **II** *a* mūžīgs

evermore [,evə'mɔ:] *adv* mūžīgi; uz visiem laikiem

every ['evri] *pron* katrs; e. other day – ik pārdienas

everybody ['evribɒdi] *pron* katrs, ikviens; visi

everyday ['evridei] *a* ikdienas-; parasts

everyone ['evriwʌn] *pron* katrs, ikviens; visi

everything ['evriθiŋ] *pron* viss

everywhere ['evriweə] *adv* visur

eviction [i'vikʃən] *n* izlikšana, padzīšana (*no mājām, zemes*)

evidence ['evidəns] *n* **1.** acīmredzamība; **2.** pierādījums; liecība; **3.** ~s *pl* pēdas

evident ['evidənt] *a* acīm redzams

evidently ['evidəntli] *adv* acīmredzot

evil ['i:vl] **I** *n* **1.** ļaunums; **2.** nelaime; **II** *a* **1.** ļauns; **2.** kaitīgs

evoke [i'vəʊk] *v* **1.** izraisīt (*jūtas*); **2.** atsaukt (*atmiņā*)

evolution [,i:və'lu:ʃən] *n* evolūcija; attīstība

ewe [ju:] *n* avs

ewer ['ju:ə] *n* ūdens krūze

exact [ig'zækt] *a* precīzs; noteikts; eksakts; e. science – eksaktās zinātnes

exactly [ig'zæktli] *adv* **1.** tieši; gluži; **2.** precīzi; **3.** tieši tā (*atbildē*)

exaggerate [ig'zædʒəreit] *v* pārspīlēt

exam [ig'zæm] *n sar. saīs. no* **examination 2.**

examination [ig,zæmi'neiʃən] *n*

E

1. apskate; pārbaude; 2. eksāmens; competitive e. – konkursa eksāmens; entrance e. – iestājeksāmens; 3. *jur.* izmeklēšana

examination-paper [igˌzæmiˈneiʃən-ˈpeipə] *n* eksāmena darbs (*biļete*)

E

examine [igˈzæmin] *n* 1. apskatīt; izmeklēt; 2. eksaminēt; 3. *jur.* pratināt

example [igˈzɑ:mpl] *n* piemērs; paraugs

exasperate [igˈzɑ:spəreit] *v* 1. sakaitināt; 2. izvest no pacietības; 3. *med.* saasināt (*sāpes*)

exceed [ikˈsi:d] *v* 1. pārkāpt (*pilnvaras*); 2. pārsniegt; to e. the speed limit – pārsniegt atļauto ātrumu

exceedingly [ikˈsi:diŋli] *adv* ārkārtīgi; ļoti

excel [ikˈsel] *v* pārspēt; būt pārākam; izcelties

excellent [ˈeksələnt] *a* lielisks

except [ikˈsept] I *v* 1. izslēgt; 2. (*against*) iebilst; II *prep* izņemot

exception [ikˈsepʃn] *n* 1. izņēmums; 2. iebildums

excess [ikˈses] *n* pārmērība

excessive [ikˈsesiv] *a* pārmērīgs

exchange [iksˈtʃeindʒ] I *n* 1. apmaiņa; 2. (*naudas*) maiņa; 3. birža; 4. telefona centrāle; II *v* 1. apmainīt; 2. apmainīties; 3. samainīt (*naudu*)

excise *ek.* I *n* [ˈeksaiz] akcīze; e. duty – akcīzes nodoklis; II *v* [ekˈsaiz] aplikt ar akcīzi

excite [ikˈsait] *v* 1. uzbudināt; uztraukt; 2. kairināt; 3. izraisīt (*interesi*)

excitement [ikˈsaitmənt] *n* uzbudinājums; uztraukums

exclaim [ikˈskleim] *v* iesaukties

exclamation [ˌekskləˈmeiʃən] *n* iesaukšanās

exclude [ikˈsklu:d] *v* (*from*) izslēgt

exclusive [ikˈsklu:siv] *a* 1. izņēmuma-; sevišķs; 2. vienīgais; 3. izmeklēts; smalks

excursion [ikˈskɜ:ʃən] *n* ekskursija; izbraukums

excursive [ekˈskə:siv] *a* haotisks, nekārtīgs

excuse I *n* [ikˈskju:s] 1. atvainošanās; 2. attaisnojums; 3. atrunāšanās; II *v* [ikˈskju:z] atvainot; piedot; e. me! – atvainojiet!

execute [ˈeksikju:t] *v* 1. izpildīt; 2. sodīt ar nāvi; 3. atskaņot (*skaņdarbu*); 4. noformēt (*dokumentu*)

execution [ˌeksiˈkju:ʃən] *n* 1. realizēšana, 2. sodīšana ar nāvi; 3. (*skaņdarba*) atskaņojums; 4. *dat.* izpilde

executive [igˈzekjʊtiv] I *n* izpildvara; II *a* 1. izpildu-; 2. administratīvs

exemplar [igˈzemplɑ:] *n* 1. paraugs; 2. tips; 3. (*grāmatas*) eksemplārs

exercise [ˈeksəsaiz] I *n* 1. vingrinājums; 2. vingrojums; II *v* 1. trenēt; vingrināt; 2. vingrot

exert [igˈzɜ:t] *n* 1. sasprindzināt (*spēkus*); 2. izrādīt

exertion [igˈzɜ:ʃən] *n* piepūle

exhaust [ig'zɔ:st] *v* **1.** izsmelt (*spēkus, pacietību*); **2.** izsūknēt (*gaisu*)
exhaustive [ig'zɔ:stiv] *a* **1.** izsmeļošs; vispusīgs; **2.** nogurdinošs
exhibit [ig'zibit] **I** *n* eksponāts; **II** *v* eksponēt; izstādīt
exhibition [ˌeksi'biʃən] *n* **1.** izstāde; **2.** eksponāts
exhort [ig'zɔ:t] *v* pierunāt; pārliecināt
exigent ['eksidʒənt] *a* neatliekams, steidzams
exile ['eksail] **I** *n* **1.** trimda; **2.** trimdinieks; **II** *v* izsūtīt trimdā
exist [ig'zist] *v* eksistēt, būt, pastāvēt
existence [ig'zistəns] *n* eksistence, esamība
exit ['eksit] *n* **1.** iziešana; e. visa – izbraukšanas vīza; **2.** izeja; **3.** nāve
exonerate [ig'zɔnəreit] *v* reabilitēt; attaisnot
expand [ik'spænd] *v* **1.** izplest; **2.** paplašināt; izvērst; **3.** paplašināties; izvērsties
expansion [ik'spænʃən] *n* **1.** izplešanās; **2.** paplašināšanās; **3.** ekspansija
expansive [ik'spænsiv] *a* **1.** plašs; **2.** ekspansīvs
expatriate [eks'pætrieit] *v* **1.** ekspatriēt; **2.** emigrēt no dzimtenes; to e. oneself – 1) emigrēt; 2) atteikties no pavalstniecības
expanse [ik'pæns] *n* izplatījums, plašums
expect [ik'spekt] *v* **1.** gaidīt; sagaidīt; **2.** *sar.* domāt
expectancy [ik'spektənsi] *n* **1.** gaidas; **2.** cerība
expedient [ik'spi:djənt] **I** *n* līdzeklis (*mērķa sasniegšanai*); **II** *a* **1.** lietderīgs; noderīgs; **2.** izdevīgs
expedition [ˌekspi'diʃən] *n* **1.** ekspedīcija; **2.** ātrums; steiga
expel [ik'spel] *v* izdzīt; izraidīt; to e. from school – izslēgt no skolas
expend [ik'spend] *v* iztērēt, izdot
expenditure [ik'spenditʃə] *n* **1.** izdevumi; **2.** patēriņš
expense [ik'spens] *n* **1.** izdevumi; **2.** rēķins
expensive [ik'spensiv] *a* dārgs (*par cenu*)
experience [ik'spiəriəns] **I** *n* **1.** pieredze; **2.** pārdzīvojums; **II** *v* pieredzēt; piedzīvot
experienced [ik'spiəriənst] *a* pieredzējis; piedzīvojis
experiment **I** *n* [ik'sperimənt] eksperiments, mēģinājums; **II** *v* [ik'speriment] eksperimentēt
experimental [ekˌsperi'mentl] *a* eksperimentāls
expert ['ekspɜ:t] **I** *n* eksperts; lietpratējs; **II** *a* kvalificēts; lietpratīgs
expire [ik'spaiə] *v* **1.** izelpot; **2.** nomirt; **3.** beigties (*par termiņu*)
explain [ik'splein] *v* paskaidrot; izskaidrot
explanation [ˌeksplə'neiʃn] *n* paskaidrojums, izskaidrojums
explode [ik'spləʊd] *v* **1.** eksplodēt, sprāgt; **2.** uzspridzināt

E

exploit[a] ['eksplɔit] *n* varoņdarbs
exploit[b] [ik'splɔit] *v* ekspluatēt; izmantot
explore [ik'splɔ:] *v* [iz]pētīt
explorer [ik'splɔ:rə] *n* pētnieks
explosion [ik'spləʊʒn] *n* **1.** eksplozija; **2.** (*jūtu*) izvirdums
explosive [ik'spləʊsiv] **I** *n* sprāgstviela; **II** *a* sprāgstošs
export I *n* ['ekspɔ:t] eksports; e. duty – izvedmuita; **II** *v* [ek'spɔ:t] eksportēt
expose [ik'spəʊz] *v* **1.** pakļaut iedarbībai; **2.** izstādīt (*skatē, pārdošanai*); **3.** atklāt; atmaskot
exposed [ik'spəʊzd] *a* **1.** atklāts; **2.** *tehn.* bezapdares-
expostulate [ik'spɔstjuleit] *v* **1.** protestēt; **2.** (*with*) pārliecināt
express [ik'spres] **I** *n* ekspresis, ātrvilciens; **II** *a* **1.** noteikts; skaidri izteikts; **2.** steidzams (*par sūtījumu*); **III** *v* izteikt (*piem., domas*); **IV** *adv* steidzami; ātri; by e. – 1) ar kurjeru; 2) ar ātrvilcienu
expression [ik'spreʃən] *n* **1.** (*jūtu*) izpausme; **2.** (*sejas*) izteiksme; **3.** izteiciens
expressive [ik'spresiv] *a* izteiksmīgs
exquisite ['ekskwizit] *a* izmeklēts; izsmalcināts; smalks
extend [ik'stend] *v* **1.** izstiept; **2.** izstiepties; **3.** paplašināt; **4.** pagarināt
extensive [ik'stensiv] *a* **1.** plašs; **2.** *lauks.* ekstensīvs
extent [ik'stent] *n* **1.** apjoms; **2.** pakāpe
exterior [ek'stiəriə] **I** *n* **1.** ārpuse; āriene; **2.** eksterjers; **II** *a* ārpuses-; ārējs
external [ek'stə:nl] **I** *n*: ~s *pl* – ārējie apstākļi; **II** *a* ārējs; e. trade – ārējā tirdzniecība; for e. use only – tikai ārīgai lietošanai (*par zālēm*)
extinguish [ik'stiŋgwiʃ] *v* **1.** nodzēst; izdzēst; **2.** iznīcināt; **3.** dzēst (*parādu*)
extol [ik'stəʊl] *v* cildināt
extort [ik'stɔ:t] *v* izspiest (*piem., naudu, solījumu*)
extra ['ekstrə] **I** *n* **1.** piemaksa; **2.** (*laikraksta*) speciālizdevums; **3.** augstākā labuma prece; **II** *a* **1.** papildu-; **2.** augstākā labuma-
extract I *n* ['ekstrækt] **1.** ekstrakts; **2.** izvilkums (*no grāmatas*); **II** *v* [ik'strækt] **1.** izvilkt; izraut (*piem., zobu*); **2.** izspiest (*sulu*)
extraordinary [ik'strɔ:dnri] *a* **1.** neparasts; **2.** ārkārtējs
extreme [ik'stri:m] **I** *n* galējība; **II** *a* galējs
extremely [ik'stri:mli] *adv* ārkārtīgi; ļoti
exuberance [ig'zju:brəns] *n* pārpilnība; bagātība
exult [ig'zʌlt] *v* līksmot; gavilēt
eye [ai] **I** *n* **1.** acs; to keep an e. (*on*) – paturēt acīs; **2.** skatiens; **3.** *sl.* privātdetektīvs; **II** *v* uzmanīgi skatīties; vērot

eyebrow ['aibraʊ] *n* uzacs
eyeglass ['aiglɑ:s] *n* **1.**: ~es *pl* – brilles; **2.** lēca; okulārs
eyelash ['ailæʃ] *n* skropsta
eyelid ['ailid] *n* plakstiņš
eye-liner ['ai,lainə] *n* uzacu zīmulis
eye-shadow ['ai,ʃædəʊ] *n* plakstiņu ēnas
eyeshot ['aiʃɒt] *n* redzeslauks
eyesight ['aisait] *n* redze
eye-witness ['ai,witnəs] *n* aculiecinieks

F

F

fabled ['feibld] *a* **1.** leģendārs; **2.** izdomāts
fabric ['fæbrik] *n* drāna, audums
facade [fə'sɑ:d] *n* **1.** fasāde; **2.** *pārn.* šķietamība
face [feis] **I** *n* **1.** seja; f. to f. – vaigu vaigā; **2.** sejas izteiksme; **3.** āriene; izskats; **4.** virspuse; **II** *v* **1.** atrasties pretī; **2.** saskarties (*ar grūtībām*); **3.** pārsegt; apšūt (*ēku*)
faceless ['feisləs] *a* **1.** anonīms; **2.** neizteiksmīgs
facetious [fə'si:ʃəs] *a* asprātīgs, atjautīgs
facilit||y [fə'siliti] *n* **1.** vieglums; **2.**: ~ies *pl* – iespējas; izdevība; **3.**: ~ies *pl* – iekārta; ierīces; aparatūra
facsimile [fæk'simili] *n* faksimils
fact [fækt] *n* fakts
faction ['fækʃən] *n pol.* frakcija
factory ['fæktəri] *n* fabrika; rūpnīca
faculty ['fækəlti] *n* **1.** spēja; spējas; **2.** fakultāte
fad [fæd] *n* iedoma; untums
faddish ['fædiʃ] *a* untumains
fade [feid] *v* **1.** [no]vīst; **2.** izbalēt
fadeless ['feidlis] *a* nevīstošs
faerie, **faery** ['feiəri] *n* **1.** pasaku zeme; **2.** feja
fail [feil] *v* **1.** ciest neveiksmi; **2.** izkrist (*eksāmenā*); **3.** izgāzt (*eksāmenā*); **4.** trūkt; nepietikt
failure ['feiljə] *n* **1.** neveiksme; neizdošanās; **2.** bankrots; **3.** *dat.* atteice, kļūme; f. recovery – pēcķļūmes atkopšana
faint [feint] **I** *n* ģībonis; **II** *v* noģībt; zaudēt samaņu; **III** *a* **1.** vājš; **2.** mazs; **3.** neskaidrs; blāvs
fair[a] [feə] *n* gadatirgus; ◇ a day after the f. – pārāk vēlu
fair[b] [feə] *a* **1.** godīgs; taisnīgs; **2.** tīrs; **3.** gaišmatains; **4.** jauks; skaidrs (*par laiku*)
fairly [feəli] *adv* **1.** godīgi; taisnīgi; **2.** diezgan; **3.** pilnīgi
fairy-tale ['feəriteil] *n* pasaka
faith [feiθ] *n* **1.** ticība; pārliecība; **2.** ticība; konfesija; **3.** lojalitāte
faithful ['feiθfəl] *a* uzticīgs; uzticams

faithless [ˈfeiθlis] *a* **1.** neuzticīgs; neuzticams; **2.** neticīgs

fake [feik] **I** *n* falsifikācija; **II** *v* falsificēt, viltot

fall [fɔ:l] **I** *n* **1.** krišana; kritiens; **2.** *amer.* rudens; **3.** (*parasti pl*) ūdenskritums; **4.** nokrišņi; **II** *v* (*p.* fell [fel]; *p. p.* fallen [ˈfɔ:lən]) **1.** krist; **2.** kristies; pazemināties; **3.** (*v – saitiņa*): to f. asleep – aizmigt; to f. in love – iemīlēties; ◇ to f. **across** – nejauši sastapt; to f. **away** – atkrist; to f. **back** – atkāpties; to f. **behind** – atpalikt; to f. **off** – atkrist; to f. **out** – sanaidoties; to f. **through** – ciest neveiksmi

fallen *p. p. no* **fall II**

false [fɔ:ls] *a* **1.** kļūdains; maldīgs; **2.** melīgs; **3.** mākslīgs

falsehood [ˈfɔ:lshʊd] *n* meli; nepatiesība

fame [feim] *n* slava; popularitāte

famed [feimd] *a* slavens

familiar [fəˈmiliə] *a* **1.** labi pazīstams; **2.** familiārs; **3.** tuvs; **4.** parasts, pierasts

family [ˈfæməli] *n* **1.** ģimene; **2.** *biol.* dzimta

famine [ˈfæmin] *n* **1.** bads; **2.** trūkums

famous [ˈfeiməs] *a* slavens; ievērojams

fan[a] [fæn] **I** *n* **1.** vēdeklis; **2.** ventilators; **3.** fēns; **II** *v* **1.** vēdināt; **2.** uzkurt (*piem., naidu*)

fan[b] [fæn] *n sar.* līdzjutējs; cienītājs

fanciful [ˈfænsifl] *a* **1.** untumains; **2.** dīvains

fancy [ˈfænsi] **I** *n* **1.** fantāzija; iztēle; **2.** iedomu tēls; **3.** (*for*) tieksme; aizraušanās; **II** *a* **1.** fantastisks; **2.** izrotāts; neparasts; **3.** moderns; f. goods – modes preces; **4.** *amer.* augstākā labuma-; **III** *v* iedomāties; iztēloties

fancy-ball [ˌfænsiˈbɔ:l] *n* maskuballe

fancy-work [ˈfænsiwə:k] *n* izšuvums

fang [fæŋ] *n* **1.** ilknis; **2.** (*čūskas*) indes zobs

fantastic [fænˈtæstik] *a* fantastisks; lielisks

far [fɑ:] **I** *a* (*comp* farther [ˈfɑ:ðə] *vai* further [ˈfɜ:ðə]; *sup* farthest [ˈfɑ:ðist] *vai* furthest [ˈfɜ:ðist]) tāls; **II** *adv* (*comp* farther [ˈfɑ:ðə] *vai* further [ˈfɜ:ðə]; *sup* farthest [ˈfɑ:ðist] *vai* furthest [ˈfɜ:ðist]) **1.** tālu; **2.** daudz; ◇ so f. – līdz šim

fare [feə] *n* **1.** braukšanas maksa; **2.** pasažieris; **3.** ēdiens; **II** *v* braukt

farewell [feəˈwel] *n* atvadas

far-famed [ˌfɑˈfeimd] *a* plaši pazīstams

farina [fəˈrainə] *n* **1.** milti; **2.** kartupeļu milti; **3.** pulveris; **4.** manna

farm [fɑ:m] **I** *n* **1.** ferma; saimniecība; **2.** lauku mājas; **II** *v* apstrādāt zemi; nodarboties ar lauksaimniecību

farmer [ˈfɑ:mə] *n* fermeris; laukstrādnieks

far-reaching [ˌfɑ:ˈri:tʃiŋ] *a* tālejošs; ar tālejošām sekām
far-seeing [ˌfɑ:si:iŋ] *a* tālredzīgs
farther *comp no* **far I, II**
farthest *sup no* **far I, II**
fascinate [ˈfæsineit] *v* apburt; valdzināt
fascism [ˈfæʃizəm] *n* fašisms
fashion [ˈfæʃən] *n* **1.** veids; maniere; **2.** piegriezums; **3.** mode
fashionable [ˈfæʃnəbl] *a* moderns; elegants
fast[a] [fɑ:st] **I** *n* gavēnis; **II** *v* gavēt
fast[b] [fɑ:st] **I** *a* **1.** ciešs; stingrs; **2.** ātrs; **3.** uzticams; **4.** izlaidīgs; **II** *adv* **1.** cieši; stingri; **2.** ātri
fasten [ˈfɑ:sn] *v* **1.** piestiprināt; **2.** aizslēgt (*durvis*); **3.** aizpogāt
fastiduous [fəˈstidiəs] *a* izvēlīgs
fat [fæt] **I** *n* tauki; speķis; **II** *a* **1.** trekns; taukains; **2.** tukls; resns; **III** *v* **1.** uzbarot; **2.** uzbaroties
fate [feit] *n* liktenis
father [ˈfɑ:ðə] *n* **1.** tēvs; **2.** (F.) Dievs; Our F. – Tēvreize; the Holy F. – Romas pāvests
father-in-law [ˈfɑ:ðərinlɔ:] *n* **1.** vīratēvs; **2.** sievastēvs
fatherland [ˈfɑ:ðərlænd] *n* tēvzeme, tēvija
fault [fɔ:lt] *n* **1.** trūkums; defekts; bojājums; **2.** vaina
faultless [ˈfɔ:ltlis] *a* nevainojams
favour [ˈfeivə] *n* **1.** labvēlība; **2.** pakalpojums
favourite [ˈfeivərit] **I** *n* mīlulis; **II** *a* iemīļots
fax [fæks] *n* (*saīs. no* **facsimile**) *sar.* **1.** fakss; f. server – faksserveris; **2.** faksa sakari
fear [fiə] **I** *n* bailes; **II** *v* baidīties
fearful [ˈfiəful] *a* **1.** šausmīgs; **2.** bailīgs, bikls
fearless [ˈfiəlis] *a* bezbailīgs
feast [fi:st] *n* **1.** svētki; **2.** mielasts; **3.** baudījums
feather [ˈfeðə] *n* **1.** (*putna*) spalva; **2.** apspalvojums; **3.** medījums
feathery [ˈfeðəri] *a* **1.** spalvains; **2.** pūkains
feature [ˈfi:tʃə] *n* **1.** pazīme; īpatnība; **2.** (*parasti pl*) sejas vaibsti
February [ˈfebrʊəri] *n* februāris
fed *p. un p. p. no* **feed**
federal [ˈfedərəl] *a* federāls; federatīvs
federation [ˌfedəˈreiʃən] *n* federācija
fee [fi:] *n* **1.** honorārs; atalgojums; **2.** mācību maksa; **3.** dzeramnauda
feeble [ˈfi:bl] *a* **1.** vārgs; nespēcīgs; **2.** niecīgs
feed [fi:d] *v* (*p. un p. p.* fed [fed]) barot; ēdināt
feeding [ˈfi:diŋ] *n* barošana
feel [fi:l] *v* (*p. un p. p.* felt [felt]) **1.** [sa]just; izjust; **2.** justies; **3.** taustīt; **4.** just vēlēšanos (*kaut ko darīt*); **5.** radīt iespaidu
feeling [ˈfi:liŋ] *n* **1.** sajūta; **2.**: ~s *pl* – jūtas; **3.** līdzjūtība
felicity [fiˈlisiti] *n* laime, svētlaime
felicity [fiˈlisiti] *n* laime, svētlaime
fell *p. no* **fall II**

fellow [ˈfeləʊ] *n* **1.** *sar.* puisis; **2.** biedrs; kolēģis; **3.** (*zeķu, cimdu*) pāris
fellow-countryman [ˌfeləʊkʌntrimən] *n* tautietis
fellow-feeling [ˌfeləʊˈfi:liŋ] **1.** līdzjūtība; **2.** uzskatu kopība
felt *p. un p. p. no* **feel**
F
feminine [feminin] *a* **1.** sieviešu-; f. gender *gram.* – sieviešu dzimte; **2.** sievišķīgs
fen [fen] *n* purvs, dumbrājs
fence[a] [fens] **I** *n* žogs; green f. – dzīvžogs; **II** *v* iežogot
fence[b] [fens] **I** *n* paukošana; **II** *v* paukot
fend [fend] *v* atsist, atvairīt
ferment I *n* [ˈfɔ:ment] **1.** ferments; **2.** rūgšana; **3.** nemiers, satraukums; **II** *v* [fə:ˈment] **1.** rūgt; **2.** raudzēt; **3.** būt satrauktam
fern [fɜ:n] *n* paparde
ferocious [fəˈrəʊʃəs] *a* nikns; nežēlīgs; mežonīgs
ferryboat [ˈferibəut] *n* prāmis
fertile [ˈfɜ:tail] *a* auglīgs; ražīgs
fervent [ˈfɜ:vənt] *a* dedzīgs; kvēls
festival [ˈfestəvəl] *n* festivāls; svētki
fetch [fetʃ] *v* atnest; atvest
fetching *n dat.* ienese, ienešana
fettle [ˈfetl] *n* veselības stāvoklis
fever [ˈfi:və] *n* **1.** drudzis; **2.** satraukums
few [fju:] **I** *pron* daži; nedaudzi; a f. – daži; **II** *a* maz; nedaudz
fiance [fiˈɒnsei] *n* līgavainis
fiancee [fiˈɒnsei] *n* līgava
fib [fib] **I** *n* meli; **II** *v* melst
fibre [ˈfaibə] *n* šķiedra
fickle [ˈfikl] *a* nepastāvīgs; svārstīgs
fiction [ˈfikʃən] *n* **1.** fikcija; **2.** daiļliteratūra
fiddle [ˈfidl] **I** *n sar.* vijole; ◇ fit as a f. – vesels kā rutks; **II** *sar. v* **1.** spēlēt vijoli; **2.** to f. **about** – blēņoties
field [fi:ld] *n* **1.** lauks, tīrums; **2.** (*darbības*) lauks, sfēra; **3.** sporta laukums
field-and-track [ˌfi:ldəndˈtræk] *a* vieglatlētikas-
fieldfare [ˈfi:ldfeə] *n* pelēkais strazds
fiend [fi:nd] *n* **1.** sātans, velns; **2.** ļaundaris; nezvērs
fierce [fiəs] *a* **1.** nikns; nežēlīgs; **2.** mežonīgs; **3.** dedzīgs
fifty-fifty [fiftiˈfifti] *adv* uz pusēm
fig [fig] *n* **1.** vīģe; **2.** vīģeskoks; ◇ a f. for a f. – dots pret dotu!
fight [fait] **I** *n* **1.** cīņa; kauja; **2.** kautiņš; **II** *v* (*p. un p. p.* fought [fɔ:t]) cīnīties; kauties
fighter [ˈfaitə] *n* **1.** cīnītājs; karotājs; **2.** bokseris; **3.** *av.* iznīcinātājs
fig-leaf [ˈfigli:f] *n* vīģes lapa
figure [ˈfigə] **I** *n* **1.** cipars; **2.** figūra; **3.** personība; **4.** zīmējums; diagramma; **II** *v* **1.** veidot; attēlot; **2.** iedomāties
figure-skating [ˈfigəˌskeitiŋ] *n* daiļslidošana
file[a] [fail] **I** *n* vīle; **II** *v* vīlēt
file[b] [fail] **I** *n* **1.** aktu vāki; lieta (*ar dokumentiem*); **2.** ātršuvējs; **3.** kartotēka; **4.** *dat.* datne; **II** *v* **1.** re-

ģistrēt; iešūt vākos; **2.** sakārtot kartotēkā

file[c] [fail] *n mil.* ierinda; rinda

file-cabinet [ˈfailˌkæbinit] *n* kartotēka

filial [ˈfiliəl] *a* **1.** dēla-; meitas-; **2.** f. branch – filiāle

fill [fil] *v* **1.** piepildīt; **2.** piepildīties; **3.**: to f. **in** – aizpildīt (*veidlapu*); to f. **up** – piepildīt

fillet [ˈfilit] *n* **1.** lente; apsējs; **2.** *kul.* fileja

filling [ˈfiliŋ] *n* **1.** piepildīšana; **2.** (*degvielas*) iepildīšana; **3.** plomba (*zobā*); **4.** *kul.* pildījums

film [film] **I** *n* **1.** plēve; kārta; **2.** fotofilma; **3.** [kino]filma; **II** *v* **1.** pārklāties ar plēvi; **2.** filmēt

filter [ˈfiltə] **I** *n* filtrs; **II** *v* filtrēt

filter-tipped [ˈfiltətipt] *a:* f.-t. cigarette – cigarete ar filtru

filthy [filθi] *a* **1.** netīrs; **2.** neķītrs; **3.** riebīgs; f. weather – slapjdraņķis

fin [fin] *n* (*zivs*) spura

final [ˈfainl] **I** *n* **1.** *sp.* fināls; **2.**: ~s *pl* – gala pārbaudījumi; **II** *a* gala-; beigu-; pēdējais

finally [ˈfainəli] *adv* beidzot; galu galā

finance [faiˈnæns] **I** *n:* ~s *pl* – finanses; **II** *v* finansēt

financial [fiˈnænʃəl] *a* finanšu-; finansiāls

finch [fintʃ] *n* žubīte

find [faind] *v* (*p. un p. p.* found [faʊnd]) atrast

finding [ˈfaindiŋ] *n* **1.** atradums; **2.** *jur.* spriedums

fine[a] [fain] **I** *n* soda nauda; **II** *v* uzlikt naudas sodu

fine[b] [fain] *a* **1.** labs; lielisks; **2.** smalks; f. thread – smalks diegs; **3.** skaidrs; jauks (*par laiku*)

finger [ˈfiŋgə] *n* **1.** pirksts; **2.** (*pulksteņa*) rādītājs

finish [ˈfiniʃ] **I** *n* **1.** beigas; nobeigums; **2.** *sp.* finišs; **II** *v* **1.** beigt; pabeigt; **2.** beigties; **3.** finišēt

fir [fɜ:] *n* egle

fir-cone [ˈfɜ:kəʊn] *n* egļu čiekurs

fire [ˈfaiə] **I** *n* **1.** uguns; liesma; **2.** ugunsgrēks; **3.** ugunskurs; **4.** kamīns; **II** *v* **1.** aizdedzināt; **2.** šaut; **3.** aizraut

fire-alarm [ˈfaiərəˌlɑ:m] *n* ugunsgrēka trauksme

fire-ball [ˈfaiəbɔ:l] *n* **1.** meteors; **2.** lodveida zibens

fire-brigade [ˈfaiəbriˌgeid] *n* ugunsdzēsēju komanda

firefly [ˈfaiəflai] *n* jāņtārpiņš

fireman [ˈfaiəmən] *n* **1.** ugunsdzēsējs; **2.** kurinātājs; **3.** spridzinātājs

fireplace [ˈfaiəpleis] *n* kamīns; pavards

fireproof [ˈfaiəpru:f] *a* ugunsdrošs

firewood [ˈfaiəwʊd] *n* malka

fireworks [ˈfaiəwɜ:ks] *n pl* uguņošana

firm[a] [fɜ:m] *n* firma; tirdzniecības uzņēmums

firm[b] [fɜ:m] *a* **1.** ciets; stingrs; **2.** stingrs; noturīgs

F

firmware *n dat.* programmaparatūra
first [fə:st] **I** *n* sākums; at f. – vispirms; **II** *a* pirmais; f. aid – pirmā palīdzība; **III** *adv* – **1.** pirmkārt, vispirms; **2.** pirmoreiz; **IV** *num* pirmais
firstborn ['fə:stbɔ:n] *n* pirmdzimtais
firstaid [ˌfɜ:st'eid] *n* **1.** pirmā palīdzība; **2.** *tehn.* avārijas remonts
firstcost [ˌfɜ:st'kɒst] *n* pašizmaksa
first-hand [ˌfɜ:st'hænd] **I** *a* tiešs; **II** *adv* tieši
firstnight [ˌfɜ:st'nait] *n* pirmizrāde
first-rate [ˌfɜ:st'reit] *a* pirmšķirīgs
fiscal ['fiskəl] *a* finanšu-; f. year – finanšu gads
fish [fiʃ] **I** *n* zivs; zivis; **II** *v* zvejot; makšķerēt
fisherman ['fiʃəmən] *n* zvejnieks
fist [fist] **I** *n* **1.** dūre; **2.** *sar.* roka; **II** *v* sist ar dūri
fit [fit] **I** *a* **1.** derīgs; piemērots; **2.** vesels; **II** *v* derēt; būt piemērotam
five [faiv] **I** *n* piecnieks; **II** *num.* pieci
five-o'clock tea [ˌfaivəklək'ti:] *n* pēcpusdienas tēja
fix [fiks] **I** *n* **1.** kļūmīgs stāvoklis; **2.** atrašanās vieta; **3.** *sl.* narkotikas deva; **II** *v* **1.** piestiprināt; nostiprināt; **2.** saistīt (*uzmanību*); pievērst (*skatienu*); **3.** noteikt (*cenu, termiņu*); **4.** sagatavot; **5.** savest kārtībā
fizz [fiz] **I** *n* **1.** (*dzēriena*) dzirkstīšana; **2.** *sar.* šampanietis; putojošs dzēriens; **II** *v* dzirkstīt (*par dzērienu*)
flabby ['flæbi] *a* **1.** slābans; **2.** gļēvs
flag[a] [flæg] **I** *n* karogs; karodziņš; **II** *v* **1.** izrotāt ar karodziņiem; **2.** signalizēt ar karodziņiem
flag[b] [flæg] *n bot.* skalbe, īriss
flag[c] [flæg] **I** *n* akmens plāksne; **II** *v* noklāt ar akmens plāksnēm
flag[d] [flæg] *v* nokārties, noliekties
flake [fleik] *n* **1.** pārsla; plēksne; **2.** kārta
flam [flæm] *n* meli
flame [fleim] **I** *n* liesma; **II** *v* **1.** liesmot; degt; **2.** nosarkt; **3.** aizsvilties
flan [flæn] *n* augļu pīrāgs
flank [flæŋk] *n* **1.** sāns; **2.** *mil.* flangs
flannel ['flænl] *n* vilnas flanelis
flannelette [ˌflænl'et] *n* kokvilnas flanelis
flap [flæp] **I** *n* **1.** viegls uzsitiens; **2.** (*karoga*) plandīšanās; (*spārnu*) plivināšana; **3.** (*apģērba*) atloks; **II** *v* **1.** viegli uzsist; **2.** plandīt (*par karogu*); plivināt (*spārnus*)
flash [flæʃ] **I** *n* **1.** uzliesmojums; **2.** *pārn.* (*domas*) uzplaiksnījums; **II** *v* **1.** uzliesmot; **2.** *pārn.* uzplaiksnīt
flashlight ['flæʃlait] *n* **1.** signāluguns; **2.** *foto* zibspuldze; **3.** *amer.* kabatas baterija
flat[a] [flæt] *n* dzīvoklis
flat[b] [flæt] *a* **1.** plakans; lēzens; **2.** garlaicīgs; vienmuļš; **3.** kurpes bez papēžiem

flatter ['flætə] *v* **1.** glaimot; **2.** priecēt (*acis*)

flattery ['flætəri] *n* glaimi

flavour ['fleivə] **I** *n* **1.** aromāts; smarža; **2.** (*patīkama*) garša; **II** *v* **1.** piešķirt aromātu; **2.** pielikt garšvielas

flaw [flɔ:] *n* **1.** (*virsmas*) bojājums; **2.** trūkums; vaina; **3.** brāķis

flax [flæks] *n* **1.** lini; **2.** linaudekls

flea [fli:] *n* blusa

fled *p. un p. p. no* **flee**

flee [fli:] *v* (*p. un p. p.* fled [fled]) **1.** bēgt; **2.** izvairīties

fleece [fli:s] **I** *n* **1.** (*aitas*) vilna; **2.** mākoņu aitiņas; **II** *v* **1.** cirpt (*aitu*); **2.** izspiest naudu

fleet[a] [fli:t] *n* **1.** flote; **2.** flotile

fleet[b] [fli:t] **I** *a* **1.** ātrs, žigls; **2.** sekls (*par ūdeni*); **II** *v* **1.** aizsteigties; **2.** aizslīdēt

flesh [fleʃ] *n* **1.** (*jēla*) gaļa; **2.** miesa; ķermenis; to lose f. – novājēt; to put on f. – pieņemties svarā; **3.** (*augļa*) mīkstums

flew *p. no* **fly**[b] **II**

flexible ['fleksəbl] *a* **1.** lokans; elastīgs; **2.** piekāpīgs; **3.** *dat.* pielāgojamība; f. array *dab.* – elastīgais masīvs

flick [flik] *n* **1.** viegls uzsitiens; (*pātagas*) plīkšķis; **2.**: ~s *pl sar.* kino

flicker ['flikə] **I** *n* mirgoņa; ņirboņa; **II** *v* mirgot; ņirbēt

flier ['flaiə] *n* **1.** lidonis; **2.** lidotājs; **3.** *tehn.* spararats

flight[a] [flait] *n* **1.** lidojums; **2.** (*putnu, kukaiņu*) bars; **3.** (*laika*) ritējums

flight[b] [flait] *n* bēgšana; to take (to) f. – mesties bēgt

fling [fliŋ] *v* (*p. un p. p.* flung [flʌŋ]) **1.** sviest; mest; **2.** izdarīt strauju kustību

flip-flop *n dat.* trigeris

flipper ['flipə] *n* **1.** peldplēve; **2.** *sl.* roka

float [fləʊt] *v* **1.** peldēt (*pa ūdens virsmu*); **2.** applūdināt; **3.** baumot

flock [flɒk] *n* **1.** (*putnu*) bars; (*sīklopu*) ganāmpulks; **2.** pūlis; **3.** draudze

flog [flɔg] *v* **1.** pērt; **2.**: to f. **into** – iedzīt (*galvā*); to f. **out** (*of*) – izdzīt (*piem., slinkumu*)

floppy disc [ˌflɒpi'disk] *n dat.* diskete

flood [flʌd] **I** *n* **1.** plūdi; **2.** paisums; **II** *v* applūdināt; pārplūdināt

floodlight ['flʌdlait] *n* prožektors

floor [flɔ:] *n* **1.** grīda; **2.** stāvs (*mājā*); ground f. – pirmais stāvs; first f. – 1) otrais stāvs; 2) *amer.* – pirmais stāvs; **3.** (*jūras*) dibens

flop [flɔp] **I** *n* **1.** plīkšķis; būkšķis; **2.** *sar.* neveiksme; **II** *v* **1.** noblīkšķēt; nobūkšķēt; **2.** nogāzties; iegāzties; **3.** nomest (*ar troksni*)

florescent [flɔ:'resnt] *a* ziedošs

flounder ['flaʊndə] *v* ķepuroties

flour ['flaʊə] **I** *n* milti; **II** *v* apkaisīt ar miltiem

flourish ['flʌriʃ] *v* zelt, plaukt

F

flow [fləʊ] **I** *n* **1.** tecējums; straume; **2.** paisums; **3.** pārpilnība; **II** *v* **1.** tecēt; plūst; **2.** celties (*par paisumu*)

flower [ˈflaʊə] **I** *n* puķe, zieds; **II** *v* ziedēt; plaukt

flowerbed [ˈflaʊəbed] *n* puķu dobe

flowery [ˈflaʊeri] *a* puķots; puķains

F

flown *p. p. no* **fly**[b] **II**

flu [flu:] (*saīs. no* influenza) *n sar.* gripa

flue [flu:] *n* **1.** pūka; **2.** dūmvads

fluent [ˈflu:ənt] *a* veikls; plūstošs (*par valodu*)

fluff [flʌf] **I** *n* pūka; **II** *v* sabužināt

fluid [ˈflu:id] **I** *n* šķidrums; **II** *a* **1.** šķidrs; **2.** mainīgs

flung *p. un p. p. no* **fling**

flurry [ˈflʌri] **I** *n* **1.** (*vēja*) brāzma; **2.** nemiers; satraukums; **II** *v* satraukt

flush [flʌʃ] *n* nosarkt; pietvīkt

flute [flu:t] **I** *n* flauta; **II** *v* spēlēt flautu

flutter [ˈflʌtə] *v* **1.** plivināt (*spārnus*); **2.** plivināties (*vējā*); **3.** trīcēt

fly[a] [flai] *n* muša

fly[b] [flai] *v* (*p.* flew [flu:]; *p. p.* flown [fləʊn]) **1.** lidot; **2.** steigties; **3.** plivināties; ◇ to f. **at** – mesties virsū; uzbrukt; to f. **open** – plaši atvērties; to f. **upon** – uzbrukt

fly-away [ˈflaiəwei] *a* **1.** plats (*par apģērbu*); **2.** plīvojošs (*par matiem*)

flyover [ˈflai͵əʊvə] *n* viadukts

flyway [ˈflaiwei] *n* putnu ceļš

foal [fəʊl] *n* **1.** kumeļš; **2.** ēzelēns

foam [fəʊm] *n* putas; f. plastic – putuplasts; **II** *v* **1.** putot; **2.** pārklāties ar putām

fobwatch [ˈfɒbwɒtʃ] *n* kabatpulkstenis

fodder [ˈfɒdə] *n* lopbarība

fog [fɒg] **I** *n* (*bieza*) migla; **II** *v* ietīt miglā

fold[a] [fəʊld] *n* **1.** draudze; **2.** aploks; laidars

fold[b] [fəʊld] **I** *n* ieloce; kroka; **II** *v* **1.** salocīt; **2.** apskaut; **3.** slēgt (*uzņēmumu*)

folder [ˈfəʊldə] *n* **1.** aktu vāki; ātršuvējs; **2.** *dat.* mape; **3.** buklets; **4.** saliekams binoklis

folding [ˈfəʊldiŋ] *a* salokāms; saliekams; paceļams; nolaižams

foliage [ˈfəʊliidʒ] *n* lapotne

folk [fəʊk] *n* **1.** ļaudis; **2.**: ~s *pl* – radi; piederīgie

folk-custom [ˈfəʊk͵kastəm] *n* tautas paraža

folk-dance [ˈfəʊk͵dɑ:ns] *n* tautas deja

folklore [ˈfəʊklɔ:] *n* folklora

folk-song [ˈfəʊksɒŋ] *n* tautasdziesma

follow [ˈfɒləʊ] *v* **1.** sekot; iet; f. this way – ejiet pa šo ceļu; **2.** ievērot; sekot; **3.** sekot (*domu gaitai*); do you f. me? – vai jūs saprotat?

following [ˈfɒləʊiŋ] *a* sekojošais; nākamais

follow-up [͵fɒləʊˈʌp] **I** *n* papildu pasākumi; **II** *a* sekojošs; papildu-

folly [ˈfɒli] *n* muļķība; neprāts
fond [fɒnd] *a* mīlošs; maigs; to be f. (*of*) – just patiku
fondle [ˈfɔndl] *v* apmīļot
food [fu:d] *n* barība; uzturs; ēdiens
foodstuff [ˈfu:dstʌf] *n* pārtikas produkts
fool [fu:l] **I** *n* muļķis; **II** *v* **1.** muļķoties; **2.** muļķot (*kādu*)
foolish [ˈfu:liʃ] *a* muļķīgs
foolproof [ˈfu:lpru:f] *a* **1.** drošs; **2.** *dat.* muļķudrošs; **3.** *sar.* vienkāršs
foot [fʊt] **I** *n* (*pl* feet [fi:t]) **1.** (*kājas*) pēda; on f. – kājām; **2.** pēda (*mērvienība*); **3.** apakša; **II** *v* **1.** iet kājām; **2.** apmaksāt (*rēķinu*)
football [ˈfʊtbɔ:l] *n* **1.** futbols; **2.** futbola bumba
footbridge [ˈfutbridʒ] *n* laipa
footfing [ˈfʊtiŋ] *n* **1.** pamats; **2.** stāvoklis (*sabiedrībā*); **3.** attiecības
footlights [ˈfʊtlaits] *n pl* rampas ugunis; rampa
footwear [ˈfʊtweə] *n* apavi
for [fɔ:, fə] **I** *prep* **1.** (*norāda piemērotību*) for sale – pārdošanai; **2.** dēļ, labad; for example – piemēram; **3.** (*norāda laiku*) uz; for two years – 1) divus gadus; 2) uz diviem gadiem; **4.** (*norāda virzienu*) uz; **II** *conj* jo; tāpēc ka
forbade *p. no* **forbid**
forbid [fəˈbid] *v* (*p.* forbade [fəˈbeid]; p. p. forbidden [fəˈbidn]) aizliegt
forbidden *p. p. no* **forbid**
force [fɔ:s] **I** *n* spēks; vara; in f. – spēkā; by f. – ar varu; **II** *v* piespiest (*ar varu*)
forced [fɔ:st] *a* piespiests; piespiedu-
forecast [ˈfɔ:kɑ:st] **I** *n* prognoze; **II** *v* prognozēt
forecourt [ˈfɔ:kɔ:t] *n* pagalms
forefinger [ˈfɔ:ˌfiŋgə] *n* rādītājpirksts
forego [ˈfɔ:ˈgəʊ] *v* (*p.* forewent [fɔ:ˈwent]; *p. p.* foregone [fɔ:ˈgɔn]) notikt pirms
foregoing [fɔ:gəʊing] *a* iepriekšējs, iepriekšminēts
forehead [ˈfɒrid] *n* piere
foreign [ˈfɒrən] *a* **1.** ārēji; ārlietu-; F. Office – Ārlietu ministrija; f. trade – ārējā tirdzniecība; **2.** ārzemju-; **3.** svešs, nepiederīgs; f. body *med.* – svešķermenis
foreigner [ˈfɒrənə] *n* ārzemnieks
foreland [ˈfɔ:lənd] *n* **1.** zemesrags; **2.** piekrastes josla
foreman [ˈfɔ:mən] *n* (*pl* foremen [ˈfɔ:mən]) meistars
foremost [ˈfɔ:məʊst] *a* **1.** priekšējais; **2.** pats galvenais
forenoon [ˈfɔ:nu:n] *n* priekšpusdiena
foresaw *p. no* **foresee**
foresee [fɔ:ˈsi:] *v* (*p.* foresaw [fɔ:ˈsɔ:]; *p. p.* foreseen [fɔ:ˈsi:n]) paredzēt
foreseen *p. p. no* **foresee**
foresight [ˈfɔ:sait] *n* **1.** paredzējums; **2.** tālredzība
forest [ˈfɒrist] **I** *n* mežs; **II** *v* apmežot
foretell [fɔ:ˈtel] *v* (*p.* un *p. p.* foretold [fɔ:ˈtəʊld]) paregot

F

forever [fə'revə] *adv* **1.** uz visiem laikiem; **2.** nemitīgi

foreword ['fɔ:wɜ:d] *n* priekšvārds; ievads

forfeit ['fɔ:fit] *n* **1.** sods; **2.** ķīla (*rotaļā*)

forgave *p. no* **forgive**

forget [fə'get] *v* (*p.* forgot [fə'gɒt]; *p. p.* forgotten [fə'gɒtn]) aizmirst

forgetful [fə'getfəl] *a* aizmāršīgs

forget-me-not [fə'getminɔt] *n* neaizmirstule

forgive [fə'giv] *v* (*p.* forgave [fə'geiv]; *p. p.* forgiven [fə'givn]) piedot

forgiven *p. p. no* **forgive**

forgot *p. no* **forget**

forgotten *p. p. no* **forget**

fork [fɔ:k] *n* **1.** dakšiņa; **2.** dakšas; sakumi; **3.** (*ceļa, upes*) sazarojums; **4.** *mūz.* kamertonis

form [fɔ:m] **I** *n* **1.** veids; **2.** veidlapa; **3.** klase (*skolā*); **II** *v* **1.** piešķirt veidu; **2.** veidot; izveidot

formal ['fɔ:məl] *a* **1.** formāls; oficiāls; **2.** ārējs; **3.** regulārs

formation [fɔ:'meiʃn] *n* **1.** veidošana; **2.** uzbūve, struktūra

former ['fɔ:mə] *a* iepriekšējs; agrāks

formerly ['fɔ:məli] *adv* agrāk, senāk

forth [fɔ:θ] *adv* uz priekšu

forthcoming [,fɔ:θ'kʌmiŋ] *a* gaidāmais; nākamais

forthwith [,fɔ:θ'wiθ] *adv* tūlīt, nekavējoties

fortitude [fɔ:titju:d] *n* gara spēks

fortnight ['fɔ:tnait] *n* divas nedēļas; this day f. – pēc divām nedēļām

fortress ['fɔ:tris] *n* cietoksnis

fortunate ['fɔ:tʃnət] *a* laimīgs; veiksmīgs

fortune ['fɔ:tʃən] *n* **1.** laime; veiksme; **2.** liktenis; to tell ~s – zīlēt; **3.** manta; bagātība

fortune-teller ['fɔ:tʃən,telə] *n* zīlniece

forward ['fɔ:wəd] **I** *n* uzbrucējs (*futbolā*); **II** *a* **1.** priekšējais; **2.** progresīvs; **III** *v* **1.** veicināt; paātrināt; **2.** nosūtīt; **3.** *dat.* pārsūtīt; f. channel *dat.* – turpvērstais kanāls; **IV** *adv* **1.** uz priekšu; **2.** turpmāk

foster-child ['fɒstətʃaild] *n* audžubērns

foster-father ['fɒstə,fɑ:ðə] *n* audžutēvs

fought *p. un p. p. no* **fight II**

foul [faʊl] **I** *n* nekrietnība; **II** *a* **1.** netīrs; **2.** smirdošs; **3.** negodīgs; **4.** draņķīgs (*par laiku*); **III** *v* notraipīt, piesārņot

found[a] *p. un p. p. no* **find**

found[b] [faʊnd] *v* **1.** likt pamatus; dibināt; **2.** pamatot; **3.** radīt

foundation [faʊn'deiʃən] *n* **1.** fundaments; pamats, **2.** pamatojums

foundation-stone [faʊn'deiʃnsteʊn] *n* stūrakmens

founder[a] ['faʊndə] *n* dibinātājs; pamatlicējs

founder[b] ['faʊndə] *n* metāllējējs

founder[c] ['fəʊndə] *v* **1.** paklupt (*par zirgu*); **2.** nogrimt (*par kuģi*); **3.** sagrūt (*par celtni*)

foundry ['faʊndri] *n* metāllietuve

fountain [ˈfaʊntin] *n* strūklaka

fountain-pen [ˈfaʊntinpen] *n* pildspalva

fowl [faʊl] **I** *n* **1.** putns; putni; **2.** mājputns; vista; **3.** putnu gaļa; **II** *v* medīt putnus

fox [fɒks] *n* **1.** lapsa; **2.** viltnieks

fox-terrier [ˌfɒksˈteriə] *n* foksterjers

foxy [ˈfɔksi] *a* viltīgs

fraction [ˈfrækʃən] *n* **1.** daļa; druska; **2.** daļskaitlis

fracture [ˈfræktʃə] *n* **1.** ieplaisājums; ielūzums; **2.** *med.* lūzums

fragile [ˈfrædʒail] *a* **1.** trausls; **2.** gaistošs

fragment [ˈfrægmənt] *n* **1.** atlūza; **2.** fragments

fragrant [ˈfreigrənt] *a* smaržīgs

frame [freim] **I** *n* **1.** karkass; **2.** ietvars; **3.** augums; stāvs; **4.** *dat.* kadrs; f. assembly – kadra montāža; f. grabber – kadru tvērējs; **II** *v* **1.** izveidot; izstrādāt; **2.** ielikt ietvarā; **3.** izvērsties

frank [fræŋk] *a* atklāts; vaļsirdīgs; to be f. – atklāti sakot

frankfurter [ˈfræŋkfɜ:tə] *n* (*žāvēta*) desiņa

frantic [ˈfræntik] *a* **1.** izmisīgs; **2.** *sar.* briesmīgs

fraternal [frəˈtɜ:nl] *a* brāļa-; brāļu-; brālīgs

fraud [frɔ:d] *n* **1.** krāpšana; **2.** krāpnieks

freckles [ˈfreklz] *n pl* vasarraibumi

free [fri:] **I** *a* **1.** brīvs; to get f. – atbrīvoties; to set f. – atbrīvot; **2.** brīvs; neaizņemts; f. press – brīvā prese; **3.** bezmaksas-; entry f. – bezmaksas ieeja; **II** *v* atbrīvot; izlaist brīvībā; **III** *adv* **1.** brīvi; **2.** bez maksas

freedom [ˈfri:dəm] *n* brīvība; neatkarība

freeway [ˈfri:wei] *n* ātrgaitas automaģistrāle

free-will [ˌfri:ˈwil] *a* labprātīgs

freeze [fri:z] **I** *n* **1.** sals; **2.** iesaldēšana; wage f. – algas iesaldēšana; **II** *v* (*p.* froze [frəʊz]; *p. p.* frozen [ˈfrəʊzn]) **1.** [sa]salt; **2.** sasaldēt; **3.** nosaldēt; **4.** sastingt (*aukstumā, bailēs*); ◇ to f. **in** – iesalt (*ledū*); to f. **on** *sar.* – cieši pieķerties; to f. **out** *sar.* – atbrīvoties; to f. **up** – sastingt

freight [freit] *n* **1.** krava; **2.** frakts (*vedmaksa*); **3.** *amer.* (*arī* f. train) preču vilciens

French horn [ˌfrentʃˈhɔ:n] *n* *mūz.* mežrags

frequency [ˈfri:kwənsi] *n* **1.** biežums; **2.** *fiz.* frekvence

frequent I *a* [ˈfri:kwənt] biežs; **II** *v* [friˈkwent] bieži apmeklēt

frequently [ˈfri:kwəntli] *adv* bieži

fresh [freʃ] *a* **1.** svaigs; **2.** jauns; **3.** nepieredzējis; **4.** možs; **5.** dzestrs (*par laiku*)

freshman [ˈfreʃmən] *n* pirmā kursa students

freshwater [ˈfreʃwɔ:tə] *a* saldūdens-; f. fish – saldūdens zivs; ◇ f. sailor – nepieredzējis jūrnieks

F

friction ['frikʃən] *n* **1.** berze; **2.** domstarpības
Friday ['fraidi] *n* piektdiena
fridge [fridʒ] *n sar. saīs. no* **refrigerator**
fried [fraid] *a* cepts
friend [frend] *n* draugs; draudzene; ◇ f. at court – ietekmīgs draugs

F

friendless [frendlis] *a* vientuļš
friendly ['frendli] *a* draudzīgs
friendship ['frendʃip] *n* draudzība
fright [frait] *n* bailes; to have a f. – nobīties
frighten ['fraitn] *v* nobiedēt
frightful ['fraitfəl] *a* drausmīgs, briesmīgs
fringe [frindʒ] *n* **1.** bārkstis; **2.** mala; **3.** īsi apgriezti mati uz pieres; ponijs
frisky ['friski] *a* draiskulīgs
fritz [frits] *n* bojājums, avārija
frizz [friз] *n* sprogaini mati
fro [frəʊ] *adv*: to and f. – uz priekšu un atpakaļ
frock [frɒk] *n* **1.** kleita; **2.** talārs
frog [frɒg] *n* varde
frogman ['frɒgmən] *n* akvalangists
from [frɒm, frəm] *prep* **1.** no; **2.** no; kopš; f. now on – turpmāk; **3.** ar; **4.**: to judge f. appearances – spriest pēc ārējā izskata
front [frʌnt] **I** *n* **1.** priekšpuse; priekša; **2.** fasāde; **3.** fronte; **II** *a* priekšējais; f. door – parādes durvis; f. page – titullapa
frontier ['frʌntiə] *n* robeža; pierobeža
frost [frɒst] *n* **1.** sals; **2.** salna; **3.** sarma
frostbitten ['frɒst,bitn] *a* apsaldēts
frosted ['frɔstid] *a* **1.** apsalis; **2.** nosarmojis
frostily ['frɒstili] *adv* vēsi; dzestri
froth [frɒθ] **I** *n* **1.** putas; **2.** tukši vārdi; **II** *v* **1.** putot; **2.** melst
froze *p. no* **freeze**
frozen *p. p. no* **freeze**
frugal ['frugəl] *a* **1.** taupīgs; **2.** vienkāršs; pieticīgs
fruit [fru:t] *n* auglis; augļi
fruitful ['fru:tfəl] *a* auglīgs
frustrate [frʌ'streit] *v* izjaukt (*plānus*); sagraut (*cerības*)
fry [frai] **I** *n* cepetis; **II** *v* **1.** cept; **2.** cepties; ◇ I have other fish to f. – man cits kas ir darāms
fudge I *n* blēņas; **II** *v* stāstīt blēņas
fuel [fjʊəl] **I** *n* kurināmais; degviela; **II** *v* **1.** iepildīt degvielu; **2.** uzņemt degvielu
fuggy ['fʌgi] *a* sasmacis
fugitive ['fju:dʒitiv] **I** *n* bēglis; **II** *a* bēgošs; gaistošs
fulfil [fʊl'fil] *v* izpildīt; īstenot
full [fʊl] *a* **1.** pilns; full age – pilngadība; **2.** vesels; pilns; **3.** *sar.* paēdis; **4.**: f. stop *gram.* – punkts
full-bloded [,ful'blʌdid] *a* **1.** tīrasiņu-; **2.** pilnasinīgs
full-mouthed [,ful'mauðd] *a* skaļš
fully ['fʊli] *adv* pilnīgi
fulminant ['fʌlminənt] *a med.* ātri progresējošs
fume [fju:m] *n* **1.** dūmi; **2.** tvaiks; garaiņi

fun [fʌn] *n* joks; jautrība
function [ˈfʌŋkʃən] **I** *n* **1.** funkcija; **2.** svinības; pieņemšana; **II** *v* funkcionēt; darboties
fund [fʌnd] *n* **1.** krājums; **2.** fonds; kapitāls; **3.**: ~s *pl* – naudas līdzekļi
fundament [ˈfʌndəmənt] *n* sēžamvieta
fundamental [ˌfʌndəˈmentl] **I** *n:* ~s *pl* – **1.** pamatprincipi; **2.** pamati; **II** *a* pamata-; būtisks
fund-holder [ˈfʌndˌhəʊldə] *n* vērtspapīru īpašnieks
funeral [ˈfju:nərəl] *n* **1.** bēres; **2.** dvēseles aizlūgums
fungus [ˈfʌngəs] *n* sēne, piepe
funk [fʌŋk] **I** *n sar.* **1.** bailes; **2.** gļēvulis; **II** *v* **1.** baidīties; **2.** izvairīties
funny [fʌni] *a* **1.** jocīgs; komisks; **2.** dīvains
fur [fɜ:] *n* **1.** vilna; spalva; **2.** zvērāda, kažokāda; **3.** katlakmens
furious [ˈfjʊəriəs] *a* saniknots; negants
furnish [ˈfɜ:niʃ] *v* **1.** apgādāt; **2.** mēbelēt
furniture [ˈfɜ:nitʃə] *n* **1.** mēbeles; **2.** garnitūra
furor [ˈfjuərɔ:] *n* dusmas
furrow [ˈfʌrəʊ] *n* **1.** vaga; **2.** gramba; **3.** (*dziļa*) grumba
further [ˈfɜ:ðə] **I** *a* (*comp no* **far I, II**) **1.** tālāks; **2.** nākamais; **II** *adv* (*comp no* **far I, II**) **1.** tālāk; **2.** turklāt
furthest [ˈfɜ:ðist] **I** *a* (*sup no* **far I, II**) vistālākais; **II** *adv* (*sup no* **far I, II**) vistālāk
furtive [ˈfɜ:tiv] *a* slepens
fury [ˈfjʊəri] *n* niknums; trakums
fuse[a] [fju:z] **I** *n el.* drošinātājs; **II** *v el.* izsist (*drošinātāju*)
fuse[b] [fju:z] *v* **1.** kausēt (*metālu*); **2.** sakust
fuss [fʌs] **I** *n* kņada; jezga; **II** *v* (*arī* to f. about) radīt kņadu (*jezgu*)
futile [ˈfju:tail] *a* veltīgs, velts
future [ˈfju:tʃə] **I** *n* nākotne; **II** *a* nākotnes-; nākamais; f. tense *gram.* – nākotne
fuzz [fʌz] *n* **1.** pūka; **2.** pūkaini (sprogaini) mati
fuzz-ball [ˈfʌzbɔ:l] *n* pūpēdis
fuzzily [ˈfʌzili] *adv* neskaidri

G

G

gab[a] [gæb] *n sar.* pļāpāšana
gab[b] [gæb] *n tehn.* dakša
gadfly [ˈgædflai] *n* dundurs
gaffe [gæf] *n* kļūme; neveiklība
gaily [ˈgeili] *adv* **1.** jautri; līksmi; **2.** spilgti
gain [gein] **I** *n* **1.** ieguvums; labums; **2.**: ~s *pl* – peļņa; **3.** pieaugums; **II** *v* **1.** iegūt; **2.** gūt labumu; **3.** būt ātrākam (*par pulksteni*); **4.** sasniegt (*galamērķi*)
gait [geit] *n* gaita
galaxy [ˈgæləksi] *n astr.* (G.) galaktika; Piena Ceļš

gallant ['gælənt] *a* **1.** drosmīgs; varonīgs; **2.** galants
gallery ['gæləri] *n* galerija; picture g. – gleznu galerija
gamble ['gæmbl] **I** *n* risks, azartspēle; **II** *v* **1.** spēlēt azartspēles; **2.** spekulēt (*biržā*)
game [geim] *n* **1.** spēle; g. paddle *dat.* – spēļvadne; **2.** *sp.* partija; **3.**: ~s *pl* – sacīkstes; **4.** medījums
gang [gæŋ] *n* **1.** brigāde; **2.** banda; **3.** *sar.* kompānija, bars
gangster ['gæŋstə] *n* gangsteris
gaol [dʒeil] **I** *n* cietums; **II** *v* ieslodzīt cietumā
gap [gæp] *n* **1.** sprauga; plaisa; atstarpe; **2.** *pārn.* robs (*zināšanās*); **3.** kalnu pāreja
garage ['gærɑ:ʒ] *n* **1.** garāža; **2.** tehniskās apkopes stacija
garbage ['gɑ:bidʒ] *n* **1.** atkritumi; **2.** *dat.* drazas; g. collection – drazu savākšana
garden ['gɑ:dn] **I** *n* **1.** dārzs; **2.**: ~s *pl* – parks; **II** *v* strādāt dārzā
gardener ['gɑ:dnə] *n* dārznieks
gardening ['gɑ:dniŋ] *n* dārzkopība
garlic ['gɑ:lik] *n* ķiploks; ķiploki
garment ['gɑ:mənt] *n* apģērba gabals
garnish ['gɑ:niʃ] **I** *n* garnējums; **II** *v* garnēt
garret ['gærət] *n* bēniņi; mansards
garrison ['gærisn] *n* garnizons
gas [gæs] *n* **1.** gāze; **2.** *amer. sar.* benzīns; degviela
gas-cooker ['gæs,kʊkə] *n* gāzes plīts
gash [gæʃ] *n* dziļa brūce
gasmain ['gæsmein] *n* gāzesvads
gasolene ['gæsəli:n] *n amer.* benzīns
gasp [gɑ:sp] **I** *n* elpas vilciens; **II** *v* elsot; elst; ◇ to go **after** (**for**) – kvēli vēlēties (*kaut ko*); kvēli tiekties (*pēc kā*); to go **out** – izdvest
gate [geit] *n* vārti
gather ['gæðə] *v* **1.** savākt; salasīt; **2.** sapulcēties; **3.** uzkrāt; ◇ to g. one's breath – atvilkt elpu
gauge [geidʒ] *n* **1.** mērs; kalibrs; **2.** mēraparāts
gave *p. no* **give**
gay [gei] *a* **1.** jautrs; līksms; **2.** spilgts; košs; **3.** *sar.* homoseksuāls; **4.** *sl.* piedzēries
gem [dʒem] *n* dārgakmens
gender ['dʒendə] *n gram.* dzimte
general ['dʒenərəl] **I** *n* ģenerālis; **II** *a* **1.** vispārējs, vispārīgs; **2.** parasts; **3.** vadošais; galvenais; **4.** vispārēja rakstura-; g. practitioner – 1) iecirkņa ārsts; 2) ģimenes ārsts
generally ['dʒenərəli] *adv* **1.** parasti; **2.** plaši; **3.** vispār
generate ['dʒenəreit] *v* **1.** ražot (*piem., elektrību*); **2.** radīt; izraisīt
generation [,dʒenə'reiʃən] *n* paaudze; rising g. – jaunā paaudze; g. of computers – datoru paaudze
generosity [,dʒenə'rɒsiti] *n* **1.** augstsirdība; **2.** devība
generous ['dʒenərəs] *a* **1.** augstsirdīgs; **2.** devīgs; **3.** bagātīgs
genesis ['dʒenisis] *n* **1.** izcelšanās;

ģenēze; **2.** (G) pirmā Mozus grāmata

genetics [dʒinetiks] *n* ģenētika

geneva [dʒi'ni:və] *n* džins, kadiķu degvīns

genial ['dʒi:niəl] *a* **1.** sirsnīgs; labsirdīgs; **2.** maigs; mērens (*par klimatu*)

genius ['dʒi:niəs] *n* **1.** apdāvinātība; **2.** ģēnijs

genre ['ʒɒnrə] *n* žanrs

gentle ['dʒentl] *a* **1.** maigs; laipns; **2.** viegls; liegs (*par vēju*); **3.** dižciltīgs

gentleman [dʒentlmən] *n* džentlmenis; gentlemen's agreement – džentlmeņu vienošanās

Gents [dʒents] *n sar.* vīriešu tualete

genuine ['dʒenjʊin] *a* **1.** īsts; neviltots; **2.** patiess; **3.** tīršķirnes

geography [dʒi'ɒgrəfi] *n* ģeogrāfija

geology [dʒi'ɒlədʒi] *n* ģeoloģija

geometry [dʒi'ɒmitri] *n* ģeometrija

germ [dʒɜ:m] *n* **1.** *biol.* dīglis; **2.** mikrobs; **3.** sākums

gesture ['dʒestʃə] *n* žests; kustība

get [get] *v* (*p. un p. p.* got [gɒt]) **1.** iegūt, dabūt; **2.** (*to*) nokļūt; **3.** kļūt

gettable ['getəbl] *a* dabūjams

get-up ['getʌp] *n sar.* **1.** (*neparasts*) apģērbs; **2.** (*grāmatas*) apdare

gewgaw ['gju:gɔ:] *n* rotaļlieta; nieciņš

ghastly ['gɑ:stli] *a* **1.** drausmīgs; šausmīgs; **2.** briesmīgs

ghost [gəʊst] *n* **1.** spoks; rēgs; **2.** *dat.* māņattēls; ◇ the Holy G. – Svētais Gars

ghoul [gu:l] *n* vampīrs

giant ['dʒaiənt] **I** *n* milzis; gigants; **II** *a* milzīgs

gib [dʒib] *n* kaķis

gibe [dʒaib] **I** *n* izsmiekls; **II** *v* zoboties

giddy ['gidi] *a* **1.** apreibis; **2.** reibinošs

gift [gift] *n* **1.** dāvana; **2.** talants

gifted ['giftid] *a* talantīgs, apdāvināts

giftshop ['giftʃɒp] *n* dāvanu veikals, suvenīru veikals

gilded ['gildid] *a* apzeltīts

gillyflower ['dʒili,flaʊə] *n* lefkoja

gimmick ['gimik] *n sar.* viltība; triks

gin[a] [dʒin] *n* džins

gin[b] [dʒin] *n* lamatas; cilpas

gingerbread ['dʒindʒəbred] *n* piparkūka

giraffe [dʒi'rɑ:f] *n* žirafe

girl [gɜ:l] *n* **1.** meitene; **2.** kalpone; **3.** darbiniece; shop g. – pārdevēja

girlfriend ['gɜ:lfrend] *n* (*zēna*) draudzene

gist [dʒist] *n* būtība; kodols

give [giv] *v* (*p.* gave [geiv]; *p. p.* given [givn]) **1.** dot; sniegt; **2.** dāvināt; ◇ to g. **back** – atdot atpakaļ; to g. **in** – padoties; to g. **up** – 1) atteikties (*piem., no darba*); 2) atmest ar roku (*kaut kam*)

given *p. p. no* **give**

glad [glæd] *a* priecīgs; patīkams

gladly ['glædli] *adv* labprāt; ar prieku

glance [glɑ:ns] **I** *n* acu uzmetiens; **II** *v* uzmest acis

G

gland [glænd] *n* dziedzeris
glaring [ˈgleəriŋ] *a* (žilbinoši) spilgts
glass [glɑ:s] *n* **1.** stikls; **2.** glāze; glāzīte; **3.** spogulis; **4.**: ~es *pl* – brilles
glassware [ˈglɑ:sweə] *n* stikla trauki
glassed-in [ˈglɑ:stin] *a* iestiklots
glaze [gleiz] *v* **1.** pārklāt ar glazūru; **2.** (*in*) iestiklot

G

gleam [gli:m] *n* **1.** atspīdums; atblāzma; **2.** (*cerību*) stars
glee [gli:] *n* līksme
glen [glen] *n* grava
glide [glaid] *v* **1.** slīdēt; **2.** *av*. planēt; **3.** ritēt (*par laiku*)
glimmer [ˈglimə] **I** *n* mirgošana; **II** *v* mirgot
glitter [ˈglitə] **I** *n* mirdzums; spožums; **II** *v* mirdzēt; spīdēt
globe [gləʊb] *n* **1.** globuss; **2.** (*stikla*) kupols; **3.**: the g. – zemeslode
gloom [glu:m] *n* **1.** tumsa; **2.** drūmums
gloomy [ˈglu:mi] *a* **1.** tumšs; **2.** drūms; nomākts
glorify [ˈglɔ:rifai] *v* cildināt, slavināt
glorious [ˈglɔ:riəs] *a* **1.** slavens; **2.** lielisks
glory [ˈglɔ:ri] *n* **1.** slava; triumfs; **2.** svētlaime
glove [glʌv] **I** *n* cimds; **II** *v* uzvilkt cimdus
glow [gləʊ] **I** *n* kvēle; svelme; **II** *v* kvēlot
glow-worm [ˈgləʊwə:m] *n* jāņtārpiņš
glue [glu:] **I** *n* līme; **II** *v* līmēt
gluey [ˈglu:i] *a* lipīgs
gnat [næt] *n* ods; knislis
gnaw [nɔ:] *v* grauzt; kost
gnawer [ˈnɔ:ə] *n zool.* grauzējs
go [gəʊ] **I** *n* **1.** gaita; kustība; **2.** enerģija; all the go – populārs; **II** *v* (*p.* went [went]; *p. p.* gone [gɒn]) **1.** iet; staigāt; **2.** braukt; to go by bus – braukt ar autobusu; **3.** (*savienojumos ar ģerundiju*): to go shopping – iet iepirkties; **4.** (*v – saitiņa*): to go mad – sajukt prātā; **5.** (*ar infinitīvu*): he is going to write – viņš taisās rakstīt; ◇ to go **ahead** – 1) virzīties uz priekšu; 2) turpināt; to go **in** – 1) ieiet; 2) (*for*) nodarboties (*ar*); to go **off** – 1) sprāgt; 2) izdoties; to go **on** – turpināt; to go **up** – [pa]celties
goal [gəʊl] *n* **1.** vārti (*futbolā*); **2.** *pārn.* mērķis; g. function *dat.* – mērķfunkcija
goalkeeper [ˈgəʊlˌki:pə] *n sp.* vārtsargs
goat [gəʊt] *n* kaza; āzis
gobbler [ˈgɒblə] tītars
gobelin [ˈgəʊbəlin] *n* gobelēns
god [gɒd] *n* **1.** dievs; dievība; **2.** (G.) Dievs; ◇ by G. – Dieva vārds!; oh my G. (Good'G.)! – ak Dievs, žēlīgais Dievs!
godchild [ˈgɒdtʃaild] *n* krustbērns
godfather [ˈgɒdˌfɑ:ðə] *n* **1.** krusttēvs; **2.** aizbildnis
godly [ˈgɒdli] *a* dievbijīgs; reliģiozs
godmother [ˈgɒdˌmʌðə] *n* krustmāte
gold [gəʊld] **I** *n* zelts; **II** *a* zelta-

golden [ˈgəʊldən] *a* zelta-; zeltains; g. fleece – zelta aunāda; g. wedding – zelta kāzas

golden eagle [ˌgəʊldənˈi:gl] *n* kalnu ērglis

goldilocks [ˈgəʊldilɒks] *n* gundega

gone *p. p. no* **go II**

good [gʊd] **I** *n* labums; **II** *a* (*comp* better [ˈbetə]; *sup* best [best]) **1.** labs; **2.** noderīgs; **3.** prasmīgs; veikls; ◇ g. morning! – labrīt!

goodbye [gʊdˈbai] *int* uz redzēšanos!; sveiki!

Good-Friday [ˌgʊdˈfraidi] *n rel.* Lielā Piektdiena

good-looking [ˌgʊdˈlʊkiŋ] *a* glīts; izskatīgs

good-natured [ˌgʊdˈneitʃəd] *a* labsirdīgs

goodness [ˈgʊdnis] *n* krietnums; labsirdība

goods [gʊdz] *n pl* **1.** preces; **2.** mantas

go-off [gəʊˈɒf] *n* sākums; starts

goose [gu:s] *n* (*pl* geese [gi:s]) **1.** zoss; **2.** muļķis; vientiesis; ◇ to chase the wild g. – dzīties pēc mākoņiem

gorget [ˈgɔ:dʒit] *n* kaklarota

gooseberry [ˈgʊzbəri] *n* ērkšķoga

gorget [ˈgɔ:dʒit] *n* kaklarota

goose-flesh [ˈgu:sfleʃ] *n* zosāda

gorp [gɔ:p] *n* uzkodas

gospel [ˈgɒspəl] *n* **1.** sprediķis; **2.** evaņģēlijs; **3.** uzskati; pārliecība

gossip [ˈgɒsip] **I** *n* pļāpas, tenkas; **II** *v* pļāpāt, tenkot

got *p. un p. p. no* **get**

govern [ˈgʌvən] *v* **1.** valdīt; pārvaldīt; **2.** apvaldīt (*jūtas*)

government [ˈgʌvnmənt] *n* valdība; pārvalde

gown [gaʊn] **I** *n* **1.** tērps; kleita; **2.** mantija; talārs; **II** *v* **1.** ietērpt; **2.** būt ietērptam

grabber [ˈgræbə] *n* mantrausis

grace [greis] *n* **1.** grācija; **2.** labvēlība; **3.** *rel.* žēlsirdība; by the g. of God – ar Dieva žēlastību

grace-cup [ˈgreiskʌp] *n* **1.** kauss uz kāda veselību; **2.** «ceļakāja»

graceful [ˈgreisfəl] *a* **1.** graciozs; **2.** pievilcīgs, piemīlīgs, elegants

gracious [ˈgreiʃəs] *a* **1.** žēlsirdīgs; **2.** laipns

grade [greid] *n* **1.** pakāpe; **2.** kvalitāte; **3.** *amer.* klase (*skolā*); **4.** atzīme; g. school – *amer.* pamatskola

graduate **I** *n* [ˈgrædʒʊət] (*augstskolas*) absolvents; **II** *v* [ˈgrædʒʊeit] (*from*) beigt (*augstskolu*)

graft *amer.* **I** *n* **1.** kukuļņemšana; **2.** kukulis; **II** *v* ņemt kukuļus

grain [grein] *n* **1.** labība; graudi; **2.** grauds; graudiņš

grainy [ˈgreini] *a* **1.** graudains; **2.** raupjš

grammar [ˈgræmə] *n* gramatika

grammar-school [ˈgræməsku:l] *n* **1.** (*humanitāra novirziena*) vidusskola; **2.** *amer.* vidusskolas vecākās klases

gram[me] [ˈgræm] *n* grams

grand [grænd] **I** *n* flīģelis; **II** *a* **1.** grandiozs; **2.** *sar.* lielisks

grandchild [ˈgræntʃaild] *n* mazbērns
granddaughter [ˈgræn,dɔ:tə] *n* mazmeita
grandfather [ˈgrænd,fɑ:ðə] *n* vectēvs
grandmother [ˈgræn,mʌðə] *n* vecāmāte
grandparents [ˈgrænd,peərənts] *n pl* vecvecāki

G

grandpiano [,grænˈpjænəʊ] *n* flīģelis
grandson [ˈgrænsʌn] *n* mazdēls
grant [grɑ:nt] **I** *n* **1.** dāvinājums; **2.** dotācija; subsīdija; **3.** stipendija; **II** *v* **1.** atļaut; piekrist; **2.** pieļaut
grant-aided [ˈgrɑ:nt,eidid] *a* dotēts; subsidēts
grape [greip] *n* vīnoga
grapefruit [ˈgreipfru:t] *n* greipfrūts
graphic [ˈgræfik] *a* **1.** grafisks; **2.** uzskatāms
grasp [grɑ:sp] *v* **1.** satvert; sagrābt; **2.** aptvert; saprast; ◇ to g. the nettle – ķerties vērsim pie ragiem; to g. at a straw – ķerties pie salmiņa
grass [grɑ:s] **I** *n* **1.** zāle; to cut the g. – pļaut zāli; **2.** zāliens; keep off the g.! – nestaigāt pa zālienu!; **3.** ganības; **II** *v* **1.** apsēt ar zāli; **2.** ganīties; **3.** izlaist ganībās
grass-cutter [ˈgrɑ:s,kʌtə] *n* zāliena pļaujmašīna
grasshopper [ˈgrɑ:s,hɒpə] *n* sienāzis
grass-plot [grɑ:sˈplɒt] *n* zāliens
grass-snake [ˈgrɑ:ssneik] *n* zalktis
grate [greit] *v* **1.** rīvēt; **2.** kaitināt
grateful [ˈgreitfəl] *a* pateicīgs
gratis [ˈgreitis] **I** *a* bezmaksas-; g. ticket – brīvbiļete; **II** *adv* bez maksas; par velti
gratitude [grætitju:d] *n* pateicība
gratiuty [grəˈtju:əti] *n* **1.** naudas balva; **2.** dzeramnauda
grave[a] [greiv] *n* kaps; ◇ to dig one's own g. – rakt pašam sev kapu
grave[b] [greiv] *a* **1.** nopietns; svarīgs; **2.** draudīgs; **3.** drūms; bēdīgs
gravel [ˈgrævəl] **I** *n* grants; **II** *v* nograntēt
gravestone [ˈgreivstəʊn] *n* kapakmens
graveyard [ˈgreivjɑ:d] *n* kapsēta
gravity [ˈgræviti] *n* **1.** *fiz.* smagums, gravitācija; **2.** nopietnība; svarīgums
gravy [ˈgreivi] *n* gaļas mērce
gray [grei] *amer. sk.* **grey**
graze [greiz] **I** *n* nobrāzums; **II** *v* nobrāzt
grease **I** *n* [gri:s] **1.** tauki; **2.** ziede; **II** *v* [gri:z] ieziest; ieeļļot
great [greit] *a* **1.** liels; **2.** izcils; **3.** *sar.* lielisks; **4.** ilgs, ilgstošs
greatly [ˈgreitli] *adv* ļoti; lielā mērā
greedy [ˈgri:di] *a* **1.** rijīgs; **2.** alkatīgs; mantkārīgs
green [gri:n] **I** *n* **1.** zaļumi; dārzeņi (*kāposti, salāti utt.*); **2.** zaļa krāsa; **II** *a* **1.** zaļš; **2.** zaļš, nenogatavojies; **3.** nepieredzējis
greenery [ˈgri:nəri] *n* zaļumi, apstādījumi

green-stuffs ['gri:nstʌfs] *n* zaļumi, dārzeņi

greet [gri:t] *v* **1.** sveicināt; **2.** apsveikt

greeting ['gri:tiŋ] *n* **1.** sveiciens; sasveicināšanās; **2.** apsveikums

greeting-card ['gri:tiŋ kɑ:d] *n* apsveikuma kartīte

grew *p. no* **grow**

grey [grei] *a* **1.** pelēks; **2.** sirms; to turn g. – nosirmot

grey-haired [ˌgrei'hɜəd] *a* sirms

greyhound ['greihaʊnd] *n* kurts

grief [gri:f] *n* **1.** bēdas; **2.** nelaime

grievance ['gri:vəns] *n* **1.** aizvainojums; pārestība; **2.** sūdzība

grieve [gri:v] *v* **1.** skumt, bēdāties; **2.** apbēdināt

grill [gril] *n* **1.** grils (*restes gaļas, zivju cepšanai*); **2.** uz grila cepta gaļa, zivs

grim [grim] *a* **1.** bargs; **2.** nelokāms; **3.** nežēlīgs

grime ['graim] *n* netīrumi; kvēpi

grin [grin] **I** *n* (*plats*) smaids; **II** *v* **1.** (*plati*) smaidīt; **2.** ņirgt

grind [graind] *v* (*p. un p. p.* ground [graʊnd]) **1.** saberzt (*pulverī*); samalt; **2.** asināt, trīt

grinder ['graində] *n* kafijas dzirnaviņas

grindstone ['graindstəʊn] *n* galoda, tecila

grip [grip] **I** *n* **1.** tvēriens; **2.** vara; **II** *v* **1.** (cieši) satvert; **2.** izprast

grippe [grip] *n med.* gripa

grit [grit] **I** *n* **1.** smilts; grants; **2.** *sar.* rakstura stingrība; izturība; **II** *v* **1.** čirkstēt; **2.** griezt (*zobus*)

grits [grits] *n pl* auzu putraimi

grizzled ['grizld] *a* sirms, nosirmojis

groan [grəʊn] **I** *n* vaids; **II** *v* vaidēt; stenēt

groats [grəʊts] *n pl* putraimi

grocery ['grəʊsəri] *n* pārtikas preču veikals

grog [grɒg] *n* groks

groggy ['grɒgi] *a* **1.** grīļīgs; **2.** iereibis

gross [grəʊs] *a* **1.** rupjš; vulgārs; **2.** vienkāršs (*par barību*); **3.** uzkrītošs; rupjš; **4.** bruto-

ground[a] *p. un p. p. no* **grind**

ground[b] [graʊnd] *n* **1.** zeme; augsne; **2.** teritorija; zemes gabals; **3.** (*sporta*) laukums

ground-meat [graʊndmi:t] *n* maltā gaļa

group [gru:p] **I** *n* grupa; **II** *v* **1.** grupēt; **2.** grupēties

groupware *n dat.* grupprogrammatūra

grow [grəʊ] *v* (*p.* grew [gru:]; *p. p.* grown [grəʊn]) **1.** augt, **2.** audzēt; **3.** (*v – saitiņa*) kļūt

growl [grəʊl] **I** *n* rūkšana; **II** *v* rūkt

grown *p. p. no* **grow**

growth [grəʊθ] *n* **1.** augšana, attīstība; **2.** audzēšana; **3.** *med.* audzējs

grub [grʌb] *v* **1.** uzrakt; to g. up weeds – izravēt nezāles; **2.** izrakt; izlauzt (*celmus*)

grudge [grʌdʒ] *n* nenovīdība; skaudība

gruel [grʊel] *n* auzu tume

grumble ['grʌmbl] *v* kurnēt

grumpy ['grʌmpi] *a* īdzīgs, kašķīgs

guarantee [ˌgærən'ti:] **I** *n* garantija; **II** *v* garantēt

guard [gɑ:d] **I** *n* **1.** modrība; **2.** sardze; apsardze; **II** *v* **1.** sargāt; apsargāt; **2.** pasargāt

guardian ['gɑ:diən] *n* aizbildnis

guess [ges] **I** *n* minējums; **II** *v* **1.** minēt; **2.** *amer.* domāt, uzskatīt

H

guest [gest] *n* viesis; g. of honour – goda viesis

guidance ['gaidəns] *n* **1.** vadība; **2.** padomi, ieteikumi

guide [gaid] **I** *n* **1.** pavadonis; gids; **2.** rokasgrāmata; ceļvedis; **II** *v* vadīt; vest

guide-book ['gaidbuk] *n* ceļvedis (*grāmata*)

guided-post ['gaidpəʊst] *n* ceļrādis

guile [gail] *n* viltība; viltus

guilt [gilt] *n* vaina

guiltless ['giltlis] *a* **1.** nevainīgs; **2.** nezinošs

guilty ['gilti] *a* vainīgs

guinea-pig ['ginipig] *n* jūras cūciņa

guitar [gi'tɑ:] *n* ģitāra

gulf [gʌlf] *n* **1.** jūras līcis; **2.** bezdibenis; **3.** atvars

gull [gʌl] *n* kaija

gulp [gʌlp] **I** *n* malks; **II** *v* rīt

gum[a] [gʌm] *n* **1.** gumija; **2.** līme; **3.** košļājamā gumija

gum[b] [gʌm] *n* (*parasti pl*) smaganas

gun [gʌn] *n* **1.** šautene; **2.** lielgabals; **3.** *sar.* revolveris

gundog ['gʌndɒg] *n* medību suns

gust [gʌst] *n* **1.** (*vēja*) brāzma; (*lietus*) gāzma; **2.** (*jūtu*) uzliesmojums

gut [gʌt] *n* **1.** zarna; blind g. – aklā zarna; **2.** *pl* iekšas

gutter ['gʌtə] *n* noteka

guy [gai] *n* **1.** putnu biedēklis; **2.** *sar.* puisis

gym [dʒim] *sar saīs. no* **gymnasium, gymnastics**

gymnasium [dʒim'neizjəm] *n* vingrotava

gymnastics [dʒim'næstiks] *n* vingrošana

gypsum ['dʒipsəm] *n* ģipsis

H

haberdashery ['hæbədæʃəri] *n* **1.** galantērijas preces; **2.** galantērijas preču veikals

habit ['hæbit] *n* ieradums, paradums

habitable ['hæbitəbl] *a* apdzīvojams

habitat ['hæbitət] *n* (*augu, dzīvnieku*) dabiskā vide

habitually [hə'bitʃʊəli] *adv* ierasti; parasti

hack [hæk] **I** *n* **1.** iecirtums; **2.** kaplis; **3.** *tehn.* cirtnis; **II** *v* **1.** iecirst; **2.** sakapāt

hacker [hakə] *n dat.* urķis
had *p. un p. p. no* **have**
hadn't [ˈhædnt] *saīs. no* had not
hag [hæg] *n* vecene; ragana
haggard [ˈhægəd] *a* novājējis; izmocīts
hail[a] [heil] *n* krusa
hail[b] [heil] *v* **1.** sveicināt, sveikt; **2.** uzsaukt
hair [heə] *n* **1.** mats; mati; **2.** (*dzīvnieka*) apmatojums
hair-breadth [ˈheəbredθ] *n* niecīgs attālums
hairbrush [ˈheəbrʌʃ] *n* matu suka
haircut [ˈheəkʌt] *n* matu griezums
hairdo [ˈheədu:] *n sar.* frizūra
hairdresser [ˈheəˌdresə] *n* frizieris
hairdryer [ˈheədraiə] *n* matu žāvējamais aparāts
hairpiece [ˈheəpi:s] šinjons
hairpin [ˈheəpin] *n* matadata
hairstylist [ˈheəˌstailist] *n* frizieris
half [hɑ·f] **I** *n* (*pl* halves [hɑ:vz]) **1.** puse; **2.** *sp.* puslaiks; **II** *adv* pus-; pa pusei
halfback [ˈhɑ:fbæk] *n sp.* pussargs
half-brother [ˈhɑ:fˌbrʌðə] *n* pusbrālis
halfday [ˈhɑ:fdei] *n* nepilna darba diena
half-hose [ˌhɑ:fhaʊz] *n* pusgarās zeķes
half-stuff [ˌhɑ:fˈstʌf] *n* pusfabrikāts
halftime [ˌhɑ:fˈtaim] *n* **1.** (*darba*) pusslodze; **2.** *sp.* puslaiks
halfway [ˌhɑ:fˈwei] *adv* pusceļā
hall [hɔ:l] *n* **1.** halle; zāle; **2.** vestibils; **3.** (*sabiedriska*) ēka; **4.** universitātes kopmītne
hallow [ˈhæləʊ] *v* svētīt
hallway [ˈhɔ:lwei] *n amer.* priekšnams; gaitenis
halt [hɔ:lt] **I** *n* apstāšanās; **II** *v* **1.** apstāties; **2.** apstādināt
halve [hɑ:v] *v* dalīt uz pusēm
ham [hæm] *n* šķiņķis
hamburger [ˈhæmbɜ:gə] *n* **1.** (*malts vai kapāts*) bifšteks; **2.** hamburgers
hammer [ˈhæmə] **I** *n* āmurs; **II** *v* sist, dauzīt (*ar āmuru*)
hammock [ˈhæmək] *n* guļamtīkls; šūpuļtīkls
hamster [ˈhæmstə] *n* kāmis
hand [hænd] **I** *n* **1.** roka; plauksta; **2.** rokraksts; **3.** (*pulksteņa*) rādītājs; **II** *v* iedot; pasniegt; ¦ to h. **in** – iesniegt
handbag [ˈhændbæg] *n* rokassoma
handball [ˈhændbɔ:l] *n sp.* rokasbumba
handbook [ˈhændbʊk] *n* rokasgrāmata
handclasp [ˈhændklɑ:sp] *n* rokasspiediens
handful [ˈhændfʊl] *n* riekšava
handicap [ˈhændikæp] *n* **1.** *sp.* handikaps; **2.** kavēklis, traucējums
handicraft [ˈhændikrɑ:ft] *n* **1.** amats; roku darbs; **2.** amata prasme
handkerchief [ˈhæŋkətʃif] *n* kabatlakats
handle [ˈhændl] **I** *n* rokturis; spals; **II** *v* **1.** ņemt (turēt) rokās; **2.** apieties; rīkoties; **3.** vadīt; regulēt

handmade [ˌhænd'meid] *a* rokām darināts
handshake ['hændʃeik] *n* rokasspiediens
handsome ['hænsəm] *a* glīts, izskatīgs
handwriting ['hændˌraitiŋ] *n* rokraksts
handy ['hændi] *a* **1.** veikls; **2.** ērts (*lietošanā*); parocīgs; **3.** pa rokai esošs

H

hang [hæŋ] *v* (*p. un p. p.* hung [hʌŋ]) **1.** pakārt; uzkārt; **2.** karāties; ◇ to h. **out** – izkārt; to h. **together** – turēties kopā; ◇ to h. heavy – lēni vilkties (*par laiku*); h. you! – pie velna!
hangar ['hæŋə] *n* angārs
hanger ['hæŋə] *n* (*drēbju*) pakaramais
hangover ['hæŋəʊvə] *n* paģiras
happen ['hæpən] *v* **1.** notikt; **2.** nejauši gadīties
happening ['hæpəniŋ] *n* notikums
happiness ['hæpinis] *n* laime
happy ['hæpi] *a* **1.** laimīgs; **2.** apmierināts; **3.** veiksmīgs
happy-go-lucky [ˌhæpigəʊ'lʌki] *a* bezrūpīgs; bezbēdīgs
harass ['hærəs] *v* nomocīt, novārdzināt
harbour ['ha:bə] *n* osta
hard [ha:d] **I** *a* **1.** ciets; h. cash – skaidra nauda; h. candy – karamele; **2.** grūts; smags; **3.** stiprs; spēcīgs (*piem., par sitienu*); **4.** bargs; stingrs; **5.** strādīgs; **II** *adv* **1.** stipri; spēcīgi; **2.** enerģiski; cītīgi; **3.** cieši; **4.** tuvu
hardback ['ha:dbæk] *n* iesieta grāmata
hard-boiled [ˌha:d'bɔild] *a* **1.** cieti vārīta (*par olu*); **2.** skarbs (*par raksturu*)
harden ['ha:dn] *v* **1.** kļūt cietam; sacietēt; **2.** rūdīt
hardly ['ha:dli] *adv* **1.** tikko; **2.** īsti ne; **3.** diez vai
hard-nosed [ha:d'nəʊzd] *a sar.* **1.** praktisks; **2.** nelokāms
hardship ['ha:dʃip] *n* grūtības
hard-up [ˌha:d'ʌp] *a* naudas grūtības
hardware ['ha:dweə] *n* **1.** metālizstrādājumi; **2.** iekārta; aparatūra
hare [heə] *n* zaķis; ◇ mad as a March h. – pilnīgi traks
hare-brained ['hɜə, breind] *a* aušīgs; vieglprātīgs
harelip ['hɜəˌlip] *n med.* zaķalūpa
haricot ['hærikəʊ] *n* **1.** kāršu pupa; **2.** jēra ragū
harm [ha:m] **I** *n* **1.** ļaunums; **2.** zaudējumi; **II** *v* kaitēt; darīt ļaunu
harmful ['ha:mfəl] *a* kaitīgs
harmless ['ha:mləs] *a* nekaitīgs; nevainīgs
harmony ['ha:məni] *n* harmonija
harness ['ha:nis] **I** *n* iejūgs; ◇ to die in h. – mirt postenī; **II** *v* iejūgt
harsh [ha:ʃ] *a* **1.** spalgs; griezīgs (*par skaņu*); **2.** bargs (*par sodu*)
harvest ['ha:vist] **I** *n* **1.** pļauja; ražas novākšana; **2.** raža; **II** *v* novākt ražu

harvest-bug [ˈhɑ:vistbʌg] *n* ērce
has [hæz, həz] *3. pers. pres. sing no v* **to have**
hasher [ˈhæʃə] *n* gaļasmašīna
hashish [ˈhæʃi:ʃ] *n* hašišs
hasn't [hæznt] *sar saīs. no* has not
haste [heist] *n* steiga
hasten [ˈheisn] *v* **1.** steigties; **2.** steidzināt
hastiness [ˈheistinis] *n* pārsteidzība
hasty [ˈheisti] *a* **1.** steidzīgs; **2.** neapdomīgs; pārsteidzīgs
hat [hæt] *n* cepure, platmale; ◇ to pass round the h. – vākt naudu
hatch [hætʃ] *v* **1.** perēt (*cāļus*); **2.** izšķilties (*no olas*)
hatcheck room [ˈhætʃekrʊm] *n* garderobe
hatchet [ˈhætʃit] *n* cirvis
hate [heit] **I** *n* naids; **II** *v* ienīst
hateful [ˈheitfəl] *a* nīstams; riebīgs
hathplace [ˈhæθpleis] *n* platforma; paaugstinājums
hatred [heitrid] *n* naids
haughty [ˈhɔ:ti] *a* augstprātīgs
haul [hɔ:l] **I** *n* **1.** vilkšana; **2.** loms; nozveja; **II** *v* **1.** vilkt; **2.** pārvadāt; **3.** pievest
haunt [hɔ:nt] **I** *n* **1.** (*zvēra*) midzenis; **2.** (*zaģļu, blēžu*) perēklis; **3.** iemīļota vieta; **II** *v* **1.** bieži apmeklēt; **2.** spokoties; ~ed house – māja, kurā spokojas
hautboy [əʊbɔi] *n mūz.* oboja
have [hæv, həv] *v* (*p un p. p.* had [hæd, həd]) **1.** būt (*piederības nozīmē*); **2.** izjust; izbaudīt; **3.** dabūt; saņemt; we had news – mēs saņēmām ziņas; **4.** (*kā palīgverbu lieto salikto laiku veidošanai*); they h. gone – viņi ir aizgājuši; **5.** (*ar infinitīvu izsaka nepieciešamību*); I h. to go – man jāiet ◇ to h. meal – ieturēt maltīti; to h. a good time – lieliski pavadīt laiku
haven [ˈheivn] *n* **1.** osta; **2.** patvērums
haversack [ˈhævəsæk] *n* mugursoma
hawk[a] [hɔ:k] *n* vanags
hawk[b] [hɔ:k] *v* tirgoties uz ielas
hay [hei] **I** *n* siens; **II** *v* **1.** pļaut zāli; gatavot sienu; **2.** barot ar sienu
hazard [ˈhæzəd] **I** *n* risks; briesmas; **II** *v* riskēt
hazel [ˈheizl] **I** *n* lazda; **II** *a* gaiši brūns
hazelnut [ˈheizlnʌt] *n* lazdas rieksts
he [hi:, hi] *pron* viņš
head [hed] **I** *n* **1.** galva; off one's – zaudējis prātu; to keep one's h. – saglabāt mieru; to lose one's h. – zaudēt galvu; **2.** vadītājs; **3.** priekšgals; **II** *v* vadīt; būt priekšgalā
headache [ˈhedeik] *n* galvassāpes
headboard [ˈhedbɔ:d] *n* (*gultas*) galvgalis
header *n dat.* galvene
heading [ˈhediŋ] *n* virsraksts
Hadland [ˈhedlənd] *n* zemesrags
headlight [ˈhedlait] *n* priekšējais lukturis; prožektors
headline [ˈhedlain] *n* virsraksts
headmaster [ˈhedˈmɑ:stə] *n* (*skolas*) direktors

headmistress [ˌhedmistris] *n* (*skolas*) direktore
headphones [ˈhedfəʊnz] *n* (*radio, telefona*) austiņa
headquarters [ˈhedˌkwɔ:təz] *n pl* **1.** *mil* štābs; **2.** galvenā pārvalde
headship [ˈhedʃip] *n* vadība
headway [ˈhedwei] *n* **1.** virzīšanās uz priekšu; **2.** panākumi; to make h. – gūt panākumus

H

heal [hi:l] *v* **1.** dziedināt; dziedēt; **2.** sadzīt (*par brūci*)
health [helθ] *n* veselība
healthy [ˈhelθi] *a* vesels; veselīgs
heap [hi:p] **I** *n* kaudze; grēda; **II** *v* sakraut (*kaudzē*)
hear [hiə] *v* (*p un p. p.* heard [hɜ:d]) **1.** dzirdēt; **2.** klausīties; **3.** uzzināt
heard *p un p. p. no* **hear**
hearing [ˈhiəriŋ] *n* **1.** dzirde; **2.** klausīšanās
hearing-aid [ˈhiəriŋeid] *n* dzirdes aparāts
hearsay [ˈhiəsei] *n* baumas
heart [hɑ:t] *n* **1.** sirds; h. attack – sirdslēkme; at h. – sirds dziļumos; **2.** dvēsele; sirds; **3.** drosme; ◇ by h. – no galvas
heart-ache [ˈhɑ:teik] *n* sirdssāpes
heart-burning [ˈhɑ:tbɔ:niŋ] *n* **1.** skaudība; **2.** neapmierinātība
hearth [hɑ:θ] *n* **1.** pavards; kamīns; **2.** ģimenes pavards
heartiness [ˈhɑ:tinis] *n* sirsnība
heartless [ˈhɑ:tlis] *a* cietsirdīgs
hearty [ˈhɑ:ti] *a* **1.** sirsnīgs; draudzīgs; **2.** veselīgs; **3.** spēcinošs; barojošs
heat [hi:t] **I** *n* **1.** karstums; svelme; **2.** *fiz.* siltums; **II** *v* **1.** karsēt; **2.** sakarst; **3.** kurināt
heater [ˈhi:tə] *n* sildītājs
heathen [ˈhi:ðən] *n* pagāns
heather [ˈheðə] *n* virši
heating [ˈhi:tiŋ] *n* **1.** sildīšana; **2.** apkure
heatproof [ˈhi:tpru:f] *a* siltumizturīgs
heatstroke [ˈhi:tstrəʊk] *n med.* siltumdūriens
heaven [ˈhevn] *n* debesis
heavily [ˈhevili] *adv* **1.** smagi; **2.** lēni; **3.** spēcīgi
heavy [ˈhevi] *a* **1.** smags; **2.** grūts; **3.** spēcīgs
hectare [ˈhektɑ:] *n* hektārs
hector [ˈhektə] *n* **1.** kauslis; **2.** lielībnieks, balamute
hedge [hedʒ] **I** *n* dzīvžogs; **2.** kavēklis; šķērslis; **II** *v* **1.** nožogot ar dzīvžogu; **3.** kavēt; likt šķēršļus
hedgehog [ˈhedʒhɒg] *n* ezis
heed [hi:d] **I** *n* uzmanība; **II** *v* pievērst uzmanību
heel [hi:l] *n* **1.** papēdis; **2.** (*zeķes*) pēda; **3.** (*maizes*) dona
heelpiece [ˈhi:lpi:s] *n* kurpes papēdis
hefty [ˈhefti] *a* liels; spēcīgs
he-goat [ˈhi:ˈgəʊt] *n* āzis
heifer [ˈhefə] *n* tele
height [hait] *n* **1.** augstums; **2.** uzkalns; **3.** pakāpe
heir [eə] *n* mantinieks
heirdom [ˈɜədəm] *n* mantojums

heiress [ˈɜəris] *n* mantiniece
held *p. un p. p. no* **hold**
helicopter [ˈhelikɒptə] *n* helikopters
helix [ˈhi:liks] *n* (*pl* helices [ˈhelisi:z]) spirāle
hell [hel] *n* elle; ◇ a h. of a noise – elles troksnis
he'll [hi:l] *sar. saīs. no* he will; he shall
hello [həˈləʊ] *int* **1.** sveiks; **2.** hallo!; klausos!
help [help] **I** *n* **1.** palīdzība; h. desk *dat.* – palīdzības dienests; **2.** mājkalpotāja; **II** *v* **1.** palīdzēt; **2.** piedāvāt; pasniegt (*pie galda*); **3.** atturēties; I can't h. laughing – es nevaru nesmieties
helpful [helpfəl] *a* **1.** noderīgs; **2.** izpalīdzīgs
helping [ˈhelpiŋ] *n* porcija
helpless [ˈhelpləs] *a* bezpalīdzīgs
helpmate [ˈhelpmeit] *n* palīgs; biedrs
hem [hem] **I** *n* (*drēbes*) vīle; **II** *v* apvīlēt (*drēbi*)
he-man [ˈhi:mən] *n* īsts vīrietis
hemisphere [ˈhemisfiə] *n* puslode
hemlock [hemlɒk] *bot.* velnarutks
hemp [hemp] *n* **1.** kaņepes; **2.** hašišs; marihuāna
hen [hen] *n* vista
henhouse [ˈhenhaʊs] *n* vistu kūts
hence [hens] *adv* **1.** kopš šā laika; **2.** tātad
her [hɜ:, hə] *pron* (*papildinātāja locījums no* **she**) **1.** viņu; viņai; **2.** (*piederības locījums no* **she**) viņas
herb [hɜ:b] *n* (*ārstniecības*) augs
herd [hɜ:d] **I** *n* ganāmpulks; **II** *v* ganīt
herdsman [ˈhɜ:dzmən] *n* gans
here [hiə] *adv* **1.** šeit; **2.** šurp; ◇ h. you are! – lūdzu! (*pasniedzot*)
hereafter [ˌhiərˈɑ:ftə] **I** *n* nākotne; **II** *adv* nākotnē
hereditary [hiˈreditəri] *a* **1.** iedzimts; **2.** tradicionāls
hero [ˈhiərəʊ] *n* varonis
heroic [hiˈrəʊik] *a* varonīgs
heroine [ˈherəʊin] *n* varone
heroism [ˈherəʊizəm] *n* varonība
heron [ˈherən] *n* gārnis
herring [ˈheriŋ] *n* siļķe
hers [hɜ:z] *pron* viņas
herself [hɜ:ˈself] *pron* **1.** sev; sevi; **2.** pati
he's [hi:z, hiz] *sar saīs. no* he has; he is
hesitant [ˈhezitənt] *a* svārstīgs
hesitate [ˈheziteit] *v* svārstīties; šaubīties; vilcināties
hesitation [ˌheziˈteiʃən] *n* svārstīšanās, šaubīšanās
hew [hju:] *v* (*p.* hewed [hju:d]; *p.p.* hewed [hju:d] *vai* hewn [hju:n]) **1.** cirst; izcirst; **2.** tēst
hibernate [ˈhaibəneit] *v* atrasties ziemas guļā (*par dzīvnieku*)
hiccough, **hiccup** [ˈhikʌp] **I** *n* žagas; **II** *v* žagoties
hid *p.* un *p. p. no* **hide**[b]
hidden *p. p. no* **hide**[b]
hide[a] [haid] *n* (*dzīvnieka*) āda
hide[b] [haid] *v* (*p.* hid [hid]; *p. p.* hid

H

[hid], hidden [ˈhidn]) **1.** paslēpt; **2.** paslēpties
hide-and-seek [ˌhaidndˈsi:k] *n* paslēpes (*rotaļa*)
hidebound [ˈhaidbaʊnd] *a* aprobežots (*par cilvēku*)
hideous [ˈhidiəs] *a* pretīgs
hiding [ˈhaidiŋ] *n* pēriens
higgle [ˈhigl] *v amer.* kaulēties
high [hai] **I** *a* **1.** augsts; **2.** augstāks; h. life – augstākā sabiedrība; **3.** stiprs; liels; h. time – pats pēdējais laiks; **II** *adv* **1.** augstu; **2.** stipri
highball [ˈhaibɔ:l] *n amer.* glāze viskija ar sodu
high-class [ˌhaiˈklɑ:s] *a* augstas klases-; pirmšķirīgs
highday [ˈhaidei] *n* svētki
high-flying [ˌhaiˈflaiŋ] *a* godkārīgs
high-grade [ˌhaiˈgreid] *n* augstākā labuma-
high jump [ˈhaidʒʌmp] *n sp.* augstlēkšana
highlight [ˈhailait] *n* **1.** gaismas efekts; **2.** būtisks moments
highly [ˈhaili] *adv* **1.** ļoti; **2.** augstu
high-priced [ˌhaiˈpraist] *a* dārgs
high-riser [ˈhairaizə] *n* augstceltne
highroad [ˈhairəʊd] *n* lielceļš, šoseja
highway [ˈhaiwei] *n* [auto]maģistrāle
hike [haik] **I** *n* pārgājiens; **II** *v* doties pārgājienā
hill [hil] **I** *n* **1.** pakalns; uzkalns; **2.** nogāze; **3.** (*zemes*) kaudze; **II** *v* samest kaudzē
hilly [ˈhili] *a* kalnains; pauguarains
hilt [hilt] *n* rokturis
him [him] *pron* (*papildinātāja locījums no* **he**) viņu; viņam
himself [himˈself] *pron* **1.** sev; sevi; **2.** pats; he made it h. – viņš pats to izgatavoja
hind [haind] *n* briežu māte
hinder [ˈhində] *v* kavēt; traucēt
hindrance [ˈhindrəns] *n* šķērslis, kavēklis
hinge [hindʒ] *n* vira; eņģe
hint [hint] **I** *n* **1.** mājiens; **2.** *kul.* šķipsna; **II** *v* dot mājienu
hip [hip] *n* gurns; gūža
hip-bath [ˈhipbɑ:θ] *n* sēdvanna
hippie [ˈhipi] *n* hipijs
hire [haiə] **I** *n* **1.** īrēšana, noma; **2.** īres (nomas) maksa; **II** *v* īrēt, nomāt
his [hiz] *pron* (*piederības locījums no* **he**) viņa; h. bag – viņa soma
hiss [his] **I** *n* šņākšana; svilpšana; **II** *v* šņākt; svilpt
historic [hiˈstɒrik] *a* vēsturisks
historical [hiˈstɒrikəl] *a* vēsturisks (*saistīts ar vēsturi*)
history [ˈhistəri] *n* vēsture
hit [hit] **I** *n* **1.** sitiens; **2.** trāpījums; h. rate *dat.* – trāpījumu procents; **3.** veiksme; **4.** hits, grāvējs; **II** *v* **1.** iesist; **2.** trāpīt; **3.** atsisties
hitchhike [ˈhitʃhaik] *v* ceļot ar autostopu
hive [haiv] **I** *n* **1.** (*bišu*) strops; **2.** spiets; **II** *v* **1.** spietot; **2.** dzīvot barā
hoagie [ˈhəʊgi] *n* liela sviestmaize

hoarfrost [ˈhɔ:frɒst] *n* sarma
hoarse [hɔ:s] *a* aizsmacis
hoary [ˈhɔ:ri] *a* **1.** sirms; **2.** mūžsens
hobby [ˈhɒbi] *n* vaļasprieks, hobijs
hobbyhorse [ˈhɒbihɔ:s] *n* **1.** šūpuļzirgs; **2.** *pārn.* jājamzirdziņš
hobgoblin [ˈhɒbgɔblin] *n* rūķis (*pasakās*)
hockey [ˈhɒki] *n* hokejs
hoe [həʊ] **I** *n* kaplis; **II** *v* kaplēt
hoist [hɔist] *v* **1.** pacelt (*kravu*); **2.** uzvilkt (*karogu*)
hoity-toity [ˌhɔitiˈtɔiti] *a* snobisks; vīzdegunīgs
hold [həʊld] *v* (*p. un p. p.* held [held]) **1.** turēt; **2.** aizturēt; ietvert; saturēt
holding [ˈhəʊldiŋ] *n* **1.** daļa; **2.** īpašums
holdup [ˈhəʊldʌp] *n* **1.** uzbrukums; aplaupīšana (*uz ielas*); **2.** (*satiksmes*) sastrēgums
hole [həʊl] *n* **1.** caurums; **2.** ala
holiday [ˈhɒlədi] *n* **1.** svētki; brīvdiena; **2.** atvaļinājums; **3.**: ~s *pl* – brīvdienas (*skolā*)
holiday-maker [ˈhɒlədeiˌmeikə] *n* atpūtnieks
hollow [ˈhɒləʊ] **I** *n* **1.** dobums; **2.** ieplaka; **II** *a* **1.** tukšs; dobs; **2.** dobjš (*par skaņu*); **3.** neīsts; liekulīgs; **4.** iekritis (*par vaigiem*); **III** *v* izdobt
holy [ˈhəʊli] *a* svēts; svētīts; H. Writ – Bībele
home [həʊm] **I** *n* **1.** māja[s]; h. brew *dat.* – mājdarinājums; h. computer *dat.* – sadzīves dators; h. directory *dat.* – sākumdirektorijs; **2.** dzimtene; **II** *a* **1.** mājas-; **2.** iekšzemes-; **III** *adv* uz mājām; mājup
homelike [ˈhəʊmlaik] *a* mājīgs
homely [ˈhəʊmli] *a* **1.** vienkāršs; **2.** mājīgs
homework [ˈhəʊmwɜ:k] *n* mājas uzdevums
honest [ˈɒnist] *a* **1.** godīgs; **2.** atklāts
honesty [ˈɒnisti] *n* **1.** godīgums; **2.** atklātība
honey [ˈhʌni] *n* **1.** medus; **2.** *sar.* mīļumiņš; dārgumiņš
honeymoon [ˈhʌnimu:n] *n* medusmēnesis
honour [ˈɑnə] **I** *n* **1.** cieņa; gods; **2.**: ~s *pl* – apbalvojumi; **3.**: ~s *pl* – izcilība; **II** *v* cienīt, godāt
honourable [ˈɒnərəbl] *a* **1.** goda-; **2.** godājams
hood [hʊd] *n* kapuce
hook [hʊk] **I** *n* **1.** āķis; **2.** *dat.* aizķere; **II** *v* aizāķēt; saāķēt
hook-up [ˈhʊkʌp] *n* **1.** savienojums; **2.** *sar.* kontakts; sakari
hoop [hu:p] *n* stīpa
hop [hɒp] **I** *n* **1.** lēciens; **2.** *dat.* lēkums; h. count *dat.* – lēkumu skaits; **II** *v* lēkāt
hope [həʊp] **I** *n* cerība; **II** *v* cerēt
hopeful [ˈhəʊpfəl] *a* **1.** cerību pilns; **2.** daudzsološs
hopless [ˈhəʊplis] *a* bezcerīgs
hopefulness [ˈhəʊpfəlnis] *n* **1.** optimisms; **2.** cerība

H

hopeless [ˈhəʊplis] *a* bezcerīgs
horizon [həˈraizən] *n* horizonts, apvārsnis
horn [hɔ:n] *n* rags
hornet [ˈhɔ:nit] *n* sirsenis
horrible [ˈhɒrəbl] *a* briesmīgs, šausmīgs
horror [ˈhɒrə] *n* **1.** šausmas; **2.** riebums
horse [hɔ:s] *n* zirgs
horsebean [ˈhɔ:sbi:n] *n* cūkupupa
horsefly [ˈhɔ:sflai] *a* aklais dundurs
horseman [ˈhɔ:smən] *n* jātnieks
horserace [ˈhɔ:sreis] *n* zirgu skriešanās sacīkstes
horseradish [ˈhɔ:sˌrædiʃ] *n* mārrutks; mārrutki
horseshoe [ˈhɔ:sʃu:] *n* pakavs
horticulture [ˈhɔ:tikʌltʃə] *n* dārzkopība
hose [həʊz] *n* šļūtene
hospitable [ˈhɒspitəbl] *a* viesmīlīgs
hospital [ˈhɒspitl] *n* slimnīca
host [həʊst] *n* saimnieks; namatēvs
hostage [hɒstidʒ] *n* ķīlnieks
hostel [ˈhɒstl] *n* kopmītne
hostess [ˈhəʊstis] *n* saimniece, namamāte
hot [hɒt] *a* **1.** karsts; h. dog – karsts cīsiņš **2.** ass; sīvs; **3.** straujš; karstasinīgs; **4.** ritmisks
hotbed [ˈhɒtbed] *n* **1.** lecekts; **2.** *pārn.* perēklis
hotel [həʊˈtel] *n* viesnīca
hothead [ˈhɒthed] *n* karstgalvis
hothouse [ˈhɒthaʊs] *n* siltumnīca
hotly [ˈhɒtli] *adv* **1.** karsti; **2.** dedzīgi
hound [haʊnd] *n* medību suns
hour [ˈaʊə] *n* **1.** stunda; half an h. – pusstunda; **2.** *pl* darbalaiks
house I *n* [haʊs] **1.** māja; nams; **2.** (*parlamenta*) palāta; **II** *v* [haʊz] dot pajumti
housebreaker [ˈhaʊsˌbreikə] *n* kramplauzis
housecraft [ˈhaʊskrɑ:ft] *n* mājsaimniecība
household [ˈhaʊshəʊld] *n* **1.** saime; ģimene; **2.** saimniecība
hausholder [ˈhaʊsˌhəʊldə] *n* mājas īpašnieks
housemaid [ˈhaʊsmeid] *n* istabene
housewife [haʊswaif] *n* mājsaimniece
housework [haʊswɜ:k] *n* mājsaimniecības darbi
housing [ˈhaʊziŋ] *n* apgāde ar dzīvokļiem; dzīves apstākļi
how [haʊ] *adv* **1.** kā?; kādā veidā?; h. are you? – kā jums klājas?; **2.** cik; h. many, h. much? – cik?, cik daudz?; h. much is it? – cik tas maksā?; ◇ h. do you do? – sveicināti!
however [haʊˈevə] **I** *adv* lai kā, lai cik; **II** *conj* tomēr, taču
howl [haʊl] *v* **1.** kaukt, gaudot; **2.** brekt; kliegt
huckleberry [ˈhʌklbəri] *n* mellene
huge [hju:dʒ] *a* milzīgs
human [ˈhju:mən] *a* cilvēka-; cilvēcisks
humane [hju:ˈmein] *a* humāns, cilvēcīgs

humanit|y [hju:'mæniti] *n* **1.** cilvēce; **2.** humānums, cilvēcība; **3.**: the ~ies *pl* – humanitārās zinātnes
humble ['hʌmbl] **I** *a* **1.** vienkāršs; necils; **2.** pazemīgs; **II** *v* pazemot
humbug ['hʌmbʌg] *n* **1.** krāpšana; **2.** piparmētru konfekte; **3.** *int.* muļķības, nieki
humid ['hju:mid] *a* mikls (*par klimatu*)
humiliate [hju:'milieit] *v* pazemot
humility [hju:'militi] *n* pazemība
hummingbird ['hʌmiŋbɜ:d] *n* kolibri
hummock ['hʌmək] *n* pauguru
humour ['hju:mə] *n* **1.** humors; **2.** garastāvoklis
hump [hʌmp] *n* kupris
hung *p. un p. p. no* **hang**
hunger ['hʌŋgə] **I** *n* **1.** bads; **2.** (*for*) alkas; **II** *v* **1.** badoties; **2.** (*after, for*) alkt
hungry ['hʌŋgri] *a* izsalcis
hunt [hʌnt] **I** *n* **1.** medības; **2.** meklējumi; **II** *v* **1.** medīt; **2.** dzenāt; vajāt
hunter ['hʌntə] *n* **1.** mednieks; **2.** medību zirgs; **3.** medību suns
hunting ['hʌntiŋ] *n* medības
hurdle ['hɜ:dl] *n sp.* **1.** šķērslis, barjera; **2.** pīts žogs
hurdler ['hɜ:dlə] *n* barjerskrējējs
hurricane ['hʌrikən] *n* viesuļvētra
hurry ['hʌri] **I** *n* steiga; **II** *v* **1.** steigties; **2.** steidzināt
hurt [hɜ:t] *v* (*p. un p. p.* hurt [hə:t]) **1.** ievainot; **2.** aizvainot; sāpināt; **3.** sāpēt
hurtful ['hɜ:tfəl] *a* kaitīgs
husband ['hʌzbənd] *n* vīrs, laulātais draugs
hustle ['hʌstl] *n* **1.** kņada; **2.** afēra
hut [hʌt] *n* **1.** būda; **2.** *sar.* studentu kopmītne
hutch [hʌtʃ] *n* būris (*piem., trušiem*)
hyacinth ['haiəsinθ] *n* hiacinte
hydrophobia [,haidrə'fəʊbiə] *n* trakumsērga
hygiene ['haidʒi:n] *n* higiēna
hygienic [hai'dʒi:nik] *a* higiēnisks
hype [haip] *n* **1.** šļirce; **2.** injekcija
hypertension [,haipə'tenʃən] *n med.* hipertonija
hyphen ['haifən] *n* defise
hypocrisy [hi'pɒkrəsi] *n* liekulība
hypocrite ['hipɒkrit] *n* liekulis
hysterical [hi'sterikəl] *a* histērisks

I

I [ai] *pron* es
ibex ['aibeks] *n* kalnu āzis
ice [ais] *n* **1.** ledus; **2.** saldējums; **3.** *sl.* kokaīns
iceberg ['aisbɜ:g] *n* aisbergs
icebreaker ['ais,breikə] *n* ledlauzis
icebox ['aisbɒks] *n* saldētava
ice-cream [,ais'kri:m] *n* saldējums

ice-ferns ['aisfɜ:nz] *n pl* leduspuķes
ice-out ['aisaʊt] *n* ledus kušana
ice-up ['aisʌp] *n* **1.** apledojums; **2.** atkala
icicle ['aisikl] *n* lāsteka
icing ['aisiŋ] *n* (*cukura*) glazūra
icy ['aisi] *a* ledains
I'd [aid] *sar. saīs. no* I had; I should; I would
idea [ai'diə] *n* **1.** ideja; doma; **2.** priekšstats; **3.** nodoms
ideal [ai'diəl] **I** *n* ideāls; **II** *a* **1.** ideāls; **2.** iedomāts; nereāls
identify [ai'dentifai] *v* identificēt
identity [ai'dentiti] *n* **1.** identitāte; **2.** personība
idle ['aidl] *a* **1.** dīks; nenodarbināts; i. characters *dat.* – dīkzīmes; i. time *dat.* – dīklaiks; **2.** slinks, laisks; **3.** tukšs; **4.** veltīgs
idly ['aidli] *adv* dīkdienīgi
idol ['aidl] *n* elks
if [if] *conj* **1.** ja; **2.** vai; ask him if he comes – pajautā viņam, vai viņš nāks
ignorance ['ignərəns] *n* **1.** izglītības trūkums; **2.** neziņa
ignorant ['ignərənt] *a* **1.** neizglītots; **2.** nezinošs; to be i. (*of*) – nezināt
I'll [ail] *sar. saīs. no* I shall; I will
ill [il] **I** *n* ļaunums; **II** *a* **1.** slims; **2.** ļauns; naidīgs
ill-bred [ˌil'bred] *a* neaudzināts
illegal [i'li:gəl] *a* nelegāls; nelikumīgs
ill-kemt [ˌil'kemt] *a* **1.** neķemmēts; pinkains; **2.** nevīžīgs; nekopts
illness ['ilnis] *n* slimība
illuminate [i'lju:mineit] *v* apgaismot; iluminēt
illustrate ['iləstreit] *v* ilustrēt
illustrious [i'lʌstriəs] *n* slavens
ill-will [il'wil] *n* nelabvēlība
I'm [aim] *sar. saīs. no* I am
image ['imidʒ] *n* **1.** tēls; **2.** atspoguļojums, attēls; **3.** līdzība
imagination [iˌmædʒi'neiʃən] *n* iztēle, fantāzija
imagine [i'mædʒin] *v* iedomāties; iztēloties
imitate ['imiteit] *v* imitēt, atdarināt
imitative ['imitətiv] *a* imitējošs; i. arts – tēlotājmāksla
immediate [i'mi:diət] *a* **1.** tūlītējs; **2.** tiešs; **3.** tuvākais
immediately [i'mi:diətli] *adv* tūlīt; nekavējoties
immense [i'mens] *a* milzīgs; neaptverams
immensely [i'mensli] *adv sar.* ļoti; ārkārtīgi
immigrate ['imigreit] *v* ieceļot, imigrēt
imminent ['iminənt] *a* nenovēršams; draudošs
immobile [i'məʊbail] *a* nekustīgs
immoral [i'mɒrəl] *a* amorāls, netikumīgs
immortal [i'mɔ:tl] *a* nemirstīgs; mūžīgs
immune [i'mju:n] *a med.* imūns; neuzņēmīgs
impact: i. printer *dat.* – sitienprinteris
impartial [im'pɑ:ʃəl] *a* objektīvs; taisnīgs
impasse ['æmpæs] *n* strupceļš

impatient [im'peiʃənt] *a* nepacietīgs
impediment [im'pedimənt] *n* kavēklis, traucējums
impenetrable [im'penətrəbl] *a* **1.** necaurejams; **2.** necaurredzams
imperative [im'perətiv] **I** *n gram.* pavēles izteiksme; **II** *a* **1.** pavēlošs; **2.** pavēles-; i. mood *gram.* – pavēles izteiksme
imperfect [im'pɜ:fikt] *a* nepilnīgs; i. tense *gram.* – nepabeigts laiks
impersonal [im'pɜ:snl] *a* **1.** bezpersonisks; **2.** bezkaislīgs
impertinence [im'pɜ:tinəns] *n* nekaunība
impiety [im'paiəti] *n* **1.** necieņa; **2.** bezdievība
implement I *n* ['implimənt] rīks, instruments; **II** *v* ['impliment] paveikt; realizēt
impolite [,impə'lait] *a* nepieklājīgs
import I *n* ['impɔ:t] **1.** imports; **2.**: ~s *pl* – importpreces; **II** *v* [im'pɔ:t] importēt
importance [im'pɔ:təns] *n* svarīgums; nozīme
important [im'pɔ:tənt] *a* svarīgs; nozīmīgs
impose [im'pəʊz] *v* **1.** aplikt (*ar nodokli*); **2.** uzlikt (*par pienākumu*)
impossible [im'pɒsəbl] *a* neiespējams
impostor [im'pɒstə] *n* krāpnieks
impound [im'paʊnd] *v* konfiscēt
impoverish [im'pɒvəriʃ] *v* izputināt
impregnate ['impregneit] *v tehn.* piesātināt; impregnēt
impress [im'pres] *v* **1.** iespiest; uzspiest; **2.** atstāt iespaidu; **3.** iedvest
impressive [im'presiv] *a* iespaidīgs; izteiksmīgs
imprint I *n* ['imprint] **1.** nospiedums; zīmogs; **2.** izdevniecības ziņas (*grāmatas titullapā vai beigās*); **II** *v* [im'print] **1.** iespiest; **2.** iespiesties (*atmiņā*)
improbable [im'prɒbəbl] *a* neticams
improper [im'prɑpə] *a* **1.** nepiedienīgs; **2.** nepareizs
improve [im'pru:v] *v* **1.** uzlabot; **2.** uzlaboties; **3.** izmantot
improvement [im'pru:vmənt] *n* **1.** uzlabošana; uzlabošanās; **2.** uzlabojums
impudent ['impjʊdənt] *a* nekaunīgs
impulse ['impʌls] *n* **1.** impulss; dziņa; **2.** stimuls
impure [im'pjʊə] *a* **1.** netīrs; piesārņots; **2.** neķītrs
in [in] **I** *adv* iekšā; **II** *prep* **1.** (*norāda vietu*): in England – Anglijā; **2.** (*norāda laiku*): in the afternoon – pēcpusdienā; **3.** (*norāda apstākļus*): in debt – parādos; **4.** (*norāda veidu*): in haste – steigā; in reply – atbildot uz
inability [,inə'biliti] *n* nespēja
inaccurate [in'ækjʊrit] *a* neprecīzs
inadequate [in'ædikwəit] *a* neatbilstošs; nepietiekams
inane [i'nein] *a* tukšs; muļķīgs
inattentive [,inə'tentiv] *a* neuzmanīgs
inauguration [i,nɔ:gjʊ'reiʃən] *n* **1.** inaugurācija; **2.** svinīga atklāšana

I

inboard [ˈinbɔ:d] *a* iekšējs
inborn [ˌinˈbɔ:n] *a* iedzimts
incapable [inˈkeipəbl] *a* (*of*) nespējīgs
incentive [inˈsentiv] *n* stimuls, pamudinājums
incessant [inˈsesnt] *a* nepārtraukts, nemitīgs
incest [ˈinsest] *n* asinsgrēks
inch [intʃ] *n* colla (*2,54 cm*)
incident [ˈinsidənt] *n* **1.** incidents; gadījums; **2.** *lit.* epizode
incidental [ˌinsiˈdentl] *a* **1.** nesvarīgs; **2.** nejaušs
incite [inˈsait] *v* **1.** kūdīt, musināt; **2.** pamudināt
inclination [ˌinkliˈneiʃən] *n* (*for, to*) tieksme; nosliece
incline [inˈklain] **I** *n* nogāze; **II** *v* **1.** noliekt; **2.** noliekties
include [inˈklu:d] *v* iekļaut
including [inˈklu:diŋ] *prep* ieskaitot; to skaitā
incombustible [ˌinkəmˈbʌstebl] *a* nedegošs; ugunsdrošs
income [ˈinkʌm] *n* ienākums; ieņēmumi
inconsistent [ˌinkənˈsistənt] *a* nekonsekvents
inconvenient [ˌinkənˈvi:niənt] *a* neērts; apgrūtinošs
incorrect [ˌinkəˈrekt] *a* nepareizs, kļūdains
increase I *n* [ˈinkri:s] **1.** palielināšanās; pieaugšana; **2.** pieaugums; **II** *v* [inˈkri:s] **1.** palielināties; pieaugt; **2.** palielināt
incredible [inˈkredəbl] *a* neticams
incurable [inˈkjʊərəbl] *a* **1.** neārstējams; **2.** nelabojams
indebted [inˈdetid] *a* (*naudu, pateicību*) parādā
indecent [inˈdi:snt] *a* nepieklājīgs; piedauzīgs
indecisive [ˌindiˈsaisiv] *a* **1.** neizšķirts; **2.** neizlēmīgs
indeed [inˈdi:d] *adv* patiešām, patiesi
indefinite [inˈdefinit] *a* nenoteikts; neskaidrs; the i. article *gram.* – nenoteiktais artikuls
indemnity [inˈdemnitə] *n* **1.** kompensācija; **2.** garantija
independence [ˌindiˈpendəns] *n* neatkarība
independent [ˌindiˈpendənt] *a* neatkarīgs
index [ˈindeks] *n* indekss, rādītājs
Indian [ˈindjən] *a* **1.** indiešu-; **2.** indiāņu-; I. blue – indigo; I. corn – kukurūza; I. grass *sl.* – marihuāna; I. hemp – kaņepes
indiarubber [ˌindiəˈrʌbə] *n* **1.** kaučuks; **2.** dzēšamgumija
indicate [ˈindikeit] *v* **1.** [no]rādīt; **2.** apzīmēt
indicative [inˈdikətiv] *n* *gram.* īstenības izteiksme
indifference [inˈdifrəns] *n* vienaldzība
indigenous [inˈdidʒinəs] *a* **1.** iezemiešu-; **2.** vietējais
indignation [ˌindigˈneiʃən] *n* sašutums
indirect [ˌindiˈrekt] *a* netiešs; i. speech *gram.* – netiešā runa

indiscreet [ˌindiˈskri:t] *a* **1.** neapdomīgs; **2.** netaktisks
indispensable [ˌindiˈspensəbl] *a* nepieciešams
indistinct [ˌindiˈstiŋkt] *a* neskaidrs
individual [ˌindiˈvidʒʊəl] **I** *n* indivīds; cilvēks; **II** *a* individuāls
indoor [ˈindɔ:] *a* istabas-; iekštelpu-
indoors [ˌinˈdɔ:z] *adv* istabā; telpās
induce [inˈdju:s] *v* **1.** pamudināt; piedabūt; **2.** radīt; izraisīt; **3.** secināt
industrial [inˈdʌstriəl] *a* industriāls, rūpniecības-
industrious [inˈdʌstriəs] *a* strādīgs; čakls
inefficient [ˌiniˈfiʃənt] *a* **1.** nemākulīgs; **2.** neefektīvs; neiedarbīgs
inertia [iˈnɜ:ʃə] *n* **1.** inertums; kūtrums; **2.** *fiz.* inerce
inevitable [iˈnevitəbl] *a* neizbēgams
inexpensive [ˌinikˈspensiv] *a* lēts
inexperienced [ˌinikˈspiəriənst] *a* nepieredzējis
inexplicable [ˌinikˈsplikəbl] *a* neizskaidrojams; neizprotams
infancy [ˈinfənsi] *n* **1.** agra bērnība; **2.** pirmsākums; **3.** nepilngadība
infant [ˈinfənt] *n* mazbērns
infantile [ˈinfəntail] *a* **1.** bērna-; bērnu-; **2.** infantils
infant-school [ˌinfəntˈsku:l] *n* **1.** bērnudārzs; **2.** (*Anglijā*) pirmsskola
infect [inˈfect] *n* inficēt
infection [inˈfekʃən] *n* infekcija
infectious [inˈfekʃəs] *a* infekcijas-, lipīgs
inferable [ˈinˈfɜ:rəbl] *a* secinājums
inference [ˈinfərəns] *n* **1.** secinājums; **2.** *dat.* izvedums; i. chain *dat.* – izvedumķēde; i. engine *dat.* – izvedummašīna; i. rule *dat.* – izvedumkārtula
inferior [inˈfiəriə] *a* **1.** zemāks (*stāvokļa, amata ziņā*); **2.** mazvērtīgāks
inferno [inˈfə:nəʊ] *n* elle; pekle
infinite [ˈinfinit] *a* bezgalīgs; neierobežots
infinitive [inˈfinitiv] *n gram.* infinitīvs; nenoteiksme
infirm [inˈfɜ:m] *a* **1.** nespēcīgs; **2.** vājš (*par raksturu*)
inflammation [ˌinfləˈmeiʃən] *n med.* iekaisums
inflate [inˈfleit] *v* **1.** piepūst (*ar gāzi, gaisu*); **2.** sacelt, uzskrūvēt (*cenas*)
inflict [inˈflikt] *v* **1.** raidīt (*sitienu*); **2.** radīt (*sāpes, ciešanas*); **3.** uzlikt (*sodu*)
influence [ˈinflʊəns] **I** *n* (*on, upon*) ietekme; **II** *v* ietekmēt
influenza [ˌinflʊˈenzə] *n med.* gripa
inform [inˈfɔ:m] *n* informēt; ziņot
informal [inˈfɔ:ml] *a* **1.** neoficiāls; **2.** brīvs; nepiespiests
information [ˌinfəˈmeiʃən] *n* **1.** informācija; **2.** *jur.* apsūdzība
ingenious [inˈdʒi:niəs] *a* atjautīgs, asprātīgs
ingenuous [inˈdʒenjʊəs] *a* atklāts, vaļsirdīgs
ingratitude [inˈgrætitju:d] *n* nepateicība
ingredient [inˈgri:diənt] *n* sastāvdaļa

I

inhabit [in'hæbit] *v* apdzīvot
inhabitant [in'hæbitənt] *n* iedzīvotājs
inhale [in'heil] *v* ieelpot
inherent [in'hiərənt] *a* raksturīgs
inherit [in'herit] *v* mantot; pārmantot
inheritance [in'heritəns] *n* **1.** mantojums; **2.** iedzimtība
inhibit [in'hibit] *v* apvaldīt; nomākt (*jūtas*)
inhuman [in'hju:mən] *a* necilvēcīgs, nežēlīgs
initial [i'niʃəl] **I** *n* **1.** sākumburts; **2.**: ~s *pl* – iniciāļi; **II** *a* sākuma-; sākotnējs
initiative [i'niʃətiv] *n* iniciatīva
inject [in'dʒekt] *v* **1.** injicēt; **2.** *pārn.* iedvest
injure ['indʒə] *v* **1.** ievainot, savainot; **2.** aizvainot
injury ['indʒəri] *n* **1.** ievainojums; **2.** aizvainojums
injustice [in'dʒʌstis] *n* netaisnība
ink [iŋk] *n* tinte
inland I *n* ['inlənd] iekšzeme; **II** *a* ['inlənd] iekšzemes-; **III** *adv* [in'lænd] zemes iekšienē
inlay ['inlei] *n* inkrustācija; mozaīka
in-laws ['inlɔ:z] *n pl sar.* sievas (*vai* vīra) radi
inmost ['inməʊst] *a* **1.** visattālākais; **2.** visdziļākais (*par izjūtām*)
inn [in] *n* (*lauku*) viesnīca; iebraucamā vieta
inner ['inə] *a* iekšējais
innocence ['inəsəns] *n* **1.** nevainība; šķīstība; **2.** vientiesība
innocent ['inəsənt] *a* **1.** nevainīgs; **2.** vientiesīgs; **3.** nekaitīgs
innovation [,inə'veiʃən] *n* jauninājums
innovator ['inəveitə] *n* novators
innumerable [i'nju:mərəbl] *a* neskaitāms
inoculation [i,nɒkjʊ'leiʃən] *n med.* potēšana
inoperable [in'ɒpərəbl] *a* **1.** *med.* neoperējams; **2.** neīstenojams (*par plānu*)
inopportune [in'ɒpətju:n] *a* nepiemērots
in-patient ['in,peiʃənt] *n* stacionārs slimnieks
input *dat.* ievade; i. data – ievaddati; i.-output – ievadizvade; i.-output bus – ievadizvades kopne
inquest ['inkwest] *n jur.* izziņa
inquire [in'kwaiə] *v* apjautāties
inquiry [in'kwaiəri] *n* **1.** apjautāšanās; **2.** aptauja; i. system *dat.* – uzziņu sistēma; **3.** *jur.* izmeklēšana
inquisitive [in'kwizitiv] **1.** zinātkārs; **2.** ziņkārīgs
insane [in'sein] *a* **1.** vājprātīgs; **2.** neprātīgs
inscription [in'skripʃən] *n* uzraksts; ieraksts
insect ['insekt] *n* insekts, kukainis
insecure [,insi'kjʊə] *a* nedrošs
insensitive [in'sensitiv] *a* nejutīgs
inseparable [in'sepərebl] *a* nešķirams, nedalāms
insert [in'sɜ:t] *v* **1.** iespraust, iestarpināt; **2.** ievietot (*sludinājumu*)

inside [in'said] **I** *n* iekšpuse; iekšiene; **II** *a* iekšējs; iekšpuses-; **III** *adv* iekšā; iekšpusē

insignia [in'signiə] *n pl* **1.** (*militāras*) zīmotnes; **2.** ordeņi; godazīmes

insignificant [ˌinsig'nifikənt] *a* nenozīmīgs, nesvarīgs

insincere [ˌinsin'siə] *a* nepatiess; neīsts; liekuļots

insipid [in'sipid] *a* **1.** pliekans; bezgaršīgs; **2.** *pārn.* garlaicīgs

insist [in'sist] *v* (*on*) uzstāt; pieprasīt

insistent [in'sistənt] *v* neatlaidīgs; nepiekāpīgs

insolent ['insələnt] *a* nekaunīgs

insolvency [in'sɒlvənsi] *n* maksātnespēja; bankrots

insomnia [in'sɔmniə] *n* bezmiegs

inspect [in'spekt] *v* **1.** aplūkot; **2.** inspicēt; pārbaudīt

inspection [in'spekʃən] *n* **1.** apskate; **2.** inspicēšana; pārbaude

inspector [in'spektə] *n* inspektors

inspiration [ˌinspi'reiʃən] *n* iedvesma

inspire [in'spaiə] *v* **1.** iedvest; **2.** iedvesmot

install [in'stɔ:l] *v* **1.** ievadīt (*amata*); **2.** ievilkt (*elektrību*), ierīkot (*centrālapkuri*)

instalment [in'stɔ:lmənt] *n* **1.** iemaksa; **2.** (*grāmatas*) laidiens; **3.** (*stāsta*) turpinājums; **4.** (*preču*) partija

instance ['instəns] *n* **1.** piemērs; gadījums; for i. – piemēram; **2.** prasība

instant ['instənt] **I** *n* acumirklis; moments; **II** *a* **1.** tūlītējs; **2.** steidzams; **3.** pašreizējs; **4.**: i. coffee – šķīstošā kafija

instantly ['instəntli] *adv* tūlīt, nekavējoties

instead [in'sted] *adv* (*kā vai kāda*) vietā

instill [in'stil] *v* iedvest; ieaudzināt

instinct ['instiŋkt] *n* instinkts

institute ['institju:t] *n* institūts

institution [ˌinsti'tju:ʃən] *n* **1.** nodibināšana; ieviešana; **2.** (*sabiedrisks*) institūts; **3.** iestāde

instruct [in'strʌkt] *v* **1.** apmācīt; **2.** instruēt; **3.** informēt

instruction [in'strʌkʃən] *n* **1.** apmācība; **2.** izglītība, zināšanas; **3.**: ~s *pl* – norādījumi

instructor [in'strʌktə] *n* instruktors; skolotājs; **2.** *amer.* pasniedzējs

instrument ['instrəmənt] *n* **1.** instruments; **2.** *jur.* akts, dokuments

insulate ['insjʊleit] *v* **1.** izolēt; **2.** norobežot

insult **I** *n* ['insʌlt] apvainojums; **II** *v* [in'sʌlt] apvainot

insurance [in'ʃʊərəns] *n* apdrošināšana; i. policy – apdrošināšanas polise

insure [in'ʃʊə] *v* **1.** apdrošināt; **2.** apdrošināties

intellect ['intilekt] *n* intelekts; prāts

intellectual [ˌinti'lektʃʊəl] **I** *n* inteliģents, intelektuālis; **II** *a* intelektuāls; prāta-

intelligence [in'telidʒəns] *n* **1.** inte-

lekts; prāts; **2.** informācija; ziņas; **3.** izlūkošana
intelligent [in'telidʒənt] *a* gudrs; prātīgs
intelligible [in'telidʒəbl] *a* saprotams; skaidrs
intemperate [in'tempərit] *a* **1.** negausīgs; **2.** nesavaldīgs
intend [in'tend] *v* **1.** nodomāt; **2.** paredzēt; **3.** saprast
intense [in'tens] *a* **1.** intensīvs; spēcīgs; **2.** saspringts, spraigs; **3.** dedzīgs
intensify [in'tensifai] *v* **1.** pastiprināt; **2.** pastiprināties
intention [in'tenʃən] *n* nodoms, nolūks
intentional [in'tenʃnəl] *a* tīšs
intently [in'tentli] *adv* uzmanīgi
interactive [,intər'æktiv] *a* **1.** mijiedarbīgs; **2.** *dat.* interaktīvs, dialoga-
interchange I *n* ['intətʃeindʒ] savstarpēja apmaiņa; **II** *v* [,intə'tʃeindʒ] [savstarpēji] apmainīties
intercom ['intəkɒm] *n sar.* iekšējais telefons
intercommunity [,intəkə'mju:nəti] *n* kopīpašums
interdependence ['intədi'pendəns] *n* savstarpēja atkarība
interdiktion [,intə'dikʃən] *n* aizliegums
interest ['intrəst] **I** *n* **1.** interese; **2.** procenti; **3.** daļa; **II** *v* interesēt
interesting ['intrəstiŋ] *a* interesants
interfere [,intə'fiə] *v* **1.** (*in*) iejaukties; **2.** (*with*) traucēt
interference [,intə'fiərəns] *n* **1.** iejaukšanās; **2.** traucējumi (*radiopārraidē*)
interior [in'tiəriə] **I** *n* **1.** iekšiene, iekšpuse; interjers; **2.** iekšlietas; **II** *a* **1.** iekšējs; iekštelpu-; **2.** iekšzemes
interjection [,intə'dʒekʃən] *n* **1.** starpsauciens; **2.** *gram.* izsauksmes vārds
interlock [,intə'lɒk] *v* **1.** savienot; **2.** *tehn.* bloķēt
intermediary [,intə'mi:diəri] *n* starpnieks
intermarriage [,intə'mæridʒ] *n* jauktas laulības
interment [in'tə:ment] *n* apbedīšana, apglabāšana
intermission [,intə'miʃən] *n* **1.** pārtraukums; pauze; **2.** *amer.* starpbrīdis
internal [in'tɜ:nl] *a* iekšējs; iekšķīgs; i. trade – iekšējā tirdzniecība; i. medicine – terapija
international [,intə'næʃənl] *a* internacionāls, starptautisks
internetworking *n dat.* starptīklošana
Interpol ['intəpɒl] *n* Interpols
interpose [,intə'peʊz] *v* iestarpināt
interpret [in'tɜ:prit] *v* **1.** interpretēt; iztulkot; **2.** tulkot (*mutiski*)
interpretation [in,tɜ:pri'teiʃən] *n* **1.** interpretēšana; **2.** interpretācija; **3.** (*mutisks*) tulkojums
interrogate [in'terəgeit] *v* **1.** jautāt; **2.** pratināt
interrupt [,intə'rʌpt] *v* pārtraukt
interval ['intəvəl] *n* **1.** atstarpe; **2.** inter-

vāls; pauze; i. timer *dat.* – intervālu taimeris

intervene [ˌintəˈvi:n] *v* **1.** iejaukties; **2.** notikt; atgadīties

intervention [ˌintəˈvenʃən] *n* **1.** iejaukšanās; **2.** intervence

interview [ˈintəvju:] **I** *n* **1.** (*lietišķa*) tikšanās; **2.** intervija; **II** *v* intervēt

interworking *n* mijiedarbība

intimacy [ˈintiməsi] *n* intimitāte; tuvība

intimate [ˈintimit] *a* intīms; tuvs

intimidate [inˈtimideit] *v* iebaidīt

into [ˈintʊ, ˈintə] *prep* **1.** (*norāda darbības virzienu*): to go i. the garden – ieiet dārzā; **2.** (*norāda pārvērtību*): to translate i. English – pārtulkot angliski

intolerable [inˈtɒlərəbl] *a* neciešams

intolerant [inˈtɒlərənt] *a* neiecietīgs

intoxicate [inˈtɒksikeit] *v* **1.** apreibināt; **2.** *med.* saindēt

intricate [ˈintrikit] *a* **1.** sarežģīts, komplicēts; **2.** juceklīgs

intrigue [ˈintri:g] *n* intriga

introduce [ˌintrəˈdju:s] *v* **1.** iesniegt (*likumprojektu*); **2.** ieviest; **3.** iepazīstināt, stādīt priekšā; **4.** ievadīt

introduction [ˌintrəˈdʌkʃən] *n* **1.** (*likumprojekta*) iesniegšana; **2.** ieviešana; **3.** iepazīstināšana; stādīšana priekšā; **4.** ievads; priekšvārds

intrude [inˈtru:d] *v* **1.** (*into*) traucēt; **2.** (*upon*) uzspiest, uztiept (*uzskatus*)

invade [inˈveid] *v* **1.** iebrukt; okupēt; **2.** pārņemt (*par jūtām*)

invader [inˈveidə] *n* iebrucējs; okupants

invalid[a] [ˈinvəli:d] *n* slimnieks; invalīds

invalid[b] [inˈvælid] *a* nederīgs; spēkā neesošs; i. frame *dat.* – nederīgs kadrs

invaluable [inˈvæljʊəbl] *a* nenovērtējams; vērtīgs

invasion [inˈveiʒən] *n* invāzija, iebrukums

invent [inˈvent] *v* **1.** izgudrot; **2.** sagudrot

invention [inˈvenʃən] *n* **1.** izgudrojums; **2.** izdomājums

inventive [inˈventiv] *a* atjautīgs

inventor [inˈventə] *n* izgudrotājs

invest [inˈvest] *v* ieguldīt (*kapitālu*)

investigate [inˈvestigeit] *v* **1.** izpētīt; **2.** *jur.* izmeklēt

investment [inˈvestmənt] *n* kapitālieguldījums

inveterate [inˈvetərit] *a* dziļi iesakņojies (*piem., par paradumu*)

inviolable [inˈvaiələbl] *a* neaizskarams

invisible [inˈvizəbl] *a* neredzams

invitation [ˌinviˈteiʃən] *n* ielūgums

invite [inˈvait] *v* **1.** ielūgt; uzaicināt, **2.** modināt, radīt; to i. confidence – modināt uzticību

invoke [inˈvəʊk] *v* piesaukt; lūgt (*palīdzību*)

involuntary [inˈvɒləntəri] *a* netīšs

involve [inˈvɒlv] *v* **1.** iesaistīt; iejaukt; **2.** ietvert

inward [ˈinwəd] *a* **1.** iekšējs; **2.** uz iekšu vērsts

iodine [ˈaiədi:n] *n* jods
irk [ɜ:k] *v* kaitināt
iron [ˈaiən] **I** *n* **1.** dzelzs; **2.** gludeklis; **II** *a* dzelzs-; **III** *v* gludināt
iron-grey [ˌaiənˈgrei] *a* tēraudpelēks
ironic[al] [aiˈrɒnik(əl)] *a* ironisks
ironing-board [ˈaiəniŋbɔ:d] *n* gludināmais dēlis
irony [ˈaiərəni] *n* ironija
irregular [iˈregjʊlə] *a* **1.** neregulārs; **2.** nelīdzens; **3.** nekārtīgs
irresistible [ˌiriˈzistəbl] *a* neatvairāms
irresolute [iˈrezəlu:t] *a* svārstīgs
irresponsible [ˌiriˈspɒnsəbl] *a* bezatbildīgs
irrigation [ˌiriˈgeiʃən] *n* irigācija, apūdeņošana
irritable [ˈiritəbl] *a* uzbudināms
irritate [ˈiriteit] *v* **1.** kaitināt; **2.** *med.* radīt iekaisumu
is [iz, z, s] 3. *pers. pres. sing no v* **to be**
island [ˈailənd] *n* sala
isn't [ˈiznt] *sar saīs. no* is not
isolate [ˈaisəleit] *v* **1.** izolēt; **2.** *ķīm.* izdalīt
issue [ˈiʃu:] **I** *n* **1.** iztecēšana; izplūdums; **2.** izdevums; (*laikraksta*) numurs; **3.** iznākums; rezultāts; **4.** strīda jautājums; **II** *v* **1.** iztecēt; izplūst; **2.** izdot; laist apgrozībā
isthmus [ˈisməs] *n* zemesšaurums
it [it] *pron* **1.** tas; tā; who is there? It is me – kas tur ir? Tas (tā) esmu es; **2.** (*bezpersonas teikumā netulkojams*): it is raining – līst
itch [itʃ] **I** *n* nieze; niezēšana; **II** *v* niezēt
item [ˈaitəm] *n* **1.** atsevišķs priekšmets (*sarakstā*); **2.** punkts; paragrāfs; **3.** (*programmas*) numurs; **4.** (*avīzes*) ziņa; informācija
iterate [ˈitereit] *v* (*pastāvīgi*) atkārtot
itinerary [aiˈtinərəri] *n* maršruts
it'll [itl] *sar saīs. no* it will
its [its] *pron* tā; tās; savs
it's [its] *sar. saīs. no* it is
itself [itˈself] *pron* **1.** sev; sevi; **2.** pats; pati; in i. – pats par sevi
I've [aiv] *sar. saīs. no* I have
ivory [ˈaivəri] *n* **1.** ziloņkauls; **2.** ziloņkaula krāsa; **3.** *pl sl.* zobi
ivy [ˈaivi] *n* efeja

J

jab [dʒæb] **I** *n* dunka; **II** *v* dunkāt
jabber *n* **1.** pļāpāšana; **2.** *dat.* ieilgusi pārraide
jackal [ˈdʒækɔ:l] *n* šakālis
jackass *n* **1.** [ˈdʒækæs] ēzelis; **2.** [ˈdʒækɑ:s] ēzelis, muļķis
jackdaw [ˈdʒækdɔ:] *n* kovārnis
jacket [ˈdʒækit] *n* **1.** jaka; žakete; dinner j. – smokings; **2.** (*kartupeļa*) miza; **3.** (*grāmatas*) apvāks
jack-knife [ˈdʒæknaif] *n* savāžams nazis

jag [dʒæg] **I** *n* **1.** robs; ierobs; **2.** (*klints*) šķautne; **II** *v* izrobot

jagged [′dʒægid] *a* robains

jaguar [′dʒægjuə] *n* jaguārs

jail [dʒeil] *n* cietums

jam[a] [dʒæm] **I** *n* **1.** sablīvējums; sastrēgums; j. signal *dat.* – sastrēgumsignāls; j. size *dat.* – sastrēguma ilgums; **2.** (*mehānisma*) iesprūšana; **3.** traucējums (*radiopārraidē*); **II** *v* **1.** sablīvēties; radīt sastrēgumu; **2.** iesprūst (*par mehānismu*); **3.** iespiest; sabāzt; **4.** traucēt (*radiopārraidi*)

jam[b] [dʒæm] *n* džems, ievārījums

jamboree [ˌdʒæmbə′ri:] *n* svinības; dzīres

jamming [′dʒæmiŋ] *n* **1.** (*satiksmes*) sastrēgums; **2.** (*mehānisks*) traucējums

jams [dʒæmz] *n* pidžama

janitor [′dʒænitə] *n* **1.** šveicars; **2.** *amer.* sētnieks; vārtsargs

January [′dʒænjʊəri] *n* janvāris

jar [dʒɑ:] *n* burka

jargon [′dʒɑ:gən] *n* žargons

jasmin[e] [′dʒæzmin] *n* jasmīns

jaunt [dʒɔ:nt] **I** *n* izpriecas brauciens; **II** *v* doties izpriecu braucienā

jaywalker [′dʒeiˌwɔ:kə] *n* neuzmanīgs gājējs

jazz [dʒæz] *n* džezs

jealous [′dʒeləs] *a* greizsirdīgs

jean [dzi:n] *n* **1.** džinsu audums; **2.**: ~s *pl* – džinsi

jeep [dʒi:p] *n* džips (*automobilis*)

jeer [dʒiə] *v* ņirgāties

jelly [′dʒeli] **I** *n* **1.** želeja; **2.** galerts; **II** *v* sarecēt

jellyfish [′dzelifiʃ] *n* medūza

jeopardize [′dʒepədaiz] *v* riskēt

jerk [dʒɜ:k] *n* rāviens; grūdiens

jerker [′dʒɜ:kə] *n sl.* **1.** dzērājs; **2.** narkomāns

jersey [′dʒɜ:zi] *n* **1.** adīts svīteris; adīta jaka; **2.** *tekst.* džersijs (*adīts audums*)

jest [dʒest] **I** *n* joks; **II** *v* jokot

jet [dʒet] *n* **1.** strūkla; **2.** *tehn.* sprausla; **3.** reaktīvā lidmašīna

jetty [′dʒeti] *n* mols

Jew [dʒu:] *n* ebrejs

jewel [′dʒu:əl] *n* **1.** dārgakmens; **2.** dārglieta

jeweller [′dʒu:ələ] *n* juvelieris

jewel[l]ery [′dʒu:əlri] *n* dārglietas

job [dʒɒb] *n* darbs; nodarbošanās

jog [dʒɒg] *n* dunka

jogging [′dʒɒgiŋ] *n sp.* lēns skrējiens

join [dʒɔin] *v* **1.** savienot, saistīt; **2.** savienoties; **3.** apvienot; **4.** pievienoties; piebiedroties

joiner [′dʒɔinə] *n* galdnieks

joint [dʒɔint] **I** *n* **1.** savienojums; salaidums; **2.** *anat.* locītava **3.** *amer.* dzertuve; **II** *a* kopējs, kopīgs

joint-stock [′dʒɔintstɒk] *n* akciju kapitāls; j.-s. company – akciju sabiedrība

joke [dʒəʊk] **I** *n* joks; **II** *v* jokot

jolly [′dʒɒli] *a* jautrs, priecīgs

journal [ˈdʒɜ:nl] *n* **1.** laikraksts; žurnāls; **2.** dienasgrāmata
journalist [ˈdʒɜ:nəlist] *n* žurnālists
journey [ˈdʒɜ:ni] *n* ceļojums; brauciens
joy [dʒɔi] *n* prieks
joyful [ˈdʒɔifəl] *a* priecīgs
joystick *n dat.* kursorsvira
jubilee [ˈdʒu:bili:] *n* jubileja; gadadiena
judge [dʒʌdʒ] **I** *n* **1.** tiesnesis; **2.** pazinējs; lietpratējs; **II** *v* **1.** tiesāt; **2.** vērtēt; spriest
judgement [ˈdʒʌdʒmənt] *n* **1.** *jur.* spriedums; **2.** vērtējums; spriedums
jug [dʒʌg] *n* **1.** krūze; **2.** *sl.* cietums
juice [dʒu:s] *n* **1.** sula; **2.** būtība; **3.** *sl.* degviela; ◇ j. road *sl.* – elektriskais dzelzceļš
jukebox [ˈdʒu:kbɒks] *n* mūzikas automāts
July [dʒʊˈlai] *n* jūlijs
jumble [ˈdʒʌmbl] *n* juceklis; nekārtība
jump [dʒʌmp] **I** *n* lēciens; **II** *v* lēkt; lēkāt
jumper[a] [ˈdʒʌmpə] *n* **1.** lēcējs; **2.** *dat.* tiltslēgs
jumper[b] [ˈdʒʌmpə] *n* **1.** džemperis; **2.** (*parasti pl*) bērnu kombinezons
junction [ˈdʒʌŋkʃən] *n* **1.** savienojums; **2.** dzelzceļa mezgls; **3.** (*ceļu*) krustojums; (*upju*) sateka
June [dʒu:n] *n* jūnijs
juniper [ˈdʒu:nipə] *n* kadiķis, paeglis
jungle [ˈdʒʌŋgl] *n* džungļi
junior [ˈdʒu:niə] **I** *n* **1.** juniors; **2.** pakļautais, padotais (*amata ziņā*); **II** *a* jaunākais
juridical [ˌdʒʊəˈridikl] *a* juridisks; tiesisks; likumīgs
jury [ˈdʒʊəri] *n* zvērinātie; zvērināto tiesa
just[a] [dʒʌst] *a* **1.** taisnīgs; **2.** pamatots
just[b] [dʒʌst] *adv* **1.** tieši; **2.** nupat; tikko; **3.** tikai; j. a moment – acumirkli!
justice [ˈdʒʌstis] *n* **1.** taisnība; taisnīgums; **2.** *jur.* justīcija; tiesa
justify [ˈdʒʌstifai] *a* attaisnot
jut [dʒʌt] *n* izvirzījums
jute [dʒu:t] *n* džuta
justification *v dat.* taisnošana
juvenile [ˈdʒu:vənail] *a* jauniešu-; pusaudžu-
juxtapose [ˌdʒʌkstəˈpəʊz] *v* salīdzināt; pretstatīt

K

kaif [keif] *n* **1.** narkotisks apreibums; **2.** hašišs
kale [keil] *n* **1.** virziņkāposti; **2.** kāpostu zupa; **3.** *amer. sl.* nauda
kedgeree [ˌkedʒəˈri] *n* zivs, rīsu un olu ēdiens
kangaroo [ˌkæŋgəˈru:] *n* ķengurs
keck [kek] *v* just riebumu

keen [ki:n] *a* **1.** ass (*par nazi*); **2.** stiprs; griezīgs (*par vēju*); **3.** ass (*par redzi*); **4.** dedzīgs; aizrautīgs

keep [ki:p] *v* (*p. un p. p.* kept [kept]) **1.** turēt; glabāt; **2.** ievērot; ◇ to k. **away** – turēties atstatu; sargāties; to k. **from** – 1) atturēt no; 2) atturēties no; to k. **on** – turpināt

keeper ['ki:pə] *n* **1.** glabātājs; **2.** sargs; uzraugs

keepsake ['ki:pseik] *n* piemiņlieta

kept *p. un p. p. no* **keep**

kernel ['kɜ:nl] *n* **1.** (*augļa*) sēkliņa; **2.** (*rieksta*) kodols; **3.** *dat.* kodols

kettle ['ketl] *n* tējkanna

key [ki:] **I** *n* **1.** atslēga; **2.** (*uzdevuma*) atminējums; atbilde; **3.** (*klavieru*) taustiņš; **II** *a* galvenais

keyboard ['ki:bɔ:d] *n* **1.** klaviatūra; **2.** *dat.* tastatūra

keynote ['ki:nəʊt] *n* pamatdoma; vadmotīvs

key-ring ['ki:riŋ] *n* atslēgu riņķis

keyword *n dat.* atslēgvārds

kick [kik] **I** *n* spēriens; **II** *v* spert; spārdīt

kid [kid] *n* **1.** kazlēns; **2.** *sar.* bērns; mazulis

kidney ['kidni] *n* niere

kidney-bean [,kidni'bi:n] *n* kāršu pupa

kill [kil] *v* **1.** nogalināt; **2.** iznīcināt; izpostīt

kind[a] [kaind] *n* **1.** suga; šķirne; veids; **2.** daba; būtība

kind[b] [kaind] *a* laipns; labs

kindergarten ['kindəgɑ:tn] *n* bērnudārzs

kindle ['kindl] *v* **1.** aizdegt; **2.** iejūsmināt

kindly [kaindli] *adv* laipni

kindness ['kaindnis] *n* **1.** laipnība; **2.** pakalpojums

king [kiŋ] *n* **1.** karalis; **2.** magnāts

kingdom ['kiŋdəm] *n* karaliste; karaļvalsts

kingcup [kiŋkʌp] *n* gundega

king-size ['kiŋsaiz] *a* ļoti liels

kink [kiŋk] *n* cilpa; mezgls

kinsfolk ['kinsfəʊk] *n pl* radi, radinieki

kinship ['kinʃip] *n* radniecība

kiss [kis] **I** *n* skūpsts; **II** *v* skūpstīt

kit [kit] *n* **1.** (*darbarīku u. tml.*) komplekts; **2.** (*tūrisma*) piederumi

kitchen ['kitʃin] *n* virtuve; k. garden – sakņu dārzs

kitten ['kitn] *n* kaķēns

knack [næk] *n* prasme, ķēriens

knead [ni:d] *v* **1.** mīcīt; **2.** masēt

knee [ni:] *n* celis, ceļgals; to go on one's ~s – nomesties ceļos

kneel [ni:l] *v* (*p. un p. p.* knelt [nelt]) **1.** mesties ceļos; **2.** stāvēt uz ceļiem

knelt *p. un p. p. no* **knell**

knew *p. no* **know**

knife [naif] *n* (*pl* knives [naivz]) nazis

knight [nait] *n* **1.** bruņinieks; **2.** zirdziņš (*šahā*)

knit [nit] *v* **1.** adīt; **2.** savienot

knitted ['nitid] *a* adīts

knitwear ['nitweə] *n* trikotāža

knob [nɒb] *n* izaugums; puns

K

knock [nɒk] **I** *n* **1.** sitiens; **2.** klauvējiens; **II** *v* **1.** sist; dauzīt; **2.** klauvēt
knockout [ˈnɒkaʊt] *n sp.* nokauts
knoll [nəʊl] *n* paugurs
knot [nɒt] **I** *n* mezgls; **II** *v* sasiet mezglā
know [nəʊ] *v* (*p.* knew [nju:]; *p. p.* known [nəʊn]) **1.** zināt; **2.** prast; **3.** pazīt
know-how [ˈnəʊhaʊ] *n sar.* prasme, māka
knowledge [ˈnɒlidʒ] *n* zināšanas; prasme
known [nəʊn] **I** *a* zināms; pazīstams; **II** *p. p. no* **know**
kohlrabi [ˌkəʊlˈrɑ:bi] *n* kolrābis
Koran [kɔ:ˈrɑ:n] *n* Korāns

L

lab [læb] *n* (*saīs. no* laboratory) laboratorija
label [ˈleibl] **I** *n* etiķete; **II** *v* uzlīmēt etiķeti
laboratory [ləˈbɒrətri] *n* laboratorija
labour [ˈleibə] **I** *n* **1.** darbs; **2.** darbaspēks; **II** *v* **1.** (*smagi*) strādāt; **2.** (*for*) pūlēties
Labourite [ˈleibərait] *n* leiborists
labyrint [ˈlæbərinθ] *n* labirints
lace [leis] *n* **1.** (*kurpju*) saite; **2.** mežģīnes
lack [læk] **I** *n* trūkums; **II** *v* trūkt; vajadzēt
lacquer [ˈlækə] **I** *n* laka; **II** *v* lakot
ladies [ˈleidiz] *n* **1.** *pl no* **lady**; **2.** *sar.* sieviešu tualete
lady [ˈleidi] *n* **1.** dāma; lēdija; **2.** (*savienojumos norāda uz sieviešu dzimumu*): l. doctor – ārste
ladybird [ˈleidibɜ:d] *n* mārīte
lady-killer [ˈleidiˌkilə] *n sar.* siržu lauzējs
lag [læg] **I** *n* atpalikšana; kavēšanās; **II** *v* atpalikt; kavēties
laid *p. un p. p. no* **lay**[b]
lain *p. p. no* **lie**[b]
lair [leə] *n* midzenis; miga
lake [leik] *n* ezers
lamb [læm] *n* jērs; jēra gaļa
lamp [læmp] *n* lampa
lamprey [ˈlæmpri] *n* nēģis
land [lænd] **I** *n* **1.** zeme, sauszeme; **2.** zeme, valsts; **II** *v* **1.** piestāt krastā (*par kuģi, laivu*); **2.** nolaisties (*par lidmašīnu*); **3.** trāpīt
landing [ˈlændiŋ] *n* **1.** piestāšana krastā; **2.** *av.* nolaišanās; **3.** (*kāpņu*) laukums
landlady [ˈlændˌleidi] *n* **1.** (*mājas, viesnīcas*) saimniece; **2.** muižas īpašniece
landlord [lændlɔ:d] *n* **1.** muižnieks, lendlords (*Anglijā*); **2.** (*mājas, viesnīcas*) saimnieks
landmark [ˈlændmɑ:k] *n* **1.** robežstabs; **2.** *pārn.* pagrieziena punkts; **3.** vēsturisks piemineklis

landowner [ˈlænd,əʊnə] *n* zemes īpašnieks

landscape [ˈlændskeip] *n* ainava

lane [lein] *n* **1.** taka; **2.** ieliņa

language [ˈlæŋgwidʒ] *n* valoda, izteiksmes veids; foreign l. – svešvaloda; native l. – dzimtā valoda; ◇ bad l. – lamas

languih [ˈlænggwiʃ] *v* **1.** nīkuļot; vārgt; **2.** tvīkt

lank [lænk] tievs, izstīdzējis

lantern [ˈlæntən] *n* laterna; lukturis

lap[a] [læp] *n* **1.** klēpis; **2.** ieplaka; aiza; **3.** (*auss*) ļipiņa; **4.** (*sacīkstēs*) distance, aplis

lap[b] [læp] *v* lakt, kāri dzert

lapbelt [ˈlæpbelt] *n* drošības josta (*automobilī*)

lap-dog [ˈlæpdɒg] *n* klēpja sunītis

lapidary [ˈlæpidəri] *n* juvelieris

lapse [læps] *n* **1.** kļūda; **2.** (*morāls*) noziegums

larceny [ˈlɑ:səni] *n* zādzība

larch [lɑ:tʃ] *n* lapegle

large [lɑ:dʒ] **I** *n*: at l. – 1) brīvībā; 2) detalizēti; **II** *a* liels; plašs

largely [ˈlɑ:dʒli] *adv* lielā mērā; galvenokārt

lark[a] [lɑ:k] *n* cīrulis

lark[b] **I** *n* joks; what a l.! – cik jocīgi!; for a l. – pa jokam; **II** *v* jokot

laser [ˈleizə] *n* lāzers

last[a] [lɑ:st] **I** *a* (*sup no* **late I**) **1.** pēdējais; **2.** pagājušais; **II** *adv* (*sup no* **late II**) pēdējoreiz; ◇ at l. – beidzot

last[b] [lɑ:st] *v* **1.** ilgt; turpināties; **2.** saglabāties; valkāties (*par apģērbu*); **3.** pietikt

lasting [ˈlɑ:stiŋ] *a* **1.** ilgstošs; **2.** stabils

latch [lætʃ] *n* **1.** bulta, aizšaujamais; **2.** *dat.* aizturis

latchkey [ˈlætʃki:] *n* patentatslēga

late [leit] **I** *a* (*comp* later [ˈleitə] *vai* latter [ˈlætə]; *sup* latest [ˈleitist] *vai* last [lɑ:st]) **1.** vēls; novēlojies; **2.** nesenais; pēdējais; **3.** nelaiķa-; **II** *adv* (*comp* later [ˈleitə]; *sup* latest [ˈleitist] *vai* last [lɑ:st]); **1.** vēlu; **2.** pēdējā laikā; nesen

lately [ˈleitli] *adv* pēdējā laikā; nesen

latent [ˈleitənt] *a* apslēpts

later [ˈleitə] **I** *a* (*comp no* **late I**) vēlāks; **II** *adv* (*comp no* **late II**) vēlāk

latest [ˈleitist] **I** *a* (*sup no* **late I**) **1.** visvēlākais; **2.** pēdējais; **II** *adv* (*sup no* **late II**) visvēlāk

lather [ˈlɑ:ðə] **I** *n* ziepju putas; **II** *v* **1.** ieziepēt; **2.** putot

Latin [ˈlætin] *n* latīņu valoda; ◇ thieves' L. – zagļu žargons

latitude [ˈlætitju:d] *n ģeogr.* platums

latter [ˈlætə] *n* (*comp no* **late I**) **1.** nesenais; **2.** pēdējais (*no minētajiem*)

latterday [ˈlætədei] *a* mūsdienu-; moderns

laud [lɔ:d] **I** *n* slavēšana; cildināšana; **II** *v* slavēt

laugh [lɑ:f] **I** *n* smiekli; **II** *v* smieties

laughable [ˈlɑ:fəbl] *a* **1.** smieklīgs; **2.** muļķīgs

laughter [ˈlɑ:ftə] *n* smiekli
launch[a] [lɔ:ntʃ] *n* motorlaiva; kuteris
launch[b] [lɔ:ntʃ] *v* **1.** nolaist ūdenī (*piem., kuģi*); **2.** uzsākt; laist darbā; **3.** palaist (*raķeti*)
launder [ˈlɔ:ndə] *v* mazgāt un gludināt
laureat [ˈlɑriət] *n* laureāts
laurel [ˈlɒrəl] *n* **1.** lauru koks; **2.** (*parasti pl*) lauri
lavatory [ˈlævətəri] *n* tualetes telpa
law [lɔ:] *n* **1.** likums; **2.** tieslietas; jurisprudence; **3.** (*spēles*) noteikumi
law-breaker [ˈlɔ:ˌbreikə] likumpārkāpējs; noziedznieks
lawful [ˈlɔ:fəl] *a* likumīgs
lawn [lɔ:n] *n* maurs; zāliens
lawn-mower [lɔ:nˌməʊə] *n* zāles pļaujmašīna
lawsuit [ˈlɔ:sju:t] *n* (*tiesas*) prāva
lawyer [ˈlɔ:jə] *n* jurists; advokāts
laxity [ˈlæksəti] *n* **1.** neuzmanība; **2.** vaļība
lay[a] *p. no* **lie**[b]
lay[b] [lei] *v* (*p. un p. p.* laid [leid]) **1.** likt; nolikt; **2.** noklāt; izklāt; **3.** dēt; ◇ to l. **on** – ievilkt (*gāzi, elektrību, ūdeni*); to l. **up** – uzkrāt
layer [ˈleiə] *n* kārta; slānis
layout [ˈleiaʊt] *n* **1.** izkārtojums; plānojums; **2.** makets
laziness [ˈleizinis] *n* slinkums
lazy [ˈleizi] *a* **1.** slinks; **2.** bezdarbīgs; **3.** lēns
lead[a] [led] *n* svins
lead[b] [li:d] **I** *n* **1.** vadība; **2.** pirmā vieta (*sacīkstēs*); **II** *v* (*p. un p. p.* led [led]) **1.** vest; **2.** vadīt; **3.** (*to*) novest; **4.** *sp.* būt līderim
leader [ˈli:də] *n* **1.** vadonis, vadītājs; līderis; **2.** ievadraksts; **3.** diriģents
leadership [ˈli:dəʃip] *n* vadība
leading [ˈli:diŋ] *a* vadošais; galvenais
leaf [li:f] *n* (*pl* leaves [li:vz]) **1.** lapa; lapotne; **2.** (*grāmatas*) lapa
league [li:g] *n* līga, savienība
leak [li:k] **I** *n* **1.** sūce; **2.** (*informācijas*) noplūde; **II** *v* sūkties cauri
leaky [ˈli:ki] *a* caurs
lean[a] [li:n] **I** *n* liesums; **II** *a* **1.** kalsns; vājš; **2.** liess
lean[b] [li:n] *v* (*p. un p. p.* leaned [li:nd] *vai* leant [lent]) **1.** noliekties; **2.** atspiesties; atbalstīties
leant *p. un p. p. no* **lean**[b]
leap [li:p] **I** *n* lēciens; **II** *v* (*p. un p. p.* leapt [lept] vai leaped [li:pt]) lēkt
leapt *p. un p. p. no* **leap II**
leap-year [ˈli:pjiə] garais gads
learn [lɜ:n] *v* (*p. un p. p.* learned [lɜ:nt] *vai* learnt [lɜ:nt]) **1.** [ie]mācīties; **2.** uzzināt
learning [ˈlɜ:niŋ] *n* studijas; mācīšanās
learnt *p. un p. p. no* **learn**
lease [li:s] **I** *n* **1.** (*zemes vai īpašuma*) noma; nomāšana; **2.** nomas līgums; **II** *v* nomāt
leash [li:ʃ] *n* siksna; saite
least [li:st] **I** *n* vismazākais daudzums; **II** *a* (*sup no* **little II**)

vismazākais; **III** *adv* (*sup no* **little III**) vismazāk

leathern [ˈleðən] *a* ādas-

leave [li:v] **I** *n* **1.** atļauja; **2.** atvaļinājums; **3.** aiziešana; aizbraukšana; **4.** atvadīšanās; **II** *v* (*p. un p. p.* left [left]) **1.** aiziet; aizbraukt; doties; **2.** atstāt

leaven [ˈlevn] **I** *n* raugs; ieraugs; **II** *v* raudzēt

leave-taking [ˈli:vˌteikiŋ] *n* atvadīšanās

lecture [ˈlektʃə] **I** *n* lekcija; **II** *v* lasīt lekciju

lecturer [ˈlektʃərə] *n* **1.** lektors; **2.** (*universitātes, koledžas*) pasniedzējs

led *p. un p. p. no* **lead**[b]

ledge [ledʒ] *n* mala; dzega

leek [li:k] *n* purvs

left[a] *p. un p. p. no* **leave II**

left[b] [left] **I** *a* kreisais; **II** *adv* pa kreisi

left-hand [ˌleftˈhænd] *a* kreisais

left-luggage office [ˌleftlʌgidʒˈɒfis] *n* bagāžas glabātava

leg [leg] *n* **1.** kāja; **2.** (*bikšu*) stara; **3.** (*zābaka*) stulms

legacy [ˈlegəsi] *n* **1.** mantojums; **2.** sekas

legal [ˈli:gəl] *a* **1.** juridisks; **2.** legāls, likumīgs

legation [liˈgeiʃən] *n* diplomātiskā misija

legend [ˈledʒənd] *n* leģenda

legible [ˈledʒəbl] *a* salasāms; skaidrs

legislate [ˈledʒisleit] *v* izdot likumu(s)

legislation [ˌledʒisˈleiʃən] *n* likumdošana

legislative [ˈledʒislətiv] *a* likumdošanas-

legitimate [liˈdʒitimit] *a* likumīgs

leisure [ˈleʒə] *n* vaļasbrīdis; brīvs laiks

lemon [ˈlemən] *n* citrons

lemonade [ˌleməˈneid] *n* limonāde

lend [lend] *v* (*p. un p. p.* lent [lent]) **1.** aizdot; **2.** sniegt; ◇ to l. an ear – uzklausīt

length [leŋθ] *n* **1.** garums; **2.** attālums; **3.** atgriezums; gabals; **4.** ilgums

lengthen [ˈleŋθən] *v* **1.** pagarināt; **2.** kļūt garākam (*piem., par dienām*)

lens [lenz] *n* **1.** lēca; optisks stikls; **2.** fotoobjektīvs

lent *p. un p. p. no* **lend**

Leo [ˈli:əʊ] *n* Lauva (*zvaigznājs un zodiaka zīme*)

leopard [ˈlepəd] *n* leopards

less [les] **I** *n* mazākais daudzums; **II** *a* (*comp no* **little II**) mazākais; **II** *adv* (*comp no* **little III**) mazāk

lessen [ˈlesn] *v* **1.** mazināt; **2.** mazināties; **3.** noniecināt

lesson [ˈlesn] *n* (*mācību*) stunda

let [let] *v* (*p. un p. p.* let [let]) **1.** ļaut; **2.** palaist; **3.** izīrēt; **4.** (*lieto pavēles izteiksmes veidošanai 1. un 3. pers.*): l. us go! – iesim!

lethal [ˈli:θəl] *a* letāls

let-off [ˈletˌɒf] *n* piedošana

L

letter [ˈletə] *n* **1.** burts; **2.** vēstule; l. of attorney – pilnvara
letterbox [ˈletəbɒks] *n* pastkastīte
letter-case [ˈletəkeis] *n* kabatas portfelis
lettuce [ˈletis] *n* lapu salāti
level [ˈlevl] **I** *n* līmenis; **II** *a* **1.** līdzens; horizontāls; **2.** vienā līmenī, vienāds; **III** *v* nolīdzināt; ◇ to l. to the ground – nolīdzināt ar zemi
lexical [ˈleksikəl] *a* leksisks
liable [ˈlaiəbl] *a* **1.** (*for*) atbildīgs; **2.** (*to*) ar noslieci (*uz*)
liar [ˈlaiə] *n* melis
libel [ˈlaibəl] **I** *n* apmelojums; **II** *v* apmelot
liberal [ˈlibərəl] **I** *n* liberālis; **II** *a* **1.** liberāls; **2.** devīgs; augstsirdīgs
liberate [ˈlibəreit] *v* **1.** atbrīvot; **2.** *ķīm.* izdalīt
liberty [ˈlibəti] *n* brīvība
librarian [laiˈbreəriən] *n* bibliotekārs
library [ˈlaibrəri] *n* bibliotēka
license [ˈlaisəns] *n* licence; patents; atļauja
lick [lik] *n* **1.** aplaizīšana; **2.** *sar.* pēriens
lid[a] [lid] *n* **1.** vāks; **2.** plaksts
lid[b] [lid] *sl. n* marihuānas paciņa
lido [ˈli:dəʊ] *n* **1.** pludmale; **2.** atklāts peldbaseins
lie[a] [lai] **I** *n* meli; to tell a l. – melot; **II** *v* melot
lie[b] [lai] *v* (*p.* lay [lei]; *p. p.* lain [lein]) **1.** gulēt; **2.** atrasties; palikt
life [laif] *n* (*pl* lives [laivz]) **1.** dzīve; **2.** dzīvība
lifebelt [ˈlaifbelt] *n* glābšanas josta
lifeboat [ˈlaifbəʊt] *n* glābšanas laiva
lifeguard [laifgɑ:d] *n* miesassardze
life-insurance [ˈlaifin,ʃʊərəns] *n* dzīvības apdrošināšana
life-long [ˈlaiflɒŋ] *a* mūža garumā; mūža-
life-saving [ˈlaif,seiviŋ] *a* glābšanas-
life-size [,laifˈsaiz] *a* dabiska lieluma-
lift [lift] **I** *n* **1.** pacelšana; **2.** celtnis, lifts; **II** *v* **1.** pacelt; **2.** rakt (*kartupeļus*); **3.** *sar.* zagt (*veikalā*)
light[a] [lait] **I** *n* **1.** gaisma; **2.** gaismas avots; uguns; l. pen *dat.* – gaismas zīmulis; **II** *a* gaišs; **III** *v* (*p. un p. p.* lit [lit] *vai* lighted [ˈlaitid]) **1.** iedegt, aizdegt; **2.** iedegties, aizdegties; **3.** apgaismot
light[b] [lait] *a* **1.** viegls; **2.** vieglprātīgs; nenopietns; **3.** niecīgs
lighter [ˈlaitə] *n* šķiltavas
lighthouse [ˈlaithaʊs] *n* bāka
lighting [ˈlaitiŋ] *n* apgaismojums
lightning [ˈlaitniŋ] *n* zibens; with l. speed – zibenīgi
like[a] [laik] **I** *a* līdzīgs; **II** *adv* līdzīgi
like[b] [laik] *v* **1.** patikt; **2.** garšot; **3.** (*ar noliegumu*) gribēt
likely [ˈlaikli] **I** *a* piemērots; **II** *adv*: most (very) l. – droši vien
likeness [ˈlaiknis] *n* līdzība
lilac [ˈlailək] *n* **1.** ceriņi; **2.** ceriņkrāsa
lily [ˈlili] *n* lilija; l. of the valley – maijpuķīte
limb [lim] *n* **1.** loceklis (*ekstremitāte*); **2.** liels zars

limber [ˈlimbə] *a* lokans
lime[a] [laim] *n* liepa
lime[b] [laim] *n* kaļķi
limestone [ˈlaimstəʊn] *n* kaļķakmens
lime-tree [ˈlaimtri:] *n* liepa
limit [ˈlimit] **I** *n* robeža; **II** *v* ierobežot
limited [ˈlimitid] *a* ierobežots; limitēts
limitation [ˌlimiˈteiʃən] *n* ierobežojums
limp [limp] *v* klibot
limpet [ˈlimpit] *n* gliemis; ◇ to stick like a g. – pieķerties kā dadzim
line[a] [lain] **I** *n* **1.** līnija; svītra; **2.** aukla; virve; **3.** robežlīnija; robeža; **4.** grumba; **5.** rinda; **6.** (*dzelzceļa, telefona*) līnija; hold the l.! – nenolieciet klausuli!; **II** *v* vilkt līniju
line[b] [lain] **1.** izoderēt; **2.** izklāt
linen [ˈlinin] *n* **1.** audekls; **2.** veļa
liner [ˈlainə] *n* **1.** laineris; **2.** pasažieru lidmašīna; **3.** kontūrzīmulis (*kosmētikā*)
line-up [ˈlainʌp] *n* **1.** (*valstu spēku*) izvietojums; **2.** *sp.* komandas sastāvs; **3.** (*radio, televīzijas*) programmas izkārtojums
ling [liŋ] *n* virši
linger [ˈliŋgə] *v* vilcināties, kavēties; ieilgt
lining [ˈlainiŋ] *n* **1.** odere; **2.** *tehn.* oderējums
link [liŋk] **I** *n* **1.** (*ķēdes*) posms; **2.** aproču poga; **3.** saite; saikne; **4.** valdziņš; **II** *v* savienot; saistīt
lion [ˈlaiən] *n* lauva
lioness [ˈlaiənes] *n* lauvene
lip [lip] *n* **1.** lūpa; **2.** (*trauka*) mala
lipstick [ˈlipˌstik] *n* lūpukrāsa
liqueur [liˈkjʊə] *n* liķieris
liquid [ˈlikwid] **I** *n* šķidrums; **II** *a* šķidrs
liquidate [ˈlikwideit] *a* **1.** likvidēt; **2.** nomaksāt (*parādus*)
liquor [ˈlikə] *n* **1.** alkoholisks dzēriens; hard ~s – stiprie dzērieni; **2.** buljons
list [list] **I** *n* saraksts; **II** *v* **1.** sastādīt sarakstu; **2.** iekļaut sarakstā
lisp [lisp] *v* šļupstēt
listen [ˈlisn] *v* **1.** (*to*) klausīties; **2.** paklausīt
listing *n dat.* izdruka
lit *p. un p. p. no* **light**[a] **III**
literal [ˈlitərəl] *a* **1.** burtu-; l. error – iespiedkļūda; **2.** burtisks
literature [ˈlitərətʃə] *n* literatūra
lithe [laið] *a* lokans
litre [ˈli:tə] *n* litrs
litter [ˈlitə] *n* **1.** nestuves; **2.** pakaiši; **3.** (*sivēnu, kucēnu*) metiens; **4.** atkritumi; drazas
little [ˈlitl] **I** *n* neliels daudzums; **II** *a* (*comp* less [les]; *sup* least [li:st]) mazs; l. ones – bērni; mazuļi; **III** *adv* (*comp* less [les]; *sup* least [li:st]) maz
Little Bear [ˈlitlˈbeə] *n* Mazais Lācis (*zvaigznājs*)
live[a] [liv] *v* **1.** dzīvot; **2.** izdzīvot; **3.** mājot
live[b] [liv] *v* **1.** dzīvs; l. broadcast – tiešā pārraide; **2.** dzīvības pilns; enerģisks

livelihood [ˈlaivlihʊd] *n* iztika
lively [ˈlaivli] *a* **1.** dzīvs; mundrs; **2.** spilgts; košs (*par krāsām*)
liver [ˈlivə] *n* aknas
liver-coloured [ˈlivəˌkʌləd] *a* sarkanbrūns
lives *pl no* **life**
livestock [ˈlaivstɒk] *n* mājlopi
living [ˈliviŋ] **I** *n* **1.** iztika; **2.** dzīve; dzīvesveids; **II** *a* dzīvs, dzīvojošs
living-room [ˈliviŋrʊm] *n* dzīvojamā istaba
living-space [ˈliviŋspeis] *n* dzīves telpa
living wage [ˌliviŋˈweidʒ] *n* iztikas minimums
lizard [ˈlizəd] *n* ķirzaka
llama [ˈlɑ:mə] *n* lama
load [ləʊd] **I** *n* **1.** krava; **2.** nasta; smagums; **3.** (*darba*) slodze; **II** *v* **1.** kraut, piekraut; **2.** pielādēt (*ieroci, kinokameru*)
loader *n* **1.** *dat.* ielādētājs; **2.** krāvējs
loaf[a] [ləʊn] *n* (loaves [ləʊvz]) **1.** klaips, kukulis; **2.** (*kāposta*) galva; **3.** (*cukura*) graudi
loaf[b] [ləʊf] *v* slaistīties; klimst
loan [ləʊn] **I** *n* **1.** aizdevums; **2.** aizņēmums; **II** *v* aizdot
loanword [ˈləʊnwɜ:d] *n val.* aizguvums
lobby [ˈlɒbi] *n* **1.** priekštelpa; foajē; **2.** *pol.* kuluāri
lobster [ˈlɒbstə] *n* omārs
local [ləʊkəl] *a* **1.** vietējais; **2.** piepilsētas- (*transports*)
locality [ləʊˈkæliti] *n* apvidus
locate [ləʊˈkeit] *v* **1.** noteikt atrašanās vietu; **2.** novietot
lock [lɒk] **I** *n* **1.** slēdzene; **2.** (*šautenes*) aizslēgs; **3.** slūžas; **II** *v* aizslēgt
locket [ˈlɒkit] *n* medaljons
locust [ˈləʊkəst] *n* sisenis
lodger [ˈlɒdʒə] *n* īrnieks
lodging [ˈlɒdʒiŋ] *n* **1.** (*pagaidu*) mītne; naktsmājas; **2.**: ~s *pl* – mēbelētas istabas
loft [lɒft] *n* **1.** bēniņi; **2.** kūtsaugša
lofty [ˈlɒfti] *a* **1.** augsts; **2.** cēls, cildens
log [lɒg] *n* **1.** bluķis, klucis; **2.** *dat.* žurnāls
loge [ləʊʒ] *n* loža
loggerhead [ˈlɒgəhəd] *n* muļķis
logic [ˈlɒdʒik] *n* loģika; l. card *dat.* – loģiskā karte; l. circuit *dat.* – loģiskā shēma
login *n dat.* pieteikšanās; l. name – pieteikumvārds; l. script – pieteikumskripts
loin [lɔin] **1.** *pl* jostasvieta; krusti; **2.** *kul.* fileja
loiter [ˈlɔitə] *v* vilcināties
lonely [ˈləʊnli] *a* vientuļš
long[a] [lɒŋ] **I** *a* **1.** garš; **2.** ilgs; **II** *adv* ilgi; ◊ so l.! – uz redzēšanos!
long[b] [lɒŋ] *v* (*for*) ilgoties
long-distance [ˌlɒŋˈdistəns] *a* tāls; tālsatiksmes-
long-liver [ˌlɒŋˈlivə] *n* ilgdzīvotājs
long-sighted [ˌlɒŋˈsaitid] *a* tālredzīgs
long-term [ˌlɒŋˈtɜ:m] *a* ilgtermiņa-
look [lʊk] **I** *n* **1.** skatiens; to have a l.

(*at*) – paskatīties; **2.**: ~s *pl* – izskats; āriene; **II** *v* **1.** (*at*) skatīties, lūkoties; **2.** izskatīties; it ~s like rain[ing] – šķiet, ka līs; ◇ to l. **after** – pieskatīt; to l. **for** – meklēt; to l. **in** – iegriezties; ienākt

looking-glass [ˈlʊkiŋglɑ:s] *n* spogulis

look-out [ˈlʊkaʊt] *n* **1.** modrība; piesardzība; **2.** novērošanas punkts; **3.** izredzes; **4.** ainava

loop [lu:p] *n* **1.** cilpa; **2.** *tehn.* skava

loose [lu:s] *a* **1.** brīvs; **2.** vaļīgs; nesavilkts

loosen [ˈlu:sn] *v* **1.** atslābināt; **2.** atraisīt

lop [lɒp] *v* apgriezt (*zarus*)

lord [lɔ:d] *n* **1.** kungs; valdnieks; **2.** lords, pērs; **3.**: L. – Dievs

lorry [ˈlɒri] *n* kravas automobilis

lose [lu:z] *v* (*p. un p. p.* lost [lɒst]) **1.** pazaudēt; **2.** paspēlēt

loss [lɒs] *n* zaudējums

lost *p. un p. p. no* **lose**

lot [lɒt] *n* **1.** loze; **2.** liktenis; **3.** *sar.* liels daudzums

lotion [ˈləʊʃən] *n* losjons

lotus-land [ˈləʊtəslænd] *n* leiputrija

loud [laʊd] **I** *a* skaļš; **II** *adv* skaļi

loudly [ˈlaʊdli] *adv* skaļi; trokšņaini

loud-speaker [ˌlaʊdˈspi:kə] *n* skaļrunis

louse [laʊs] *n* (*pl* lice [lais]) uts

loutish [ˈlaʊtiʃ] *a* lempīgs

love [lʌv] **I** *n* **1.** mīlestība; **2.** mīļotais; mīļotā; **3.** *sp.* nulle; **II** *v* mīlēt; just patiku

love-affair [ˈlʌvəˌfɜə] *n* mīlas dēka

love-in-idleness [ˈlʌvinˌaidlnəs] *n* atraitnīte

Lovelace [ˈlʌvleis] *n* siržu lauzējs

lovely [ˈlʌvli] *a* jauks

lover [ˈlʌvə] *n* **1.** mīļākais; **2.** (*mākslas, mūzikas*) cienītājs

low [ləʊ] **I** *a* **1.** zems; **2.** kluss (*par balsi*); **3.** nomākts; **4.** vulgārs; **II** *adv* **1.** zemu; **2.** trūcīgi

lower [ˈləʊə] **I** *a* (*comp no* **low**) **1.** zemāks; **2.** apakšējais; l. tester *dat.* – apakšējais testeris; l. memory *dat.* – apakšējā atmiņa; **II** *v* **1.** nolaists; **2.** pazemināt (*piem., cenas*); **3.** kristies (*piem., par cenām*)

lowland [ˈləʊlənd] *n* zemiene

loyal [ˈlɔiəl] *a* lojāls, uzticams

luck [lʌk] *n* laime; good l.! – labu veiksmi!; bad l. – neveiksme; to truck one's l. – izmēģināt laimi

luckily [ˈlʌkili] *adv* par laimi

lucky [ˈlʌki] *a* **1.** laimīgs, veiksmīgs; **2.** gadījuma-

luggage [ˈlʌgidʒ] *n* bagāža

lukewarm [ˈlu:kwɔ:m] *a* remdens

luminary [ˈlu:minəri] *n* gaismeklis

lump [lʌmp] *n* gabals; kumoss

lunatic [ˈlu:nətik] **I** *n* vājprātīgais; **II** *a* vājprātīgs

lunch [lʌntʃ] **I** *n* pusdienas (*dienas vidū*); lenčs; **II** *v* ēst pusdienas (*dienas vidū*)

luncheon [ˈlʌntʃən] *n* (*oficiālas*) pusdienas

lung [lʌŋ] *n* plauša
lure [ljʊə] **I** *n* kārdinājums; **II** *v* kārdināt
lust [lʌst] *n* iekāre; kaisle; l. for life – dzīves alkas
lustre [ˈlʌstə] *n* **1.** *pārn.* spožums; mirdzums; **2.** slava
luteous [ˈlu:tiəs] *a* oranždzeltens
Lutheran [ˈlu:θərən] **I** *n* luterānis; **II** *a* luterāņu-
luxate [ˈlʌkseit] *v* izmežģīt
luxurious [lʌgˈzʊəriəs] *a* grezns
luxury [ˈlʌkʃəri] *n* **1.** greznība; **2.** liela bauda
lying[a] [ˈlaiiŋ] *n* meli
lying[b] [ˈlaiiŋ] *n* gulēšana
lying-in [ˌlaiiŋˈin] *n* dzemdības
lynch [lintʃ] *v* linčot
lynx [liŋks] *n* lūsis
lyric [ˈlirik] **I** *n* lirisks dzejolis; **II** *a* lirisks
lyrics [ˈliriks] *n pl* lirika

M

ma [mɑ:] *n* (*saīs. no* mamma) *sar.* māmiņa
macaroni [ˌmækəˈrəʊni] *n* makaroni
mace[a] [meis] *n* muskatrieksts
mace[b] [meis] *n* **1.** (*biljarda*) kija; **2.** zizlis
machine [məˈʃi:n] *n* **1.** mašīna; **2.** mehānisms
machine-made [məˈʃi:nmeid] *a* rūpnieciski ražots
machinery [məˈʃi:nəri] *n* **1.** mašīnas; **2.** (*mašīnas*) mehānisms
macrobiotic [ˌmækrəʊbaiˈɔtik] *a* **1.** diētisks; **2.** veģetārs
mad [mæd] *a* **1.** ārprātīgs, traks; **2.** *sar.* nikns
madam [ˈmædəm] *n* kundze (*uzrunā*)
made *p. un p. p. no* **make**
madonna-lily [ˈməˈdɒnəˌlili] *n* baltā lilija
madrigal [ˈmædrigəl] *n mūz.* madrigāls
maelstrom [ˈmeilstrɒm] *n* **1.** atvars; **2.** virpulis
magazine [ˌmægəˈzi:n] *n* žurnāls
maggot [ˈmægət] *n* kāpurs
magic [ˈmædʒik] *n* maģija, burvība
magnet [ˈmægnit] *n* magnēts; ◇ m. school – speciāla novirziena skola
magnetic [mægˈnetik] *a* magnētisks; m. card *dat.* – magnētiskā karte; m. drum *dat.* – magnētiskais veltnis; m. encoding *dat.* – magnētiskā kodēšana
magnificent [mægˈnifisnt] *a* lielisks; krāšņs
magnifier [ˈmægnifaiə] *n* **1.** palielināmais stikls; lupa; **2.** *tehn.* pastiprinātājs
magnify [ˈmægnifai] *v* palielināt
magpie [ˈmægpai] *n* žagata

mahogany [mə'hɔgəni] *n* sarkankoks

maid [meid] *n* istabene, kalpone

maiden ['meidn] **I** *n* jaunava; **II** *a* **1.** neprecējusies; **2.** jaunavas-; **3.** pirmais

mail [meil] **I** *n* pasts; m. bridge *dat.* – pasta tilts; m. gateway *dat.* – pasta vārteja; m. path *dat.* – pasta ceļš; **II** *v* sūtīt pa pastu

mailbox ['meilbɒks] *n amer.* pastkastīte

main [mein] **I** *n* **1.** (*ūdens, gāzes*) maģistrāle; **2.** galvenais; būtība; m. memory *dat.* – operatīvā atmiņa, pamatatmiņa; **3.**: ~s *pl* – elektrotīkls; **II** *a* galvenais

mainframe *n dat.* lieldators

mainland ['meinlənd] *n* cietzeme, kontinents

mainly ['meinli] *adv* galvenokārt

maintain [mein'tein] *v* **1.** paturēt; saglabāt; **2.** uzturēt; **3.** apgalvot

maintenance ['meintənəns] *n* uzturēšana; saglabāšana

maize [meiz] *n* kukurūza

majesty ['mædʒisti] *n* **1.** majestātiskums; **2.** majestāte (*tituls*)

major[a] ['meidʒə] *n* majors

major[b] ['meidʒə] **I** *a* **1.** lielākais, **2.** vecākais; **3.** galvenais; **4.** *mūz.* mažora-; **II** *v amer.* specializēties (*mācību priekšmetā*)

majority [mə'dʒɒriti] *n* **1.** pilngadība; **2.** vairākums

make [meik] **I** *n* **1.** modelis; marka; **2.** ražojums; **II** *v* (*p. un p. p.* made [meid]) **1.** taisīt; izgatavot; ražot; **2.** sastādīt; sagatavot; **3.** pelnīt; **4.** uzkopt; sakārtot; ◇ to m. **for** – doties uz; to m. **off** – aizmukt; to m. **out** – izprast; to m. **up** – 1) sastādīt; izveidot; 2) uzkrāsoties

make-up ['meikʌp] *n* **1.** grims; kosmētika; **2.** raksturs

maladjustment [,mælə'dʒʌstment] *n* nepiemērotība, neatbilstība

malady ['mælədi] *n* **1.** slimība; **2.** ļaunums

male [meil] **I** *n* **1.** vīrietis; **2.** tēviņš; **II** *a* vīriešu-

malice ['mælis] *n* ļaunprātība; ļaunums

malicious [mə'liʃəs] *a* ļaunprātīgs; ļauns

malign [mə'lain] **I** *a* kaitīgs; **II** *v* nomelnot

malignant [mə'lignənt] *a* **1.** ļauns; kaitīgs; **2.** *med.* ļaundabīgs

mall [mɔ:l] *n* aleja, gatve

mallard ['mæləd] *n* meža pīle

mamma [mə'mɑ:] *n* māmiņa

man [mæn] *n* (*pl* men [men]) **1.** cilvēks; **2.** vīrietis; **3.** (*precēts*) vīrs; **4.** darbinieks

manage ['mænidʒ] *v* **1.** vadīt, pārzināt; **2.** tikt galā

management ['mænidʒmənt] *n* **1.** vadīšana; pārzināšana; **2.** vadība; **3.** prasme; **4.** *dat.* pārvaldība; m. domain – pārvaldības domēns; m. information – pārvaldības informācija

manager ['mænidʒə] *n* **1.** vadītājs;

M

direktors; **2.** saimnieks; **3.** *dat.* pārvaldnieks

mandate ['mændeit] *n* mandāts

mane [mein] *n* krēpes

manger ['meindʒə] *n* sile; ◇ dog in the m. – suns uz siena kaudzes

manhole ['mænhəʊl] *n* lūka

manhood ['mænhʊd] *n* **1.** briedums; **2.** vīrišķība

manifest ['mænifest] **I** *a* nepārprotams; **II** *v* **1.** izrādīt; paust; **2.** izpausties

manifesto [,mæni'festəʊ] *n* manifests

mankind [,mæn'kaind] *n* cilvēce

man-made [,mæn'meid] *a* mākslīgs

manner ['mænə] *n* **1.** veids; **2.**: ~s *pl* – manieres; izturēšanās; **3.**: ~s *pl* – paražas; ieradumi

M

manpower ['mæn,paʊə] *n* darbaspēks

manque ['mɒŋkei] *a* neizdevies

manual ['mænjʊəl] **I** *n* rokasgrāmata; **II** *a* rokas-; roku-

manufacture [,mænjʊ'fæktʃə] **I** *n* **1.** ražošana; izgatavošana; **2.** ražojums; **II** *v* ražot; izgatavot

manufacturer [,mænjʊ'fæktʃərə] *n* uzņēmējs; ražotājs

many ['meni] *a* (*comp* more [mɔ:]; *sup* most [məust]) daudz

map [mæp] **I** *n* karte; **II** *v* atzīmēt kartē; to m. **out** – izplānot

maple ['meipl] *n* kļava

marble ['mɑ:bl] *n* marmors

March [mɑ:tʃ] *n* marts

march [mɑ:tʃ] **I** *n* **1.** maršs; **2.** pārgājiens; gājiens; **II** *v* maršēt, soļot

mare[a] [meə] *n* ķēve; ◇ on Shank's m. – kājām

mare[b] ['mɑ:rei] *n* (*pl* maria [mɑ:riə]) jūra

margin ['mɑ:dʒin] *n* **1.** mala; robeža; **2.** (*laika, naudas*) rezerve

marigold ['mærigəʊld] *n* **1.** kliņģerīte; **2.** samtene

marihuana, marijuana [,mæri'wɑ:nə] *n* marihuāna

marine [mə'ri:n] **I** *n* jūras flote; **II** *a* jūras-

mariner ['mærinə] *n* jūrnieks; matrozis

mark [mɑ:k] **I** *n* **1.** zīme; punctuation ~s *gram.* – pieturzīmes; **2.** mērķis; **3.** standarts; līmenis; **4.** starta līnija; **5.** atzīme (*skolā*); **II** *v* **1.** marķēt (*preces*); **2.** atzīmēt; **3.** iegaumēt

market ['mɑ:kit] *n* **1.** tirgus; **2.** noiets

marmalade ['mɑ:məleid] *n* ievārījums

marriage ['mæridʒ] *n* laulība

married ['mærid] *a* precējies; precēts

marry ['mæri] *v* **1.** precēties; **2.** izprecināt; **3.** salaulāt

marsh [mɑ:ʃ] *n* purvs; dumbrājs

marshal ['mɑ:ʃəl] *n* maršals

mart [mɑ:t] *n* tirdzniecības centrs

marten ['mɑ:tin] *n* cauna

martial ['mɑ:ʃəl] *a* kara-

martin ['mɑ:tin] *n* čurkste

martyr ['mɑ:tə] *n* moceklis; mocekle

marvellous ['mɑ:vələs] *a* brīnišķīgs

mascara [mæ'skɑ:rə] *n* skropstu tuša

mascot ['mæskət] *n* talismans

masculine [ˈmɑ:skjʊlin] *a* **1.** vīriešu-; **2.** vīrišķīgs
mask [mɑ:sk] *n* maska
mason [meisn] *n* **1.** mūrnieks; **2.** masons
masquerade [ˌmæskəˈreid] *n* maskarāde
mass [mæs] *n* **1.** masa; **2.:** the ~es *pl* – masas; **3.** lielākā daļa
massage [ˈmæsɑ:ʒ] **I** *n* masāža; **II** *v* masēt
masseur [mæˈsɜ:] *n* masieris
massive [ˈmæsiv] *a* masīvs
mast [mɑ:st] *n* masts
master [ˈmɑ:stə] **I** *n* **1.** saimnieks; kungs; **2.** meistars; **3.** skolotājs; **4.** liels mākslinieks; **5.** (*zinātņu*) maģistrs; **II** *v* **1.** apgūt; **2.** vadīt; pārvaldīt
masterhood [ˈmɑ:stəhʊd] *n* meistarība
masterpiece [ˈmɑ:stəpi:s] *n* meistardarbs
mastery [ˈmɑ:stəri] *n* **1.** meistarība; **2.** pārspēks
match[a] [mætʃ] *n* sērkociņš
match[b] [mætʃ] **I** *n* **1.** sacīkstes; mačs; **2.** precības; **II** *v* **1.** mēroties spēkiem; **2.** līdzināties (*spēka, veiklības ziņā*); **3.** saskanēt; harmonēt; **4.** pieskaņot; **5.** saprecināt
matchbox [ˈmætʃbɒks] *n* sērkociņu kastīte
matchless [ˈmætʃlis] *a* nesalīdzināms
mate[a] [meit] *n* (*darba, skolas*) biedrs
mate[b] [meit] **I** *n* mats (*šahā*); **II** pieteikt matu (*šahā*)
material [məˈtiəriəl] **I** *n* materiāls; viela; **II** *a* materiāls
maternal [məˈtɜ:nl] *a* mātes-
mathematics [ˌmæθəˈmætiks] *n* matemātika
matter [ˈmætə] **I** *n* **1.** matērija; viela; **2.** saturs; būtība; **3.** lieta, jautājums; what's the m.? – kas noticis?; **II** *v* nozīmēt
matter-of-course [ˌmætərəvˈkɔ:s] *a* pats par sevi saprotams
matter-of-fact [ˌmætərəˈfækt] *a* **1.** lietišķs; **2.** ikdienišķs
mature [məˈtʃʊə] **I** *a* nobriedis; nogatavojies; **II** *v* nobriest; nogatavoties
Maundy Thursday [mɔ:ndiˈθɜ:zdi] *n rel.* Zaļā Ceturtdiena
May [mei] *n* maijs
may [mei] *mod. v.* (*p.* might [mait]) **1.** būt iespējamam; **2.** drīkstēt
maybe [ˈmeibi:] *adv* varbūt
maybug [ˈmeibʌg] *n* maijvabole
may-lily [meiˈlili] *n* maijpuķīte
mayor [meə] *n* mērs
mazarine [ˌmæzəˈri:n] *n* tumšzila krāsa
me [mi:, mi] *pron* (*papildinātāja locījumos no* I) man; mani
meadow [ˈmedəʊ] *n* pļava
meal[a] [mi:l] *n* maltīte; ēdienreize
meal[b] [mi:l] *n* rupja maluma milti
mean[a] [mi:n] *a* **1.** noplucis; nolaists; **2.** nekrietns; zemisks
mean[b] [mi:n] **I** *n* vidus; **II** *a* vidējs; viduvējs

mean[c] [mi:n] *v* (*p. un p. p.* meant [ment]) **1.** nozīmēt; **2.** nodomāt
meaning [ˈmi:niŋ] *n* nozīme
means[a] [mi:nz] *n* līdzeklis
means[b] [mi:nz] *n pl* naudas līdzekļi
meant *p. un p.p. no* **mean**[c]
meantime [ˈmi:ntaim] *adv* pa to laiku
measles [ˈmi:zlz] *n* masalas; German m. – masaliņas
measure [ˈmeʒə] **I** *n* **1.** mērs; in some m. – zināmā mērā; beyond m. – pārmērīgi; **2.** pasākums; to take ~s – veikt pasākumus; **II** *v* **1.** mērīt; **2.**: the room ~s ten metres long – istaba ir desmit metrus gara
measuring-tape [ˈmeʒəriŋˈteip] *n* mērlente

M

meat [mi:t] *n* **1.** gaļa; **2.** mīkstums
mechanic [miˈkænik] *n* mehāniķis
mechanical [miˈkænikəl] *a* **1.** mehānisks; **2.** *pārn.* automātisks
mechanics [miˈkæniks] *n pl* mehānika
meddle [ˈmedl] *v* (*in, with*) iejaukties (*cita darīšanās*)
medical [ˈmedikəl] *a* medicīnisks, ārstniecisks
medicine [ˈmedsən] *n* **1.** medicīna; **2.** zāles; to take m. – ieņemt zāles
medicine-chest [ˈmedsəntʃest] *n* aptieciņa
medieval [mediˈi:vl] *a* viduslaiku-
medium [ˈmi:diəm] **I** *n* (*pl* media [ˈmi:diə] *vai* mediums [ˈmi:diəmz]) **1.** līdzeklis; **2.** vidus; **3.** vide; **II** *a* vidējs
meet [mi:t] *v* (*p. un p. p.* met [met]) **1.** satikt, sastapt; **2.** satikties; sastapties; **3.** iepazīties; **4.** saskarties
meeting [ˈmi:tiŋ] *n* **1.** satikšanās; sastapšanās; **2.** mītiņš; sapulce
mellow [ˈmeləʊ] *a* **1.** ienācies (*par augli*); **2.** sulīgs (*par krāsu*); **3.** lekns (*par augsni*); **4.** labsirdīgs (*par raksturu*)
melody [ˈmelədi] *n* melodija
melon [ˈmelən] *n* melone; water m. – arbūzs
melt [melt] *v* **1.** kust; **2.** kausēt
member [ˈmembə] *n* loceklis; biedrs
membership [ˈmembəʃip] *n* **1.** piederība (*kādai organizācijai*); **2.** biedru skaits
memorable [ˈmemərəbl] *a* neaizmirstams
memorial [miˈmɔ:riəl] **I** *n* memoriāls, piemineklis; **II** *a* memoriāls, piemiņas-
memorize [ˈmeməraiz] *v* iegaumēt
memory [ˈheməri] *n* **1.** atmiņa; to keep in m. – paturēt atmiņā; **2.** piemiņa; in m. (*of*) – par piemiņu; **3.** *~ies pl* atmiņas
menace [ˈmenəs] **I** *n* draudi; **II** *v* draudēt
mend [mend] *v* **1.** [sa]labot; **2.** [sa]lāpīt; **3.** uzlaboties (*par veselību, laiku*)
mental [ˈmentl] *a* **1.** gara-; prāta-; garīgs; **2.** psihisks
mention [ˈmenʃən] **I** *n* pieminēšana; **II** *v* pieminēt; don't m. it! – 1) lūdzu!

(*nav vērts pateikties*); 2) nekas! (*kā atbilde uz atvainošanos*)

menu ['menju:] *n* **1.** ēdienkarte; **2.** *dat.* izvēlne; m. bar – izvēlņu josla; m. item – izvēlnes elements

merchant ['mɜ:tʃənt] **I** *n* tirgotājs; **II** *v* tirdzniecības-

merciful ['mɜ:sifəl] *a* žēlsirdīgs; žēlīgs; līdzjūtīgs

merciless ['mɜ:silis] *a* nežēlīgs; nesaudzīgs

mercury ['mɜ:kjʊri] *n* **1.** dzīvsudrabs; **2.** (M.) *astr.* Merkurs

mercy ['mɜ:si] *n* žēlsirdība; žēlastība

mere [miə] *a* tīrs; pilnīgs

merely ['miəli] *adv* tikai, vienīgi

merge *n dat.* [mə:dʒ] sapludināšana

meridian [mə'ridiən] *n* meridiāns

merit ['merit] **I** *n* nopelns; **II** *v* izpelnīties

merry ['meri] *a* jautrs; priecīgs

merry-go-round ['merigəʊ,raʊnd] *n* karuselis

mesh-work ['məʃwɔ:k] *n* tīkls

mess [mes] *n* **1.** nekārtība; juceklis; **2.** nepatikšanas; ķeza; to get in a m. – iekļūt nepatikšanās

message ['mesidʒ] *n* **1.** ziņa; ziņojums; m. box *dat.* – ziņojumlodziņš; m. handling *dat.* – ziņojumu apdare; m. trailer *dat.* – ziņojuma noslēgums; **2.** uzdevums; misija; **3.** (*valdības*) vēstījums; **4.** (*grāmatas*) galvenā doma

messenger ['mesəndʒə] *n* ziņnesis; kurjers

met *p. un p. p. no* **meet**

metal ['metl] **I** *n* **1.** metāls; road m. – akmens šķembas; **2.** ~s *pl* – sliedes; **II** *a* metālisks

metallurgy ['metəlɜ:dʒi] *n* metalurģija

metcast ['metkɑ:st] *n* laika prognoze

mete [mi:t] *n* robeža

meter ['mi:tə] *n* (*elektrības, gāzes, autostāvvietas*) skaitītājs

method ['meθəd] *n* metode; paņēmiens

methodical [mi'θɒdikəl] *a* **1.** metodisks; **2.** sistemātisks

metre ['mi:tə] *n* **1.** metrs; **2.** pantmērs

mew[a] [mju:] *n* kaija

mew[b] [mju:] *v* ņaudēt

microphone ['maikrəfəʊn] *n* mikrofons

microscope ['maikrəskəʊp] *n* mikroskops

microspacing ['maikrəspəisiŋ] *n dat.* mikrostarpināšana

midday [,mid'dei] *n* pusdiena, dienas vidus

middle ['midl] **I** *n* vidus; **II** *a* vidus-; vidējais

middle-aged [,midl'eidʒd] *a* pusmūža-

midge [midʒ] *n* knislis; ods

midget ['midʒit] *n* **1.** punduris; liliputs; **2.**: m. car – mazlitrāžas automobilis

midnight ['midnait] *n* pusnakts

might[a] *p no* **may**

might[b] [mait] *n* spēks

mighty ['maiti] **I** *a* spēcīgs; varens; **II** *adv sar.* ļoti

M

migraine ['mi:grein] *n* migrēna
migrant ['maigrənt] *n* **1.** migrants; **2.** gājputns
migration ['maigrəiʃn] *n dat.* migrācija; m. path – migrācijas ceļš
mild [maild] *a* **1.** maigs; liegs; rāms; **2.** viegls (*par barību, dzērienu*)
mile [mail] *n* jūdze
military ['militəri] *a* kara-; militārs
milk [milk] **I** *n* piens; **II** *v* **1.** slaukt; **2.** dot pienu
milkmaid ['milkmeid] *n* slaucēja
milk-tooth ['milktu:θ] *n* piena zobs
mill [mil] *n* **1.** dzirnavas; **2.** (*kafijas*) dzirnaviņas; **3.** *tehn.* frēze
millepede ['milipi:d] *n* simtkājis
miller ['milə] *n* dzirnavnieks
millionaire [,miljə'neə] *n* miljonārs
millstone ['milstəʊn] *n* dzirnakmens
mince [mins] **I** *n* kapāta gaļa; **II** *v* kapāt (*gaļu*)
mincer ['minsə] *n* gaļasmašīna
mind [maind] **I** *n* **1.** atmiņa; prāts; **2.** domas; uzskats; to my m. – manuprāt; **II** *v* **1.** paturēt prātā; iegaumēt; **2.** rūpēties; pieskatīt; **3.** iebilst
mine[a] [main] *pron* mans
mine[b] **I** *n* **1.** raktuve; šahta; **2.** mīna; **II** *v* **1.** iegūt (*ogles, rūdu u. tml.*); **2.** mīnēt
miner ['mainə] *n* kalnracis; ogļracis
mineral ['minərəl] **I** *n* minerāls; **II** *a* minerāl-
minibus ['minibʌs] *n* mikroautobuss
miniskirt ['minisk3:t] *n* minisvārki
minister ['ministə] **I** *n* **1.** ministrs; **2.** vēstnieks; **3.** mācītājs; **II** *v* **1.** (*to*) palīdzēt; **2.** noturēt dievkalpojumu
ministry ['ministri] *n* **1.** ministrija; **2.** garīdzniecība
mink [mink] *n* **1.** ūdele; **2.** ūdeļāda
minor ['mainə] **I** *n* nepilngadīgais; **II** *a* **1.** nenozīmīgāks; **2.** *mūz.* minora-; **3.** jaunākais; m. key *dat.* – jaunākā atslēga
minority [mai'nɒriti] *n* **1.** nepilngadība-; **2.** mazākums
mint [mint] *n* piparmētra
minus ['mainəs] **I** *n* **1.** mīnuss, mīnusa zīme; **2.** trūkums; **II** *prep* mīnus
minute[a] ['minit] *n* **1.** minūte; **2.**: ~s *pl* – protokols
minute[b] [mai'nju:t] *a* **1.** ļoti sīks; **2.** detalizēts
minute-book ['minitbʊk] *n* protokolu grāmata
minute-hand ['minithænd] *n* minūšu rādītājs
miracle ['mirəkl] *n* brīnums
miragle ['mirɑ:ʒ] *n* mirāža
mire ['maiə] *n* **1.** muklājs, **2.** dubļi
mirror ['mirə] **I** *n* spogulis; m. server *dat.* – spoguļserveris; m. site *dat.* – spoguļvietne; **II** *v* atspoguļot
misadventure [,misəd'ventʃə] *n* nelaimes gadījums
misapply [,misə'plai] *v* nepareizi lietot
misbelief [,misbi'li:f] *n* **1.** maldīgs uzskats; **2.** ķecerība

miscellaneous [ˌmisəˈleiniəs] *a* **1.** dažāds; jaukts; **2.** daudzpusīgs

mischief [ˈmistʃif] *n* **1.** ļaunums; postījums; **2.** nerātnība; palaidnība

mischievous [ˈmistʃivəs] *a* **1.** ļauns; kaitīgs; **2.** nerātns; palaidnīgs

miser [ˈmaizə] *n* skopulis

miserable [ˈmizərəbl] *a* nožēlojams; nelaimīgs

misery [ˈmizəri] *n* nelaime; posts

misfortune [misˈfɔːtʃən] *n* nelaime

mislead [misˈliːd] *v* (*p. un p. p.* misled [misˈled]) maldināt

misled *p. un p. p. no* **mislead**

misname [misˈneim] *v* nepareizi nodēvēt

misprint [ˈmisprint] *n* iespiedkļūda

miss[a] [mis] *n* mis, jaunkundze

miss[b] [mis] **I** *n* neveiksme; kļūme; **II** *v* **1.** netrāpīt; **2.** palaist garām; **3.** skumt (*pēc kāda*)

missing [ˈmisiŋ] *a* **1.** klātneesošs; **2.** [bez vēsts] pazudis

mission [ˈmiʃən] *n* **1.** misija; **2.** uzdevums

missis [ˈmisiz] *n* misis, kundze

misspell [ˌmisˈspel] *v* (*p. un p. p.* misspelt [ˌmisˈspelt]) kļūdaini rakstīt

misspelt *p. un p. p. no* **misspell**

mist [mist] *n* **1.** migla; dūmaka; **2.** viskijs; degvīns

mistake [miˈsteik] **I** *n* kļūda; pārpratums; **II** *v* (*p.* mistook [miˈstuk]; *p. p.* mistaken [miˈsteikən]) **1.** kļūdīties; pārprast; **2.** (*for*) noturēt (*par kādu citu*)

mistaken *p. p. no* **mistake II**

mister [ˈmistə] *n* misters, kungs

mistook *p. no* **mistake II**

mistress [ˈmistrəs] *n* **1.** namamāte; **2.** [ˈmisiz] misis, kundze; **3.** skolotāja; **4.** mīļākā

mistrust [misˈtrʌst] **I** *n* neuzticība; aizdomas; **II** *v* neuzticēties

misty [ˈmisti] *a* miglains; dūmakains

misunderstand [ˌmisʌndəˈstænd] *v* (*p un p. p.* misunderstood [ˌmisʌndəˈstʊd]) pārprast

misunderstood *p. un p. p. no* **misunderstand**

mitten [ˈmitn] *n* dūrainis

mix [miks] **I** *n* maisījums; **II** *v* **1.** sajaukt; samaisīt; **2.** (*with*) saieties; to m. **up** – sajaukt (*piem., jēdzienus*)

mixed [mikst] *a* jaukts

mixer [ˈmiksə] *n* mikseris

mixture [ˈmikstʃə] *n* **1.** maisījums; **2.** mikstūra (*zāles*)

moan [məʊn] **I** *n* **1.** vaids; **2.** kurnēšana; **II** *v* vaidēt

mob [mɒb] *n* pūlis

mobile [ˈməʊbail] *a* **1.** mobils, kustīgs; **2.** pārvietojams

mock[a] [mɒk] *v* izsmiet; ņirgāties

mock[b] [mɒk] *a* fiktīvs; viltus-

mockery [ˈmɒkəri] *n* izsmiekls; ņirgāšanās

mode [məʊd] *n* **1.** veids; paņēmiens; **2.** *mūz.* tonalitāte; **3.** *dat.* režīms

model [ˈmɒdl] *n* **1.** modelis; **2.** paraugs; **3.** manekene

modem [mɒdəm] *n dat.* modems; m.

M

bank – modemu banka; m. eliminator – modema eliminators
moderate ['mɒdərət] *a* **1.** mērens; **2.** viduvējs
moderator ['mɒdəreitə] *n* starpnieks
modern ['mɒdn] *a* moderns
modest ['mɒdist] *a* vienkāršs; pieticīgs
moiety ['mɔiəti] *n jur.* puse; daļa
moist [mɔist] *a* mitrs; valgs; m. colours – akvareļkrāsas
moisten ['mɔisn] *v* samitrināt
moisture ['mɔistʃə] *n* mitrums; valgums
mole[a] [məʊl] *n* dzimumzīme
mole[b] [məʊl] *n* kurmis
molest [mə'lest] *v* uzmākties
moment ['məʊmənt] *n* moments, acumirklis
monarchy ['mɒnəki] *n* monarhija
monastery ['mɒnəstri] *n* klosteris
Monday ['mʌndi] *n* pirmdiena
monetary ['mʌnitəri] *a* naudas-; valūtas-
money ['mʌni] *n* nauda; ready m. – skaidra nauda
moneyed ['mʌnid] *a* naudīgs
moneyorder ['mʌni,ɔ:də] *n* naudas pārvedums
mongoose ['mɒŋgu:s] *n zool.* mangusts
mongrel ['mʌŋgrəl] *n* sētas suns, krancis
monk [mʌŋk] *n* mūks
monkey ['mʌŋki] *n* pērtiķis
monolingual [,mɒnəʊ'liŋgwəl] *a* vienvalodas-
monopoly [mə'nɒpəli] *n* monopols
monotonous [mə'nɔtnəs] *a* monotons, vienmuļš
monsoon [mɒn'su:n] *n* musons
monster ['mɒnstə] *n* briesmonis; nezvērs
month [mʌnθ] *n* mēnesis
monthly ['mʌnθli] **I** *n* mēnešraksts; **II** *a* ikmēneša-; **III** *adv* ik mēnesi
monument ['mɒnjʊmənt] *n* piemineklis
mood[a] [mu:d] *n* garastāvoklis, noskaņojums
mood[b] [mu:d] *n gram.* izteiksme
moon [mu:n] *n* mēness; ◇ to cry for the m. – ilgoties pēc neiespējamā; once in a blue m. – kad pūcei aste ziedēs
moonbeam ['mu:nbi:m] *n* mēnesstars
moonlight ['mu:nlait] *n* mēnessgaisma
moral ['mɒrəl] **I** *n* **1.** morāle; **2.**: ~s *pl* – tikumi; **II** *a* **1.** morāls; ētisks; **2.** tikumisks
more [mɔ:] **I** *a* (*comp no* **much, many**) vairāk; **II** *adv* **1.** (*comp no* **much**) vairāk; m. and m. – aizvien vairāk; **2.** vēl; once m. – vēlreiz; **3.** (*lieto, veidojot īpašības un apstākļa vārdu pārāko pakāpi*): m. beautiful – skaistāks
moreover [mɔ:rəʊvə] *adv* bez tam, turklāt
morgue [mɔ:g] *n* morgs
morning ['mɔ:niŋ] *n* rīts; good m.! – labrīt!

morose [mə'rəʊs] *a* drūms; īgns
morphia, morphine ['mɔ:fjə, 'mɔ:fi:n] *n* morfijs
morsel ['mɔ:sl] *n* **1.** kumoss; **2.** druscina
mortal ['mɔ:tl] *a* mirstīgs
mortality [mɔ:'tæliti] *n* mirstība
mortgage ['mɔ:gidʒ] **I** *n jur.* hipotēka; ķīlu zīme; **II** *v* **1.** ieķīlāt; **2.** galvot
mosquito [məs'ki:təʊ] *n* moskīts
moss [mɒs] *n* sūna
most [məʊst] **I** *n* lielākā daļa; vairākums; **II** *a* (*sup no* **much**, **many**) vislielākais; **III** *adv* (*sup no* **much**) visvairāk
mostly ['məʊstli] *adv* galvenokārt
mote [məʊt] *n* puteklis
motel [məʊ'tel] *n* motelis
moth [mɒθ] *n* kode
mother ['mʌðə] *n* māte; ~'s mark – dzimumzīme
mother-in-law ['mʌθərinlɔ:] *n* **1.** vīramāte, **2.** sievasmāte
motif [məʊ'ti:f] *n* vadmotīvs
motion ['məʊʃən] *n* **1.** kustība; to set in m. – 1) iekustināt; 2) iedarbināt; **2.** (*automobiļa*) gaita; **3.** ierosinājums; priekšlikums (*sanāksmē*)
motionless ['məʊʃənləs] *a* nekustīgs
motivate ['məʊtiveit] *v* **1.** rosināt; **2.** motivēt
motive ['məʊtiv] *n* motīvs, iemesls
motley ['mɒtli] *a* raibs
motor ['məʊtə] *n* dzinējs; motors
motorboat ['məʊtəbəʊt] *n* motorlaiva
motorcar ['məʊtəkɑ:] *n* vieglais automobilis
motoring ['məʊtəriŋ] *n* **1.** autosports; **2.** autotūrisms
motorship ['məʊtəʃip] *n* motorkuģis
motorway ['məʊtəwei] *n* autostrāde
mouldy ['məʊldi] *a* **1.** sapelējis; **2.** novecojis
mound [maʊnd] *n* **1.** paugurs; **2.** kapukalns
mount [maʊnt] *v* **1.** kāpt (*kalnā, zirgā*); **2.** celties (*par cenām*)
mountain ['maʊntin] *n* kalns
mountain-ash [ˌmaʊntin'æʃ] *n* pīlādzis
mountaineer [ˌmaʊnti'niə] *n* **1.** kalnietis; **2.** alpīnists
mountaineering [ˌmaʊnti'niəriŋ] *n* alpīnisms
mourn [mɔ:n] *v* sērot; apraudāt
mournful ['mɔ:nfəl] *a* sērīgs; skumjš
mourning ['mɔ:niŋ] *n* sēras
mouse [maʊs] *n* (*pl* mice [mais]) pele
mousetrap ['maʊstræp] *n* peļu slazds
moustache [mə'stɑ:ʃ] *n* ūsas
mouth [maʊθ] *n* **1.** mute; **2.** (*upes*) grīva; **3.** atvere
mouthful ['maʊθfʊl] *n* kumoss; malks
move [mu:v] **I** *n* **1.** kustība; **2.** pārvākšanās (*uz citu dzīvesvietu*); **3.** gājiens (*spēlē*); **II** *v* **1.** kustināt; **2.** kustēties; **3.** pārvākties (*uz citu dzīvokli*); **4.** aizkustināt; **5.** ierosināt; iesniegt (*priekšlikumu*); **6.** izdarīt gājienu (*spēlē*)

M

moveless [ˈmu:vləs] *a* nekustība
movement [ˈmu:vmənt] *n* **1.** kustība; **2.** žests; **3.** *mūz.* temps
movie [ˈmu:vi] *n sar.* **1.** kinofilma; **2.**: the ~ s *pl* – kino
moving [ˈmu:viŋ] *a* **1.** kustīgs; **2.** aizkustinošs
mow [məʊ] **I** *n* (*siena, labības*) kaudze, stirpa; **II** *v* (*p.* mowed [məʊd]; *p. p.* mown [məʊn]) pļaut
mower [ˈməʊə] *n* **1.** pļāvējs; **2.** pļaujmašīna
mown *p. p. no* **mow**
much [mʌtʃ] (*comp* more [mɔ:]; *sup* most [məʊst]) **I** *a* daudz; **II** *adv* **1.** ļoti; **2.** daudz
muck [mʌk] *n* mēslojums
M
mud [mʌd] *n* dubļi
muffin [ˈmʌfin] *n* smalkmaizīte
muffler [ˈmʌflə] *n* (*silta*) šalle
mug [mʌg] *n* kauss; krūze
mulct [mʌlkt] **I** *n* naudas sods; **II** *v* sodīt ar naudas sodu
mule [mju:l] *n* mūlis
multiplication [ˌmʌltipliˈkeiʃən] *n mat.* reizināšana
multiply [ˈmʌltiplai] *v* **1.** palielināt; pavairot; **2.** *mat.* reizināt
multistage [ˈmʌltisteidʒ] *a* **1.** daudzpakāpju-, **2.** daudzstāvu-
multitude [ˈmʌltitju:d] *n* **1.** liels daudzums; **2.** pūlis; the m. – masas
mumble [ˈmʌmbl] *v* murmināt
mummy[a] [ˈmʌmi] *n* mūmija
mummy[b] [ˈmʌmi] *n* māmiņa
mumps [mʌmps] *n med.* cūciņa
municipal [mju:ˈnisipəl] *a* municipāls; pilsētas-
munitions [mju:ˈniʃənz] *n pl* munīcija
murder [ˈmɜ:də] **I** *n* slepkavība; **II** *v* noslepkavot
murderer [ˈmɜ:dərə] *n* slepkava
murmur [ˈmɜ:mə] **I** *n* **1.** murmināšana; **2.** čabēšana; **3.** čalošana; **II** *v* **1.** murmināt; **2.** čabēt; **3.** čalot
muscle [ˈmʌsl] *n* muskulis
museum [mju:ˈziəm] *n* muzejs
mushroom [ˈmʌʃru:m] **I** *n* sēne; **II** *v* sēņot
music [ˈmju:zik] *n* **1.** mūzika; **2.** notis
musical [ˈmju:zikəl] **I** *n* mūzikls; **II** *a* muzikāls
music-hall [ˈmju:zikhɔ:l] *n* **1.** koncertzāle; **2.** varietē
musician [mju:ˈziʃən] *n* mūziķis
mussel [mʌsl] *n* gliemene
must [mʌst] *mod v* **1.** (*izsaka nepieciešamību*); I m. go – man jāiet; **2.** (*izsaka iespēju, varbūtību*); it m. be late now – tagad droši vien ir vēls
mustard [ˈmʌstəd] *n* sinepes
musty [ˈmʌsti] *a* appelējis
mute [mju:t] *a* **1.** mēms; **2.** kluss; nerunīgs
mutilate [ˈmju:tileit] *v* sakropļot
mutter [ˈmʌtə] *v* murmināt
mutton [ˈmʌtn] *n* aitas (jēra) gaļa
mutual [ˈmju:tʃʊəl] *a* **1.** savstarpējs; **2.** kopējs
muzzle [ˈmʌzl] *n* **1.** purns; **2.** uzpurnis

my [mai] *pron* mans; mana
myopia [mai'əʊpiə] *n* tuvredzība
myrtle ['mɜ:tl] *n* mirte
myself [mai'self] *pron* **1.** sev; sevi; **2.** pats
mysterious [mi'stiəriəs] *a* noslēpumains
mystery ['mistəri] *n* noslēpums
myth [miθ] *n* mīts
mythology [mi'θɒlədʒi] *n* mitoloģija

N

nab [næb] *v sl* sagrābt
nacre [ˌneikə] *n* perlamutrs
nag [næg] *n* ponijs
nail [neil] **I** *n* **1.** nags; **2.** nagla; **II** *v* pienaglot
nail-file ['neilfail] *n* nagu vīle
nailvarnish ['neilˌvɑ:niʃ] *n* nagu laka
naked ['neikid] *a* kails; neaizsargāts
name [neim] **I** *n* **1.** vārds; uzvārds; **2.** nosaukums; **II** *v* nosaukt
name-day ['neimdei] *n* vārdadiena
namely ['neimli] *adv* proti
nanny ['næni] *n* aukle
nanny-goat ['nænigəʊt] *n* kaza
nap [næp] **I** *n* snaudiens; **II** *v* snaust
nape [neip] *n* pakausis
napkin ['næpkin] *n* **1.** salvete; **2.** autiņš
nappy ['næpi] *n sar.* autiņš
narrate [nə'reit] *v* stāstīt
narrative ['nærətiv] *n* stāsts, stāstījums
narrow ['nærəʊ] *a* **1.** šaurs; **2.** ierobežots
narrow-minded [ˌnærəʊ'maindid] *a* aprobežots; aizspriedumains
nasturtium [nə'stə:ʃəm] *n* krese
nasty ['nɑ:sti] *a* **1.** nejauks; nepatīkams; **2.** neķītrs; piedauzīgs; **3.** ļauns; nekrietns
nation ['neiʃən] *n* nācija; tauta
national ['næʃənəl] *a* nacionāls; tautas-; valsts-;
nationality [ˌnæʃə'næliti] *n* **1.** nacionalitāte, tautība; **2.** pavalstniecība
nationalize ['næʃnəlaiz] *v* nacionalizēt
native ['neitiv] **I** *n* vietējais iedzīvotājs; iezemietis; **II** *a* **1.** dzimtais; n. land – dzimtene; n. tongue – dzimtā valoda; **2.** vietējs
natural ['nætʃrəl] **I** *n mūz.* bekars; **II** *a* **1.** dabas-; **2.** dabisks
naturalize ['nætʃrəlaiz] *v* **1.** dot pavalstniecību; **2.** aklimatizēt (*augu, dzīvnieku*); **3.** ieviest (*paražu*)
naturally ['nætʃrəli] *adv* **1.** dabiski; brīvi; **2.** protams
nature ['neitʃə] *n* **1.** daba; **2.** raksturs; daba
naughty ['nɔ:ti] *a* nerātns
nausea ['nɔ:siə] *n* nelabums; pretīgums
naval ['neivəl] *a* jūras-; flotes-
navel ['neivəl] *n anat.* naba
navigable ['nævigəbl] *a* kuģojams

N

navigation [ˌnævi'geiʃən] *n* navigācija, kuģošana
navy ['neivi] *n* jūras karaflote; ◇ n. blue – tumšzila krāsa
near [niə] **I** *a* tuvs; **II** *adv* tuvu; **III** *v* tuvoties; **IV** *prep* pie
nearby [niə'bai] *a* tuvējs; kaimiņu-
nearly ['niəli] *adv* **1.** gandrīz; **2.** tuvu; ◇ not n. – nepavisam ne
nearness ['niənis] *n* tuvums
nearsighted [ˌniə'saitid] *a* tuvredzīgs
neat [ni:t] *a* **1.** tīrīgs; kārtīgs; **2.** gaumīgs; **3.** neatšķaidīts, tīrs (*par dzērienu*)
necessary ['nesəsəri] *a* nepieciešams; vajadzīgs
necessity [ni'sesəti] *n* nepieciešamība; vajadzība
neck [nek] *n* **1.** kakls; **2.** apkakle
necklace ['neklis] *n* kaklarota
necktie ['nektai] *n* kaklasaite
need [ni:d] **I** *n* **1.** vajadzība; to be in n. – just vajadzību; **2.:** ~s *pl* – vajadzība; prasības; **3.** trūkums; nabadzība; **II** *v* **1.** just vajadzību; **2.** (*kā mod. v izsaka vajadzību, nepieciešamību*): you n. not trouble – jums nav ko uztraukties
needle ['ni:dl] *n* **1.** adata; **2.** adāmadata; **3.** skuja; **4.** (*kalna*) virsotne
needlework ['ni:dlwɜ:k] *n* rokdarbs; izšuvums
negative ['negətiv] **I** *n* **1.** noraidoša atbilde; **2.** (*foto*) negatīvs; **II** *a* noraidošs
neglect [ni'glekt] **I** *n* nevērība; **II** *v* izturēties nevērīgi
neglige, negligee ['neglidʒei] *n* rītakleita
negligence ['neglidʒəns] *n* nolaidība; nevīžība
negotiate [ni'gəʊʃieit] *v* vest sarunas
negotiation [niˌgəʊʃi'eiʃən] *n* **1.** sarunas; **2.** *dat.* pārrunas
negus ['ni:gəs] *n* karstvīns
neigh [nei] *v* zviegt
neighbour ['neibə] *n* kaimiņš; kaimiņiene
neighbourhood ['neibəhʊd] *n* apkaime
neighbouring ['neibəriŋ] *a* kaimiņu-; tuvējs
neither ['naiðə] **I** *pron* ne viens, ne otrs; neviens; **II** *adv* arī ne; **III** *conj*: n. ... nor ... – ne ..., ne ...
nephew ['nevju:] *n* brāļadēls; māsasdēls
nerve [nɜ:v] *n* **1.** nervs; **2.** nekaunība; **3.** enerģija; **4.** savaldība
nervous ['nɜ:vəs] *a* **1.** nervu-; **2.** nervozs
nest [nest] **I** *n* ligzda; perēklis; **II** *v* ligzdot
net[a] [net] *n* **1.** tīkls; **2.** tīmeklis
net[b] [net] *a* neto
nettle ['net] *n* nātre; nātres
network ['netwɜ:k] *n* **1.** tīklojums; **2.** (*dzelzceļu, kanālu*) tīkls; n. computer *dat.* – tīkla datori; n. congestion *dat.* – tīkla pārblīve
networking ['netwɜ:kiŋ] *n dat.* tīk-

lošana; n. chip *dat.* – tīklošanas mikroshēma; n. management *dat.* – tīkla pārvaldība; n. meltdown *dat.* – tīkla izkusums

neutral [ˈnju:trəl] *a* neitrāls

neutrality [nju:ˈtræliti] *n* neitralitāte

neutron [ˈnju:trɒn] *n fiz.* neitrons

never [ˈnevə] *adv* **1.** nekad; one n. knows – nekad nevar zināt; **2.** *sar.* taču ne

nevermore [ˌnevəˈmɔ:] *adv* nekad vairs

nevertheless [ˌnevəðəˈles] *adv* tomēr

new [nju:] *a* **1.** jauns; **2.** moderns; mūsdienu-; **3.** nepazīstams

new-born [ˈnju:bɔ:n] *a* jaunpiedzimis

newcomer [ˈnju:kʌmə] *n* jaunatnācējs

new-fashioned [ˌnju:fæʃnd] *n* moderns

Newfoundland [ˈnju:faʊndlend] *n* ņūfaundlendietis

newly [ˈnju:li] *adv* **1.** nesen; **2.** par jaunu, no jauna

newly-wed [ˈnju:liwed] *n* jaunlaulātie

news [nju:z] *n pl* (*lieto kā sing*) ziņas; jaunumi; n. agency – telegrāfa aģentūra

newsagent [ˈnju:zˌeidʒənt] *n* laikrakstu pārdevējs

newsman [ˈnju:zmən] *n amer.* korespondents; reportieris

newspaper [ˈnju:sˌpeipə] *n* laikraksts; avīze

newsstand [ˈnju:zstænd] *n* laikrakstu kiosks

next [nekst] **I** *n* nākamais; **II** *a* **1.** nākamais; n. time – nākamreiz; **2.** tuvākais; kaimiņu-; **III** *adv* **1.** pēc tam; what n.? – kas tālāk?; **2.** nākamreiz; **IV** *prep* (*to*) pie; blakus

nexus [ˈneksəs] *n* sakars

nibble [ˈnibl] *n dat.* pusbaits

nice [nais] *a* **1.** jauks; patīkams; **2.** laipns; **3.** smalks; ass

nicely [ˈnaisli] *adv* **1.** jauki; **2.** *sar.* lieliski

nickel [ˈnikl] *n* **1.** niķelis; **2.** *amer.* piecu centu monēta

nickname [ˈnikneim] *n* iesauka, palama

niece [ni:s] *n* **1.** brāļameita; **2.** māsasmeita

night [nait] *n* nakts; vakars; at n. – vakarā; in the n. – naktī

night-bird [ˈnaitbɜ:d] *n* naktsputns

nightdress [ˈnaitdres] *n* (*sieviešu*) naktskrekls

nightfall [ˈnaitfɔ:l] *n* krēsla; nakts iestāšanās

nightingale [ˈnaitiŋgeil] *n* lakstīgala

night-light [ˈnaitlait] *n* naktslampa

nightmare [ˈnaitmeə] *n* murgi

nightschool [ˈnaitsku:l] *n* vakarskola

night-spot [ˈnaitspɒt] *n sar.* naktsklubs

night-suit [ˈnaitsu:t] *n* pidžama

nil [nil] *n* nulle; nekas

nip [nip] *v* iekniebt

nipping [ˈnipiŋ] *a* ass; griezīgs (*par vēju*)

nipple [ˈnipl] *n* **1.** krūtsgals; **2.** knupis

nitrogen [ˈnaitrədʒən] *n ķīm.* slāpeklis

no [nəʊ] **I** *a* nekāds; **II** *adv* ne (*ar pārāko pakāpi*); no more – vairs

N

ne; no longer – ilgāk ne; **III** *partic* nē

noble [ˈnəʊbl] *a* dižciltīgs

noble-minded [nəʊblˈmaindid] *a* augstsirdīgs

nobody [ˈnəʊbədi] *pron* neviens

nod [nɒd] **I** *n* galvas mājiens; **II** *v* **1.** pamāt ar galvu; **2.** snaust

node *n dat.* mezgls

noise [nɔiz] *n* troksnis; n. immunity *dat.* – trokšņnoturība

noiseless [ˈnɔizlis] *a* kluss; nedzirdams

noisy [ˈnɔizi] *a* trokšņains

nominate [ˈnɒmineit] *v* **1.** izvirzīt (*kandidātu*); **2.** iecelt (*amatā*)

nomination [ˌnɒmiˈneiʃən] *n* **1.** (*kandidāta*) izvirzīšana; **2.** iecelšana (*amatā*)

N

nonaddictive [ˌnɒnəˈdiktiv] *a* pieradumu neizraisošs

non-alcoholic [ˌnɒnælkəˈhɒlik] *a* bezalkoholisks

none [nʌn] **I** *pron* neviens; nekāds; nekas; n. but – neviens, izņemot; **II** *adv* nemaz; nepavisam

non-fiction [ˌnɒnˈfikʃn] *n* dokumentālā literatūra, publicistika

noninterference [ˌnɒnˌintəˈfiərəns] *n pol.* neiejaukšanās

non-resident [ˌnɒnˈrezident] **I** *n* iebraucējs; **II** *a* iebraucēju-

nonsense [ˈnɒnsəns] *n* muļķības; nieki

non-smoker [ˌnɒnˈsməʊkə] *n* **1.** nesmēķētājs; **2.** nesmēķētāju vagons

non-stop [ˌnɒnˈstɒp] **I** *a* **1.** bezpieturu- (*brauciens*); **2.** beznosēšanās- (*lidojums*); **II** *adv* nepārtraukti; bez apstājas

noodle [nu:dl] *n* (*parasti pl*) nūdeles

noon [nu:n] *n* dienas vidus

nor [nɔ:] *conj*: neither ... n. ... – ne ... ne ...

normal [ˈnɔ:məl] *a* normāls; parasts

north [nɔ:θ] **I** *n* ziemeļi; **II** *a* ziemeļu-; **III** *adv* uz ziemeļiem

northern [ˈnɔ:ðən] *n* ziemeļu-; n. lights – ziemeļblāzma

nose [nəʊz] *n* **1.** deguns; **2.** (*dzīvnieka*) purns; (*putna*) knābis

nosegay [ˈnəʊzgei] *n* ziedu pušķis

nostril [ˈnɒstrəl] *n* nāss

not [nɒt] *adv* ne; so as n. to – lai ne-; *sl.* not half – ārkārtīgi

notably [ˈnəʊtəbli] *adv* sevišķi

note [nəʊt] **I** *n* **1.** piezīme; **2.** (*īsa*) vēstule; zīmīte; **3.** *pol.* nota; **4.** *mūz.* nots; **II** *v* **1.** pierakstīt; atzīmēt; **2.** ievērot; pamanīt

notebook [ˈnəʊtbʊk] *n* piezīmju grāmatiņa

notecase [ˈnəʊtkeis] *n* kabatportfelis

noted [ˈnəʊtid] *a* ievērojams; slavens

nothing [ˈnʌθiŋ] **I** *n* **1.** nekas; **2.** *pl* nieki; **II** *adv* nemaz; **III** *pron* nekas; for n. – 1) par velti; 2) bez iemesla; 3) veltīgi

notice [ˈnəʊtis] **I** *n* **1.** paziņojums; brīdinājums; **2.** uzmanība; **II** *v* ievērot

notify [ˈnəʊtifai] *v* paziņot

notion [ˈneʊʃən] *n* **1.** priekšstats; **2.** uzskats; **3.** tieksme
notorious [nəʊˈtɔ:riəs] *a* plaši pazīstams (*sliktā nozīmē*)
notwithstanding [ˌnɒtwiθˈstændiŋ] **I** *adv* tomēr; **II** *prep* par spīti
nought [nɔ:t] *n* **1.** nekas; **2.** *mat.* nulle
noun [naʊn] *n* *gram.* lietvārds
nourish [ˈnʌriʃ] *v* **1.** barot; **2.** lolot
nourishing [ˈnʌriʃiŋ] *a* barojošs
nourishment [ˈnʌriʃmənt] *n* barība
novel[a] [ˈnɒvəl] *n* romāns
novel[b] [ˈnɒvəl] *a* jauns; nebijis
novelty [ˈnɒvəlti] *n* **1.** jaunums; **2.** jauninājums
November [nəʊˈvembə] *n* novembris
now [naʊ] **I** *n* pašreizējais brīdis; **II** *adv* tagad, pašlaik; **III** *conj* tagad kad
nowadays [ˈnaʊədeiz] *adv* mūsdienās
nowhere [ˈnəʊweə] *adv* nekur
nozzle [ˈnɒzl] *n* snīpis (*traukam*)
nuclear [ˈnju:kliə] *a* kodol-
nucleus [ˈnju:kliəs] *n* (*pl* nuclei [ˈnju:kliai]) kodols
nude [nju:d] **I** *n* pliknis, akts; **II** *a* **1.** kails, **2.** miesas krāsas-
nugget [ˈnʌgit] *n* (*zelta*) tīrradnis
nuisance [ˈnju:sns] *n* **1.** traucējums; neērtība; **2.** uzmācīgs cilvēks
nuke [nju:k] *n* atombumba
nullify [ˈnʌlifai] *v* *jur.* anulēt
numb [nʌm] *a* sastindzis; nejutīgs
number [ˈnʌmbə] **I** *n* **1.** skaits; daudzums; **2.** numurs; **3.** *mat.* skaitlis; **II** *v* **1.** skaitīt; **2.** numurēt
numeral [ˈnju:mərəl] *n* **1.** cipars; **2.** *gram.* skaitļa vārds
numerous [ˈnju:mərəs] *a* liels (*skaita ziņā*)
nun [nʌn] *n* mūķene
nunnery [ˈnʌneri] *n* sieviešu klosteris
nurse [nз:s] **I** *n* **1.** aukle; **2.** zīdītāja; **3.** slimnieku kopēja; medmāsa; **II** *v* **1.** auklēt; **2.** kopt (*slimnieku*)
nurs[e]ling [ˈnз:sliŋ] *n* zīdainis
nursemaid [ˈnз:smeid] *n* aukle
nursery [ˈnз:səri] *n* **1.** bērnistaba; **2.** mazbērnu novietne
nut [nʌt] *n* rieksts
nutmeg [ˈnʌtmeg] *n* muskatrieksts
nutrition [nju:ˈtriʃn] *n* **1.** barošana; **2.** barība
nutshell [ˈnʌtʃel] *n* rieksta čaumala
nylon [ˈnailɒn] *n* **1.** neilons; **2.**: ~s *pl* – neilona zeķes

O

oafish [ˈəʊfiʃ] *a* padumjš; neveikls
oak [əʊk] *n* **1.** ozols; **2.** ozollapu vainags
oar [ɔ:] *n* **1.** airis; **2.** airētājs
oasis [əʊˈeisis] *n* (*pl* oases [əʊˈeisi:z]) oāze
oat [əʊt] *n* (*parasti pl*) auzas
oat-flakes [ˈəʊtfleiks] *n pl* auzu pārslas

oath [əʊθ] *n* **1.** zvērests; **2.** lāsts
oatmeal [ˈəʊtmi:l] *n* auzu putra
obedience [əˈbi:diəns] *n* paklausība
obedient [əˈbi:diənt] *a* paklausīgs
obese [əʊˈbi:s] *a* tukls, korpulents
obey [əʊˈbei] *v* paklausīt; paļauties
object[a] [ˈɒbdʒikt] *n* **1.** objekts, priekšmets; o. code *dat.* – objektkods; **2.** mērķis; **3.** *gram.* papildinātājs
object[b] [əbˈdʒekt] *v* (*to*) iebilst
objection [əbˈdʒekʃən] *n* iebildums
objective [əbˈdʒektiv] **I** *n* **1.** mērķis; **2.** *fiz.* objektīvs; **II** *a* **1.** objektīvs; **2.** *gram.* papildinātāja-; o. case – papildinātāja locījums
oblation [əˈbleiʃn] *n rel.* **1.** upurēšana; **2.** Svētais Vakarēdiens
obligation [ˌɒbliˈgeiʃən] *n* saistība; pienākums
oblige [əˈblaidʒ] *v* **1.** uzlikt par pienākumu; **2.** izdarīt pakalpojumu
obscure [əbˈskjʊə] **I** *a* tumši; vāji apgaismots; **II** *v* aptumšot, aizēnot
observance [əbˈzɜ:vəns] *n* (*likumu, paražu*) ievērošana
observation [ˌɒbzəˈveiʃən] *n* **1.** novērošana; **2.** (*parasti pl*) novērojums
observatory [əbˈzɜ:vətri] *n* **1.** observatorija; **2.** novērošanas punkts
observe [əbˈzɜ:v] *v* **1.** novērot; **2.** ievērot (*likumus, paražas*); **3.** piezīmēt
observer [əbˈzɜ:və] *n* **1.** novērotājs; **2.** komentētājs
obsess [əbˈses] *v* apsēst; pārņemt
obstacle [ˈɒbstəkl] *n* šķērslis; kavēklis
obstinate [ˈɒbstinit] *a* stūrgalvīgs; ietiepīgs
obstruct [əbˈstrʌkt] *v* **1.** aizsprostot; **2.** kavēt; traucēt
obtain [əbˈtein] *v* **1.** dabūt; iegūt; **2.** pastāvēt
obtuse [əbˈtju:s] *a* truls; neass
obvious [ˈɒbviəs] *a* acīmredzams; skaidrs
occasion [əˈkeiʒən] *n* **1.** gadījums; izdevība; **2.** iemesls
occasional [əˈkeiʒənəl] *a* **1.** gadījuma rakstura-; nejaušs; **2.** neregulārs
occasionally [əˈkeiʒnəli] *adv* palaikam
occupation [ˌɒkjʊˈpeiʃən] *n* **1.** okupācija; **2.** nodarbošanās; profesija
occupational [ˌɒkjʊˈpeiʃənəl] *a* profesionāls
occupy [ˈɒkjʊpai] *v* **1.** apdzīvot (*māju, dzīvokli*); **2.** ieņemt; okupēt
occur [əˈkɜ:] *v* **1.** atgadīties; notikt; **2.** (*to*) ienākt prātā
occurrence [əˈkʌrəns] *n* gadījums; notikums
ocean [ˈəʊʃən] *n* okeāns
o'clock [əˈklɒk]: it is six o. – pulkstenis ir seši; at eight o. – pulksten astoņos
octagon [ˈɒktəgən] *n mat.* astoņstūris
October [ɒkˈtəʊbə] *n* oktobris
octopus [ˈɒktəpəs] *n* astoņkājis
oculist [ˈɒkjʊlist] *n* acu ārsts
OD [ˌəʊˈdi] *n* (*saīs. no* overdose) nāvējoša narkotikas deva
odd [ɒd] *a* **1.** nepāra-; o. months –

mēneši ar 31 dienu; **2.** savāds, dīvains; **3.** gadījuma-; o. jobs – gadījuma darbi

odds [ɒdz] *n pl* **1.** priekšrocība; priekšroka; **2.** izredzes; **3.** nesaskaņas

odour [ˈəʊdə] *n* smarža, aromāts

of [ɒv, əv] *prep* **1.** (*norāda piederību*): works of Dickens – Dikensa darbi; **2.** (*norāda īpašību*): a man of strong will – stipras gribas cilvēks; **3.** (*norāda iemeslu*): to die of cancer – mirt ar vēzi; **4.** (*norāda materiālu*): houses of stone – mūra ēkas

off [ɔf] **I** *a* **1.** tāls; **2.** labais; labās puses- **3.** brīvs; day o. – brīvdiena; **4.** bojāts; **II** *adv* prom; nost; **III** *prep* **1.** (*norāda virzienu*) [prom] no; **2.** (*norāda trūkumu*) bez

off-colour [ɔfˈkʌlə] *a* **1.** neveselīgs; **2.** *sar.* nepiederīgs; nepiedienīgs

off-day [ˈɔfdei] *n sar.* neveiksmīga diena

offence [əˈfens] *n* **1.** pārkāpums; **2.** apvainojums; to give o. (*to*) – apvainot; to take o. (*at*) – apvainoties

offend [əˈfend] *v* **1.** pārkāpt (*likumu*); **2.** apvainot

offender [əˈfendə] *n* likumpārkāpējs

offensive [əˈfensiv] **I** *n* uzbrukums; **II** *a* **1.** apvainojošs, aizskarošs; **2.** nepatīkams

offer [ˈɒfə] **I** *n* piedāvājums; **II** *v* piedāvāt

offhand [ˌɒfˈhænd] **I** *a* **1.** iepriekš neapdomāts (nesagatavots); **2.** familiārs (*par izturēšanos*); **II** *adv* iepriekš neapdomājot (nesagatavojoties)

off-hour [ˌɒfˈaʊə] *a* ārpusdarba- (*par laiku*)

office [ˈɒfis] *n* **1.** birojs; iestāde; **2.** (*oficiāls*) amats

office-coppy [ˈɒfisˌkɒpi] *n* apstiprināts dokumenta noraksts

office-girl [ˈɒfisgɜːl] *n* sekretāre

officer [ˈɒfisə] *n* **1.** virsnieks; **2.** ierēdnis

official [əˈfiʃəl] **I** *n* ierēdnis; amatpersona; **II** *a* dienesta-; oficiāls

officious [əˈfiʃəs] *a* **1.** uzbāzīgs; **2.** neoficiāls

offing [ˈɒfiŋ] *n* selga; in the o. – 1) atklātā jūrā; 2) tuvākajā laikā

off-line [ˌɒfˈlain] *a dat.* nesaistes-; o.-l. mode – nesaistes režīms; o.-l. processing – ārlīnijas apstrāde

O

off-the-shelf [ˌɒfðəˈʃelf] *n dat.* darbderīgs

often [ˈɒfn] *adv* bieži

oh [əʊ] *int* ak!; ak tā!; vai!

oil [ɔil] **I** *n* **1.** eļļa; **2.** nafta; **II** *v* ieeļļot

oilcloth [ˈɔilklɒθ] *n* **1.** vaskadrāna; **2.** linolejs

oil-colour [ˈɔilˌkʌlə] *n* eļļas krāsa

oil-painting [ˈɔilˌpeintiŋ] *n* **1.** eļļas glezniecība; **2.** eļļas glezna

oilpaper [ˈɔilˌpeipə] *n* vaska papīrs

ointment [ˈɔintmənt] *n* ziede

old [əʊld] *a* **1.** vecs; **2.** vecs, sens; an o. friend – sens draugs; **3.** pieredzējis

old-age [ˌəʊld'eidʒ] *a* vecuma-

old-fashioned [ˌəʊld'fæʃənd] *a* **1.** vecmodīgs; **2.** senlaicīgs

olio ['əʊliəʊ] *n* **1.** maisījums; **2.** *mūz.* popūrijs

olivaceous ['ɒli'veiʃes] *a* olīvkrāsas-

olive ['ɒliv] *n* olīva (*koks, auglis*)

olive-oil ['ɒlivɔil] *n* olīveļļa

Olympic [ə'limpik] **I** *n pl* olimpiskās spēles; **II** *a* olimpisks

omelet[te] ['ɒmlit] *n* omlete

omen ['əʊmən] **I** *n* zīme; **II** *v* pareģot

omission [əʊ'miʃən] *n* izlaidums (*tekstā*)

omit [əʊ'mit] *v* izlaist; neievērot

on I *adv* **1.** tālāk; uz priekšu; go on! – turpiniet! **2.** darbībā; ieslēgts; **II** *prep* **1.** (*apzīmē vietu*) uz; virs; pie; **2.** (*apzīmē virzienu*) uz; **3.** (*norāda tematu, saturu*) par; book on Shakespeare – grāmata par Šekspīru; **4.** (*norāda laiku*): on Tuesday – otrdien; **5.** (*norāda stāvokli*): on foot – kājām; on sale – pārdošanā

O

once [wʌns] *adv* **1.** vienreiz; o. more – vēlreiz; **2.** kādreiz, reiz

one [wʌn] **I** *n* **1.** viens, vieninieks; **2.** (*lieto iepriekšminēta lietvārda vietā*): the new law and the old o. – jaunais likums un vecais; **II** *pron* **1.** kāds; o. day – kādu dienu; **2.** (*netulkojams teikuma priekšmets*): o. never knows what may happen – nekad nevar zināt, kas notiks; **III** *num* viens

onefold ['wʌnfəʊld] *a* vienkārtīgs; vienkāršs

one-man [ˌwʌn'mæn] *a* viena cilvēka-; o.-m. show – 1) viena cilvēka teātris; 2) personālizrāde

oneself [wʌn'self] *pron* **1.** sev; sevi; **2.** pats

one-way [ˌwʌn'wei] *a* vienvirziena-

ontall ['ɒntɔ:l] *n* uzbrukums

onion ['ʌnjən] *n* sīpols; spring ~s – loki

on-line ['ʌnlain] *a dat.* līnijas-; o.-l. data – līnijdati; o.-l. help – tiešsaistes palīdzība; o.-l. mode – tiešsaistes režīms

onlooker ['ɒnˌlʊkə] *n* skatītājs; vērotājs

only ['əʊnli] **I** *a* vienīgais; **II** *adv* tikai; vienīgi; **III** *conj* tikai; bet

onward ['ɒnwəd] *adv* uz priekšu

oont [u:nt] *n* kamielis

ooze [u:z] *n* dubļi; dūņas

opaque [əʊ'peik] *a* necaurredzams

open ['əʊpən] **I** *a* **1.** atvērts, vaļējs; **2.** atklāts; pieejams; **3.** neizšķirts; atklāts; **II** *v* **1.** atvērt, attaisīt; **2.** atvērties; **3.** atklāt

open-air [ˌəʊpn'eə] *a* brīvdabas-

open-handed [ˌəʊpn'hændid] *a* devīgs

open-hearted [ˌəʊpn'hɑ:tid] *a* vaļsirdīgs

opening ['əʊpniŋ] **I** *n* **1.** atvere; caurums; **2.** sākums; **3.** atklāšana; **II** *a* sākuma-; o. night – pirmizrāde

opera [ˈɒpərə] *n* opera

opera-glasses [ˈɒpərəˌglɑ:siz] *n pl* binoklis

opera-house [ˈɒpərəhaʊs] *n* operteātris

operate [ˈɒpəreit] *v* **1.** darboties; **2.** darbināt; **3.** (*on*) operēt; **4.** ietekmēt

operation [ˌɒpəˈreiʃən] *n* **1.** darbība; operācija; **2.** process; **3.** *mat.* darbība

operator [ˈɒpəreite] *n* **1.** operators; **2.** mākleris

operretta [ˌɒpəˈretə] *n* operete

opinion [əˈpinjən] *n* uzskats; domas; in my o. – pēc manām domām

opponent [əˈpəʊnənt] *n* oponents; pretinieks

opportunity [ˌɒpəˈtju:niti] *n* izdevība

oppose [əˈpəʊz] *v* **1.** pretoties; **2.** (*with, against*) pretstatīt

opposite [ˈɒpəzit] **I** *n* pretstats; **II** *a* pretējs; **III** *adv* pretī; pretim

opposition [ˌɒpəˈziʃn] *n* **1.** pretošanās; pretestība; **2.** opozīcija

oppress [əˈpres] *v* **1.** apspiest; **2.** nomākt

oppression [əˈpreʃən] *n* **1.** apspiešana; **2.** nomāktība

opperssive [əˈpresiv] *a* **1.** cietsirdīgs; **2.** nomācošs

optic [ˈɒptik] *a* redzes-; optisks

optician [ɒpˈtiʃən] *n* optiķis

option [ˈɒpʃən] *n* izvēle

optional [ˈɒpʃənəl] *a* fakultatīvs

opulent [ˈɒpjʊlənt] *a* bagāts; bagātīgs

or [ɔ:] *conj* vai; or else – vai arī

oral [ˈɔ:rəl] **I** *n* mutvārdu eksāmens; **II** *a* **1.** mutisks; mutvārdu-; **2.** iekšķīgi lietojams; **3.** *anat.* mutes-

orange [ˈɒrindʒ] **I** *n* apelsīns; **II** *a* oranžs

orb [ɔ:] *n* lode; sfērisks ķermenis

orbit [ˈɔ:bit] **I** *n* orbīta; **II** *v* **1.** ievadīt orbītā; **2.** ieiet orbītā

orchard [ˈɔ:tʃəd] *n* augļu dārzs

orchestra [ˈɔ:kistrə] *n* orķestris

orchid [ˈɔ:kid] *n* orhideja

order [ˈɔ:də] **I** *n* **1.** kārtība; secība; **2.** kārtība; out of o. – sabojājies; **3.** rīkojums; **4.** pasūtījums; **5.** ordenis; **II** *v* **1.** sakārtot; **2.** dot rīkojumu; **3.** pasūtīt

ordinal [ˈɔ:dinl] **I** *n gram.* kārtas skaitļa vārds; **II** *a:* o. number – kārtas skaitlis

ordinarily [ˈɔ:dnrəli] *adv* normāli

ordinary [ˈɔ:dnri] *a* parasts, ikdienišķs

ore [ɔ:] *n* rūda

O

organ [ˈɔ:gən] *n* **1.** orgāns; **2.** ērģeles

organic [ɔ:ˈgænik] *a* **1.** organisks; **2.** dabisks

organism [ˈɔ:gənizəm] *n* organisms

organization [ˌɔ:gənaiˈzeiʃn] *n* **1.** organizācija; **2.** organisms

organize [ˈɔ:gənaiz] *v* organizēt

organizer [ˈɔ:gənaizə] *n* organizators

oriental [ˌɔ:riˈentl] *a* austrumu-; austrumniecisks

orientation [ɔ:riənˈteiʃn] *n* orientēšanās

origin [ˈɒridʒin] *n* **1.** sākums; pirmavots; **2.** rašanās, izcelšanās

original [əˈridʒənl] **I** *n* oriģināls; **II** *a* **1.** sākotnējs; pirmatnējs; **2.** oriģināls

originate [ə'ridʒəneit] *v* **1.** radīt; **2.** rasties; izcelties
originative [ə'ridʒeneitiv] *a* radošs
oriole ['ɔ:riəʊl] *n* vālodze
orphan ['ɔ:fən] *n* bārenis
orphanage ['ɔ:fənidʒ] *n* bāreņu nams
orrery ['ɒrəri] *n* planetārijs
orris ['ɒris] *n* īriss, skalbe
orthodox ['ɔ:θədɒks] *a rel.* pareizticīgs
osier ['əʊʒə] *n* **1.** vītols; **2.** kārkls; o. goods – pinumi
ostrich ['ɒstritʃ] *n* strauss
other ['ʌðə] **I** *a* **1.** cits; **2.** (*saistībā ar lietvārdu daudzskaitlī*) pārējie; **II** *pron* cits; otrs; none o. than – neviens cits kā; ◇ the o. day – nesen
otherwise ['ʌðəwaiz] *adv* citādi
otter ['ɒtə] *n* ūdrs
ought [ɔ:t] *mod v* vajadzētu; varētu
O
ounce [aʊns] *n* **1.** unce; **2.** mazumiņš
our ['aʊə] *pron* mūsu
ours ['aʊəz] *pron* mūsu
ourselves [,aʊə'selvz] *pron pl* **1.** sev; sevi; **2.** paši
out [ɑut] **I** *adv* **1.** ārā; **2.** (*norāda uz attālumu*): o. of the country – ārpus pilsētas; **3.** (*norāda uz pabeigtību*): the fire is o. – uguns ir izdzisusi; **4.**: his arm is o. – viņam ir izmežģīta roka; **II** *prep:* o. of – 1) no; 2) aiz; o. of pity – aiz žēluma; 3) bez; o. of breath – bez elpas
outage ['aʊtidʒ] *n* dīkstāve
out-and-outer [,aʊtnd'aʊtə] *n* nepārspējams cilvēks
outbreak ['aʊtbreik] *n* **1.** (*dusmu*) izvirdums; **2.** (*kara, epidēmijas*) uzliesmojums
out building ['aʊt,bildiŋ] *n* saimniecības ēka
outcome ['aʊtkʌm] *n* iznākums, rezultāts
outcry ['aʊtkrai] **I** *n* **1.** kliedziens; **2.** protests; **II** *v* izsaukties
outdated [,aʊt'deitid] *a* novecojis
out-distance [,aʊt'distens] *v* apdzīt; apsteigt
outdoor [,aʊt'dɔ:] *a* āra-; brīvdabas-
outdoors [,aʊt'dɔ:z] *adv* ārā, brīvā dabā
outer ['aʊtə] *a* ārējs
outermost ['aʊtəməʊst] *a* vistālākais
outfall ['aʊtfɔ:l] *n* ieteka
outfit ['aʊt,fit] *n* piederumi; iekārta
outgo ['aʊtgəʊ] *n* izdevumi
outhouse ['aʊthaʊs] *n* saimniecības ēka
outing ['aʊtiŋ] *n* izbraukums
outlay ['aʊtlei] *n* izdevumi
outlet ['aʊtlet] *n* **1.** izeja; atvere; **2.** *pārn.* iespēja paust (*piem., jūtas*); **3.** *ek.* noiets
outline ['autlain] *n* **1.** kontura; apveids; **2.** uzmetums; skice; **3.** īss izklāsts
outlook ['aʊtlʊk] *n* **1.** skats; **2.** izredzes; **3.** uzskats, viedoklis
out-of-date [,aʊtəv'deit] *a* novecojis; vecmodīgs
out-of-work ['aʊtəv'wɜ:k] bez darba
outpatient ['aʊt,peiʃənt] *n* ambu-

lators slimnieks; o. department – poliklīnika

outplay [aʊt'plei] *v* uzvarēt (*spēlē*)

output ['aʊtpʊt] *n* **1.** produkcija; **2.** ražotspēja; **3.** *dat.* izvade; izeja

outrage ['aʊtreidʒ] *n* **1.** (*sabiedriskās kārtības*) smags pārkāpums; **2.** vardarbība

outrageous [aʊt'reidʒəs] *a* vardarbīgs; briesmīgs

outset ['aʊtset] **I** *n* sākums; **II** *v* izcelties

outside [aʊt'said] **I** *n* **1.** ārpuse; **2.** āriene; **3.** ārpasaule; **II** *a* **1.** ārējais; ārpuses-; **2.** *sar.* galējais; o. price – galējā cena; **III** *adv* ārpusē; **IV** *prep* ārpus

outsider [aʊt'saidə] *n* **1.** nepiederošais; **2.** *sp.* autsaiders

outskirts ['aʊtskɜ:ts] *n pl* **1.** (*pilsētas*) nomale; priekšpilsēta; **2.** mežmala

outspoken [,aʊt'spəʊkən] *a* **1.** klajš; **2.** atklāts; vaļsirdīgs

outstanding [aʊt'stændiŋ] *a* izcils, ievērojams

outstrip [aʊt'strip] *v* **1.** apdzīt; **2.** pārspēt

outward ['aʊtwəd] *a* ārējais; ārpuses-

outworker ['aʊt,wɜ:kə] *n* mājražotājs

ouzel ['u:zl] *n* strazds

oven ['ʌvn] *n* cepeškrāsns

over ['əʊvə] **I** *adv* **1.** pāri; to jump o. – pārlēkt pāri; **2.** cauri; **3.** pārāk; **4.** vēlreiz; **5.** viscaur; **II** *prep* **1.** virs; pār; **2.** pie; **3.** vairāk par; **4.** pa; o. the radio – pa radio; **5.** viņpus, otrpus

overachieve ['əʊvərə'tʃi:v] *v* pārsniegt

overall [,əʊvər'ɔ:l] **I** *n* **1.** virsvalks; **2.**: ~ s *pl* – kombinezons; **II** *a* visaptverošs

overcame *p. no* **overcome**

overcast [,əʊvə'kɑ:st] *a* apmācies

overcharge [,əʊvə'tʃɑ:dʒ] *n* pārāk augsta cena

overcoat ['əʊvəkəʊt] *n* (*vīriešu*) mētelis

overcome [,əʊvə'kʌm] *v* (*p.* overcame [,əʊvə'keim]; *p. p.* overcome [,əʊvə'kʌm]) **1.** uzveikt, uzvarēt; **2.** pārņemt (*par jūtām*)

overdo [,əʊvə'du:] *v* **1.** pārcensties; **2.** pārcept

overdue [,əʊvə'dju:] *a* **1.** nokavējies; **2.** nokavēts (*par maksājumu*)

over-estimate [,əʊvər'estimeit] *v* pārvērtēt

overflow [,əʊvə'fləʊ] **I** *n* **1.** *dat.* pārpilde; **2.** plūdi; **3.** pārpilnība; **II** *v* **1.** plūst pāri malām; **2.** pārplūst (*par upi*)

overgrowth ['əʊvəgrəʊθ] *n med.* hipertrofija

overhead [,əʊvə'hed] **I** *n dat.* virsteriņš; o. bit – virsbits; **II** *a* augšējs; gaisa-; virszemes-; **III** *adv* augšā; virs galvas

overhear [,əʊvə'hiə] *v* (*p. un p. p.* overheard [,əʊvə'hɜ:d]) **1.** noklausīties; **2.** nejauši dzirdēt

overheard *p. un p. p. no* **overhear**

O

overland [ˈəʊvəlænd] *a* sauszemes-
overlay [ˈəʊvələi] *n* **1.** *dat.* pārklājums; o. program – pārklājumprogramma; **2.** pārklājs; **3.** sedziņa
overload [ˌəʊvəˈləʊd] **I** *n* pārslodze; **II** *v* pārslogot
overlook [ˌəʊvəˈlʊk] *v* **1.** neievērot; **2.** pārredzēt
overnight [ˌəʊvəˈnait] **I** *a* **1.** vienas nakts-; **2.** pēkšņs; negaidīts; **II** *adv* **1.** pa nakti; **2.** pēkšņi; uzreiz
overpass **I** *n* [ˈəʊvəpɑ:s] ceļa pārvads; gaisa tilts; **II** *v* [ˌəʊveˈpɑ:s] pāriet; šķērsot
overplay [ˌəʊvəˈplei] *v* pārspīlēt
overpopulation [ˌəʊvəpɒpjʊˈleiʃən] *n* pārapdzīvotība
overproduction [ˌəʊvəprəˈdʌkʃən] *n* pārprodukcija
overrun [ˌəʊvəˈrʌn] *v* pārsniegt (*limitu*)
overturn [əʊvəˈtɜ:n] *v* **1.** apgāzt; **2.** sagraut
oversea[**s**] [ˌəʊvəˈsi:z] **I** *a* aizjūras-; ārzemju-; o. trade – ārējā tirdzniecība; **II** *adv* pāri jūrai
overtake [ˌəʊvəˈteik] *v* (*p.* overtook [ˌəʊvəˈtʊk]; *p. p.* overtaken [ˌəʊvəˈteikən]) **1.** panākt; apdzīt; **2.** pārsteigt (*nesagatavotu*)
overtaken *p. p. no* **overtake**
overtime [ˈəʊvətaim] *n* **1.** virsstundas; **2.** *sp.* papildlaiks
overtook *p. no* **overtake**
overture [ˈəʊvətjʊə] *n mūz.* uvertīra
overwhelming [ˌəʊvəˈwelmiŋ] *a* **1.** milzīgs; bezgalīgs; **2.** nomācošs
overwork [ˈəʊvəwɜ:k] **I** *n* pārslodze; **II** *v* pārstrādāties, pārpūlēties
owe [əʊ] *v* **1.** būt parādā; **2.** būt pateicību parādā; you o. it to him – par to jums jāpateicas viņam
owing [ˈəʊiŋ] pateicoties; sakarā ar
owl [aʊl] *n* pūce
owl-light [ˈaʊllait] *n* krēsla, mijkrēslis
own [əʊn] **I** *a* paša-; savs; **II** *v* **1.** piederēt; **2.** atzīt; to o. **up** – vaļsirdīgi atzīties
owner [ˈəʊnə] *n* īpašnieks
ownerless [ˈəʊnəlis] *a* bezsaimnieka-
ownership [ˈəʊnəʃip] *n* īpašumtiesības
ox [ɒks] *n* (*pl* oxen [ˈɒksn]) vērsis
Oxbridge [ˈɒksbridʒ] *n* Oksforda un Kembridža (*universitātes*)
Oxford [ˈɒksfəd] *a* Oksfordas-
oxide [ˈɒksaid] *n ķīm.* oksīds
oxygen [ˈɒksidʒən] *n ķīm.* skābeklis
oyster [ˈɔistə] *n* austere
ozone [ˈəʊzəʊn] *n ķīm.* ozons

P

pa [pɑ:] *n sar.* tētis

pace [peis] **I** *n* **1.** solis; **2.** gaita; **II** *v* soļot

pacemaker ['peis,meikə] *n sp.* līderis

pacific [pə'sifik] *a* mierīgs; miermīlīgs

pack [pæk] **I** *n* **1.** sainis; paka; **2.** (*suņu, vilku*) bars; **3.** (*kāršu*) komplekts; **II** *v* **1.** saiņot; kravāt; **2.** kravāties; **3.** saspiest; **4.** uzlikt kompresi

package ['pækidʒ] *n* **1.** sainis; **2.** iesaiņojums; **3.** *dat.* pakotne

packet ['pækit] *n* **1.** sainītis; paciņa; **2.** *dat.* pakete

pack-thread ['pækθred] *n* aukla

pact [pækt] *n* pakts, līgums

pad [pæd] **I** *n* **1.** polsteris; **2.** piezīmju bloks; **II** *v* polsterēt

padding ['pædiŋ] *n dat.* papildinājums

paddle[a] ['pædl] **I** *n* smailītes airis; **II** *v* **1.** airēt; **2.** smaiļot

paddle[b] ['pædl] *v* bradāt; plunčāties

padlock ['pædlɒk] *n* piekaramā slēdzene

padsaw ['pædsɔ:] *n* rokaszāģis

page [peidʒ] *n* lappuse

paid *p. un p. p. no* **pay II**

pail [peil] *n* spainis

pain [pein] *n* **1.** sāpes; **2.**: ~s *pl* – pūliņi

painful ['peinfʊl] *a* **1.** sāpīgs; **2.** smags; mokošs

pain-killer ['pein,kilə] *n sar.* pretsāpju līdzeklis

paint [peint] **I** *n* krāsa; krāsojums; **II** *v* **1.** krāsot; **2.** gleznot

painter ['peintə] *n* **1.** gleznotājs; **2.** krāsotājs

painting ['peintiŋ] *n* **1.** glezniecība; **2.** glezna

paintwork ['peintwɜ:k] *n* krāsojums

pair [peə] *n* pāris

pal [pæl] *n sar.* biedrs, draugs

palace ['pælis] *n* pils

palatable ['pælətəbl] *a* **1.** garšīgs; **2.** patīkams

palaver [pəlɑ:və] **I** *n* sarunas; pārrunas; **II** *v* apspriest

pale [peil] **I** *a* bāls; **II** *v* nobālēt

palm[a] [pɑ:m] *n* plauksta; p. top computer *dat.* – plaukstdators

palm[b] [pɑ:m] *n* palma; P. Sunday *bazn.* – Pūpolsvētdiena

palmer ['pɑ:mə] *n* svētceļnieks

palpable ['pælpəbl] *a* **1.** skaidrs; **2.** taustāms

palsy ['pɔ:lsi] *n* paralīze

paltry ['pɔ:ltri] *a* nožēlojams

pamphlet ['pæmflit] *n* **1.** brošūra; **2.** pamflets

pan [pæn] *n* panna; kastrolis

pancake ['pænkeik] *n* pankūka

pane [pein] *n* (*loga*) rūts

panel ['pænl] *n* **1.** panelis; **2.** speciālistu grupa; **3.** (*radio vai televīzijas*) diskusijas dalībnieki

pang [pæŋ] *n* pēkšņas sāpes; ~s of conscience – sirdsapziņas pārmetumi

panic [ˈpænik] **I** *n* panika; **II** *v* krist panikā

panorama [ˌpænəˈrɑ:mə] *n* panorāma

pansy [ˈpænzi] *n* **1.** *bot.* atraitnīte; **2.** *sar.* homoseksuālists

panther [ˈpænθə] *n* pantera

panties [ˈpæntiz] *n pl sar.* (*sieviešu, bērnu*) biksītes

pantry [ˈpæntri] *n* pieliekamais

pants [pænts] *n pl* **1.** (*vīriešu*) apakšbikses; **2.** *amer.* bikses

pantyhose [ˈpæntihəʊz] *n amer.* zeķbikses

papa [pəˈpɑ:] *n sar.* tētis

paper [ˈpeipə] *n* **1.** papīrs; ruled p. – līnijpapīrs; checkered p. – rūtiņpapīrs; **2.** laikraksts; **3.** ~s *pl* – dokumenti; **4.** (*zinātnisks*) referāts; **5.** (*eksāmena*) biļete

paperback [ˈpeipəbæk] *n* brošēta grāmata

P

parachute [ˈpærəʃu:t] *n* izpletnis

parade [pəˈreid] *n* parāde; skate

paradise [ˈpærədais] *n* paradīze

paragraph [ˈpærəgrɑ:f] *n* **1.** rindkopa; **2.** paragrāfs

parallel [ˈpærəlel] **I** *n* paralēle; **II** *a* paralēls

paralyse [ˈpærəlaiz] *v* paralizēt

parcel [ˈpɑ:sl] *n* **1.** sainis; paka; **2.** (*pasta*) sūtījums; p. post – bandrole

pardon [ˈpɑ:dn] **I** *n* piedošana; **II** *v* piedot

parents [ˈpeərənts] *n pl* vecāki

pariah [ˈpæriə] *n* izstumtais

pariah-dog [ˈpæriədɒg] *n* noklīdis suns

parish [ˈpæriʃ] *n* **1.** draudze; p. clerk – ķesteris; **2.** *brit.* pagasts; **3.** *amer.* apgabals

parishioner [pəˈriʃənə] *n* draudzes loceklis

parity [ˈpæriti] *n ek.* paritāte; p. bit *dat.* – pārības bits

park [pɑ:k] **I** *n* **1.** parks; **2.** (*automobiļu*) stāvvieta; **II** *v* novietot stāvvietā (*automobili*)

parking [ˈpɑ:kiŋ] *n* (*automobiļu*) stāvvieta; no p. – automobiļus novietot aizliegts

parkway [ˈpɑ:kwei] *n amer.* aleja; bulvāris

parliament [ˈpɑ:ləmənt] *n* parlaments

parlour [ˈpɑ:lə] *n* **1.** maza viesistaba; **2.** salons; **3.** atpūtas telpa

parody [ˈpærədi] *n* parodija

parquet [ˈpɑkei] *n* **1.** parkets; **2.** *amer.* partera pirmās rindas

parrot [ˈpærət] *n* papagailis

parsley [ˈpɑ:sli] *n* pētersīlis, pētersīļi

parson [ˈpɑ:sn] *n* draudzes mācītājs

part [pɑ:t] **I** *n* **1.** daļa; in p. – daļēji; **2.** ~s *pl* – apvidus; puse; **3.** līdzdalība; to take p. (*in*) – piedalīties; **4.** loma; **5.** puse (*sarunās*); **6.** ~s of speech *gram.* – vārdšķiras; **II** *v* **1.** sadalīt; atdalīt; **2.** šķirt; **3.** šķirties

partial [ˈpɑ:ʃəl] *a* **1.** daļējs; **2.** neobjektīvs

partible [ˈpɑ:tibl] *a* dalāms

participate [pɑ:ˈtisipeit] *v* piedalīties

participation [pɑ:ˌtisiˈpeiʃn] *n* dalība

participle [ˈpɑ:tisipl] *n gram.* divdabis

particular [pəˈtikjʊlə] **I** *n* sīkums; detaļa; **II** *a* **1.** sevišķs; īpašs; **2.** sīks; detalizēts; **3.** izvēlīgs

particulary [pəˈtikjʊləli] *adv* sevišķi

parting [ˈpɑ:tiŋ] *n* **1.** šķiršanās; atvadīšanās; **2.** (*ceļu*) sazarojums

partisan [ˌpɑ:tiˈzæn] *n* **1.** piekritējs, atbalstītājs; **2.** partizāns

partition [pɑ:ˈtiʃən] *n* **1.** atdalīšana, nodalīšana; **2.** šķērssiena; **3.** nodalījums (*skapī, somā*)

partly [ˈpɑ:tli] *adv* daļēji

partner [ˈpɑ:tnə] *n* **1.** kompanjons, līdzdalībnieks; **2.** (*dejas, spēles*) partneris

partridge [ˈpɑ:tridʒ] *n* irbe

part-timer [ˌpɑ:tˈtaimə] *n* darbinieks, kas strādā nepilnu darba dienu

party [ˈpɑ:ti] *n* **1.** partija; **2.** grupa; nodaļa; **3.** sabiedrība; **4.** viesības

paschal [ˈpɑ:skl] *a* Lieldienu-

pass [pɑ:s] **I** *n* **1.** eja; ceļš; **2.** (*kalnu*) pāreja; **3.** (*eksāmena*) nokārtošana; **4.** brīvbiļete; kontramarka; caurlaide; **5.** *sp.* piespēle; **II** *v* **1.** iet (braukt) garām; **2.** šķērsot; **3.** nokārtot (*eksāmenu*); **4.** padot; pasniegt; **5.** (*par laiku*) paiet; **6.** pavadīt (*laiku*); **7.** *sp.* piespēlēt; ◊ to p. **away** – 1) nomirt; 2) izzust; to p. **by** – iet garām; to p. **on** – iet tālāk; to p. **round** – laist apkārt

passage [ˈpæsidʒ] *n* **1.** iešana; braukšana; **2.** brauciens; **3.** (*gājputnu*) pārlidojums; **4.** eja; galerija; **5.** (*teksta*) fragments, izvilkums

passageway [ˈpæsidʒwei] *n* gaitenis (*ēkā*)

passenger [ˈpæsindʒə] *n* pasažieris

passerby [ˌpɑ:səˈbai] *n* garāmgājējs

passion [ˈpæʃən] *n* **1.** kaislība; aizraušanās; **2.** (*dusmu, niknuma*) izvirdums

passionate [ˈpæʃənit] *a* kaislīgs; aizrautīgs

Passion week [ˈpæʃnwi:k] *n rel.* Klusā nedēļa

passive [ˈpæsiv] *a* **1.** pasīvs; **2.** *gram.* ciešamās kārtas-; p. voice – ciešamā kārta

passkey [ˈpɑ:ski:] *n* patentatslēga

passport [ˈpɑ:spɔ:t] *n* pase

past [pɑ:st] **I** *n* pagātne; **II** *a* pagājis; **III** *adv* garām; **IV** *prep* **1.** pēc; pāri; half p. one – pusdivi; **2.** gar

paste [peist] **I** *n* **1.** *kul* mīkla; **2.** *kul.* pastēte; **3.** pasta; **4.** klīsteris; **II** *v* pielīmēt, uzlīmēt; salīmēt

pasteboard [ˈpeistbɔ:d] *n* kartons

pastel [ˈpæstl] *n* **1.** pasteļglezna, pastelis; **2.** pasteļkrīti

pastor [ˈpɑ:stə] *n* mācītājs

pastoral [ˈpɑ:strel] *a* **1.** lauku-; **2.** mācītāja-

pastry [ˈpeistri] *n* konditorejas izstrādājumi (*kūkas, cepumi u. tml.*)

pasture [ˈpɑ:stʃə] *n* **I** ganības; **II** *v* ganīt

pasty [ˈpæsti] *n* (*gaļas, ābolu*) pīrāgs

patch [pætʃ] **I** *n* **1.** ielāps; **2.** plankums; **II** *v* lāpīt; likt ielāpus

patent [ˈpeitənt] **I** *n* patents; **II** *a* **1.** skaidrs; nepārprotams; **2.** patentēts
path [pɑ:θ] *n* **1.** taka; **2.** trajektorija
pathetic [pəˈθetik] *a* aizkustinošs; žēls
pathway [ˈpɑ:θwei] *n* taka, kājceļš
patience [ˈpeiʃəns] *n* pacietība
patient [ˈpeiʃənt] **I** *n* pacients, slimnieks; **II** *a* pacietīgs
patriot [ˈpeitriət] *n* patriots
patrol [pəˈtrəʊl] **I** *n* patruļa; **II** *v* patrulēt
patrolm-man [pəˈtrəʊlmæn] *n amer.* policists
patron [ˈpeitrən] *n* **1.** patrons; **2.** klients
patronymic [ˌpætrəˈnimik] *n* tēvvārds
pattern [ˈpætən] *n* **1.** modelis, paraugs; **2.** piegrieztne; **3.** (*auduma*) raksts, zīmējums
pause [pɔ:z] **I** *n* pauze; pārtraukums; **II** *v* apstāties
pave [peiv] *v* bruģēt
pavement [ˈpeivmənt] *n* **1.** ietve, trotuārs; **2.** *amer.* bruģis
pavilion [pəˈviljən] *n* paviljons
paving-stone [ˈpeiviŋstəʊn] *n* bruģakmens
paw [pɔ:] *n* ķepa, ķetna
pawn[a] [pɔ:n] *n* (*šahā*) bandinieks
pawn[b] [pɔ:n] **I** *n* ķīla; **II** *v* ieķīlāt
pawnshop [ˈpɔ:nʃɔp] *n* lombards
pay [pei] **I** *n* **1.** [sa]maksa; **2.** alga; **II** *v* (*p. un p. p.* paid [peid]) **1.** [sa]maksāt; **2.** atlīdzināt; **3.** atmaksāties; **4.** veltīt, parādīt (*godu u. tml.*); ◇ to p. **back** – atmaksāt; to p. **down** – maksāt skaidrā naudā; to p. **in** – iemaksāt
pay-day [ˈpeidei] *n* algas diena
payment [ˈpeimənt] *n* **1.** maksājums; **2.** atlīdzība
pea [pi:] *n* zirnis; sweet ~s – puķzirnīši; ◇ as like as two ~s – līdzīgi kā divi ūdens pilieni
peace [pi:s] *n* **1.** miers; **2.** klusums; **3.** kārtība; to keep the p. – ievērot kārtību; to break the p. – traucēt mieru
peaceful [ˈpi:sfl] *a* mierīgs
peacetime [ˈpi:staim] miera laiks
peach [pi:tʃ] *n* persiks
peach-blow [ˈpitʃbləʊ] *n* dzeltensārta krāsa
peacock [ˈpi:kɒk] *n* pāvs
peak [pi:k] *n* **1.** smaile; **2.** apogejs; **3.** (*cepures*) nags
peanut [ˈpi:nʌt] *n* zemesrieksts
pear [peə] *n* bumbieris
pearl [pɜ:l] *n* pērle
pearl-barley [ˌpɜ:lˈbɑ:li] *n* grūbas
peasant [ˈpeznt] *n* zemnieks
peat [pi:t] *n* kūdra
peatbog [ˈpi:tbɒg] *n* kūdras purvs
pebble [ˈpebl] *n* **1.** olis; **2.** kalnu kristāls
peck [pek] *v* **1.** knābt; knābāt; **2.** (*viegli*) noskūpstīt
peculiar [piˈkju:liə] *a* **1.** īpašs, sevišķs; **2.** savāds, dīvains
peculiarity [piˌkju:liˈæriti] *n* **1.** īpatnība; **2.** savādība, dīvainība
peddle [ˈpedl] *v* tirgoties, iznēsājot preces

pedestrian [pi'destriən] *n* gājējs; p. crossing – gājēju pāreja

pediatrician [ˌpi:diə'triʃn] *n* pediatrs

pedigreed ['pedigri:d] *a* šķirnes-; sugas

pee [pi:] *v sar.* čurāt

peel [pi:l] **I** *n* (*augļa, kartupeļa*) miza; **II** *v* **1.** mizot; lobīt; **2.** lobīties

peep [pi:p] *v* pīkstēt; čiepstēt

peer [piə] *n* līdzinieks

peg [peg] *n* **1.** spunde; tapa; **2.** vadzis; pakaramais

pelican ['pelikən] *n* pelikāns

pen [pen] **I** *n* rakstāmspalva; **II** *v* rakstīt

penal ['pi:nl] *a* **1.** krimināls; **2.** sodāms

penalty ['penlti] *n* sods; death p. – nāves sods

pencil ['pensl] *n* zīmulis

pendant ['pendənt] *a* nenoteikts; svārstīgs

pendent ['pendənt] *a* nokāries; pārkāries

penetrate ['penitreit] *v* iekļūt; iespiesties

pen-friend ['penfrend] *n* vēstuļu draugs

penguin ['peŋgwin] *n* pingvīns

peninsula [pi'ninsjʊlə] *n* pussala

pen-name ['penneim] *n* pseidonīms

pennon ['pənən] *n* vimpelis

penny ['peni] *n* (*pl* pence [pens]) penijs, penss

penny-in-the-slot [ˌpeniinðə'slɒt] *n* (*tirdzniecības*) automāts

pension ['penʃən] *n* pensija; old a. p. – vecuma pensija; to retire on a. p. – aiziet pensijā

pentagon ['pentəgən] *n* **1.** *mat.* piecstūris; **2.**: the P. – Pentagons, ASV Aizsardzības ministrija

pentathlon [pen'tæθlɔn] *n sp.* pieccīņa

people ['pi:pl] *n* **1.** tauta, nācija; **2.** cilvēki, ļaudis

pepper ['pepə] **I** *n* pipari; **II** *v* piparot

peppermint ['pepəmint] *n* **1.** piparmētra; **2.** piparmētru konfekte

per [pɜ:] *prep* **1.** pa; caur; **2.** uz; par; sixty miles p. hour – sešdesmit jūdžu stundā

per cent [pə'sent] *n* procents

percentage [pə'sentidʒ] *n* procents; procentu likme

perception [pə'sepʃn] *n* uztvere

perch [pɜ:tʃ] *n* asaris

percolator ['pə:kəleitə] *n* **1.** filtrs; **2.** kafijkanna (*ar sietiņu*)

percussion [pə'kʌʃn] *n* sitamie instrumenti

percussionist [pə'kʌʃnist] *n* bundzinieks

perdition [pə'diʃən] *n* bojāeja; pazušana

perfect I *a* ['pɜ:fikt] **1.** teicams; nevainojams; **2.** pilnīgs; absolūts; p. tenses *gram* – saliktie laiki; **II** *v* [pə'fekt] uzlabot; pilnveidot

perfection [pə'fekʃən] *n* **1.** pilnveidošana; **2.** pilnība

perfidy ['pə:fidi] *n* neuzticība; nodevība

perform [pə'fɔ:m] *v* **1.** izdarīt; paveikt; **2.** izrādīt (*lugu*)*;* atveidot (*lomu*)

performance [pə'fɔ:məns] *n* **1.** veikšana; **2.** (*piem., skaņdarba*) atskaņojums; **3.** izrāde

perfume I *n* ['pɜ:fju:m] **1.** smarža, aromāts; **2.** smaržas; **II** *v* [pə'fju:m] iesmaržot

perhaps [pə'hæps] *adv* varbūt, iespējams

peril ['perəl] *n* briesmas; in p. of one's life – riskējot ar savu dzīvību

period ['piəriəd] *n* **1.** periods; laika posms; **2.** laikmets

periodical [,piəri'ɒdikl] **I** *n* periodisks izdevums; **II** *a* periodisks

perish ['periʃ] *v* iet bojā

perm [pɜ:m] *n sar.* (*saīs. no* permanent wave) ilgviļņi

P

permanent ['pɜ:mənənt] *a* pastāvīgs; ilgstošs

per mille [pɜ:'mil] *n* promile

permission [pə'miʃən] *n* atļauja

permit I *n* ['pɜ:mit] **1.** (*rakstveida*) atļauja; **2.** caurlaide; **II** *v* [pə'mit] atļaut

perpendicular [,pɜ:pən'dikjʊlə] *a* perpendikulārs

perpetual [pə'petʃʊəl] *a* nepārtraukts; pastāvīgs

perplex [pə'pleks] *v* **1.** apmulsināt; **2.** sarežģīt

persecute ['pɜ:sikju:t] *v* vajāt

perseverance [,pɜ:si'viərəns] *n* neatlaidība

persist [pə'sist] *v* **1.** (*in*) neatkāpties (*no kā*)*;* **2.** saglabāties; pastāvēt

persistent [pə'sistənt] *a* **1.** neatlaidīgs; **2.** stabils

person ['pɜ:sn] *n* persona; cilvēks

personal ['pɜ:snəl] *a* **1.** personisks; **2.** *gram.* personas-

personality [,pɜ:sə'næliti] *n* personība

personnel [,pɜ:sə'nel] *n* personāls; kadri

perspire [pəs'paiə] *v* svīst

persuade [pə'sweid] *v* (*in*) pārliecināt; ◇ to p. **from** – atrunāt; to p. **into** – pierunāt

pest [pest] *n* parazīts; kaitēklis

pesticide ['pestisaid] *n lauks.* pesticīds

pestilent ['pestilənt] *a* postošs; nāvējošs

pet [pet] **I** *n* **1.** iemīļots dzīvnieks; **2.** mīlulis; luteklis; **II** *v* apmīļot

petal ['petl] *n* ziedlapa

petition [pi'tiʃn] *n* petīcija, lūgums

petrel ['petrəl] *n* vētrasputns

petrol ['petrəl] *n* benzīns

petroleum [pi'trəʊliəm] *n* nafta

petty ['peti] *a* **1.** sīks; **2.** mazisks

petunia [pi'tju:niə] *n* **1.** petūnija; **2.** tumši violeta krāsa

pharmacy ['fɑ:məsi] *n* **1.** farmācija; **2.** aptieka

phase [feiz] *n* fāze

pheasant ['feznt] *n* fazāns

phenomenon [fi'nɒminən] *n* (*pl* phenomena [fi'nɒminə]) parādība; fenomens

philander [fi'lændə] *v* flirtēt, lakstoties

philanderer [fiˈlændərə] *n* donžuāns; brunču mednieks
philology [fiˈlɒlədʒi] *n* filoloģija
philosophy [fiˈlɒsəfi] *n* filozofija
phlox [flɔks] *n* floksis
phone [fəʊn] *sl* (*saīs. no* telephone) **I** *n* telefons; on the ph. – pie telefona; by the ph. – pa telefonu; to get smb. on the ph. – sazvanīt kādu; **II** *v* zvanīt pa telefonu
phone-booth [ˈfəʊn,bu:ð] *n* (*telefona*) automāts
phoney [ˈfəʊni] *sar.* **I** *n* **1.** viltojums; **2.** blēdis; krāpnieks; **II** *a* viltots; neīsts
photo [ˈfəʊtəʊ] *n sar. saīs. no* **photograph I**
photograph [ˈfəʊtəgrɑ:f] **I** *n* fotogrāfija; **II** *v* fotografēt
phrase [freiz] *n* frāze; vārdkopa
phrasebook [ˈfreizbʊk] *n* sarunvārdnīca
physical [ˈfizikəl] *a* fizisks; fizikāls
physician [fiˈziʃən] *n* ārsts; terapeits
physicist [ˈfizisist] *n* fiziķis
physics [ˈfiziks] *n* fizika
pianist [ˈpiənist] *n* pianists
piano [piˈænəʊ] *n* klavieres; grand p. – flīģelis; upright p. – pianīns
piccolo [ˈpikələʊ] *n mūz.* flauta
pick[a] [pik] **I** *n* kaplis; cērte; **II** *v* **1.** kaplēt; **2.** lasīt, plūkt (*augļus, ziedus*); **3.** bakstīt; urbināt; **4.** knābāt; to p. **up** – 1) pacelt; 2) uzņemt (*pasažieri*)
pick[b] [pik] **I** *n* izvēle; **II** *v* izvēlēties
pickle [ˈpikl] **I** *n* **1.** sālījums; marinade; **2.**: ~s *pl* – marinēti dārzeņi; **II** *v* sālīt; marinēt
pickpocket [ˈpikˈpɔkit] *n* kabatzaglis
pick-up [ˈpikʌp] *n* pikaps
pictorial [pikˈtɔ:riəl] **I** *n* ilustrēts žurnāls; **II** *a* ilustrēts
picture [ˈpiktʃə] *n* **1.** glezna; **2.** ilustrācija; attēls; **3.** the ~s *pl* – kino
picture-book [ˈpiktʃəbʊk] *n* bilžu grāmata
picture-gallery [ˈpiktʃə,gæləri] *n* gleznu galerija
picturesque [,piktʃəˈresk] *a* gleznains
pie[a] [pai] *n* **1.** pīrāgs; **2.** *amer.* torte
pie[b] [pai] *n* žagata
piece [pi:s] *n* **1.** gabals; daļa; **2.** (*mākslas, literārs*) darbs; **3.** šaujamierocis
piecegoods [ˈpi:sgʊdz] *n pl* gabalpreces
piecework [ˈpi:swɜ:k] *n* gabaldarbs
pied [paid] *a* raibs
pier [piə] *n* mols; dambis
pierce [piəs] *v* izdurt; caururbt
pig [pig] *n* cūka, sivēns; ◇ to buy a p. in a poke – pirkt kaķi maisā
pigeon [ˈpidʒin] *n* balodis
piglet [ˈpiglit] *n* sivēns
pigsty [ˈpigstai] *n* cūkkūts
pigtail [ˈpigteil] *n* bizes
pike [paik] *n* līdaka
pile [pail] **I** *n* kaudze; grēda; **II** *v* sakraut kaudzē
piles [pəilz] *n med.* hemoroīdi
pill [pil] *n* tablete
pillow [ˈpiləʊ] *n* spilvens

P

pillowcase ['piləʊkeis] *n* spilvendrāna
pilot ['pailət] **I** *n* **1.** pilots, lidotājs; **2.** locis; **II** *a* izmēģinājuma-; eksperimentāls; **III** *v* pilotēt
pimple ['pimpl] *n* pūtīte
pin [pin] *n* **I** kniepadata; **II** *v* (*on, up*) piespraust
pincers ['pinsəz] *n pl* **1.** knaibles; **2.** pincete; **3.** (*vēža*) spīles
pinch [pintʃ] *v* **1.** iekniebt; sakniebt; **2.** spiest (*par apaviem*); **3.** mocīt
pine[a] [pain] *n* priede
pine[b] [pain] *v* **1.** nīkt; vārgt; **2.** (*for, after*) alkt, tvīkt
pineapple ['pain,æpl] *n* ananass
pinetree ['paintri:] *n* priede
pink [piŋk] **I** *n* neļķe; **II** *a* sārts, rožains
pint [pint] *n* pinte
pioneer [,paiə'niə] *n* **1.** pionieris, celmlauzis; **2.** sapieris
pious ['paiəs] *a* dievbijīgs
pip [pip] *n* (*augļa*) sēkla; kauliņš
pipe [paip] *n* **1.** caurule; cauruļvads; the ~s *amer.* – radiatori; **2.** pīpe; **3.** stabule; svilpe
pippin ['pipin] *n* pepiņš (*ābols*)
Pisces ['paisi:z] *n pl* Zivis (*zvaigznājs un zodiaka zīme*)
pistachio [pi'stɑ:ʃiəʊ] *n* pistācija
pistol ['pistl] **I** *n* pistole; **II** *v* šaut ar pistoli
pit [pit] *n* **1.** bedre; **2.** šahta; **3.** iedobums; **4.** lamatas; **5.** baku rēta
pitch[a] [pitʃ] *n* piķis; darva; p. dark – elles tumsa
pitch[b] [pitʃ] *v* **1.** uzstādīt, uzcelt (*piem.*, telti); **2.** sviest; mest (*bumbu*)
pity ['piti] **I** *n* žēlums; līdzjūtība; what a p.! – cik žēl!; **II** *v* žēlot; just līdzi
pixel *n dat.* pikselis
pixie ['piksi] *n* laumiņa
pizzeria [,pi:tsə'ri:ə] *n* picērija
placable ['plækəbl] *a* labdabīgs
placard ['plækɑ:d] *n* plakāts; afiša
place [pleis] **I** *n* **1.** vieta; **2.** dzīvesvieta; **3.** apdzīvota vieta; **4.** *sp.* viena no pirmajām vietām (*sacīkstēs*); ◇ in the first p. – pirmkārt; to take p. – notikt; **II** *v* nolikt; novietot
placid ['plæsid] *a* mierīgs, lēns
plague [pleig] *n* **1.** sērga; mēris; **2.** posts; nelaime
plaice [pleis] *n* bute
plain [plein] **I** *n* līdzenums; **II** *a* **1.** skaidrs; saprotams; **2.** vienkāršs; parasts; **3.** atklāts; vaļsirdīgs
plaint [pleint] *n jur.* sūdzība
plait [plæt] **I** *n* (*matu*) pīne; **II** *v* sapīt
plan [plæn] **I** *n* plāns; **II** *v* plānot
plane[a] [plein] **I** *n* ēvele; **II** *v* ēvelēt
plane[b] [plein] **I** *n* lidmašīna; **II** *v* planēt
planet ['plænit] *n* planēta
plank [plæŋk] *n* dēlis
planned [plænd] *a* plānveida-; plānots
plant [plɑ:nt] **I** *n* **1.** augs; stāds; **2.** rūpnīca; fabrika; **3.** iekārta; **II** *v* stādīt, dēstīt
plantation [plæn'teiʃən] *n* **1.** plantācija; **2.** stādījumi

P

plaque [plæk] *n* (*piemiņas*) plāksne; (*dekoratīvais*) šķīvis
plash [plæʃ] **I** *n* šļaksts; **II** *v* šļakstēt
plaster [ˈplɑːstə] **I** *n* **1.** apmetums; **2.** plāksteris; **II** *v* **1.** apmest (*sienas*); **2.** uzlikt plāksteri
plastic [ˈplæstik] **I** *n* **1.** plastmasa; **2.** plastika; **II** *a* **1.** plastmasas-; **2.** plastisks
plate [pleit] *n* **1.** šķīvis; **2.** sudraba (*zelta*) trauki; **3.** (*krāsaina*) ielīme; ilustrācija (*uz atsevišķas lapas*); **4.** fotoplate; **5.** (*metāla*) plāksne; **6.** *sar.* ēdiens
platerack [ˈpleitræk] *n* trauku žāvējamais
platform [ˈplætfɔːm] *n* **1.** perons; **2.** (*runātāja*) tribīne
plausible [ˈplɔːzəbl] *a* ticams
play [plei] **I** *n* **1.** rotaļa; **2.** joks; **3.** luga; **II** *v* **1.** rotaļāties; **2.** spēlēt; **3.** tēlot (*lomu*)
playback [ˈpleibæk] *n* (*skaņu ieraksta*) atskaņojums
playbill [ˈpleibil] *n* (*teātra*) afiša
playday [ˈpleidei] *n* brīvdiena
playground [ˈpleigraʊnd] *n* rotaļu laukums
playwright [ˈpleirait] *n* dramaturgs
plead [pliːd] *v* **1.** *jur.* aizstāvēt; **2.** *jur.* griezties tiesā; **3.** (*with*) ļoti lūgt; lugties
pleasant [ˈpleznt] *a* patīkams, jauks
please [pliːz] **I** *v* **1.** iepriecināt; **2.** labpatikt; **II** *adv* lūdzu
pleased [pliːzd] *a* apmierināts
pleasure [ˈpleʒə] **I** *n* prieks; patika; **II** *v* sniegt baudu
pledge [pledʒ] **I** *n* **1.** ķīla; galvojums; **2.** solījums; apņemšanās; **II** *v* **1.** ieķīlāt; **2.** solīt; apņemties
plenty [ˈplenti] **I** *n* pārpilnība; **II** *adv sar.* **1.** pietiekami; **2.** *amer.* ļoti
pliability [ˌplaiəˈbiliti] *n* **1.** lokāmība; **2.** piekāpība
pliers [ˈplaiəz] *n pl* knaibles
plight [plait] *n* grūts stāvoklis
plimsolls [ˈplimsəlz] *n pl* teniskurpes
plot [plɒt] **I** *n* **1.** (*neliels*) zemes gabals; **2.** sižets; **3.** sazvērestība; intriga; **II** *v* vērpt intrigas
plotter[a] [ˈplɔtə] *n* sazvērnieks; intrigants
plotter[b] *n dat.* ploteris
plough [plaʊ] **I** *n* arkls; **II** *v* art
pluck [plʌk] *v* plūkt
plug [plʌg] **I** *n* **1.** aizbāznis; tapa; **2.** *el.* kontaktdakša; **II** *v* aizbāzt
plum [plʌm] *n* **1.** plūme; **2.** rozīne
plumber [ˈplʌmə] *n* santehniķis
plump [plʌmp] **I** *a* tukls; **II** *v* **1.** uzbaroties; **2.** nobarot (*putnus*)
plunder [ˈplʌndə] **I** *n* **1.** laupīšana; **2.** laupījums; **II** *v* laupīt
plunge [plʌndʒ] **I** *n* **1.** ieniršana; **2.** iegremdēšana; **II** *v* **1.** ienirt; **2.** iegremdēt
plural [ˈpluərəl] *n gram.* daudzskaitlis
plus [plʌs] **I** *n* plusa zīme; **II** *prep* plus
ply[a] [plai] *n* **1.** šķiedra; **2.** tendence
ply[b] [plai] *v* **1.** lietot; **2.** strādāt; **3.** apgādāt

P

plywood ['plaiwʊd] *n* finieris; saplāksnis
pneumonia [nju:'məʊniə] *n med.* pneimonija; plaušu karsonis
pocket ['pɒkit] *n* kabata
pocketbook ['pɒkitbʊk] *n* piezīmju grāmatiņa
pocketsize ['pɒkitsaiz] *a* kabatformāta-
pod [pɒd] *n* pāksts
poem ['pəʊim] *n* poēma; dzejolis
poet ['pəʊit] *n* dzejnieks
poetry ['pəʊitri] *n* poēzija, dzeja
poignant ['pɔinənt] *a* sīvs; ass; griezīgs
point [pɔint] **I** *n* **1.** smaile; gals; **2.** punkts; p. to. p. *dat.* – divpunktu; **3.** būtība; galvenais; **II** *v* **1.** rādīt; norādīt (*ar pirkstu*); **2.** tēmēt; **3.** [uz]asināt (*zīmuli*); to p. **out** – norādīt
pointed ['pɔintid] *a* **1.** ass, smails; **2.** dzēlīgs
poise [pɔiz] *n* līdzsvars
poison ['pɔizn] **I** *n* inde; **II** *v* **1.** noindēt; **2.** saindēt
poisonous ['pɔiznəs] *a* **1.** indīgs; **2.** kaitīgs
polar ['pəʊlə] *a* polārs
Polaris [pəʊ'lɑ:ris] *n astr.* Polārzvaigzne
pole[a] [pəʊl] *n* miets; stabs; kārts
pole[b] [pəʊl] *n* pols; North p. – ziemeļpols; South p. – dienvidpols
polecat [pəʊlkæt] *n* sesks
police [pə'li:s] *n* policija
policeman [pə'li:smən] *n* policists
police-station [pə'li:s,steiʃən] *n* policijas iecirknis
policy[a] ['pɔlisi] *n* **1.** politika; **2.** tālredzība
policy[b] ['pɒlisi] *n* (*apdrošināšanas*) polise
polish ['pɒliʃ] **I** *n* **1.** pulējums; **2.** politūra; **II** *v* **1.** pulēt; **2.** spodrināt (*apavus*)
polite [pə'lait] *a* pieklājīgs
politeness [pə'laitnis] *n* pieklājība
political [pə'litikəl] *a* politisks
politician [,pɒli'tiʃn] *n* politiķis
politics ['pɒlitiks] *n* politika
polity ['pɒləti] *n* **1.** valsts iekārta; **2.** valsts
poll [pəʊl] **I** *n* **1.** balsošana; **2.** vēlētāju saraksts; **3.** balsu skaits; **II** *v* balsot
pollinate ['pɔlineit] *v bot.* apputeksnēt
polling ['pəʊliŋ] *n* balsošana
pollution [pə'lu:ʃən] *n* **1.** piesārņošana; **2.** apgānīšana
polymer ['pɒlimə] *n ķīm.* polimērs
pomegranate ['pɒmgrænət] *n* granātābols
pond [pɒnd] *n* dīķis
ponder ['pɒndə] *v* apsvērt
pony ['pəʊni] *n* ponijs
poodle ['pu:dl] *n* pūdelis
pool[a] [pu:l] *n* **1.** peļķe; **3.** dīķis; **2.** baseins
pool[b] [pu:l] *n* kopējs fonds; kopēja kase
pool[c] [pu:l] *dat.* pūls
poor [pʊə] *a* **1.** nabadzīgs; **2.** nelaimīgs; nabaga-; **3.** slikts

P

pope [pəʊp] *n* pāvests
poplar [ˈpɒplə] *n* papele
poppy [ˈpɒpi] *n* magone
populace [ˈpɒpjʊləs] *n* vienkāršie ļaudis; ļaužu masas
popular [ˈpɒpjʊlə] *a* **1.** tautas-; p. front – tautas fronte; **2.** populārs
popularity [ˌpɒpjʊˈlæriti] *n* popularitāte
population [ˌpɒpjʊˈleiʃn] *n* iedzīvotāji
porcelain [ˈpɔ:slin] *n* porcelāns
pore [pɔ:] *v* pētīt; urbties
porch [pɔ:tʃ] *n* **1.** lievenis; **2.** *amer.* veranda; terase
porcupine [ˈpɔ:kjupain] *n* dzeloņcūka
pork [pɔ:k] *n* cūkgaļa; p. chop – karbonāde
porridge [ˈpɔridʒ] *n* (*auzu*) biezputra
port[a] [pɔ:t] *n* **1.** osta; **2.** *sar.* lidosta
port[b] [pɔ:t] *n* portvīns
portable [ˈpɔ:təbl] *a* portatīvs, pārnesams
porter[a] [ˈpɔ:tə] *n* šveicars
porter[b] [ˈpɔ:tə] *n* **1.** nesējs; **2.** (*vilciena*) pavadonis
portion [ˈpɔ:ʃən] *n* **1.** daļa, tiesa; **2.** porcija
portrait [ˈpɔ:trɪt] *n* portrets
portwine [ˈpɔ:twain] *n* portvīns
pose [pəʊz] **I** *n* poza; **II** *v* **1.** nostādīt pozā; **2.** pozēt; **3.** izvirzīt (*problēmu*)
position [pəˈziʃən] *n* **1.** pozīcija, vieta; **2.** pozīcija, stāvoklis; **3.** amats, vieta
positive [ˈpɒzətiv] *a* **1.** pozitīvs; **2.** pārliecināts; **3.** noteikti; skaidrs
possess [pəˈzes] *v* būt (*piederības nozīmē*)
possession [pəˈzeʃn] *n* īpašums
possessive [pəˈzesiv] *a* **1.** īpašuma-; **2.** *gram.* piederības-
possessor [pəˈzesə] *n* īpašnieks
possibility [ˌpɒsəˈbiliti] *n* iespēja
possible [ˈpɒsəbl] *a* iespējams
possibly [ˈpɒsəbli] *adv* iespējams
post[a] [pəʊst] **I** *n* stabs; **II** *v*: to p. **up** – izkārt; izlīmēt (*piem., afišas*)
post[b] [pəʊst] **I** *n* pasts; **II** *v* nosūtīt pa pastu; iemest pastkastītē
post[c] [pəʊst] *n* **1.** amats; **2.** *mil.* postenis
postage [ˈpəʊstidʒ] *n* pasta izdevumi; p. stamp – pastmarka
postal [ˈpəʊstl] *a* pasta-; p. order – naudas pārvedums
postcard [ˈpəʊstkɑ:d] *n* pastkarte
postcode [ˈpəʊstkəʊd] *n* pasta indekss
poster [ˈpəʊstə] *n* plakāts; afiša
posterior [pɒˈstiəriə] **I** *n* sēžamvieta; **II** *a* **1.** pakaļējais; **2.** vēlākais
posterity [pɒˈsteriti] *n* pēcteči
postman [ˈpəʊstmən] *n* pastnieks
postmark [ˈpəʊstmɑ:k] *n* pasta zīmogs
postmortem [ˌpəʊstˈmɔ:tem]: p. dump *dat.* – pēcizmete
post-office [ˈpəʊstˌɒfis] *n* pasta nodaļa
postpone [pəʊstˈpəʊn] *v* atlikt (*uz vēlāku laiku*)
postprocessor *n dat.* pēcprocesors
postwar [ˌpəʊstˈwɔ:] *a* pēckara-
pot [pɒt] *n* **1.** katls; pods; **2.** *sar.* marihuāna

P

potables [ˈpəʊtəblz] *n pl* dzērieni
potage [pɒˈtɑ:ʒ] *n* biezeņzupa
potato [pəˈteitəʊ] *n* kartupelis; mashed ~es – kartupeļu biezenis
potent [ˈpəʊtənt] *a* varens; spēcīgs
poter [ˈpɒtə] *n* podnieks
pottery [ˈpɒtəri] *n* keramika
poultry [ˈpəʊltri] *n* mājputni
pound [paʊnd] *n* **1.** mārciņa; **2.** sterliņu mārciņa
pour [pɔ:] *v* **1.** liet; **2.** līt; ~ing rain – lietusgāze; to p. **out** – 1) ieliet (*dzērienu*); 2) izliet
poverty [ˈpɒvəti] *n* nabadzība; trūkums
powder [ˈpaʊdə] **I** *n* **1.** pulveris; **2.** pūderis; **3.** šaujampulveris; **II** *v* **1.** nokaisīt ar pulveri; **2.** pūderēt; **3.** pūderēties
powdercase [ˈpaʊdəkeis] *n* pūdernīca
power [ˈpaʊə] *n* **1.** spēja; purchasing p. – pirktspēja; **2.** spēks; enerģija; **3.** vara; **4.** lielvalsts; **5.** *mat.* pakāpe
powerful [ˈpaʊəfʊl] *a* **1.** spēcīgs, varens; **2.** iedarbīgs
powerpoint [ˈpaʊəpɔint] *n el.* kontaktrozete
practical [ˈpræktikl] *a* praktisks
practically [ˈpræktikli] *adv* **1.** praktiski; **2.** faktiski, būtībā; **3.** gandrīz
practice [ˈpræktis] *n* **1.** prakse; to put into p. – īstenot; realizēt; **2.** vingrināšanās; **3.** paradums; **4.** (*ārsta, advokāta*) prakse
practise [ˈpræktis] *v* **1.** praktizēt; **2.** nodarboties; **3.** vingrināties
practitioner [prækˈtiʃnə] *n* praktizējošs ārsts (jurists)
prairie [ˈpreəri] *n* prērija
praise [preiz] **I** *n* uzslava; **II** *v* [uz]slavēt
prank [præŋk] *n* draiskulība; to play ~s – draiskuļoties
prattle [ˈprætl] **I** *n* pļāpāšana; **II** *v* pļāpāt
prawn [prɔ:n] *n* garnele
pray [prei] *v* **1.** skaitīt lūgšanu; **2.** lūgt, lūgties
prayer [preə] *n* **1.** lūgšana; to say one's ~s – [no]skaitīt lūgšanu; **2.** lūgums; at my p. – pēc mana lūguma
preach [pri:tʃ] *v* sprediķot; sludināt
precaution [priˈkɔ:ʃən] *n* piesardzība
precede [priˈsi:d] *v* **1.** notikt pirms (*kā*); **2.** iet pa priekšu; atrasties priekšā
preceding [priˈsi:diŋ] *a* iepriekšējais
precious [ˈpreʃəs] *a* **1.** vērtīgs; **2.** mīļš; **3.** izsmalcināts (*par stilu*)
precipice [ˈpresipis] *n* krauja
precis [ˈpreisi:] **I** *n* kopsavilkums; **II** *v* konspektēt
precise [priˈsais] *a* **1.** precīzs; **2.** akurāts
precision [priˈsiʒn] *n* precizitāte
preclude [priˈklu:d] *v* novērst; aizkavēt
predecessor [ˈpri:disesə] *n* priekšgājējs, priekštecis
predicate [ˈpredikit] *n gram.* izteicējs
predict [priˈdikt] *v* pareģot
preface [ˈprefis] *n* priekšvārds

prefer [pri'fɜ:] *v* dot priekšroku; atzīt par labāku

preferable ['prefərəbl] *a* par labāku atzīstams

preference ['prefərəns] *n* priekšroka

prefix ['pri:fiks] *n gram.* priedēklis

pregnancy ['prəgnənsi] *n* grūtniecība

pregnant ['pregnənt] *a* grūtniecības stāvoklī (*par sievieti*)

prejudice ['predʒədis] *n* **1.** aizspriedums; **2.** kaitējums

preliminary [pri'liminri] *a* iepriekšējs; sagatavošanās-

premature ['premətʃə] *a* priekšlaicīgs, pāragrs

premium ['pri:miəm] *n* **1.** prēmija; **2.** apdrošināšanas maksa

premonition [,pri:mə'niʃən] *n* [priekš]nojauta

prepacks [,pri:pæks] *n pl* fasētās preces

prepacked [,pri:pækt] *a* fasēts

preparation [,prepə'reiʃn] *n* **1.** sagatavošana; **2.** (*parasti pl*) gatavošanās; priekšdarbi; **3.** preparāts

preparatory [pri'pærətəri] *a* sagatavošanas-

prepare [pri'peə] *v* **1.** [sa]gatavot; **2.** [sa]gatavoties

preposition [,prepə'ziʃn] *n gram.* prievārds

preschool [,pri:'sku:l] *a* pirmsskolas-

prescience ['presiəns] *n* priekšnojauta, paredzējums

prescription [pris'kripʃn] *n* **1.** priekšraksts; **2.** (*ārsta*) recepte

presence ['prezns] *n* klātbūtne

present[a] ['preznt] **I** *n* tagadne; at p. – pašlaik; **II** *a* **1.** klātesošs; **2.** tagadējs; pašreizējs; p. tense *gram.* – tagadne

present[b] **I** *n* ['preznt] dāvana; **II** *v* [pri'zent] **1.** dāvināt; pasniegt; **2.** stādīt priekšā; **3.** izvirzīt; radīt (*problēmas*)

present-day [,preznt'dei] *a* mūsdienu-

presently ['prezntli] *adv.* **1.** drīz; **2.** pašlaik

preservation [,prezə'veiʃn] *n* **1.** saglabāšana; **2.** konservēšana

preserve [pri'zɜ:v] **I** *n*: ~s *pl* – konservēti augļi; ievārījums; **II** *v* **1.** saglabāt; **2.** konservēt

preside [pri'zaid] *v* (*at, over*) būt par priekšsēdētāju (*sapulcē*)

president ['prezidənt] *n* **1.** prezidents; **2.** priekšsēdētājs

presidential [,prezi'denʃl] *a* prezidenta-; prezidentu-; p. year *amer.* – prezidenta vēlēšanu gads

press [pres] **I** *n* **1.** spiešana; **2.** spiedne; **3.**: the p. – prese; **4.** *poligr.* iespiešana; **II** *v* **1.** spiest; piespiest; **2.** izspiest (*sulu*); **3.** gludināt; **4.** steidzināt

pressing ['presiŋ] *n* **1.** neatliekams; **2.** uzbāzīgs (*par cilvēku*)

pressman ['presmən] *n* žurnālists

pressreader ['pres,ri:də] *n* korektors

pressure ['preʃə] *n* **1.** spiediens; **2.** grūtības; **3.** *el.* spriegums

preteen [,pri:'ti:n] *n* mazgadīgais (10–12 g. vecs)

pretence [pri'tens] *n* **1.** izlikšanās; **2.** aizbildināšanās; **3.** pretenzija
pretend [pri'tend] *v* **1.** izlikties; simulēt; **2.** aizbildināties; **3.** (*to*) pretendēt
pretext ['pri:tekst] **I** *n* iegansts; atruna; **II** *v* atrunāties
pretty ['priti] **I** *a* **1.** glīts, jauks; **2.** *sar.* liels, prāvs; a p. penny – krietna summa; **II** *adv* diezgan
prevail [pri'veil] *v* **1.** (*over*) būt pārsvarā; **2.** gūt virsroku; pārspēt
prevalence ['prevələns] *n* **1.** pārsvars; **2.** izplatība
prevent [pri'vent] *v* novērst; aizkavēt
preview ['pri:vju:] **I** *n* (*kinofilmas, lugas*) iepriekšēja skate; **II** *v* iepriekš noskatīties (*kinofilmu, lugu*)
previous ['pri:viəs] *a* iepriekšējs; agrākais
prey [prei] *n* **1.** laupījums; **2.** upuris
price [prais] *n* **1.** cena; cost p. – pašizmaksa; purchasing p. – iepirkšanas cena; consumer p. – mazumtirdzniecības cena; wholesale p. – vairumtirdzniecības cena; **2.** atalgojums
price-cutting ['prais,kʌtiŋ] *n* cenu pazeminājums
pricey ['praisi] *a sar.* dārgs
prick [prik] **I** *n* **1.** dzelonis; ērkšķis; **2.** dūriens; **II** *v* **1.** [ie]durt; **2.** durties
pricker ['prikə] *n* īlens
prickle ['prikl] *n* **1.** ērkšķis; dzelonis; **2.** (*eža*) adata
pride [praid] *n* lepnums; proper p. – pašlepnums
priest [pri:st] *n* priesteris; garīdznieks
primary ['praiməri] *a* **1.** primārs; sākotnējs; **2.** galvenais; svarīgākais
primate ['praimit] *n* arhibīskaps
prime [praim] **I** *n* sākums; **II** *a* **1.** primārs; sākotnējs; **2.** galvenais; svarīgākais; P. Minister – premjerministrs; **3.** lielisks; pirmšķirīgs
primeval [prai'mi:vəl] *a* pirmatnējs; p. forest – mūžamežs
primitive ['primitiv] *a* primitīvs; pirmatnējs
primrose ['primrəʊz] *n* gaiļpieši
primula ['primjʊlə] *n* prīmula
prince [prins] *n* princis
princes [prin'ses] *n* princese
principal ['prinsəpəl] **I** *n* priekšnieks; **II** *a* galvenais; pamata-; p. clause *gram.* – virsteikums
principle ['prinsəpl] *n* princips
print [print] **I** *n* **1.** nospiedums; **2.** *poligr.* iespiedums; in p. – pārdošanā (*par iespieddarbu*); out of p. – izpārdots (*par iespieddarbu*); **3.** gravīra, estamps; **4.** apdrukāts kokvilnas audums; **II** *v poligr.* iespiest
printer ['printə] *n dat.* printeris
printing-office ['printiŋ,ɒfis] *n* tipogrāfija
printing-press ['printiŋpres] *n* iespiedmašīna
priority [prai'ɒriti] *n* prioritāte
priory ['praiəri] *n* klosteris
prison ['prizn] *n* **1.** cietums; **2.** gūsts

P

prisoner [ˈpriznə] *n* **1.** cietumnieks; ieslodzītais; **2.** gūsteknis
prissy [ˈprisi] *a* stīvs; formāls
private [ˈpraivit] **I** *n* ierindnieks; **II** *a* **1.** privāts; personisks; **2.** slepens
privilege [ˈprivilidʒ] *n* privilēģija, priekšrocība
prize [praiz] *n* godalga; balva; prēmija
prizewinner [ˈpraizˌwinə] *n* godalgas ieguvējs
probability [ˌprɒbəˈbiliti] *n* varbūtība; iespējamība
probable [ˈprɒbəbl] *a* varbūtējs; iespējams
probably [ˈprɒbəbli] *adv* laikam; droši vien
probe [prəʊb] **I** *n* zonde; **II** *v* zondēt
problem [ˈprɒbləm] *n* **1.** problēma; **2.** uzdevums
procedure [prəˈsi:dʒə] *n* procedūra
procceed [prəˈsi:d] *v* **1.** turpināt; doties tālāk; **2.** (*from*) izrietēt
proceeding [prəˈsi:diŋ] *n* **1.** rīcība; **2.**: ~s *pl* – tiesvedība; **3.**: ~s *pl* – (*zinātniskas biedrības*) raksti
proceeds [ˈprəʊsi:dz] *n pl* ieņēmumi; peļņa
process [ˈprəʊses] **I** *n* process; norise; **II** *v* apstrādāt
processing [ˈprəʊsəsiŋ] *n* **1.** apstrāde; **2.** pārstrāde
procession [prəˈseʃən] *n* procesija; gājiens
proclaim [prəˈkleim] *v* **1.** proklamēt, pasludināt; **2.** liecināt
proclamation [ˌprɒkləˈmeiʃn] *n* **1.** proklamēšana, pasludināšana; **2.** uzsaukums
prodigy [ˈprɒdədʒi] *n* (*dabas*) brīnums
produce **I** *n* [ˈprɒdju:s] produkcija; **II** *v* [prəˈdju:s] **1.** ražot; izgatavot; **2.** uzrādīt (*piem., dokumentu*); **3.** uzvest (*lugu*); **4.** radīt
producer [prəˈdju:sə] *n* **1.** ražotājs; **2.** režisors inscenētājs; **3.** (*kino*) producents
product [ˈprɒdʌkt] *n* **1.** produkts, ražojums; **2.** *mat.* reizinājums
production [prəˈdʌkʃn] *n* **1.** ražošana; izgatavošana; **2.** produkcija; ražojums; **3.** (*lugas*) uzvedums
productivity [ˌprɒdʌkˈtiviti] *n* produktivitāte
profession [prəˈfeʃn] *n* profesija; nodarbošanās
professional [prəˈfeʃnəl] **I** *n* profesionālis; **II** *a* profesionāls
professor [prəˈfesə] *n* **1.** profesors; **2.** *amer.* (*augstskolas, koledžas*) pasniedzējs
profit [ˈprɒfit] **I** *n* **1.** labums; **2.** peļņa; ienākums; **II** *v* gūt labumu
profitable [ˈprɒfitəbl] *a* **1.** ienesīgs; **2.** izdevīgs
profitless [ˈprɒfitləs] *a* bezpeļņas-
pro forma [ˌprəʊˈfɔ:mə] *adv* formas pēc
profound [prəˈfaʊnd] *a* dziļš; pamatīgs
profuse [prəˈfju:s] *a* bagātīgs
program[me] [ˈprəʊgræm] *n* programma

P

programming ['prəʊgræmiŋ] *n* programmēšana

progress I *n* ['prəʊgres] **1.** progress; attīstība; **2.** sekmes; panākumi; **II** *v* [prə'gres] **1.** progresēt; attīstīties; **2.** gūt sekmes

progressive [prə'gresiv] *a* **1.** progresīvs; **2.** progresējošs

prohibit [prə'hibit] *v* **1.** aizliegt; **2.** neļaut; kavēt

prohibition [ˌprəʊhi'biʃn] *n* aizliegums

project I *n* ['prɒdʒekt] projekts; **II** *v* [prə'dʒekt] **1.** projektēt; **2.** projicēt

prolong [prə'lɒŋ] *v* **1.** paildzināt; **2.** pagarināt

prominent ['prɒminənt] *a* **1.** uz āru izvirzījies; **2.** izcils

promise ['prɒmis] **I** *n* solījums; **II** *v* [ap]solīt

promising ['prɒmisiŋ] *a* daudzsološs

promote [prə'məʊt] *v* **1.** paaugstināt (*amatā*); **2.** sekmēt; veicināt

promotion [prə'məʊʃn] *n* **1.** paaugstināšana (*amatā*); **2.** sekmēšana; veicināšana

prompt[a] [prɒmpt] *a* ātrs; veikls; tūlītējs

prompt[b] [prɒmpt] *v* **1.** pamudināt; **2.** suflēt; **3.** teikt priekšā

promptly ['prɒmptli] *adv* **1.** tūlīt; nekavējoties; **2.** precīzi

promulgate ['prɒmlgeit] *v* pasludināt

pronoun ['prəʊnaʊn] *n gram.* vietniekvārds

pronounce [prə'naʊns] *v* **1.** izrunāt; **2.** pasludināt; paziņot

pronunciation [prəˌnʌnsi'eiʃn] *n* izruna

proof [pru:f] **I** *n* **1.** pierādījums; **2.** pārbaude; **3.** korektūra; **II** *a* **1.** drošs; **2.** nesatricināms

proofreader ['pru:fˌri:də] *n* korektors

prop [prɒp] **I** *n* **1.** balsts; **2.** atbalsts; **II** *v* atbalstīt

proper ['prɒpə] *a* **1.** piemērots; piedienīgs; pienācīgs; **2.** īsts; pareizs; **3.**: p. name (noun) *gram.* – īpašvārds

properly ['prɒpəli] *adv* atbilstoši; pienācīgi

property ['prɒpəti] *n* **1.** manta; īpašums; **2.** (*raksturīga*) īpašība

prophesy ['prɒfisai] *v* pareģot

prophet ['prɒfit] *n* pravietis

proportion [prə'pɔ:ʃən] *n* **1.** proporcija; samērs; **2.** daļa

proposal [prə'pəʊzl] *n* **1.** priekšlikums; **2.** bildinājums

propose [prə'pəʊz] *v* **1.** ierosināt; **2.** bildināt

proposition [ˌprɒpə'ziʃn] *n* **1.** priekšlikums; ierosinājums; **2.** *mat.* teorēma

proprictor [prə'praiətə] *n* īpašnieks

prose [prəʊz] *n* proza

prosecute ['prɒsikju:t] *v jur.* iesniegt (*prasību*)

prosecution [ˌprɒsi'kju:ʃn] *n jur.* **1.** (*prasības*) iesniegšana; **2.** apsūdzība (*kā puse tiesas procesā*)

prosecutor ['prɒsikju:tə] *n jur.* **1.** apsūdzētājs; prasītājs; **2.**: public p. – prokurors

prospect [ˈprɒspekt] *n* **1.** perspektīva; skats; **2.** (*parasti pl*) izredzes

prosper [ˈprɒspə] *v* **1.** zelt, plaukt; **2.** veicināt

prosperity [prɒˈsperiti] *n* labklājība; pārticība

prosperous [ˈprɒspərəs] *a* **1.** zeļošs; **2.** turīgs; **3.** veiksmīgs

protect [prəˈtekt] *v* **1.** aizsargāt; **2.** atbalstīt

protection [prəˈtekʃn] *n* aizsardzība; aizstāvība

protest I *n* [ˈprəʊtest] protests; **II** *v* [prəˈtest] protestēt

protract [prəˈtrækt] *v* vilcināt, vilkt garumā

proud [praʊd] *a* **1.** lepns; **2.** iedomīgs; **3.** lielisks; krāšņs

prove [pru:v] *v* **1.** pierādīt; **2.** pārbaudīt; **3.** izrādīties

proverb [ˈprɒvɜ:b] *n* paruna; sakāmvārds

provide [prəˈvaid] *v* **1.** sagādāt; **2.** (*with*) apgādāt

provided [prəˈvaidid] *conj* ja; ar noteikumu, ka...

providence [ˈprəvidəns] *n* **1.** providence; liktenis; **2.** tālredzība, apdomība

province [ˈprɒvins] *n* **1.** province; **2.** darbības lauks (sfēra)

provision [prəˈviʒn] **1.** apgāde; **2.**: ~s *pl* – pārtikas krājumi; **3.** *jur.* nosacījums

provocation [ˌprɒvəˈkeiʃn] *n* **1.** izaicinājums; **2.** provokācija; **3.** uzbudinājums

provoke [prəˈvəʊk] *v* **1.** izraisīt; radīt; **2.** provocēt

proximo [ˈprɔksiməʊ] *adv* nākamajā mēnesī

proxy [ˈprɒksi] *n* pilnvara; by p. – ar pilnvaru

prudent [ˈpruˈdnt] *a* apdomīgs; piesardzīgs

psyche [ˈsaiki] *n* psihe

psychiatry [saiˈkaiətri] *n* psihiatrija

psychology [saiˈkɒlədʒi] *n* psiholoģija

ptarmigan [ˈtɑ:migən] *n* irbe

pub [pʌb] *n sar.* krogs; bārs

public [ˈpʌblik] **I** *n* sabiedrība; publika; **II** *a* sabiedrisks; publisks; pieejams

publication [ˌpʌbliˈkeiʃn] *n* **1.** publicēšana, izdošana; **2.** publikācija; izdevums

publicity [pʌˈblisiti] *n* **1.** atklātība; **2.** reklāma

publish [ˈpʌbliʃ] *v* **1.** publicēt; izdot; **2.** paziņot; pasludināt

publisher [ˈpʌbliʃə] *n* **1.** izdevējs; **2.**: ~s – izdevniecība

puck [pʌk] *n* (*hokeja*) ripa

pucker [ˈpʌkə] **I** *n* kroka; **II** *v* sakrokot

pudding [ˈpʊdiŋ] *n* pudiņš

puddle [ˈpʌdl] *n* peļķe; to p. **about** – plunčāties

puff [pʌf] **I** *n* **1.** pūsma; **2.** mākonis; **II** *v* **1.** uzpūst; **2.** izgrūst mutuļus; **3.** pūderēt; pūderēties

puffball [ˈpʌfbɔ:l] *n* pūpēdis

pugdog [ˈpʌgdɒg] *n* mopsis

P

pule [pju:l] *v* pinkšķēt
pull [pʊl] **I** *n* **1.** vilkšana; raušana; **2.** rāviens; **II** *v* **1.** vilkt; raut; **2.** raustīt; **3.** saplēst; **4.** saplūkt (*puķes*)
pullover [ˈpʊlˌəʊvə] *n* pulovers
pulp [pʌlp] *n* (*augļa*) mīkstums; ◇ to beat smb. into p. – piekaut līdz nāvei
pulpit [ˈpulpit] *n* kancele
pulpwood [ˈpʌlpwʊd] *n* papīrmalka
pulse[a] [pʌls] **I** *n* pulss; **II** *v* taustīt pulsu
pulse[b] [pʌls] *n* pākšaugi
pump [pʌmp] **I** *n* sūknis; **II** *v* sūknēt
pumpkin [ˈpʌmpkin] *n* ķirbis
punch[a] [pʌntʃ] **I** *n* sitiens ar dūri; **II** *v* sist ar dūri
punch[b] [pʌntʃ] **I** *n* kompostieris; **II** *v* kompostrēt (*biļeti*)
punch[c] [pʌntʃ] punšs
punctual [ˈpʌŋktʃʊəl] *a* precīzs; punktuāls
punctuation [ˌpʌŋktʃʊˈeiʃn] *n* interpunkcija; p. marks – pieturzīmes
punish [ˈpʌniʃ] *v* **1.** sodīt; **2.** pārmācīt
punishment [ˈpʌniʃmənt] *n* sods
puny [ˈpju:ni] *a* **1.** mazs; **2.** vārgs
pupil [ˈpju:pl] *n* skolēns
puppet [ˈpʌpit] *n* lelle; marionete
puppet-show [ˈpʌpitʃəʊ] *n* leļļu izrāde
puppy [ˈpʌpi] *n* kucēns
purchase [ˈpə:tʃəs] **I** *n* pirkums; **II** *v* pirkt; p. power – pirktspēja
pure [pjʊə] *a* **1.** tīrs; nesajaukts; **2.** tīrasiņu-; **3.** pilnīgs
purge [pɜ:dʒ] **I** *n* caurejas līdzeklis; **II** *v* **1.** iztīrīt (*zarnas*); **2.** atbrīvot (*no aizdomām*)
purify [ˈpjʊərifai] *v* **1.** attīrīt; **2.** *rel.* šķīstīt
purple [ˈpɜ:pl] *a* purpursarkans
purpose [ˈpɜ:pəs] *n* nolūks; on p. – tīšām
purr [pɜ:] *v* ņurrāt, murrāt
purse [pɜ:s] *n* naudas maks; publish p. – valsts kase
pursue [pəˈsju:] *v* **1.** dzīties pakaļ; vajāt; **2.** rīkoties saskaņā ar
pursuit [pəˈsju:t] *n* **1.** pakaļdzīšanās; vajāšana; **2.** nodarbošanās
pursy [ˈpə:si] *a* **1.** slims ar aizdusu; **2.** tukls
pus [pʌs] *n* strutas; pūžņi
push [pʊʃ] **I** *n* grūdiens; **II** *v* **1.** grūst; stumt; **2.** piespiest; **3.** sprauktiescauri; **4.** mudināt; ◇ to p. **on** – 1) steigties; 2) virzīties uz priekšu; to p. **ower** – apgāzt
puss [pus] *n* kaķēns; ◇ P. in Boots – runcis zābakos
put [pʊt] *v* (*p. un p. p.* put [pʊt]) **1.** nolikt, novietot; **2.** ielikt; iebērt; **3.** novest (*kādā stāvoklī*): to p. in order – sakārtot; to p. an end (*to*) – izbeigt; ◇ to p. **aside** – nolikt malā; to p. **down** – 1) nolikt zemē; 2) pierakstīt; to p. **off** – atlikt (*uz vēlāku laiku*); to p. **on** – uzvilkt; to p. **out** – 1) nodzēst; 2) ražot
puzzle [ˈpʌzl] **I** *n* mīkla; crossword p. – krustvārdu mīkla; **II** *v* **1.** ap-

P

mulsināt; **2.** lauzīt galvu; **3.**: to p. out – atrisināt

puzzler [ˈpʌzlə] *n* sarežģīta problēma, uzdevums

pyjamas [pəˈdʒɑ:məz] *n pl* pidžama

pyramid [ˈpirəmid] *n* piramīda

python [ˈpaiθən] *n* pitons

Q

quadrangle [ˈkwɒdræŋgl] *n* četrstūris

quadrate **I** *n* [ˈkwɒdrət] kvadrāts; **II** *v* [kwɒˈdreit] saskaņot

quail[a] [kweil] *n* paipala

quail[b] [kweil] *v* drebēt bailēs

quake [kweik] **I** *n sar.* zemestrīce; **II** *v* trīcēt; drebēt

qualification [ˌkwɒlifiˈkeiʃən] *n* **1.** kvalifikācija; **2.** ierobežojums

qualify [ˈkwɒlifai] *v* **1.** apmācīt; **2.** kvalificēties; **3.** noteikt; kvalificēt

quality [ˈkwɒliti] *n* **1.** kvalitāte; **2.** īpašība

quantity [ˈkwɒntiti] *n* **1.** daudzums; **2.** lielums; **3.** *mūz.* ilgums

quantization *n dat.* kvantēšana

quarrel [ˈkwɒrəl] **I** *n* strīds; ķilda; **II** *v* strīdēties; ķildoties

quarter [ˈkwɔ:tə] *n* **1.** ceturtdaļa; **2.** (*stundas*) ceturksnis; **3.** (*gada*) kvartāls; **4.** (*pilsētas*) kvartāls; **5.**: ~s *pl* – mājoklis

quartet[te] [kwɔ:ˈtet] *n mūz.* kvartets

quash [kwɒʃ] *v* **1.** *jur.* atcelt; anulēt; **2.** apvaldīt (*jūtas*)

queen [kwi:n] *n* **1.** karaliene; **2.** dāma (*šahā, kāršu spēlē*)

queer [ˈkwiə] *a* **1.** savāds, dīvains; **2.** aizdomīgs

quench [kwentʃ] *v* **1.** apdzēst; **2.** dzesēt (*slāpes*)

query **I** *n* **1.** jautājums; **2.** šaubas; **3.** *dat.* vaicājums; **II** *v* **1.** izjautāt; **2.** izvaicāt

quest [kwest] **I** *n* meklēšana; **II** *v* meklēt

question [ˈkwestʃən] **I** *n* **1.** jautājums; **2.** (*diskutējama*) problēma; **3.** šaubas; **II** *v* **1.** jautāt; **2.** apšaubīt

question-mark [ˈkwestʃənmɑ:k] *n gram.* jautājuma zīme

questionnaire [ˌkwestʃəˈneə] *n* aptaujas lapa, anketa

queue [kju:] **I** *n* rinda; **II** *v* stāvēt rindā

quick [kwik] **I** *a* ātrs; **II** *adv* ātri

quicken[a] [ˈkwikən] *v* paātrināt; stimulēt

quicken[b] [ˈkwikən] *n* pīlādzis

quickly [ˈkwikli] *adv* ātri

quicksilver [ˈkwikˌsilvə] *n* dzīvsudrabs

quiet [ˈkwaiət] **I** *n* klusums; miers; **II** *a* kluss; mierīgs; **III** *v* **1.** nomierināt; **2.** nomierināties

quilt [kwilt] *n* vatēta sega

quince [kwins] *n* cidonija

quinine [kwiˈni:n] *n* hinīns

quinsy [ˈkwinzi] *n* angīna

quit [kwit] *v* **1.** atstāt; pamest; **2.** beigt (*darbu*)

quite [kwait] *adv* **1.** pilnīgi; pavisam; **2.** diezgan

quiver [ˈkwivə] **I** *n* trīsas; **II** *v* trīcēt

quiz [kwiz] *n* viktorīna

quotation [kwəʊˈteiʃn] *n* citāts

quotation-marks [kwəʊˈteiʃnmɑ:ks] *n pl gram.* pēdiņas

quote [kwəʊt] *v* **1.** citēt; **2.** atsaukties (*uz*)

R

rabbet [ˈræbit] *n* rieva, grope

rabbit [ˈræbit] *n* trusis

rabies [ˈreibi:z] *n pl* trakumsērga

race[a] [reis] **I** *n* **1.** (*ātruma*) sacīkstes; **2.** skrējiens; **II** *v* sacensties (*ātrumā*)

race[b] [reis] *n* **1.** rase; **2.** dzimta, cilts

racecourse [ˈreiskɔ:s] *n* **1.** skrejceļš; **2.** hipodroms

racehorse [ˈreishɔ:s] *n* sacīkšu zirgs

racer [ˈreisə] *n* **1.** sacīkšu braucējs; **2.** sacīkšu automobilis

racialism [ˈreiʃəlizəm] *n* rasu aizspriedumi

rack [ræk] *n* **1.** barības galds; **2.** (*drēbju*) pakaramais; **3.** plaukts; bagāžas tīkls (*vagonā, autobusā*)

racket[a] [ˈrækit] *n* (*tenisa*) rakete

racket[b] [ˈrækit] *n* **1.** troksnis; **2.** uzdzīve; **3.** šantāža

racoon [rəˈku:n] *n* jenots

radar [ˈreidɑ:] *n* radiolokators

radiant [ˈreidiənt] *a* **1.** izstarojošs; **2.** starojošs; mirdzošs

radiation [ˌreidiˈeiʃn] *n* starojums, radiācija

radiator [ˈreidieitə] *n* radiators

radical [ˈrædikl] **I** *n* **1.** *pol.* radikālis; **2.** *mat.* sakne; **II** *a* radikāls

radio [ˈreidiəʊ] *n* **1.** radio; **2.** radioaparāts

radioactive [ˌreidiəʊˈæktiv] *a* radioaktīvs

radiogram [ˈreidiəʊgræm] *n* **1.** radiogramma; **2.** rentgenogramma; **3.** radiola

radiophone [ˈreidiəʊfəʊn] *n* radiotelefons

radish [ˈrædiʃ] *n* redīss; redīsi

radius [ˈreidiəs] *n* (*pl* radii [ˈreidiai]) rādiuss

radix [ˈreidiks] *n* **1.** bāze (*pie skaitļa*); **2.** sakne

raffle [ˈræfl] **I** *n* loterija; **II** *v* piedalīties loterijā; laimēt

raft [rɑ:ft] *n* plosts; prāmis

rag [ræg] *n* lupata

rage [reidʒ] *n* **1.** dusmas; niknums; **2.** *sar.* vispārēja aizraušanās (mode)

ragout ['rægu:] *n kul.* ragū

raid [reid] *n* **1.** (*pēkšņs*) iebrukums; reids; **2.** kratīšana

rail[a] [reil] *n* **1.** margas; **2.** (*dzelzceļa*) sliede; **3.** dzelzceļš; by r. – pa dzelzceļu

rail[b] [reil] *v* (*against, at*) izbārt

railroad ['reilrəʊd] *n amer.* dzelzceļš

railway ['reilwei] *n* dzelzceļš; underground r. – metro

rain [rein] **I** *n* lietus; **II** *v* līt

rainbow ['reinbəʊ] *n* varavīksne

raincoat ['reinkəʊt] *n* lietusmētelis

rain-worm ['reinwɜ:m] *n* slieka

rainy ['reini] *a* lietains; ◇ for a r. day – nebaltām dienām

raise [reiz] **I** *a amer.* (*algas*) pielikums; **II** *v* **1.** [pa]celt; **2.** uzcelt; **3.** ierosināt; izvirzīt; **4.** audzēt (*labību, lopus*); **5.** paaugstināt (*algu*)

raisin ['reizn] *n* rozīne

rake [reik] **I** *n* grābeklis; **II** *v* grābt; to r. fogether – sagrābt kaudzē

rally ['ræli] **I** *n* **1.** mītiņš; salidojums; **2.** atspirgšana; **3.** autorallijs; **II 1.** [sa]pulcināt; apvienot; **2.** pulcēties; apvienoties; **3.** atspirgt

ram [ræm] *n* auns; (the R.) Auns (*zvaigznājs un zodiaka zīme*)

ramp [ræmp] *n* **1.** nogāze; slīpums; **2.** uzbrauktuve

ran *p. no* **run II**

ranch [rɑ:ntʃ] *n amer.* rančo

rancour ['ræŋkə] *n* ļaunprātība

random ['rændəm] *n*: at r. – uz labu laimi; r. access *dat.* – brīvpieeja

rang *p. no* **ring**[b] **II**

range [reindʒ] **I** *n* **1.** rinda; virkne; **2.** amplitūda; diapazons; **3.** attālums; (*darbības*) rādiuss; **4.** (*interešu*) loks; (*darbības*) sfēra; **5.** pavards; **II** *v* **1.** nostādīt rindā; **2.** svārstīties (*noteiktās robežās*)

rangy [rəndʒi] *a* plašs, neaptverams

rank [ræŋk] **I** *n* **1.** ierinda; **2.** dienesta pakāpe; rangs; **3.** kategorija; pakāpe; **II** *v* **1.** nostādīt ierindā; **2.** nostāties ierindā; **3.** ierindot; **4.** ierindoties

ransom ['rænsəm] **I** *n* izpirkšanas maksa; **II** *v* izpirkt

rant [rænt] *n* skaļas frāzes

rap [ræp] *v* **1.** viegli uzsist; **2.** pieklauvēt

rapacious [rə'peiʃes] *a* alkatīgs

rapacity [rə'pæsəti] *n* alkatība

rape [reip] **I** *n* izvarošana; **II** *v* izvarot

rapid ['ræpid] **I** *n*: ~s *pl* – krāces; **II** *a* ātrs; straujš

rapture ['ræptʃə] *n* sajūsma; aizgrābtība

rare [reə] *a* rets; neparasts

rare-ripe ['reəraip] *a* agrīns (*par dārzeņiem, augļiem*)

rash[a] [ræʃ] *a* straujš; pārsteidzīgs

rash[b] [ræʃ] *n* izsitumi

rasp [rɑ:sp] *v* **1.** kaisīt; **2.** šķindēt

raspberry ['rɑ:zbəri] *n* avene

raster *n dat.* rastrs

rat [ræt] *n* **1.** žurka; **2.** nodevējs

rate [reit] **I** *n* **1.** likme; tarifs; norma; **2.** temps; ātrums; **3.** kvalitāte; šķira; **II** *v* [no]vērtēt

R

rather [ˈrɑːðə] *adv* **1.** labāk, drīzāk; **2.** diezgan; r. dull – diezgan garlaicīgs; **3.** kā tad!, protams! (*atbildē*)

raticide [ˈrætisaid] *n* žurku inde

ratification [ˌrætifiˈkeiʃən] *n* ratifikācija

ratify [ˈrætifai] *v* ratificēt

ratio [ˈreiʃiəʊ] *n mat.* proporcija

ration [ˈræʃən] *n* deva

rational [ˈræʃnl] *a* racionāls, saprātīgs

rattle [ˈrætl] **I** *n* **1.** grabēšana; rībēšana; **2.** grabulis; **II** *v* grabēt; rībēt

rattlesnake [ˈrætlˈsneik] *n* klaburčūska

rat-trap [ˈrættræp] *n* žurku slazds

rave [reiv] *v* **1.** murgot; **2.** trakot; plosīties; **3.** jūsmot

raven [ˈreivn] *n* krauklis

ravine [rəˈviːn] *n* aiza

raw [rɔː] *a* **1.** jēls; **2.** neapstrādāts

rawhide [ˈrɔːhaid] *n* jēlāda

ray [rei] *n* **1.** stars; ◇ r. of hope – cerību stars; **2.** *fiz.* starojums

rayon [ˈreiɒn] *n* mākslīgais zīds

razor [ˈreizə] *n* bārdas nazis; skūšanās aparāts; ◇ on the ~s edge – par mata tiesu

reach [riːtʃ] **I** *n* sasniedzamība; **II** *v* **1.** sasniegt; aizsniegt; **2.** (*for*) sniegties; **3.** pasniegt; **4.** stiepties, plesties

react [riˈækt] *v* reaģēt

reaction [riˈækʃn] *n* reakcija

read [riːd] *v* (*p. un p. p.* read [red]) **1.** lasīt; **2.** rādīt

reader [ˈriːdə] *n* **1.** lasītājs; **2.** (*augstskolas*) pasniedzējs; **3.** korektors; **4.** recenzents; **5.** lasāmgrāmata; hrestomātija

reading [ˈriːdiŋ] *n* **1.** lasīšana; **2.** zināšanas; erudīcija; **3.** lekcija; **4.** (*mērinstrumenta*) rādījums

reading-room [ˈriːdiŋrʊm] *n* lasītava

ready [ˈredi] *a* gatavs

ready-made [ˌrediˈmeid] *a*: r.-m. clothes – gatavie apģērbi

real [riəl] *a* **1.** reāls; īsts; patiess; **2.**: r. estate – namīpašums ar zemes gabalu

realistic [riəˈlistik] *a* reālistisks

reality [riˈæliti] *n* realitāte

realize [ˈriəlaiz] *v* **1.** izprast; aptvert; **2.** realizēt

really [ˈriəli] *adv* [pa]tiešām

realty [ˈriəlti] *n jur.* nekustamais īpašums

reanimation [riːˈænimeiʃən] *n* reanimācija

reap [riːp] *v* pļaut (*labību*); ievākt (*ražu*)

rear[a] [riə] *n* aizmugure; mugurpuse

rear[b] [riə] *v* **1.** [iz]audzēt; **2.** [iz]audzināt

rearmost [ˈriəməʊst] *a* pats pēdējais

reason [ˈriːzn] **I** *n* **1.** cēlonis; iemesls; **2.** [sa]prāts; **II** *v* domāt; spriest

reasonable [ˈriːznəbl] *a* **1.** saprātīgs; **2.** mērens; pieņemams (*par cenu*)

reasoning [ˈriːzniŋ] *n* spriešana

rebuild [ˈriːˈbild] *v* rekonstruēt; pārbūvēt

R

recall [ri'kɔ:l] *v* **1.** atsaukt; atcelt; **2.** atcerēties

receipt [ri'si:t] *n* **1.** saņemšana; **2.** kvīts

receive [ri'si:v] *v* **1.** saņemt; **2.** uzņemt (*viesus*)

receiver [ri'si:və] *n* **1.** (*telefona*) klausule; **2.** [radio]uztvērējs

recent ['ri:snt] *a* nesens; jaunākais; pēdējais

recently ['ri:sntli] *adv* nesen; pēdējā laikā

reception [ri'sepʃn] *n* **1.** saņemšana; **2.** (*viesu*) uzņemšana; **3.** (*radio*) uztvere

receptionist [ri'sepʃənist] *n* reģistrators

recess [ri'ses] *n* **1.** (*sēdes vai darba*) pārtraukums; **2.** *amer.* brīvdienas; **3.** niša

recipe ['resipi] *n* (*kulinārijas*) recepte

recipient [ri'sipiənt] *n* saņēmējs

reciprocal [ri'siprəkl] *a* abpusējs

recital [ri'saitl] *n* **1.** izklāsts; **2.** solokoncerts

recite [ri'sait] *v* **1.** deklamēt; **2.** uzskaitīt; **3.** izklāstīt

reckless ['rekləs] *a* pārgalvīgs; neapdomīgs

reckon ['rekən] *v* **1.** skaitīt; rēķināt; **2.** uzskatīt; domāt; **3.** (*on*) paļauties; rēķināties

reclaim [ri'kleim] *v* **1.** uzplēst (*atmatu*); **2.** labot; pāraudzināt; **3.** izmantot; **4.** atprasīt

recognition [,rekəg'niʃn] *n* **1.** pazīšana; **2.** atzīšana; **3.** atzinība

recollect [,rekə'lekt] *v* atcerēties

recollection [,rekə'lekʃn] *n* **1.** atmiņa; **2.**: ~s *pl* – atmiņas

recommend [,rekə'mend] *v* ieteikt, rekomendēt

recommendation [,rekəmen'deiʃn] *n* rekomendācija

recompense ['rekəmpens] **I** *n* kompensācija, atlīdzība; **II** *v* kompensēt, atlīdzināt

reconcile ['rekənsail] *v* **1.** (*with, to*) samierināt; **2.** saskaņot

recondition ['ri:'kəndiʃən] *n* salabot, saremontēt

reconstruct [,ri:kən'strʌkt] *v* **1.** restaurēt; **2.** atveidot

reconstruction [,ri:kən'strʌkʃn] *n* rekonstrukcija

record I *n* ['rekɔ:d] **1.** ieraksts; protokols; **2.** reputācija; raksturojums; **3.** skaņuplate; (*skaņu*) ieraksts; **4.** rekords; **II** *v* [ri'kɔ:d] **1.** pierakstīt; **2.** protokolēt; **3.** ierakstīt (*skaņuplatē, lentē*)

record-holder ['rekɔ:d,həʊldə] *n* rekordists

recoup [ri'ku:p] *v* **1.** atlīdzināt; **2.** *jur.* atvilkt

recover [ri'kʌvə] *v* **1.** atgūt (*zaudēto*), **2.** atgūties; **3.** atveseļoties

recovery [ri'kʌvəri] *n* **1.** (*zaudētā*) atgūšana; **2.** atgūšanās

recreation [,rekri'eiʃn] *n* atpūta; izprieca

rectangle ['rektæŋgl] *n* taisnstūris

recur [ri'kɜ:] *v* **1.** atkārtoties; **2.** (*to*) atgriezties (*pie kā*); **3.** no jauna ienākt prātā

recycle [ri'saikl] *v* atkārtoti izmantot

red [red] **I** *n* sarkana krāsa; r. currant – jāņoga; **II** *a* **1.** sarkans; **2.** ruds; ◇ to see red – kļūt trakam no dusmām

redbreast ['redbrest] *n* sarkankrūtītis

redeem [ri'di:m] *v* **1.** izpirkt (*ieķīlātu mantu*); **2.** atgūt; **3.** atbrīvot (*pret ķīlu*)

red-letter [,red'letə] *a*: r.-l. day – svētku diena

redolent ['redələn] *a* aromātisks, smaržīgs

reduce [ri'dju:s] *v* **1.** samazināt; reducēt; **2.** pazemināt (*amatā*); **3.** novājēt

reduction [ri'dʌkʃn] *n* samazināšana; reducēšana

reed [ri:d] *n* niedre

reed-pipe ['ri:dpaip] *n* stabule

reek [ri:k] **I** *n* **1.** smaka; **2.** izgarojumi; **II** *v* smirdēt

refer [ri'fɜ:] *v* **1.** (*to*) nosūtīt (*pie kāda*); **2.** attiecināt; **3.** (*to*) atteikties; **4.** meklēt (*uzziņu*); **5.** atsaukties (*uz ko*)

referee [,refə'ri:] *n* **1.** šķīrējtiesnesis; **2.** (*sporta*) tiesnesis

reference ['refrəns] *n* **1.** uzziņa; **2.** norāde (*grāmatā*); **3.** atsauksme

refill **I** *n* ['ri:fil] **1.** iepildīšana; **2.** rezerves eksemplārs; **II** *v* [ri:'fil] iepildīt (*degvielu*)

refine [ri'fain] *v* **1.** attīrīt; **2.** padarīt smalkāku

refit ['ri:fit] *n* remonts

reflect [ri'flect] *v* **1.** atstarot; **2.** *pārn.* atspoguļot; **3.** pārdomāt; apdomāt

reflection [ri'flekʃn] *n* **1.** atspulgs; **2.** *pārn.* atspoguļojums; **3.** pārdomas

reflex ['ri:fleks] *n* **1.** atspulgs; **2.** reflekss

reform [ri'fɔ:m] **I** *n* reforma; **II** *v* **1.** reformēt; pārveidot; **2.** laboties

refresh [ri'freʃ] *v* atsvaidzināt; atspirdzināt

refresher [ri'freʃə] *n* **1.** *sar.* atspirdzinošs dzēriens; **2.**: r. course – kvalifikācijas celšanas kursi

refreshment [ri'freʃmənt] *n* atspirdzinājums; r. room – bufete

refrigerator [ri'fridʒəreitə] *n* ledusskapis

refuge ['refju:dʒ] *n* patvērums

refugee [,refjʊ'dʒi:] *n* **1.** bēglis; **2.** emigrants

refusal [ri'fju:zl] *n* atteikums; noraidījums

refuse[a] ['refju:s] *n* atkritumi

refuse[b] [ri'fju:z] *v* **1.** atteikt; noraidīt; **2.** atteikties

regain [ri'gein] *v* atgūt

regard [ri'gɑ:d] **I** *n* **1.** uzmanība; rūpes; **2.** cieņa; **3.** attieksme; **4.**: ~s *pl* – sveicieni; **II** *v* **1.** uzskatīt; **2.** cienīt; **3.** ņemt vērā

regarding [ri'gɑ:diŋ] *prep* attiecībā uz

regatta [ri'gætə] *n* regate

regie [rei'ʒi:] *n* valsts monopols

regime [rei'ʒi:m] *n* režīms; iekārta

regiment ['redʒimənt] *n* *mil.* pulks

region ['ri:dʒən] *n* apgabals; apvidus; rajons

register ['redʒistə] **I** *n* **1.** (*ierakstu*) žurnāls; reģistrs; **2.** *tehn.* skaitītājs; **3.** *mūz.* reģistrs; **II** *v* **1.** reģistrēt; ierakstīt sarakstā; **2.** reģistrēties; **3.** reģistrēt; rādīt (*par aparātu*)

registry ['redʒistri] *n* reģistrācija

regular ['regjʊlə] *a* **1.** regulārs; sistemātisks; **2.** kvalificēts; profesionāls; **3.** *gram.* kārtns, regulārs; **4.** *sar.* lāga-; **5.** *sar.* pilnīgs; īsts

regulation [ˌregjʊ'leiʃn] *n* **1.** regulēšana; **2.** priekšraksts; noteikums

rehearsal [ri'hɜ:sl] *n* (*lugas*) mēģinājums; dress r. – ģenerālmēģinājums

reign [rein] **I** *n* vara; **II** *v* valdīt

reimburse [ˌri:im'bɜ:s] *v* atlīdzināt; atmaksāt

reindeer ['reindiə] *n* (*pl* reindeer ['reindiə]) ziemeļbriedis

reinforce [ˌri:in'fɔ:s] *v* pastiprināt

reive [ri:v] *v* izlaupīt

reject [ri'dʒekt] **I** *n* brāķis; **II** *v* **1.** izbrāķēt; **2.** noraidīt; atteikt

rejection [ri'dʒekʃn] *n* noraidījums; atteikums

rejoice [ri'dʒɔis] *v* (*at, in*) priecāties, līksmoties (*par*)

relate [ri'leit] *v* (*to*) attiecināt (*uz*); saistīt (*ar*)

related [ri'leitid] *a* radniecīgs; saistīts

relation [ri'leiʃn] *n* **1.** stāstījums; **2.** attiecība; saistība; **3.** (*parasti pl*) attiecības; **4.** radinieks; radiniece

relationship [ri'leiʃnʃip] *n* radniecība; saikne

relative ['relətiv] **I** *n* radinieks; radiniece; **II** *a* relatīvs

relax [ri'læks] *v* **1.** atslābināt; **2.** mazināt (*saspīlējumu*)

relaxation [ˌri:læk'seiʃn] *n* **1.** atslābināšanās; atslābums; **2.** (*saspīlējuma*) mazināšana; **3.** atpūta; izklaidēšanās

relay ['ri:lei] *n* **1.** maiņa (*darbā*); **2.** *sp.* stafete; **3.** *el.* relejs; pārslēgs

reliable [ri'laiəbl] *a* **1.** uzticams; drošs; **2.** izturīgs

relief[a] [ri'li:f] *n* **1.** atvieglojums; **2.** pabalsts; palīdzība (*piem., cietušajiem*); **3.** (*dežurantu, sardzes*) maiņa

relief[b] [ri'li:f] *n* reljefs

relieve [ri'li:v] *v* **1.** atvieglot (*ciešanas, sāpes*); **2.** nomainīt (*piem., dežurantus, sardzi*)

religion [ri'lidʒn] *n* reliģija

religious [ri'lidʒəs] *a* reliģiozs

relish ['reliʃ] **I** *n* **1.** (*patīkama*) garša; **2.** piedevas (*ēdienam*); **3.** bauda; patika; **II** *v* rast baudu

reluctant [ri'lʌktənt] *a* negribīgs

rely [ri'lai] *v* (*on, upon*) paļauties

remain [ri'mein] *v* **1.** palikt pāri; **2.** palikt

remainder [ri'meində] *n* atlikums

remains [ri'meinz] *n pl* **1.** atliekas; **2.** mirstīgās atliekas

remark [ri'mɑ:k] **I** *n* piezīme; **II** *v* **1.** piebilst; **2.** ievērot

remarkable [ri'mɑ:kəbl] *a* ievērojams

remedy [ˈremidi] **I** *n* **1.** zāles; **2.** līdzeklis; **II** *v* labot
remember [riˈmembə] *v* **1.** atcerēties; **2.** pasveicināt; r. me to him! – pasveiciniet viņu no manis!
remind [riˈmaind] *v* atgādināt
remindful [riˈmaindfʊl] *a* atgādinošs
reminiscence [ˌremiˈnisns] *n* (*parasti pl*) atmiņas
remit [riˈmit] *v* **1.** piedot; **2.** atlaist (*parādu*); **3.** pārsūtīt (*naudu*)
remittance [riˈmitəns] *n* naudas pārvedums
remnant [ˈremnənt] *n* atlikums; paliekas
remorse [riˈmɔ:s] *n* sirdsapziņas pārmetumi; nožēla
remove [riˈmu:v] *v* **1.** noņemt; novākt; aizvākt; **2.** izņemt (*traipus*)
renaissance [riˈneisəns] *n* **1.**: the R. – renesanse; **2.** (*mākslas*) uzplaukums
rename [ˌri:ˈneim] *v* pārdēvēt
render [ˈrendə] *v* **1.** dot; sniegt; **2.** atveidot (*lomu*); atskaņot (*skaņdarbu*); **3.** (*into*) pārtulkot
renew [riˈnju:] *v* atjaunot
renovate [ˈrenəʊveit] *v* atjaunot
renowed [riˈnaʊnd] *a* slavens
renown [riˈnaʊn] *n* slava
rent [rent] **I** *n* **1.** noma; īre; **2.** īres maksa; **II** *v* **1.** nomāt, īrēt; **2.** iznomāt, izrentēt; izīrēt
repair [riˈpeə] **I** *n* labošana; remonts; **II** *v* labot; remontēt
repast [riˈpɑ:st] *n* maltīte
repay [ri:ˈpei] *v* (*p. un p.p.* repaid [ri:ˈpeid]) atdot; atmaksāt
repeat [riˈpi:t] *v* **1.** atkārtot; **2.** atkārtoties
repel [ri:ˈpel] *v* **1.** atvairīt; atsist; **2.** izraisīt nepatiku
repellent [riˈpelənt] *a* pretīgs; atbaidošs
repertoire [ˈrepətwɑ:] *n* repertuārs
repertory [ˈrepətəri] *n* repertuārs
repetition [ˌrepiˈtiʃn] *n* atkārtošana; atkārtojums
replace [ˈriˈpleis] *v* **1.** atlikt atpakaļ; **2.** (*by, with*) nomainīt; aizstāt
reply [riˈplai] **I** *n* atbilde; **II** *v* atbildēt
report [riˈpɔ:t] **I** *n* **1.** ziņojums; pārskats; **2.** baumas; valodas; **3.** (*skolas*) liecība; **II** *v* ziņot; sniegt pārskatu
reporter [riˈpɔ:tə] *n* reportieris
represent [ˌrepriˈzent] *v* **1.** attēlot; **2.** pārstāvēt; **3.** tēlot (*lomu*)
representation [ˌreprizenˈteiʃn] *n* attēlojums
representative [ˌrepriˈzentətiv] *n* pārstāvis
repress [riˈpres] *v* **1.** apspiest; **2.** apvaldīt
repression [riˈpreʃn] *n* **1.** apspiešana; **2.** apvaldīšana
reprimand [ˈreprimɑ:nd] **I** *n* rājiens; **II** *v* norāt
reprint [ˌri:ˈprint] **I** *n* (*grāmatas*) jauns (atkārtots) izdevums; **II** *v* izdot no jauna (*grāmatu*)
reproach [riˈprəʊtʃ] **I** *n* **1.** pārmetums; **2.** negods; **II** *v* pārmest
reproduce [ˌri:prəˈdju:s] *v* **1.** repro-

ducēt; atveidot; **2.** vairoties; **3.** *ek.* atražot

reproduction [ˌri:prəˈdʌkʃn] *n* **1.** reproducēšana; atveidošana; **2.** reprodukcija; **3.** vairošanās; **4.** *ek.* atražošana

republic [riˈpʌblik] *n* republika

republican [riˈpʌblikən] **I** *n* republikānis; **II** *a* republikas-

repugnance [riˈpʌgnəns] *n* **1.** (*to*) riebums; **2.** pretruna

repulse [riˈpʌls] *v* **1.** atsist (*uzbrukumu*); **2.** noraidīt

reputable [ˈrepjutəbl] *a* cienījams

reputation [ˌrepjʊˈteiʃn] *n* reputācija; slava

request [riˈkwest] **I** *n* **1.** lūgums; prasība; **2.** pieprasījums; **II** *v* lūgt; prasīt

require [riˈkwaiə] *v* **1.** prasīt; pieprasīt; **2.** just vajadzību (*pēc kā*)

requirement [riˈkwaiəmənt] *n* **1.** prasība; **2.** vajadzība

rescue [ˈreskju:] **I** *n* [iz]glābšana; **II** *v* [iz]glābt

research [riˈsɜ:tʃ] **I** *n* **1.** pētniecība; r. work – zinātniski pētnieciskais darbs; **2.** meklējumi; **II** *v* pētīt

resemblance [riˈzembləns] *n* līdzība

resemble [riˈzembl] *v* būt līdzīgam

resent [riˈzent] *v* apvainoties; ņemt ļaunā

resentment [riˈzentmənt] *n* apvainojums

reservation [ˌrezəˈveiʃən] *n* **1.** ieruna; iebildums; **2.** rezervēta vieta (*viesnīcā*); **3.** rezervāts (*ASV un Kanādā*)

reserve [riˈzɜ:v] **I** *n* **1.** rezerve; krājums; **2.** ieruna; iebildums; **3.** atturība; **4.** rezervāts; **5.** rezerves spēlētājs; **II** *v* **1.** (*for*) pataupīt; uzglabāt; **2.** rezervēt

reserved [ˈriˈzɜ:vd] *a* **1.** atturīgs; **2.** rezervēts; **3.** rezerves-

residence [ˈrezidəns] *n* **1.** dzīvesvieta; **2.** rezidence

resident [ˈrezidənt] *n* **1.** (*pastāvīgs*) iedzīvotājs; **2.** viesis

resign [riˈzain] *v* **1.** atkāpties (*no amata*); **2.** samierināties (*ar likteni*); **3.** atteikties

resignation [ˌrezigˈneiʃn] *n* **1.** atkāpšanās (*no amata*); **2.** atlūgums; **3.** rezignācija

resist [riˈzist] *v* **1.** pretoties; **2.** nepadoties

resistance [riˈzistəns] *n* pretošanās; pretestība

resolution [ˌrezəˈlu:ʃn] *n* **1.** lēmums; rezolūcija; **2.** apņēmība

resolve [riˈzɒlv] *v* **1.** pieņemt lēmumu; **2.** atrisināt (*problēmu u. tml.*)

resort [riˈzɔ:t] **I** *n* **1.** cerība, glābiņš; **2.** (*pulcēšanās u. tml.*) vieta; **II** *v* **1.** (*to*) ķerties (*pie kaut kā*); lietot (*ko*); **2.** bieži apmeklēt

resound [riˈzaʊnd] *v* **1.** atbalsoties; **2.** atbalsot

respect [riˈspekt] **I** *n* **1.** respekts; cieņa; **2.** sakarība; **II** *v* respektēt; cienīt

R

respectable [ri'spektəbl] *a* cienījams
respective [ri'spektiv] *a* attiecīgs; atbilstošs
respire [ris'paiə] *v* **1.** elpot; **2.** atvilkt elpu
respite ['respit] *n* īss pārtraukums; atelpa
respond [ri'spɒnd] *v* **1.** atbildēt; **2.** (*to*) reaģēt; atsaukties
response [ri'spɒns] *n* **1.** atbilde; **2.** reakcija; atsaukšanās
responsibility [ri,spɒnsə'biliti] *n* **1.** atbildība; **2.** pienākums
responsive [ri'spɒnsiv] *a* **1.** atsaucīgs; **2.** atbildes-
rest[a] [rest] **I** *n* atpūta; miers; **II** *v* **1.** atpūsties; **2.** atspiest; atbalstīt
rest[b] [rest] *n* atlikums
restless ['restləs] *a* nemierīgs
restoration [,restə'reiʃən] *n* restaurācija
restore [ri'stɔ:] *v* restaurēt, atjaunot
restrain [ri'strein] *v* **1.** apvaldīt; **2.** (*from*) atturēt
restrict [ri'strikt] *v* ierobežot
result [ri'zʌlt] **I** *n* rezultāts; without r. – veltīgi; **II** *v* **1.** (*from*) izrietēt; **2.** (*in*) dot rezultātā
resume [ri'zju:m] *v* **1.** atsākt; **2.** atgūt
resume ['rezjʊmei] *n* rezumējums
retail I *n* ['ri:teil] mazumtirdzniecība; **II** *v* [ri:'teil] **1.** pārdot mazumā; **2.** izplatīt jaunumus
retain [ri'tein] *v* paturēt; saglabāt
retard [ri'tɑ:d] *v* **1.** kavēt, vilcināt; **2.** kavēties, vilcināties
retire [ri'taiə] *v* **1.** aiziet; **2.** *mil.* atkāpties; **3.** aiziet (*pensijā*)
retiree [ri,taiə'ri] *n* pensionārs
retirement [ri'taiəmənt] *n* **1.** aiziešana; **2.** aiziešana pensijā; r. age – pensijas vecums
retouch [,ri:'tʌtʃ] *v* **1.** retušēt; **2.** krāsot (*matus, uzacis*)
retreat [ri'tri:t] **I** *n* atkāpšanās; **II** *v* atkāpties
return [ri'tɜ:n] **I** *n* **1.** atgriešanās; **2.** atdošana; **II** *v* **1.** atgriezties; **2.** atdot; **3.** atbildēt
reveal [ri'vi:l] *v* atklāt
revel ['revl] *v* dzīrot; uzdzīvot
revelation [,revə'leiʃn] *n* atklājums; atklāsme
revenge [ri'vendʒ] **I** *n* **1.** atriebība; **2.** revanšs; **II** *v* **1.** atriebt; **2.** atriebties
reverence ['revərəns] **I** *n* cieņa; godbijība; **II** *v* cienīt
reverse [ri'vɜ:s] **I** *n* **1.** pretējais; **2.** neveiksme; **3.** atpakaļgaita; **II** *a* pretējs; apgriezts; **III** *v* **1.** apgriezt otrādi; **2.** mainīt
review [ri'vju:] **I** *n* **1.** apskats; **2.** recenzija; **II** *v* **1.** izskatīt; **2.** recenzēt
revise [ri'vaiz] *v* izlabot; pārstrādāt
revive [ri'vaiv] *v* **1.** atgūt samaņu; **2.** atdzīvināt; **3.** atjaunot
revolt [ri'vəʊlt] **I** *n* sacelšanās, dumpis; **II** *v* sacelties, sadumpoties
revolution [,revə'lu:ʃn] *n* **1.** revolūcija; **2.** rotācija; griešanās; **3.** apgrieziens

revolve [ri'vɒlv] *v* rotēt; griezties
revolver [ri'vɒlvə] *n* **1.** revolveris; **2.** *tehn.* veltnis
reward [ri'wɔ:d] **I** *n* **1.** atmaksa; **2.** atalgojums; **3.** apbalvojums; **II** *v* **1.** apbalvot; **2.** atalgot; atlīdzināt
rheumatism ['ru:mətizəm] *n* reimatisms
rhododendron [ˌrəʊdə'dendrən] *n* *bot.* rododendrs
rhyme [raim] *n* **1.** atskaņa; **2.** dzejolis
rhythm ['riðəm] *n* ritms
riant ['raiənt] *a* smaidošs, jautrs
ribbon ['ribən] *n* lente
rice [rais] *n* rīss, rīsi
rich [ritʃ] *a* **1.** bagāts; **2.** auglīgs; **3.** trekns; sātīgs; **4.** sulīgs (*par krāsu, toni*); **5.** *sar.* asprātīgs
rid [rid] *v* (*p. un p. p.* riḍ [rid]) atbrīvot
ridden *p. p. no* **ride II**
riddle ['ridl] *n* **1.** mīkla (*atminēšanai*); **2.** noslēpums
ride [raid] **I** *n* izjāde; izbraukums (*piem., ar automobili, velosipēdu*); **II** *v* (*p.* rode [rəud]; *p. p.* ridden ['ridn]) **1.** jāt; **2.** braukt (*piem., ar automobili, velosipēdu*)
rider ['raidə] *n* **1.** jātnieks; **2.** braucējs
ridiculous [ri'dikjʊləs] *a* smieklīgs; jocīgs
riding ['raidiŋ] **I** *n* jāšanas sports; **II** *a* jāšanas-
rifle ['raifl] **I** *n* šautene; **II** *v* šaut ar šauteni
rifle-green ['raiflgri:n] *a* tumšzaļš
rifleman ['raiflmən] *n* strēlnieks
rift [rift] **I** *n* plaisa; **II** *v* sašķelt
rig [rig] *n* nedarbs
right [rait] **I** *n* **1.** tiesības; **2.** taisnība; **3.** kārtība; **4.** labā puse; **5.**: the R. *pol.* – labējie; **II** *a* **1.** taisns (*par leņķi*); **2.** labais; r. hand – labā roka; **3.** pareizs; **III** *n* **1.** aizstāvēt; **2.** iztaisnot; **IV** *adv* **1.** pareizi; **2.** pa labi; **3.** taisni; go r. on! – ejiet taisni uz priekšu!
right-hand [ˌrait'hænd] *a* labais; r.-h. side – labā puse
righteous ['raitʃəs] *a* **1.** paštaisns; **2.** taisnīgs
rigid ['ridʒid] *a* **1.** stīvs; stingrs; **2.** bargs; stingrs
rigor ['raigɔ:] *n* drebuļi
rigour ['rigə] *n* **1.** stingrība; **2.** bardzība; **3.** rūpība
rile [rail] *v* *sar.* kaitināt
rime [raim] **I** *n* sarma; **II** *v* nosarmot
ring[a] [riŋ] *n* **1.** aplis; **2.** gredzens; **3.** *sp.* rings; **4.**: ~s *pl sp.* – apļi
ring[b] [riŋ] **I** *n* zvanīšana; zvans; **II** *v* (*p.* rang [ræŋ]; *p. p.* rung [rʌŋ]) **1.** zvanīt; **2.** skanēt
rip [rip] **I** *n* plīsums; **II** *v* **1.** [sa]plēst; **2.** [at]ārdīt; **3.** pārplīst; **4.** skaldīt (*malku*)
ripe [raip] *a* **1.** nobriedis; nogatavojies; **2.** gatavs
rise [raiz] **I** *n* **1.** stāvums; pakalns; **2.** (*algas*) pielikums; **3.** sākotne; sākums; to give r. (*to*) – *izraisīt*; **II** *v* (*p.* rose [rəuz]; *p. p.* risen

['rizn]) **1.** [pie]celties; **2.** uzlēkt (*par sauli, mēnesi*); **3.** kāpt, celties (*par līmeni, cenām*)
risen *p. p. no* **rise II**
risk [risk] **I** *n* risks; **II** *v* riskēt
rissole ['risəʊl] *n* **1.** kotlete; **2.** frikadele
rite [rait] *n* rituāls
river ['rivə] *n* upe
road [rəʊd] *n* **1.** ceļš; **2.** iela
roadside ['rəʊdsaid] *n* ceļmala
roam [rəʊm] *v* klaiņot
roast [rəʊst] **I** *n* cepetis; **II** *a* cepts; **III** *v* **1.** cept; **2.** cepties
roasting-jack ['rəʊstiŋdʒæk] *n* iesms
rob [rɒb] *v* [ap]laupīt
robbery ['rɒbəri] *n* laupīšana
robin ['rɒbin] *n* sarkankrūtītis
rock[a] [rɒk] *n* **1.** iezis; **2.** klints; ◇ on the ~s – 1) uz sēkļa; 2) ar ledu (*par alkoholiskajiem dzērieniem*)
rock[b] [rɒk] *v* **1.** šūpot; **2.** šūpoties; **3.** drebēt
rock[c] [rɒk] *n* rokmūzika
rocker ['rɒkə] *n* šūpuļkrēsls; ◇ of one's r. – ķerts
rock-garden [rɒk'gɑ:dn] *n* akmeņdārzs
rock'n'roll [,rɒkən'rəʊl] *n* rokenrols
rod [rɒd] *n* **1.** rīkste; **2.** makšķere; **3.** stienis
rode *p. no* **ride II**
roe[a] [rəʊ] *n* (*zivju*) ikri
roe[b] [rəʊ] *n* stirna
role [rəʊl] *n* loma
roll [rəʊl] **I** *n* **1.** rullis; **2.** saraksts; ~back *dat.* – atrite; **II** *v* **1.** ripot; velties; **2.** ripināt; velt; **3.** saritināt; satīt
roll-call ['rəʊlkɔ:l] *n* pārbaude (*izsaucot klātesošo uzvārdus*)
roller-skates ['rəʊləskeits] *n pl* skrituļslidas
Roman ['rəʊmən] **I** *n* **1.** romietis; romiete; **2.** katolis; **II** *a* romiešu-; R. numerals – romiešu cipari; R. alphabet – latīņu alfabēts
romance [rəʊ'mæns] *n* **1.** piedzīvojumu romāns; **2.** romāns, mīlas dēka; **3.** romantika; **4.** *mūz.* romance
Romanist ['rəʊmənist] *n* katolis
romp [rɒmp] *v* draiskoties
rood [ru:d] *n* krusts; krucifikss
roof [ru:f] *n* **1.** jumts; **2.** pajumte
rook[a] [rʊk] *n* kovārnis
rook[b] [rʊk] *n* tornis (*šahā*)
room [ru:m] *n* **1.** istaba; **2.** vieta, telpa
roomy ['rumi] *a* liels, plašs
roost [ru:st] *n* (*vistu*) lakta
rooster ['ru:stə] *n* gailis
root [ru:t] **I** *n* sakne; **II** *v* laist saknes
root-crop ['ru:tkrɒp] *n* sakņaugs
rope [rəʊp] *n* virve; tauva
rosary ['rəʊzəri] *n* **1.** rozārijs; **2.** *bazn.* rožukronis
rose[a] [rəʊz] *n* **1.** roze; **2.** sārta krāsa; **3.** rozete
rose[b] *p. no* **rise II**
rosin ['rɒzin] *n* sveķi
rot [rɔt] **I** *n* **1.** puve; **2.** *sar.* muļķības; **II** *v* pūt; pūžņot
rotten ['rɒtn] *a* **1.** sapuvis; bojāts; **2.** *sar.* riebīgs; pretīgs

R

rough [rʌf] *a* **1.** raupjš; nelīdzens; **2.** rupjš; **3.** neapstrādāts; **4.** aptuvens
round [raund] **I** *n* **1.** aplis; **2.** šķēle; **3.** cikls; virkne; **4.** *sp.* raunds; **II** *a* **1.** apaļš; **2.** atklāts; vaļsirdīgs; **III** *v* **1.** apiet; apstaigāt; **2.**: to r. **off** – noapaļot; **IV** *adv* apkārt; riņķī; **V** *prep* ap
roundabout [ˈraʊndəbaʊt] **I** *n* apvedceļš; **II** *a* aplinku-
route [ru:t] *n* maršruts
row[a] [rəʊ] *n* rinda
row[b] [rəʊ] *v* **1.** airēt; **2.** pārvadāt laivā
rowan [ˈrəʊən] *n* pīlādzis
royal [ˈrɔiəl] *a* karalisks
rub [rʌb] *v* **1.** berzēt; **2.** berzēties; to r. **out** – izdzēst (*ar dzēšamgumiju*)
rubber [ˈrʌbə] *n* **1.** gumija; kaučuks; **2.** dzēšamgumija; **3.**: ~s *pl amer.* – galošas
rubbish [ˈrʌbiʃ] *n* **1.** gruži; atkritumi; **2.** blēņas; nieki
rubble [ˈrʌbl] *n* laukakmens
ruby [ˈru:bi] *n* **1.** rubīns; **2.** spilgti sarkana krāsa
rucksack [ˈrʌksæk] *n* mugursoma
rude [ru:d] *a* **1.** rupjš; nepieklājīgs; **2.** neapstrādāts; **3.** primitīvs
rue [ru:] *v* nožēlot
rug [rʌg] *n* **1.** grīdsega; **2.** pleds
Rugby [ˈrʌgbi] *n sp.* regbijs
ruin [ru:in] **I** *n* **1.** sabrukums; bojāeja; **2.**: ~s *pl* – drupas; **II** *v* **1.** izpostīt; sagraut; **2.** pazudināt; **3.** izputināt
rule [ru:l] **I** *n* **1.** noteikums; likums; **2.** valdīšana; vara; **3.** paradums; **II** *v* **1.** valdīt; **2.** noteikt
ruler [ˈru:lə] *n* **1.** valdnieks; **2.** lineāls
rum [rʌm] *n* rums
rummage [rʌmidʒ] *n* pārmeklēšana
rumour [ˈru:mə] **I** *n* baumas; **II** *v* baumot
run [rʌn] **I** *n* **1.** skrējiens; **2.** norise; gaita; **3.** laika posms; **4.** reiss; brauciens; **5.** rīcības brīvība; **6.** aploks (*lopiem*); **7.** pieprasījums; **II** *v* (*p.* ran [ræn]; *p. p.* run [rʌn]) **1.** skriet; **2.** kursēt; **3.** plūst; **4.** darboties (*par automobili*); **5.** (*kā sastata verba saitiņa*): to run dry – izžūt; to run cold – kļūt aukstam; **6.** vadīt (*uzņēmumu*); **7.**: to r. **across** – nejauši sastapt; to r. **away** – aizbēgt
runaway [ˈrʌnəwei] **I** *n* **1.** bēglis; **2.** dezertieris; **II** *a* **1.** izbēdzis; **2.** nevaldāms; **3.** viegli iegūts
rung *p. p. no* **ring**[b] **II**
runner [ˈrʌnə] *n* skrējējs
running [ˈrʌniŋ] **I** *n* skrējiens; skriešana; **II** *a* **1.** skrejošs; skriešanas-; r. track – skrejceļš; **2.** plūstošs; **3.** nepārtraukts; three days r. – trīs dienas no vietas
run-up [ˈrʌnʌp] *n* ieskrējiens
runway [ˈrʌnwei] *n* **1.** (*upes*) gultne; **2.** *av.* starta ceļš; **3.** *sp.* ieskrējiena ceļš
rural [ˈrʊərəl] *a* lauku-
ruse [ru:z] *n* triks
rush [rʌʃ] **I** *n* **1.** pieplūdums; **2.** traukšanās; dzīšanās; **3.** steiga; **4.** liels

R

pieprasījums; **II** *v* **1.** drāzties; mesties; **2.** steidzināt; **3.** pārņemt (*par jūtām*)

rush-hours ['rʌʃaʊəz] *n pl* maksimumstundas

rusk [rʌsk] *n* sausiņš

Russian ['rʌʃn] **I** *n* **1.** krievs; krieviete; **2.** krievu valoda; **II** *a* Krievijas-; krievu-

rust [rʌst] **I** *n* rūsa; **II** *v* rūsēt

rustle ['rʌsl] **I** *n* čaukstoņa; šalkoņa; **II** *v* čaukstēt; čabēt; šalkt

rusty ['rʌsti] *a* sarūsējis

rut [rʌt] *n* gramba

ruthless ['ru:θləs] *a* nežēlīgs; cietsirdīgs

rye [rai] *n* rudzi

rye-bread ['raibred] *n* rudzu maize

S

sable[a] ['seibl] *n* sabulis

sable[b] ['seibl] *pl* sēru drānas

sack [sæk] *n* **1.** maiss; **2.** plats mētelis; ◇ to give the s. – atlaist no darba

sacred ['seikrid] *a* **1.** svēts; **2.** reliģiozs; the S. Book – Bībele

sacrifice ['sækrifais] **I** *n* upuris; **II** *v* upurēt; ziedot

sad [sæd] *a* **1.** bēdīgs; skumjš; **2.** nepatīkams; s. mistake – nepatīkama kļūda

sadly ['sædli] *adv* **1.** bēdīgi, skumji; **2.** diemžēl; **3.** ļoti

safe [seif] **I** *n* seifs; **II** *a* **1.** neskarts; sveiks; **2.** drošs

safeguard ['seifgɑ:d] **I** *n* **1.** garantija; drošība; **2.** *tehn.* aizsargierīce; **II** *v* garantēt; nodrošināt

safety ['seifti] *n* drošība

safety-belt ['seiftibelt] *n* drošības josta

safety-glass ['seiftiglɑ:s] *n* neplīstošs stikls

safety-pin ['seiftipin] *n* spraužamadata

safety-razor ['seifti,reizə] *n* bārdas skuveklis

said [sed] *p. un p. p. no* **say II**

sagacious [sə'geiʃes] *a* **1.** saprātīgs; **2.** gudrs (*par dzīvnieku*)

sagacity [sə'gæsəti] *n* gudrība

sage [seidʒ] *n* salvija

sagebrush ['seidʒbrʌʃ] *n* vībotne

Sagittarius [,sædʒi'teəriəs] *n astr.* Strēlnieks (*zvaigznājs un zodiaka zīme*)

sail [seil] **I** *n* **1.** bura; buras; **2.** [buru]kuģis; **3.** jūrasbrauciens; **II** *v* **1.** burāt; **2.** doties jūrā (*par kuģi*)

sailer ['seilə] *n* burulaiva; burinieks

sailing ['seiliŋ] *n* **1.** burāšana; **2.** kuģošana

sailor ['seilə] *n* jūrnieks; matrozis

saint [seint] *n* svētais

sake [seik] *n*: for his s. – viņa dēļ

salad ['sæləd] *n* salāti; fruit s. – augļu kompots

salary [ˈsæləri] *n* (*kalpotāja*) alga
sale [seil] *n* **1.** pārdošana; **2.** ūtrupe; **3.** (*arī* bargain s.) izpārdošana (*par pazeminātām cenām*)
saliva [səˈlaivə] *n* siekalas
sallow [ˈsæləʊ] *n* kārkls
salmon [ˈsæmən] *n* **1.** *pl* salmon [sæmən] lasis; **2.** laškrāsa
salt [sɔ:lt] **I** *n* sāls; common s. – vārāmais sāls; **II** *v* pielikt sāli
salty [ˈsɔ:lti] *a* sāļš; sālīts
salute [səˈlu:t] **I** *n* **1.** sveiciens; **2.** salūts; **II** *v* **1.** sveicināt; **2.** salutēt
salver [ˈsælvə] *n* paplāte
same [seim] **I** *a* tas pats; tāds pats; **II** *pron* tas pats; all the s. – 1) vienalga; 2) tomēr
sample [ˈsɑ:mpl] **I** *n* **1.** paraugs; **2.** šablons; modelis; **3.** *dat.* nolase; iztvērums; **II** *v* noņemt paraugu
sanatorium [ˌsænəˈtɔ:riəm] *n* (*pl* sanatoria [ˈsænəˈtɔ:riə]) sanatorija
sanctify [ˈsæŋktifai] *v* **1.** *rel.* iesvētīt; **2.** sankcionēt
sanctuary [ˈsæŋktjʊəri] *n* svētnīca
sand [sænd] *n* smilts; smiltis
sandal [ˈsændl] *n* sandale
sand-bank [ˈsændbæŋk] *n* sēklis
sandglass [ˈsændglɑ:s] *n* smilšu pulkstenis
sandhill [ˈsændhil] *n* kāpa
sandwich [ˈsænwidʒ] *n* **1.** sviestmaize, sendvičs; **2.** kūka (*torte*) ar krēma starpslāni
sane [sein] *a* **1.** normāls; **2.** saprātīgs
sang *p. no* **sing**
sanitary [ˈsænitəri] *a* sanitārs; higiēnisks
sanity [ˈsæniti] *n* **1.** normāla psihe; **2.** veselais saprāts
sank *p. no* **sink II**
Santa Claus [ˈsæntəˈklɔ:z] *n* Ziemassvētku vecītis
sap [sæp] **I** *n* **1.** (*auga*) sula; **2.** spars; enerģija; **II** *v* notecināt sulu
sapid [ˈsæpid] *a* **1.** garšīgs; **2.** interesants
sardine [sɑ:ˈdi:n] *n* sardīne; ◇ packed like ~s – saspiesti kā siļķes mucā
sarge [sɑ:dʒ] *n* seržants
sat *p. un p. p. no* **sit**
satanic [səˈtænik] *a* sātanisks; velnišķīgs
satchel [ˈsætʃəl] *n* (*skolēna*) soma
sateen [səˈti:n] *n* satīns
satelitte [ˈsætəlait] *n* **1.** satelīts; **2.** *astr.* pavadonis
satin [ˈsætin] *n* atlass
satire [ˈsætaiə] *n* satīra
satisfaction [ˌsætisˈfækʃn] *n* apmierinājums; gandarījums
satisfactory [ˌsætisˈfæktəri] *a* apmierinošs; pietiekams
satisfy [ˈsætisfai] *v* **1.** apmierināt; **2.** atbilst (*prasībām*); **3.** nokārtot (*parādu*)
Saturday [ˈsætədi] *n* sestdiena; on S. – sestdien
sauce [sɔ:s] *n* mērce
saucepan [ˈsɔ:spən] *n* kastrolis
saucer [ˈsɔ:sə] *n* apakštase

S

sauerkraut [ˈsaʊekraʊt] *n* skābēti kāposti
sausage [ˈsɒsidʒ] *n* desa; cīsiņš
savage [ˈsævidʒ] **I** *n* mežonis; **II** *a* **1.** mežonīgs; **2.** nežēlīgs; cietsirdīgs
save [seiv] *v* **1.** [iz]glābt; **2.** krāt; taupīt
saviour [ˈseivjə] *n* **1.** glābējs; **2.** *rel.* Pestītājs
saw[a] *p. no* **see**
saw[b] [sɔ:] **I** *n* zāģis; **II** *v* (*p.* sawed [sɔ:d]; *p. p.* sawed [sɔ:d] *vai* sawn [sɔ:n]) zāģēt
sawdust [ˈsɔ:dʌst] *n* zāģskaidas
sawmill [ˈsɔ:ˌmil] *n* kokzāģētava
sawn *p. p.* **saw**[b] **II**
saxophone [ˈsæksəfəʊn] *n* saksofons
say [sei] **I** *n* sakāmais; vārds; **II** *v* (*p. un p. p.* said [sed]) teikt; sacīt; they s. that ... – runā, ka ...
saying [ˈseiiŋ] *n* paruna; izteiciens
scab [skæb] *n* krevele
scaffold [ˈskæfəld] *n* **1.** sastatnes; **2.** ešafots
scag [skæg] *n sl.* heroīns
scald [skɔld] *v* **1.** applaucēt; **2.** pasterizēt; **3.** blanšēt
scale[a] [skeil] *n* **1.** zvīņa; zvīņas; **2.** čaumala
scale[b] [skeil] *n* **1.** svaru kauss; **2.**: ~s *pl* – svari; **3.**: the Scales *astr.* – Svari (*zvaigznājs un zodiaka zīme*)
scale[c] [skeil] *n* **1.** mērogs; **2.** skala; **3.** pakāpe; līmenis; **4.** *mūz.* toņkārta; gamma
scalp [skælp] **I** *n* skalps; **II** *v* noskalpēt
scandal [ˈskændl] *n* **1.** skandāls; negods; **2.** tenkas
scanner *n* skeners
scanty [ˈskænti] *a* nabadzīgs, trūcīgs
scapegoat [ˈskeipgəʊt] *n* grēkāzis
scar[a] [skɑ:] *n* rēta
scar[b] [skɑ:] *n* klints
scarce [skeəs] *a* **1.** trūcīgs; nepietiekams; **2.** rets; deficīts
scarcely [ˈskeəsli] *adv* [tik] tikko
scare [skeə] *v* **1.** nobiedēt; **2.** aizbaidīt
scarf [skɑ:f] *n* šalle; kaklauts
scarlet [ˈskɑ:lit] *a* spilgti sarkans
scathe [skeið] **I** *n* kaitīgums, ļaunums; **II** *v* kaitēt; nodarīt ļaunu
scatter [ˈskætə] *v* **1.** izkaisīt; izsvaidīt; **2.** izklīdināt; **3.** izklīst
scene [si:n] *n* **1.** (*darbības*) vieta; **2.** *teātr.* aina; **3.** dekorācija; **4.** scēna; **5.** ainava
scenepainter [ˈsi:nˌpeintə] *n* scenogrāfs
scenery [ˈsi:nəri] *n* **1.** ainava; **2.** dekorācijas
scent [sent] **I** *n* **1.** smarža; **2.** smaržas; **II** *v* **1.** saost; **2.** sasmaržot
schedule [ˈʃedju:l] **I** *n* grafiks; saraksts; **II** *v* sastādīt grafiku
scheme [ski:m] **I** *n* **1.** plāns; projekts; **2.** intriga; **II** *v* **1.** kalt plānus; **2.** vērpt intrigas
scheming [ˈski:miŋ] *a* viltīgs
scholar [ˈskɒlə] *n* **1.** izglītots cilvēks; zinātnieks; **2.** stipendiāts
scholarship [ˈskɒləʃip] *n* **1.** zināšanas; erudīcija; **2.** stipendija

school [sku:l] *n* **1.** skola; **2.** mācības (*skolā*)
schoolboy [ˈsku:lbɔi] *n* skolnieks
schoolfellow [ˈsku:lˌfeləʊ] *n* skolasbiedrs
schoolgirl [ˈsku:lgɜ:l] *n* skolniece
schoolmaster [ˈsku:lˌmɑ:stə] *n* skolotājs
schoolmate [ˈsku:lmeit] *n* skolas biedri; skolas biedrene
schoolmistress [ˈsku:lˌmistris] *n* skolotāja
schooltime [ˈsku:ltaim] *n* **1.** mācību laiks; nodarbības; **2.** skolas gadi
science [ˈsaiəns] *n* **1.** zinātne; **2.** meistarība
scientific [ˌsaiənˈtifik] *a* zinātnisks
scientist [ˈsaiəntist] *n* zinātnieks
scintilla [sinˈtilə] *n* dzirksts
scissors [ˈsizəz] *n pl* šķēres
scold [skəʊld] *v* rāt, bārt
scooter [ˈsku:tə] *n* **1.** motorollers; **2.** skuters; **3.** skrejrats
scope [skəʊp] *n* **1.** (*izpausme*) iespēja; vēriens; **2.** redzesloks; kompetence
scorch [skɔ:tʃ] *v* apsvilināt; apdedzināt
score [skɔ:] **I** *n* **1.** iegriezums; **2.** punktu skaits (*spēlē*); **3.** divdesmit, ~s of times – neskaitāmas reizes; **4.** *mūz.* partitūra; **II** *v* **1.** iegriezt; **2.** skaitīt punktus (*spēlē*); **3.** uzvarēt (*spēlē*)
scorn [skɔ:n] **I** *n* nicinājums; **II** *v* nicināt
scornful [ˈskɔ:nfʊl] *a* nicinošs, nicīgs
Scorpio [ˈskɔ:piəʊ] *n* Skorpions (*zvaigznājs un zodiaka zīme*)
Scotch [skɒtʃ] **I** *n* **1.**: the S. – skoti; **2.** skotu dialekts; **3.** *sar.* skotu viskijs; **II** *a* skotu-
scoundrel [ˈskaʊndrəl] *n* nelietis
scour[a] [ˈskaʊə] **I** *n* **1.** mazgāšana; tīrīšana; **2.** *vet.* caureja; **II** *v* mazgāt, tīrīt
scour[b] [ˈskaʊə] *v* pārmeklēt
scout [skaʊt] *n* **1.** izlūks; **2.** skauts
scramble [ˈskræmbl] **I** *n* **1.** rāpšanās; **2.** motobraukšanas sacīkstes; **II** *v* **1.** rāpties; **2.** cīnīties; **3.** sakult (*olas*)
scrambled eggs [ˌskræmbldˈegz] *n* olu kultenis
scramber *n dat.* skrembleris
scrap [skræp] *n* **1.** gabals; gabaliņš; strēmele; **2.**: ~s *pl* – (*ēdiena*) atliekas
scrappy [ˈskræpi] *a* daždažāds
scratch [skrætʃ] **I** *n* **1.** skramba; **2.** kasīšanās; **3.** *sp.* starta līnija; **4.** *dat.* norause; **II** *v* **1.** ieskrambāt; **2.** kasīt; **3.** kasīties
scream [skri:m] **I** *n* [spalgs] kliedziens; spiedziens; **II** *v* [spalgi] kliegt; spiegt
screen [skri:n] **I** *n* **1.** aizslietnis; **2.** aizsegs; **3.** ekrāns; **II** *v* **1.** nodalīt (*ar aizslietni*); **2.** demonstrēt uz ekrāna
screw [skru:] **I** *n* skrūve; **II** *v* pieskrūvēt
screwdriver [ˈskru:ˌdraivə] *n* skrūvgriezis
screwy [ˈskru:i] *a sar.* jucis
scrimp [ˈskrimp] *v* skopoties

S

script [skript] *n* raksts; rokraksts
scrolling *n dat.* ritināšana
scrub [skrʌb] *v* berzt; mazgāt
sculpture [ˈskʌlptʃə] *n* skulptūra
scurf [skɜ:f] *n* blaugznas
scurry [skʌri] *v* traukties; steigties
scythe [saið] **I** *n* izkapts; **II** *v* pļaut
scuttle [ˈskʌtl] *n* lūka
sea [si:] *n* jūra; at s. – uz jūras; by sea – pa jūru; the high s. – atklāta jūra; main s. – okeāns
sea-biscuit [ˈsi:ˌbiskit] *n* sausiņš
sea-calf [ˈsi:kɑ:f] *n* (*pl* sea-calves [ˈsi:kɑ:vz]) ronis
seacow [ˈsi:kaʊ] *n* valzirgs
seadog [ˈsi:dɒg] *n* **1.** ronis; **2.** *pārn.* jūras vilks
seagull [ˈsi:gʌl] *n* kaija
seal[a] [si:l] **I** *n* ronis; **II** *v* medīt roņus
seal[b] [si:l] **I** *n* zīmogs; **II** *v* **1.** apzīmogot; **2.** aizzīmogot
seal-ring [ˈsi:lriŋ] *n* zīmoggredzens
sealskin [ˈsi:lskin] *n* roņāda
seam [si:m] **I** *n* vīle; šuve; **II** *v* sašūt
seaman [ˈsi:mən] *n* jūrnieks
seaport [ˈsi:pɔ:t] *n* **1.** ostas pilsēta; **2.** jūras osta
search [sɜ:tʃ] **I** *n* **1.** meklēšana; **2.** kratīšana; pārmeklēšana; **II** *v* **1.** meklēt; **2.** [iz]kratīt; pārmeklēt
searchlight [ˈsɜ:tʃlait] *n* prožektors
server *n dat.* serveris
seashore [ˈsi:ʃɔ:] *n* jūras krasts; pludmale
seasickness [ˈsi:ˌsiknis] *n* jūras slimība
seaside [ˈsi:said] *n* jūrmala
season [ˈsi:zn] **I** *n* **1.** gadalaiks; **2.** sezona; **3.** periods, laiks; in good s. – laikā; out of s. – nelaikā; **II** *v* **1.** aklimatizēt; **2.** izžāvēt (*kokmateriālus*); **3.** pielikt garšvielas
seasoning [ˈsi:zniŋ] *n* garšvielas
season-ticket [ˈsi:znˌtikit] *n* **1.** sezonas biļete; **2.** (*teātra*) abonements
seat [si:t] **I** *n* **1.** sēdeklis; **2.** sēdvieta; **3.** sēžamvieta; **II** *v* **1.** ietilpināt; **2.** nosēdināt
seatbelt [ˈsi:tbelt] *n* drošības josta
seaweed [ˈsi:wi:d] *n* jūraszāle
seceteurs [ˈsekətəz] *n pl* dārza šķēres
second[a] [ˈsekənd] **I** *a* otrs; otrreizējs; **II** *num.* otrais; **III** *v* atbalstīt (*piem., priekšlikumu*)
second[b] [ˈsekənd] *n* **1.** sekunde; **2.** mirklis
secondary [ˈsekəndəri] *a* **1.** sekundārs; **2.**: s. school – vidusskola; **3.** papildu-
secondly [ˈsekəndli] *adv* otrkārt
second-rate [ˌsekəndˈreit] *a* otršķirīgs
secret [ˈsi:krit] **I** *n* noslēpums; **II** *a* **1.** slepens; **2.** atturīgs
secretary [ˈsekrətri] *n* **1.** sekretārs; S. General – ģenerālsekretārs; **2.** ministrs; S. of State – 1) ministrs (*Anglijā*); 2) Valsts sekretārs, ārlietu ministrs (*ASV*)
sect [sekt] *n* sekta

section [ˈsekʃən] *n* **1.** (*ģeometrisks*) griezums; **2.** segments; daļa

secure [siˈkjʊə] **I** *a* **1.** drošs; paļāvīgs; **2.** nodrošināts; garantēts; **3.** drošs; **II** *v* **1.** nostiprināt; **2.** nodrošināt; garantēt; **3.** sagādāt

security [siˈkjʊəriti] *n* **1.** drošība; S. Council – Drošības Padome; **2.** nodrošinājums; garantija; to give s. – garantēt; social s. – sociālā nodrošināšana

sedative [ˈsedətiv] *n med.* nomierinošs līdzeklis

sediment [ˈsedimənt] *n* nogulsnes

see [si:] *v* (*p.* saw [sɔ:]; *p. p.* seen [si:n]) **1.** redzēt; **2.** apskatīt, aplūkot; **3.** saprast; I s.! – es saprotu!; **4.** apmeklēt; **5.** pavadīt; **6.** pieņemt (*apmeklētāju*)

seed [si:d] *n* sēkla

seedcake [ˈsi:dkeik] *n* ķimeņu (magoņu) kūka

seedy [ˈsi:di] *a* **1.** sēklains; **2.** noplucis; **3.** nevesels

seek [si:k] *v* (*p. un p. p.* sought [sɔ:t]) **1.** meklēt; **2.** (*for*) tiekties

seem [si:m] *v* likties, šķist; it seems to me – man liekas

seemingly [ˈsi:miŋli] *adv* šķietami

seen *p. p. no* **see**

seism [ˈsaizm] *n* zemestrīce

seize [si:z] *v* **1.** satvert; sagrābt; **2.** apķīlāt; **3.** uztvert (*domu*); **4.** pārņemt

seldom [ˈseldəm] *adv* reti

select [siˈlekt] **I** *a* izmeklēts; atlasīts; **II** *v* izmeklēt; atlasīt

selection [siˈlekʃən] *n* **1.** izlase; atlase; **2.** selekcija; **3.** (*preču*) izvēle

self [self] *n* (*pl* selves [selvz]) pats

self-confident [ˌselfˈkɒnfidənt] *a* pašpaļāvīgs

self-control [ˌselfkənˈtrəʊl] *n* savaldīšanās; paškontrole

self-criticism [ˌselfˈkritisizm] *n* paškritika

self-defence [ˌselfdiˈfens] *n* pašaizsardzība

selfdenial [ˌselfdiˈnaiəl] *n* pašaizliedzība

self-effacing [ˌselfiˈfeisiŋ] *a* bikls, kautrs

self-employed [ˌselfimˈplɔid] *a* **1.** neatkarīgs (*par darbinieku*); **2.** brīvas profesijas-

selfinterest [ˈselfˈintrəst] *n* savtība

selfish [ˈselfiʃ] *a* egoistisks, savtīgs

self-portrait [ˌselfˈpɔ:trit] *n* pašportrets

self-service [ˌselfˈsɜ:vis] *n* pašapkalpošanās

sell [sel] *v* (*p. un p. p.* sold [səʊld]) **1.** pārdot; **2.** tikt pārdotam; **3.** tirgoties

seller [ˈselə] *n* **1.** pārdevējs; **2.** ļoti pieprasīta prece

sell-out [ˈselaʊt] *n* **1.** izpārdota izrāde; **2.** *amer.* izpārdošana

semiconductor [ˌsemikənˈdʌktə] *n fiz.* pusvadītājs

semifinal [ˌsemiˈfainəl] *n sp.* pusfināls

semolina [ˌseməˈli:nə] *n* mannas putraimi

send [send] *v* (*p. un p. p.* sent [sent])

sūtīt; ◇ to s. **for** – aizsūtīt pakaļ; to s. **in** – iesniegt

sender [ˈsendə] *n* nosūtītājs

senior [ˈsi:niə] *a* vecākais (*gados vai amatā*)

sensation [senˈseiʃn] *n* **1.** sajūta; **2.** sensācija

sense [sens] *n* **1.** sajūta; **2.** saprāts; apziņa; **3.** nozīme; jēga

senseless [ˈsensləs] *a* **1.** nejutīgs; bez samaņas; **2.** bezjēdzīgs

sensible [ˈsensəbl] *a* **1.** prātīgs; **2.** jūtīgs; **3.** jūtams

sensitive [ˈsensitiv] *a* **1.** (*about*) jūtīgs; viegli aizvainojams; **2.** (*to*) jutīgs

sent *p. un p. p. no* **send**

sentence [ˈsentəns] **I** *n* **1.** *jur.* spriedums; **2.** *gram.* teikums; **II** *v* piespriest (*sodu*); notiesāt

sentiment [ˈsentimənt] *n* **1.** jūtas; **2.** sentimentalitāte

sentry [ˈsentri] *n* **1.** sargkareivis; **2.** sardze

separate I *a* [ˈseprət] **1.** atdalīts; atšķirts; **2.** atsevišķs; **II** *v* [ˈsepəreit] **1.** atdalīt; atšķirt; **2.** atdalīties; atšķirties

September [sepˈtembə] *n* septembris

sequel [ˈsi:kwəl] *n* **1.** turpinājums; **2.** sekas

sequence [ˈsi:kwəns] *n* secība; kārtība; s. of tenses *gram.* – laiku secība

sere [siə] *a* nokaltis

sergeant [ˈsɑ:dʒənt] *n* seržants

serial [ˈsiəriəl **I** *n* **1.** romāns turpinājumos; **2.** seriāls (*filmā*); **II** *a* sēriju-; sērijveida-

series [ˈsiəri:z] *n* **1.** sērija; rinda; **2.** *mat.* progresija

serious [ˈsiəriəs] *a* nopietns

sermon [ˈsɜ:mən] *n rel.* sprediķis

serpent [ˈsɜ:pənt] *n* **1.** čūska; **2.** ļauns cilvēks

servant [ˈsɜ:vənt] *n* kalps; kalpone

serve [sɜ:v] *v* **1.** kalpot; strādāt; **2.** dienēt (*armijā*); **3.** pasniegt (*ēdienu*); **4.** apkalpot (*pircējus*); **5.** *sp.* servēt

service [ˈsɜ:vis] *n* **1.** darbs; dienests; **2.** apkalpošana; **3.** pakalpojums; **4.** servīze; **5.** *sp.* serve; **6** *rel.* dievkalpojums

service-tree [ˈsə:vistri:] *n* pīlādzis

serving [ˈsɜ:viŋ] *n* porcija

session [ˈseʃn] *n* (*parlamenta, tiesas*) sesija

set [set] **I** *n* **1.** komplekts; **2.** sabiedrība; aprindas; **3.** aparāts; ierīce; **4.** *sp.* sets (*tenisā*); **II** *v* (*p. un p. p.* set [set]) **1.** nolikt; novietot; **2.** norietēt (*par sauli*); **3.** novest (*kādā stāvoklī*); ◇ to s. **at** – uzrīdīt; t. s. **back** – kavēt; to s. **down** – 1) pierakstīt; 2) nolikt zemē; to s. **up** – izveidot

setback [ˈsetbæk] *n* **1.** šķērslis; kavēklis; **2.** neveiksme

settle [ˈsetl] *v* **1.** apmesties (*uz dzīvi*); **2.** izšķirt; nokārtot (*piem., jautājumu*)

settlement [ˈsetlmənt] *n* **1.** (*jautājuma*) izšķiršana; nokārtošana; **2.** apmetne; kolonija

set-up [ˈsetʌp] *n* **1.** struktūra; uzbūve; **2.** stāvoklis; situācija; **3.** plāns

sever [ˈsevə] *v* **1.** atdalīt; **2.** pārraut

several [ˈsevrəl] *pron* **I** daži; vairāki; **II** *a* dažāds

severe [siˈviə] *a* **1.** stingrs; bargs; **2.** smags; **3.** grūts

sew [səʊ] *v* (*p.* sewed [səʊd]; *p. p.* sewed [səʊd] *vai* sewn [səʊn]) šūt

sewer [ˈsju:ə] *n* šuvējs; šuvēja

sewerage [ˈsju:əridʒ] *n* kanalizācija

sewing-machine [ˈsəʊiŋməˈʃi:n] *n* šujmašīna

sewn *p. p. no* **sew**

sex [seks] *n* **1.** *biol.* dzimums; **2.** sekss

sexual [ˈsekʃʊəl] *a* dzimuma-; seksuāls

sexy [ˈseksi] *a sar.* seksīgs; erotisks

shabby [ˈʃæbi] *a* **1.** apvalkāts; noplucis; **2.** nolaists

shade [ʃeid] **I** *n* **1.** ēna; **2.** nokrāsa; **3.** abažūrs; **II** *v* **1.** aptumšot; **2.** ēnot (*zīmējumu*); **3.** izzust

shadow [ˈʃædəʊ] **I** *n* ēna; **II** *v* mest ēnu; apēnot

shady [ˈʃeidi] *a* **1.** ēnains; **2.** šaubīgs

shaft [ʃɑ:ft] *n* **1.** rokturis; kāts; **2.** *tehn.* vārpsta; ass; **3.** (*lifta*) šahta

shaggy [ˈʃægi] *a* **1.** pinkains; **2.** uzkārsts

shake [ʃeik] *v* (*p.* shook [ʃʊk]; *p. p.* shaken [ˈʃeikən]) **1.** kratīt; purināt; to sh. hands (*with*) – paspiest roku (*sasveicinoties*); **2.** trīcēt; drebēt

shaken *p. p. no* **shake**

shake-up [ˈʃeikʌp] *n* pārkārtojums

shall [ʃæl, ʃəl] *v* (*p.* should [ʃʊd, ʃəd]) **1.** (*palīgdarbības vārds nākotnes veidošanai 1. pers. sing un pl*): I sh. go – es iešu; **2.** (*mod. v. 2. un 3. pers. sing un pl, izsaka draudus, pavēli, solījumu*): you sh. do it! – jūs to izdarīsiet!

shallow [ˈʃæləʊ] *a* **1.** sekls; **2.** tukšs

sham [ʃæm] **I** *n* **1.** viltojums; **2.** izlikšanās; **II** *a* neīsts; **III** *v* izlikties

shame [ʃeim] **I** *n* kauns; negods; **II** *v* **1.** apkaunot; **2.** kaunināt

shameful [ˈʃeimfəl] *a* apkaunojošs

shameless [ˈʃeimləs] *a* nekaunīgs

shammy [ˈʃæmi] *n* zamšs

shampoo [ʃæmˈpu:] **I** *n* **1.** šampūns; **2.** (*matu*) mazgāšana; **II** *v* mazgāt (*matus*)

shamrock [ˈʃæmrɒk] *n* **1.** baltais āboliņš; **2.** zaķskābene

shan't [ʃɑ:nt] *sar. saīs. no* shall not

shape [ʃeip] *n* **1.** forma; veids; **2.** apveids; kontūra; **3.** stāvoklis; in bad sh. – sliktā stāvokli; to be in good sh. – būt labā sportiskā formā

shapeless [ˈʃeipləs] *a* bezveidīgs

share [ʃeə] **I** *n* **1.** daļa; tiesa; **2.** akcija; **II** *v* **1.** [sa]dalīt; **2.** dalīties (*ar kādu*)

shareholder [ˈʃeəˌhəʊldə] *n* akcionārs; paju īpašnieks

share-out [ˈʃeəraʊt] *n* ienākuma sadalīšana

shark [ʃɑ:k] **I** *n* **1.** haizivs; **2.** izspiedējs; krāpnieks; **II** *v* **1.** aprīt; **2.** krāpt

sharp [ʃɑ:p] *a* ass; sh. smell – asa smaka; sh. words – skarbi vārdi

sharp-cut [ˌʃɑ:p'kʌt] *a* ass; uztrīts

sharpen ['ʃɑ:pən] *v* **1.** asināt; **2.** saasināt

sharper ['ʃɑ:pə] *n* blēdis; krāpnieks

shatter ['ʃætə] *v* **1.** sasist druskās; **2.** sagraut (*veselību, cerības*)

shatterproof ['ʃætəpru:f] *a* neplīstošs

shave [ʃeiv] **I** *n* **1.** skūšana; skūšanās; **2.** skaida; **II** *v* (*p.* shaved [ʃeivd]; *p. p.* shaved [ʃeivd] *vai* shaven ['ʃeivn]) **1.** skūt; **2.** skūties; **3.** cirpt; griezt

shaven *p. p. no* **shave II**

shaver ['ʃeivə] *n* bārdas skujamais

shaving ['ʃeiviŋ] *v* skūšanās

shawl [ʃɔ:l] *n* [plecu] šalle; lakats

she [ʃi:, ʃi] *pron* viņa

shed[a] [ʃed] *n* nojume; šķūnis; garāža

shed[b] [ʃed] *v* (*p. un p. p.* shed [ʃed]) **1.** [no]mest (*piem., lapas*); **2.** liet (*piem., asaras*)

S

sheep [ʃi:p] *n* (*pl* sheep [ʃi:p]) **1.** aita; **2.** aitāda

sheepdog ['ʃi:pdɒg] *n* aitu suns

sheepskin ['ʃi:pˌskin] *n* aitāda

sheer [ʃiə] *a* pilnīgs; galīgs

sheet [ʃi:t] **I** *n* **1.** palags; **2.** (*papīra*) loksne; **II** *v* pārklāt

shelf [ʃelf] *n* (*pl* shelves [ʃelvz]) **1.** plaukts; **2.** rifs; **3.** sēklis

shell [ʃel] **I** *n* **1.** čaula, čaumala; **2.** gliemežvāks; **3.** (*artilērijas*) šāviņš; **II** *v* **1.** [no]lobīt; **2.** apšaudīt (*ar artilērijas uguni*)

shelter ['ʃeltə] **I** *n* **1.** patvērums; **2.** nojume; **II** *v* **1.** dot patvērumu; **2.** patverties

shelve [ʃelv] *v* novietot plauktā

shepherd ['ʃepəd] *n* **1.** gans; **2.** mācītājs

shepherd's club [ˌʃepədz'klʌb] *n bot.* deviņvīruspēks

sherry ['ʃeri] *n* heress (*vīns*)

shield [ʃi:ld] **I** *n* vairogs; **II** *v* aizsargāt; aizklāt

shift [ʃift] **I** *n* **1.** pārvietošana; pārbīdīšana; **2.** maiņa (*darbā*); **II** *v* **1.** pārvietot; pārbīdīt; **2.** *tehn.* pārslēgt (*piem., ātrumu*)

shift lever [ˌʃift'levə] *n tehn.* ātrumpārslēgs

shin [ʃin] *n* apakšstilbs

shine [ʃain] *v* (*p. un p. p.* shone [ʃɒn]) spīdēt

shiny ['ʃaini] *a* spožs

ship [ʃip] **I** *n* kuģis; **II** *v* **1.** iekraut (*kuģī*); **2.** nosūtīt (*ar kuģi*)

shipment ['ʃipmənt] *n* **1.** iekraušana (*kuģī*); **2.** (*kuģa*) krava

shipwreck ['ʃiprek] *n* kuģa bojāeja

shirk [ʃɜ:k] *v* izvairīties (*no pienākuma u. tml.*)

shirt [ʃɜ:t] *n* (*vīriešu*) krekls

shiver ['ʃivə] **I** *n* drebuļi; **II** *v* drebēt; trīcēt

shock [ʃɒk] **I** *n* **1.** trieciens; **2.** *med.* šoks; **II** *v* satriekt; šokēt

shocking ['ʃɒkiŋ] **I** *a* satriecošs; šokējošs; **II** *adv* ļoti

shoe [ʃu:] *n* **1.** kurpe; **2.** pakavs; ◇ that's where the sh. pinches – lūk, kur tas suns aprakts

shoelace [ˈʃu:leis] *n* kurpju saite

shoemaker [ˈʃu:ˌmeikə] *n* kurpnieks

shone *p. un p. p. no* **shine**

shook *p. no* **shake**

shoot [ʃu:t] *v* (*p. un p. p.* shot [ʃɒt]) **1.** šaut; nošaut; **2.** dzīt (*asnus*); **3.** fotografēt; uzņemt (*filmu*)

shop [ʃɒp] *n* **1.** veikals; **2.** darbnīca; cehs

shop-assistant [ˈʃɒpəˌsistənt] *n* pārdevējs; pārdevēja

shopgirl [ˈʃɒpgɜ:l] *n* pārdevēja

shopping [ˈʃɒpiŋ] *n* iepirkšanās

shore [ʃɔ:] *n* (*jūras, ezera*) krasts

short [ʃɔ:t] *a* **1.** īss; **2.** maza auguma-; **3.** nepietiekams; he is sh. of cash – viņam trūkst naudas; in sh. – īsumā

shortage [ˈʃɔ:tidʒ] *n* (*preču u. tml.*) trūkums

short-circuit [ˌʃɔ:tˈsɜ:kit] *v* radīt īssavienojumu

shortcoming [ˈʃɔ:tˌkʌmiŋ] *n* nepilnība; trūkums

shorten [ˈʃɔ:tn] *v* **1.** saīsināt; **2.** kļūt īsākam (*par dienām*)

shortly [ˈʃɔ:tli] *adv* **1.** drīz, drīzumā; **2.** īsi, īsumā

short-paid [ˌʃɔ:tˈpeid] *a* ar piemaksu (*par pasta sūtījumu*)

shortsighted [ˌʃɔ:tˈsaitid] *a* tuvredzīgs

shot[a] [ʃɒt] **I** *n* **1.** šāviens; **2.** šāviņš; skrots; **3.** šāvējs; **4.** kinokadrs; **II** *v* pielādēt

shot[b] *p. un p. p. no* **shoot**

shotput [ˈʃɔput] *n sp.* lodes grūšana

should [ʃʊd, ʃəd] *v* (*p. no* **shall**) **1.** (*palīgdarbības vārds 1. pers. sing un pl Future-in-the-Past veidošanai*): I said I sh. do it – es teicu, ka es to izdarīšu; **2.** (*palīgdarbības vārds nosacījuma veidošanai*): I sh. be glad if you did it – es būtu priecīgs, ja tu to izdarītu; **3.** *mod. v* (*izsaka pienākumu, nepieciešamību, varbūtību*): you sh. be more attentive – tev vajadzētu būt uzmanīgākam

shoulder [ˈʃəʊldə] *n* plecs

shout [ʃaʊt] **I** *n* kliedziens; **II** *v* kliegt

shouting [ˈʃaʊtiŋ] *n* kliedzieni

shovel [ˈʃʌvl] *n* lāpsta; liekšķere

show [ʃəʊ] **I** *n* **1.** demonstrēšana; **2.** izstāde; skate; **3.** izrāde; **II** *v* (*p.* showed [ʃəʊd]; *p. p.* showed [ʃəʊd] *vai* shown [ʃəʊn]) **1.** parādīt; demonstrēt; **2.** izrādīt (*jūtas*); to sh. **in** – ievest (*mājā, istabā*), to sh. **off** – 1) izcelt; 2) dižoties; to sh. **round** – izrādīt (*pilsētu, muzeju*)

show-bill [ˈʃəʊbil] *n* afiša

shower [ˈʃaʊə] *n* **1.** lietusgāze; **2.** duša

shower gel [ˈʃaʊədʒəl] *n* dušas želeja

shown *p. p. no* **show II**

showy [ˈʃəʊi] *a* košs; efektīgs

shrank *p. no* **shrink**

S

shrewd [ʃru:d] *a* **1.** vērīgs; **2.** gudrs
shrewish [ˈʃru:iʃ] *a* ķildīgs; ļauns
shriek [ʃri:k] **I** *n* spalgs kliedziens; spiedziens; **II** *v* spalgi kliegt; spiegt
shrink [ʃriŋk] *v* (*p.* shrank [ʃræŋk]; *p. p.* shrunk [ʃrʌŋk] *vai* shrunken [ˈʃrʌŋkən]) **1.** sarauties (*par audumu*); **2.** vairīties (*no sabiedrības*)
shrub [ʃrʌb] *n* krūms
shrug [ʃrʌg] *v* paraustīt (*plecus*)
shrunk *p. p. no* **shrink**
shrunken *p. p. no* **shrink**
shudder [ˈʃʌdə] **I** *n* drebuļi; **II** *v* drebēt
shunter [ˈʃʌntə] *n* pārmijnieks
shut [ʃʌt] *v* (*p. un p. p.* shut [ʃʌt]) **1.** aizvērt, aiztaisīt; **2.** aizvērties, aiztaisīties
shutdown [ˈʃʌtdaʊn] *n* **1.** (*uzņēmuma, veikala*) slēgšana, **2.** izslēgšana
shutter [ˈʃʌtə] *n* **1.** aizvirtnis; **2.**: ~s *pl* – žalūzijas
shuttle [ˈʃʌtl] *n* **1.** atspole; **2.**: sh. bus – piepilsētas autobuss
shy [ʃai] *a* **1.** bikls; kautrīgs; **2.** piesardzīgs
sick [sik] *a* **1.** slims; **2.** to feel s. – just nelabumu; to be s. – vemt
sickening [ˈsikniŋ] *a* pretīgs
sick-leave [ˈsikli:v] *n* slimības atvaļinājums
sick-list [ˈsiklist] *n* slimības lapa
sickness [ˈsiknis] *n* **1.** slimība; **2.** nelabums
sick-pay [ˈsikpei] *n* slimības pabalsts
side [said] **I** *n* **1.** mala; **2.** puse; **3.** sāni; s. by s. – blakus; **II** *v* pieslieties
sideboard [ˈsaidbɔ:d] *n* bufete; trauku skapis
sidedish [ˈsaiddiʃ] *n* (*ēdiena*) piedeva; salāti
sideline [ˈsaidlain] *n* blakusdarbs
sidelong [ˈsaidlɒŋ] *adv* sāniski
siege [si:dʒ] *n* aplenkums
sieve [siv] **I** *n* siets; **II** *v* sijāt
sift [sift] *v* **1.** sijāt; **2.** analizēt
sigh [sai] **I** *n* nopūta; **II** *v* nopūsties
sight [sait] *n* **1.** redze; **2.** skatiens; to catch s. (*of*) – ieraudzīt; **3.** skats; aina
sightseeing [ˈsaitˌsi:iŋ] *n* ievērojamu vietu apskatīšana
sign [sain] **I** *n* **1.** zīme; simbols; **2.** pazīme; **II** *v* **1.** parakstīt; **2.** parakstīties
signal [ˈsignl] **I** *n* signāls; zīme; **II** *v* signalizēt
signature [ˈsignətʃə] *n* paraksts
signboard [ˈsainbɔ:d] *n* izkārtne
signet [ˈsignit] *n* zīmogs
significance [sigˈnifikəns] *n* **1.** nozīme; jēga; **2.** svarīgums
significant [sigˈnifikənt] *a* svarīgs; nozīmīgs
singnify [ˈsignifai] *v* **1.** nozīmēt; **2.** paziņot; **3.** būt svarīgam
signpost [ˈsainpəʊst] *n* ceļrādis
silage [ˈsailidʒ] **I** *n* skābbarība; **II** *v* skābēt (*lopbarību*)
silence [ˈsailəns] **I** *n* klusēšana; klusums; **II** *v* apklusināt

S

silent [ˈsailənt] *a* kluss
silk [silk] *n* zīds
silkstocking [ˈsilkˌstɒkiŋ] **I** *n amer.* eleganti ģērbies cilvēks; **II** *a* smalks; elegants
sill [sil] *n* **1.** palodze; **2.** gulbaļķis; **3.** slieksnis
silly [ˈsili] *a* muļķīgs
silt [silt] *v* aizsērēt
silver [ˈsilvə] **I** *n* sudrabs; **II** *a* sudraba-; ◇ every cloud has a s. lining – katram mākonim ir sudraba maliņa
silversmith [ˈsilvəsmiθ] *n* sudrabkalis
silverware [ˈsilvəwɛə] *n* sudrablietas
similar [ˈsimələ] *a* līdzīgs; vienāds
simple [ˈsimpl] *a* **1.** vienkāršs; nesarežģīts; **2.** dabisks
simple-hearted [ˌsimplˈhɑ:tid] *a* atklāts; labsirdīgs
simpleton [ˈsimpltən] *n* muļķis
simultaneous [ˌsiməlˈteiniəs] *a* vienlaicīgs
sin [sin] **I** *n* grēks; **II** *v* grēkot
since [sins] **I** *adv* kopš tā laika; ever s. – no tā laika; **II** *prep* no; kopš; he hasn't met her since 1993 – viņš nav viņu saticis kopš 1993. gada; **III** *conj* **1.** kopš; it is a long time s. he was here – ir pagājis ilgs laiks, kopš viņš bija šeit; **2.** tā kā; ja; s. you are not coming, I shall go alone – tā kā tu nenāc, es iešu viens
sincere [sinˈsiə] *a* patiess; sirsnīgs
sincerely [sinˈsiəli] *adv* patiesi; sirsnīgi
sinew [ˈsinju:] *n* **1.** cīpsla; **2.** *pl* muskulatūra
sinful [ˈsinfʊl] *a* grēcīgs
sing [siŋ] *v* (*p.* sang [sæŋ]; *p. p.* sung [sʌŋ]) dziedāt
singer [ˈsiŋə] *n* dziedātājs; dziedātāja
single [ˈsiŋgl] **I** *n sp* vienspēle; **II** *a* **1.** viens vienīgs; **2.** vienvietīgs; **3.** neprecējies; **4.** singls; **III** *v*: to s. **out** – atlasīt
singular [ˈsiŋgjʊlə] **I** *n gram.* vienskaitlis; **II** *a* **1.** sevišķs; **2.** savdabīgs
sink [siŋk] **I** *n* izlietne; **II** *v* (*p.* sank [sæŋk]; *p. p.* sunk [sʌŋk]) **1.** [no]grimt; **2.** nogremdēt; **3.** kristies (*par līmeni*); **4.** nosēsties (*par pamatiem*)
sip [sip] *n* malks
sir [sɜ:] *n* sers, kungs
sirloin [ˈsɜ:lɔin] *n* fileja
sister [ˈsistə] *n* māsa
sister-in-law [ˈsistərinˈlɔ:] *n* svaine
sit [sit] *v* (*p. un p. p.* sat [sæt]) sēdēt; to s. **down** – apsēsties
site [sait] *n* **1.** atrašanās vieta; **2.** būvlaukums
sitter [ˈsitə] *n* **1.** (*mākslinieka*) modelis; **2.** perētāja vista; **3.** aukle
sitting-room [ˈsitiŋrʊm] *n* dzīvojamā istaba; viesistaba
situated [ˈsitʃʊeitid] *a* novietots; izvietots
situation [ˌsitʃʊˈeiʃən] *n* **1.** atrašanās vieta; **2.** situācija; stāvoklis

S

sizable [ˈsaizəbl] *a* liels
size [saiz] *n* **1.** lielums; **2.** formāts; **3.** kalibrs; **4.** izmērs
skate [skeit] **I** *n* slida; **II** *v* slidot
skater [ˈskeitə] *n* slidotājs
skating [ˈskeitiŋ] *n* slidošana; speed s. – ātrslidošana; figure s. – daiļslidošana
skateboard [ˈskeitbɔ:d] *n* skrituļdēlis
skeleton [ˈskelitn] *n* skelets
sketch [sketʃ] **I** *n* **1.** skice, uzmetums; **2.** skečs; **II** *v* skicēt
skew [skju:] *a* greizs
skewer [ˈskju:ə] *n* iesms (*gaļas cepšanai*)
ski [ski:] **I** *n* (*pl* ski [ski:] *vai* skis [ski:z]) slēpe; slēpes; **II** *v* (*p. un p. p.* ski'd [ski:d]) slēpot
ski'd *p. un p. p. no* **ski II**
skier [ˈski:ə] *n* slēpotājs
skiing [ˈski:iŋ] *n* slēpošana
skilful [ˈskilfəl] *a* prasmīgs; izveicīgs
skill [skil] *n* māka; prasme; izveicība
skilled [skild] *a* **1.** prasmīgs; izveicīgs; **2.** kvalificēts
skin [skin] **I** *n* **1.** āda; **2.** miza; **II** *v* [no]dīrāt ādu
skinny [ˈskini] *a* izkāmējis, kārns
skip [skip] **I** *n* **1.** palēciens; **2.** *dat.* pārlēciens; **II** *v* lēkāt
skipping-rope [ˈskipiŋrəʊp] *n* lecamaukla
skirt [skə:t] *n* (*sieviešu*) svārki
skulk [skʌlk] *v* **1.** slēpties (*aiz cita muguras*); **2.** izvairīties
skull [skʌl] *n* galvaskauss
sky [skai] *n* debesis
skydiver [ˈskaiˌdaivə] *n* izpletņlēcējs
skylark [ˈskailɑ:k] *n* cīrulis
skylight [ˈskailait] *n* **1.** virsgaisma; **2.** jumta logs
skyscraper [ˈskaiˌskreipə] *n* debesskrāpis
slacken [ˈslækən] *v* **1.** atslābināt; **2.** atslābt
slalom [ˈslɑ:ləm] *n sp.* slaloms
slander [ˈslɑ:ndə] **I** *n* neslava; **II** *v* celt neslavu
slang [slæŋ] *n* slengs; žargons
slant [slɑ:nt] *a* slīps
slap [slæp] **I** *n* pļauka; **II** *v* iecirst pliķi; **III** *adv sar.* tieši
slapdash [ˈslæpdæʃ] *a* paviršs; nolaidīgs
slate [sleit] *n* **1.** šīferis; **2.** zilganpelēka krāsa
slaughter [ˈslɔ:tə] **I** *n* **1.** slepkavošana; **2.** (*lopu*) kaušana; **II** *v* **1.** slepkavot; **2.** kaut (*lopus*)
slave [sleiv] **I** *n* vergs; verdzene; **II** *v* vergot
slavery [ˈsleivəri] *n* verdzība
slaw [slɔ:] *n* kāpostu salāti
slay [slei] *v* (*p.* slew [slu:]; *p. p.* slain [slein]) nogalināt
sledge [sledʒ] **I** *n* ragavas; **II** *v* braukt ragavās
sleep [sli:p] **I** *n* miegs; want of s. – bezmiegs; **II** *v* (*p. un p. p.* slept [slept]) gulēt

S

sleeper [ˈsli:pə] *n* **1.** gulētājs; **2.** *amer.* guļamvagons; **3.** *sl.* miegazāles

sleeping [ˈsli:piŋ] *a* guļošs; S. Beauty – Ērkšķrozīte

sleeping-bag [ˈsli:piŋbæg] *n* guļammaiss

sleeping-car [ˈsli:piŋkɑ:] *n* guļamvagons

sleeping-pill [ˈsli:piŋpil] *n* miega zāles

sleeping-suit [ˈsli:piŋsu:t] *n* pidžama

sleepless [ˈsli:plis] *a* bezmiega-

sleepy [ˈsli:pi] *a* miegains; kluss

sleet [sli:t] *n* slapjdraņķis

sleeve [sli:v] *n* piedurkne

slender [ˈslendə] *a* **1.** slaids; **2.** nepietiekams

slew [slu:] **I** *n* pagrieziens; **II** *v* pagriezt

slept *p. un p. p. no* **sleep II**

slice [slais] **I** *n* šķēle; **II** *v* [sa]griezt šķēlēs

slid *p. un p. p. no* **slide II**

slide [slaid] **I** *n* **1.** slīdēšana; **2.** slidkalns; slidceļš; **3.** diapozitīvs; **II** *v* (*p. un p. p.* slid [slid]) **1.** slīdēt; **2.** slidināties

slide-fastener [ˈslaidˌfɑ:snə] *n* rāvējslēdzējs

slight [slait] *a* **1.** niecīgs; nenozīmīgs; **2.** slaids; trausls

slightly [ˈslaitli] *adv* mazliet, nedaudz

slim [slim] **I** *a* tievs, slaids; **II** *v* ievērot diētu

sling [sliŋ] *v* (*p.* un *p. p.* slung [slʌŋ]) **1.** sviest; **2.** vilkt; celt

slip [slip] **I** *n* **1.** [pa]slīdēšana; **2.** kļūda; kļūme; **3.** kombinē; **II** *v* **1.** [pa]slīdēt; **2.** kļūdīties

slipover [ˈslipˌəʊvə] *n* **1.** svīteris; **2.** futrālis

slipper [ˈslipə] *n* **1.** rītakurpe; **2.** laiviņa (*sieviešu kurpe*)

slippery [ˈslipəri] *a* **1.** slidens; **2.** izmanīgs

sliproad [ˈsliprəʊd] *n* apbraucamais ceļš

slip-up [ˈslipʌp] *n* neveiksme

slit [slit] *n* šķēlums

sliver [ˈslivə] *n* skals; skaida

slobber [ˈslɒbə] *n* siekalas

slope [sləʊp] *n* **1.** slīpums; **2.** nogāze, nokalne

sloppy [slɒpi] *a* **1.** slapjš; dubļains (*par ceļu*); **2.** piebradāts (*par telpu*); **3.** sentimentāls; **4.** nevīžīgs

slot [slɒt] *n* sprauga

slot-machine [ˈslɒtməˌʃi:n] *n* spēļu (*tirdzniecības*) automāts

slow [sləʊ] **I** *a* lēns, gauss; **II** *v*: to s. **down** – palēnināt gaitu; samazināt ātrumu; **III** *adv* lēni, gausi

sludge [slʌdʒ] *n* **1.** dubļi; **2.** vižņi; **3.** dūņas; **4.** nogulsnes

sludgy [slʌdʒi] *a* dubļains

slug [slʌg] *n* gliemis

sluice [slu:s] *n* slūžas

slumber [ˈslʌmbə] *n* snauda

slush [slʌʃ] *n* slapjdraņķis

sly [slai] *a* viltīgs; izmanīgs

smack [smæk] *n* [pie]garša; smarža

small [smɔ:l] *a* **1.** mazs, neliels; s. change – sīknauda; **2.** īslaicīgs

S

smallpox [ˈsmɔ:lpɒks] *n med.* bakas
smart [smɑ:t] **I** *a* **1.** veikls; ātrs; **2.** apķērīgs; asprātīgs; **3.** dedzinošs; smeldzošs (*par sāpēm*); **4.** smalks; elegants; **II** *v* smelgt; sāpēt
smart-money [ˈsmɑ:tˌmʌni] *n* sāpju nauda
smash [smæʃ] *v* **1.** sasist druskās; **2.** sakaut; satriekt (*ienaidnieku*); **3.** sašķīst
smell [smel] **I** *n* **1.** oža; **2.** smarža; smaka; **II** *v* (*p. un p. p.* smelled [smeld] *vai* smelt [smelt]) **1.** saost; **2.** ostīt; **3.** smaržot; ost
smeller [ˈsmelə] *n sl.* deguns
smelt[a] *p. un p. p. no* **smell II**
smelt[b] [smelt] *v* kausēt (*rūdu*)
smile [smail] **I** *n* smaids; **II** *v* smaidīt
smite [smait] *n* spēcīgs sitiens
smith [smiθ] *n* kalējs
smock [smɒk] *n* **1.** virsvalks; **2.** (*bērna*) kombinezons
smoke [sməʊk] **I** *n* **1.** dūmi; **2.** smēķēšana; **II** *v* **1.** dūmot; **2.** kūpēt (*par lampu*); **3.** smēķēt
smoke-consumer [ˈsməʊkkənˌsju:mə] *n* dūmuztvērējs
smoke-cured [ˈsməʊkkjʊəd] *a* kūpināts, žāvēts
smooth [smu:ð] **I** *a* gluds; līdzens; **II** *v* nogludināt; nolīdzināt
snack [snæk] *n* uzkožamais
snackbar [ˈsnækbɑ:] *n* bufete; bārs
snail [sneil] *n* **1.** gliemezis; **2.** tūļa; **3.** *tehn.* spirāle
snake [sneik] *n* čūska; ◇ to raise ~s – sacelt skandālu
snap [snæp] *v* kampt; ķert
snap-beans [ˈsnæpbi:nz] *n pl* dārza pupas
snapdragon [ˈsnæpˌdraægən] *n bot.* lauvmutīte
snappish [ˈsnæpiʃ] *a* **1.** strups; ass; **2.** nikns (*par suni*); **3.** sparīgs
snare [ˈsneə] **I** *n* lamatas; slazds; **II** *v* notvert lamatās
sneer [sniə] **I** *n* vīpsnāšana; **II** *v* vīpsnāt
sneeze [sni:z] **I** *n* šķavas; **II** *v* šķaudīt
snide [snaid] *a* neīsts; viltots
snipe [snaip] *n* sloka
snoot [snu:t] *n* **1.** snuķis; **2.** grimase
snore [snɔ:] **I** *n* krākšana; **II** *v* krākt
snow [snəʊ] **I** *n* **1.** sniegs; **2.** *sar.* kokaīns; **II** *v* snigt
snowball [ˈsnəʊbɔ:l] *n* sniega pika
snowdrop [ˈsnəʊdrɒp] *n* sniegpulkstenīte
snowfall [ˈsnəʊfɔ:l] *n* sniegputenis
snowflake [ˈsnəʊfleik] *n* sniegpārsla
snowman [ˈsnəʊmæn] *n* sniegavīrs
snug [snʌg] *a* **1.** ērts; mājīgs; **2.** pietiekams; **3.** sakārtots
so [səu] **I** *adv* **1.** tā; tādā veidā, just so – tieši tā; **2.** tik; tādā mērā; be so kind – esi tik laipns; **3.** arī; he is old and so are you – viņš ir vecs un tu arī; **4.** apmēram; **II** *conj* tāpēc; tādēļ; **III** *int* tā!; tiešām!
soak [səʊk] *v* **1.** izmērcēt; samērcēt; **2.** [iz]mirkt
soap [səʊp] **I** *n* ziepes; **II** *v* ieziepēt

sob [sɒb] *v* elsot; šņukstēt
sober [ˈsəʊbə] *a* **1.** skaidrā prātā; **2.** prātīgs; nosvērts; **3.** atturīgs
so-called [ˌseʊˈkɔ:ld] *a* tā sauktais
soccer [ˈsɒkə] *n sar.* futbols
sociable [ˈsəʊʃəbl] *a* sabiedrisks
social [ˈsəʊʃl] *a* **1.** sabiedrisks; sociāls; **2.** saviesīgs
society [səˈsaiəti] *n* **1.** sabiedrība; **2.** biedrība; **3.** augstākās aprindas
sociology [ˌsəʊsiˈɒlədʒi] *n* socioloģija
sock [sɒk] *n* (*īsā*) zeķe
sod [sɒd] *n* velēna
sofa [ˈsəʊfə] *n* dīvāns
soft [sɒft] *a* **1.** mīksts; **2.** kluss (*par skaņu*); **3.** maigs, liegs; **4.** bezalkoholisks (*par dzērienu*); **5.** gļēvs
software *n dat.* programmatūra
soft-hearted [ˈsɒftˈhɑ:tid] *a* žēlsirdīgs
soil[a] [sɔ:il] *n* zeme; augsne
soil[b] [sɔ:il] *v* **1.** notraipīt, notašķīt; **2.** notraipīties; notašķīties
solace [ˈsɒləs] **I** *n* mierinājums; **II** *v* mierināt
solar [ˈsəʊlə] *a* solārs; saules-
sold *p. un p. p. no* **sell**
soldier [ˈsəʊldʒə] *n* kareivis
sole[a] [səʊl] **I** *n* **1.** pēdas apakša; **2.** pazole; **II** *v* pazolēt
sole[b] [səʊl] *a* **1.** viens vienīgs; **2.** vienreizējs; **3.** *jur.* neprecējies
solemn [ˈsɒləm] *a* nopietns; svinīgs
solicit [səˈlisit] *v* lūgt, izlūgties
Solicitor-General [səˌlisitəˈdʒenərəl] *n amer.* ģenerālprokurors
solicitude [səˈlistju:d] *n* rūpes; gādība
solid [ˈsɒlid] *a* **1.** ciets; **2.** masīvs; **3.** pamatots; pārliecinošs
soliloquy [səˈliləkwi] *n* monologs
solitary [ˈsɒlitəri] *a* **1.** vientuļš; **2.** savrups; atsevišķs
solitude [ˈsɒlitju:d] *n* vientulība; vienatne
solstice [ˈsɒlstis] *n* saulgrieži
solution [səˈlu:ʃən] *n* **1.** šķīdums; **2.** atrisinājums
solve [sɒlv] *v* **1.** atrisināt; **2.** samaksāt (*parādu*)
solvency [ˈsɒlvənsi] *n* maksātspēja
some [sʌm] **I** *n* **1.** kāds; dažs; **2.** mazliet; **II** *pron* kāds; s. day – kādu dienu; to s. extent – zināmā mērā; s. four – kādi četri; **III** *adv* (*ar skaitļa vārdu*) apmēram
somebody [ˈsʌmbɒdi] *pron* kāds
somehow [ˈsʌmhaʊ] *adv* kaut kā
someone [sʌmwʌn] *pron* kāds
somersault [ˈsʌməsɔ:lt] **I** *n* kūlenis; **II** *v* mest kūleņus
something [ˈsʌmθiŋ] *pron* kaut kas
sometimes [ˈsʌmtaimz] *adv* dažreiz
somewhat [ˈsʌmwɒt] *adv* mazliet; nedaudz
somewhere [ˈsʌmweə] *adv* kaut kur
somnifacient [ˌsɒmniˈfeiʃnt] *n* miegazāles
son [sʌn] *n* dēls; prodigal s. – pazudušais dēls
song [sɒŋ] *n* **1.** dziesma; **2.** dzejolis; ◇ not worth an old s. – ne nieka vērts

S

song-bird ['sɒŋbə:d] *n* dziedātājputns
song-fest ['sɒŋfest] *n amer. sar.* kordziedāšana
songful ['sɒŋfʊl] *a* melodisks
son-in-law ['sʌnin'lɔ:] *n* znots
soon [su:n] *adv* drīz; ātri; as s. as – tiklīdz
soot [sʊt] *n* sodrēji; kvēpi
soothe [su:ð] *v* **1.** mierināt; **2.** atvieglot; remdēt (*sāpes*)
soppy ['sɒpi] *a* **1.** slapjš; izmircis; **2.** sentimentāls; salkans
sorcerer ['sɔ:rsəre] *n* burvis
sorceress ['sɔ:seris] *n* burve
sorcery ['sɔ:səri] *n* burvība; maģija
sore [sɔ:] **I** *n* pušums; jēlums; **II** *a* **1.** sāpīgs; iekaisis; **2.** sarūgtināts; aizvainots
sorrel ['sɒrəl] *n* skābene; skābenes
sorrow ['sɒrəʊ] *n* **1.** bēdas, skumjas; **2.** nožēla
sorrowful ['sɒrəʊfəl] *a* bēdīgs
sorry ['sɒri] *a predic* apbēdināts; [I am] s.! – atvainojiet!; to feel s. (*for*) – just līdzi
S
sort [sɔ:t] **I** *n* veids; suga; šķirne; **II** *v* šķirot; atlasīt
sortition [sɔ:'tiʃn] *n* lozēšana
so-so ['səʊsəʊ] *sar* **I** *a* viduvējs; **II** *adv* tā nekas
sought *p. un p. p. no* **seek**
soul [səʊl] *n* **1.** dvēsele; **2.** persona; **3.** degsme
soulful ['səʊlful] *a* jūtelīgs; emocionāls
soulless ['səʊllis] *a* nejūtīgs; cietsirdīgs
sound[a] [saʊnd] **I** *n* skaņa; **II** *v* skanēt
sound[b] [saʊnd] **I** *a* **1.** vesels; veselīgs; **2.** nebojāts (*piem., par augļiem*); **3.** dziļš; ciešs (*par miegu*); **4.** saprātīgs (*par spriedumu*); **II** *adv* cieši
sound[c] [saʊnd] *n* jūras šaurums
soup [su:p] *n* **1.** zupa; ◇ in the s. – ķezā; **2.** *sl.* bieza mīkla
sour [saʊə] *a* **1.** skābs; **2.** saskābis; **3.** sapīcis
source [sɔ:s] *n* **1.** avots; (*upes*) izteka; **2.** pirmsākums; s. cod *dat.* – pirmkods
souse [saʊs] **I** *n* **1.** sālījums; marinādе; **2.** sālītas cūku kājiņas; **II** *v* **1.** sālīt; marinēt; **2.** izmirkt
south [saʊθ] **I** *n* dienvidi; **II** *a* dienvidu-; **III** *adv* uz dienvidiem
southern ['sʌðn] *a* dienvidu-
souvenir [ˌsu:və'niə] *n* suvenīrs
sovereign ['sɒvrin] *a* **1.** augstākais; s. power – augstākā vara; **2.** neatkarīgs
sovereignty ['sɒvrənti] *n* suverenitāte
sow [səʊ] *v* (*p.* sowed [səʊd]; *p. p.* sowed [səud] *vai* sown [səʊn]) [ap]sēt; ◇ as you s. you shall mow – ko sēsi, to pļausi
sown *p. p. no* **sow**
soy [sɒi] *n* soja
space [speis] *n* **1.** telpa; **2.** kosmoss; **3.** attālums; **4.** laika sprīdis; **5.** vieta
spaceman ['speismən] *n* kosmonauts
spaceship ['speisˌʃip] *n* kosmosa kuģis
spacious ['speiʃəs] *a* plašs; ietilpīgs

spade [speid] **I** *n* **1.** lāpsta; **2.** pīķis (*kāršu spēlē*); **II** *v* rakt

span[a] [spæn] *n* laika sprīdis

span[b] [spæn] *p. no* **spin**

spank [spæŋk] *n* pļauka, pliķis

spare [speə] **I** *a* rezerves-; lieks; s. time – brīvs laiks; **II** *v* **1.** taupīt; **2.** atlicināt (*piem., laiku*); **3.** pasargāt (*no kā*); saudzēt

spark [spɑ:k] **I** *n* dzirkstele; **II** *v* dzirksteļot

sparkle ['spɑ:kl] *v* **1.** mirdzēt; spīguļot; **2.** dzirkstīt (*par vīnu*)

sparrow ['spærəʊ] *n* zvirbulis

sparse [spɑ:s] *a* rets; s. hair – reti mati

spat *p. un p. p. no* **spit**

spate [speit] *n* **1.** plūdi; **2.** pēkšņa lietusgāze

speak [spi:k] *v* (*p.* spoke [spəʊk]; *p. p.* spoken ['spəʊkən]) runāt

speaker ['spi:kə] *n* **1.** runātājs; orators; **2.**: the S. – spīkers; **3.** skaļrunis

spear [spiə] *n* **1.** šķēps; **2.** *bot.* atvase

special ['speʃəl] *a* speciāls; īpašs

specialist ['speʃəlist] *n* speciālists

specialize ['speʃəlaiz] *v* specializēties

specific [spi'sifik] *a* **1.** specifisks; **2.** raksturīgs; **3.** noteikts, konkrēts; **4.** *fiz.* īpatnējs

specimen ['spesimən] *n* paraugs; eksemplārs

specs [speks] *n pl sar.* brilles

spectacle ['spektəkl] *n* skats

spectacles ['spektəklz] *n pl.* brilles

spectator [spek'teitə] *n* skatītājs

speculate ['spekjʊleit] *v* **1.** (*upon*) prātot; pārdomāt; **2.** (*in*) spekulēt

sped *p. un p. p. no* **speed II**

speech [spi:tʃ] *n* **1.** runa; **2.** valoda; runasveids; parts of s. *gram* – vārdšķiras; **3.** (*mūzikas instrumenta*) skaņa

speed [spi:d] **I** *n* ātrums; **II** *v* (*p. un p. p.* sped [sped]) **1.** steigties; **2.** palielināt ātrumu; to s. **up** – paātrināt

speeding ['spi:diŋ] *n* (*atļautā*) braukšanas ātruma pārsniegšana

speed-limit ['spi:d,limit] *n* (*braukšanas*) ātruma ierobežojums

speed-skating ['spi:dskeitiŋ] *n* ātrslidošana

speed-up ['spi:dʌp] *n* paātrinājums

spell[a] [spel] *n* burvestība

spell[b] [spel] *v* (*p. un p. p.* spelled [speld] *vai* spelt [spelt]) rakstīt (izrunāt) vārdu pa burtiem

spelling ['speliŋ] *n* **1.** pareizrakstība; **2.** vārda nosaukšana pa burtiem

spelling-book ['spəliŋbʊk] *n* pareizrakstības vārdnīca

spelt *p. un p. p. no* **spell**[b]

spend [spend] *v* (*p. un p. p.* spent [spent]) **1.** izdot; iztērēt (*naudu*); **2.** pavadīt (*laiku*)

spent **I** *n* nomocījies; **II** *p. un p. p. no* **spend**

sphere [sfiə] *n* **1.** lode; bumba; **2.** sfēra; darbības lauks

spice [spais] **I** *n* garšviela; **II** *v* pielikt garšvielas

spicy [ˈspaisi] *a* **1.** vircots; **2.** pikants

spider [ˈspaidə] *n* zirneklis; spider's web – zirnekļa tīkls

spigot [ˈspigət] *n* tapa, spunde

spike [spaik] **I** *n* smaile; asums; **II** *v* sanaglot

spiky [ˈspaiki] *a* **1.** ass; **2.** atskabargains (*par raksturu*)

spill [spil] *v* (*p. un p. p.* spilled [spild] *vai* spilt [spilt]) **1.** izliet; **2.** izlīt; **3.** izbērt

spilt *p. un p. p. no* **spill**

spin [spin] *v* (*p.* spun [spʌn] *vai* span [spæn]; *p. p.* spun [spʌn]) griezt; griezties

spinach [ˈspinidʒ] *n* spināti

spine [spain] *n anat.* mugurkauls

spirit [ˈspirit] *n* **1.** gars; **2.** spoks; **3.**: ~s *pl* – garastāvoklis; **4.**: ~s *pl* – alkohols; spirts

spiritual [ˈspiritʃʊəl] **I** *n* spiričuels (*nēģeru reliģiska dziesma*); **II** *a* garīgs

spit [spit] **I** *n* spļāviens; **II** *v* (*p. un p. p.* spat [spæt]) **1.** spļaut; **2.** spļaudīties

spite [spait] *n* spīts; dusmas; from s. – aiz dusmām; ◇ in s. of – par spīti

splash [splæʃ] **I** *n* **1.** šļakatas; **2.** šļaksts; **II** *v* **1.** apšļakstīt; **2.** šļakstēt

splendid [ˈsplendid] *a* grezns, krāšņs

splint [splint] **I** *n med.* šina; **II** *v med.* uzlikt šinu

splinter [ˈsplintə] *n* **1.** šķemba; **2.** skabarga

split [split] **I** *n* **1.** plaisa; **2.** šķelšanās; **II** *v* **1.** [sa]šķelt; **2.** [sa]šķelties; **III** *a* šķelts

splurge [splɜ:dʒ] *v* dižoties

spoil [spɔil] **I** *n* laupījums; **II** *v* (*p. un p. p.* spoilt [spɔilt] *vai* spoiled [spɔild]) **1.** [sa]bojāt; **2.** [sa]bojāties; **3.** lutināt

spoilt *p. un p. p. no* **spoil**

spoke[a] [spəʊk] *n* (*riteņa*) spieķis; ◇ to put a s. in smb.'s wheels – mest kādam sprunguļus riteņos

spoke[b] *p. no* **speak**

spoken *p. p. no* **speak**

sponge [spʌndʒ] **I** *n* **1.** sūklis; **2.** biskvītkūka; **3.** *med.* tampons; **II** *v* **1.** noberzt ar sūkli; **2.** uzsūkt ar sūkli (tamponu)

sponge-cake [ˈspʌndʒkeik] *n* biskvītkūka

sponger [ˈspʌndʒə] *n* parazīts, liekēdis

spongy [ˈspʌndʒi] *a* porains

spontaneous [spɒnˈteiniəs] *a* spontāns

spool [spu:l] *n* spole

spooling *n dat.* spolēšana

spoon [spu:n] **I** *n* **1.** karote; **2.** vizulis; **3.** (*golfa*) nūja; ◇ to be born with a silver s. in one's mouth – piedzimt laimes krekliņā; **II** *v* **1.** smelt ar karoti; **2.** bļitkot

spoonful [ˈspu:nfʊl] *n* pilna karote (*kā mērvienība*)

spoony [ˈspu:ni] **I** *n* **1.** vientiesis; **2.** iemīlējies cilvēks; **II** *a* **1.** vien-

S

tiesīgs; **2.** iemīlējies; **3.** sentimentāls

sport [spɔ:t] *n* **1.** sports; to go in for ~s – nodarboties ar sportu; **2.**: ~s *pl* – sporta sacīkstes

sporting ['spɔ:tiŋ] *a* **1.** sporta-; **2.** sportisks; **3.** riskants

sportsman ['spɔ:tsmən] *n* **1.** sportists; **2.** godavīrs

spot [spɒt] **I** *n* **1.** plankums; traips; **2.** vieta; **II** *v* **1.** notraipīt; **2.** notraipīties

spotlight ['spɒtlait] *n* (*skatuves*) prožektors; to be in s. – būt uzmanības centrā

sprang *p. no* **spring**[b] **II**

sprat [spræt] *n* šprote; ķilava

spray [sprei] **I** *n* aerosols; **II** *v* apsmidzināt

sprayer ['spreiə] *n* aerosols

spread [spred] *v* (*p. un p. p.* spread [spred]) **1.** izklāt; atritināt; izplest; **2.** izplatīt; **3.** izplatīties; **4.** stiepties; plesties (*piem., par līdzenumu*); **5.** uzziest

spreadsheet *dat.* izklājlapa

spree [spri:] *n* uzdzīve; to go on the s. – uzdzīvot

sprightly ['spraitli] *a* dzīvs, jautrs

spring[a] [spriŋ] *n* pavasaris; s. onion – lociņi

spring[b] [spriŋ] **I** *n* **1.** lēciens; **2.** atspere; **3.** avots; **II** *v* (*p.* sprang [spræŋ]; *p. p.* sprung [sprʌŋ] **1.** lēkt; lēkāt; **2.** rasties; **3.** atsprāgt (*vaļā*)

springboard ['spriŋbɔ:d] *n* tramplīns

springy ['spriŋi] *a* atsperīgs, elastīgs

sprinkle ['spriŋkl] *v* **1.** apslacīt; **2.** smidzināt; **3.** apkaisīt

sprout [spraʊt] **I** *n* asns; **II** *v* dzīt asnus; dīgt

sprung *p. un p. p. no* **spring**[b] **II**

spry [sprai] *a* dzīvs, mundrs

spud [spʌd] *n* **1.** kaplis; **2.** *sar.* kartupelis

spur [spɜ:] **I** *n* **1.** piesis; **2.** pamudinājums; **II** *v* **1.** piecirst piešus; **2.** mudināt; skubināt

spurn [spɜ:n] **I** *n* **1.** nicinājums; **2.** kājas spēriens; **II** *v* **1.** izturēties nicinoši; **2.** spert ar kāju

spurt [spɜ:t] *n* **1.** strūkla; šalts; **2.** (*enerģijas*) pieplūdums

spy [spai] **I** *n* spiegs; **II** *v* spiegot

spyglass ['spaiglɑ:s] *n* tālskatis

squad [skwɔd] *n* **1.** nodaļa; **2.** *amer.* (*sporta*) komanda

squall [skwɔ:l] **I** *n* spalgs kliedziens; **II** *v* spalgi kliegt; spiegt

square [skweə] **I** *n* **1.** kvadrāts; **2.** laukums; skvērs; **II** *a* **1.** kvadrātveida-; **2.** *sar.* taisnīgs; godīgs

squash [skwɔʃ] **I** *n* **1.** biezsula; **2.** drūzma; **II** *v* **1.** saspiest; **2.** drūzmēties

squat [skwɔt] **I** *a* drukns; plecīgs

squeal [skwi:l] **I** *n* spiedziens; **II** *v* spiegt; **2.** *sl.* nosūdzēt

squeeze [skwi:z] **I** *n* **1.** [sa]spiešana; **2.** drūzmēšanās; **II** *v* **1.** [sa]spiest; **2.** izspiest; **3.** izspraukties (*piem., cauri pūlim*)

S

squeezer ['skwi:zə] *n* (*sulu*) spiedne
squiffy ['skwifi] *a* iereibis
squint [skwint] **I** *n* šķielēšana; **II** *v* šķielēt
squirrel ['skwirəl] *n* vāvere
stabilize ['steibəlaiz] *v* stabilizēt
stable[a] ['steibl] *a* stabils
stable[b] ['steibl] *n* (*zirgu*) stallis
stadium ['steidiəm] *n* stadions
staff [stɑ:f] *n* **1.** štats; personāls; **2.** *mil.* štābs
stag [stæg] *n* briedis
stage [steidʒ] **I** *n* **1.** skatuve; **2.** stadija; posms; pakāpe; **3.** lauks; sfēra; **II** *v* uzvest (*lugu*); inscenēt
stain [stein] **I** *n* traips; **II** *v* **1.** notraipīt; **2.** [no]krāsot
stainless ['steinləs] *a* **1.** nenotraipīts; **2.** nerūsējošs (*par tēraudu*)
stair [steə] *n* **1.** (*kāpņu*) pakāpiens; **2.**: ~s *pl* – kāpnes
staircase ['steəkeis] *n* **1.** kāpnes; **2.** kāpņu telpa
stake [steik] *n* **1.** miets; stabs; **2.** sadedzināšana uz sārta; **3.** likme (*kāršu spēlē, zirgu skriešanās sacīkstes*)
stale [steil] *a* **1.** sacietējis (*par maizi*); **2.** sasmacis (*par gaisu*); **3.** novadējies
stall [stɔ:l] *n* **1.** steliņģis; **2.** kiosks; stends; **3.** kabīne; **4.** vieta parterā
stallion ['stæljən] *n* ērzelis
stamina ['stæminə] *n* izturība
stammer ['stæmə] *v* stostīties
stamp [stæmp] **I** *n* **1.** zīmogs; **2.** nospiedums; **3.** pastmarka; **II** *v* **1.** apzīmogot; **2.** uzlīmēt pastmarku; to s. **down** – nomīdīt; to s. **out** – 1) apspiest (*sacelšanos*); 2) likvidēt (*epidēmiju*); 3) apdzēst (*uguni*)
stance [stæns] *n* viedoklis
stanch [stɑ:ntʃ] *v* apturēt (*asiņošanu*)
stand [stænd] **I** *n* **1.** apstāšanās; **2.** vieta; pozīcija; **3.** statīvs; **4.** (*taksometru*) stāvvieta; **5.** stends; **II** *v* (*p. un p. p.* stood [stud]) **1.** stāvēt; atrasties; **2.** izturēt, paciest; **3.** novietot; to s. **by** – 1) atbalstīt; 2) būt klāt; to s. **for** – 1) simbolizēt, nozīmēt; 2) kandidēt; to s. **up** – 1) piecelties; 2) aizstāvēt
standard ['stændəd] **I** *n* **1.** karogs; **2.** standarts; **3.** kurss (*valūtas*); gold s. – zelta nodrošinājums; **II** *a* standarta-; tipveida-
standby ['stændbai] *n* **1.** atbalsts; **2.** rezerve
standoffish [,stænd'ɒfiʃ] *a* atturīgs, vēss
standpoint ['stændpɔint] *n* viedoklis
standstill ['stændstil] *n* bezdarbība; sastingums
staple ['steipl] *n* **1.** pamatražojums; **2.** pamatelements; **3.** izejviela
star [stɑ:] **I** *n* **1.** zvaigzne; shooting s. – krītoša zvaigzne; **2.** slavenība; **3.** liktenis; **II** *a* galvenais
starch [stɑ:tʃ] **I** *n* ciete; **II** *v* cietināt
stare [steə] **I** *n* ciešs skatiens; **II** *v* cieši uzlūkot

S

stark [stɑ:k] **I** *a* sastindzis; **II** *adv* galīgi
starling [ˈstɑ:liŋ] *n* strazds
start [stɑ:t] **I** *n* **1.** sākums; **2.** starts; **II** *v* **1.** sākt; **2.** doties ceļā; **3.** startēt
startle [ˈstɑ:tl] *v* **1.** izbiedēt; **2.** pārsteigt
starvation [stɑ:ˈveiʃn] *n* **1.** bads; **2.** badošanās; **3.** bada nāve
starve [stɑ:v] *v* **1.** ciest badu; badoties; **2.** mērdēt badā; **3.** nomirt badā
state[a] [steit] *n* **1.** valsts; **2.** štats
state[b] [steit] **I** *n* stāvoklis; **II** *v* **1.** paziņot; **2.** konstatēt
stately [ˈsteitli] *a* stalts
statement [ˈsteitmənt] *n* **1.** paziņojums; apgalvojums; **2.** formulējums
statesman [ˈsteitsmən] *n* valstsvīrs
station [ˈsteiʃən] **I** *n* stacija; police s. – policijas iecirknis; **II** *v* novietot; izvietot
stationery [ˈsteiʃnəri] *n* rakstāmpiederumi
statistics [stəˈtistiks] *n* statistika
statue [ˈstætʃu:] *n* statuja
statuesque [ˌstætʃʊˈesk] *a* stalts, cēls
stay [stei] **I** *n* **1.** apstāšanās; **2.** uzturēšanās; **3.** *jur.* (*procesa*) atlikšana; **II** *v* **1.** palikt; uzkavēties; **2.** uzturēties; viesoties; **3.** izturēt
steady [ˈstedi] *a* **1.** stingrs; noturīgs; pastāvīgs; **2.** vienmērīgs; nepārtraukts
steak [steik] *n* bifšteks
steal [sti:l] *v* (*p.* stole [stəʊl]; *p. p.* stolen [ˈstəʊlən]) [no]zagt; to s. **away** – aizlavīties; to s. **by** – paslīdēt garām; to s. **in** – ielavīties; to s. **out** – izlavīties
steam [sti:m] *n* **I** tvaiks; **II** *v* izlaist tvaiku
steamer [ˈsti:mə] *n* tvaikonis
steel [sti:l] **I** *n* tērauds; **II** *a* tērauda-
steelworks [ˈsti:lwɜ:ks] *n pl* tēraudlietuve
steep [sti:p] *a* **1.** kraujš; stāvs; **2.** pārspīlēts
steeple [ˈsti:pl] *n* **1.** (*baznīcas*) zvanu tornis; **2.** (*torņa*) smaile
steeplechase [ˈsti:pltʃeis] *n* **1.** jāšanas sacīkstes ar šķēršļiem; **2.** šķēršļu skrējiens
steer [ˈstiə] *v* vadīt (*piem., automobili*)
steering-wheel [ˈstiəriŋwi:l] *n* **1.** stūresrats; **2.** (*automobiļa*) stūre
stem [stem] *n* **1.** (*koka*) stumbrs; **2.** (*auga*) stublājs; kāts; **3.** *gram.* celms
stench [stentʃ] *n* smaka
stencil [ˈstənsl] *n* šablons, trafarets
step [step] **I** *n* **1.** solis; s. by s. – soli pa solim; **2.** gaita; soļi; **3.** (*kāpņu*) pakāpiens; **II** *v* soļot
stepbrother [ˈstepˌbrʌðə] *n* pusbrālis
stepdaughter [ˈstepˌdɔ:tə] *n* pameita
stepfather [ˈstepˌfɑ:ðə] *n* patēvs
stepmother [ˈstepˌmʌðə] *n* pamāte
stepsister [ˈstepˌsistə] *n* pusmāsa
stepson [ˈstepsʌn] *n* padēls

stereotype [ˈsteriətaip] **I** *n* stereotips; **II** *v* padarīt par stereotipu
stern[a] [stɜ:n] *a* stingrs; bargs
stern[b] [stɜ:n] *n* (*kuģa*) pakaļgals
stew [stju:] **I** *n* sautēta gaļa; **II** *v* sautēt (*gaļu*); ~ed fruit – kompots
steward [ˈstju:əd] *n* stjuarts (*uz kuģa*)
stewardess [ˌstju:əˈdes] *n* stjuarte
stick [stik] **I** *n* **1.** nūja; spieķis; **2.** (*diriģenta*) zizlis; **II** *v* (*p. un p. p.* stuck [stʌk]) **1.** iedurt; **2.** pielīmēt; **3.** pielipt
sticker [ˈstikə] *n* **1.** afiša; **2.** etiķete
sticky [ˈstiki] *a* **1.** lipīgs; **2.** smacīgs
stiff [stif] *a* **1.** stīvs; **2.** biezs; **3.** stiprs (*par dzērienu*)
stiffen [ˈstifn] *v* kļūt stīvam; sastingt
still [stil] **I** *n* kinokadrs; **II** *a* kluss; mierīgs; s. life *glezn.* – klusā daba; **III** *v* nomierināt; **IV** *adv* **1.** vēl [aizvien]; **2.** vēl (*salīdzinājumā*); s. longer – vēl garāks
stimulate [ˈstimjʊleit] *v* **1.** uzbudināt; **2.** stimulēt
sting [stiŋ] **I** *n* **1.** dzelonis; **2.** (*bites*) dzēliens; (*čūskas*) kodiens; **II** *v* (*p. un p. p.* stung [stʌŋ]) **1.** [ie]dzelt; **2.** sāpināt; **3.** (*into*) mudināt
stir [stɜ:] **I** *n* rosība; kņada; **II** *v* **1.** kustināt; **2.** kustēties; **3.** maisīt
stitch [stitʃ] **I** *n* **1.** dūriens (*šujot*); **2.** (*adījuma*) valdziņš; **II** *v* šūt
stock [stɒk] *n* **1.** dzimta; cilts; **2.** *biol.* suga; šķirne; **3.** celms; stumbrs; **4.** krājums; fonds; **5.** (*biržas*) akcija; s. company – akciju sabiedrība
stockbreeding [ˈstɒkˌbri:diŋ] *n* lopkopība
stockbroker [ˈstɒkˌbrəʊkə] *n* biržas mākleris
stock company [ˈstɒkˌkʌmpəni] *n* akciju sabiedrība
stocking [ˈstɒkiŋ] *n* (*sieviešu*) zeķe
stockman [ˈstɒkmən] *n* **1.** lopkopis; **2.** *amer.* noliktavas strādnieks
stocktaking [ˈstɒkˌteikiŋ] *n* inventarizācija
stoke [stəʊk] *v* kurināt
stole *p. no* **steal**
stolen *p. p. no* **steal**
stomach [ˈstʌmək] *n* **1.** kuņģis; vēders; on an empty s. – tukšā dūšā; **2.** ēstgriba; **3.** patika
stone [stəʊn] *n* **1.** akmens; **2.** (*augļa*) kauliņš; **3.** spēļu kauliņš
stone-colour [ˈsteʊnˌkʌlə] *n* **1.** gaiši pelēka krāsa; **2.** smilškrāsa
stonecutter [ˈstəʊnˌkʌtə] *n* akmeņkalis
stoneware [ˈstəʊnˈwɛə] *n* māla trauki
stood *p. un p. p. no* **stand I**
stool [stu:l] *n* ķeblis
stoop[a] [stu:p] *v* saliekties; noliekties
stoop[b] [stu:p] *amer.* lievenis
stop [stɒp] **I** *n* **1.** apstāšanās; **2.** (*autobusa u. c.*) pietura; **II** *v* **1.** apstādināt; **2.** apstāties; **3.** aizbāzt; aizdrīvēt
stopwatch [ˈstɒpwɒtʃ] *n* hronometrs

storage ['stɔ:ridʒ] *n* **1.** uzglabāšana; **2.** noliktava; **3.** *dat.* atmiņa

store [stɔ:] **I** *n* **1.** krājums; **2.** noliktava; **3.** veikals; department s. – universālveikals; **II** *v* **1.** uzkrāt; **2.** glabāt noliktavā

storey ['stɔ:ri] *n* (*ēkas*) stāvs

stork [stɔ:k] *n* stārķis

storm [stɔ:m] **I** *n* **1.** vētra; **2.** satraukums; **II** *v* plosīties

storm-bird ['stɔ:mbə:d] *n* vētrasputns

story ['stɔ:ri] *n* stāsts

stout [staʊt] *a* **1.** drukns; **2.** drosmīgs; **3.** izturīgs

stove [stəʊv] *n* **1.** krāsns; s. heating – krāsns apkure; **2.** plīts

straight [streit] **I** *a* **1.** taisns; **2.** godīgs; vaļsirdīgs; **II** *adv* **1.** taisni; **2.** godīgi; vaļsirdīgi; **3.** tūlīt; nekavējoties

strightaway [ˌstreitə'wei] *adv* tūlīt

straighten ['streitn] *v* **1.** iztaisnot; **2.** iztaisnoties

strain [strein] **I** *n* **1.** dzimta; cilts; **2.** iedzimta īpašība; **3.** sasprindzinājums; piepūle; **II** *v* **1.** nostiept; izstiept; **2.** sasprindzināt; piepūlēt

strait [streit] *n* jūras šaurums

strange [streindʒ] *n* **1.** svešs; nepazīstams; **2.** savāds, dīvains

stranger ['streindʒə] *n* svešinieks

strap [stræp] **I** *n* **1.** siksna; **2.** lence; **3.** *tehn.* skava; **II** *v* piesprādzēt ar siksnu

straw [strɔ:] *n* **1.** salms; salmi; **2.** salmu cepure; ◇ not worth a s. – nekam nederīgs

strawberry ['strɔ:bəri] *n* zemene

streaky ['stri:ki] *a* **1.** svītrains; **2.** cauraudzis (*par speķi*)

stream [stri:m] **I** *n* **1.** strauts; upe; **2.** straume; **II** *v* tecēt; plūst

street [stri:t] *n* iela; ◇ the man in the s. – vidusmēra cilvēks

strength [ʃtreŋθ] *n* **1.** spēks; **2.** izturība; **3.** *tehn.* pretestība

strengthen ['streŋθən] *v* **1.** pastiprināt; **2.** kļūt stiprākam

stress [stres] **I** *n* **1.** stress; **2.** uzsvars; **II** *v* uzsvērt

stretch [stretʃ] **I** *n* izstiepšanās; **II** *a* elastīgs; **III** *v* **1.** izstiept; **2.** izstiepties; **3.** stiepties; plesties

stretcher ['stretʃə] *n* nestuves

strict [strikt] *a* **1.** stingrs; bargs; **2.** noteikts; precīzs

strike[a] [straik] *v* (*p. un p. p.* struck [strʌk]) **1.** sist; **2.**: to s. a match – aizdedzināt sērkociņu; **3.** sist (*par pulksteni*); **4.** pārsteigt

strike[b] [straik] **I** *n* streiks; **II** *v* streikot

striker ['straikə] *n* **1.** streikotājs; **2.** uzbrucējs (*futbolā*)

string [striŋ] *n* **1.** aukla; saite; **2.** (*mūzikas instrumenta*) stīga

strip [strip] **I** *n* sloksne; strēmele; **II** *v* **1.** noplēst (*mizu*); **2.** izģērbt; **3.** izģērbties

stripe [straip] *n* **1.** svītra; **2.** *mil.* uzšuve; **3.** *amer.* raksturs

striped [straipt] *a* svītrains
stripling ['stripliŋ] *n* pusaudzis, jaunеklis
striptease ['stripti:z] *n* striptīzs
strive [straiv] *v* (*p.* strove [strəʊv]; *p. p.* striven ['strivn]) **1.** censties; pūlēties; **2.** cīnīties
striven *p. p. no* **strive**
stroke [strəʊk] **I** *n* **1.** sitiens; **2.** vēziens; **II** *v* glaudīt
stroll [strəʊl] **I** *n* pastaiga; **II** *v* pastaigāties
strolling ['strəʊliŋ] *a* klejojošs
strong [strɒŋ] *a* **1.** stiprs; spēcīgs; **2.** alkoholisks (*par dzērienu*); **3.** svarīgs; nopietns
stronghold ['strɒŋhəʊld] *n* cietoksnis
strove *p. no* **strive**
struck *p. un p. p. no* **strike**[a]
structure ['strʌktʃə] *n* **1.** struktūra; uzbūve; **2.** celtne; būve
stubble ['stʌbl] *n* **1.** rugāji; **2.** bārdas rugāji
struggle ['strʌgl] **I** *n* cīņa; **II** *v* cīnīties
stubborn ['stʌbən] *a* stūrgalvīgs; neatlaidīgs
stuck *p. un p. p. no* **stick**[b]
student ['stju:dənt] *n* students; studente
studied ['stʌdid] *a* **1.** apdomāts; **2.** mākslots
study ['stʌdi] **I** *n* **1.** studēšana; pētīšana; **2.** zinātnes nozare; **3.** darbistaba; kabinets; **4.** *glezn.* studija; **II** *v* **1.** studēt; pētīt; **2.** mācīties, studēt
stuff [stʌf] **I** *n* **1.** viela; materiāls; **2.** nieki; blēņas; **II** *v* **1.** piebāzt; **2.** aizbāzt (*piem., ausis*); **3.** *kul.* pildīt; **4.** plombēt (*zobu*); **5.** pārēsties
stun [stʌn] *v* apdullināt
stung *p. un p. p. no* **sting**
stuntman ['stʌntmən] *n* (*pl* stuntmen ['stʌntmən]) kaskadieris
stupid ['stju:pid] *a* **1.** muļķīgs; **2.** apmulsis
sturdy ['stɜ:di] *a* **1.** spēcīgs; **2.** neatlaidīgs
stutter ['stʌtə] **I** *n* stostīšanās; **II** *v* stostīties
style [stail] *n* **1.** stils; **2.** mode; fasons; **3.** elegance
stylish ['stailiʃ] *a* moderns; elegants
subdue [səb'dju:] *v* pakļaut; apspiest
subject **I** *n* [sʌbdʒikt] **1.** (*sarunu*) temats; jautājums; **2.** (*mācību*) priekšmets; **3.** pavalstnieks; **4.** *gram.* teikuma priekšmets; **II** *v* [səb'dʒekt] pakļaut
subjective [səb'dʒektiv] *a* subjektīvs
sublayer *n dat.* apakšslānis
sublime [sə'blaim] *a* **1.** cēls; **2.** augstprātīgs; **3.** dižs
submarine ['sʌbməri:n] *n* zemūdene
submit [səb'mit] *v* **1.** pakļauties; **2.** iesniegt (*izskatīšanai*); **3.** pakļaut
subordinate [sə'bɔ:dinət] **I** *a* pakļauts; s. clause *gram.* – palīgteikums; **II** *v* pakļaut

S

subscribe [səb'skraib] *v* **1.** abonēt; **2.** ziedot
subscriber [səb'skraibə] *n* abonents
subscription [səb'skripʃn] *n* **1.** parakstīšanās (*uz laikrakstiem u. tml.*); **2.** paraksts (*uz dokumenta*); **3.** abonements (*teātrī*); **4.** ziedojums
subsequent ['sʌbsikwənt] *a* sekojoš[ai]s
subsequently ['sʌbsikwəntli] *adv* pēc tam
subside [səb'said] *v* **1.** kristies (*par ūdens līmeni, temperatūru*); **2.** norimt (*par vētru*)
substance ['sʌbstəns] *n* **1.** viela; matērija; **2.** būtība; in s. – pēc būtības
substantial [səb'stænʃəl] *a* **1.** nozīmīgs; **2.** reāls; **3.** spēcīgs
subtitle ['sʌbtaitl] *n* **1.** apakšvirsraksts; **2.** subtitrs
substitute ['sʌbstitju:t] **I** *n* **1.** vietnieks; **2.** aizstājējs; surogāts; **3.** *sp.* rezerves spēlētājs; **II** *v* aizstāt
subtle ['sʌtl] *a* **1.** smalks; liegs; **2.** izsmalcināts; **3.** veikls
suburb ['sʌbɜ:b] *n* priekšpilsēta; piepilsēta
suburban [sə'bɜ:bən] *a* **1.** priekšpilsētas-; piepilsētas-; **2.** aprobežots
subvention [sə'bvenʃən] *n* subsīdija; dotācija
subway ['sʌbwei] *n* (*apakšzemes*) pāreja, tunelis; **2.** *amer.* metropolitēns
succeed [sək'si:d] *v* **1.** sekot (*cits citam*); nomainīt (*citam citu*); **2.** gūt sekmes; sasniegt mērķi
success [sək'ses] *n* sekmes; veiksme; ◇ s. is never blamed – uzvarētājus netiesā
successful [sək'sesfəl] *a* sekmīgs; veiksmīgs
succession [sək'seʃn] *n* **1.** secība; **2.** (*nepārtraukta*) virkne; **3.** pēctecība
successor [sək'sesə] *n* pēctecis
such [sʌtʃ] *a pron* tāds; s. as – 1) tāds, kā; 2) kā, piemēram; as s. – kā tāds
suck [sʌk] *v* **1.** zīst; **2.** sūkt; **3.** sūkāt
suckle ['sʌkl] *v* zīdīt
suckling ['sʌkliŋ] *n* zīdainis
sudden ['sʌdn] **I** *n*: all of a s. – pēkšņi; **II** *a* pēkšņs
suddenly ['sʌdnli] *adv* pēkšņi
suede [sweid] *n* zamšs
suffer ['sʌfə] *v* **1.** ciest; **2.** pieļaut
sufferance ['sʌfərəns] *n* iecietība
suffering ['sʌfəriŋ] *n* ciešanas
sufficient [sə'fiʃnt] *a* pietiekams
sugar ['ʃʊgə] *n* **1.** cukurs; lamp s. – graudu cukurs; granulated s. – smalkais cukurs; **2.** glaimi
sugar-basin ['ʃʊgə,beisn] *n* cukurtrauks
sugarbeet ['ʃʊgəbi:t] *n* cukurbiete
sugarplum ['ʃʊgəplʌm] *n* karamele
suggest [sə'dʒest] *v* **1.** ierosināt; **2.** uzvedināt uz domām
suggestion [sə'dʒestʃn] *n* ierosinājums; priekšlikums

suicide [ˈsju:isaid] *n* pašnāvība; to commit s. – izdarīt pāšnāvību
suit [su:t] **I** *n* uzvalks; **II** *v* **1.** būt piemērotam; derēt; **2.** piestāvēt (*par apģērbu, krāsu*)
suitable [ˈsu:təbl] *a* piemērots; derīgs
suitcase [ˈsu:tkeis] *n* ceļasoma
suite [swi:t] *n* **1.** svīta; **2.** (*mēbeļu u. tml.*) komplekts; **3.** luksusa numurs (*viesnīcā*); **4.** *mūz.* svīta
sulk [sʌlk] **I** *n* saīgums; **II** *v* būt saīgušam
sulky [ˈsʌlki] *a* īgns
sulphur [ˈsʌlfə] *n* **1.** sērs; **2.** zaļgandzeltena krāsa
sultana [səlˈtɑ:nə] *n* rozīne
sultriness [ˈsʌltrinis] *n* tveice
sultry [ˈsʌltri] *a* **1.** svelmains; **2.** kaislīgs
sum [sʌm] **I** *n* **1.** summa; **2.** (*aritmētisks*) uzdevums; **II** *v* **1.** summēt; **2.** rezumēt
summary [ˈsʌməri] **I** *n* kopsavilkums; pārskats; **II** *a* koncentrēts
summer [ˈsʌmə] *n* vasara; Indian s. – atvasara
S
summer-house [ˈsʌməhaʊs] *n* lapene
summit [ˈsʌmit] *n* **1.** virsotne; **2.** augstākā pakāpe
summon [ˈsʌmən] *v* **1.** izsaukt (*uz tiesu*); **2.** sasaukt (*sapulci*)
summons [ˈsʌmənz] *n* uzaicinājums (*uz tiesu*)
sun [sʌn] **I** *n* saule; **II** *v* sauļoties
sunbathe [ˈsʌnbeið] *v* sauļoties
sunburn [ˈsʌnbɜ:n] *n* iedegums
Sunday [ˈsʌndi] *n* svētdiena; ◇ when two ~s come together – kad pūcei aste ziedēs
sunflower [ˈsʌnˌflaʊə] *n* saulespuķe
sung *p. p. no* **sing**
sunk *p. p. no* **sink**
sunlight [ˈsʌnlait] *n* saules gaisma
sun-lounge [ˈsʌnlaʊndʒ] *n* stiklota veranda
sunny [ˈsʌni] *a* **1.** saulains; **2.** jautrs; priecīgs
sunrise [ˈsʌnraiz] *n* saullēkts
sunset [ˈsʌnset] *n* saulriets
sunshades [ˈsʌnʃeidz] *n pl* saulesbrilles
sunshine [ˈsʌnʃain] *n* saulains laiks
sunstroke [ˈsʌnstrəʊk] *n* saules dūriens
sup [sʌp] *n* malks
superficial [ˌsju:pəˈfiʃl] *a* paviršs
superfluous [su:ˈpɜ:flʊəs] *a* lieks; nevajadzīgs
superhighway [ˌsu:pəˈhaiwei] *n amer.* autostrāde
superior [su:ˈpiəriə] *a* **1.** augstāks; **2.** labāks; pārāks
superiority [su:ˌpiəriˈɒriti] *n* pārākums
supermarket [ˈsu:pəˌmɑ:kit] *n* liels pašapkalpošanās veikals
superpower [ˈsju:pəˌpaʊə] *n* lielvalsts
supersonic [ˌsu:pəˈsɒnik] *a* ultraskaņas-
superstition [ˌsu:pəˈstiʃən] *n* māņticība
supervene [ˌsu:pəˈvi:n] *v* izrietēt

supervise ['su:pəvaiz] *v* uzraudzīt; pārzināt

supervision [,supə'viʒn] *n* uzraudzība; pārziņa

supper ['sʌpə] *n* vakariņas; the Last S. *rel.* – Svētais Vakarēdiens

supplicate ['sʌplikeit] *v* lūgt, lūgties

supplement **I** *n* ['sʌplimənt] papildinājums; pielikums; **II** *v* papildināt

supply [sə'plai] **I** *n* **1.** piegāde; apgāde; **2.** krājums; **II** *v* piegādāt; apgādāt

support [sə'pɔ:t] **I** *n* atbalsts; **II** *v* **1.** atbalstīt; **2.** uzturēt (*piem., ģimeni*)

supporter [sə'pɔ:tə] *n* atbalstītājs; piekritējs

suppose [sə'pəʊz] **I** *v* pieņemt; domāt; **II** *conj* ja

suppress [sə'pres] *v* **1.** apspiest (*piem., sacelšanos*); **2.** aizliegt (*laikrakstu*)

supreme [su:'pri:m] *a* **1.** augstākais; **2.** galējais

surcharge **I** *n* ['sɜ:tʃɑ:dʒ] **1.** pārtēriņš; **2.** soda nauda; uzrēķins; **II** *v* [sɜ:'tʃɑ:dʒ] **1.** pārslogot; **2.** pārtērēt; **3.** piedzīt soda naudu

sure [ʃʊə, ʃɔ:] **I** *a* **1.** drošs; nekļūdīgs; **2.** pārliecināts; ◇ for s. – droši; **II** *adv* protams

surely ['ʃʊəli] *adv* **1.** droši; nekļūdīgi; **2.** protams

surf [sɜ:f] *n* banga

surface ['sɜ:fis] *n* **1.** virsma; **2.** ārpuse

surfboard ['sɜ:fbɔ:d] *n* vējdēlis

surfriding, **surfing** ['sɜ:f'raidiŋ] *n* *sp.* sērfings

surge [sə:dʒ] **I** *n* vilnis; banga; **II** *v* **1.** viļņot; bangot (*par jūru*); **2.** viļņoties (*par pūli*)

surgeon ['sɜ:dʒən] *n* ķirurgs

surgery ['sɜ:dʒəri] *n* **1.** ķirurģija; **2.** (*ārsta*) kabinets; **3.** ķirurģiska iejaukšanās

surname ['sɜ:neim] *n* uzvārds

surpass [sə'pɑ:s] *v* pārspēt; pārsniegt

surplus ['sɜ:pləs] **I** *n* pārpalikums; **II** *a* lieks; papildu-; s. value *ek.* – virsvērtība

surprise [sə'praiz] **I** *n* **1.** izbrīns; **2.** pārsteigums; **II** *v* **1.** radīt izbrīnu; **2.** pārsteigt

surrender [sə'rendə] **I** *n* padošanās; kapitulācija; **II** *v* padoties; kapitulēt

surround [sə'raʊnd] *v* **1.** apņemt; ieskaut; **2.** ielenkt

surroundings [sə'raʊndiŋz] *n pl* **1.** apkārtne; **2.** vide

survive [sə'vaiv] *v* **1.** pārdzīvot (*piem., laikabiedrus*); **2.** izdzīvot, palikt dzīvam

suspect **I** *n* ['sʌspekt] aizdomīga persona; **II** *v* [sə'spekt] *v* turēt aizdomās

suspend [sə'spend] *v* **1.** [pie]karināt; **2.** atlikt; pārtraukt (*uz laiku*)

suspense [sə'spens] *n* neziņa; šaubas

suspicion [sə'spiʃn] *n* aizdomas

suspicious [sə'spiʃəs] *a* aizdomīgs

sustain [sə'stein] *v* **1.** atbalstīt; **2.** uzturēt; **3.** spēcināt

S

svelte [svelt] *a* graciozs, slaids
swab [swɒb] *n* (*beržamā*) slota
swallow[a] ['swɒləʊ] *n* bezdelīga
swallow[b] [swɒləʊ] **I** *n* malks; **II** *v* **1.** norīt; **2.** paciest
swam *p. no* **swim II**
swamp [swɒmp] *n* purvs
swan [swɒn] *n* gulbis
swank [swæŋk] *sl.* plātīties
swapping *n dat.* pārnešana
sward [swɔ:d] *n* velēna
swarm [swɔ:m] **I** *n* (*bišu*) spiets; **II** *v* **1.** spietot; **2.** drūzmēties
sway [swei] *v* **1.** šūpot; **2.** šūpoties; **3.** ietekmēt
swear [sweə] *v* (*p.* swore [swɔ:]; *p. p.* sworn [swɔ:n]) **1.** zvērēt; **2.** lādēties
sweat [swet] **I** *n* sviedri; **II** *v* **1.** svīst; **2.** izdalīt mitrumu
sweater ['swetə] *n* svīteris
sweep [swi:p] *v* (*p. un p. p.* swept [swept]) **1.** izslaucīt; **2.** aiznest; aizskalot; **3.** stiepties; plesties
sweeping ['swi:piŋ] *a* plašs; radikāls
sweet [swi:t] **I** *n* **1.** konfekte; **2.** saldais ēdiens; **II** *a* **1.** salds; **2.** jauks; **3.** smaržīgs
sweetbriar ['swi:tbraiə] *n* mežroze
sweetmeat ['swi:tmi:t] *n* **1.** konfektes; saldumi; **2.** cukuroti augļi
swell [swel] **I** *a sar.* lielisks; **II** *v* (*p.* swelled [sweld]; *p. p.* swelled [sweld] *vai* swollen ['swəʊln]) pietūkt
swelter ['swəltə] **I** *n* svelme; tveice; **II** *v* pagurt (*no karstuma*)
swept *p. un p. p. no* **sweep**
swift [swift] **I** *a* ātrs; spējš; **II** *adv* ātri
swim [swim] **I** *n* **1.** peldēšana; **2.** *sp.* peldējums; **II** *v* (*p.* swam [swæm]; *p. p.* swum [swʌm]) peldēt
swimming-pool [swimiŋpu:l] *n* peldbaseins
swimming-tranks ['swimiŋtrʌnks] *n pl* peldbikses
swindle ['swindl] **I** *n* krāpšana; **II** *v* izkrāpt
swing [swiŋ] **I** *n* **1.** šūpošanās; **2.** šūpoles; **II** *v* (*p. un p. p.* swung [swʌŋ]) **1.** šūpot; **2.** šūpoties
swing-door [ˌswiŋ'dɔ:] *n* virpuļdurvis
swirl [swə:l] *n* (*ūdens*) virpulis
switch [switʃ] **I** *n* **1.** (*dzelzceļa*) pārmija; **2.** *el.* pārslēdzējs; **3.** rīkste; **4.** putotājs; **II** *v el.* pārslēgt; to s. **off** – izslēgt (*strāvu*); ◇ to s. **on** – ieslēgt (*strāvu*)
swollen *p. p. no* **swell**
swoon [swu:n] **I** *n* ģībonis; **II** *v* noģībt
sword [sɔ:d] *n* zobens; court s. – špaga; duelling s. – rapieris
swore *p. no* **swear**
sworn *p. p. no* **swear**
swum *p. p. no* **swim II**
swung *p. un p. p. no* **swing II**
syllable ['siləbl] *n* zilbe
symbol ['simbəl] *n* **1.** simbols; **2.** apzīmējums
symetry ['simətri] *n* simetrija
sympathize ['simpəθaiz] *v* **1.** just līdzi; **2.** simpatizēt

sympathy ['simpəθi] *n* **1.** līdzjūtība; **2.** simpātija
symphonic [sim'fɒnik] *a* simfonisks
symphony ['simfəni] *n* simfonija
symptom ['simptəm] *n* simptoms
syntax ['sintæks] *n gram.* sintakse
synthetic [sin'θetik] *a* sintētisks
syringe [si'rindʒ] **I** *n* šļirce; **II** *v* iešļircināt
syrup ['sirəp] *n* sīrups
system ['sistim] *n* sistēma
systematic [ˌsisti'mætik] *a* sistemātisks

T

tab [tæb] *n* **1.** pakaramais; cilpiņa; **2.** *sar.* uzskaite; **3.** *sar.* rēķins
tabernacle ['tæbənækl] *n* **1.** telts; **2.** mājoklis
table ['teibl] *n* **1.** galds; **2.** uzturs; **3.** tabula; multiplication t. – reizināšanas tabula
tablecloth ['teiblklɒθ] *n* galdauts
tablet ['tæblət] *n* **1.** plāksne; **2.** tablete
tack [tæk] *v* pienaglot; piespraust
tact [tækt] *n* taktiskums
tactful ['tæktfəl] *a* taktisks
tactless ['tæktlis] *a* netaktisks
tag *n* **1.** etiķete; **2.** (*automobiļa*) numurs; **3.** *tehn.* marķieris
tail [teil] *n* **1.** aste; **2.** pakaļgals; **3.** bize
tailcoat [teil'kəʊt] *n* frāka
taillight ['teillait] *n* (*automobiļa, lidmašīnas*) pakaļējā gabarītuguns
tailor ['teilə] **I** *n* drēbnieks; **II** *v* šūt
taint [teint] *n* **1.** kauns; negods; **2.** vaina; trūkums
take [teik] **I** *n* **1.** medījums; loms; **2.** ieņēmumi; **II** *v* (*p.* took [tuk]; *p.p.* taken ['teikən]) **1.** ņemt, paņemt; **2.** saņemt; **3.** vest; t. me with you – ņem mani līdzi!; **4.** [no]ķert (*piem., zivis*); **5.** uzņemt (*barību, zāles*); **6.** uzņemties; **7.** vajadzēt; it took me 10 minutes to do it – man vajadzēja 10 minūtes, lai to izdarītu; **8.** iedarboties; ◇ to t. **after** – līdzināties; to t. **to** (*smth.*) – nodoties (*kaut kam*); ◇ t. it easy! – neuztraucies!
take-in ['teik'in] *n* krāpšana
taken *p. p. no* **take**
tale [teil] *n* **1.** stāsts; **2.** izdomājums; **3.** tenkas
talent ['tælənt] *n* **1.** talants; **2.** apdāvināts cilvēks
talented ['tæləntid] *a* talantīgs
talk [tɔ:k] **I** *n* saruna; **II** *v* **1.** runāt; sarunāties, **2.** tenkot; ◇ to t. **down** – pārkliegt; to t. **into** – pierunāt; to t. **out of** – atrunāt
tall ['tɔ:l] *a* **1.** liela auguma-; garš; **2.** augsts
tame ['teim] **I** *a* pieradināts (*par dzīvnieku*); **II** *v* pieradināt (*dzīvnieku*)
tamer ['teimə] *n* (*zvēru*) dresētājs
tam-o'-shanter [ˌtæmə'ʃæntə] *n* berete

tangerine [ˈtændʒəˈri:n] *n* **1.** mandarīns; **2.** oranža krāsa
tank [tænk] *n* **1.** cisterna, tvertne; **2.** tanks
tap[a] [tæp] *n* **1.** tapa; spunde; **2.** krāns; **3.** *el.* atzarojums
tap[b] [tæp] **I** *n* (*viegls*) uzsitiens; klauvējiens; **II** *v* (*viegli*) uzsist; pieklauvēt
tape [teip] *n* lente; t. drive *dat* – lenšdzinis; t. unit *dat.* – lenšiekārta; ◇ red t. – birokrātisms
tape-line [ˈteiplain] *n* mērlente
tape-recorder [ˈteipriˌkɔ:də] *n* magnetofons
tapestry [ˈtæpistri] *n* gobelēns
taphouse [ˈtæphaʊs] *n* krogs
tar [tɑ:] *n* darva
tare [teə] *n* **1.** vīķi; **2.** nezāles
target [ˈtɑ:git] *n* **1.** mērķis (*šaušanai*); **2.** uzdevums
tarnish [tɑ:niʃ] *v* apsūbēt
tarpaulin [tɑ:ˈpɔ:lin] *n* brezents
tarragon [ˈtærəgən] *n* estragons
tart [tɑ:t] *n* pīrāgs
task [tɑ:sk] **I** *n* uzdevums; **II** *v* dot uzdevumu
tassel [ˈtæsəl] *n* pušķis
taste [teist] **I** *n* **1.** garša; **2.** gaume; **II** *v* **1.** nogaršot; **2.** (*of*) garšot (*pēc kā*)
tasteful [ˈteistfl] *a* gaumīgs
tasteless [ˈteistləs] *a* **1.** negaršīgs; **2.** bezgaumīgs; **3.** netaktisks
tasty [ˈteisti] *a* **1.** garšīgs; **2.** gaumīgs
taught *p. un p.p. no* **teach**
taupe [təup] *a* pelēkbrūns
Taurus [ˈtɔ:rəs] *n* Vērsis (*zvaigznājs un zodiaka zīme*)
tawdry [ˈtɔ:dri] *a* bezgaumīgs
tax [tæks] **I** *n* nodoklis; **II** *v* aplikt ar nodokli
tax-free [ˈtæksˈfri:] *a* atbrīvots no nodokļiem
taxi [ˈtæksi] *n* taksometrs
tea [ti:] *n* **1.** tēja; **2.** uzlējums
teach [ti:tʃ] *v* (*p. un p.p.* taught [tɔ:t]) mācīt
teacher [ˈti:tʃə] *n* skolotājs
teach-in [ˈti:tʃin] *n sar.* disputs
teaching [ˈti:tʃiŋ] *n* **1.** apmācība; **2.** mācība
teacup [ˈti:kʌp] tējas tase
teahead [ˈti:hed] *n sl.* marihuānas lietotājs
team [ti:m] **I** *n* **1.** komanda; **2.** (*strādnieku*) brigāde; **3.** aizjūgs; pajūgs; **II** *v* iejūgt
teamwork [ˈti:mwɜ:k] *n* **1.** (*komandas locekļu*) saspēle; **2.** saskaņots darbs
tea-party [ˈti:ˌpɑ:ti] *n* tējas vakars (*viesības*)
tear[a] [tiə] *n* **1.** asara; **2.** lāse
tear[b] [teə] **I** *n* plīsums; caurums; **II** *v* (*p.* tore [tɔ:]; *p. p.* torn [tɔ:n]) **1.** saplēst; pārplēst; **2.** plīst
tearful [ˈtiəfʊl] *a* **1.** raudulīgs; **2.** bēdīgs (*par ziņām*)
tease [ti:z] *v* **1.** ķircināt; **2.** diedelēt
technical [ˈteknikl] *a* tehnisks; tehnikas-
technics [ˈtekniks] *n pl* **1.** tehnika; **2.** tehnoloģija

T

technology [tek'nɒlədʒi] *n* **1.** tehnika; **2.** tehnoloģija

ted [ted] *v* ārdīt (*sienu*)

tedious ['ti:diəs] *a* garlaicīgs; nogurdinošs

teenager ['ti:neidʒə] *n* pusaudzis; pusaudze

teens [ti:nz] *n pl* padsmiti; in one's t. – pusaudža vecumā

teeny [ti:ni] *a* maziņš

telecast ['telikɑ:st] **I** *n* televīzijas raidījums; **II** *v* pārraidīt pa televīziju

telecommunications [,telikə,mju:ni'keiʃn] *n* telekomunikācijas

telegram ['teligræm] *n* telegramma

telegraph ['teligrɑ:f] **I** *n* telegrāfs; **II** *v* telegrafēt

telephone ['telifəʊn] **I** *n* telefons; t. booth – telefona kabīne; **II** *v* telefonēt

teleprinter ['teli,printə] *n* teletaips

telescope ['teliskəʊp] *n* teleskops

teletype ['telitaip] *n* teletaips

televiewer ['telivju:ə] *n* televīzijas skatītājs

television ['teli,viʒn] *n* **1.** televīzija; **2.** televizors

telex ['teleks] **I** *n* **1.** telekss; **2.** (*teletaipa*) telegramma; **II** *v* nosūtīt telegrammu (*pa teletaipu*)

tell [tel] *v* (*p. un p. p.* told [təʊld]) **1.** stāstīt; **2.** teikt, sacīt; **3.** atšķirt; **4.** norādīt

telly ['teli] *n sar.* televizors

temper ['tempə] *n* **1.** temperaments; raksturs; **2.** garastāvoklis; **3.** *ķīm.* sastāvs

temperance ['tempərəns] *n* atturība; mērenība

temperature ['temprətʃə] *n* temperatūra; he runs t. – viņam ir paaugstināta temperatūra

tempest ['tempist] *n* vētra, negaiss; ◇ t. in a teapot – vētra ūdens glāzē

temple[a] ['templ] *n* templis

temple[b] ['templ] *n* deniņi

temporal ['temprəl] *a* **1.** īslaicīgs; **2.** laicīgs; **3.** laika-

temporary ['temprəri] *a* pagaidu-

tempt [tempt] *v* kārdināt, vilināt

temptation [temp'teiʃn] *n* kārdinājums, vilinājums

ten [ten] *num* desmit

tenant ['tenənt] **I** *n* **1.** nomnieks; rentnieks; **2.** īrnieks; **II** *v* **1.** nomāt; rentēt; **2.** īrēt

tend [tend] *v* **1.** tiekties; **2.** virzīties

tendency ['tendənsi] *n* tendence, tieksme

tender ['tendə] *a* **1.** maigs; jūtīgs; **2.** vārīgs; **3.** nenobriedis; **4.** delikāts

tennis ['tenis] *n* teniss

tennis-court ['tenisko:t] *n* tenislaukums

tense [tens] *n gram.* laiks

tension ['tenʃən] *n* **1.** saspīlējums; **2.** *med.* spiediens; **3.** *el.* spriegums; high t. – augstspriegums

tent [tent] *n* telts

tentacle ['tentəkl] *n* tausteklis

tenuous ['tenjʊəs] *a* **1.** smalks; **2.** trūcīgs

tepid ['tepid] *a* remdens

term [tɜ:m] *n* **1.** termiņš; **2.** semestris;

3. termins; 4.: ~s *pl* – izteicieni; valoda; 5.: ~s *pl* – vienošanās; nolīgums; to come to ~s – vienoties; 6.: ~s *pl* – attiecības

terminal ['tɜ:minl] **I** *n* **1.** galapunkts; galastacija; **2.** *el.* spaile; **II** *a* gala-; beigu-

terminate ['tɜ:mineit] *v* **1.** beigt; **2.** beigties

termination [ˌtɜ:mi'neiʃn] *n* beigas; nobeigums

terrace ['terəs] *n* terase

terrible ['terəbl] *a* **1.** šausmīgs; **2.** *sar.* baigs

terrify ['terifai] *v* iedvest šausmas

territory ['teritəri] *n* teritorija

terror ['terə] *n* **1.** šausmas; **2.** terors; **3.** bieds

test [test] **I** *n* **1.** pārbaude; izmēģinājums; **2.** kontroldarbs; **3.** tests; **II** *v* pārbaudīt; izmēģināt

testament ['testəmənt] *n* **1.** *jur.* testaments; **2.** *rel.* derība; New T. – Jaunā Derība; Old T. – Vecā Derība

testify ['testifai] *v* **1.** *jur.* liecināt; **2.** liecināt (*par ko*)

T

testily ['testili] *adv* īgni

testimony ['testiməni] *n* **1.** *jur.* liecība; **2.** pierādījums; liecība

text [tekst] *n* **1.** teksts; **2.** temats

textbook [tekstbʊk] *n* mācību grāmata

textile ['tekstail] **I** *n*: ~s *pl* – audumi; **II** *a* tekstil-

than [ðæn, ðən] *conj* (*aiz salīdzinājuma*) nekā; par

thank [θæŋk] **I** *n*: ~s – *pl* pateicība; **II** *v* pateikties; th. you! – pateicos!

thankful ['θæŋkfl] *a* pateicīgs

that I *pron* [ðæt] (*pl* those [ðəʊz]) **1.** tas; tā; **2.** kas, kurš; **II** *conj* [ðæt, ðət] **1.** ka; **2.** lai

thaw [θɔ:] **I** *n* atkusnis; **II** *v* **1.** kust; **2.** atmaigt

the ([ði:, ði] *patskaņa priekšā;* [ðə] *līdzskaņa priekšā*) **I** *noteiktais artikuls;* **II** *adv* jo; the more the better – jo vairāk, jo labāk

theatre ['θiətə] *n* **1.** teātris; **2.** auditorija; **3.** darbības vieta

theft [θeft] *n* zādzība

their [ðeə] *pron* (*piederības locījums no* **they**) viņu

theirs [ðeəz] *pron* viņu; this bag is th. – tā ir viņu soma

them [ðem, ðm] *pron* (*papildinātāja locījums no* **they**) viņus; viņiem

theme [θi:m] *n* **1.** temats; **2.** *mūz.* tēma

themselves [ðem'selvz] *pron pl* **1.** sevi; sev; they hurt th. – viņi ievainoja sevi; **2.** paši; they did it th. – viņi to izdarīja paši

then [ðen] **I** *n*: since th. – kopš tā laika; every now and th. – laiku pa laikam; **II** *adv* **1.** tad; **2.** pēc tam

theology [θi'ɒlədʒi] *n* teoloģija

theory ['θiəri] *n* teorija

there [ðeə] **I** *n*: from th. – no turienes; up to th. – līdz turienei; **II** *adv* **1.** tur; **2.** turp, uz turieni; **3.** (*saistībā ar* to be *nav tul-*

kojams): th. is a book on the table – uz galda ir grāmata

thereby [ðeə'bai] *adv* tādējādi

therefore ['ðeəfɔ:] *adv* tādēļ

thermal ['θɜ:məl] *a* termisks; siltuma-

thermometer [θə'mɒmitə] *n* termometrs

thesis ['θi:sis] *n* (*pl* theses ['θi:si:z]) **1.** tēze; **2.** disertācija

thews [θju:z] *n* muskuļi

they [ðei] *pron* viņi; viņas

thick [θik] *a* **1.** biezs; **2.** (*with*) pilns

thief [θi:f] *n* (*pl* thieves [θi:vz]) zaglis

thieve [θi:v] *v* zagt

thigh [θai] *n* augšstilbs; ciska

thimble ['θimbl] *n* **1.** uzpirkstenis; **2.** uzgalis

thin [θin] *a* **1.** plāns; **2.** vājš, tievs; **3.** šķidrs; **4.** retināts

thing [θiŋ] *n* **1.** lieta; priekšmets; **2.**: *pl* – manta; apģērbs; piederumi; **3.** lieta; fakts; apstāklis

think [θiŋk] *v* (*p. un p. p.* thought [θɔ:t]) **1.** domāt; **2.** uzskatīt; to th. **over** – apsvērt, pārdomāt

thirst ['θɜ:st] *n* slāpes

thirsty ['θɜ:sti] *a* izslāpis

this [ðis] *pron* (*pl* these [ði:z]) šis; th. morning – šorīt; like th. – šādi; šādā veidā; th. much – tik

thorn [θɔ:n] *n* **1.** ērkšķis; dzelonis; **2.** dzeloņaugs; ◇ to be on ~s – sēdēt kā uz adatām

thorough ['θʌrə] *a* pilnīgs; pamatīgs; rūpīgs

thoroughfare ['θʌrəfeə] *n* galvenā iela; maģistrāle

though [ðəʊ] **I** *adv* tomēr; taču; **II** *conj* lai gan; as th. – it kā

thought[a] [θɔ:t] *n* **1.** doma; **2.** rūpes; **3.** nodoms

thought[b] *p. un p.p.* no **think**

thoughtful ['θɔ:tfəl] *a* **1.** domīgs; **2.** uzmanīgs; iejūtīgs

thoughtless ['θɔ:tləs] *a* **1.** neapdomīgs; **2.** neuzmanīgs; nevērīgs (*pret citiem*)

thrash [θræʃ] *v* **1.** sist; pērt; **2.** *sp.* uzvarēt; pārspēt; **3.** mētāties; **4.** kult

thread [θred] **I** *n* **1.** diegs; pavediens; **2.** *tehn.* vītne; **II** *v* **1.** ievērt diegu (*adatā*); **2.** uzvērt (*diegā*)

threat [θret] *n* draudi

threaten ['θretn] *v* draudēt

threshold [θreʃhəʊld] *n* slieksnis

threw *p. no* **throw II**

thrift [θrift] *n* taupība; saimnieciskums

thriftless ['θriftləs] *a* izšķērdīgs

thrifty ['θrifti] *a* taupīgs; saimniecisks

thrill [θril] **I** *n* saviļņojums; **II** *v* saviļņot

throat [θrəʊt] *n* rīkle; sore th. – iekaisis kakls

throe [θrəʊ] *n pl.* stipras sāpes

throne [θrəʊn] *n* **1.** tronis; **2.** augsts stāvoklis

through [θru:] **I** *a* tiešs (*par satiksmi*); **II** *adv* **1.** cauri; **2.** caurcaurēm; pilnīgi; wet th. – pilnīgi slapjš; **III** *prep* **1.** caur; pa; **2.** dēļ; **3.** *amer.* ieskaitot

throughout [θru:ˈaʊt] **I** *adv* **1.** vis-caur; **2.** pilnīgi; **II** *prep:* th. the country – visā zemē

throw [θrəʊ] **I** *n* metiens, sviediens; **II** *v* (*p.* threw [θru:]; *p.p.* thrown [θrəʊn] mest, sviest

thrown *p. p. no* **throw II**

thrush [θrʌʃ] *n* strazds

thrust [θrʌst] **I** *n* **1.** grūdiens; **2.** dūriens; **3.** *mil.* trieciens; **II** *v* (*p. un p.p.* thrust [θrʌst]) **1.** [ie]-grūst; **2.** [ie]durt

thud [θʌd] *n* dobjš troksnis

thug [θʌg] *n* bandīts

thuggery [θʌgəri] *n* bandītisms

thumb [θʌm] **I** *n* īkšķis; **II** *v* pār-lapot; šķirstīt

thunder [ˈθʌndə] **I** *n* pērkons; **II** *v* dārdēt

thunderbolt [ˈθʌndəbəʊlt] *n* zibens

thunderstorm [ˈθʌndəstɔ:m] *n* pēr-kona negaiss

thus [ðʌs] *adv* **1.** tā; tādā veidā; **2.** tik lielā mērā

tick [tik] *n* **1.** ērce; **2.** kredīts; **3.** rēķins

ticket [ˈtikit] *n* **1.** biļete; **2.** etiķete; **3.** kvīts; talons

tickle [ˈtikl] **I** *n* kutešana; **II** *v* **1.** kutināt; **2.** kutēt; **3.** uzjautrināt

tidal [ˈtaidl] *a* paisuma- un bēguma-

tide [taid] *n:* high t. – paisums; low t. – bēgums

tidy [ˈtaidi] **I** *a* kārtīgs; tīrīgs; **II** *v* uzkopt; sakārtot

tie [tai] **I** *n* **1.** saite; **2.** kaklasaite; **3.** *sp.* neizšķirta spēle; **II** *v* **1.** sasiet; **2.** saistīt; **3.** *sp.* nospēlēt neizšķirti

tiger [ˈtaigə] *n* tīģeris

tiger-lily [ˈtaigəˌlili] *n* tīģerlilija

tight [tait] *a* **1.** ciešs; savilkts; **2.** blīvs; kompakts; **3.** šaurs (*par apģērbu, apaviem*); **4.** (*gaisa, ūdens*) ne-caurlaidīgs; **5.** *sl.* iedzēris, iereibis; **6.** skops

tighten [ˈtaitn] *v* **1.** savilkt; **2.** sa-vilkties

tights [taits] *n pl* zeķbikses

tile [tail] *n* **1.** dakstiņš; **2.** flīze; **3.** (*krāsns*) podiņš

till [til] **I** *prep* līdz; **II** *conj* kamēr

tilt [tilt] **I** *n* slīpums; nolaidenums; **II** *v* noliekt; pagāzt; to t. **over** – 1) apgāzt; 2) apgāzties

timber [ˈtimbə] *n* **1.** kokmateriāli; **2.** baļķis

time [taim] **I** *n* **1.** laiks; high t. – pēdējais laiks; **2.** reize; two ~s two is for – divreiz divi ir četri; **3.** *mūz.* takts; **II** *v* **1.** izvēlēties; noteikt laiku; **2.** uzņemt laiku; **3.** sist takti

timeless [ˈtaimlis] *a* mūžīgs

time-limit [ˈtaimˌlimit] *n* laika iero-bežojums

timely [ˈtaimli] *a* savlaicīgs

time-out [ˈtaimaut] *n* pārtraukums (*sportā, darbā*)

timetable [ˈtaimˌteibl] *n* **1.** (*vilcienu, stundu*) saraksts; **2.** (*darba*) gra-fiks

timid [ˈtimid] *a* kautrs; bikls

tin [tin] **I** *n* **1.** alva; **2.** skārds; **3.** (*skārda*) konservu kārba; **II** *v* konservēt

tinfoil [ˈtinˈfɔil] **I** *n* staniols; **II** *v* ietīt staniolā

tingle [ˈtiŋgl] *v* **1.** džinkstēt (*ausīs*); **2.** drebēt (*no aukstuma*)

tinkle [ˈtiŋkl] *v* **1.** šķindēt; **2.** zvanīt (*par zvanu*)

tinned [tind] *a* konservēt (*skārda traukā*); t. food – konservi

tinsel [ˈtinsəl] *n* vizulis

tint [tint] *n* nokrāsa; tonis

tiny [ˈtaini] *a* sīks, mazs

tip[a] [tip] *n* **1.** gals; **2.** uzgalis

tip[b] [tip] **I** *n* **1.** dzeramnauda; **2.** mājiens; **II** *v* dot dzeramnaudu

tipper [ˈtipə] *n* pašizgāzējs

tiptoe [ˈtiptəʊ] *n* (*kājas*) pirkstgali; on t. – uz pirkstgaliem

tip-up [ˈtipʌp] *a* nolaižams

tire [taiə] *v* **1.** nogurdināt; **2.** nogurt; **3.** apnikt

tired [ˈtaiəd] *a* noguris

tiresome [ˈtaiəsəm] *a* **1.** nogurdinošs; **2.** apnicīgs

tit [tit] *n* zīlīte

title [ˈtaitl] *n* **1.** virsraksts; nosaukums; **2.** tituls; **3.** *sp.* čempiona nosaukums

titlerole [ˈtaitlrəʊl] *n* titulloma

titmouse [ˈtitmaʊs] *n* (*pl* titmice [titmais]) zīlīte

to [tu:, tə] **I** *prep* **1.** (*norāda virzienu*) uz; līdz; pa; **2.** (*norāda laiku*) līdz; **3.** (*norāda pakāpi*) līdz; to a man – līdz pēdējam vīram; **4.** (*izsaka datīva attiecības*): a letter to a girl – vēstule meitenei; **5.** (*norāda nolūku, mērķi*): to come to the rescue – nākt palīgā; **II** *adv* [tu:]: shut the door to! – aizveriet durvis!; **III** *partic* **1.** (*inf partikula*): to go – iet; **2.** (*lieto inf vietā, lai izvairītos no tā atkārtošanas*): why don't you do it if you have promised to? – kādēļ tu to nedari, ja esi apsolījis (darīt)?

toad [təʊd] *n* **1.** krupis; **2.** riebeklis

toad-eater [ˈtəʊdˌi:tə] *n* liškis

toadstool [ˈtəʊdstu:l] *n* suņusēne; mušmire

toady [ˈtəʊdi] **I** *n* liškis; **II** *v* liškēt

toast [təʊst] **I** *n* **1.** grauzdiņš; **2.** tosts; **II** *v* **1.** grauzdēt (*maizi*); **3.** uzsaukt tostu

toaster [ˈtəʊstə] *n* tosters

tobacco [təˈbækəʊ] *n* tabaka

today [təˈdei] *adv* **1.** šodien; **2.** mūsdienās

toe [təʊ] *n* **1.** kājas pirksts; **2.** (*zeķes, zābaka*) purngals; ◇ to turn up one's ~s – atstiept kājas

toecap [ˈtəʊkæp] *n* (*apavu*) purngals

toffee [ˈtɒfi] *n* īriss (*konfekte*)

together [təˈgeθə] *adv* **1.** kopā; **2.** viens ar otru; **3.** vienlaikus

toil [tɔil] **I** *n* smags darbs; **II** *v* nopūlēties

toils [tɔilz] *n pl* tīkli; lamatas; slazds

toilet [ˈtɔilit] *n* **1.** tualete; **2.** apģērbs; **3.** tualetes telpa; **4.** *amer.* vannas istaba

token [ˈtəʊkən] *n* **1.** zīme; apliecinājums; **2.** piemiņlieta; **3.** talons, žetons; **4.** *dat.* pilnvara; marķieris

told *p. un p.p.* no **tell**

tolerant [ˈtɒlrənt] *a* iecietīgs; tolerants

tolerate [ˈtɒləreit] *v* paciest; pieļaut

toll [təʊl] *n* **1.** nodoklis; **2.** *mil.* zaudējumi; **3.** *pārn.* upuris

tomato [təˈmɑ:təʊ] *n* tomāts

tomb [tu:m] *n* **1.** kaps; **2.** kapa piemineklis

tomcat [ˌtɒmˈkæt] *n* runcis (*arī pārn.*)

tomorrow [təˈmɒrəʊ] *adv* rīt

ton [tʌn] *n* tonna (*Anglijā 1016 kg, Amerikā 907 kg*)

tone [təʊn] *n* **1.** tonis; **2.** nokrāsa; **3.** stils

tongs [tɒŋz] *n pl* knaibles

tongue [tʌŋ] *n* **1.** mēle; to hold one's t. – turēt mēli; **2.** valoda; **3.** *tehn.* tapa

tonic [ˈtɒnik] *n* **1.** tonizējošs līdzeklis; **2.** toniks (*dzēriens*)

tonight [təˈnait] *adv* šovakar; šonakt

too [tu:] *adv* **1.** arī; **2.** pārāk; **3.** ļoti; t. bad – ļoti žēl

T

took *p. no* **take**

tool [tu:l] *n* **1.** darbarīks, instruments; **2.** darbgalds

tooth [tu:θ] *n* (*pl* teeth [ti:θ]) zobs

toothache [ˈtu:θeik] *n* zobu sāpes

toothbrush [ˈtu:θbrʌʃ] *n* zobu suka

toothpaste [ˈtu:θpeist] *n* zobu pasta

toothpick [ˈtu:θˌpik] *n* zobu bakstāmais

top [tɒp] *n* **1.** virsotne; galotne; **2.** virsa; augša; **3.** augstākā pakāpe; kalngals; at the t. of one's voice – pilnā kaklā; **II** *a* **1.** augšējais; **2.** maksimāls; at t. speed – ar vislielāko ātrumu; **III** *v* pārspēt

topful [ˈtɒpfʊl] *a* pilns līdz augšai

topic [tɒpik] *n* temats

topical [ˈtɒpikl] *a* **1.** aktuāls; **2.** tematisks

topline [ˈtɒplain] *a* populārs

torch [tɔ:tʃ] *n* **1.** lāpa; **2.** elektriskais lukturītis

tore *p. no* **tear II**

torn *p. p. no* **tear II**

tortoise [ˈtɔ:təs] *n* bruņurupucis

torture [ˈtɔ:tʃə] **I** *n* spīdzināšana; **II** *v* **1.** spīdzināt; **2.** tirdīt

toss [tɒs] *v* **1.** mest, sviest; **2.** mētāt, svaidīt; **3.** mētāties, svaidīties (*par slimnieku*); t. **up** – lozēt (*meto gaisā monētu*)

tossy [ˈtɒsi] *a sar.* uzpūtīgs

tot [tɒt] *sar.* **I** *n* summa; **II** *v*: to t. **up** – saskaitīt

total [ˈtəʊtl] **I** *n* kopsumma; **II** **1.** kopējs; summārs; **2.** pilnīgs absolūts

touch [tʌtʃ] **I** *n* **1.** pieskaršanās **2.** tauste; **3.** saskare; kontakts **4.** pieeja; **5.** piegarša; **II** *v* **1.** pieskarties; **2.** aizvainot; **3.** aizkustin

touchdown [ˈtʌtʃdaʊn] *n* (*lidmašīnas*) nolaišanās

touching [ˈtʌtʃiŋ] *a* aizkustinošs

tough [tʌf] *a* **1.** ciets; sīksts; **2.** stipr izturīgs; **3.** neatlaidīgs; stūrgalvī

tour [tʊə] **I** *n* ceļojums; brauciens; **II** *v* [ap]ceļot
tourist [ˈtʊərist] *n* tūrists
tournament [ˈtʊənəmənt] *n* turnīrs
tow [təʊ] **I** *n* tauva; **II** *v* vilkt tauvā
toward[s] [təˈwɔ:d(z)] *prep* **1.** (*norāda virzienu*) uz; **2.** (*norāda attieksmi*) pret; her attitude t. work – viņas attieksme pret darbu; **3.** (*norāda laiku*) ap; t. noon – ap pusdienlaiku
towel [ˈtaʊəl] *n* dvielis
towel-horse [ˈtaʊəlhɔ:s] *n* dvieļu pakaramais
tower [ˈtaʊə] **I** *n* tornis; **II** *v* slieties (*pāri*)
town [taʊn] *n* pilsēta; t. hall – rātsnams; t. council – pilsētas dome
toxic [ˈtɒksik] *a* indīgs
toy [tɔi] **I** *n* rotaļlieta; **II** *v* rotaļāties
trace [treis] **I** *n* **1.** pēdas; **2.** *amer.* taciņa; **II** *v* **1.** skicēt (*plānu*); **2.** pausēt, kopēt; **3.** izsekot; dzīt pēdas
tracing-paper [ˈtreisiŋˌpeipə] *n* pauspapīrs
track [træk] *n* **1.** pēdas; **2.** taka; **3.** (*dzelzceļa*) sliežu ceļš; **4.** *sp.* treks; skrejceļš; **5.** (*skaņu*) ieraksts
track-and-field [ˈtrækəndˈfi:ld] *n* (*arī* t.-a.-f. athletics) vieglatlētika
trackball *n dat.* kursorbumba
tractate [ˈtrækteit] *n* traktāts
trade [treid] **I** *n* **1.** tirdzniecība; t. name – firmas nosaukums; **2.** profesija; **II** *v* tirgoties
trademark [ˈtreidmɑ:k] *n* firmas zīme
tradition [trəˈdiʃn] *n* tradīcija
traffic [ˈtræfik] *n* **1.** satiksme; transports; t. lights – luksofors; t. jam – sastrēgums; t. police – autoinspekcija; t. regulations – satiksmes noteikumi; **2.** (*nelegāla*) tirdzniecība
tragedy [ˈtrædʒidi] *n* traģēdija
tragic [ˈtrædʒik] *a* traģisks
trail [treil] **I** *n* pēdas; **II** *v* **1.** vilkt, vazāt (*pa zemi*); **2.** vilkties, vazāties (*pa zemi*)
trailer [ˈtreilə] *n* **1.** (*automobiļa*) piekabe; **2.** autofurgons; **3.** (*jaunas filmas*) reklāmkadri; **4.** *dat.* noslēgums
train[a] [trein] *n* vilciens
train[b] [trein] *v* **1.** apmācīt; **2.** trenēt; **3.** trenēties; **4.** dresēt
trainee [treiˈni:] *n* māceklis; praktikants
trainer [ˈtreinə] *n* **1.** treneris; **2.** dresētājs
training [ˈtreiniŋ] *n* **1.** apmācība; **2.** treniņš
trait [treit] *n* **1.** raksturīga īpašība; iezīme; **2.** (*parasti pl*) (*sejas*) vaibsti
traitor [ˈtreitə] *n* nodevējs
tram [træm] *n* **1.** tramvajs; **2.** tramvaja līnija
trammels [ˈtræmlz] *n* šķērslis, kavēklis
tramp [træmp] *n* klaidonis
trample [ˈtræmpl] *v* **1.** mīdīt; **2.** mīdīties; **3.** smagi soļot
tranquil [ˈtræŋkwil] *a* mierīgs, rāms

tranquillizer [ˈtræŋkwilaizə] *n med.* nomierinošs līdzeklis

transact [trænˈzækt] *v* **1.** noslēgt (*darījumu*); **2.** kārtot (*darījumu*)

transaction [trænˈzækʃn] *n* **1.** darījums; **2.**: ~s *pl* – (*zinātniskas biedrības*) protokoli; raksti

transfer I *n* [ˈtrænsfɜ:] **1.** pārvietošana; **2.** pārcelšana (*citā darbā*); **3.** pārsēšanās (*piem., citā vilcienā*); **4.**: ~s *pl* – novelkamās bildītes; **II** *v* [trænsˈfɜ:] **1.** pārvietot; **2.** pārcelt (*citā darbā*); **3.** pārsēsties (*piem., citā vilcienā*)

transform [trænsˈfɔ:m] *v* **1.** pārveidot; pārvērst; **2.** pārveidoties; pārvērsties

transfuse [trænsˈfju:z] *v* pārliet (*piem., asinis*)

transfusion [trænsˈfju:ʒn] *n* (*asins*) pārliešana

transgress [trænsˈgres] *v* pārkāpt (*likumu u. tml.*)

transistor [trænˈzistə] *n* tranzistors

transition [trænˈziʃn] *n* pāreja

transitive [ˈtrænsitiv] *a gram.* tranzitīvs, pārejošs

T

translate [trænsˈleit] *v* tulkot

translation [trænsˈleiʃn] *n* tulkojums

translator [trænsˈleitə] *n* tulkotājs

translucent [trænzˈlu:snt] *a* caurspīdīgs

transmission [trænzˈmiʃn] *n* **1.** pārraide; **2.** *tehn.* transmisija

transparent [trænˈspærənt] *a* **1.** caurspīdīgs; **2.** skaidrs; **3.** atklāts

transplant [trænsˈplɑ:nt] *v* **1.** pārstādīt; **2.** *med.* transplantēt

transplantation [ˌtrænsplɑ:nˈteiʃn] *n* **1.** pārstādīšana; **2.** *med.* transplantācija

transport I *n* [ˈtrænspɔ:t] transports; **II** *v* [trænˈspɔ:t] transportēt

trap [træp] **I** *n* **1.** slazds; lamatas; **2.** lūka; **II** *v* izlikt lamatas

travel [ˈtrævl] **I** *n* ceļojums; **II** *v* ceļot

traveller [ˈtrævlə] *n* ceļotājs

travelling [ˈtrævliŋ] **I** *n* ceļojums; t. allowance – komandējuma nauda; **II** *a* **1.** ceļojošs; **2.** pārvietojams

travesty [ˈtrævəsti] **I** *n* parodija; **II** *v* parodēt

tray [trei] *n* paplāte

treacherous [ˈtretʃərəs] *a* nodevīgs; neuzticams

treachery [ˈtretʃəri] *n* nodevība

tread [tred] **I** *n* soļi; gaita; **II** *v* (*p.* trod [trɒd]; *p. p.* trodden [ˈtrɒdn]) **1.** spert soli; iet; **2.** uzkāpt; uzmīt **3.** mīdīt kājām; ◇ to t. on smb'[s] corns – kāpt kādam uz varžacīm

treadle [tredl] *n* pedālis

treadmill [ˈtredmil] *n* vienmuļš darb[s]

treason [ˈtri:zn] *n* nodevība

treasure [ˈtreʒə] **I** *n* bagātība; dār[gums]; **II** *v* augstu vērtēt

treat [tri:t] *v* **1.** apieties; izturēties; **2.** apstrādāt; **3.** ārstēt; **4.** (*to*) uzcienāt (*kādu*); izmaksāt

treatment [ˈtri:tmənt] *n* **1.** apiešanā[s]; izturēšanās; **2.** apstrāde; **3.** ārstēšan[a]

treaty [ˈtri:ti] *n* **1.** līgums; **2.** sarun[as]

tree [tri:] *n* **1.** koks; **2.** ciltskoks; **3.** *tehn.* ass; ◇ you can't judage a t. by its bark – neskati vīru no cepures

trend [trend] **I** *n* tendence; virziens; **II** *v* virzīties

trefoil [ˈtrefɒil] *n bot.* āboliņš

trek [trek] **I** *n* ceļojums; pārgājiens; **II** *v* doties pārgājienā

tremor [ˈtremə] *n* trīsas

trench [trentʃ] **I** *n* grāvis; tranšeja; **II** *v* rakt grāvi; **2.** uzirdināt

trial [ˈtraiəl] *n* **1.** izmēģinājums; pārbaude; **2.** *jur.* (*lietas*) iztiesāšana; (*tiesas*) process; **3.** pārdzīvojums; **4.** izpēte

triangle [ˈtraiæŋgl] *n* trīsstūris

tribe [traib] *n* **1.** cilts; **2.** *biol.* ģints

tribute [ˈtribju:t] *n* **1.** nodeva; **2.** (*cieņas, goda u. tml.*) apliecinājums

trick [trik] **I** *n* **1.** viltība; blēdība; **2.** triks; **3.** (*ļauns*) joks; **4.** (*kāršu spēlē*) stiķis; **II** *v* pievilt; piekrāpt

trifle [ˈtraifl] **I** *n* nieks; sīkums; **II** *v* **1.** niekoties; jokoties; **2.** (*away*) izniekot; izšķiest

trim [trim] **I** *n* **1.** kārtība; gatavība; **2.** rotājums; **3.** apgriešana; apcirpšana; **II** *v* **1.** apgriezt; apcirpt; **2.** izrotāt (*tērpu*); **3.** aptēst (*dēli*); **4.** garnēt (*ēdienu*)

trimming [ˈtrimiŋ] *n* **1.** (*tērpa*) rotājums; **2.** garnējums

trip [trip] **I** *n* **1.** ceļojums; brauciens; **2.** paklupšana; **II** *v* **1.** paklupt; **2.** *sp* paklupināt; **3.** kļūdīties; **4.** *tehn.* atkabināt

triple [ˈtripl] *a* trīskārtējs

triumph [ˈtraiʌmf] **I** *n* triumfs; **II** *v* triumfēt

triumphant [traiˈʌmfənt] *a* **1.** triumfējošs; **2.** uzvarošs

trod *p. no* **tread II**

trodden *p. p. no* **tread II**

troll [trəʊl] *n* trollis

trolleybus [ˈtrɒlibʌs] *n* trolejbuss

troop [tru:p] *n* **1.** grupa; bars; **2.**: ~s *pl* – karaspēks

trophy [ˈtrəʊfi] *n* **1.** trofeja; **2.** (*sporta*) balva

tropic [ˈtrɒpik] **I** *n*: the ~s *pl* – tropi; **II** *a* tropisks

tropical [ˈtrɒpikl] *a* tropisks; tropu-

trot [trɒt] **I** *n* rikši; **II** *v* **1.** rikšot; **2.** steigties

trouble [ˈtrʌbl] **I** *n* **1.** nepatikšanas; **2.** raizes; rūpes; **3.** pūles; **4.** kaite; heart t. – sirdskaite; **II** *v* **1.** uztraukt; sagādāt rūpes; **2.** traucēt; apgrūtināt

troubleshooting [ˈtrʌblˌʃu:tiŋ] *n* bojājuma izlabošana

trousers [ˈtraʊzəz] *n pl* bikses

trout [traʊt] *n* forele

truancy [ˈtru:ənsi] *n* (*darba, skolas*) kavējums

truce [tru:s] *n* pamiers

truck [trʌk] *n* kravas automobilis

true [tru:] *a* **1.** īsts, patiess; **2.** pareizs; **3.** uzticīgs

trueborn [tru:ˈbɔ:n] *a* tīrasiņu-

trug [trʌg] *n* skalu grozs

truly [ˈtru:li] *adv* patiesi, tiešām

T

trunk [trʌŋk] *n* **1.** stumbrs; **2.** rumpis; **3.** čemodāns; ceļasoma; **4.** (*ziloņa*) snuķis; **5.**: ~s *pl* – sporta biksītes; **6.** *amer.* (*automobiļa*) bagāžnieks
trunk-call [ˈtrʌŋkkɔ:l] *n* tālsaruna
trust [trʌst] **I** *n* **1.** uzticība; **2.** kredīts; **3.** trests; **II** *v* **1.** uzticēties; **2.** uzticēt; **3.** paļauties
truth [tru:θ] *n* **1.** patiesība; **2.** sirsnība; **3.** atbilstība
truthful [ˈtru:θfəl] *a* patiess
try [trai] *v* **1.** [pa]mēģināt; izmēģināt; **2.** censties; **3.** tiesāt; to t. **on** – pielaikot (*apģērbu*)
T-shirt [ˈti:ʃɜ:t] *n* teniskrekls
tub [tʌb] *n* **1.** toveris; **2.** *sar.* vanna; **3.** mazgāšanās
tube [tju:b] *n* **1.** caurule; **2.** tūbiņa; **3.** (*Londonas*) metro; **4.** (*riepas*) kamera
tulip [ˈtju:lip] *n* tulpe
tumefaction [ˌtju:mifækʃn] *n med.* pietūkums
tune [tju:n] **I** *n* melodija; **II** *v* **1.** uzskaņot (*mūzikas instrumentu*); **2.** saskaņot
tunnel [ˈtʌnl] *n* **1.** tunelis; **2.** dūmvads
tunny [ˈtʌni] *n* tuncis
turkey [ˈtɜ:ki] *n* tītars
turn [tɜ:n] **I** *n* **1.** apgrieziens; **2.** pagrieziens; **3.** kārta; rinda; **4.** pakalpojums; **5.** dotības; **II** *v* **1.** [pa]griezt; **2.** [pa]griezties; **3.** kļūt; **4.** pievērst (*uzmanību u. c.*); to t. **away** – 1) novērsties; 2) atlaist (*no darba*); to t. **in** *sar.* – iet gulēt; ◇ to t. **out** – 1) padzīt; 2) izlaist (*produkciju*); 3) izrādīties; to t. **up** – 1) uzlocīt; 2) (*negaidīti*) ierasties
turner [ˈtɜ:nə] *n* **1.** virpotājs; **2.** *amer.* vingrotājs
turnip [ˈtɜ:nip] *n* rācenis
turnkey: t. system *dat.* – darbgatavā sistēma
turn-off [ˈtɜ:nɒf] *n* **1.** sānceļš; **2.** pagrieziens
turn-out [ˈtɜ:naut] *n* **1.** publika; **2.** ģērbšanās veids; **3.** (*produkcijas*) izlaide
turnover [ˈtɜ:nˌəʊvə] *n* **1.** *ek.* apgrozība; **2.** (*kadru*) mainība
turtle [ˈtɜ:tl] *n* (*jūras*) bruņurupucis
tussle [ˈtʌsl] **I** *n* cīņa; kautiņš; **II** *v* cīnīties; kauties
tutelage [ˈtju:tilidʒ] *n* aizbildnība
tutor [ˈtju:tə] *n* **1.** privātskolotājs; **2.** pasniedzējs; **3.** *jur.* aizbildnis
tweak [twi:k] *v* iekniebt
tweed [twi:d] *n* tvīds
tweezers [ˈtwi:zəz] *n pl* pincete
twice [twais] *adv* divreiz
twig [twig] *n* **1.** zariņš; **2.** *n sar.* mode, stils
twilight [ˈtwailait] *n* krēsla
twine [twain] *n* aukla
twinge [twindʒ] *n* sāpju lēkme; ~s of conscience – sirdsapziņas pārmetumi
twinkle [ˈtwiŋkl] *v* **1.** mirgot; **2.** zibsnīt; **3.** pazibēt
twins [twinz] *n pl* dvīņi
twist [twist] *v* **1.** sagriezt; savīt; **2.** sagriezties; savīties; **3.** locīties; **4.** izmežģīt

two [tu:] *num* divi
twofold [ˈtu:fəʊld] **I** *a* divkāršs; **II** *adv* divkārt
two-tongued [ˈtu:tʌŋd] *a* divkosīgs
two-way [ˌtu:ˈwei] *a* divvirzienu- (*par ielu*)
tyke [taik] *n* **1.** sētas suns; **2.** rupjš cilvēks
type [taip] **I** *n* **1.** tips; blood t. – asinsgrupa; **2.** veids; **3.** modelis; **4.** *poligr.* burti, burtu raksts; **II** *v* rakstīt ar rakstāmmašīnu
typhoon [taiˈfu:n] *n* taifūns, viesuļvētra
typical [ˈtipikl] *a* **1.** tipisks; **2.** simbolisks
tyranny [ˈtirəni] *n* tirānija
tyrant [ˈtaiərənt] *n* tirāns
tyre[a] [ˈtaiə] **I** *n* riepa; **II** *v* uzlikt riepu
tyre[b] [ˈtaiə] *n* rūgušpiens
tyro [ˈtairəʊ] *n* iesācējs

U

ugh [uh, ɜ:h] *int* **1.** brr!; fui!; **2.** hm!
ugly [ˈʌgli] *a* **1.** neglīts; **2.** bīstams
ulcer [ˈʌlsə] *n med.* čūla
ultimate [ˈʌltimit] *a* **1.** galīgs; **2.** sākotnējs; **3.** maksimāls
ultrashort [ˌʌltrəˈʃɔ:t] *a* ultraīss; u. waves – ultraīsviļņi
umbel [ˈʌmbəl] *n* čemurs
umber [ˈʌmbə] *a* tumšbrūns
umbrella [ʌmˈbrelə] *n* **1.** lietussargs; **2.** *mil.* aizsegs
umpire [ˈʌmpaiə] *n* **1.** šķīrējtiesnesis; **2.** (*sporta*) tiesnesis
unable [ʌnˈeibl] *a* nespējīgs
unaided [ˈʌnˈeidid] *a* patstāvīgs
unalterable [ʌnˈɔ:ltərəbl] *a* **1.** pastāvīgs; **2.** nemaināms
unarm [ˌʌnɑ:m] *v* **1.** atbruņot; **2.** atbruņoties
unanimous [ju:ˈnænimәs] *a* vienprātīgs; vienbalsīgs
unbearable [ʌnˈbeərəbl] *a* neciešams
unbeaten [ʌnˈbi:tn] *a* nepārspēts
unbelievable [ʌnbiˈli:vəbl] *a* neticams
unbidden [ˌʌnˈbidn] *a* **1.** nelūgts; **2.** brīvprātīgs
unbounded [ʌnˈbaʊndid] *a* bezgalīgs
unbutton [ˈʌnˈbʌtn] *v* atpogāt
uncared-for [ʌnˈkeədfɔ:] *a* nolaists; novārtā pamests
uncase [ˌʌnˈkeis] *v* izsaiņot
uncertain [ʌnˈsɜ:tn] *a* **1.** nedrošs; nenoteikts; **2.** mainīgs (*par laiku, garastāvokli*)
unclaimd [ʌnˈkleimd] *a* nepieprasīts
uncle [ˈʌŋkl] *n* tēvocis; krusttēvs
unclothe [ˌʌnˈkləʊð] *v* **1.** noģērbt, izģērbt; **2.** noģērbties; izģērbties; **3.** atklāt (*noslēpumu*)
uncomfortable [ʌnˈkʌmftəbl] *a* **1.** neērts; **2.** samulsis

uncork [ˈʌnˈkɔ:k] *v* atkorķēt
uncover [ʌnˈkʌvə] *v* atsegt; atklāt
undeniable [ˌʌndiˈnaiəbl] *a* nenoliedzams; neapstrīdams
under [ˌʌndə] *prep* **1.** zem; **2.** (*norāda uz apstākļiem, kādos notiek darbība*): u. modern conditions – mūsdienu apstākļos; **3.** mazāk par; **4.** saskaņā ar
under-age [ˈʌndəreidʒ] *a* nepilngadīgs
underbrush [ˈʌndəbrʌʃ] *n* krūmājs
undercarriage [ˈʌndəˌkæridʒ] *n tehn.* šasija
underclothes [ˈʌndəkləʊðz] *n pl* apakšveļa
underdeveloped [ˌʌndədiˈveləpt] *a* mazattīstīts; neattīstīts
underestimate [ˌʌnderˈestimeit] *v* par zemu novērtēt
underflow *n dat.* izzude
undergo [ˌʌndəˈgəʊ] *v* (*p.* underwent [ˌʌndəˈwent]; *p. p.* undergone [ˌʌndəˈgɒn]) pārciest
undergone *p. p. no* **undergo**
underground [ˌʌndəgraʊnd] *a* **1.** apakšzemes-; **2.** pagrīdes-; nelegāls
underhand [ˈʌndəhænd] **I** *a* **1.** slepens; **2.** negodīgs; **II** *adv* slepus
undermine [ˌʌndəˈmain] *v* **1.** rakties (*zem kā*); **2.** graut (*piem., veselību*)
underpass [ˈʌndəpɑ:s] *n* (*pazemes*) tunelis
understand [ˌʌndəˈstænd] *v* (*p. un p. p.* understood [ˌʌndəˈstʊd]) **1.** saprast; **2.** saprasties
understanding [ˌʌndəˈstændiŋ] *n* **1.** saprašana; **2.** saprašanās
understood *p. un p. p. no* **understand**
undertake [ˌʌndəˈteik] *v* (*p.* undertook [ˌʌndəˈtʊk]; *p. p.* undertaken [ˌʌndəˈteikən]) **1.** uzsākt; **2.** galvot
undertaken *p. p. no* **undertake**
undertaker [ˌʌndəˈteikə] *n* **1.** uzņēmējs; **2.** apbedīšanas biroja vadītājs
undertaking [ˌʌndəˈteikiŋ] *n* **1.** pasākums; **2.** saistības; apņemšanās
undertook *p. no* **undertake**
underwater [ˌʌndəˈwɔ:tə] *a* zemūdens-
underwear [ˈʌndəwɜə] *n* apakšveļa
underwent *p. no* **undergo**
undid *p. no* **undo**
undies [ˈʌndi:z] *n pl sar.* (*sieviešu*) apakšveļa
undo [ʌnˈdu:] *v* (*p.* undid [ʌnˈdid]; *p. p.* undone [ʌnˈdʌn]) **1.** attaisīt; atraisīt; atpogāt; **2.** likvidēt
undone *p. p. no* **undo**
undoubted [ʌnˈdaʊtid] *a* neapšaubāms
undress [ʌnˈdres] **I** *n* mājas tērps; **II** *v* **1.** noģērbt; **2.** noģērbties
undue [ʌnˈdju:] *a* **1.** pārmērīgs; **2.** nepiemērots; nepiedienīgs
uneasy [ʌnˈi:zi] *a* **1.** neērts, neveikls; **2.** satraukts
unemployed [ˌʌnimˈplɔid] **I**: the u. – bezdarbnieki; **II** *a* nenodarbināts
unemployment [ˌʌnimˈplɔimənt] *n* bezdarbs; u. benefit – bezdarbnieku pabalsts

U

unequal [ʌn'i:kwəl] *a* **1.** nevienāds; **2.** neatbilstošs; nepiemērots

uneven [ʌn'i:vn] *a* nelīdzens

unexcusable [ˌʌniks'kju:zəbl] *a* nepiedodams

unexpected [ˌʌnik'spektid] *a* negaidīts; pēkšņs

unexperienced [ˌʌnik'spiəriənst] *a* **1.** nepieredzējis; **2.** neizjusts

unexplored [ˌʌnik'splɔ:d] *a* neizpētīts

unfair [ʌn'feə] *a* **1.** netaisns; negodīgs; **2.** nepareizs

unfamiliar [ʌnfə'miljə] *a* nepazīstams; nezināms

unfavourable [ʌn'feivrəbl] *a* nelabvēlīgs

unfinished [ʌn'finiʃt] *a* **1.** nepabeigts; **2.** neapstrādāts

unfit [ʌn'fit] *a* nepiemērots; nederīgs

unforeseen [ˌʌnfɔ:'si:n] *a* neparedzēts; negaidīts

unfortunate [ʌn'fɔ:tʃʊnit] *a* **1.** nelaimīgs; **2.** neveiksmīgs

unfounded [ʌn'faʊndid] *a* nepamatots

ungenial [ʌn'dʒi:niəl] *a* nelaipns

ungrateful [ʌn'greitfʊl] *a* nepateicīgs

unhappy [ʌn'hæpi] *a* **1.** nelaimīgs; **2.** neveiksmīgs

unhealthy [ʌn'helθi] *a* **1.** neveselīgs, kaitīgs; **2.** slimīgs

uniform ['ju:nifɔ:m] **I** *n* formas tērps, uniforma; **II** *a* **1.** vienveidīgs; **2.** vienmērīgs

uninhabited ['ʌnin'hæbitid] *a* neapdzīvots

union ['ju:niən] *n* **1.** savienība; **2.** apvienība; trade u. – arodbiedrība; **3.** saskaņa

unique [ju:'ni:k] *a* unikāls

unit ['ju:nit] *n* **1.** vienība (*viens vesels*); **2.** mērvienība; **3.** elements; detaļa

unite [ju:'nait] *v* **1.** apvienot; savienot; **2.** apvienoties; savienoties

united [ju:'naitid] *a* **1.** apvienots; savienots; **2.** saliedēts

unity ['ju:niti] *n* **1.** vienotība; **2.** vienprātība; saliedētība

universal [ˌju:ni'vɜ:sl] *a* vispārējs

universe ['ju:nivɜ:s] *n* visums; kosmoss

university [ˌju:ni'vɜ:siti] *n* universitāte

unjust [ˌʌn'dʒʌst] *a* netaisns

unkind [ʌn'kaind] *a* nelaipns

unknown [ˌʌn'nəʊn] *a* nepazīstams; nezināms

unless [ʌn'les] *conj* ja ... ne; ja vien ... ne

unlike [ˌʌn'laik] **I** *a* atšķirīgs; ne tāds kā...; **II** *prep* atšķirībā no; pretēji

unlikely [ʌn'laikli] **I** *a* neticams; maz ticams; **II** *adv* diez vai

unlicensed [ˌʌnlaisənst] *a* neatļauts; nelikumīgs

unlimited [ʌn'limitid] *a* neierobežots

unload ['ʌn'ləʊd] *v* **1.** izkraut; **2.** izlādēt (*ieroci*)

unlooked-for [ʌn'lʊktfɔ:] *a* negaidīts; neparedzēts

unloose [ˌʌn'lu:s] *v* atbrīvot

unloved [ˌʌn'lʌvd] *a* nemīlēts

unnamed [ˌʌn'neimd] *a* **1.** nenosaukts; **2.** bezvārda-; nezināms

unnatural [ˌʌn'nætʃrəl] *a* **1.** nedabisks; **2.** pretdabisks

unnecessary [ʌn'nesesəri] *a* nevajadzīgs

unpleasant [ʌn'pleznt] *a* nepatīkams

unprovided ['ʌnprə'vaidid] *a* **1.** neapgādāts, nenodrošināts; **2.** nesagatavots

unreason ['ʌn'ri:zn] *n* neprāts

unpleasing [ˌʌn'pli:ziŋ] *a* nepatīkams

unreasonable [ʌn'ri:znəbl] *a* **1.** nesaprātīgs; **2.** pārmērīgi augsts (*piem., par cenu*)

unrest [ʌn'rest] *n* **1.** nemiers; satraukums; **2.** nemieri; jukas

unrestricted [ˌʌnri'striktid] *a* neierobežots

unsafe ['ʌn'seif] *a* nedrošs, bīstams

unsettled [ʌn'setld] *a* **1.** nenokārtots; neatrisināts; **2.** nepastāvīgs (*par laiku*)

unskilled [ˌʌn'skild] *a* nekvalificēts

unsleeping [ˌʌn'sli:piŋ] *a* modrs

untangle [ˌʌn'tæŋgl] *v* atšķetināt

unwell [ʌn'wel] *a* nevesels

up [ʌp] **I** *a* **1.** augšupejošs; **2.** centra vai galvaspilsētas virzienā ejošs (*par vilcienu*); **II** *adv* **1.** augšā; augšup; **2.** (*norāda tuvošanos*): to come up – pienākt; **3.** (*norāda darbības noslēgumu, rezultātu*): to eat up – apēst; the time is up – termiņš beidzies; ◇ up to – līdz pat; **III** *prep* **1.** augšup pa; **2.** pret

upbraid [ʌp'breid] *v* bārt; pārmest

upbringing ['ʌpbriŋiŋ] *n* audzināšana

upgrade *dat.* jauninājums

upgrowth ['ʌpgrəʊθ] *n* attīstība

upkeep ['ʌpki:p] *n* apkope; apkalpe

uplift ['ʌplift] *n* **1.** pacēlums; **2.** krūšturis

upload *n dat.* augšupielāde

upper ['ʌpə] *a* augšējs; augstākais; ◇ to get the u. hand – gūt virsroku; u. crust – sabiedrības virsotne

upright ['ʌprait] *a* **1.** taisns; vertikāls; **2.** godīgs

upset [ʌp'set] *v* (*p. un p. p.* upset [ʌp'set]) **1.** apgāzt; **2.** apgāzties; **3.** apbēdināt; sarūgtināt

upside down [ˌʌpsaid' daun] *adv* ačgārni; juku jukām

upstairs ['ʌp'steəz] **I** *a* augšstāva-; **II** *adv* **1.** augšup pa kāpnēm; **2.** augšstāvā

up to date [ˌʌp tə' deit] *a* moderns; mūsdienu-

uptown ['ʌptaʊn] *n amer.* no centra attālākie kvartāli

upwards ['ʌpwədz] *adv* augšup

urban ['ɜ:bən] *a* pilsētas-

urbane [ɜ:'bein] *a* pieklājīgs

urge [ɜ:dʒ] *v* **1.** skubināt; mudināt; **2.** pieprasīt

urgent ['ɜ:dʒənt] *a* steidzams; neatliekams

us [ʌs, əs] *pron* (*papildinātāja locījums no* **we**) mūs; mums

usage ['ju:zidʒ] *n* **1.** lietošana; **2.** paradums; **3.** apiešanās

use I *n* [ju:s] **1.** lietošana; to come into u. – ieviesties; to make u. (*of*) – izmantot; **2.** derīgums; labums; to be of u. – būt derīgam; **II** *v* [ju:z] **1.** lietot; **2.** izlietot, iztērēt; **3.** (*tikai p.* used [ju:st]) mēgt; to u. **up** – izlietot; iztērēt

used *a* **1.** [ju:zd] lietots; vecs; **2.** [ju:st] pieradis

useful [ˈju:sfl] *a* noderīgs

useless [ˈju:sləs] *a* nederīgs; veltīgs

usual [ˈju:ʒʊəl] *a* parasts; as u. – kā parasti

usually [ˈju:ʒʊəli] *adv* parasti

utensil [ju:ˈtensl] *n* instruments; piederums

utilit||y [ju:ˈtiləti] *n* **1.** derīgums; lietderība; **2.**: public ~ies *pl* – sabiedriskās labierīcības

utilize [ˈju:tilaiz] *v* izlietot, izmantot

utmost [ˈʌtməʊst] **I** *n* viss iespējamais; **II** *a* galējs; maksimāls

utter [ˈʌtə] **I** *a* pilnīgs; absolūts; **II** *v* **1.** izdvest (*skaņu*); **2.** izteikt; izrunāt

utterly [ˈʌtəli] *adv* pilnīgi; pavisam

uttermost [ˈʌtəməʊst] *sk.* **utmost**

U-turn [ˈju:tɜ:n] *n* pagrieziens par 180°

V

vacancy [ˈveikənsi] *n* **1.** tukšums; **2.** vakance, brīva vieta

vacant [ˈveikənt] *a* **1.** tukšs; **2.** brīvs, neaizņemts; **3.** bezdarbīgs

vacation [vəˈkeiʃn] *n* **1.** brīvdienas; **2.** *amer.* atvaļinājums

vaccine [ˈvæksi:n] *n med.* vakcīna; pote

vacuum [ˈvækjʊəm] *n fiz.* vakuums, bezgaisa telpa; v. bottle (flask) – termoss

vacuumcleaner [ˈvækjʊəmˌkli:nə] *n* putekļsūcējs

vacuum-packed [ˌvækjʊəmˈpækt] vakuumiesaiņojumā

vague [veig] *a* nenoteikts; neskaidrs

vain [vein] *a* **1.** veltīgs; in v. – veltīgi; **2.** iedomīgs

vainglorious [veinˈglɔ:riəs] *a* lielīgs; iedomīgs

valiant [ˈvæljənt] *a* drosmīgs

valid [ˈvælid] *a* **1.** likumīgs; **2.** derīgs; spēkā esošs (*par biļeti, dokumentu*); **3.** pamatots

valise [vəˈli:z] *n* ceļasoma

valley [ˈvæli] *n* ieleja

valuable [ˈvæljʊəbl] *a* **1.** vērtīgs; **2.** derīgs

value [ˈvæljʊ:] **I** *n* **1.** vērtība; **2.** *mat.* lielums; **II** *v* **1.** novērtēt; **2.** vērtēt; cienīt

value-added tax [ˌvæljʊˈædid tæks] *n* pievienotās vērtības nodoklis

valve [vælv] *n* **1.** vārsts; ventilis; **2.** (*sirds*) vārstulis; **3.** elektronlampa

valse [vɑ:ls] *n* valsis

van [væn] *n* **1.** automobilis (*preču izvadāšanai*); **2.** (*bagāžas*) vagons

vanguard [ˈvængɑ:d] *n* avangards

V

vanish [ˈvæniʃ] *v* pazust; izzust
vanity [ˈvæniti] *n* **1.** iedomība; **2.** niecība
variable [ˈveəriəbl] **I** *n mat.* mainīgais; **II** *a* mainīgs
variety [vəˈraiəti] *n* **1.** dažādība; daudzveidība; **2.** *biol.* varietāte; **3.** varietē
various [ˈveəriəs] *a* dažāds; atšķirīgs
varnish [ˈvɑ:niʃ] **I** *n* laka; **II** *v* lakot
vary [ˈveəri] *v* **1.** mainīt; **2.** mainīties
vase [vɑ:z] *n* vāze
vast [vɑ:st] *a* **1.** plašs; **2.** milzīgs (*par daudzumu*)
vastly [ˈvɑ:stli] *adv* ievērojami
vault[a] [vɔ:lt] *n* velve
vault[b] [vɔ:lt] *n sp.* atbalstlēciens, kārtslēciens
vaunt [vɔ:nt] *v* lielīties
veal [vi:l] *n* teļa gaļa
vegetable [ˈvedʒtəbl] **I** *n* dārzenis; **II** *a* augu-; dārzeņu-
vegetarian [ˌvedʒiˈteəriən] *n* veģetārietis
vehicle [ˈvi:ikl] *n* satiksmes līdzeklis
veil [veil] *n* **1.** plīvurs; **2.** aizsegs; **3.** iegansts
vein [vein] *n* vēna
V
velvet [ˈvelvit] *n* **1.** samts; **2.** velvets
vengeance [ˈvendʒəns] *n* atriebība
ventilate [ˈventileit] *v* vēdināt
venture [ˈventʃə] *v* **1.** riskēt; **2.** uzdrošināties
verbally [ˈvɜ:bəli] *adv* mutvārdiem
verdict [ˈvɜ:dikt] *n jur.* spriedums
verify [ˈverifai] *v* **1.** pārbaudīt; **2.** *jur.* apstiprināt; apliecināt; **3.** pierādīt
vertical [ˈvɜ:tikl] *a* vertikāls
vertigo [ˈvɜ:tigəʊ] *n* reibonis
very [ˈveri] **I** *a* **1.** [tas] pats; tieši tas; **2.** galējs; **II** *adv* **1.** ļoti; **2.** tieši; **3.** vis...
veterinary [ˈvetrənəri] *a* veterinārs; v. surgeon – veterinārārsts
vexation [vekˈseiʃn] *n* **1.** dusmas; **2.** nepatikšanas
via [ˈvaiə] *prep* **1.** caur; **2.** ar
vibrate [vaiˈbreit] *v* vibrēt
vicasr [ˈvikə] *n* vikārs; palīgmācītājs
vice [vais] *n* **1.** netikums; **2.** defekts
vicinity [viˈsiniti] *n* **1.** tuvums; **2.** apkārtne; apkaime
victim [ˈviktim] *n* upuris
victory [ˈviktəri] *n* uzvara
victuals [ˈvitlz] *n pl* pārtika, proviants
video [ˈvidiəʊ] *n* video
videoclip [ˈvidiəʊklip] *n* videoklips
videotape [ˈvidiəʊteip] *n* videolente
vie [vai] *v* sacensties
view [vju:] **I** *n* **1.** skats; ainava; **2.** redzesloks; **3.** uzskats; viedoklis; **II** *v* apskatīt; **2.** apsvērt
viewpoint [ˈvju:pɔint] *n* viedoklis
vigilance [ˈvidʒiləns] *n* modrība; piesardzība
vigorous [ˈvigərəs] *a* spēcīgs; enerģisks
vile [vail] *a* **1.** zemisks; nekrietns; **2.** *sar.* pretīgs (*par laiku*)
village [ˈvilidʒ] *n* ciems
villain [ˈvilən] *n* **1.** nelietis, neģēlis; **2.** *sar.* noziedznieks

vine [vain] *n* **1.** vīnogulājs; **2.** vīteņaugs
vinegar ['vinigə] *n* etiķis
vineyard ['vinjəd] *n* vīna dārzs
violate ['vaiəleit] *v* **1.** pārkāpt (*likumu, vienošanos*); **2.** apgānīt
violence ['vaiələns] *n* vardarbība; varmācība
violent ['vaiələnt] *a* **1.** stiprs; spēcīgs; **2.** vardarbīgs; varmācīgs
violet ['vaiələt] **I** *n* vijolīte; **II** *a* violets
violin [,vaiə'lin] *n* vijole
violinist ['vaiəlinist] *n* vijolnieks
viper ['vaipə] *n* odze
virgin ['vɜ:dʒin] *n* **1.** jaunava; **2.** Jaunava (*zvaigznājs un zodiaka zīme*)
virtue ['vɜ:tʃu:] *n* **1.** tikums; **2.** laba īpašība; vērtība; **3.** spēks; iedarbīgums
virulent ['virʊlənt] *a* **1.** indīgs; **2.** bīstams (*par slimību*); **3.** dzēlīgs (*par vārdiem*)
visa ['vi:zə] *n* vīza
visage ['vizidʒ] *n* seja; sejas izteiksme
visible ['vizəbl] *a* [acīm]redzams; skaidrs
vision ['viʒn] *n* **1.** redze; **2.** iztēle
visit ['vizit] **I** *n* apmeklējums; **II** *v* **1.** apmeklēt; **2.** piemeklēt; **3.** *amer.* uzturēties
visiting-card ['vizitiŋkɑ:d] *n* vizītkarte
visitor ['vizitə] *n* apmeklētājs; viesis
visual ['viʒʊəl] *a* **1.** redzes-; **2.** uzskates-
vital ['vaitl] *a* **1.** dzīvības-; vitāls; **2.** būtisks; ļoti svarīgs
vivid ['vivid] *a* dzīvs, spilgts
vivify ['vivifai] *v* atdzīvināt (*arī pārn.*)
vocabulary [və'kæbjʊləri] *n* **1.** vārdu krājums; **2.** vārdnīca; vārdu saraksts
vocal ['vəʊkəl] *a* **1.** balss-; **2.** vokāls
vocation [vəʊ'keiʃən] *n* **1.** aicinājums; tieksme; **2.** profesija, nodarbošanās
vogue [vəʊg] *n* **1.** mode; **2.** popularitāte
voice [vɔis] *n* **1.** balss; **2.** *gram.* kārta
volcano [vɒl'keinəʊ] *n* vulkāns
vole [vəʊl] *n* grauzējs
volleyball ['vɒlibɔ:l] *n* volejbols
volume ['vɒlju:m] *n* **1.** (*grāmatas*) sējums; **2.** apjoms; **3.** (*skaņas*) stiprums
volunteer [,vɒlən'tiə] **I** *n* brīvprātīgais; **II** *v* brīvprātīgi pieteikties
vote [vəʊt] **I** *n* **1.** balsošana; **2.** balss (*vēlēšanās*); **II** *v* balsot
voter ['vəʊtə] *n* vēlētājs; balsotājs
vow [vaʊ] **I** *n* zvērests; svinīgs solījums; **II** *v* zvērēt; svinīgi solīt
vowel ['vaʊəl] *n* patskanis
voyage ['vɔiidʒ] *n* (*jūras*) ceļojums
vulgar [vʌlgə] *a* vulgārs
vulnerary ['vʌlnərəri] *a* dziedniecība-; v. plants – ārstniecības augi
vulture ['vʌltʃə] *n* plēsīgs putns

V

W

wadding ['wɒdiŋ] *n* vatējums; polsterējums

wade [weid] **I** *n* brišana; **II** *v* [pār]brist

waffle ['wɒfl] *n* **1.** vafele; **2.** zīmoglaka

wage [weidʒ] *n* (*parasti pl*) alga; living w. – iztikas minimums; w. cut – algu samazināšana

wager ['weidʒə] **I** *n* derības; **II** *v* saderēt

wagon ['wægən] *n* **1.** furgons; **2.** preču vagons

wagtail ['wægtail] *n* cielava

waif [weif] *n* **1.** klaidonis; **2.** pamests dzīvnieks

wail [weil] *v* **1.** apraudāt; **2.** vaimanāt; **3.** gaudot

waist [weist] *n* viduklis

waistcoat ['weistkəʊt] *n* veste

waist [weist] *n* viduklis

wait [weit] *v* **1.** (*for*) gaidīt; **2.** apkalpot (*pie galda*)

waiter ['weitə] *n* **1.** oficiants; **2.** paplāte

waiting-room ['weitiŋrʊm] *n* uzgaidāmā telpa

waitress ['weitris] *n* oficiante

wake [weik] *v* (*p.* woke [wəʊk]; *p. p.* woken ['wəʊkən]) **1.** [pa]mosties; **2.** [pa]modināt

wakeful ['weikfʊl] *a* **1.** modrs; **2.** bezmiega-

walk [wɔ:k] **I** *n* **1.** pastaiga; **2.** gaita; **II** *v* iet; staigāt; ◊ to w. **about** – pastaigāties; to w. **away** – 1) aiziet; 2) aizvest (*piem.*, zirgu); to w. **up** (*to*) – pieiet

wall [wɔ:l] **I** *n* **1.** siena; **2.** mūris; valnis; **II** *v* uzmūrēt (*sienu*)

wallet ['wɒlit] *n* kabatas portfelis

wallpaper ['wɔ:l,peipə] **I** *n* tapetes; **II** *v* izlīmēt ar tapetēm

walnut ['wɔ:lnʌt] *n* **1.** valrieksts; **2.** riekstkoks

walrus ['wɔ:lrəs] *n* valzirgs

waltz [wɔ:ls] **I** *n* valsis; **II** *v* dejot valsi

wander ['wɒndə] **I** *n* klejojums; ceļojums; **II** *v* klejot; ceļot

want [wɒnt] **I** *n* **1.** trūkums; **2.** vajadzība; **II** *v* **1.** just vajadzību (*pēc kā*); **2.** gribēt; vēlēties; **3.** meklēt; pieprasīt

want-ad ['wɒntæd] *n sar.* darba piedāvājums (*avīzē*)

war [wɔ:] *n* karš

warbler ['wɔ:blə] *n* dziedātājputns

ward [wɔ:d] *n* **1.** (*slimnīcas*) palāta; **2.** (*pilsētas*) administratīvais rajons; **3.** aizbildniecība

wardrobe ['wɔ:drəʊb] *n* **1.** (*drēbju*) skapis; **2.** garderobe; **3.** drēbes; garderobe

ware [wɜə] *n* izstrādājumi; china w. – porcelāns

warehouse ['weəhaʊs] *n* noliktava

warfare ['wɔ:feər] *n* karadarbība

warm [wɔ:m] **I** *a* **1.** silts; **2.** sirsnīgs;

II *v* **1.** [sa]sildīt; **2.** [sa]sildīties; to w. **up** – 1) sasildīt; 2) *sp.* iesildīties
warm-blooded [ˌwɔ:m'blʌdid] *a* karstasinīgs
warm-hearted [ˌwɔ:m'hɑ:tid] *a* sirsnīgs
warming-up ['wɔ:miŋʌp] *n sp.* iesildīšanās
warmish ['wɔ:miʃ] *a* remdens
warmth [wɔ:mθ] *n* **1.** siltums; **2.** sirsnība; **3.** dedzība
warn [wɔ:n] *v* brīdināt
warning ['wɔ:niŋ] *n* **1.** brīdinājums; **2.** *sp.* piezīme
warrant ['wɒrənt] **I** *n* **1.** garantija; **2.** pilnvara; **3.** attaisnojums; **4.** (*aresta*) orderis; **II** *v* **1.** garantēt; **2.** pilnvarot
warship ['wɔ:ˌʃip] *n* karakuģis
wart [wɔ:t] *n* **1.** kārpa; **2.** trūkums; defekts
was [wɒz, wəz] *1. un 3. pers. p sing no* **to be**
wash [wɒʃ] **I** *n* **1.** mazgāšana; **2.** mazgāšanās; to have a w. – nomazgāties; **3.** (*mazgājamā*) veļa; **II** *v* **1.** mazgāt; **2.** mazgāties; to w. **up** – mazgāt traukus
washing-machine ['wɒʃiŋmə'ʃi:n] *n* veļas mazgājamā mašīna
washroom ['wɒʃru:m] *n amer.* tualete
wasp [wɒsp] *n* lapsene
waste [weist] **I** *n* **1.** (*laika, līdzekļu*) izšķiešana; **2.** atkritumi; atgriezumi; lūžņi; **3.** tuksnesis; **II** *a* **1.** tuksnesīgs; neapdzīvots; **2.** lieks; nevajadzīgs; **III** *v* šķiest (*laiku, līdzekļus*)
wasteful ['weistfəl] *a* izšķērdīgs
wastepaper [ˌweist'peipə] *n* makulatūra w. basket – papīrgrozs
watch[a] [wɒtʃ] **I** *n* **1.** sargs; sardze; **2.** novērošana; to keep w. – 1) vērot; 2) sargāt; **II** *v* **1.** novērot; **2.** skatīties; to w. TV – skatīties televīziju
watch[b] [wɒtʃ] *n* (*rokas vai kabatas*) pulkstenis
watchdog ['wɒtʃdɒg] *n* sargsuns (*arī pārn.*)
watchful ['wɒtʃfəl] *a* modrs; vērīgs
watch-maker ['wɒtʃˌmeikə] *n* pulksteņmeistars
watchword ['wɒtʃwɜ:d] *n* **1.** parole; **2.** lozungs
water ['wɔ:tə] **I** *n* ūdens; **II** *v* **1.** aplaistīt; ◇ in deep w. – nelaimē; **2.** dzirdināt (*lopus*)
Water Bearer ['wɔ:təˌbeərə] *n* Ūdensvīrs (*zvaigznājs un zodiaka zīme*)
watercolour ['wɔ:təˌkʌlə] *n* **1.** akvareļkrāsa; **2.** akvarelis
waterfall ['wɔ:təfɔ:l] *n* ūdenskritums
watering-place ['wɔ:təriŋpleis] *n* **1.** (*lopu*) dzirdinātava; **2.** kūrvieta
waterfowl ['wɔ:təfaʊl] *n* ūdensputns
waterlilly ['wɔ:təˌlili] *n* ūdensroze
watermark ['wɔ:təmɑ:k] *n* ūdenszīme
watermelon ['wɔ:təˌmelən] *n* arbūzs
waterproof [wɔ:təpru:f] **I** *n* lietusmētelis; **II** *a* ūdensnecaurlaidīgs

water-skiing ['wɔ:təski:iŋ] *n* ūdens-slēpošana

water-skis ['wɔ:təski:z] *n pl* ūdens-slēpes

waterworks ['wɔ:təwɜ:ks] *n pl* hidro-tehniskas ierīces

wattle ['wɔ:tl] *n* **1.** klūga; **2.** klūgu pinums

wave [weiv] **I** *n* **1.** vilnis; **2.** (*rokas*) mājiens; **II** *v* **1.** plīvot (*par karogu*); šūpoties (*par zaru*); **2.** māt (*ar roku*); **3.** cirtoties (*par matiem*); **4.** ieveidot (*matus*)

wavy ['weivi] *a* **1.** viļņains; **2.** cirtains (*par matiem*)

wax[a] [wæks] *n* vasks

wax[b] [wæks] *v* augt

way [wei] *n* **1.** ceļš; on the w. – pa ceļam; to lose one's w. – apmaldīties; **2.** veids; metode; w. of living – dzīvesveids; **3.** attālums; **4.** paradums; **5**. stāvoklis; in a family w. – grūtniecības stāvoklī; ◇ by the w. – starp citu

we [wi:, wi] *pron* mēs

weak [wi:k] *a* vājš

weakness ['wi:knis] *n* **1.** vārgums; **2.** vājība

wealth [welθ] *n* **1.** turība; pārticība; **2.** bagātība; pārpilnība

wealthy ['welθi] *a* bagāts; turīgs

weapon ['wepən] *n* ierocis

wear [weə] **I** *n* **1.** (*apģērba*) valkāšana; **2.** nodilums; **3.** apģērbs; **II** *v* (*p.* wore [wɔ:]; *p. p.* worn [wɔ:n]) **1.** valkāt (*apģērbu*); **2.** valkāties (*par apģērbu*); **3.** novalkāt; ◇ to w. **down** – nodilt; to w. **out** – 1) novalkāt; 2) novalkāties; 3) nogurdināt

wearies [wiəriz] *n sar.* skumjas

weariness ['wiərinis] *n* **1.** nogurums; **2.** garlaicība

wearisome ['wiərisəm] *a* **1.** nogurdinošs; **2.** garlaicīgs

weary ['wiəri] **I** *a* **1.** noguris; **2.** nogurdinošs; **3.** apnicīgs; **II** *v* **1.** nogurdināt; **2.** nogurt

weasel ['wi:zl] *n* zebiekste

weather [weðə] *n* (*meteoroloģiskais*) laiks; w. conditions – laika apstākļi

weave [wi:v] *v* (*p.* wove [wəʊv]; *p. p.* woven [wəʊvən]) **1.** aust; **2.** pīt

weaver ['wi:və] *n* audējs; audēja

web [web] *n* tīkls; spider's w. – zirnekļa tīkls

we'd [wi:d, wid] *sar. saīs. no* **1.** we had; **2.** we should; we would

wedding ['wediŋ] *n* kāzas; laulības

wedding-ring ['wediŋriŋ] *n* laulības gredzens

weed [wi:d] **I** *n* nezāle; **II** *v* ravēt

weedkiller ['wi:d,kilə] *n* herbicīds

week [wi:k] *n* nedēļa; this day w. – pēc nedēļas; ◇ a w. of Sundays – vesela mūžība

weekday ['wi:kdei] *n* darbdiena

weekend [,wi:k'end] *n* nedēļas nogale

weekly ['wi:kli] **I** *n* iknedēļas laikraksts (žurnāls); **II** *a* iknedēļas-; **III** *adv* ik nedēļu

weep [wi:p] *v* (*p. un p. p.* wept [wept]) **1.** raudāt; **2.** apraudāt

weigh [wei] *v* **1.** nosvērt; **2.** nosvērties; **3.** svērt; **4.** būt svarīgam; to w. **up** – apsvērt; apdomāt

weight [weit] *n* **1.** svars; to put on w. – pieņemties svarā; to lose w. – novājēt; **2.** svaru bumba, atsvars; **3.** svarīgums; nozīmīgums

weightlifting ['weit,liftiŋ] *n sp.* svarcelšana

weighty ['weiti] *a* **1.** smags; **2.** svarīgs; nozīmīgs

weird [wiəd] **I** *n* liktenis; **II** *a* **1.** liktenīgs; **2.** pārdabisks; **3.** dīvains

welcome ['welkəm] **I** *n* (*viesu*) apsveikšana; uzņemšana; **II** *a* **1.** vēlams; gaidīts; **2.**: he is w. to do it – es labprāt atļauju viņam to darīt; **III** *v* apsveikt; uzņemt; **IV** *int* laipni lūdzam!; esiet sveicināti!

welfare ['welfeə] *n* labklājība; social w. – sociālā apgāde

well[a] [wel] *n* **1.** aka; **2.** avots; **3.** (*lifta*) šahta

well[b] [wel] (*comp* better ['betə]; *sup* best [best]) **I** *a* **1.** labs; **2.** vesels; **II** *adv* labi; ◇ as w. as – kā arī; **III** *int* nu!

we'll [wi:l, wil] *sar. saīs. no* we shall; we will

well-balanced [,wel'bælənst] *a* līdzsvarots

wellbeing [,wel'bi:iŋ] *n* labklājība

well-born [,wel'bɔ:n] *a* no labas ģimenes

well-bred [,wel'bred] *a* **1.** labi audzināts; **2.** tīrasiņu- (*par lopiem*)

well-grounded [,wel'graʊndid] *a* **1.** pamatots, **2.** labi sagatavots (*kādā priekšmetā*)

well-known [,wel'nəʊn] *a* plaši pazīstams

well-looking [,wel'lʊkiŋ] *a* izskatīgs, pievilcīgs

well-minded [,wel'maindid] *a* labvēlīgs

well-to-do [,weltə'du:] *a* pārticis; turīgs

welsh [welʃ] *v* **1.** neatdot parādu; **2.** lauzt (*vārdu, solījumu*)

welter-weight ['weltəweit] *n sp.* pussmagais svars

went *p. no* **go II**

wept *p. un p. p. no* **weep**

were *p. pl no* **to be**

we're [wi:ə, wiə] *sar. saīs. no* we are

weren't [wɜ:nt] *sar. saīs. no* were not

west [west] **I** *n* rietumi; **II** *a* rietumu-; **III** *adv* uz rietumiem; ◇ to go w. *sl.* – aiziet pie senčiem; nomirt

western ['westən] **I** *n* vesterns, kovbojfilma; **II** *a* rietumu-

wet [wet] **I** *a* slapjš; mitrs; **II** *v* saslapināt; samitrināt

we've [wi:v, wiv] *sar. saīs. no* **we have**

whale [weil] **I** *n* valis, valzivs; **II** *v* medīt vaļus

whang [wæŋ] *sar.* **I** *v* rībināt; **II** *adv* tieši

what [wɒt] *pron* kas; ko; kāds; w. is it? – kas tas ir?; w. did you do? – ko tu darīji?; w. for? – kādēļ?; w. a lovely day! – cik jauka diena!

whatever [wɒ'tevə] **I** *pron* jebkurš; vienalga kas; **II** *a* vienalga kāds
wheat [wi:t] *n* kvieši
wheatmeal ['wi:tmi:l] *n* kviešu milti
wheel [wi:l] *n* **1.** ritenis; **2.** stūre
wheel-chair ['wi:ltʃeə] *n* (*invalīdu*) braucamkrēsls
whelp [welp] *n* **1.** kucēns; **2.** (*lāča, lauvas, tīģera*) mazulis
when [wen] **I** *adv* kad; **II** *conj* kad; tai laikā, kad
whenever [we'nevə] *conj* lai kad; kad vien; vienalga kad
where [weə] **I** *adv* **1.** kur; **2.** kurp, uz kurieni; **II** *conj*. tur, kur; turp, kurp
whereabouts ['weərəbaʊts] *n* aptuvena atrašanās vieta
whereas [weə'ræz] *conj* **1.** ievērojot, ka; tā kā; **2.** turpretī
whereby [weə'bai] *adv* ar ko; kā; sakarā ar ko
wherever [weə'revə] *conj* lai kur; kur vien
whether ['weðə] *conj* vai
whey [wei] *n* sūkalas
which [witʃ] kāds; kurš
while [wail] **I** *n* brīdis; laika sprīdis; for a w. – uz brīdi; **II** *v*: to w. away one's time – notriekt laiku; **III** *conj* **1.** kamēr; **2.** toties
whim [wim] *n* **1.** iegriba; kaprīze; **2.** dīvainība
whine [wain] *v* smilkstēt; žēli gaudot
whip [wip] **I** *n* pātaga; rīkste; **II** *v* **1.** sist ar pātagu; **2.** putot (*olas, krējumu*)
whippet ['wipit] *n* dzinējsuns
whirl [wɜ:l] **I** *n* virpulis; **II** *v* **1.** virpuļot; **2.** reibt (*par galvu*)
whirlpool ['wɜ:lpu:l] *n* atvars
whirlwind ['wɜ:l,wind] *n* viesulis
whiskers ['wiskəz] *n pl* **1.** vaigubārda; **2.** (*kaķa*) ūsas
whisky ['wiski] *n* viskijs
whisper ['wispə] **I** *n* **1.** čuksts; **2.** (*lapu*) čabēšana; **3.** (*ūdens*) čalas; **II** *v* **1.** čukstēt; **2.** čabēt; **3.** čalot
whistle ['wisl] **I** *n* **1.** svilpiens; **2.** svilpe; **II** *v* **1.** svilpt; **2.** svilpot
white [wait] **I** *n* (*olas, acs*) baltums; **II** *a* balts; ◇ w. frost – sarma
whitewash ['waitwɒʃ] *n* **1.** kaļķu šķīdums (*balsināšanai*); **2.** balsināšana
Whitsun, **Whitsunday** ['witsn, 'wit'sʌndi] *n* Vasarsvētki
who [hu:] *pron* kas; kurš
whoever [hu:'evə] *pron* kas vien; lai kas (kurš)
whole [həʊl] **I** *n* viss [kopā]; kopums; **II** *a* **1.** viss; the w. world – visa pasaule; **2.** vesels; neskarts
whole-hearted [həʊl'hɑ:tid] *a* patiess; sirsnīgs
wholesale ['həʊlseil] **I** *n* vairumtirdzniecība; **II** *a* vairumtirdzniecības-
wholesome ['həʊlsəm] *a* veselīgs (*par barību, gaisu*)
who'll [hu:l] *sar. saīs no* **1.** who shall; **2.** who will
wholly ['həʊli] *adv* pilnīgi

W

whom [hu:m] *pron* (*papildinātāja locījumos no* **who**) kam; kuram; ko; kuru

whose [hu:z] *pron* (*piederības locījumos no* **who**) kā; kura; w. house is it? – kā māja tā ir?

why [wai] *adv* kādēļ

wick [wik] *n* dakts; deglis

wicked ['wikid] *a* **1.** samaitāts; netikumīgs; **2.** ļauns

wicker ['wikə] *n* klūdziņas

wickerwork ['wikəwɜ:k] *n* klūdziņu pinums

wide [waid] **I** *a* **1.** plats; **2.** plašs; **II** *adv* **1.** plati; **2.** plaši; **3.** tālu

widen ['waidn] *v* **1.** paplašināt; **2.** paplašināties

widespread ['waidspred] *a* plaši izplatīts

widow ['widəʊ] **I** *n* atraitne; **II** *v* kļūt par atraitni

widower ['widəʊə] *n* atraitnis

width [widθ] *n* **1.** platums; **2.** plašums

wife [waif] *n* sieva

wig [wig] *n* parūka

wild [waild] *a* **1.** mežonīgs; savvaļas-; **2.** neapdzīvots; mežonīgs (*par apvidu*); **3.** saniknots; **4.** plēsīgs

wilderness ['wildənis] *n* mežonīgs apvidus

wild-life ['waildlaif] *n* **1.** dzīvā daba; **2.** savvaļas dzīvnieki

wildfowl ['waildfaʊl] *n* meža putns

wilful ['wilfəl] *a* **1.** stūrgalvīgs; **2.** apzināts

will[a] [wil] *n* **1.** griba; **2.** testaments

will[b] [wil] *v* (*p.* would [wʊd] **1.** (*kā palīgdarbības vārdu lieto 2. un 3. pers. sing un pl nākotnes formu veidošanai*): she w. come tomorrow – viņa atnāks rīt; **2.** (*kā mod. v 1. pers. izsaka solījumu, apņemšanos*): we w. help – mēs palīdzēsim; **3.** (*lieto jautājumos kā «lūdzu» ekvivalentu*): w. you come in? – lūdzu, nāciet iekšā!

willing ['wiliŋ] *a* labprātīgs; gatavs (*kaut ko*) darīt

willingly ['wiliŋli] *adv* labprāt; ar prieku

willow ['wiləʊ] *n* **1.** vītols; **2.** kriketa nūja

win [win] *v* (*p. un p. p.* won [wʌn]) uzvarēt

wind[a] [wind] *n* **1.** vējš; **2.** elpa

wind[b] [wind] **I** *n* **1.** vijums; **2.** (*ceļa, upes*) līkums; **II** *v* (*p. un p. p.* wound [waʊnd]) **1.** aizvīties, aizlocīties (*par upi, ceļu*); **2.** satīt; aptīt; **3.** (*arī* to w. up) uzvilkt (*pulksteni*)

windfall ['windfɔ:l] *n* **1.** vējgāze; **2.** kritušī augļi; **3.** negaidīta laime

windmill ['wind,mil] *n* vējdzirnavas

window ['windəʊ] *n* logs

window-case ['windəʊkeis] *n* skatlogs; vitrīna

windscreen ['windskri:n] *n* (*automobiļa*) aizsargstikls

windsurfing ['wind,sɜ:fiŋ] *n* vindsērfings

wine [wain] *n* vīns

wing [wiŋ] *n* **1.** spārns; **2.** (*ēkas*)

spārns; **3.** *mil.* flangs; **4.:** ~s – kulises

wink [wiŋk] *v* **1.** mirkšķināt; **2.** mirgot (*par zvaigznēm*)

winner ['winə] *n* uzvarētājs; laureāts

winter ['wintə] **I** *n* ziema; **II** *a* ziemas-

wipe [waip] *v* [no]slaucīt

wire ['waiə] **I** *n* **1.** stieple; **2.** (*telefona*) vads; **3.** *sar.* telegramma; **II** *v* **1.** sastiprināt ar stiepli; **2.** ievilkt (*piem., elektrības*) vadus

wisdom ['wizdəm] *n* gudrība

wise [waiz] *a* gudrs

wish [wiʃ] **I** *n* vēlēšanās; novēlējums; **II** *v* **1.** vēlēties; **2.** vēlēt

wit [wit] *n* **1.** prāts; out of one's ~s – zaudējis prātu; **2.** atjautība

witch [witʃ] *n* ragana

with [wið] *prep* **1.** ar; to write w. a pen – rakstīt ar pildspalvu; **2.** no; aiz; to shake w. cold – drebēt no aukstuma

withdraw [wið'drɔ:] *v* (*p.* withdrew [wið'dru:]; *p. p.* withdrawn [wið'drɔ:n]) **1.** izņemt (*piem., naudu no apgrozības*); **2.** ņemt atpakaļ (*piem., savus vārdus*); **3.** atkāpties (*par karaspēku*)

withdrawn *p. p. no* **withdraw**

withdrew *p. no* **withdraw**

wither ['wiðə] *v* **1.** novīst; nokalst; **2.** iznīkt

withhold [wið'həʊld] *v* aizturēt

without [wi'ðaʊt] *prep* bez

witness ['witnis] **I** *n* **1.** [acu]liecinieks; **2.** liecība; pierādījums; **II** *v* **1.** būt par [acu]liecinieku; **2.** liecināt (*tiesā*)

witty ['witi] *a* atjautīgs; asprātīgs

wizard ['wizəd] *n* burvis

woke *p. no* **wake**

woken *p. p. no* **wake**

wolf [wʊlf] *n* vilks; ◇ w. in sheep's clothing – vilks avju drānās

wolf-dog ['wʊlfdɒg] *n* vilku suns

wolfish ['wʊlfiʃ] *a* rijīgs; plēsīgs

woman ['wʊmən] *n* (*pl* women ['wimin]) sieviete

womb [wu:m] *n* dzemde; ◇ from the w. to the tomb – no šūpuļa līdz kapam

won *p. un p. p. no* **win**

wonder ['wʌndə] **I** *n* **1.** izbrīns; **2.** brīnums; **II** *v* **1.** brīnīties; **2.** interesēties; vēlēties uzzināt

wonderful ['wʌndəfəl] *a* brīnišķīgs; apbrīnojams

won't [wəʊnt] *sar. saīs. no* **will not**

wonted ['wəʊntid] *a* parasts

wood [wʊd] *n* **1.** mežs; **2.** koks; kokmateriāli; **3.** malka; ◇ to get out of the w. – izkulties no grūtībām; don't halloo till you are out of the w. – nepriecājies par agru

woodcut ['wʊdkʌt] *n* kokgriezums

woodcutter ['wʊd,kʌtə] *n* **1.** mežcirtējs; **2.** kokgriezējs

wooden ['wʊdn] *a* koka-

woodpecker ['wud,pekə] *n* dzenis

woodshed ['wʊdʃəd] *n* malkas šķūnis

wool [wʊl] *n* **1.** vilna; **2.** vilnas audums; **3.** vilnas dzija

word [wɜ:d] *n* **1.** vārds; in a w. – vārdu sakot; **2.** solījums
wording [ˈwɜ:diŋ] *n* formulējums
wore *p. no* **wear II**
work [wɜ:k] **I** *n* **1.** darbs; **2.** sacerējums; w. of art – mākslas darbs; **II** *v* **1.** strādāt; **2.** darboties
workday [ˈwɜ:kdei] *n* darbdiena
worker [ˈwɜ:kə] *n* strādnieks
working [ˈwɜ:kiŋ] *a* darba-
works[a] [wɜ:ks] *n* rūpnīca; darbnīca
works[b] [wɜ:ks] *n* mehānisms
workshop [ˈwɜ:kʃɒp] *n* darbnīca
world [wɜ:ld] *n* **1.** pasaule; **2.** sabiedrība
worm [wɜ:m] *n* **1.** tārps; **2.** kāpurs; **3.** (*skrūves*) vītne
worn *p. p. no* **wear II**
worry [ˈwʌri] **I** *n* raizes; rūpes; **II** *v* raizēties; uztraukties
worse [wɜ:s] **I** *a* (*comp no* **bad**) sliktāks; **II** *adv* (*comp no* **badly**) sliktāk
worship [ˈwɜ:ʃip] **I** *n* **1.** cienīšana; pielūgšana; **2.** *bazn.* dievkalpojums; **II** *v* cienīt; pielūgt
worst [wɜ:st] **I** *a* (*sup no* **bad**) vissliktākais; **II** *adv* (*sup no* **badly**) vissliktāk
worth [wɜ:θ] **I** *n* vērtība; cena; **II** *a predic* vērts
worthless [wɜ:θləs] *a* nevērtīgs; nederīgs
worthwhile [ˌwɜ:θˈwail] *a* vērtīgs; noderīgs
worthy [ˈwɜ:ði] *a* **1.** cienīgs; **2.** slavens
would [wʊd] *v* (*p. no* **will**[b]) **1.** (*kā palīgdarbības vārdu lieto 2. un 3. pers. sing un pl*) 1) *nākotnes pagātnē veidošanai*: he said he w. help us – viņš sacīja, ka mums palīdzēs; 2) *nosacījuma veidošanai:* it w. be better – būtu labāk; **2.** (*lieto atkārtotas, ar pagātni saistītas darbības izteikšanai*): she w. sit for hours by the fireplace – viņa mēdza stundām ilgi sēdēt pie kamīna
wouldn't [ˈwʊdnt] *sar. saīs. no* would not
wound[a] [wu:nd] **I** *n* ievainojums; brūce; **II** *v* ievainot
wound[b] *p. un p. p. no* **wind**[b]
wove *p. no* **weave**
wraith [reiθ] *n* gars; parādība
wrap [ræp] *v* **1.** ietīt; **2.** ietīties
wrapper [ˈræpə] *n* (*grāmatas*) apvāks
wreath [ri:ð] *n* **1.** vainags; **2.** (*dūmu*) grīste
wreck [rek] **I** *n* **1.** (*kuģa*) avārija; **2.** (*kuģa*) vraks; **3.** grausts; **II** *v* nogremdēt (*kuģi*)
wrench [rentʃ] *v* **1.** izraut; **2.** izmežģīt; **3.** izkropļot (*faktus*)
wrestle [ˈresl] **I** *n sp.* cīņa, cīkstēšanās; **II** *v* cīnīties; cīkstēties
wrestler [ˈreslə] *n* cīkstonis
wretched [ˈretʃid] *a* **1.** nožēlojams; **2.** slikts (*piem., par laiku*)
wring [riŋ] *v* (*p. un p. p.* wrung [rʌŋ]) **1.** saspiest; sagriezt; **2.** izgriezt (*veļu*)
wrinkle [ˈriŋkl] **I** *n* grumba; **II** *v* saraukt (*pieri*)

wrist [rist] *n* plaukstas locītava
wristwatch ['ristwɒtʃ] *n* rokas pulkstenis
write [rait] *v* (*p.* wrote [rəʊt]; *p. p.* written ['ritn]) rakstīt; w. protection *dat.* – pretierakstīšanas aizsardzība
writer ['raitə] *n* rakstnieks
written *p. p. no* **write**
wrong [rɒŋ] **I** *n* netaisnība; **II** *a* nepareizs; kļūdains; **III** *adv* nepareizi
wrongdoing ['rɒŋdu:iŋ] *n* ļaundarība
wrote *p. no* **write**
wrung *p. un p. p. no* **wring**
wry [rai] *a* šķībs; greizs

X

xenial ['zi:niəl] *a* viesmīlības-
xenophobia [ˌzenə'fəʊbiə] *n* ksenofobija
xerography [ze'rɒgrəfi] *n* kserogrāfija
xerox ['ziərɒks] *n* kserokss
Xmas ['krisməs] *n* (*saīs. no* **Christmas**) Ziemassvētki
X-modem *dat* X-modems
X-ray ['eksrei] **I** *n*: ~s *pl* – rentgenstari; X.-r. photograph (print) – rentgenuzņēmums; **II** *v* caurskatīt ar rentgenstariem
xylomite ['zailəmait] *n* celuloīds
xylophone ['zailəfəʊn] *n* ksilofons

Y

yacht [jɒt] **I** *n* jahta; **II** *v* burāt
yachting ['jɒtiŋ] *n* burāšana
yak [jæk] *n sl.* vientiesis; antiņš
yard[a] [jɑ:d] *n* jards
yard[b] [jɑ:d] *n* pagalms; sēta
yarn [jɑ:n] *n* dzija
yarrow ['jærəʊ] *n* pelašķi
yawn [jɔ:n] **I** *n* žāvas; **II** *v* žāvāties
year [jiə] *n* gads; ◇ y. in, y. out – gadu no gada
year-book ['jiəbʊk] *n* gadagrāmata
yearly ['jiəli] **I** *a* ikgadējs; **II** *adv* ik gadu
yearn [jə:n] *v* **1.** (to, towards) tiekties; ilgoties; **2.** (*for*; *after*) skumt
yearning ['jɜ:niŋ] *n* ilgas
yeast [ji:st] *n* raugs
yell [jel] **I** *n* (*spalgs*) kliedziens; **II** *v* kliegt; bļaut
yellow ['jeləʊ] *a* dzeltens
yes [jes] *partic* jā
yesterday ['jestədi] *adv* **1.** vakar; **2.** nesen
yet [jet] **I** *adv* **1.** vēl; **2.** līdz šim; **II** *conj* tomēr
yew [ju:] *n* īve

yield [ji:ld] **I** *n* raža; **II** *v* **1.** dot ražu (augļus); **2.** piekāpties; pakļauties

Y-modem *n dat.* y-modems

yolk [jəʊk] *n* olas dzeltenums

you [ju:, jʊ] jūs; tu

you'd [ju:d] *sar. saīs. no* **1.** you had; **2.** you would

young [jʌŋ] **I** *n* **1.** (*arī* the y.) jaunatne; **2.** (*dzīvnieku*) mazuļi; **II** *a* jauns

youngster ['jʌŋstə] *n* pusaudzis

your [jɔ:, jə] *pron* jūsu; tavs

you're [jɔ:] *sar. saīs. no* you are

yours [jɔ:z] *pron* jūsu; tavs

yourself [jə'self] *pron* (*pl* yourselves [jə'selvz]) **1.** sev; sevi; **2.** pats

youth [ju:θ] *n* **1.** jaunība; **2.** jauneklis; **3**. jaunatne; gilded y. – zelta jaunatne

youthful ['ju:θfəl] *a* jauns, jauneklīgs

you've [ju:v] *sar. saīs. no* you have

yowl [jaul] **I** *n* **1.** kauciens; **2.** kaukšana; gaudošana; **II** *v* kaukt; gaudot

yummy ['jʌmi] *a sar* gards

Z

zam [zæm] *n sl* eksāmens

zany ['zeini] *a* muļķīgs, smieklīgs

zeal [zi:l] *n* centība; dedzība

zealous ['zeləs] *a* centīgs; dedzīgs

zebra ['zi:brə] *n* zebra

zenith ['zeniθ] *n* zenīts; ◇ at the z. of one's fame – slavas augstumos

zero ['ziərəʊ] *n* nulle

zest [zest] *n* **1.** pikantums (*arī pārn.*); **2.** aizrautība

zinc [ziŋk] *n* cinks

zip-fastener [ˌzip'fɑ:snə] *n* rāvējslēdzējs

zip[**per**] ['zip(ə)] *n sk.* **zip-fastener**

Z-modem *dat.* Z-modems

zodiac ['zəʊdiək] *n astr.* zodiaks

zone [zəʊn] *n* zona; josla

zoo [zu:] *n* zooloģiskais dārzs

zoology [zəʊ'ɒlədʒi] *n* zooloģija

zoom [zu:m] *v* mainīt objektīva fokusa attālumu

zooty ['zu:ti] *sl* **I** *n* stilīgais; **II** *a* stilīgi ģērbies

zwieback ['zwi:bæk] *n* sausiņi

ĢEOGRĀFISKIE NOSAUKUMI

Accra [ə'krɑ] Akra
Adriatic Sea [,eidriætik'si:] Adrijas jūra
Aegean Sea [i'dʒi:ən'si:] Egejas jūra
Afghanistan [æf,geni'stɑ:n] Afganistāna
Africa ['æfrikə] Āfrika
Alaska [ə'læskə] Aļaska
Albania [æl'beiniə] Albānija
Aleutian Islands [ə'lu:ʃən, ailəndz] Aleutu salas
Algeria [æl'dʒiəriə] Alžīrija
Algiers [æl'dʒiəz] Alžīra
Alps [ælps] Alpi (*kalni*)
Amazon ['æməzən] Amazone
America [ə'merikə] Amerika
American Samoa [ə'merikən sə'məʊə] Amerikāņu Samoa
Amman [ə'mɑ:n] Ammāna
Amsterdam ['æmstədæm] Amsterdama
Andes ['ændi:z] Andi (*kalni*)
Andorra [æn'dɔ:rə] Andora
Angola [æŋ'gəʊlə] Angola
Ankara ['ænkərə] Ankara
Antarctic Continent [ænt'ɑ:ktik'kɒntinənt] Antarktīda (*kontinents*)
Antarctic Region [ænt'ɑ:ktik'ri:dʒən] Antarktika (*polārais apvidus*)
Antilles [æn'tili:z] Antiļu salas
Antwerp ['æntwɜ:p] Antverpene
Appenines ['æpinainz] Apenīni (*kalni*)
Arabia [ə'reibiə] Arābija
Arctic, Arctic Region ['ɑ:ktik, 'ɑ:ktik'ri:dʒən] Arktika (*Zemes galējais ziemeļu apvidus*)
Arctic Ocean ['ɑ:ktik'əʊʃən] Ziemeļu Ledus okeāns
Argentina [,ɑ:dʒən'ti:nə] Argentīna
Armenia [ɑ:'mi:niə] Armēnija
Aruba [ə'ru:bə] Aruba
Asia ['eiʃə] Āzija
Athens ['æθinz] Atēnas
Atlanta [ət'læntə] Atlanta
Atlantic Ocean [ət'læntik'əʊʃn] Atlantijas okeāns
Australia [ɒ'streiliə] Austrālija
Austria ['ɒstriə] Austrija
Azerbaijan [,æzəbai'dʒɑ:n] Azerbaidžāna
Azores [ə'zɔ:z] Azoru salas

Bahamas [bə'hɑ:məz] Bahamas
Bahrain [bɑ:'rein] Bahreina
Balkans ['bɔ:lkənz] Balkānu kalni
Baltic Sea ['bɔ:ltik'si:] Baltijas jūra
Bangkok ['bæŋkɒk] Bangkoka
Bangladesh [,bænglə'deʃ] Bangladeša
Barcelona [,bɑ:si'ləʊnə] Barselona
Beirut [bei'ru:t] Beirūta
Belarus ['belərəs] Baltkrievija
Belgium ['beldʒəm] Beļģija

Belgrade [bel'greid] Belgrada
Berlin [bɜ:'lin] Berlīne
Bermuda [Islands] [bə'mju:də ('ailəndz)] Bermudu Salas, Bermudas
Berne [bɜ:n] Berne
Bishkek [biʃ'kek] Biškeka
Black Sea ['blæk'si:] Melnā jūra
Bolivia [bə'liviə] Bolīvija
Bombay [bɒm'bei] Bombeja
Bonn [bɒn] Bonna
Bosnia and Herzegovina ['bɒzniəənd,hɜ:tsəgə ʊ'vi:nə] Bosnija un Hercegovina
Bosphorus ['bɒspərəs] Bosfors (*jūras šaurums*)
Boston ['bɒstən] Bostona
Botswana [bɒ'tswɑ:nə] Botsvāna
Bourkina Fasso [bʊrki'nɑ:fʌ'sɔ:] Burkinafaso
Brasilia [brə'ziliə] Brazilja
Bratislava [,bræti'slɑ:və] Bratislava
Brazil [brə'zil] Brazīlija
Brooklyn ['brʊklin] Bruklina
Brussels ['brʌslz] Brisele
Bucharest ['bju:kərest] Bukareste
Budapest ['bju:dəpest] Budapešta
Buenos Aires ['bwenə,aiəriz] Buenosairesa
Bulgaria [bʌl'geəriə] Bulgārija
Byelorussia [bi,eləʊ'rʌʃə] Baltkrievija

Cairo ['kaiərəʊ] Kaira
Calcutta [kæl'kʌtə] Kalkuta
California [,kæli'fɔ:niə] Kalifornija
Cambodia [kæm'bəʊdiə] Kambodža
Cambridge ['keimbridʒ] Kembridža
Cameroon [,kæmə'ru:n] Kamerūna
Canada ['kænədə] Kanāda
Canary Islands [kə'neəri'ailəndz] Kanāriju salas
Cannes [kæn] Kannas
Cape of Good Hope [,keipəvgʊd'həʊp] Labās Cerības rags
Cape Town ['keiptaʊn] Keiptauna
Caracas [kə'rækəs] Karakasa
Caribbean Sea [,kæri'biən'si:] Karību jūra
Carpathians [kɑ:'peiθiənz] Karpati (*kalni*)
Caucasus ['kɔ:kəsəs] Kaukāzs
Cayman Islands ['keimən,ailəndz] Kaimanu salas
Central African Republic ['sentrəl 'æfrikənri 'pʌblik] Centrālāfrikas Republika
Ceylon [si'lɒn] *sk.* **Sri Lanka**
Chad [tʃæd] Čada
Chicago [ʃi'kɑ:gəʊ] Čikāga
Chile ['tʃili] Čīle
China ['tʃainə] Ķīna
Christmas Island ['krisməs,ailənd] Ziemsvētku sala
Cleveland ['kli:vlənd] Klīvlenda
Cocos Islands ['kəʊkəs,ailəndz] Kokosu (Kīlinga) salas
Cologne [kə'ləʊn] Ķelne
Colombia [kə'lɒmbiə] Kolumbija
Colombo [kə'lɒmbəʊ] Kolombo
Colorado [,kɒlə'rɑ:dəʊ] Kolorādo

Congo [ˈkɒŋgəu] Kongo
Cook Islands [ˈkʊkˌailəndz] Kuka salas
Copenhagen [ˈkəʊpnˈheign] Kopenhāgena
Cordilleras [ˌkɔ:diˈljeərəz] Kordiljeri (*kalni*)
Cornwall [ˈkɔ:nwɔ:l] Kornvola
Costa Rica [ˌkɒstəˈri:kə] Kostarika
Croatia [krəʊˈeiʃə] Horvātija
Cuba [ˈkju:bə] Kuba
Cyprus [ˈsaiprəs] Kipra
Czechia [ˈtʃekiə] Čehija

Dakar [ˈdækɑ:] Dakara
Dallas [ˈdæləs] Dalasa
Damascus [dəˈmɑ:skəs] Damaska
Danube [ˈdænju:b] Donava
Dardanelles [ˌdɑ:dəˈnelz] Dardaneļi (*jūras šaurums*)
Delhi [ˈdeli] Deli
Denmark [ˈdenmɑ:k] Dānija
Detroit [dəˈtrɔit] Detroita
Dominica [ˌdɒmiˈni:kə] Dominika
Dominicana [dəˌminiˈkænə] Dominikāna
Dublin [ˈdʌblin] Dublina

Ecuador [ˈekwədɔ:] Ekvadora
Edinburgh [ˈedinbərə] Edinburga
Egypt [ˈi:dʒipt] Ēģipte
El Salvador [elˈsælvədɔ:] Salvadora
England [ˈiŋglænd] Anglija
English Channel [ˈiŋgliʃtʃænəl] Lamanšs (*jūras šaurums*)
Estonia [esˈtəʊniə] Igaunija
Ethiopia [ˌiθiˈəʊpiə] Etiopija
Eton [ˈi:tən] Ītona
Europe [ˈjʊərəp] Eiropa
Everest [ˈevərist] Everests

Falkland Islands [ˈfɔ:kləndˌailəndz] Folklendas, Folklenda (Malvinu) salas
Faroe Islands [ˈfeərəʊzˌɑiləndz] Farēru (Fēru) salas
Fiji [ˈfi:dʒi] Fidži
Finland [ˈfinlənd] Somija
Florida [ˈflɒridə] Florida
France [frɑ:ns] Francija

Gabon [gæˈbɒn] Gabona
Gaborone [ˌgɑ:bəˈrəʊni] Gabarone
Gambia [ˈgæmbiə] Gambija
Ganges [ˈgændʒi:z] Ganga (*upe*)
Geneva [dʒiˈni:və] Ženēva
Georgia [ˈdʒɔ:dʒiə] Gruzija
Germany [ˈdʒ3:məni] Vācija
Ghana [ˈgɑ:nə] Gana
Gibraltar [dʒiˈbrɔ:ltə] Gibraltārs, Gibraltāra šaurums
Glasgow [ˈglɑ:sgəʊ] Glāzgova
Great Britain [ˌgreitˈbritn] Lielbritānija
Greece [gri:s] Grieķija
Greenland [ˈgri:nlənd] Grenlande
Greenwich [ˈgrinidʒ] Griniča
Guatemala [ˌgwɑ:təˈmɑ:lə] Gvatemala
Guinea [ˈgini] Gvineja
Guinea-Bissau [ˈginibiˈsaʊ] Gvineja-Bisava
Guyana [gaiˈænə] Gajāna

Hague [heig] Hāga
Haiti ['heiti] Haiti
Hanoi [hə'nɔi] Hanoja
Harlem ['hɑ:ləm] Hārlema
Havana [hə'vænə] Havana
Hawaiian Islands [hɑ:'waii:ən'ailəndz] Havaju salas
Heard and Mc Donald ['hɜ:dændmæk'dɒnld] Hērda un Makdonalda salas
Helsinki ['helsiŋki] Helsinki
Himalayas [,himə'leiəz] Himalaji (*kalni*)
Hiroshima [hi'rɒʃimə] Hirosima
Holland ['hɒlənd] Holande
Hollywood ['hɒlivʊd] Holivuda
Honduras [hɒn'djʊərəs] Hondurasa
Hong Kong [,hɒŋ'kɒŋ] Honkonga
Houston ['hju:stən] Hjūstona
Hudson ['hʌdsn] Hudzona
Hungary ['hʌngəri] Ungārija

Iceland ['aislənd] Islande
India ['indiə] Indija
Indian Ocean ['indiən'əʊʃən] Indijas okeāns
Indonesia [,ində'ni:ziə] Indonēzija
Iran [i'rɑ:n] Irāna
Iraq [i'rɑ:k] Irāka
Ireland ['aiələnd] Īrija
Islamabad [iz,lɑ:mə'bɑ:d] Islāmabada
Israel ['izreil] Izraēla
Istanbul [,istæn'bu:l] Stambula
Italy ['itəli] Itālija

Jakarta [dʒə'kɑ:tə] Džakarta
Jamaica [dʒə'meikə] Jamaika
Japan [dʒə'pæn] Japāna
Java ['dʒɑ:və] Java
Jerusalem [dʒə'ru:sələm] Jeruzāleme
Johannesburg [dʒəʊ'hænisbɜ:g] Johannesburga
Jordan ['dʒɔ:dn] **1.** Jordānija (*valsts*); **2.** Jordāna (*upe*)

Kabul ['kɔ:bl] Kabula
Kampuchea [,kæmpʊ'tʃi:ə] *sk.* **Cambodia**
Kansas ['kenzəs] Kanzasa
Kashmir [kæʃ'miə] Kašmira
Katmandu [,kɑ:tmɑ:n'du:] Katmandu
Kazakhstan [,kæzək'stɑ:n] Kazahstāna
Kentucky [kən'tʌki] Kentuki
Kenya ['keniə] Kenija
Kigali [ki'gɑ:li] Kigali
Kilimanjaro [,kilimən'dʒɑ:rəʊ] Kilimandžāro (*kalns*)
Klondike ['klɒndaik] Klondaika
Korea [kə'riə] Koreja
Kuala Lumpur [,kwɑ:lə'lʊmpʊə] Kualalumpura
Kuwait [kʊ'weit] Kuveita
Kyrgyzstan [kɜ:'gistɑ:n] Kirgizstāna

Laos ['lɑ:ɒs] Laosa
Latvia ['lætviə] Latvija
Lebanon ['lebənən] Libāna
Liberia [lai'biəriə] Libērija
Libya ['libiə] Lībija
Liechtenstein ['liktənstain] Lihtenšteina
Lima ['limə] Lima

Lisbon [ˈlizbən] Lisabona
Lithuania [ˌliθʊˈeiniə] Lietuva
Liverpool [ˈlivəpu:l] Liverpūle
London [ˈlʌndən] Londona
Los Angeles [lɒsˈændʒili:z] Losandželosa
Luanda [lu:ˈændə] Luanda
Luxemburg [ˈlʌksəmbɜ:g] Luksemburga

Macedonia [ˌmæsiˈdəʊniə] Maķedonija
Madagaskar [ˌmædəˈgæskə] Madagaskara
Madeira [məˈdiərə] Madeiras salas
Madrid [məˈdrid] Madride
Maine [mein] Mena
Malaysia [məˈleiziə] Malaizija
Maldives [ˈmɔ:ldivz] Maldīvija
Mali [ˈmɑ:li] Mali
Malta [ˈmɔ:ltə] Malta
Manchester [ˈmæntʃistə] Mančestra
Manila [məˈnilə] Manila
Maputo [məˈpu:təʊ] Maputu
Marseilles [ˌmɑ:ˈsei] Marseļa
Marshall Islands [ˈmɑ:ʃlˌailəndz] Māršala Salas
Massachusetts [ˌmæsəˈtʃu:sits] Masačūsetsa
Mauritius [məˈriʃəs] Maurīcija
Mediterranean Sea [ˌmeditəˈreiniənˈsi:] Vidusjūra
Melbourne [ˈmelbən] Melburna
Mexico City [ˈmeksikəʊˈsiti] Mehiko
Mexico [ˈmeksikəʊ] Meksika
Miami [maiˈæmi] Maiami
Michigan [ˈmiʃigən] Mičigana (*salu kopa*); Mičigans (*ezers*)
Micronesia [ˌmaikrəʊˈni:ziə] Mikronēzija (*salu kopa*)
Minneapolis [ˌminiˈæpəlis] Mineapolisa
Mississippi [ˌmisiˈsipi] Misisipi (*upe*)
Missouri [miˈzəʊri] Misūri (*upe*)
Moldova [mɒlˈdəʊvə] Moldova
Monaco [ˈmɒnəkəʊ] Monako
Mongolia [mɒŋˈgəʊliə] Mongolija
Mont Blanc [ˈmɒnˈblɑ:ŋ] Monblāns (*kalni*)
Montana [mɒnˈtɑ:nə] Montāna
Montreal [ˌmɒntriˈɔ:l] Monreāla
Morocco [məˈrɒkəʊ] Maroka
Moscow [ˈmɒskəʊ] Maskava
Mozambique [ˌməʊzəmˈbi:k] Mozambika
Munich [ˈmju:nik] Minhene

Nairobi [naiˈrəʊbi] Nairobi
Namibia [næˈmibiə] Namībija
Naples [ˈneiplz] Neapole
Nepal [niˈpɔ:l] Nepāla
Netherlands [ˈneðələndz] Nīderlande
Netherlands Antilles [ˈneðələndzænˈtili:z] Antiļas
New Caledonia [ˌnju:ˌkæliˈdəʊniə] Jaunkaledonija
New Guinea [ˌnju:ˈgini] Jaungvineja
New Hampshire [ˌnju:ˈhæmpʃə] Ņūhempšīra
New York [ˈnju:jɔ:k] Ņujorka
New Zealand [ˌnju:ˈzi:lənd] Jaunzēlande

Newcastle [ˈnju:kɑ:sl] Ņūkāsla
Newfoundland [ˌnju:fəndlənd] Ņūfaundlenda
Niagara Falls [naiˈægərəˈfɔ:lz] Niagaras ūdenskritums
Nicaragua [ˌnikəˈrægjʊə] Nikaragva
Niger [ni:ˈʒeə] Nigēra
Nigeria [naiˈdʒiəriə] Nigērija
Nile [nail] Nīla
Norfolk [ˈnɔ:fək] Norfolka
North America [ˈnɔ:θəˈmerikə] Ziemeļamerika
North Carolina [ˈnɔ:θˌkærəˈlainə] Ziemeļkarolīna
North Sea [ˈnɔ:θˈsi:] Ziemeļjūra
Northern Ireland [ˈnɔ:ðənˈaiələnd] Ziemeļīrija
Norway [ˈnɔ:wei] Norvēģija
Nottingham [ˈnɒtiŋəm] Notingema

Oceania [ˌəʊsiˈɑ:niə] Okeānija (*salu kopa*)
Ohio [əʊˈhaiəʊ] Ohaio
Oman [əʊˈmɑ:n] Omāna
Ontario [ɒnˈteəriəʊ] Ontārio (*Kanādas province, ezers*)
Orinoko [ˌɒriˈnəʊkə] Orinoko (*upe*)
Oslo [ˈɒzləu] Oslo
Ottawa [ˈɒtəvə] Otava
Oxford [ˈɒksfəd] Oksforda

Pacific Ocean [pəˈsifikˈəʊʃn] Klusais okeāns
Pakistan [ˌpɑ:kiˈstɑ:n] Pakistāna
Palestine [ˈpælistain] Palestīna
Pamirs [pəˈmiəz] Pamirs (*kalni*)
Panama [ˌpænəˈmɑ:] Panama
Papua New Guinea [ˈpæpjʊənju:ˈgini] Papua-Jaungvineja
Paraguay [ˈpærəgwai] Paragvaja
Paris [ˈpæris] Parīze
Pearl Harbour [ˈpɜ:lˈhɑ:bə] Pērlahārbora
Peking (Beijing) [pi:ˈkiŋ, beiˈdʒiŋ] Pekina
Perth [pɜ:θ] Pērta
Peru [pəˈru:] Peru
Philadelphia [ˌfiləˈdelfiə] Filadelfija
Philippines [ˈfilipi:nz] Filipīnas
Phnompenh [ˌnɒmˈpen] Pnompeņa
Pittsburgh [ˈpitsbɜ:g] Pitsburga
Poland [ˈpəʊlənd] Polija
Porto-Novo [ˌpɔ:təʊˈnəʊvəʊ] Portonovo
Portugal [ˈpɔ:tʃʊgl] Portugāle
Prague [prɑ:g] Prāga
Puerto Rico [ˈpwɜ:təʊˈri:kəʊ] Puertoriko
Pyrenees [ˌpirəˈni:z] Pireneji (*kalni*)

Qatar [ˈkʌtɑ:] Katara
Quebec [kwiˈbek] Kvebeka
Queensland [ˈkwi:nzlænd] Kvīnslenda

Red Sea [ˈredˈsi:] Sarkanā jūra
Republic of South Africa [riˈpʌblikəv ˈsaʊθˈæfrikə] Dienvidāfrikas Republika
Reykjavik [ˈreikjəvi:k] Reikjavīka
Riga [ˈri:gə] Rīga
Rio de Janeiro [ˈri:əʊdədʒəˈniərəʊ] Riodežaneiro

Rockies, **Rocky Mountains** [ˈrɒkiz, ˈrɒkiˌmaʊntinz] Klinšu kalni
Romania [rəˈmeiniə] Rumānija
Rome [rəʊm] Roma
Rotterdam [ˈrɒtədəm] Roterdama
Russia [ˈrʌʃə] Krievija
Rwanda [rʊˈændə] Ruanda

Sahara [səˈhɑ:rə] Sahāra
Samoa [səˈməʊ] Rietumsamoa
San Francisco [ˌsænfrənˈsiskəʊ] Sanfrancisko
San Jose [ˌsænhəʊˈzəi] Sanhosē
San Marino [ˌsænməˈri:nəʊ] Sanmarīno
San Salvador [sænˈsælvədɔ:] Sansalvadora
Santiago [ˌsæntiˈɑ:gəʊ] Santjago
Santo Domingo [ˌsæntədəʊˈmiŋgəʊ] Santodomingo
Sao Paulo [saʊŋˈpaʊlu:] Sanpaulu
Sarajevo [ˈsærəˈjeivəʊ] Sarajeva
Saudi Arabia [ˌsaʊdiəˈreibiə] Saūda Arābija
Scotland [ˈskɒtlənd] Skotija
Senegal [ˌseniˈgɔ:l] Senegāla
Seoul [səʊl] Seula
Seychelles [ˈseiʃəlz] Seišeļu Salas
Shanghai [ʃæŋˈhai] Šanhaja
Sierra Leone [siˌerəliˈəʊn] Sjerraleone
Singapore [ˌsiŋgəˈpɔ:] Singapūra
Slovakia [sləʊˈvækiə] Slovākija
Sofia [ˈsəʊfiə] Sofija
Solomon Islands [ˈsɒləmənˌailəndz] Zālamana Salas
Somalia [səˈmɑ:liə] Somālija
South Africa [ˌsaʊθˈæfrikə] Dienvidāfrikas Republika
South America [ˌsaʊθəˈmerikə] Dienvidamerika
Spain [spein] Spānija
Sri Lanka [ˌsriˈlæŋkə] Šrilanka
St. Hellens [ˌsentiˈli:nə] Svētās Helēnas sala
St. Lucia [səntˈlu:ʃə] Sentlūsija
St. Peterburg [səntˈpi:təzbɜ:g] Sanktpēterburga
Stockholm [ˈstɒkhəʊm] Stokholma
Sudan [su:ˈdɑ:n] Sudāna
Suez Canal [ˈsu:izkəˈnæl] Suecas kanāls
Sweden [ˈswi:dn] Zviedrija
Switzerland [ˈswitsələnd] Šveice
Sydney [ˈsidni] Sidneja
Syria [ˈsiriə] Sīrija

Tahiti [tɑ:ˈhiti] Taiti
Taipei [taiˈpei] Taibeja, Taipeja
Taiwan [taiˈvɑ:n] Taivāna
Tajikistan [tɑ:dʒikiˈstɑ:n] Tadžikistāna
Tallin [ˈtɑ:lin] Tallina
Tanzania [ˌtænzəˈniə] Tanzānija
Tasmania [tæzˈmeiniə] Tasmanija (*sala*)
Teh[e]ran [tiəˈrɑ:n] Teherāna
Tel Aviv [ˌteləˈvi:v] Telaviva
Texas [ˈteksəs] Teksasa
Thailand [ˈtailænd] Taizeme
Thames [temz] Temza (*upe*)
Tokyo [ˈtəʊkjəʊ] Tokija
Toronto [təˈrɒntəʊ] Toronto

Tripoli [ˈtripəli] Tripole
Tunis [ˈtju:nis] Tunisa
Tunisia [tju:ˈniziə] Tunisija
Turin [ˌtjʊəˈrin] Turīna
Turkey [ˈtɜ:ki] Turcija
Turkmenistan [ˌtɜ:kmeniˈstɑ:n] Turkmenistāna

Uganda [ju:ˈgændə] Uganda
Ukraine [ju:ˈkrein] Ukraina
Ulan Bator [ˈu:lənˈbɑ:tə] Ulanbatora
United Arab Emirates [ju:ˈnaitidˈærəbeˈmiərits] Apvienotie Arābu Emirāti
United Kingdom of Great Britain and Northern Ireland [ju:ˈnaitidˈkiŋdəm əvˈgreitˈbritnənˈnɔðənˈaiələnd] Lielbritānijas un Ziemeļīrijas Apvienotā Karaliste
United States of America [juˈ:naitid ˈsteitsəvəˈmerikə] Amerikas Savienotās Valstis
Upper Volta [ˈʌpəˈvɒltə] *sk.* **Bourkina Fasso**
Uruguay [ˈjʊərəgwai] Urugvaja
Utah [ˈju:tɑ:] Jūta
Uzbekistan [ˌuzbekiˈstɑ:n] Uzbekistāna

Vancouver [vænˈku:və] Vankūvera
Vanuatu [ˌvænʊˈɑ:tu:] Vanuatu
Vatican [ˈvætikən] Vatikāns
Venezuela [ˌveniˈzweilə] Venecuēla
Vienna [viˈenə] Vīne
Vientiane [ˌvjæŋˈtjɑ:n] Vjentjana
Vietnam [ˌvi:etˈnæm] Vjetnama
Vilnius [ˈvilniəs] Viļņa
Virgin Islands (British) [ˈvɜ:dʒinˌailəndz] Virdžinas salas

Wales [weilz] Velsa
Warsaw [ˈwɔ:sɔ:] Varšava
Washington [ˈwɑʃiŋtən] Vašingtona
Waterloo [ˌwɔ:təˈlu:] Vaterlo
Wellington [ˈweliŋtən] Velingtona
West Bank of Jordan [ˌwestbæŋkəvˈdʒɔ:dn] Jordānas upes Rietumu Krasts
Western Sahara [ˈwestənsəˈhɑ:rə] Rietumsahāra
Western Samoa [ˈwestənsəˈməʊə] Rietumsamoa
White Sea [ˈwaitˈsi:] Baltā jūra

Xian [ziən] Siaņa
Xianggang [zæŋ ˈgæŋ] *sk.* **Hong Kong**

Yellow Sea [ˈjeləʊˈsi:] Dzeltenā jūra
Yemen [jemən] Jemena
Yokohama [ˌjəʊkəʊˈhɑ:mə] Jokohama
Yugoslavia [ˌju:gəʊˈslɑ:viə] Dienvidslāvija
Yukon [ˈjʊkən] Jukona (*upe*)

Zagreb [ˈzɑ:greb] Zagreba
Zaire [zɑ:ˈiə] Zaira
Zambezi [zæmˈbi:zi] Zambeze (*upe*)
Zambia [ˈzæmbiə] Zambija
Zimbabwe [zimˈbɑ:bwi] Zimbabve

TAUTAS, VALODAS

Afghan ['æfgæn] *n* **1.** afgānis; afgāniete; **2.** afgāņu valoda
African ['æfrikən] *n* afrikānis; afrikāniete
Alaskan [ə'læskən] *n* Aļaskas iedzīvotāji
Algerian [æl'dʒiəriən] *n* alžīrietis, alžīriete
Albanian [æl'beiniən] *n* **1.** albānis; albāniete; **2.** albāņu valoda
American [ə'merikən] *n* amerikānis; amerikāniete
American Indian [ə'merikən 'indiən] *n* amerindiānis; amerindiāniete
Anglo-American [,æŋləʊə'merikən] *n* angļu izcelsmes amerikānis (*vai* amerikāniete); angloamerikānis, angloamerikāniete
Anglo-Indian [,æŋgləʊ 'indiən] *n* **1.** angloindietis; angloindiete; **2.** anglis, kas pastāvīgi dzīvo Indijā
Arab ['ærəb] *sk.* **Arabian**
Arabian ['æreibiən] *n* arābs; arābiete
Argentine ['ɑ:dʒəntam] *sk.* **Argentinian**
Argentinian [,ɑ:dʒən 'tiniən] *n* argentīnietis; argentīniete
Armenian [ɑ:'mi:niən] *n* **1.** armēnis; armēniete; **2.** armēņu valoda
Australian [ɒ'streiliən] *n* austrālietis; austrāliete
Australasian [,ɒstrə'leiʒn] *n* austrālāzietis; austrālāziete
Austrian ['ɒstriən] *n* austrietis; austriete
Azerbaijani [,æzəbai'dʒɑ:ni] *n* **1.** azerbaidžānis; azerbaidžāniete; azerbaidžāņi; **2.** azerbaidžāņu valoda

Basque [bæsk] *n* **1.** basks; **2.** basku valoda
Belgian ['beldʒən] *n* beļģietis; beļģiete
Bengali [beŋ'qɔ:li] *n* bengālis, bengāliete; **2.** bengāļu valoda
Brazilian [brə'ziliən] *n* brazīlietis; brazīliete
Bulgarian [bʌl'geəriən] *n* **1.** bulgārs; bulgāriete; **2.** bulgāru valoda
Byelorussian [,bjelə'rʌʃn] *n* **1.** baltkrievs; baltkrieviete; **2.** baltkrievu valoda

Canadian [kə'neidiən] *n* kanādietis; kanādiete
Chinese [,tʃai'ni:z] *n* ķīnietis, ķīniete; the Ch. – ķīnieši; **2.** ķīniešu valoda
Congolese [,kɒŋgəʊli:z] *n* kongojietis; kongojiete

Croat [ˈkrəʊæt] *n* horvāts
Cuban [ˈkju:bən] *n* kubietis; kubiete
Czech [tʃek] *n* **1.** čehs; čehiete; **2.** čehu valoda
Cholo [ˈtʃəʊləʊ] *n* (*pl* Cholos [ˈtʃəʊləʊz]) Latīņamerikas indiānis; metiss
Cingalese [ˌsiŋgəˈli:z] *n* **1.** singālis; singāliete; **2.** singāliešu valoda
Circassion [sɜ:ˈkæsiən] *n* **1.** čerkess; čerkesiete; **2.** čerkesu valoda
Cossack [ˈkɒsæk] *n* kazaks
Czech [tʃek] *n* **1.** čehs; čehiete; **2.** čehu valoda

Dane [dein] *n* dānis; dāniete
Danish [ˈdeiniʃ] *n* dāņu valoda
Dutch [dʌtʃ] *n* **1.**: the D. – holandieši; **2.** holandiešu valoda
Dutchman [ˈdʌtʃmən] *n* **1.** holandietis; **2.** *amer.* vācietis
Dutchwoman [ˈdʌtʃˌwʊmən] *n* holandiete

English [ˈiŋgliʃ] *n* **1.** angļu valoda; **2.**: the E. – angļi
Egyptian [iˈdʒipʃn] *n* ēģiptietis; ēģiptiete
Eskimo [ˈeskiməʊ] *n* **1.** eskimoss; eskimosiete; **2.** eskimosu valoda
Ethiopian [ˌi:θiˈeʊpiən] *n* etiopietis; etiopiete

French [frentʃ] *n* **1.** franču valoda; **2.**: the F. – franči

Georgian [ˈdʒɔ:dʒiən] *n* **1.** gruzīni; gruzīniete; **2.** gruzīnu valoda
German [ˈdʒɜ:mən] *n* **1.** vācietis; vāciete; **2.** vācu valoda
Greek [gri:k] *n* **1.** grieķis; grieķiete; **2.** grieķu valoda

Hungarian [hʌŋˈgeəriən] *n* **1.** ungārs; ungāriete; **2.** ungāru valoda

Icelander [ˈaislændə] *n* islandietis; islandiete
Icelandic [ˈaisˈlændik] *n* islandiešu valoda
Indian [ˈindiən] *n* **1.** indietis; indiete; **2.** indiānis; indiāniete
Indo-European [ˌindəʊjʊərəˈpi:ən] *a* indoeiropiešu; I.-E. languages – indoeiropiešu valodas
Iranian [iˈreiniən] *n* irānis; irāniete
Iraci [iˈrɑ:ki] *n* Irākas iedzīvotāji
Irish [ˈaiəriʃ] *n* **1.**: the I. – īri; **2.** īru valoda

Irishman [ˈaiəriʃmən] *n* īrs
Irishwoman [ˈaiəriʃˌwʊmən] *n* īriete
Israeli [izˈreili] *n* izraēlietis; izraēliete; Izraēlas valsts iedzīvotāji
Italian [iˈtæliən] *n* **1.** itālietis; itāliete; **2.** itāliešu valoda

Japanese [ˌdʒæpəˈni:z] *n* **1.** japānis; japāniete; **2.** japāņu valoda
Jew [dʒu:] *n* ebrejs
Jewess [ˈdʒu:is] *n* ebrejiete
Jugoslav [ˌju:gəʊˈslɑ:v] *n* Dienvidslāvijas iedzīvotājs

Kampuchean [ˌkæmpʊˈtʃiən] *n* kampucietis; kampuciete
Kazakh [kʌˈzɑ:k] *n* **1.** kazahs; kazahiete; **2.** kazahu valoda
Korean [kəˈriən] *n* **1.** korejietis; korejiete; **2.** korejiešu valoda

Latvian [ˈlætviən] *n* **1.** latvietis; latviete; **2.** latviešu valoda
Lithuanian [ˌliθju:ˈeiniən] *n* **1.** lietuvietis; lietuviete; **2.** lietuviešu valoda

Macedonian [ˌmæsiˈdəʊniən] *n* maķedonietis; maķedoniete
Magyar [ˈmægjɑ:] **I** *n* **1.** ungārs; ungāriete; magāri; magāriete; **2.** ungāru valoda; **II** *a* ungāru-; magāru
Mexican [ˈmeksikən] *n* meksikānis; meksikāniete
Mogul [ˈməʊgl] *n* mongolis
Moldavian [mɒlˈdeiviən] *n* **1.** moldāvs, moldāviete; **2.** moldāvu valoda

Netherlander [ˈneðələndə] *n* Nīderlandes iedzīvotāji; holandietis
Nipponese [ˌnipəˈni:z] *n* (*pl* Nipponese) japānis; japāniete
Norse [nɔ:s] *n* **1.** norvēģu valoda; **2.** *pl* skandināvi; norvēģi
Norsman [ˈnɔ:smən] *n* norvēģis; skandināvs
Norvegian [nɔ:ˈwi:dʒən] *n* **1.** norvēģis; norvēģiete; **2.** norvēģu valoda

Pakistani [ˌpɑ:kiˈstɑ:ni] *n* pakistānietis, pakistāniete
Panaminian [ˌpænəˈmeinjən] *n* panamietis; panamiete
Polish [ˌpəʊliʃ] *n* poļu valoda
Portuguese [ˌpɔ:tʃʊˈgi:z] *n* **1.** portugālis; portugāliete; **2.** portugāļu valoda

Romanian [ru:ˈmeniən] *n* **1.** rumānis; rumāniete; **2.** rumāņu valoda

Romany [ˈrɒməni] *n* **1.** čigāns; čigāniete; **2.** čigānu valoda
Russian [ˈrʌʃn] *n* **1.** krievs; krieviete; **2.** krievu valoda

Serbian [ˈsɜ:biən] *n* **1.** serbs; serbiete; **2.** serbu valoda
Slovak [ˈsləʊvæk] **I** *n* **1.** slovaks; slovakiete; **2.** slovaku valoda; **II** *a* slovaku-
Slavonian [sləˈvəʊniən] *n* **1.** slovēnis; slovēnietis; **2.** slāvs; slāviete; **3.** slovēņu valoda
Slovene [ˈsləʊvi:n] *n* slovēnis; slovēniete
Slovenian [sləʊˈvi:niən] **I** *n* slovēņu valoda
Swiss [swis] *n* šveicietis; šveiciete

Tadjik [tɑ:ˈdʒik] *n* **1.** tadžiks; tadžikiete; **2.** tadžiku valoda
Tartar [ˈtɑ:tə] *n* **1.** tatārs; tatāriete; **2.** tatāru valoda
Tunisian [tjʊˈniziən] *n* tunisietis; tunisiete
Turk [tɜ:k] *n* turks; turciete
Turkish [ˈtɜ:kiʃ] turku valoda
Turkmen [ˈtɜ:kmən] *n* **1.** turkmēnis; turkmēniete; **2.** turkmēņu valoda

Ukrainian [ju:ˈkreiniən] *n* **1.** ukrainis; ukrainiete; **2.** ukraiņu valoda

Venetian [vəˈhi:ʃn] venēcietis; venēciete
Venezuelan [ˌveneˈzweilən] *n* venecuēlietis; venecuēliete
Vietnamese [ˌvjetnəˈmi:z] *n* vjetnamietis, vjetnamiete; vjetnamieši

Yugoslav [ˌju:gəʊˈslɑ:v] *n* dienvidslāvs; dienvidslāviete

STARPTAUTISKI ATZĪTO VALSTU UN TERITORIJU NOSAUKUMI

Par *city* angļu valodā saucamas septiņas lielākās Latvijas pilsētas: Rīga, Liepāja, Daugavpils, Ventspils, Jelgava, Jūrmala un Rēzekne. Pārējās Latvijas pilsētas angliski būtu saucamas tikai par *town*, bet vismazākās — arī par *small town*. Pašvaldība angliski saucama par *local government*, pilsētas dome — *town council*, pilsētas valde — *board*, bet administratīvi teritoriālās vienības angliski tulkojamas šādi:

apriņķis — *country*
rajons — *district*
pagasts — *civil parish*
ciems — *village*
skrajciems (sādža) — *dispersed village*
viensēta — *farm*
bijušais (pamestais) ciems — *former village*
mazciems — *hamlet*
vasarnīcu ciemats — *summer houses*

Nosaukums angliski	*Trīs burtu kods*	*Nosaukums latviski*
Afghanistan	AFG	Afganistāna
Albania	ALB	Albānija
Algeria	DZA	Alžīrija
American Samoa	ASM	Amerikāņu Samoa
Andorra	AND	Andora
Angola	AGO	Angola
Anguilla	AIA	Angilja (Lielbritānija)
Antarctica	ATA	Antarktika
Antigua and Barbuda	ATG	Antigva un Barbuda
Argentina	ARG	Argentīna
Armenia	ARM	Armēnija
Aruba	ABW	Aruba (Nīderlande)
Australia	AUS	Austrālija
Austria	AUT	Austrija
Azerbaijan	AZE	Azerbaidžāna

Bahamas	BHS	Bahamu Salas, Bahamas
Bahrain	BHR	Bahreina
Bangladesh	BGD	Bangladeša
Barbados	BRB	Barbadosa
Belarus	BLR	Baltkrievija
Belgium	BEL	Beļģija
Belize	BLZ	Beliza
Benin	BEN	Benina
Bermuda	BMU	Bermudu Salas, Bermudas (Lielbritānija)
Bhutan	BTN	Butāna
Bolivia	BOL	Bolīvija
Bosnia and Herzegowina	BIH	Bosnija un Hercegovina
Botswana	BWA	Botsvāna
Bouvet Island	BVT	Buvē sala (Norvēģija)
Brazil	BRA	Brazīlija
British Indian Ocean Territory	IOT	Britu Indijas okeāna teritorija
Brunei Darusalam	BRN	Bruneja
Bulgaria	BGR	Bulgārija
Burkina Faso	BFA	Burkinafaso
Burundi	BDI	Burundi
Cambodia	KHM	Kambodža
Cameroon	CMR	Kamerūna
Canada	CAN	Kanāda
Cape Verde	CPV	Kaboverde
Cayman Islands	CYM	Kaimanu salas (Lielbritānija)
Central African Republic	CAF	Centrālāfrikas Republika
Chad	TCD	Čada
Chile	CHL	Čīle
China	CHN	Ķīna
Christmas Island	CXR	Ziemsvētku sala (Austrālija)
Cocos (Keeling) Islands	CCK	Kokosu (Kīlinga) salas (Austrālija)

Colombia	COL	Kolumbija
Comoros	COM	Komoru salas
Congo	COG	Kongo
Cook Islands	COK	Kuka salas (Jaunzēlande)
Costa Rica	CRI	Kostarika
Cote D'ivoire	CIV	Kotdivuāra
Croatia	HRV	Horvātija
Cuba	CUB	Kuba
Cyprus	CYP	Kipra
Czech Republic	CZE	Čehija
Denmark	DNK	Dānija
Djibouti	DJI	Džibutija
Dominica	DMA	Dominika
Dominican Republic	DOM	Dominikanas Republika
East Timor	TMP	Austrumtimora (Indonēzija)
Ecuador	ECU	Ekvadora
Egypt	EGY	Ēģipte
El Salvador	SLV	Salvadora
Equatorial Guinea	GNQ	Ekvatoriālā Gvineja
Eritrea	ERI	Eritreja
Estonia	EST	Igaunija
Ethiopia	ETH	Etiopija
Falkland Islands (Malvinas)	FLK	Folklenda (Malvinu) salas (Lielbritānija)
Faroe Islands	FRO	Farēru (Fēru) salas (Dānija)
Fiji	FJI	Fidži
Finland	FIN	Somija
France	FRA	Francija
France, Metropolitan	FXX	Francija (Metropole)
French Guiana	GUF	Franču Gviāna
French Polynesia	PYF	Franču Polinēzija
French Southern Territories	ATF	Franču dienvidu teritorijas

Gabon	GAB	Gabona
Gambia	GMB	Gambija
Georgia	GEO	Gruzija
Germany	DEU	Vācija
Ghana	GHA	Gana
Gibraltar	GIB	Gibraltārs (Lielbritānija)
Greece	GRC	Grieķija
Greenland	GRL	Grenlande (Dānija)
Grenada	GRD	Grenada
Guadeloupe	GLP	Gvadelupa (Francija)
Guam	GUM	Guama (ASV)
Guatemala	GTM	Gvatemala
Guinea	GIN	Gvineja
Guinea-Bissau	GNB	Gvineja-Bisava
Guyana	GUY	Gajāna
Haiti	HTI	Haiti
Heard and Mc Donald Islands	HMD	Hērda un Makdonalda salas (Austrālija)
Honduras	HND	Hondurasa
Hong Kong	HKG	Honkonga (Ķīna)
Hungary	HUN	Ungārija
Iceland	ISL	Islande
India	IND	Indija
Indonesia	IDN	Indonēzija
Iran (Islamic Republic of)	IRN	Irāna
Iraq	IRQ	Irāka
Ireland	IRL	Īrija
Israel	ISR	Izraēla
Italy	ITA	Itālija
Jamaica	JAM	Jamaika
Japan	JPN	Japāna
Jordan	JOR	Jordānija
Kazakhstan	KAZ	Kazahstāna
Kenya	KEN	Kenija
Kiribati	KIR	Kiribati
Korea, Democratic	PRK	Korejas Tautas

People's Republic of		Demokrātiskā Republika
Korea, Republic of	KOR	Korejas Republika
Kuwait	KWT	Kuveita
Kyrgyzstan	KGZ	Kirgizstāna
Lao People's Democratic Republic	LAO	Laosa
Latvia	LVA	Latvija
Lebanon	LBN	Libāna
Lesotho	LSO	Lesoto
Liberia	LBR	Libērija
Libyan Arab Jamahiriya	LBY	Lībija
Liechtenstein	LIE	Lihtenšteina
Lithuania	LTU	Lietuva
Luxembourg	LUX	Luksemburga
Macau	MAC	Makao (Portugāle)
Macedonia, the Former Yugoslav Republic of	MKD	Maķedonija
Madagaskar	MDG	Madagaskara
Malawi	MWI	Malāvija
Malaysia	MYS	Malaizija
Maldives	MDV	Maldivija
Mali	MLI	Mali
Malta	MLT	Malta
Marshall Islands	MHL	Māršala salas
Martinique	MTQ	Martinika (Francija)
Mauritania	MRT	Mauritānija
Mauritius	MUS	Maurīcija
Mayotte	MYT	Majota (Francija)
Mexico	MEX	Meksika
Micronesia, Federated States of	FSM	Mikronēzijas Valstu Federācija
Moldova, Republic of	MDA	Moldova
Monaco	MCO	Monako
Mongolia	MNG	Mongolija
Montserrat	MSR	Montserrata (Lielbritānija)

Morocco	MAR	Maroka
Mozambique	MOZ	Mozambika
Myanmar	MMR	Mjanma
Namibia	NAM	Namībija
Nauru	NRU	Nauru
Nepal	NPL	Nepāla
Netherlands, the	NLD	Nīderlande
Netherlands Antilles	ANT	Antiļas (Nīderlande)
New Caledonia	NCL	Jaunkaledonija (Francija)
New Zealand	NZL	Jaunzēlande
Nicaragua	NIC	Nikaragva
Niger	NER	Nigēra
Nigeria	NGA	Nigērija
Niue	NIU	Niue (Jaunzēlande)
Norfolk Island	NFK	Norfolka (Austrālija)
Northern Mariana Islands	MNP	Ziemeļu Marianas (ASV)
Norway	NOR	Norvēģija
Oman	OMN	Omāna
Pakistan	PAK	Pakistāna
Palau	PLW	Palau
Panama	PAN	Panama
Papua New Guinea	PNG	Papua-Jaungvineja
Paraguay	PRY	Paragvaja
Peru	PER	Peru
Philippines	PHL	Filipīnas
Pitcairn	PCN	Pitkērna (Lielbritānija)
Poland	POL	Polija
Portugal	PRT	Portugāle
Puerto Rico	PRI	Puertoriko (ASV)
Qatar	QAT	Katara
Reunion	REU	Reinjona (Francija)
Romania	ROM	Rumānija
Russian Federation	RUS	Krievija
Rwanda	RWA	Ruanda

Saint Kitts and Nevis	KNA	Sentkitsa un Nevisa
Saint Lucia	LCA	Sentlūsija
Saint Vincent and the Grenadines	VCT	Sentvinsenta un Grenadīnas
Samoa	WSM	Rietumsamoa
San Marino	SMR	Sanmarīno
Sao Tome and Principe	STP	Santome un Prinsipi
Saudi Arabia	SAU	Saūda Arābija
Senegal	SEN	Senegāla
Seychelles	SYC	Seišelu Salas
Sierra Leone	SLE	Sjerraleone
Singapore	SGP	Singapūra
Slovakia	SVK	Slovākija
Slovenia	SVN	Slovēnija
Solomon Islands	SLB	Zālamana Salas
Somalia	SOM	Somālija
South Africa	ZAF	Dienvidāfrikas Republika
South Georgia and the South Sandwich Islands	SGS	Dienviddžordžija un Dienvidsendviču salas (Lielbritānija)
Spain	ESP	Spānija
Sri Lanka	LKA	Šrilanka
St. Helena	SHN	Svētās Helēnas sala (Lielbritānija)
St. Pierre and Miquelon	SPM	Senpjēra un Mikelona (Francija)
Sudan	SDN	Sudāna
Suriname	SUR	Surinama
Svalbard and Jan Mayen Islands	SJM	Svalbāra un Jana Majena sala (Norvēģija)
Swaziland	SWZ	Svazilenda
Sweden	SWE	Zviedrija
Switzerland	CHE	Šveice
Syrian Arab Republic	SYR	Sīrija
Taiwan, Province of China	TWN	Taivana

Tajikistan	TJK	Tadžikistāna
Tanzania, United Republic of	TZA	Tanzānija
Thailand	THA	Taizeme
Togo	TGO	Togo
Tokelau	TKL	Tokelau (Jaunzēlande)
Tonga	TON	Tonga
Trinidad and Tobago	TTO	Trinidada un Tobago
Tunisia	TUN	Tunisija
Turkey	TUR	Turcija
Turkmenistan	TKM	Turkmenistāna
Turks and Caicos Islands	TCA	Tērksas un Kaikosas (Lielbritānija) salas
Tuvalu	TUV	Tuvalu
Uganda	UGA	Uganda
Ukraine	UKR	Ukraina
United Arab Emirates	ARE	Apvienotie Arābu Emirāti
United Kingdom	GBR	Lielbritānija
United States	USA	Amerikas Savienotās Valstis
United States Minor Outlying Islands	UMI	ASV Mazās Aizjūras teritorijas
Uruguay	URY	Urugvaja
Uzbekistan	UZB	Uzbekistāna
Vanuatu	VUT	Vanuatu
Vatican City State (Holy See)	VAT	Vatikāns
Venezuela	VEN	Venecuēla
Viet Nam	VNM	Vjetnama
Virgin Islands (British)	VGB	Britu Virdžīnas
Virgin Islands (U.S.)	VIR	Amerikāņu Virdžīnas
Wallis and Futuna Islands	WLF	Volisa un Futuna (Francija)
Western Sahara	ESH	Rietumsahāra (Maroka)

Yemen	YEM	Jemena
Yugoslavia	YUG	Dienvidslāvija
Zaire	ZAR	Zaira
Zambia	ZMB	Zambija
Zimbabwe	ZWE	Zimbabve

PLAŠI IZPLATĪTI SAĪSINĀJUMI

A. C. ante Christum *lat.* – pirms Kristus, pirms mūsu ēras
ACM Association for Computing Machinery – Skaitļošanas tehnikas asociācija
act. /... acting ... – ... vietas izpildītājs
A. D. anno Domini *lat.* – mūsu ēras-
ADC analog-to-digital converter – analogciparu pārveidotājs
AIDS acquired immune deficiency syndrome – iegūtā imūndeficīta sindroms, AIDS
a. k. a. also known as – pazīstams arī kā
am above-mentioned – iepriekšminētais
a. m. ante meridiem *lat.* – priekšpusdienā
ANSI American National Standards Institute – Amerikas Nacionālais standartu institūts
a. o. and others – un citi
AP Associated Press – informācijas aģentūra
approx. approximately – aptuveni
ARPANET Advanced Research Projects Agency Network – Perspektīvo pētījumu pārvaldes tīkls
asap as soon as possible – cik drīz vien iespējams
asst. assistant – asistents
Av[e]. Avenue – avēnija

BA Bachelor of Arts – humanitāro zinātņu bakalaurs
Balt. Baltic – 1) Baltijas-; 2) baltu-
B. C. before Christ – pirms Kristus, pirms mūsu ēras
BC birth certificate – dzimšanas apliecība
BCH codes Bose–Choudhuri–Hocquenghem codes – Bouza–Čoudhuri–Hokenhema kodi
BENELUX Belgium, Netherlands, Luxemburg – Benilukss (Beļģija, Nīderlande un Luksemburga)
BG British Government – Anglijas valdība
BIOS Basic Input Output System – ievadizvades pamatsistēma

B/L bill of loading – transporta pavadzīme
Blvd. Boulevard – bulvāris
BNF Backus–Naur Form – Bekusa–Naura forma
bp birthplace – dzimšanas vieta
bps bit per second – biti sekundē
BS Bachelor of Science – eksakto zinātņu bakalaurs
BSC binary synchronous communication – binārā sinhronā komunikācija

C centigrade – Celsija temperatūras skala
c. a., c/a current account – tekošais rēķins
CCITT Comite Consultatif International Telegraphique et Telephonique – Starptautiskā Telegrāfijas un telefonijas konsultatīvā komiteja
cf. confer – salīdzini
ch. chapter – nodaļa
cit. cited – citēts
class. classification – klasifikācija
CMEA Council for Mutual Economic Assistance *vēst.* – Savstarpējās ekonomiskās palīdzības padome, SEPP
Co. company – kompānija, sabiedrība
cp. compare – salīdzini
CRC cyclic redundancy check – cikliskā redundances pārbaude
cu. cubic – kubisks, kubik-
c.v. curriculum vitae *lat.* – īsa autobiogrāfija (*ko iesniedz, stājoties darbā*)
cwt hudredweight – centners

DAC digital–to–analog converter – ciparanalogu pārveidotājs
DDD dircct distance dialling – tieša tālsaruna
deg degree – grāds
dep. departure – atiešana
dep. deputy – vietnieks
Dept department – departaments; pārvalde
Dir. director – direktors
DMA direct memory access – atmiņas tiešpieeja
DOB date of birth – dzimšanas datums
Dr. Drive – aleja; ceļš
Dr. doctor – doktors

DTE data terminal equipment – datu galiekārta
dupl. duplicate – dublikāts

E east – austrumi
E.B.R.D. Europen Bank of Reconstruction and Development – Eiropas rekonstrukcijas un attīstības banka, ERAB
EC European Community – Eiropas kopiena
ECMA European Computer Manufacturer's Association – Eiropas datoru ražotāju asociācija
ECU European currency unit – ekijs (*Eiropas norēķinu naudas vienība*)
ed. 1. edition – izdevums; **2.** editor – redaktors
e. g. exampli gratia *lat.* – piemēram
EIA Electronic Industries Association – Elektroniskās rūpniecības uzņēmumu apvienība
Enc[yc]. encyclop[a]edia – enciklopēdija
EP European Parliament – Eiroparlaments
esp. especially – sevišķi
Esq. Esquire – eskvairs
excl. excluding – izņemot
exp. expirity [date] – derīguma termiņš

F Fahrenheit – Fārenheita temperatūras skala
f feminine *lat.* – sieviešu- [dzimtes-]
FBI Federal Bureauof Investigation – Federālais izmeklēšanas birojs (ASV)
FCS Frame Check Sequence *dat.* – kadra pārbaudes sekvence
FIFO First In–First Out *dat.* – pirmais iekšā–pirmais ara
f. o. c. free on charge – bez maksas
fol., foll. following – sekojošais
frq. frequent – parasts; bieži lietots
ft 1. foot – pēda; **2.** feet – pēdas

g gram – grams
GA General Assembly – Ģenerālā Asambleja
gal gallon – galons
GB Great Britain – Lielbritānija

gen. **1.** gender – dzimte; **2.** general – vispārējs
GMT Greenwich Mean Time – vidējais laiks pēc Griničas meridiāna
GP general practitioner – iecirkņa ārsts; vispārēja profila ārsts
h hour – stunda
ha hectare – hektārs
HDLC Highlevel Data Link Control – datu posma augsta līmeņa vadība
HF high frequency – augstfrekvence
hi–fi high fidelity – augstas precizitātes-
hist. **1.** history – vēsture; **2.** historic – vēsturisks
Hon. Honourable – godātais
hp. horse-power – zirgspēks; jauda
hr. hour – stunda
hwt. hundredweight – centners (Anglijā – 50,8 kg, ASV – 45,36 kg)

ib ibidem *lat.* – turpat
IBM International Business Machines – Starptautiskās biznesa mašīnas (*kompānija*)
IC integral circuit – integrālā shēma
id. idem *lat.* – tas pats
ID: ID card – personas apliecība
ie id est *lat.* – tas ir
IFIP – International Federation for Information Processing – Starptautiskā informācijas apstrādes federācija
IMF International Monetary Fund – Starptautiskais valūtas fonds
in inch – colla
Inc. Incorporated – reģistrēts kā korporācija
incl. including – ieskaitot
inst. instant – šā mēneša-
I/O Input-Output *dat.* – ievadizvade
IR infra-red – infrasarkans
IRC International Red Cross – Starptautiskais Sarkanais krusts
ISDN Integrated Services Digital Network – integrētā servisa ciparītkls
ITU International Telecommunication Union – Starptautiskā telekomunikā-cijas savienība
IU international unit – Starptautiskā vienība
IUS International Union of Students – Starptautiskā studentu savienība

JC Jesus Christ – Jēzus Kristus
jun. junior – juniors; jaunākais

K Kelvin scale – Kelvina temperatūras skalas grādi
K kilo – tūkstotis; kilo-
kg kilogram – kilograms
km kilometre – kilometrs
kph kilometres per hour – kilometri stundā

L. Latin – latīņu-
l litre – litrs
L/A letter of authority – pilnvara (*dokuments*)
LAN Local Area Network – lokālais datoru tīkls
LAP Link Access Procedure – datu posma pieejas procedūra
lat. latitude – (*ģeogrāfiskais*) platums
lb libra *lat.* – mārciņa
LD lethal dose – nāvējoša deva
LIFO Last–In, First–Out *dat.* – pēdējais iekšā–pirmais ārā
LL longitude and latitude – (*ģeogrāfiskais*) garums un platums
Ln lane – [šaura] ieliņa
lo-fi low fidelity – zemas precizitātes-
LSI Large Scale Integration – augstas pakāpes integrācija
Ltd. limited – ar ierobežotu atbildību; ierobežots

m male – vīriešu dzimtes-
M master – maģistrs
MA Master of arts – humanitāro zinātņu maģistrs
max. maximum – maksimums
mfr. manufacturer – izgatavotājs
mi mile – jūdze
min. minimum – minimums
min minute – minūte
ml mile – jūdze
mm millimetre – milimetrs
MO money order – naudas pārvedums (*pa pastu*)
mph miles per hour – jūdzes stundā

Mr. Mister – misters
Mrs. Mistress – misis
Ms miss/mistress – sieviete (*nezinot, neuzsverot, vai tā precējusies*)
MSc master of Science – zinātņu maģistrs

N north – ziemeļi
NATO North Atlantic Treaty Organization – Ziemeļatlantijas pakta organizācija
N. B. nota bene *lat.* – ievēro [labi]
NBS National Bureau of Standards – Nacionālais standartu birojs
neg. negative – negatīvs
no. number – 1) numurs; 2) skaitlis
NT New Testament – Jaunā Derība
ntwt net weight – neto svars

obs. obsolete – novecojis
OECD Organization for Economic Cooperation and Development – Ekonomiskās sadarbības un attīstības organizācija
of. official – oficiāls
OK all correct – viss kārtībā
OOO out of order – bojāts; nav kārtībā
orig. 1. origin – izcelšanās; **2.** original – oriģināls
OS operating system – operētājsistēma
OSI Open Systems Interconnection – Atvērto Sistēmu Sadarbība (ASS)
OT Old Testament – Vecā Derība
oz ounce – unce
ozs ounces – unces

p. page – lappuse
p. a. per annum *lat.* – gadā; ik gadus
p. c. per cent – procents
PC personal computer – personālais skaitļotājs
pct. per cent – procents
PDU Protocol Data Unit – protokola datu bloks
p. h. per hour – stundā
pharm. pharmaceutical – farmaceitisks
pkg. package – sūtījums

Pl. place – laukums
p. m. post meridiem *lat.* – pēcpusdienā
pp. pages – lappuses
PROM Programmable Read–Only Memory – programmējošā lasāmatmiņa
Pres president – prezidents
Prof. professor – profesors
pt pint – pinte
p. w. per week – nedēļā

Q., q. quintal – kvintāls (Anglijā – 50,8 kg, ASV – 45,36 kg)
QQ equator – ekvators
qq. questions – jautājumi
qt quart – kvarta
q. v. quod vide *lat.* – skaties (*tekstā*)

RAM Random – Access Memory *dat.* – brīvpieejas atmiņa
RC Red Cross – Sarkanais Krusts
Rd road – ceļš
rec. received – saņemts
reg. registered – ierakstīts (*par pasta sūtījumiem*)
rm. room – istaba; telpa
ROM Read – Only Memory *dat.* – brīvpieejas atmiņa
RS: RS codes *dat.* – Reed–Solomon codes – Rīda–Solomona kodi
RTL Register Transfer Language *dat.* – starpreģistru pārsūtīšanas valoda

S south – dienvidi
sc. scale – mērogs
SDLC Synchronous Data Link Control *dat.* – datu posma sinhronā vadība
SE stock exchange – birža
sec second – sekunde
Sen. Senior – vecākais; seniors
Soc. Society – biedrība
sp. 1) special – speciāls; 2) specific – specifisks
Sq Square – laukums
St. saint – svētais
St. Street – iela

T temperature – temperatūra
tel. telephone – telefons
temp. temporary – pagaidu-
tlx telex – telekss
TT teletype – teletaips
TV television – televīzija

U Union – savienība
UFO unidentified flying object – nezināms lidojošs objekts
USIA United States Information Agency – ASV informācijas aģentūra
UT Universal time – pasaules laiks

val. value – vērtība
var. variant – variants
VHF very high frequency – ļoti augsta frekvence
viz. videlicet *lat.* – tas ir; protams
VLF very low frequency – ļoti zema frekvence
VLSI very large – scale integration – ļoti augstas pakāpes integrācija
v. v. vice versa *lat.* – otrādi

W west – rietumi
WAN wide area network – teritoriālais [datoru] tīkls
WC water closet – tualete
Wh White House – Baltais nams
WHO World Health Organization – Pasaules veselības [aizsardzības] organizācija
wk. week – nedēļa
wt. weight – svars

Yd yard – jards
yr year – gads

Z zone – zona
Z. G. zoological garden – zooloģiskais dārzs

PERSONVĀRDI

Vīriešu vārdi

Abram	['eibrəm (-ræm)]	Eibrems, Ābrams
Adam	['ædəm]	Edams, Ādams
Albert	['ælbət (-bə:t)]	Elberts, Alberts
Alec(k)	['ælik]	Eleks, Aleks
Alexander	[ˌælig'zɑ:ndə]	Eleksānders, Aleksandrs
Alfred	['ælfrid]	Elfreds, Alfreds
Al[l]an	['ælən]	Elans, Alans
Andrew	['ændru:]	Endrū
Andrews	['ændru:z]	Endrūzs
Andy	['ændi]	Endijs
Anthony	['æntəni]	Entonijs, Antonijs
Antony	['æntəni]	Entonijs, Antonijs
Archibald	['ɑ:tʃib(ə)ld]	Ārčibolds, Ārčibalds
Archie	['ɑ:tʃi]	Ārčijs
Arnold	['ɑ:nəld]	Ārnolds, Arnolds
Arthur	['ɑ:θə]	Arturs
Aubrey	['ɔ:bri]	Obrijs
August	['ɔ:gəst]	Ogests, Augusts
Austin	['ɔ:stin]	Ostins
Baker	['bəikə]	Beikers
Baldwin	['bɔ:ldwin]	Boldvins
Bart	[bɑ:t]	Bārts
Barney	['bɑ:ni]	Bārnijs
Basil	['bæzl]	Bezils, Bazils
Ben	[ben]	Bens
Benedict	['benidikt]	Benedikts
Bennet(t)	['benit]	Benets
Bennie, Benny	['beni]	Benijs
Bernard	['bɜ:nəd]	Bernards
Bert	[bɜ:t]	Bērts

Bertie	[ˈbɜ:ti]	Bērtijs
Bertram	[ˈbɜ:trəm]	Bērtrams
Bill	[bil]	Bills
Billy	[ˈbili]	Billijs
Blair	[bleə]	Blērs
Bob	[bɒb]	Bobs
Bobby	[ˈbɒbi]	Bobijs
Brian	[ˈbraiən]	Braiens
Bruce	[bru:s]	Brūss
Burk	[bɜ:k]	Bērks
Calvin	[ˈkælvin]	Kalvins
Carl	[kɑ:l]	Kārls
Cecil	[ˈsesl]	Sesils
Cedric	[ˈsi:drik]	Sīdriks, Sedriks
Charles	[tʃɑ:lz]	Čārlss, Čārlzs
Charley, Charlie	[ˈtʃɑ:li]	Čārlijs
Chris	[kris]	Kriss
Christian	[ˈkristjən]	Kristjens
Christopher	[ˈkristəfə]	Kristofers
Clare	[kleə]	Klērs
Clark[e]	[klɑ:k]	Klārks
Claud, Claude	[klɔ:d]	Klods
Clifford	[ˈklifəd]	Klifords
Clyde	[klaid]	Klaids
Colin	[ˈkɒlin]	Kolins
Colley	[ˈkɒli]	Kolijs
Conan	[ˈkəʊnən]	Konans
Connor	[ˈkɒnə]	Konors
Conrad, Conrade	[ˈkɒnræd]	Konreds, Konrads
Cornelius	[kɔ:ˈni:liəs]	Kornīljuss, Kornēlijs
Cuthbert	[ˈkʌθbət]	Katberts
Dan	[dæn]	Dens
Daniel	[ˈdænjəl]	Denjels, Daniels
Dannie, Danny	[ˈdæni]	Denijs

Dave	[deiv]	Deivs
David	[ˈdeivid]	Deivids,Dāvids
Davies, Davis	[ˈdeivis]	Deiviss
Davy	[ˈdeivi]	Deivijs
Den(n)is	[ˈdenis]	Deniss
Derek	[ˈderik]	Dereks
Derrick	[ˈderik]	Deriks
Dick	[dik]	Diks
Dickon	[ˈdikən]	Dikons
Dicky	[ˈdiki]	Dikijs
Dob	[dɒb]	Dobs
Dobbin	[ˈdɒbin]	Dobins
Donald	[ˈdɒnld]	Donalds
Dorian	[ˈdɔ:riən]	Dorians
Douglas	[ˈdʌgləs]	Daglass, Duglass
Dudley	[ˈdʌdli]	Dadlijs
Ed	[ed]	Eds
Eddie, Eddy	[ˈedi]	Edijs
Eden	[ˈi:dn]	Īdens
Edgar	[ˈedgə]	Edgars
Edmund	[ˈedmənd]	Edmunds
Edward	[ˈedwəd]	Edvards
Edwin	[ˈedwin]	Edvins
Eldred	[ˈeldrid]	Eldreds
Elgar	[ˈelgə]	Elgars
Emmanuel	[iˈmænjʊəl]	Imenjuels, Emanuēls
Eneas	[i:ˈni:æs]	Ainejs, Enejs
Eric	[ˈerik]	Eriks
Ernest	[ˈɜ:nist]	Ernests
Ernie, Erny	[ˈɜ:ni]	Ērnijs
Eugen	[ˈju:dʒən]	Jūdžens, Eižens
Eustace	[ˈju:stəs]	Jūstass
Evans	[ˈevənz]	Evanss
Fanny	[ˈfæni]	Fenijs

Francis	[ˈfrɑ:nsis]	Frānsiss
Frank	[fræŋk]	Frenks
Franklin	[ˈfræŋklin]	Frenklins
Fred	[fred]	Freds
Freddie, Freddy	[ˈfredi]	Fredijs
Frederic(k)	[ˈfredrik]	Fredriks
Gareth	[ˈgæreθ]	Gerets
Gary	[ˈgeəri]	Gērijs
Gene	[dʒi:n]	Džīns
Geoffrey	[ˈdʒefri]	Džefrijs
George	[dʒɔ:dʒ]	Džordžs
Gerald	[ˈdʒerəld]	Džeralds
Gilbert	[ˈgilbət]	Gilberts
Giles	[dʒailz]	Džailss
Godfrey	[ˈgɒdfri]	Godfrijs
Godwin	[ˈgɒdwin]	Godvins
Gordon	[ˈgɔ:dn]	Gordons
Greg	[ˈgreg]	Gregs
Gregory	[ˈgregəri]	Gregorijs
Hal	[hæl]	Hels
Halbert	*[ˈhælbət]	Helberts
Harold	[ˈhær(ə)ld]	Herolds
Harris	[ˈhæris]	Heriss
Harry	[ˈhæri]	Herijs, Harijs
Henry	[ˈhenri]	Henrijs
Herbert	[ˈhɜ:bət]	Herberts
Herman	[ˈhɜ:mən]	Hērmens, Hermans
Higgins	[ˈhiginz]	Higinss
Hilary	[ˈhiləri]	Hilarijs
Horace	[ˈhɒrəs]	Horass
Howard	[ˈhaʊəd]	Hauards
Hubert	[ˈhju:bət]	Hūberts
Hugh	[hju:]	Hjū
Hughes	[hju:z]	Hjūzs

Hugo	[ˈhju:gəʊ]	Hjūgo, Hugo
Humphr(e)y	[ˈhʌmfri]	Hamfrijs
Iden	[aidn]	Aidns
Irving	[ˈɜ:wiŋ]	Ērvings
Irwin	[ˈɜ:win]	Ērvins
Isaac	[ˈaizək]	Aizeks, Izaks
Ivan	[ˈaiv(ə)n]	Aivans
Ivor	[ˈaivə]	Aivors
Jack	[dʒæk]	Džeks
Jacob	[ˈdʒeikəb]	Džeikobs
Jake	[dʒeik]	Džeiks
Janus	[ˈdʒeinəs]	Džeinuss, Jānuss
James	[dʒeimz]	Džeimss
Jasper	[ˈdʒæspə]	Džespers
Jeff	[ˈdʒef]	Džefs
Jem	[dʒem]	Džems
Jenkin	[ˈdʒeŋkin]	Dženkins
Jerome	[ˈdʒerəm]	Džeroms, Džeroums
Jerry	[ˈdʒeri]	Džerijs
Jim	[dʒim]	Džims
Jimmy	[ˈdʒimi]	Džimijs
Jo	[dʒəʊ]	Džo
Jock	[dʒɒk]	Džoks
Joe	[dʒɔʊ]	Džo
Joey	[ˈdʒə(ʊ)i]	Džoijs
John	[dʒɒn]	Džons
Johnny	[ˈdʒɒni]	Džonijs
Jonathan	[ˈdʒɒnəθ(ə)n]	Džonatans
Joseph	[ˈdʒəʊzif]	Džozefs
Justin	[ˈdʒʌstin]	Džastins
Kenneth	[ˈkeniθ]	Kenets
Kirk[e]	[kɜ:k]	Kērks
Kit	[kit]	Kits

Kneale	[ni:l]	Nīls
Konrad	[ˈkɒnræd]	Konreds, Konrads
Kyd	[kid]	Kids
Lancelot	[ˈlɑ:nsəlɒt]	Lānselots
Laurence, Lawrence	[ˈlɒrəns]	Lorenss
Leonard	[ˈlenəd]	Lenards, Leonards
Lesley, Leslie	[ˈlezli(ˈlesli)]	Lezlijs, Leslijs
Lew	[lu:]	Lū
Lewie	[lu:i]	Lūijs
Lewis	[ˈlu:is]	Lūiss
Louie	[ˈlu(:)i]	Lūijs
Louis	[ˈlu(:)i]	Lūiss
Lucius	[ˈlu:siəs]	Lūsjuss
Luke	[lu:k, lju:k]	Lūks
Lyons	[ˈlaiənz]	Laiens
Malkolm	[ˈmælkəm]	Melkems, Malkolms
Martin	[ˈmɑ:tin]	Mārtins
Mat	[mæt]	Mets
Matthew	[ˈmæθju:]	Metjū
Michael	[ˈmaikl]	Maikls
Micky	[ˈmiki]	Mikijs
Mike	[maik]	Maiks
Mitchell	[ˈmitʃəl]	Mičels
Monty	[ˈmɒnti]	Montijs
Morgan	[ˈmɔ:g(ə)n]	Morgans
Nat	[næt]	Nets
Nathan	[ˈneiθən]	Neitans, Nātans
Ned	[ned]	Neds
Neddy	[ˈnedi]	Nedijs
Nicholas	[ˈnikələs]	Nikolass
Nick	[nik]	Niks
Noll	[nɒl]	Nolls
Nolly	[ˈnɒli]	Nolijs

Norman	[ˈnɔ:mən]	Normens
Oliver	[ˈɒlivə]	Olivers
Osbert	[ˈɒsbət]	Osberts
Oscar	[ˈɒskə]	Oskars
Osmond, Osmund	[ˈɒzmənd]	Osmonds, Osmunds
Owen	[ˈəʊin]	Ouens
Paddy	[ˈpædi]	Pedijs
Pat	[pæt]	Pets
Patrick	[ˈpætrik]	Petriks
Paul	[pɔ:l]	Pols, Pauls
Pearson	[ˈpiəsn]	Pīrsons
Percy	[ˈpɜ:si]	Pērsijs
Pete	[pi:t]	Pīts
Peter	[ˈpi:tə]	Pīters
Phil	[fil]	Fils
Philip	[ˈfilip]	Filips
Piers	[piəz]	Pīrss
Pip	[pip]	Pips
Purcell	[ˈpɜ:sl]	Pērsels
Ralph	[reif,rælf]	Reifs, Relfs, Ralfs
Randolph	[ˈrændɒlf]	Rendolfs
Raymond	[ˈreimənd]	Reimonds, Raimonds
Renoir	[ˈrenwa:]	Renuārs
Reynard	[ˈrened, ˈrenɑ:d, ˈreinɑ:d]	Renards, Reinārds
Rhett	[ret]	Rets
Rhys	[ri:s]	Rīss
Richard	[ˈritʃəd]	Ričards
Rob	[rɒb]	Robs
Robbie	[ˈrɒbi]	Robijs
Robert	[ˈrɒbət]	Roberts
Robin	[ˈrɒbin]	Robins
Roderick	[ˈrɒd(ə)rik]	Roderiks
Rodney	[ˈrɒdni]	Rodnijs

Roger	[ˈrɒdʒə]	Rodžers
Roland	[ˈrəʊlənd]	Rolands
Rolland	[rəʊˈlɑːŋ]	Rolāns
Rolf	[rɒlf]	Rolfs
Roy	[rɔi]	Rojs
Ruby	[ˈruːbi]	Rūbijs
Rudolf	[ˈruːdɒlf]	Rūdolfs
Sam	[sæm]	Sems
Sammy	[ˈsæmi]	Semijs
Samuel	[ˈsæmjuəl]	Semjuels
Sanders	[ˈsɑːndəz]	Sānders
Sandy	[ˈsændi]	Sendijs
Scrooge	[skruːdʒ]	Skrūdžs
Sidney	[ˈsidni]	Sidnijs
Simon	[ˈsaimən]	Saimons
Sol	[sɒl]	Sols
Solomon	[ˈsɒləmən]	Solomons
Stanley	[ˈstænli]	Stenlijs
Steele	[stiːl]	Stīls
Stephen	[ˈstiːvn]	Stīvens
Steve	[stiːv]	Stīvs
Taffy	[ˈtæfi]	Tefijs
Ted	[ted]	Teds
Teddy	[ˈtedi]	Tedijs
Theodore	[ˈθiədɔː]	Tiodors, Teodors
Thom	[tɒm]	Toms
Thomas	[ˈtɒməs]	Tomass
Timothy	[ˈtiməθi]	Timotijs
Tobias	[təˈbaiəs]	Tobiass
Toby	[ˈtəʊbi]	Tobijs
Tom	[tɒm]	Toms
Tommy	[ˈtɒmi]	Tomijs
Tony	[ˈtəʊni]	Tonijs

Ulick [ˈu:lik] Ūliks

Valentine [ˈvæləntain] Valentains, Valentīns
Vincent [ˈvins(ə)nt] Vinsents
Vivian [ˈviviən] Vivians

Walter [ˈwɔ:ltə] Volters
Wat [wɒt] Vots
Wesley [ˈwezli, ˈwesli] Vezlijs, Veslijs
Wilfred [ˈwilfrid] Vilfreds
William [ˈwiljəm] Viljams
Willy [ˈwili] Villijs
Wren [ren] Rens
Wright [rait] Raits

Zach, Zack [ˈzæk] Zeks

Sieviešu vārdi

Abigail [ˈæbigeil] Ebigeila
Ada [ˈeidə] Eida, Ada
Adelina [ˌædiˈli:nə] Edelīna, Adelīna
Agatha [ˈægəθə] Egata, Agata
Agnes [ˈægnis] Egnesa, Agnese
Alice [ˈælis] Elisa, Alise
Alicia [əˈliʃiə] Elišija, Alisija
Alma [ˈælmə] Elma, Alma
Ally [ˈæli] Elija
Amanda [əˈmændə] Emenda, Amanda
Amelia [ˈəˈmi:ljə] Amīlija
Amy [ˈeimi] Eimija
Ann [æn] Ena, Anna
Anna [ˈænə] Ena, Anna
Annabel [ˈænəbəl] Enabela, Anabela
Annabella [ˌænəˈbelə] Enabela, Anabella
Annie [ˈæni] Enija, Annija

Augusta	[ɔːˈgʌstə]	Ogasta, Augusta
Aurelia	[ɔːˈriːliə]	Orīlija, Aurēlija
Aurora	[ɔːˈrɔːrə]	Orora, Aurora
Bab	[bæb]	Beba
Barbara	[ˈbɑːbərə]	Barbara, Bārbara
Beatrice	[ˈbiətris (ˈbjɜːt-)]	Biatrisa, Beatrise
Beck	[bek]	Beka
Becky	[ˈbeki]	Bekija
Bel	[bel]	Bela
Bella	[ˈbelə]	Bella
Bertha	[ˈbɜːθə]	Bērta, Berta
Bess	[bes]	Besa
Bessie, Bessy	[ˈbesi]	Besija
Betsey, Betsy	[ˈbetsi]	Betsija
Betty	[ˈbeti]	Betija
Bex	[beks]	Beksa
Bridget	[ˈbridʒit]	Bridžita, Brigita
Camilla	[kəˈmilə]	Kamila
Carolina	[ˌkærəˈlaine]	Kerolaina, Karolīna
Catherine	[ˈkæθərin]	Ketrina, Katrīna
Cathie	[ˈkæθi]	Ketija
Cecilia	[siˈsiliə]	Sesilija
Charlotte	[ˈʃɑːlət]	Šārleta, Šarlote
Christian	[ˈkristjən]	Kristjena, Kristjana
Claire	[kleə]	Klēra
Clara	[ˈkleərə]	Klēra, Klāra
Clare	[kleə]	Klēra
Clarice	[ˈklæris]	Klerisa, Klarisa
Clarinda	[ˈklærində]	Klerinda
Claudia	[ˈklɔːdiə]	Klodija, Klaudija
Colette	[ˈkɒlət]	Kolete
Constance	[ˈkɒnstəns]	Konstansa
Cynthia	[ˈsinθiə]	Sintija
Cornelia	[kɔːˈniːliə]	Kornīlija, Kornēlija

Daisy	[ˈdeizi]	Deizija
Daphne	[ˈdæfni]	Defnija, Dafne
Delia	[ˈdi:liə]	Dīlija
Diana	[daiˈænə]	Daiena, Diāna
Doll	[dɒl]	Dolla
Dolly	[ˈdɒli]	Dollija
Dora	[ˈdɔ:rə]	Dora
Dorothy	[ˈdɒrəθi]	Dorotija, Doroteja
Edith	[ˈi:diθ]	Īdita, Edīte
Edna	[ˈednə]	Edna
Eileen	[ˈaili:n]	Ailīna
Elaine	[eˈlein]	Eleina
Eleanor	[ˈelinə]	Elinora, Eleonora
Elinor	[ˈelinə]	Elinora
Elisabeth, Elizabeth	[iˈlizəbəθ]	Elizabete
Ella	[ˈelə]	Ella
Ellen	[ˈelin]	Elina, Elena
Elsa	[ˈelsə]	Elsa
Elsie	[ˈelsi]	Elsija
Elvira	[elˈvaiərə]	Elvaira, Elvīra
Emma	[emə]	Emma
Emily	[ˈemili]	Emīlija
Ena	[i:nə]	Īna, Ena
Esther	[ˈestə]	Estere
Ethel	[ˈeθl]	Etela
Etta	[ˈetə]	Eta
Eva	[ˈi:vɔ]	Īva, Eva
Eve	[i:v]	Īva, Eva
Eveline	[ˌeviˈli:n]	Īvlina, Evelīna
Flo	[ˈfləʊ]	Flo
Flora	[ˈflɔ:rə]	Flora
Florence	[ˈflɒrəns]	Florensa
Flossie	[ˈflɒsi]	Flosija
Floy	[flɔi]	Floja

Frances	[ˈfrɑ:nsis]	Frānsisa
Georgia	[ˈdʒɔ:dʒiə]	Džordžija
Gillian	[ˈdʒiliən, ˈgiliən]	Džiliana, Giliana
Gina	[ˈdʒi:nə, ˈdʒəinə]	Džīna, Džaina
Gladys	[ˈglædis]	Gledisa
Gloria	[ˈglɔ:riə]	Glorija
Grace	[greis]	Greisa
Greta	[ˈgri:tə, ˈgretə]	Grīta, Grēta
Hannah	[ˈhænə]	Hanna
Harriet	[ˈhæriət]	Herieta
Hatty	[ˈhæti]	Hetija
Helen	[ˈhelin]	Helina, Helēna
Henrietta	[ˈhenriˈetə]	Henrieta
Hetty	[ˈheti]	Hetija
Ida	[ˈaidə]	Aida, Īda
Ines	[ˈainəs]	Ainesa, Inese
Inez	[ˈi:nez]	Īneza
Irene	[aiˈri:ni]	Airīna, Irēna
Isabel	[ˈizəbel]	Izabela
Isabella	[ˌizəˈbelə]	Izabella
Ivy	[ˈaivi]	Aivija
Jane	[dʒein]	Džeina
Janet	[ˈdʒænit]	Dženita, Dženeta, Žanete
Jean	[dʒi:n]	Džīna
Jen	[dʒen]	Džena
Jennie, Jenny	[ˈdʒeni, ˈdʒini]	Dženija, Džinija
Jessica	[ˈdʒesikə]	Džesika
Jo	[dʒəʊ]	Džo
Joan	[dʒəʊn]	Džouna
Joanna	[dʒəʊˈænə]	Džoena, Džoana
Joey	[ˈdʒəʊi]	Džoija
Josepha	[dʒɒˈzi:fə]	Džozīfa

Josephine	[ˈdʒəʊzifi:n]	Džozefīne
Joy	[dʒɔi]	Džoja
Jozy	[ˈdʒəʊzi]	Džozija
Judah	[ˈdʒu:də]	Džūda
Judith	[ˈdʒu:diθ]	Džūdita, Judīte
Julia	[ˈdʒu:liə]	Džūlija, Jūlija
Juliet	[ˈdʒu:liət]	Džūljeta
June	[dʒu:n]	Džūna
Kate	[keit]	Keita
Kathleen	[ˈkæθli:n]	Ketlīna
Katie	[ˈkeiti]	Keitija
Katrine	[ˈkætrin]	Ketrina, Katrina
Kitty	[ˈkiti]	Kitija
Laura	[ˈlɔ:rə]	Lora, Laura
Leila	[ˈli:lə]	Līla, Leila
Lilian	[ˈliliən]	Liliana
Liz	[liz]	Liza
Lizzie	[ˈlizi]	Lizija
Lloyd	[lɔid]	Loida
Louie	[ˈlu:i]	Lūija
Louisa	[lu:ˈi:zə]	Luiza
Lucia	[ˈlu:siə]	Lūsija
Lucy	[ˈlu:si]	Lūsija, Lūcija
Mabel	[ˈmeib(ɔ)l]	Meibela
Madge	[mædʒ]	Medža
Mag	[mæg]	Mega
Magdalen	[ˈmægdəlin]	Magdalīna, Magdalēna
Maggie	[ˈmægi]	Megija
Margaret	[ˈmɑ:gərit]	Mārgarita
Margery	[ˈmɑ:dʒəri]	Mārdžerija
Margie	[ˈmɑ:dʒi]	Mārdžija
Maria	[məˈraiə, məˈri(:)ə]	Meraija, Marija

Marian	[ˈmeəriən, ˈmæriən]	Meriana
Marjory	[ˈmɑːdʒəri]	Mārdžorija
Mary	[ˈmeəri]	Mērija
Mat	[mæt]	Meta
Mat(h)ilda	[məˈtildə]	Matilde
Maud	[mɔːd]	Moda
May	[mei]	Meja
Meg	[meg]	Mega
Meggy	[ˈmegi]	Megija
Melissa	[ˈmelisə]	Melisa
Mercy	[ˈmɔːsi]	Mērsija
Mildred	[ˈmildrəd]	Mildreda
Millie	[ˈmili]	Millija
Moll	[mɒl]	Molla
Molly	[ˈmɒli]	Mollija
Morgana	[ˈmɔːgənə]	Morgana
Muriel	[ˈmjʊəriəl]	Mjūriela
Nan	[næn]	Nena
Nennie, Nanny	[ˈnæni]	Nenija
Nansy	[ˈnænsi]	Nensija
Natalie	[ˈnætəli]	Netalija, Natālija
Nell	[nel]	Nella
Nelly	[ˈneli]	Nellija
Netty	[ˈneti]	Netija
Noel	[ˈnəʊˈel]	Noela
Nora	[ˈnɔːrə]	Nora
Olive	[ˈɒliv]	Oliva
Olivia	[ɒˈliviə]	Olivija
Ophelia	[ɒˈfiːliə]	Ofīlija, Ofēlija
Ouida	[ˈwidə]	Vīda
Pat	[pæt]	Peta
Patricia	[pəˈtriʃə]	Patrisija, Patricija
Paula	[ˈpɔːlə]	Pola, Paula

Pearl	[pɜ:l]	Pērla
Peg	[peg]	Pega
Peggy	[ˈpegi]	Pegija
Philippa	[ˈfilipə]	Filipa
Poll	[pɒl]	Polla
Polly	[ˈpɒli]	Pollija
Portia	[ˈpɔ:ʃiə]	Poršija
Priscilla	[priˈsilə]	Prisila
Prudence	[ˈpru:dəns]	Prūdensa
Queenie	[ˈkwi:ni]	Kvīnija
Rachel	[ˈreitʃəl]	Reičela
Ray	[rei]	Reja
Rebecca	[riˈbekə]	Ribeka, Rebeka
Regan	[ˈri:gən]	Rīgana
Regina	[ri:ˈdʒainə]	Ridžaina, Regīna
Rodney	[ˈrɒdni]	Rodnija
Rose	[rəʊz]	Roza
Rosemary	[ˈrəʊzməri]	Rozmarija
Ruby	[ˈru:bi]	Rūbija
Ruth	[ru:θ]	Rūta
Sadie	[ˈsædi]	Sedija
Sal	[sæl]	Sela
Sally	[ˈsæli]	Salija
Sara(h)	[ˈseərə]	Sēra, Sāra
Shirley	[ˈʃɜ:li]	Šērlija
Sibyl, Sybil	[ˈsibil]	Sibila
Silvia	[ˈsilviə]	Silvija
Susan	[ˈsu:zn]	Sūzana
Sylvia	[ˈsilviə]	Silvija
Teresa	[təˈri:zə]	Terīza, Terēze
Tib	[tib]	Tiba
Tibbie	[ˈtibi]	Tibija

Una	[ˈju:nə]	Jūna
Ursula	[ˈɜ:sjʊlə]	Ērsula, Ursula
Vanessa	[vəˈnesə]	Vanesa
Vera	[ˈviərə]	Vera
Vere	[viə]	Vīra
Viola	[ˈvaiələ, ˈvaiɒlə, ˈviələ, ˈviɒlə]	Vaiola, Viola
Violet	[ˈvaiəlit]	Vaioleta, Violeta
Vivien, Vyvyen	[ˈviviən (-vjən)]	Viviena
Wendy	[ˈwendi]	Vendija
Wilhelmina	[ˈwilhelˈmi:nə]	Vilhelmīna
Wilmett	[ˈwilmət]	Vilmeta
Wilmot(t)	[ˈwilmət (-mɒt)]	Vilmota
Winifred	[ˈwinifrid]	Vinifreda
Yoland	[ˈjɒlənd]	Jolanda
Yvette	[ˈivət]	Iveta
Yvonne	[iˈvan]	Ivonna
Zoe	[ˈzeʊi]	Zoija, Zoja

Uzvārdi

Abercrombie, -by	[ˈæbəkrɒmbi]	Eberkrombijs, -a
Adams	[ˈædəmz]	Edamss, -a
Addison	[ˈædisn]	Edisons, -e
Aelfric	[ˈælfrik]	Elfriks, -a
Agassiz	[əˈgæsiz]	Agesizs, -a
Aiken	[ˈeikin]	Eikens, -a
Ainsworth	[ˈeinzwɜ:θ]	Einsverts, -a
Akenside	[ˈeikinsaid]	Eikensaids, -a
Alcott	[ˈɔ:lkət]	Olkots, -a
Alcuin	[ˈælkwin]	Elkvins, -a

Aldington	[ˈɔ:ldiŋtən]	Oldingtons, -e
Aldrich	[ˈɔ:ldritʃ]	Oldričs, -a
Aldridge	[ˈɔ:ldridʒ]	Oldridžs, -a
Alison	[ˈælisn]	Elisons, -e
Allan	[ˈælən]	Elans, -a
Allen	[ˈælin]	Elens, -a
Allman	[ˈɔ:lmən]	Olmens, -a [ō . .]
Alston	[ˈɔ:lstən]	Olstons, -e
Anderson	[ˈændəsn]	Endersons, -e
Andow	[ˈændaʊ]	Endavs, -a
Archer	[ˈɑ:tʃə]	Ārčers, -e
Armstrong	[ˈɑ:mstrɒŋ]	Ārmstrongs, -a
Ascham	[ˈæskəm]	Eskams, -a
Ashton	[ˈæʃt(ə)n]	Eštons, -e
Auden	[ˈɔ:dən]	Odens, -a
Austen	[ˈɔ:stin (ˈɒs-)]	Ostens, -a
Austin	[ˈɔ:stin (ˈɒs-)]	Ostins, -a
Bacon	[ˈbeikən]	Beikons, -e, Bēkons
Bage	[beidʒ]	Beidžs, -a
Bagwell	[ˈbægwəl]	Begvels, -a
Bailey	[ˈbeili]	Beilijs, -a
Baker	[ˈbeikə]	Beikers, -e
Baldwin	[ˈbɔ:ldwin]	Boldvins, -a [. . ō . .]
Ball	[bɔ:l]	Bols, -a [. . ō . .]
Barber	[ˈbɑ:bə]	Bārbers, -e
Barbour	[ˈbɑ:bə]	Bārbors, -a
Baring	[ˈbɛəriŋ]	Bērings, -a
Barker	[ˈbɑ:kə]	Bārkers, -e
Barlow	[ˈbɑ:ləʊ]	Bārlovs, -a
Barmby	[ˈbɑ:mbi]	Bārmbijs, -a
Barnard	[ˈbɑ:nəd]	Bārnards, -a
Barnes	[bɑ:nz]	Bārnss, -a
Barr	[bɑ:]	Bārs, -a
Barrie	[ˈbæri]	Berijs, -a
Barrows	[ˈbærəʊz]	Berouss, -a

Barry	[ˈbæri]	Berijs, -a
Bats	[bæts]	Betss, -a
Bax	[bæks]	Bekss, -a
Beard	[biəd]	Bīrds, -a
Beardsley	[ˈbiədzli]	Bīrdslijs, -a
Beattie	[ˈbi:ti]	Bītijs, -a
Beaumont	[ˈbəʊmənt]	Boumonts, -a
Bede	[bi:d]	Bīds, -a
Beecher-Stowe	[ˈbi:tʃə-stəʊ]	Bīčers-Stovs, Bīčere-Stova
Beerbohm	[ˈbiəbəʊm]	Bīrboms, -a
Behn	[ben]	Bens, -a
Belasco	[bəˈlæskəʊ]	Belesko
Bell	[bel]	Bells, -a
Belloc	[beˈlɒk]	Beloks, -a
Bellows	[ˈbeləʊz]	Belouss, -a
Ben	[ben]	Bens, -a
Benedict	[ˈbenidikt]	Benedikts, -a
Bennett	[ˈbenit]	Benets, -a
Benson	[ˈbensn]	Bensons, -e
Bentham	[ˈbenθəm]	Bentems, -a
Beresford	[ˈberizfəd]	Beresfords, -a
Berkeley	[ˈbɜ:kli]	Bērklijs, -a
Berridge	[ˈberidʒ]	Beridžs, -a
Bierce	[biəs]	Bīrss, -a
Billings	[ˈbiliŋz]	Bilingss, -a
Bingham	[ˈbiŋəm]	Bingems, -a
Binyon	[ˈbinjen]	Binjons, -e
Blackmore	[ˈblækmɔ:(-mɒə)]	Blekmors, -a
Blair	[bleə]	Blērs, -a
Blake	[bleik]	Bleiks, -a
Block	[blɒk]	Bloks, -a
Bloomfield	[ˈblu:mfi:ld]	Blūmfīlds, -a
Boas	[ˈbə(ʊ)æz]	Boass, -a
Bodley	[ˈbɒdli]	Bodlijs, -a
Bohn	[bəʊn]	Bons, -a

Bolingbroke	[ˈbɒliŋbrʊk]	Bolingbruks, -a
Bond	[bɒnd]	Bonds, -a
Boot	[bu:t]	Būts, -a
Borrow	[ˈbɒrəʊ]	Borovs, -a
Boswell	[ˈbɒzwəl]	Bosvels, -a
Bottomley	[ˈbɒtəmli]	Botomlijs, -a
Bottrall	[ˈbɒtrɔ:l]	Botrols, -a
Boyle	[bɔil]	Boils, -a
Braddon	[ˈbrædn]	Bredons, -e
Bradford	[ˈbrædfəd]	Bredfords, -a
Bradstreet	[ˈbrædstri:t]	Bredstrīts, -a
Bragg	[bræg]	Bregs, -a
Braithwaite	[ˈbreiθweit]	Breitveits, -a
Braughton	[ˈbraʊtən]	Brautons, -e
Braun	[brɔ:n]	Brons, -a
Brawne	[brɔ:n]	Brons, -a
Breckenridge	[ˈbreknridʒ (-kin-)]	Brekenridžs, -a
Bret Harte	[ˈbret ˈhɑ:t]	Brets-Hārts, Breta-Hārta
Breton	[ˈbretən]	Bretons, -e
Bridges	[ˈbridʒiz]	Bridžess, -a
Brisbane	[ˈbrizbən]	Brisbeins, -a
Bromwich	[ˈbrʌmidʒ]	Bramidžs, -a
Brontë	[ˈbrɒnti]	*Bronti
Brook(e)	[brʊk]	Bruks, -a
Brook(e)s	[brʊks]	Brukss, -a
Brown	[braʊn]	Brauns, -a
Browne	[braʊn]	Brauns, -a
Browning	[ˈbraʊniŋ]	Braunings, -a
Bryant	[ˈbraiənt]	Braiants, -a
Buchanan	[bju:ˈkænən]	Bjūkenans, -a
Buck	[bʌk]	Baks, -a
Buckingham	[ˈbʌkiŋəm]	Bakingems, -a
Buckle	[ˈbʌkl]	Bakls, -a
Bull	[bʊl]	Bulls, -a
Bulwer	[ˈbʊlwə]	Bulvers, -e

Bulwer-Lytton	[ˈbʊlwə ˈlitn]	Bulvers-Litons, Bulvere-Litone
Bunyan	[ˈbʌnjən]	Banjans, -a
Burke	[bɜ:k]	Bērks, -a
Burley	[ˈbɜ:li]	Bērlijs, -a
Burly	[ˈbɜ:li]	Bērlijs, -a
Burne-Jones	[ˈbɜ:n-ˈdʒəʊnz]	Bērns-Džonss, Bērna-Džonsa
Burnet	[ˈbɔ:nit]	Bērnets, -a
Burnett	[bɜ:ˈnet]	Bērnets, -a
Burney	[ˈbɜ:ni]	Bērnijs, -a
Burns	[bɜ:nz]	Bērnss, -a
Burton	[ˈbɜ:tn]	Bērtons, -e
Butler	[ˈbʌtlə]	Batlers, -e
Byles	[bailz]	Bailss, -a
Byrom	[ˈbirəm]	Biroms, -a
Byron	[ˈbairən]	Bairons, -e
Cabell	[ˈkæb(ə)l]	Kebels, -a
Caedmon	[ˈkædmən]	Kedmons, -e
Calder	[ˈkɔ:ldə]	Kolders, -e [. . ō . .]
Calderon	[ˈkɔ:ld(ə)r(ə)n]	Kolderons, -e
Campbell	[ˈkæmbl]	Kempbels, -a
Campion	[ˈkæmpjən]	Kempjons, -e
Cannan	**[ˈkænən]	Kenans, -a
Canning	[ˈkæniŋ]	Kenings, -a
Carew	[kəˈru:]	Karū
Carleton	[ˈkɑ:lt(ə)n]	Kārltons, -e
Carlyle	[kɑ:ˈlai]	Kārlails, -a
Carnegie	[kɑ:ˈneigi]	Kārnegijs, -a
Carpenter	[ˈkɑ:pintə]	Kārpenters, -e
Carroll	[ˈkær(ə)l]	Kerols, -a
Cartwright	[ˈkɑ:trait]	Kārtraits, -a
Cary	[ˈkeəri]	Kērijs, -a
Cather	[ˈkæθə]	Keters, -e
Cavein	[kəˈvein]	Kaveins, -a

Caxton	[ˈkækst(ə)n]	Kekstons, -e
Chadwick	[ˈtʃædwik]	Čedviks, -a
Chamberlain	[ˈtʃeimbəlin]	Čeimberlins, -a, Čemberlens
Chambers	[ˈtʃeimbəz]	Čeimbers, -e
Chapin	[ˈtʃæpin]	Čepins, -a
Chaplin	[ˈtʃæplin]	Čeplins, -a, Čaplins
Chapman	[ˈtʃæpmən]	Čepmens, -a
Chase	[tʃeis]	Čeiss, -a
Chatterton	[ˈtʃætətn]	Četertons, -e
Chaucer	[ˈtʃɔ:sə]	Čosers, -e
Cherbury	[ˈtʃɜ:bəri]	Čērberijs, -a
Chesterfield	[ˈtʃestəfi:ld]	Česterfīlds, -a
Chesterton	[ˈtʃestətən (-tn)]	Čestertons, -e
Child	[tʃaild]	Čailds, -a
Childe	[tʃaild]	Čailds, -a
Cholm(e)ley	[ˈtʃʌmli]	Čalmlijs, -a
Chomley	[ˈtʃʌmli]	Čamlijs, -a
Churchill	[ˈtʃɜ:tʃil]	Čērčils, -a
Cibber	[ˈsibə]	Sibers, -e
Clare	[kleə]	Klērs, -a
Clarendon	[ˈklær(ə)ndən]	Klerendons, -e
Clarke	[klɑ:k]	Klārks, -a
Clayton	[ˈkleitn]	Kleitons, -e
Clemm	[klem]	Klemms, -a
Cleveland	[ˈkli:vlənd]	Klīvlends, -a
Clifford	[ˈklifəd]	Klifords, -a
Clough	[klʌf]	Klafs, -a
Cobbett	[ˈkɒbit]	Kobets, -a
Cobden	[ˈkɒbdən]	Kobdens, -a
Cockerell	[ˈkɒk(ə)rəl]	Kokerels, -a
Coleridge	[ˈkəʊləridʒ]	Kolridžs, -a
Collier	[ˈkɒliə (-ljə)]	Koljers, -e
Collins	[ˈkɒlinz]	Kolinss, -a
Colman	[ˈkəʊlmən]	Kolmens, -a
Colum	[ˈkɒləm]	Kolums, -a

Combe	[ku:m]	Kūms, -a
Compton	[ˈkɒm(p)tən, (ˈkʌm-)]	Komptons, -e
Conan Doyle	[ˈkɒnən (ˈkəʊn-) ˈdɔil]	Konans Doils, Konana Doila
Congreve	[ˈkɒŋgri:v]	Kongrīvs, -a
Conrad	[ˈkɒnræd]	Konreds, -a
Constable	[ˈkʌnstəbl (ˈkɒn-)]	Konstebls, -a
Cooke	[kʊk]	Kuks, -a
Coolidge	[ˈku:lidʒ]	Kūlidžs, -a
Cooper	[ˈku:pə]	Kūpers, -e
Corelli	[kɒˈreli]	Korelijs, -a
Cornwall	[ˈkɔ:nwəl]	Kornvols, -a
Corrie	[ˈkɒri]	Korijs, -a
Couch	[ku:tʃ]	Kūčs, -a
Coverdale	[ˈkʌvədeil]	Kaverdeils, -a
Coward	[ˈkaʊəd]	Kauards, -a
Cowley	[ˈkaʊli]	Kaulijs, -a
Cowper	[ˈkaʊpə (ˈku:pə)]	Kaupers, -e
Crabbe	[kræb]	Krebs, -a
Craik	[kreik]	Kreiks, -a
Crane	[krein]	Kreins, -a
Cranmer	[ˈkrænmə]	Krenmers, -e
Crashaw	[ˈkræʃɔ:]	Krešo
Croker	[ˈkrɒkə]	Krokers, -e
Crome	[krəʊm]	Kroms, -a
Cromwell	[ˈkrɒmwel]	Kromvels, -a
Cullen	[ˈkʌlin]	Kalcns, -a
Cumberland	[ˈkʌmbələnd]	Kamberlends, -a
Cunningham	[ˈkʌniŋəm]	Kaningems, -a
Curtice	[ˈkɜ:tis]	Kērtiss, -a
Curtices(s)	[ˈkɜ:tis]	Kērtiss, -a
Dalloway	[ˈdæləwei]	Delovejs
Daly	[ˈdeili]	Deilijs, -a
Dane	[dein]	Deins, -a
Daniel(l)	[ˈdænjəl]	Denjels, -a

Daniel(l)s	[ˈdænjəlz]	Denjelss, -a
Darwin	[ˈdɑ:win]	Dārvins, -a, Darvins
Davenant *vai* D'Avenant	[ˈdæv(i)nənt]	Devenants, -a
Davidson	[ˈdeividsn]	Deividsons, -e
Davies	[ˈdeivis]	Deiviss, -a
Davis	[ˈdeivis]	Deiviss, -a
Dawies	[ˈdeivis]	Deiviss, -a
Day	[dei]	Dejs, -a
Defoe	[diˈfəʊ]	Defo
Dekker	[ˈdekə]	Dekers, -e
Delafield	[ˈdeləfi:ld]	Delafīlds, -a
De La Mare	[de la: ˈmeə]	De la Mērs, -a
Dell	[del]	Dells, -a
Deloney	[ˈdelɒni]	Delonijs, -a
De Morgan	[də ˈmɔ:gən]	De Morgans, -a
Dempster	[ˈdem(p)stə]	Demsters, -e
Denby	[ˈdenbi]	Denbijs, -a
Denham	[ˈdenəm]	Denems, -a
Denis	[ˈdenis]	Deniss, -a
Dennis	[ˈdenis]	Deniss, -a
Denny	[ˈdeni]	Denijs, -a
Dennys	[ˈdenis]	Deniss, -a
Denys	[ˈdenis]	Deniss, -a
De Quincey	[də ˈkwinsi]	De Kvinsijs
De Vere	[də ˈviə]	De Vīrs, -a
Dewey	[ˈdju:i]	Djūijs, -a
Dickens	[ˈdikinz]	Dikenss, -a
Dickinson	[ˈdikinsn]	Dikinsons, -e
Dillon	[ˈdilən]	Dilons, -e
Disraeli	[dizˈreili]	Disreilijs, -a
Dixon	[diksn]	Diksons, -e
Dobell	[dəʊˈbel]	Dobels, -a [. . ō . .]
Dobree	[ˈdəʊbrei]	Dobrei [. . ō . .]
Dodsley	[ˈdɒdzli]	Dodslijs, -a
Donne	[dʌn (dɒn)]	Donns, -a
Donovan	[ˈdɒnəvən]	Donovans, -a

Doolittle	[ˈdu:litl]	Dūlitls, -a
Dot	[dɒt]	Dots, -a
Doughty	[ˈdaʊti]	Dautijs, -a
Douglas	[ˈdʌgləs]	Daglass, -a, Duglass
Dowson	[ˈdaʊsn]	Dausons, -e
Doyle	[dɔil]	Doils, -a
Drayton	[ˈdreitn]	Dreitons, -e
Draiser	[ˈdraizə]	Draizers, -e
Drew	[dru:]	Drū
Drinkwater	[ˈdriŋkˌwɔ:tə]	Drinkvoters, -e
Drummond	[ˈdrʌmənd]	Dramonds, -a
Dryden	[ˈdraidn]	Draidens, -a
Du Bois	[dju: ˈbɔis]	Djū Boiss, -a
Dunbar	[dʌnˈbɑ: (ˈdʌnbɑ:)]	Danbārs, -a
Dunning	[ˈdʌniŋ]	Danings, -a
Dunsany	[dʌnˈsæni (-ˈseini)]	Dansenijs, -a
Durand	[dju(ə)ˈrænd]	Djūrends, -a
D'Urfey	[ˈdɜ:fi]	D'Ērfijs, -a
D'Usseau	[ˈdju:so]	D'Jūso
Dwight	[dwait]	Dvaits, -a
Dyer	[ˈdaiə]	Daiers, -e
Earle	[ɜ:l]	Ērls, -a
Eastman	[ˈi:stmən]	Īstmens, -a
Eddington	[ˈediŋtən]	Edingtons, -e
Edgeworth	[ˈedʒwɜ:θ]	Edžvērts, -a
Edison	[ˈedisn]	Edisons, -e
Edwards	[ˈedwədz]	Edvardss, -a
Egan	[ˈi:gən]	Īgans, -a
Eisenhower	[ˈaiz(ə)nhaʊə]	Aizenhauers, -e, Eizenhauers
Eliot	[ˈeljət]	Eljots, -a
Elliott	[ˈeljət]	Eljots, -a
Ellis	[ˈelis]	Eliss, -a
Elyot	[ˈeljət]	Eljots, -a
Emerson	[ˈeməsn]	Emersons, -e

Emmet [′emit] Emets, -a
Empson [′empsn] Empsons, -e
Epstein [′epstain] Epstains, -a
Ericson [′eriksn] Eriksons, -e
Ervine [′ɜ:vin] Ērvins, -a
Essex [′esiks] Esekss, -a
Etherege [′eθəridʒ] Eteridžs, -a
Evans [′ev(ə)nz] Evanss, -a
Evelyn [′i:vlin] Īvlins, -a
Everett [′evərit] Everets, -a
Everitt [′evərit] Everits, -a

Fairley [′feəli] Fērlijs, -a
Faraday [′færədi (-dei)] Feradejs, -a, Faradejs
Farquhar [′fɑ:kwə (′fɑ:kə)] Fārkvars, -a
Fast [fɑ:st] Fāsts, -a
Fausett [′fɔ:sit] Fosets, -a
Fen [fen] Fens, -a
Fenn [fen] Fenns, -a
Fergus [′fɜ:gəs] Fērguss, -a
Ferguson [′fɜ:gəsn] Fērgusons, -e
Fergusson [fɜ:gəsn] Fērgusons, -e
Fessenden [′fesndən] Fesendens, -a
Field [fi:ld] Fīlds, -a
Fielding [′fi:ldiŋ] Fīldings, -a
Fields [fi:ldz] Fīldss, -a
Fillmore [′filmɔ: (-mɒə)] Filmors, -a
Fitch [fitʃ] Fičs, -a
Fitzgerald [fits′dʒer(ə)ld] Ficdžeralds, -a
Flaxman [′flæksmən] Fleksmens, -a
Flecker [′flekə] Flekers, -e
Fletcher [′fletʃə] Flečers, -e
Flint [flint] Flints, -a
Foote [fʊt] Futs, -a
Ford [fɔ:d] Fords, -a
Fornd [′fɔ:nd] Fornds, -a

Forrest	[ˈfɒrist]	Forests, -a
Forster	[ˈfɔ:stə]	Forsters, -e
Foster	[ˈfɒstə]	Fosters, -e
Fox	[fɒks]	Fokss, -a
Foxe	[fɒks]	Fokss, -a
Frank	[fræŋk]	Frenks, -a
Franklin	[ˈfræŋklin]	Frenklins, -a, Franklins
Franklyn	[ˈfræŋklin]	Frenklins, -a
Frederick	[ˈfredrik]	Frederiks, -a
Freeman	[ˈfri:mən]	Frīmens, -a
Freneau	[ˈfrenɔ:]	Freno
Frere	[friə]	Frīrs, -a
Freud	[frɔid]	Froids, -a
Frost	[frɒst]	Frosts, -a
Froude	[fru:d]	Frūds, -a
Fuller	[ˈfʊlə]	Fulers, -e
Fulton	[ˈfʊlt(ə)n]	Fultons, -e
Gaddesdon	[ˈgædzdən]	Gedsdons, -e
Gale	[geil]	Geils, -a
Gallienne	[ˈgæliən]	Geliens, -a
Galloway	[ˈgælɒwei]	Gelovejs, -a
Galsworthy	[ˈgɔ:lzwɜ:ði]	Golsvertijs
Gannett	[ˈgænit]	Genets, -a
Gardiner	[ˈgɑ:dnə]	Gārdiners, -e
Garfield	[ˈgɑ:fi:ld]	Gārfīlds, -a
Garland	[ˈgɑ:lənd]	Gārlends, -a
Garnett	[ˈgɑ:nit]	Gārnets, -a
Garrick	[ˈgærik]	Geriks, -a
Garris	[ˈgæris]	Geriss, -a
Garrison	[ˈgærisn]	Gerisons, -e
Gascoigne	[ˈgæskɔin]	Geskoins, -a
Gaskell	[ˈgæsk(ə)l]	Geskels, -a
Gates	[geits]	Geitss, -a
Gay	[gei]	Gejs, -a
Geoffrey	[ˈdʒefri]	Džefrijs, -a

George	[dʒɔ:dʒ]	Džordžs, -a
Gibb	[gib]	Gibs, -a
Gibbon	[′gibən]	Gibons, -e
Gibbs	[′gibz]	Gibss, -a
Gibson	[′gibsn]	Gibsons, -e
Gifford	[′gifəd]	Gifords, Džifords, -a
Gilbert	[′gilbət]	Gilberts, -a
Gissing	[′gisiŋ]	Gisings, -a
Gladstone	[′glædstən]	Gledstons, -e
Gloucester	[′glɒstə]	Glosters, -e
Godfrey	[′gɒdfri]	Godfrijs, -a
Godwin	[′gɒdwin]	Godvins, -a
Goldring	[′gəʊldriŋ]	Goldrings, -a
Goldsmith	[′gəʊldsmiθ]	Goldsmits, -a
Gomar	[′gəʊmə]	Gomars, -a
Gore	[gɔ:]	Gors, -a
Gosse	[gɒs]	Goss, -a
Gosson	[′gɒsn]	Gosons, -e
Gould	[gu:ld]	Gūlds, -a
Gower	[gaʊə (gɒə, gɔ:)]	Gauers, -e
Graham	[′gre(i)əm]	Greiams, -a
Grand	[grænd]	Grends, -a
Grant	[grɑ:nt]	Grānts, -a
Graves	[greivz]	Greivss, -a
Gray	[grei]	Grejs, -a
Green	[gri:n]	Grīns, -a
Greene	[gri:n]	Grīns, -a
Gregory	[′gregɔri]	Gregorijs, -a
Grenfell	[′grenfel]	Grenfels, -a
Griffith	[′grifiθ]	Grifits, -a
Grote	[grəʊt]	Grots, -a
Grundy	[′grʌndi]	Grandijs, -a
Gwyn	[gwin]	Gvins, -a
Gwynne	[gwin]	Gvinns, -a
Hackett	[′hækit]	Hekets, -a

Haggard	[ˈhægəd]	Hegards, -a
Haldane	[ˈhɔ:ldein]	Holdeins, -a
Hale	[heil]	Heils, -a
Haleck	[ˈhælək]	Heleks, -a
Halifax	[ˈhælifæks]	Helifekss, -a
Hall	[hɔ:l]	Hols, -a
Hallam	[ˈhæləm]	Helams, -a
Hamilton	[ˈhæm(i)lt(ə)n]	Hemiltons, -e, Hamiltons
Hankin	[ˈhæŋkin]	Henkins, -a
Harding	[ˈhɑ:diŋ]	Hārdings, -a
Hardy	[ˈhɑ:di]	Hārdijs, -a
Harington	[ˈhæriŋtən]	Heringtons, -e
Hariot	[ˈhærjət]	Herjots, -a
Harries	[ˈhæris]	Heriss, -a
Harriman	[ˈhærimən]	Herimens, -a
Harrington	[ˈhæriŋtən]	Heringtons, -e
Harris	[ˈhæris]	Heriss, -a
Harrison	[ˈhærisn]	Herisons, -e
Hartley	[ˈhɑ:tli]	Hārtlijs, -a
Harvey	[ˈhɑ:vi]	Hārvijs, -a
Haughton	[ˈhɔ:tn]	Hotons, -e
Hawes	[hɔ:z]	Hoss, -a
Hawthorne	[ˈhɔ:θɔ:n]	Hotorns, -a
Hay	[hei]	Hejs, -a
Hayes	[heiz]	Heiss, -a
Hazlitt	[ˈhæzlit]	Hezlits, -a
Head	[hed]	Heds, -a
Hecht	[hext]	Hehts, -a
Hegarty	[ˈhegəti]	Hegartijs, -a
Hemans	[ˈhemənz]	Hemenss, -a
Henderson	[ˈhendəsn]	Hendersons, -e
Henley	[ˈhenli]	Henlijs, -a
Henry	[ˈhenri]	Henrijs, -a
Henryson	[ˈhenrisn]	Henrisons, -e
Herbert	[ˈhɜ:bət]	Hērberts, -a
Hergesheimer	[ˈhɜ:gəshaimə]	Hērgeshaimers, -e

Herod	[ˈherəd]	Herods, -a
Herrick	[ˈherik]	Heriks, -a
Hervey	[ˈhɑ:vi, ˈhɜ:vi]	Hērvijs, -a
Hewlett	[ˈhju:lit]	Hjūlets, -a
Heywood	[ˈheiwʊd]	Heivuds, -a
Higgins	[ˈhiginz]	Higinss, -a
Higginson	[ˈhiginsn]	Higinsons, -e
Hill	[hil]	Hills, -a
Hitchcock	[ˈhitʃkɒk]	Hičkoks, -a
Hobbes	[hɒbz]	Hobss, -a
Hobbs	[hɒbz]	Hobss, -a
Hodgson	[ˈhɒdʒsn]	Hodžsons, -e
Hogarth	[ˈhəʊgɑ:θ]	Hogārts, -a
Hogg	[hɒg]	Hogs, -a
Holcroft	[ˈhəʊlkrɒft]	Holkrofts, -a
Holinshed	[ˈhɒlinʃed]	Holinšeds, -a
Holmes	[həʊmz]	Holmss, -a
Home	[həʊm]	Homs, -a
Hood	[hʊd]	Huds, -a
Hook	[hʊk]	Huks, -a
Hooker	[ˈhʊkə]	Hukers, -e
Hoover	[ˈhu:və]	Hūvers, -e
Hope	[həʊp]	Hops, -a
Hopkins	[ˈhɒpkinz]	Hopkinss, -a
Hopkinson	[ˈhɒpkinsn]	Hopkinsons, -e
Hoppner	[ˈhɒpnə]	Hopners, -e
Horne	[hɔ:n]	Horns, -a
Horniman	[ˈhɔ:nimən]	Hornimens, -a
Houghton	[ˈhɔ:tn]	Houtons, -e
Houlihan	[ˈhəʊlihən]	Houlihans, -a
House	[haʊs]	Hauss, -a
Housman	[ˈhaʊsmən]	Hausmens, -a
Hovenden	[ˈhɒvndən]	Hovendens, -a
Howard	[ˈhaʊəd]	Hauards, -a
Howe	[haʊ]	Havs, -a
Howells	[ˈhaʊəlz]	Hauelss, -a

Howitt	[ˈhaʊit]	Hauits, -a
Hoy	[hɔi]	Hojs, -a
Hudson	[ˈhʌdsn]	Hadsons, -e
Hueffer	[ˈhefə]	Hefers, -e
Hughes	[hju:z]	Hjūss, -a
Hull	[hʌl]	Halls, -a
Hulme	[hju:m (hu:m)]	Hjūlms, -a
Hume	[hju:m]	Hjūms, -a
Humphery	[ˈhʌmfri]	Hamfrijs, -a
Humphr(e)y	[ˈhʌmfri]	Hamfrijs, -a
Huneker	[ˈhʌnikə]	Hanekers, -e
Hunt	[hʌnt]	Hants, -a
Hutcheson	[ˈhʌtʃisn]	Hačesons, -e
Huxley	[ˈhʌksli]	Hakslijs, -a
Hyde	[haid]	Haids, -a
Inchbald	[ˈin(t)ʃbɔ:ld]	Inčbolds, -a
Inge	[iŋ, in(d)ʒ]	Ings, -a *vai* Indžs, -a
Ingelow	[ˈin(d)ʒiləʊ]	Indželovs, -a
Irving	[ˈɜ:viŋ]	Ērvings, -a
Ives	[aivz]	Aivss, -a
Jacks	[ˈdʒæks]	Džekss, -a
Jackson	[ˈdʒæksn]	Džeksons, -e
Jacobs	[ˈdʒeikəbz]	Džeikobss, -a
James	[dʒeimz]	Džeimss, -a
Jameson	[ˈdʒeimsn]	Džeimsons, -e
Jasper	[ˈdʒæspə]	Džespers, -e
Jeans	[dʒi:nz]	Džīnss, -a
Jefferies	[ˈdʒefriz]	Džefriss, -a
Jefferson	[ˈdʒefəsn]	Džefersons, -e
Jeffrey	[ˈdʒefri]	Džefrijs, -a
Jennings	[ˈdʒeniŋz]	Dženingss, -a
Jerome	[dʒəˈrəʊm]	Džeroms, -a
Jerrold	[ˈdʒer(ə)ld]	Džerolds, -a
Jewett	[ˈdʒu:it]	Džūets, -a

Jewsbury	[ˈdʒu:zb(ə)ri]	Džūsberijs, -a
Jim	[dʒim]	Džims, -a
Johnson	[ˈdʒɒnsn]	Džonsons, -e
Johnston(e)	[ˈdʒɒnst(ə)n]	Džonstons, -e
Jones	[dʒəʊnz]	Džonss, -a
Jonson	[ˈdʒɒnsn]	Džonsons, -e
Jowett	[ˈdʒəʊit]	Džouets, -a
Joyce	[dʒɔis]	Džoiss, -a
Junius	[ˈdʒu:njəs]	Džūnjuss, -a
Keating	[ˈki:tiŋ]	Kītings, -a
Keats	[ki:ts]	Kītss, -a
Keble	[ki:bl]	Kībls, -a
Kell(e)y	[ˈkeli]	Kelijs, -a
Kemble	[ˈkembl]	Kembls, -a
Kendal(l)	[ˈkendl]	Kendals, -a
Kenna	[ˈkenə]	Kena
Kennedy	[ˈkenidi]	Kenedijs, -a
Kent	[kent]	Kents, -a
Kerry	[ˈkeri]	Kerijs, -a
Killigrew	[ˈkiligru:]	Kiligrū
Kilroe	[ˈkilrəʊ]	Kilro
King	[kiŋ]	Kings, -a
Kingsley	[ˈkiŋzli]	Kingslijs, -a
Kipling	[ˈkipliŋ]	Kiplings, -a
Kirkman	[ˈkɜ:kmən]	Kērkmens, -a
Knowles	[nəʊlz]	Noulss, -a
Knox	[nɒks]	Nokss, -a
Kurd	[kɜ:d]	Kērds, -a
Kyd	[kid]	Kids, -a
Lady	[ˈleidi]	Leidijs, -a
Lamb	[læm]	Lems, -a
Landon	[ˈlændən]	Lendons, -e
Landor	[ˈlændɔ:]	Lendors, -a
Lane	[lein]	Leins, -a

Lang	[læŋ]	Lengs, -a
Langland	[ˈlæŋlənd]	Lenglends, -a
Langley	[ˈlæŋli]	Lenglijs, -a
Lanier	**[ˈlænjə]	Lenjers, -e
Latimer	[ˈlætimə]	Letimers, -e
Law	[lɔ:]	Lo
Lawrance	[ˈlɒrəns]	Loranss, -a
Lawrence	[ˈlɒrəns]	Lorenss, -a
Layamon	[ˈle(i)əmən]	Laiamons, -e
Leacock	[ˈli:kɒk]	Līkoks, -a
Lear	[liə]	Līrs, -a
Leavis	[ˈli:vis]	Līviss, -a
Lecky	[ˈleki]	Lekijs, -a
Ledwidge	[ˈledwidʒ]	Ledvidžs, -a
Lee	[li:]	Lī
Le Fanu	[ˈle fənju:]	Le Fanjū
Leland	[ˈli:lənd]	Līlends, -a
Lennox	[ˈlenɒks]	Lenokss, -a
Leonard	[ˈlenəd]	Lenards, -a
Levy	[ˈli:vi (ˈlevi)]	Levijs, -a
Lewer	[ˈlu:ə]	Lūers, -e
Lewes	[ˈlu:is]	Lūiss, -a
Lewis	[ˈlu:is]	Lūiss, -a
Lilley	[ˈlili]	Lilijs, -a
Lillo	[ˈliləʊ]	Lilo
Lincoln	[ˈliŋkən]	Linkolns, -a
Lindsay	[ˈlin(d)zi]	Lindsijs, -a
Lindsey	[ˈlin(d)zi]	Lindsijs, -a
Linklater	[ˈliŋkleitə]	Linkleiters, -e
Livingston(e)	[ˈliviŋstən]	Livingstons, -e
Lloyd	[lɔid]	Loids, -a
Locke	[lɒk]	Loks, -a
Lockhart	[ˈlɒkət (ˈlɒkhɑ:t)]	Lokharts, -a
Lodge	[lɒdʒ]	Lodžs, -a
Logan	[ˈləʊgən]	Logans, -a
London	[ˈlʌndən]	Londons, -e

Long	[lɒŋ]	Longs, -a
Longfellow	[ˈlɒŋfeləʊ]	Longfelovs
Lovejoy	[ˈlʌvdʒɔi]	Lavdžojs, -a
Lovelace	[ˈlʌvleis]	Lavleiss, -a
Lovell	[ˈlʌv(ə)l]	Lavels, -a
Lowell	[ˈləʊəl]	Louels, -a
Lowson	[ˈlaʊsn]	Lausons, -e
Lubbock	[ˈlʌbək]	Laboks, -a
Lucas	[ˈlu:kəs]	Lūkass, -a
Lucks	[lʌks]	Lakss, -a
Lydgate	[ˈlidgeit]	Lidgeits, -a
Lyell	[ˈlai(ə)l]	Laiels, -a
Lyly	[ˈlili]	Lilijs, -a
Lynd	[ˈlind]	Linds, -a
Lynn-Linton	[lin-ˈlintən]	Linns-Lintons, Linna-Lintone
Lyons	[ˈlaiənz]	Laionss, -a
MacArthur	[məˈɑ:θə]	Makarturs, -e
Macaulay	[məˈkɔ:li]	Makolijs, -a
Mac Callum	[məˈkæləm (məˈkʌləm)]	Makalums, -a
Mac Carthy	[məˈkɑ:θi]	Makārtijs, -a
Macdiarmid	[məkˈdaiəmid]	Makdaiarmids, -a
Macdonald	[məkˈdɒn(ə)ld]	Makdonalds, -a
MacDowell	[məkˈdaʊəl]	Makdauels, -a
Mac-Gill	[ˈmækˈgil]	Makgils, -a
Mackay	[məˈkai (məˈkei, ˈmæki)]	Makajs, -a
Mackenzie	[məˈkenzi]	Makenzijs, -a
Mackinlay	[məˈkinli]	Makinlijs, -a
Mackinley	[məˈkinli]	Makinlijs, -a
Mackintosh	[ˈmækintɒʃ]	Makintošs, -a
Macklin	[məˈklin]	Maklins, -a
Maclean(e)	[məˈklein]	Makleins, -a
Macleod	[məˈklaʊd]	Maklauds, -a
Macmillan	[məkˈmilan]	Makmilans, -a
Macnamara	[ˌmæknəˈmɑ:rə]	Meknamāra

Macpherson	[mək'fɜ:sn (mæk-)]	Makfērsons, -e
Madison	['mædisn]	Medisons, -e
Maginn	['mædʒin]	Medžins, -a
Malet	['mælit]	Melets, -a
Malone	[mə'ləʊn]	Malons, -e
Malory	['mæləri]	Melorijs, -a
Malthus	['mælθəs]	Meltuss, -a
Mandeville	['mændəvil]	Mendevils, -a
Manley	['mænli]	Menlijs, -a
Manning	['mæniŋ]	Menings, -a
Mannyng	['mæniŋ]	Menings, -a
Mansfield	['mænsfi:ld]	Mensfīlds, -a
Map	[mæp]	Meps, -a
Markham	['mɑ:kəm]	Mārkems, -a
Marlow(e)	['mɑ:ləʊ]	Mārlovs, -a
Marprelate	['mɑ:preleit]	Mārpreleits, -a
Marriat	['meəriət]	Mēriats, -a
Marshall	['mɑ:ʃ(ə)l]	Māršals, -a
Marston	['mɑ:st(ə)n]	Mārstons, -e
Martin	['mɑ:tin]	Mārtins, -a
Martineau	['mɑ:tinəʊ]	Mārtinovs, -a
Martyn	['mɑ:tin]	Mārtins, -a
Marvell	['mɑ:v(ə)l]	Mārvels, -a
Masefield	['meisfi:ld]	Meisfīlds, -a
Mason	['meisn]	Meisons, -e
Massinger	['mæsin(d)ʒə]	Mesindžers, -e
Masters	['mɑ:stəz]	Māsterss, -a
Mather	['meiðə ('mæðə)]	Meiters, -e
Maugham	[mɒ:m]	Moms, -a
Maurice	['mɒris]	Moriss, -a
Maxwell	['mæksw(ə)l (-wel)]	Meksvels, -a
May	[mei]	Mejs, -a
Mc Clellan	[mə'klelən]	Maklelans, -a
Mc Cormick	[mə'kɔ:mik]	Makormiks, -a
Mc Donald	[mək'dɒn(ə)ld]	Makdonalds, -a
Mc Kay	[mə'kai]	Makajs, -a

Mc Kinley	[mə'kinli]	Makinlijs, -a
M'Clure	[mə'klʊə]	Maklūrs, -a
Melville	['melvil]	Melvils, -a
Mencken	['menkən]	Menkens, -a
Meredith	['merediθ]	Meredits, -a
Merriman	['merimən]	Merimens, -a
Merry	['meri]	Merijs, -a
Mesefield	['mesfi:ld]	Mesfīlds, -a
Merthyr	['mɜ:θə]	Mērters, -e
Meyer	['maiə]	Maiers, -e
Meynell	['menl]	Menels, -a
Michaelson	['maiklsn]	Maikelsons, -e
Middleton	['midltən]	Midltons, -e
Mill	[mil]	Mills, -a
Miller	['milə]	Milers, -e, Millers
Milne	[mil (miln)]	Milns, -a
Milton	['milt(ə)n]	Miltons, -e
Mitford	['mitfəd]	Mitfords, -a
Monro(e)	[mən'rəʊ]	Monro
Montagu(e)	['mɒntəgju:]	Montagjū
Montgomerie	[mən(t)'gʌməri]	Montgomerijs, -a
Montgomery	[mən(t)'gʌmeri]	Montgomerijs, -a
Moody	['mu:di]	Mūdijs, -a
Moore	[mʊər]	Mors, -a
More	[mɔ:]	Mors, -a
Morgan	['mɔ:g(ə)n]	Morgans, -a
Morgann	['mɔ:g(ə)n]	Morgans, -a
Morier	['mɒriə]	Morīrs, -a
Morley	['mɔ:li]	Morlijs, -a
Morris	['mɒris]	Moriss, -a
Morton	['mɔ:tn]	Mortons, -e
Motherwell	['mʌðəwəl]	Matervels, -a
Mottram	['mɒtrəm]	Motrams, -a
Mount	[maʊnt]	Maunts, -a
Mulcaster	['mʌlkæstə]	Malkesters, -e
Mulgrave	['mʌlgreiv]	Malgreivs, -a

Munday	[ˈmʌndei]	Mandejs, -a
Munro	[mʌnˈrəʊ]	Manro
Murray	[ˈmʌri]	Marijs, -a
Murree	[ˈmʌri]	Marijs, -a
Murry	[ˈmʌri]	Marijs, -a
Nash(e)	[næʃ]	Nešs, -a
Nast	[nɑ:st]	Nāsts, -a
Nelson	[ˈnelsn]	Nelsons, -e
Newbolt	[ˈnju:bəʊlt]	Ņūbolts, -a
Newcastle	[ˈnju:ˌkɑ:sl]	Ņūkāsls, -a
Newman	[ˈnju:mən]	Ņūmens, -a
Newton	[ˈnju:tn]	Ņūtons, -e
Nichols	[ˈnik(ə)lz]	Nikolss, -a
Nicholson	[ˈnik(ə)lsn]	Nikolsons, -e
Nickson	[ˈniksn]	Niksons, -e
Norris	[ˈnɒris]	Noriss, -a
North	[ˈnɔ:θ]	Norts, -a
Norton	[ˈnɔ:tn]	Nortons, -e
Novello	[nəˈveləʊ (nɒˈv-)]	Novelo [novelō]
Noyes	[nɔiz]	Noiss, -a
O'Brien	[əʊˈbraiən]	O'Braiens, -a
O'Casey	[əʊˈkeisi]	O'Keisijs, -a
Occleve	[ˈɒkli:v]	Oklīvs, -a
O'Connell	[əʊˈkɒnl]	O'Konels, -a
O'Connor	[əʊˈkɒnə]	O'Konors, -a
O'Flaherty	[əʊˈfleəti]	O'Flertijs, -a
O'Hara	[əʊˈhɑ:rə]	O'Hāra
O'Higgins	[əʊˈhiginz]	O'Higinss, -a
O'Keeffe	[əʊˈki:f]	O'Kīfs, -a
Oliphant	[ˈɒlifənt]	Olifants, -a
Olmsted	[ˈɒmstid]	Olmsteds, -a
O'Neal	[əʊˈni:l]	O'Nīls, -a
O'Neil(l)	[əʊˈni:l]	O'Nīls, -a
Onion	[ˈʌnjən]	Anjons, -e

Oppenheimer	[ˈɒpənhaimə]	Openhaimers, -e
Osbert	**[ˈɒzbət]	Osberts, -a
Osborne	[ˈɒzbɔ:n]	Osborns, -a
O'Shaughnessy	[əʊˈʃɔ:nisi]	O'Šonesijs, -a
Otway	[ˈɒtwei]	Otvejs, -a
Overbury	[ˈəʊvəbəri]	Overberijs, -a
Owen	[ˈəʊin]	Ouens, -a
Paine	[pein]	Peins, -a
Paley	[ˈpeili]	Peilijs, -a
Palmer	[ˈpɑ:mə]	Pālmers, -e
Paris	[ˈpæris]	Periss, -a
Parker	[ˈpɑ:kə]	Pārkers, -e
Parnell	[pɑ:ˈnel]	Pārnels, -a
Parrington	[ˈpæriŋtən]	Peringtons, -e
Paston	[ˈpæstən]	Pestons, -e
Pater	[ˈpeitə]	Peiters, -e
Paterson	[ˈpætəsn]	Petersons, -e
Patmore	[ˈpætmɔ:]	Petmors, -a
Patterson	[ˈpætəsn]	Petersons, -e
Pattison	[ˈpætisn]	Petisons, -e
Paulding	[ˈpɔ:ldiŋ]	Poldings, -a
Paxton	[ˈpækstən]	Pekstons, -e
Peacock	[ˈpi:kɒk]	Pīkoks, -a
Pearce	[piəs]	Pīrss, -a
Pearl Poet	[ˈpɜ:lˈpəʊit]	Pērl-Poets
Pecock	[ˈpi:kɒk]	Pīkoks, -a
Peel	[pi:l]	Pīls, -a
Peele	[pi:l]	Pīls, -a
Pegram	[ˈpi:grəm]	Pīgrams, -a
Pegrum	[ˈpi:grəm]	Pīgrums, -a
Pemberton	[ˈpembət(ə)n]	Pembertons, -e
Pen	[pen]	Pens, -a
Penn	[pen]	Penns, -a
Pennel	[ˈpenl]	Penels, -a
Pepys	[ˈpepis (pi:ps, peps)]	Pepss, -a

Percy	[ˈpɜ:si]	Pērsijs, -a
Perry	[ˈperi]	Perijs, -a
Pettie	[ˈpeti]	Petijs, -a
Philips	[ˈfilips]	Filipss, -a
Phillip	[ˈfilip]	Filips, -a
Phillip(p)s	[ˈfilips]	Filipss, -a
Phillips	[ˈfilips]	Filipss, -a
Phillpots	[ˈfilpɒts]	Filpotss, -a
Pickering	[ˈpikəriŋ]	Pikerings, -a
Pierce	[piəs (pjɜ:s)]	Pīrss, -a
Piers	[piez]	Pīrss, -a
Pindar	[ˈpində]	Pindars, -a
Pinero	[piˈniərəʊ]	Pinīro
Pitt	[pit]	Pits, -a
Poe	[pəʊ]	Po
Polk	[pəʊk]	Polks, -a
Pope	[pəʊp]	Pops, -a
Porter	[ˈpɔ:tə]	Porters, -e
Pound	[paʊnd]	Paunds, -a
Powell	[ˈpəʊəl]	Pouels, -a
Powis	[ˈpəʊis]	Pouiss, -a
Powys	[ˈpəʊis]	Pouiss, -a
Pratt	[præt]	Prets, -a
Preston	[ˈprest(ə)n]	Prestons, -e
Price	[prais]	Praiss, -a
Priestley	[ˈpri:stli]	Prīstlijs, -a
Prior	[ˈpraiə]	Praiers, -e
Procter	[ˈprɒktə]	Prokters, -c
Prynne	[prin]	Prinns, -a
Pullman	[ˈpʊlmən]	Pulmens, -a
Pupin	[ˈpʊpin]	Pupins, -a
Pusey	[ˈpju:zi]	Pjūzijs, -a
Puttenham	[ˈpʌtnəm]	Patenems, -a
Quida	[ˈkwidə]	Kvida
Quinsey	[ˈkwinsi]	Kvinsijs, -a

Raby	[ˈreibi]	Reibijs, -a
Radcliffe	[ˈrædklif]	Redklifs, -a
Raingo	[ˈreingəʊ]	Reingo
Rale(i)gh	[ˈrɔːli]	Rālijs, -a
Ramsay	[ˈræmzi]	Remzijs, -a
Ramsy	[ˈræmzi]	Remzijs, -a
Randolph	[ˈrændɒlf]	Rendolfs, -a
Rands	[rændz]	Rendss, -a
Ray	[rei]	Rejs, -a
Read	[riːd]	Rīds, -a
Reade	[riːd]	Rīds, -a
Reading	[ˈrediŋ]	Redings, -a
Redford	[ˈredfəd]	Redfords, -a
Reed	[riːd]	Rīds, -a
Reeve	[riːv]	Rīvs, -a
Remington	[ˈremiŋtən]	Remingtons, -e
Ricardo	[riˈkɑːdəʊ]	Rikārdo
Richards	[ˈritʃədz]	Ričards, -a
Richardson	[ˈritʃədsn]	Ričardsons, -e
Ridding	[ˈridiŋ]	Ridings, -a
Rider	[ˈraidə]	Raiders, -e
Ridge	[ridʒ]	Ridžs, -a
Riley	[ˈraili]	Railijs, -a
Ripley	[ˈripli]	Riplijs, -a
Roberts	[ˈrɒbəts]	Robertss, -a
Robertson	[ˈrɒbətsn]	Robertsons, -e
Robinson	[ˈrɒbinsn]	Robinsons, -e
Robson	[ˈrɒbsn]	Robsons, -e
Rochester	[ˈrɒtʃistə]	Ročesters, -e
Rockefeller	[ˈrɒkəfelə]	Rokfellers, -e
Rogers	[ˈrɒdʒəz]	Rodžerss, -a
Rolle	[rəʊl]	Rols, -a
Romney	[ˈrɒmni]	Romnijs, -a
Roosevelt	[ˈrəʊzəvelt (ˈruːsvelt)]	Rūzvelts, -a
Roscommon	[rɒsˈkɒmən]	Roskomons, -e
Rose	[rəʊz]	Rozs, -a

Rossetti	[rə'seti]	Roseti
Rountry	['raʊntri]	Rauntrijs, -a
Rowe	[rəʊ]	Rovs, -a
Rowland	['rəʊlənd]	Roulends, -a
Rowlands	['rəʊləndz]	Roulendss, -a
Rowley	['rəʊli]	Roulijs, -a
Royce	[rɔis]	Roiss, -a
Rubinstein	['ru:binstain]	Rūbinstains, -a
Ruskin	['rʌskin]	Raskins, -a
Russell	[rʌsl]	Rasels, -a
Rutherford	['rʌðəfəd]	Raterfords, -a
Sacheverell	['se'ʃevərəl]	Saševerels, -a
Sackville	['sækvil]	Sekvils, -a
Sackville-West	['sækvil 'west]	Sekvils-Vests, Sekvila-Vesta
Saki	['sæki]	Sekijs, -a
Salisbury	['sɔ:lzb(ə)ri]	Solsberijs, -a
Sargeant	['sɑ:dʒ(ə)nt]	Sārdžents, -a
Sargent	['sɑ:dʒ(ə)nt]	Sārdžents, -a
Sassoon	[sa'su:n]	Sasūns, -a
Savage	['sævidʒ]	Sevidžs, -a
Sawyer	['sɔ:jə]	Sojers, -e
Scott	[skɒt]	Skots, -a
Sedgwick	['sedʒwik]	Sedžviks, -a
Sedley	['sedli]	Sedlijs, -a
Seel(e)y	['si:li]	Sīlijs, -a
Selden	['səld(ə)n]	Seldens, -a
Settle	['setl]	Setls, -a
Shadwell	['ʃædw(ə)l]	Šedvels, -a
Shaftesbury	['ʃɑ:ftsb(ə)ri]	Šāftsberijs, -a
Shak(e)spear(e)	['ʃeikspiə]	Šekspīrs
Shanks	[ʃæŋks]	Šenkss, -a
Sharp	[ʃɑ:p]	Šārps, -a
Sharpe	[ʃɑ:p]	Šārps, -a
Shaw	[ʃɔ:]	Šovs

Shelley	[ˈʃeli]	Šelijs, -a, Šellijs
Sheridan	[ˈʃeridn]	Šeridans, -a
Sherman	[ˈʃɜːmən]	Šērmens, -a
Sherwood	[ˈʃɜːwʊd]	Šērvuds, -a
Shirley	[ˈʃɜːli]	Šērlijs, -a
Shorthouse	[ˈʃɔːthaʊs]	Šorthauss, -a
Sidney	[ˈsidni]	Sidnijs, -a
Simms	[simz]	Simss, -a
Sims	[simz]	Simss, -a
Sinclair	[ˈsiŋkleə]	Sinklers, -e
Sitwell	[ˈsitwəl]	Sitvels, -a
Skelton	[ˈskeltn]	Skeltons, -e
Slossen	[ˈslɒsn]	Slosens, -a
Smectymnuus	[ˈsmektiməs]	Smektimuss, -a
Smirke	[smɜːk]	Smērks, -a
Smith	[smiθ]	Smits, -a
Smollett	[ˈsmɒlit]	Smolets, -a
Sorley	[ˈsɔːli]	Sorlijs, -a
Southerne	[ˈsʌðən]	Saterns, -a
Southey	[ˈsaʊði]	Sautijs, -a
Southwell	[ˈsaʊθw(ə)l]	Sautvels, -a
Sowerby	[ˈsaʊəbi]	Souerbijs, -a
Spencer	[ˈspensə]	Spensers, -e
Spender	[ˈspendə]	Spenders, -e
Spenser	[ˈspensə]	Spensers, -e
Sprat	[spræt]	Sprets, -a
Spratt	[spræt]	Sprets, -a
Sprague	[spreɪg]	Spreigs, -a
Spurr	[spɜː]	Spērs, -a
Squire	[ˈskwaiə]	Skvairs, -a
Stanley	[ˈstænli]	Stenlijs, -a
Stearns	[stiːnz]	Stīrnss, -a
Steele	[stiːl]	Stīls, -a
Steevens	[ˈstiːvnz]	Stīvenss, -a
Stephen	[ˈstiːvn]	Stīvens, -a
Stephens	[ˈstiːvnz]	Stīvenss, -a

Stephenson	[ˈsti:vnsn]	Stīvensons, -e
Stern	[stɜ:n]	Stērns, -a
Sterne	[stɜ:n]	Stērns, -a
Stevens	[ˈsti:vnz]	Stīvenss, -a
Stevenson	[ˈsti:vnsn]	Stīvensons, -e
Still	[stil]	Stills, -a
Stockton	[ˈstɒktən]	Stoktons, -e
Strachey	[ˈstreitʃi]	Streičijs, -a
Strafford	[ˈstræfəd]	Strefords, -a
Strong	[strɒŋ]	Strongs, -a
Strutt	[strʌt]	Strats, -a
Stuart	[ˈstju:ət]	Stjuarts, -a
Stubbes	[stʌbz]	Stabss, -a
Stubbs	[stʌbz]	Stabss, -a
Suckling	[ˈsʌkliŋ]	Saklings, -a
Sully	[ˈsʌli]	Salijs, -a
Sullivan	[ˈsʌlivən]	Salivans, -a
Surrey	[ˈsʌri]	Sarijs, -a
Swift	[swift]	Svifts, -a
Swinburne	[ˈswinbɜ:n]	Svinbērns, -a
Swinnerton	[ˈswinətən]	Svinertons, -e
Symonds	[ˈsaimən(d)z (ˈsim-)]	Simondss, -a
Symons	[ˈsaimənz]	Simonss, -a
Synge	[siŋ]	Sings, -a
Taft	[tæft (tɑ:ft)]	Tāfts, -a
Talfourd	[ˈtælfəd]	Telfords, -a
Tannahil	[ˈtænəhil]	Tenahils, -a
Tanner	[ˈtænə]	Teners, -e
Tate	[teit]	Teits, -a
Taylor	[ˈteilə]	Teilors, -a
Temple	[ˈtempl]	Templs, -a
Tennyson	[ˈtenisn]	Tenisons, -e
Tesla	[ˈtezlə]	Tezla
Thackeray	[ˈθækəri]	Tekerijs, -a
Theobald	[ˈθiəbɔ:ld]	Tiobolds, -a

Thomas	[ˈtɒməs]	Tomass, -a
Thompson	[ˈtɒmpsn]	Tompsons, -e
Thomson	[ˈtɒmsn]	Tomsons, -e
Thoreau	[ˈθɔ:rəʊ]	Torovs, -a
Thrale	[θreil]	Treils, -a
Thurneysen	[ˈθɜ:nisn]	Tērnisens, -a
Thuron	[tʊˈrɒn]	Turons, -e
Thurston	[ˈθʒ:st(ə)n]	Tērstons, -e
Tilden	[ˈtildən]	Tildens, -a
Tindal(e)	[ˈtindl]	Tindals, -a
Toland	[ˈtɒlənd]	Tolends, -a
Tomboy	[ˈtɒmbɔi]	Tombojs, -a
Tomlinson	[ˈtɒmlinsn]	Tomlinsons, -e
Townsend	[ˈtaʊnzend]	Taunzends, -a
Toynbee	[ˈtɔinbi]	Toinbijs, -a
Trager	[ˈtreidʒə]	Treidžers, -e
Trelawn(e)y	[triˈlɔ:ni]	Trelonijs, -a
Trevelyan	[triˈveljən]	Treveljans, -a
Trollope	[ˈtrɒləp]	Trolops, -a
Truman	[ˈtru:mən]	Trumens, -a
Trumbull	[ˈtrʌmbʌl]	Trambals, -a
Turner	[ˈtɜ:nə]	Tērners, -e
Twain	[twein]	Tveins, -a, Tvēns
Twist	[twist]	Tvists, -a
Tyler	[ˈtailə]	Tailers, -e
Tyndale *vai* Tindale	[ˈtindl]	Tindals, -a
Tyndall	[ˈtindl]	Tindals, -a
Tyrrwhit	[ˈtɪrɪt]	Tirits, -a
Udall	[ˈju:d(ə)l]	Jūdals, -a
Urquhart	[ˈɜ:kət]	Ērkharts, -a
Vanbrugh	[ˈvænbrə]	Venbru
Vandyke	[vænˈdaik]	Vendaiks, -a
Van Dyke	[vænˈdaik]	Ven Daiks, -a
Vaughan	[vɔ:n]	Vons, -a

Vaux	[vɒ:z (vɒks, vɔ:ks, vəʊks)]	Vokss, -a
Vooght	[vu:t]	Vūts, -a
Wagner	[ˈwægnə]	Vegners, -e
Waldo	[ˈwɔ:ldəʊ]	Voldo (vōldō)
Walker	[ˈwɔ:kə]	Vokers, -e
Wallace	[ˈwɒləs]	Volass, -a, *Volless
Waller	[ˈwɒlə]	Volers, -e
Walpole	[ˈwɔ:lpəʊl]	Volpols, -a
Walter	[ˈwɔ:ltə]	Volters, -e
Walton	[ˈwɔ:lt(ə)n]	Voltons, -e
Warburton	[ˈwɔ:bətn]	Vorbertons, -e
Ward	[wɔ:d]	Vords, -a
Warner	[ˈwɔ:nə]	Vorners, -e
Warren	[ˈwɒrən]	Vorens, -a
Warton	[ˈwɔ:tn]	Vortons, -e
Washington	[ˈwɒʃiŋtən]	Vašingtons
Waters	[ˈwɔ:təz]	Voterss, -a
Watson	[ˈwɒtsn]	Votsons, -e
Watt	[wɒt]	Vots, -a, Vats
Wats	[wɒts]	Votss, -a
Waugh	[wɔ: (wɒx)]	Vo
Wayland	[ˈweilənd]	Veilends, -a
Webbe	[web]	Vebs, -a
Weber	[ˈveibə]	Veibers, -e
Webster	[ˈwebstə]	Vebsters, -e
Wellington	[ˈweliŋtən]	Velingtons, -e
Wells	[welz]	Velss, -a
Welsh	[welʃ]	Velšs, -a
West	[west]	Vests, -a
Westbrook	[ˈwestbrʊk]	Vestbruks, -a
Whalley	[ˈweili]	Volijs, -a
Wharton	[ˈwɔ:tn]	Vortons, -e
Wheatley	[ˈwi:tli]	Vītlijs, -a
Wheeler	[ˈwi:lə]	Vīlers, -e
Whittier	[ˈwitiə]	Vitjers, -e

Whistler	[ˈwislə]	Vislers, -e
White	[wait]	Vaits, -a
Whitehead	[ˈwaithed]	Vaitheds, -a
Whitfield	[ˈwitfi:ld]	Vitfīlds, -a
Whitman	[ˈwitmən]	Vitmens, -a
Whitney	[ˈwitni]	Vitnijs, -a
Wigglesworth	[ˈwiglzwɜ:θ]	Viglsvērts, -a
Wilberforce	[ˈwilbəfɔ:s]	Vilberforss, -a
Wilbur	[ˈwilbə]	Vilburs, -e
Wilde	[waild]	Vailds, -a
Wilder	[ˈwaildə]	Vailders, -e
Wilkes	[wilks]	Vilkss, -a
William	[ˈwiljəm]	Viljams, -a
Williams	[ˈwiljəmz]	Viljamss, -a
Willis	[ˈwilis]	Viliss, -a
Wilson	[ˈwilsn]	Vilsons, -e
Winthrop	[ˈwinθrɒp]	Vintrops, -a
Wiseman	[ˈwaizmən]	Vaizmens, -a
Wistar	[ˈwistə]	Vistars, -a
Wister	[ˈwistə]	Visters, -e
Wither	[ˈwiðə]	Viters, -e
Wodehouse	[ˈwʊdhaʊs]	Vudhauss, -a
Wolf	[wʊlf]	Vulfs, -a
Wolfe	[wʊlf]	Vulfs, -a
Wolff	[wʊlf (wɒlf)]	Vulfs, -a
Wolsey	[ˈwʊlzi]	Vulzijs, -a
Wood	[wʊd]	Vuds, -a
Woodbridge	[ˈwʊdbridʒ]	Vudbridžs, -a
Woods	[wʊdz]	Vudss, -a
Woodward	[ˈwʊdwəd]	Vudvards, -a
Woolf	[wʊlf]	Vulfs, -a
Wordsworth	[ˈwɜ:dzwəθ]	Vērdsverts, -a
Wotton	[ˈwɒtn]	Votons, -e
Wren	[ren]	Rens, -a
Wright	[rait]	Raits, -a
Wyatt	[ˈwaiət]	Vaiats, -a

Wycherley	[ˈwitʃəli]	Vičerlijs, -a
Wycliffe *vai* Wyclif	[ˈwiklif]	Viklifs, -a
Yeat(e)s	[jeits]	Jeitss, -a
Yonge	[jʌŋ]	Jangs, -a
York	[jɔ:k]	Jorks, -a
Young	[jʌŋ]	Jangs, -a
Zangwill	[ˈzæŋgwil]	Zengvils, -a

ANGĻU DARBĪBAS VĀRDU NEREGULĀRĀS PAMATFORMAS

Infinitive	*Past Indefinite*	*Past Participle*
awake	awoke	awoken, awaked
be	was; (*dsk.*) were	been
bear [beə]	bore	borne (*nests*); born (*piedzimis*)
beat	beat	beaten
become	became	become
begin	began	begun
bend	bent	bent
bet	bet, betted	bet, betted
bid	bade, bid	bidden, bid
bind	bound [baʊnd]	bound
bite	bit	bitten, bit
bleed	bled	bled
blow [bleʊ]	blew	blown [bləʊn]
break [breik]	broke	broken
bring	brought	brought
brodadcast	broadcast, broadcasted	broadcast, broadcasted
build [bild]	built [bilt]	built
burn	burnt, burned	burnt, burned
burst	burst	burst
buy [bai]	bought [bɔ:t]	bought
can	could [kʊd]	–
cast [kɑ:st]	cast	cast
catch	caught [kɔ:t]	caught
chide	chid	chidden, shid
choose	chose	chosen
cleave	clove, cleft	cloven, cleft (*šķelt*)
cling	clung	clung
come [kʌm]	came	come

Infinitive	*Past Indefinite*	*Past Participle*
cost	cost	cost
creep	crept	crept
cut	cut	cut
dare [deə]	dared [deəd], durst [dɜ:st]	dared
deal [di:l]	dealt [delt]	dealt
dig	dug	dug
do	did	done
draw	drew	drawn
dream [dri:m]	dreamed [dremt], dreamt	dreamed, dreamt dreamt [dremt]
drink	drank	drunk
drive	drove	driven
eat [i:t]	ate [et]	eaten
fall [fɔ:l]	fell	fallen
feed	fed	fed
feel	felt	felt
fight [fait]	fought [fɔ:t]	fought
find [faind]	found [faʊnd]	found
flee	fled	fled
fling	flung	flung
fly	flew	flown [fləʊn]
forbid	forbade, forbad	forbidden
forget	forgot	forgotten
forgive	forgave	forgiven
forsake	forsook	forsaken
freeze	froze	frozen
get	got	got, gotten
give	gave	given
go	went	gone
grind [graind]	ground [graʊnd]	ground
grow	grew	grown [grəʊn]
hang	hung; (*pakārties*	hung; (*pakārties vai*

Infinitive	*Past Indefinite*	*Past Participle*
	vai pakārt, kādu sodot)	*pakārt, kādu sodot*)
	hanged	hanged
have	had	had
hear [hiə]	heard [hɜ:d]	heard
hide	hid	hidden
hit	hit	hit
hold [həʊld]	held	held
hurt	hurt	hurt
keep	kept	kept
kneel	knelt	knelt
knit	knitted, knit	knitted, knit
know [nəʊ]	knew	known [nəʊn]
lay [lei]	laid [leid]	laid
lead [li:d]	led	led
lean [li:n]	leaned [lent], leant [lept]	leaned, leant
leap [li:p]	leapt [lept], leaped [lept]	leapt, leaped
learn [lə:n]	learnt [lɜ:nt], learned [lɜ:nd]	learnt, learned
leave [li:v]	left	left
lend	lent	lent
let	let	let
lie [lai]	lay [lei]	lain
light [lait]	lit, lighted	lit, lighted
lose [lu:z]	lost	lost
make	made	made
may [mei]	might [mait]	–
mean [mi:n]	meant [ment]	meant
meet	met	met
mistake	mistook	mistaken

Infinitive	*Past Indefinite*	*Past Participle*
mow	mowed [məʊ]	mowed, mown
must	–	–
overcome	overcame	overcome
overtake	overtook	overtaken
partake	partook	partaken
pay [pei]	paid [peid]	paid
put [pʊt]	put	put
read [ri:d]	read [red]	read
rend	rent	rent
ride	rode	ridden
ring	rang	rung
rise	rose	risen [ˈrizn]
run	ran	run
saw	sawed	sawn, sawed
say [sei]	said [sed]	said
see	saw	seen
seek	sought [sɔ:t]	sought
sell	sold [səʊld]	sold
send	sent	sent
set	set	set
sew [səʊ]	sewed	sewn [səʊn], sewed
shake	shook	shaken
shall	should [ʃʊd]	–
shave	shaved	shaved, shaven
shine	shone [ʃɒn]; (*spodrināt apavus*) shined	shone [ʃɒn]; (*spodrināt apavus*) shined
shoot	shot	shot
show [ʃəʊ]	showed	showen [ʃəʊn], showed
shrink	shrank, shrunk	shrunk, shrunken
shut	shut	shut
sing	sang	sung
sink	sank	sunk, sunken

Infinitive	Past Indefinite	Past Participle
sit	sat	sat
sleep	slept	slept
smell	smelt, smelled	smelt, smelled
sow [səʊ]	sowed	sown [səʊn], sowed
speak	spoke [spi:k]	spoken
spell	spelt, spelled [spelt]	spelt, spelled
spit	spat, spit	spat, spit
spoil	spoilt, spoiled [spɔilt]	spoilt, spoiled [spɔilt]
wake	woke, waked	waked, woken
wear [weə]	wore	worn [wɔ:n]
weave [wi:v]	wove	woven
weep	wept	wept
will	would [wʊd]	–
win	won [wɒn]	won
wind [waind]	wound [waʊnd]	wound
withdraw	withdrew	withdrawn
withstand	withstood	withstood
wring	wrung	wrung
write	wrote	written

ANGĻU LIETVĀRDU DAUDZSKAITĻA NEREGULĀRĀS FORMAS

alga [ˈælgə]	algae [ˈældʒi]	aļģe
analysis [əˈnæləsis]	analyses [əˈnæləsi:z]	analīze
antenna [ænˈtenə]	antennae [ænˈteni:]	antena
axis [ˈæksis]	axe [ˈaksi:z]	ass
basis [ˈbeisis]	bases [ˈbeisi:z]	bāze, pamats
bath [bɑ:θ]	baths [bɑ:ðz]	vanna
cactus [ˈkæktəs]	cacti [ˈkæktai], cactuses [ˈkaktəsiz]	kaktuss
caecum [ˈsi:kəm]	caeca [ˈsi:kə]	aklā zarna
chief [tʃi:f]	chiefs [tʃi:fs]	vadītājs
child [tʃaild]	children [ˈtʃildrən]	bērns
corps [kɔ:]	corps [kɔ:z]	korpuss (*mil.*)
corpus [ˈkɔ:pəs]	corpora [ˈkɔ:pərə]	sakopojums
crisis [ˈkraisis]	crises [ˈkraisi:z]	krīze
curriculum [kəˈrikjuləm]	curricula [kəˈrikjulə]	mācību plāns
datum [ˈdeitəm]	data [ˈdeitə]	dati
deer [diə]	dccr [diə]	briedis
diagnosis [daiəgˈnəʊsis]	diagnoses [daiəgˈnəʊsi:z]	diagnoze
discus [ˈdiskəs]	disci [ˈdiskai]	disks
foot [fʊt]	feet [fi:t]	pēda
formula [ˈfɔ:mjulə]	formulae [ˈfɔ:mjuli:]	formula

gladiolus [glædi′əʊləs]	gladioluses [glædi′əʊləsiz], gladioli [glædi′əʊlai]	gladiola
goose [gu:s]	geese [gi:s]	zoss
lath [lɑ:θ]	laths [lɑ:ðz]	līste
man [mæn]	men [men]	vīrietis
means [mi:nz]	means [mi:nz]	līdzeklis
mouse [maʊs]	mice [mais]	pele
nucleus [′nju:kliəs]	nuclei [′nju:kliai]	kodols
oath [əʊθ]	oaths [əʊðz]	zvērests
ox [ɒks]	oxen [′ɒksn]	vērsis
path [pɑ:θ]	paths [pɑ:ðz]	taka
phenomenon [fi′nɒminən]	phenomena [fi′nɒminə]	fenomens
photo [′fəʊtəʊ]	photos [′fəʊtəʊz]	foto
piano [pi′ænəʊ]	pianos [pi′ænəʊz]	klavieres
radius [′reɪdiəs]	radii [′reidiai]	rādiuss
reef [ri:f]	reefs [ri:fs]	rifs
roof [ru:f]	roofs [ru:fs]	jumts
safe [seif]	safes [seifs]	seifs
salmon [′sæmən]	salmon [′sæmən]	lasis
sanatorium [sænə′tɔ:riəm]	sanatoria [sænə′tɔ:riə], sanatoriums [sænə′tɔ:riəmz]	sanatorija
series [′siəri:z]	series [′siəri:z]	sērija

sheep [ʃi:p]	sheep [ʃi:p]	aita
solo [ˈsəʊləʊ]	solos [ˈsəʊləʊz]	solo
stadium [ˈsteidiəm]	stadia [ˈsteidiə], stadiums [ˈsteidiəmz]	stadions
swine [swain]	swine [swain]	cūka
terminus [ˈtɜ:minəs]	terminuses [tɜ:ˈminəsiz], termini [ˈtɜ:minai]	galapunkts
thesis [ˈθi:sis]	theses [ˈθi:si:z]	tēze
tooth [tu:θ]	teeth [ti:θ]	zobs
woman [ˈwʊmən]	women [ˈwimin]	sieviete
wreath [ri:θ]	wreaths [ri:ðz]	vainags

Piezīme: dažiem vārdiem ir vairākas daudzskaitļa formas. Atkarībā no formas mainās arī tā nozīme:

brother	brothers	(*brāļi – radinieki*)
	brethren	(*brāļi – brālības biedri*)
cloth	cloths	(*auduma gabali*)
	clothes	(*drēbes*)
penny	pennies	(*atsevišķas monētas*)
	pence	(*norādot vērtību*)

ANGĻU ĪPAŠĪBAS UN APSTĀKĻA VĀRDU NEREGULĀRĀS SALĪDZINĀMĀS PAKĀPES

bad badly evil ill	worse	worst
far	farther (tikai par attālumu) further	farthest (tikai par attālumu) furthest
good well	better	best
late	later (tikai par laiku)	latest (tikai par laiku)
little	less	least
many much	more	most
near	nearer	nearest (par vietu) next
old	older elder (par ģimenes locekli)	oldest eldest (par ģimenes locekli)
low	lower	lowest

THE NUMERAL ['nju:mərəl] SKAITĻA VĀRDS

Cardinals ['kɑ:dinəlz] Pamata skaitļa vārdi

0–12	13–19	20–100
0 nought [nɔ:t]	thirteen ['θə:'ti:n]	twenty ['twenti]
1 one [wʌn]	fourteen ['fɔ:'ti:n]	thirty ['θə:ti]
2 two [tu:]	fifteen ['fif'ti:n]	forty ['fɔ:ti]
3 three [θri:]	sixteen ['siks'ti:n]	fifty ['fifti]
4 four [fɔ:]	seventeen ['sevn'ti:n]	sixty ['siksti]
5 five [faiv]	eighteen ['ei'ti:n]	seventy ['sevnti]
6 six [siks]	nineteen ['nain'ti:n]	eighty ['eiti]
7 seven ['sevn]		ninety ['nainti]
8 eight [eit]		100 one (a) hundred
9 nine [nain]		[hʌndrəd]
10 ten [ten]	21 twenty-one	101 one hundred and one
11 eleven [i'levn]	22 twenty-two	1 000 one (a) thousand
12 twelve [twelv]	35 thirty-five	1 000 000 one (a) million
	99 ninety-nine	

Ordinals ['ɔ:dinlz] Kārtas skaitļa vārdi

1.–12.	13.–19.	20.–90.
1. the first [fə:st] = 1st	13. the thirteenth	20. the twentieth
2. the second ['seknd] = 2nd	14. the fourteenth	30. the thirtieth
3. the third [θə:d] = 3rd	15. the fifteenth	40. the fortieth
4. the fourth [fə:θ] = 4th	16. the sixteenth	50. the fiftieth
5. the fifth [fifθ] = 5th	17. the seventeenth	60. the sixtieth
6. the sixth [siksθ] = 6th	18. the eighteenth	70. the seventieth
7. the seventh ['sevnθ] = 7 th	19. the nineteenth	80. the eightieth
8. the eighth [eitθ] = 8 th		90. the ninetieth
9. the ninth [nainθ] = 9 th	21. the twenty-first	101. the one hundred and first
10. the tenth [tenθ] = 10 th	22. the twenty-second	1 000. the one thousandth
11. the eleventh [i'levnθ] = 11 th	35. the thirty-fifth	1 000 000. the one millionth
12. the twelfth [twelfθ] = 12 th	99. the ninety-ninth	
	100. the one hundredth ['hʌndrədθ]	

Vulgar fractions and decimals Daļskaitļi

1/2 a haft	puse
1/3 one/a third	viena trešdaļa
1/4 one/a quarter	viena ceturtdaļa
3/4 three quarters	trīs ceturtdaļas
1 3/4 one and three quarters	viens un trīs ceturtdaļas
0,5 nought point five, point five, zero point five *amer.*	nulle komats pieci
2,542 two point five four two	divi komats pieci simti četrdesmit divi

CALCULATIONS	DARBĪBAS
4+5=9	Four plus [plʌs] five is nine Four and five is nine
410+32=442	Four hundred and ten plus thirty-two is (equals) four hundred and fourty two
10-1=9	Ten minus ['mɑinəs] one is nine
350-50=300	Three hundred and fifty minus fifty equals three hundred
1×4=4	Once four are four
2×2=4	Twice two are four
3×3=9	Three times three are nine
4×5=20	Four times five are twenty
60:3=20	Sixty by three are twenty
4:2=2	Four divided by two equals two
2=1/2×4	Two is a half of four
3=1/2×6	Three is half of six
2=1/4×8	Two is a quarter of eight
6=3/4×8	Six is three-quarters of eight
2=1/3×6	Two is one-third of six
3=1/3×9	Three is one-third of nine
2=2/3×3	Two is two-thirds of three

THE TIME	LAIKS
an hour = 60 minutes	1 stunda = 60 minūtes
half an hour =30 minutes	pusstunda = 30 minūtes
a quarter of an hour = 15 minutes	ceturtdaļstunda = 15 minūtes
three quarters of an hour = 45 minutes	trīs ceturtdaļstundas = 45 minūtes

LATVIEŠU-ANGĻU

vārdnīca

dictionary

LATVIAN-ENGLISH

VĀRDNĪCAS LIETOTĀJIEM

Latviešu pamatvārdi sakārtoti alfabēta secībā. Vārda daļa, kas atrodas aiz tildes (~), pievienojama pamatvārdam vai tai pamatvārda daļai, kas atrodas zīmes ‖ priekšā, piem.:

dzimšan‖a birth; ~ as diena – birthday.

Ja pamatvārds piemēros atkārtojas nemainītā veidā, to saīsina, rakstos tikai sākuma burtu, piem.:

līmenis level; dzīves l. – living standard.

Homonīmi apzīmēti ar mazajiem latīņu burtiem [a, b, c] utt., piem.:

ikri[a] (*kāju*) calf

ikri[b] (ēšanai) caviar[e].

Ar pustrekniem arābu cipariem parādītas vārda atsevišķās nozīmes, piem.:

kalt 1. to forge; **2.** (*naudu*) to coin; **3.** (*par dzeni*) to peck.

Ja latviešu pamatvārds vai kāda no tā nozīmēm vieni paši nav tulkojami, bet lietojami tikai raksturīgos savienojumos, aiz pamatvārda likts kols, kuram seko attiecīgais savienojums ar tulkojumu, piem.:

bojā: iet b. – to perish.

Idiomātiskie izteicieni doti aiz romba (◇), piem.:

stāties to stand*, ◇ s. spēkā – to come* into force.

Starp tulkojumiem, kas ir tuvi sinonīmi, likts komats; ja nozīmes atšķirība starp tulkojumiem ir lielāka, tie atdalīti cits no cita ar semikolu.

Apaļajās iekavās kursīviem (slīpiem) burtiem iespiestais teksts ir tulkojuma skaidrojums, piem.:

labība (*graudi*) corn; (*nepļauta*) crop.

Apaļajās iekavās stāviem burtiem ir parādīti tulkojumu varianti:

apiet 1. (*apkārt*) to round, to go* (walk) round.

Kvadrātiekavās ievietotas fakultatīvās vārda daļas vai fakultatīvie vārdi, piem.:

ierīvēt to rub [in].

Atsevišķos gadījumos latviešu vārdiem pievienoti lietošanas sfēras apzīmējumi, piem.:

izmete *dat* dump.

Rekcija (pārvaldījums) angļu vārdiem parādīta tikai tajos gadījumos, ja tā angļu un latviešu valodā nav vienāda, piem.:

apsūdzēt to accuse (*of*), to charge (*with*).

Vārdnīcā dota to angļu vārdu fonētiskā transkripcija, kuru izrunu nevar noteikt pēc angļu patskaņu, līdzskaņu un digrāfu lasīšanas likumiem. Bieži vien fonētiskajā transkripcijā transkribējamā vārda atsevišķas skaņas aizstātas ar svītriņu: ...unkaind [-'kaind].

Pamattulkojumos un ilustratīvajos piemēros sastopamie angļu lietvārdi un darbības vārdi, kuru formas darināmas nekārtni, ir apzīmēti ar zvaigznīti (*). Zvaigznīte nozīmē, ka šo vārdu formas meklējamas vārdnīcas pielikumā.

Vārdnīcā ir šādi pielikumi: vārdnīcas sākumā – fonētiskās transkripcijas zīmes, bieži lietojamie angļu vārdi, kas vārdnīcā doti bez fonētiskās transkripcijas, kā arī norādījumi par dažu burtu savienojumu izrunu angļu valodā; vārdnīcas beigās – personvārdi, angļu lietvārdu daudzskaitļa neregulāro formu saraksts un angļu darbības vārdu neregulāro pamatformu tabula, īpašības un apstākļa vārdu neregulārās salīdzināmās pakāpes, vārdu pārnesumi, norādes, kā rakstīt vēstules.

VĀRDNĪCĀ LIETOTĀS FONĒTISKĀS TRANSKRIPCIJAS ZĪMES*

Patskaņi un divskaņi

æ – h*a*t
ʌ – c*u*p
e – t*e*n
ə – *a*go
i – *s*it
ɒ – g*o*t
ʊ – p*u*t
ɑ: – *a*rm
ɜ: – f*ur*
i: – b*ee*
ɔ: – s*an*
u: – t*oo*
ai – f*i*ve
aʊ – n*ow*
ei – p*a*ge
eə – h*air*
iə – n*ear*
ɔi – j*oi*n
əʊ – h*o*me
ʊə – p*ure*

Līdzskaņi un puspatskaņi

b – *b*ad
d – *d*ad
f – *f*all
g – *g*ot
h – *h*e
j – *y*ou
k – *c*at
l – *l*ike
m – *m*e
n – *n*o
p – *p*en
r – *r*ead
s – *s*o
t – *t*ide
v – *v*oice
w – *w*ay
z – *z*oo
ŋ – bri*ng*
θ – *th*in
ð – *th*en
ʃ – *sh*e
ʒ – vi*s*ion
tʃ – *ch*erry
dʒ – *J*une

*Fonētiskās zīmes lasāmas tā, kā izrunājami kursīvā iespiestie burti dotajos vārdos.

BIEŽI LIETOJAMIE ANGĻU VĀRDI, KAS VĀRDNĪCĀ DOTI BEZ FONĒTISKĀS TRANSKRIPCIJAS

about [ə'baʊt]
above [ə'bʌv]
among [ə'mʌŋ]
another [ə'nʌðə]
any ['eni]
are [ɑ:]
as [æz]
away [ə'wei]
become, bocomes [bi'kʌm, bi'kʌmz]
begin, begins [bi'gin, bi'ginz]
behind [bi'haind]
between [bi'twi:n]
come [kʌm]
could [kʊd]
do [du:]
doing ['du:iŋ]
does [dʌz]
don't [dəʊnt]
down [daʊn]
every ['evri]
full [fʊl]
get, gets [get, gets]
getting ['getiŋ]
give, gives [giv, givz]
giving ['giviŋ]
good [gʊd]
grow [grəʊ]
has [hæz]
have [hæv]
having ['hæviŋ]
hers [hɜ:z]

never ['nevə]
nothing ['nʌθiŋ]
of [ɒv]
off [ɔ:f]
one [wʌn]
one's [wʌnz]
other, others ['ʌðə, 'ʌðəz]
ours ['aʊəʒ]
over ['əʊvə]

out [aʊt]
put, puts [pʊt, pʊts]
round [raʊnd]
shall [ʃæl]
should [ʃʊd]
some [sʌm]
than [ðæn]
that [ðæt]
the [ðə]
their, theirs [ðeə, ðeəz]
them [ðem]
the [ðen]
there [ðeə]
these [ði:z]
they [ðei]
this [ðis]
those [ðəʊz]
through [θru:]
to [tə]
towards [tə'wɔ:dz]
two [tu:]
upon [ə'pɑn]

his [hiz]
into ['intə]
is [iz]
many ['meni]
who [hu:]
whom [hu:m]
whose [hu:z]
with [wið]
within [wi'ðin]

very ['very]
was [wɒz]
were [wɜ:]
where [weə]
without [wi'ðaʊt]
would [wʊd]
you [ju:]
your [jɔ:], yours [jɔ:z]

NORĀDĪJUMI PAR DAŽU BURTU UN BURTU SAVIENOJUMU IZRUNU ANGĻU VALODĀ

Patskaņi

Patskani izrunā alfabētiski, ja tas atrodas t. s. vaļējā zilbē, t.i., zilbes beigās pirms cita patskaņa, vai arī ja patskanim seko viens līdzskanis un mēmais *e*:

a = [ei]: take
o = [əʊ]: no
u = [ju:]: que
e = [i:]: we
i, y = [ai]: fire, shy

Patskani izrunā īsi, ja tas atrodas t. s. slēgtā zilbē, t. i., ja zilbi noslēdz viens vai vairāki līdzskaņi:

a = [æ]: bank
o = [ɒ]: lock
u = [ʌ]: stuck
e = [e]: set
i = [i]: sink

Patskani izrunā gari, ja tam seko *r* un līdzskanis:

a = [ɑ:]: warm
o = [ɔ:]: work
u = [ɜ:]: turn
e = [ɜ:]: mother
i = [ɜ:]: sir

Ja patskanim seko *r* un vēl viens patskanis, to izrunā šādi:

a = [eə]: bare
u = [jʊə]: secure
e = [iə]: mere
i, y = [aiə]: satire, tyre

Līdzskaņi

ch = [tʃ]: child
ck = [k]: neck
kn = [n]: knot
ng = [ŋ]: bring
ph = [f]: phone
sh = [ʃ]: ash
th = [θ, ð]: through, those
wh = [w]: what
wr = [r]: wrong
x = [ks]: fox
c e, i, y priekšā = [s]: cycle
c a, o, u priekšā = [k]: cotton
g e, i, y priekšā = [dʒ]: gentle
g a, o, u priekšā = [g]: gang
qu patskaņu priekšā = [kw]: quiz

Digrāfi

au = [ɔ:]: fault
aw = [ɔ:] law
eu = [ju:]: Europa
ew = [ju:]: new
oo = [u:, ʊ]: doom, good
oi = [ɔi]: spoil
oy = [ɔi]: toy
ee = [i:]; eel

Dažu izskaņu izruna

-age = [-idʒ]: severage
-able = [-əbl]: fashionable
-ssion = [-ʃən]: impression
-tion = [-ʃən]: nation
-ture = [-tʃə]: nature

Saīsinājumi

amer. – amerikānisms
anat. – anatomija
arhit. – arhitektūra
attr. – used attributively – atributīvi lietots vārds
av. – aviācija
biol. – bioloģija
bot. – botānika
dat. – datori
dsk. – daudzskaitlis
ek. – ekonomika
el. – elektrotehnika
fiz. – fizika
gram. – gramatika
inf. – infinitive, nenoteiksme
īp. v. – īpašības vards
jur. – juridisks termins
kul. – kulinārija
ķīm. – ķīmija
lauks. – lauksaimniecība
lietv. – lietvārds
lit. – literatūra
māk. – māksla
mat. – matemātika
med. – medicīna
mil. – militārs termins
mūz. – mūzika
ornit. – ornitoloģija
pārn. – pārnestā nozīmē
pol. – politisks termins
poligr. – poligrāfijas termins
predic. – uded predicatively – predikatīvi lietots vārds
saīs. – saīsinājums
sar. – sarunvalodā lietots vārds vai izteiciens
sk. – skaties
smb. – somebody, kāds
smth. – something, kaut kas
sp. – sporta termins
teātr. – teātra termins
tehn. – tehnika
u.c. – un citi
u. tml. – un tamlīdzīgi
vsk. – vienskaitlis
zool. – zooloģija

A

A

abatija abbey ['æbi]
abats abbot ['æbət]
abažūrs [lamp] shade [ʃeid]
ābece ABC [,eibi:'si:], ABC book, primer
ābele apple-tree ['æpltri:]
abējādi in both [bəʊθ] ways [weiz]
abi both [bəʊθ]; viens no abiem – one of the two; mēs a. – both of us; neviens no abiem – neither ['naiðə] of them
abiturients school-leaver [sku:li:və], candidate ['kændidət] of finals ['fainlz] *amer.*
āboliņš clover ['klʌvə]
ābolkūka apple-pie ['æplpai]
ābols apple ['æpl]
abonements **1.** (*avīzes, žurnāla*) subscription [səb'sripʃn] (*to, for*); **2.** (*teātra u.tml.*) season-ticket ['si:zntikit]
abonents subscriber [səb'skraibə]
abonēt (*avīzi, žurnālu*) to subscribe (*to, for*), to take* in
aborts *med.* abortion ['ə'bɔ:ʃn]
abpus on both [bəʊθ] sides (*of*)
abpusējs double-sided ['dʌblsaidid]
absolūt||**s** *īp. v.* absolute ['əbsəlu:t]; perfect; ~ā dzirde – perfect pitch
absolvents (*skolas*) school leaver; (*augstskolas*) graduate ['grædʒʊət]
absolvēt (*skolu*) to finish ['finiʃ]; (*augstskolu*) to graduate ['grædʒʊeit] (*from*)
abstrakts abstract [əb'strəkt]
absurds *īp. v.* absurd [əb'sɜ:d]
acālija *bot.* azalea [ə'zeiliə]
acs eye [ai]; ◇ ar neapbruņotu aci – with the naked eye; turēt acis vaļā – to keep* one's eyes open
acumērs estimation [esti'meiʃn] by sight [sait]; labs a. – correct eye [ai]; slikts a. – faulty eye; pēc acumēra – by the eye
acumirk||**lis** moment ['məʊmənt]; instant; ~lī – instantly ['instəntli]
ačgārni **1.** (*otrādi*) the other way round; **2.** (*aplam*) in a wrong [rɒŋ] way
āda **1.** (*cilvēka*) skin [skin]; **2.** (*dzīvnieka*) hide [haid]; **3.** (*apstrādāta*) leather ['leðə]; (*kažokāda*) fur [fɜ.], ~s slimība – skin disease [di'zi:z]
adapters *tehn.* adapter [ə'dæptə]
adata needle [ni:dl]; adāmā a. – knitting ['nitiŋ] needle
adekvāts adequate ['ædikwət]
adīklis knitting ['nitiŋ]
adīt to knit* [nit]
adjektīvs *gram.* adjective ['ædʒiktiv]

A

adjutants aide-de-camp [ˌeidde'kɒm]
administrācija (*teātra, viesnīcas u. tml.*) management ['mænidʒmənt]
administratīv||s administrative [əd,mini'strətiv]; ~ais iedalījums – administrative division
administrators (*teātra, viesnīcas*) manager ['mænidʒə]
admirālis admiral
adoptēt to adopt [ə'dɒpt], to affiliate [ə'filieit]
adrese address; a. «pēc pieprasījuma» – accomodation adress [ə,kɒmə'deiʃn ə,dress]
adresēt to address [ə'dres] (*to*)
Advente *rel.* Advent
adverbs *gram.* adverb
advokāts lawyer ['lɔ:jə], attorney [ə'tɜ:ni] *amer.*
aerobika aerobics [ˌeə'rəʊbiks] *dsk.*
aerodinamika aerodynamics ['eədinəmiks]
aerodroms airfield ['eəfi:ld]
aerosols aerosol, spray [sprei]
afēra swindle ['swindl], fraud ['frɔ:d]
afiša poster ['pəʊstə]
aforisms aphorism ['æfərizəm]
agrāk 1. earlier ['ɜ:liə]; **2.** (*pirms*) before; **3.** (*senāk*) formerly ['fɔ:məli]
agrākais former, previous ['pri:viəs]
agresija aggression [ə'greʃn]
agresīvs aggressive [ə'gresiv]
agri early; a. vai vēlu – sooner or later
agronomija agronomy [ə'grɒnəmi]
agronoms agronomist, agriculturist [ˌægri'kʌltʃərist]
agrs early ['ɜ:li]
aģents agent ['eidʒənt]
aģentūra agency ['eidʒənsi]; nekustamā īpašuma a. – real estate agency
ahāts agate ['ægət]
ai! ah [ɑ:]!, oh [əʊ]!
aicinājums 1. (*oficiāls*) summons ['sʌmənz]; **2.** (*uzsaukums*) appeal [ə'pi:l]; **3.** (*tieksme*) vocation [vəʊ'keiʃn] calling [kɔ:liŋ]; **4.** (*ielūgums*) invitation
aicināt (*ielūgt*) to invite [in'vait], to ask [ɑ:sk]
aijāt to lull (to sleep) [sli:p]; (*šūpot*) to rock
aile 1. opening aperture; **2.** (*sleja*) column ['kɒləm]
aina 1. sight [sait]; **2.** *teātr.* scene [si:n]
ainava landscape ['lændskeip]
airēšana rowing ['rəʊiŋ]
airēt to row [rəʊ], to scull [skʌl]
airis oar [ɔ:], scull [skʌl]; airu laiva – rowboat
ait||a sheep* [ʃi:p]; ~as gaļa – mutton; ~u gans – shepherd ['ʃepəd]
aitāda sheepskin ['ʃi:pskin]
aitkopība sheep-breeding ['ʃi:pbri:diŋ]
aiz 1. (*norādot vietu*) behind [bi'haind]; (*otrā pusē*) over ['əʊvə], across; a. upes – across the river ['rivə]; **2.** (*norādot secību*) after ['ɑ:ftə]; **3.** (*norādot cēloni*) because [bi'kɒz] of; out of
aiza gorge [gɔ:dʒ], ravine [rə'vi:n], gully ['gʌli]

A

aizāķēt to fasten ['fɑ:sn] with a hook; to hook [hʊk] up
aizbaidīt to frighten ['fraitn] off (away)
aizbāznis (*korķis*) cork; (*stikla*) stopper; (*tapa*) plug [plʌg]
aizbāzt 1. (*aiz*) to push [puʃ] behind; **2.** (*caurumu*) to stop [stɒp] (cork) up; (*ar tapu*) to plug [plʌg]
aizbēgt to run* [rʌn] away, to escape [i'skeip]; to flee [fli:]
aizbērt to fill [fil] up
aizbīdīt 1. (*projām*) to push [pʊʃ] away; **2.** (*aizbīdni*) to bolt; to bar [bɑ:]
aizbīdnis (*durvju, logu*) bolt [bəʊlt]; (*krāsns*) slide [slaid], damper ['dæmpə]
aizbildinājums excuse [ik'skju:s]; (*iegansts*) pretext
aizbildināties to excuse [ik'skju:z] oneself
aizbildnība *jur.* custody ['kʌstədi]; guardianship ['gɑ:diənʃip]
aizbildnis guardian ['gɑ:diən]; tutor ['tju:tə]
aizbilst to put* in a word (*for smb.*)
aizbraukšana departure [di'pɑ:tʃə]
aizbraukt to go* away; to leave* [li:v] (*for*); to depart [di'pɑ:t]
aizceļot to go* off on a trip
aizcirst (*durvis*) to slam [slæm]
aizdedze *tehn.* ignition [ig'niʃn]
aizdedzināt 1. to light* [lait]; **2.** (*pielaist uguni*) to set* fire ['faiə] (*to*)
aizdegt (*elektrību*) to turn [tɜ:n] on the light [lait]
aizdegties to catch* fire ['faiə]
aizdevējs lender ['lendə]
aizdevums loan [ləʊn]; credit ['kredit]; procentu a. – interest-bearing [beəriŋ] loan
aizdom||as suspicion [sə'spiʃən]; turēt ~ās – to suspect
aizdomāties to be* lost in thoughts [θɔ:ts]
aizdomīgs suspicious [sə'spiʃəs]; dubious ['dju:biəs]
aizdot to lend* [lend]
aizdrāzties 1. (*projām*) to rush [rʌʃ] off (away); **2.** (*garām*) to rush past (by)
aizdusa short [ʃɔ:t] breath [breθ]
aizelsies breathless ['breθlis]
aizgalds (*cūku*) sty [stai]; (*aitu*) pen, fold [fəʊld]
aizgriezt (*krānu*) to turn [tɜ:n] off
aizgulēties to oversleep* [,əʊvə'sli:p]
aiziet 1. (*projām*) to go* away, to leave* [li:v]; **2.** (*līdz kādai vietai*) to go* (*as far as*); **3.** (*pēc kaut kā*) to fetch
aizjāt to ride* [raid] away (off)
aizkars curtain ['kɜ:tn]
aizkave *dat.* delay [di'lei]
aizkavēt to detain [di'tein], to keep* [off]
aizkavēties to be late [leit]
aizkulis||es wings; ~ēs – behind the scenes
aizkustin||āt to move [mu:v], to touch [tʌtʃ]; ~ošs – moving, touching
aizlaisties to fly* [flai] away

A

aizliegt to forbid* [fɔ:ˈbid]; (*oficiāli*) to prohibit [prəʊˈhibit], to ban [bæn]; ieeja ~a! – no admittance!; smēķēt ~s! – no smoking!
aizliegums prohibition [ˌprəʊhiˈbiʃən], ban [bæn]
aizlīmēt to glue [glu:] up; (*aploksni*) to seal [si:l] up
aizlocīties **1.** (*par upi, ceļu*) to wind* away; **2.** (*par čūsku u. c.*) to wriggle [ˈrigl] off
aizlūgums *rel.* church [tʃɜ:tʃ] service [ˈsɜ:vis]
aizmāršība forgetfulness [fəˈgetflnis]
aizmāršīgs forgetful [fəˈgetfl]; absent-mindedness [ˌæbsəntˈmaididnis]
aizmest **1.** (*projām*) to throw* [θrəʊ] away; **2.** (*aiz kaut kā*) to throw* (*behind*)
aizmetnis sprout [spraʊt]; bud [bʌd]
aizmiegt: a. acis – to close (shut) one's eyes
aizmigt to fall* [fɔ:l] asleep [əˈsli:p]
aizmirst to forget* [fəˈget]
aizmugure **1.** *mil.* rear [riə]; **2.** *sp.* off side [said]
aizmūrēt to wall [wɔ:l] up
aiznest to carry [ˈkæri] away
aizņemt to occupy [ˈɒkjʊpai]; to take* up; a. vietu – to take up room
aizņemties to borrow [ˈbɒrəʊ], to loan [ləʊn]
aizņemts **1.** engaged [inˈgeidʒd]; **2.** (*nodarbināts*) busy [ˈbizi]
aizņēmums loan [ləʊn]; dot aizņēmumu – to issue [ˈiʃu:] out a loan
aizplombēt (*zobu*) to fill, to stop [stɒp]
aizpogāt to button [ˈbʌtn] up
aizputināt (*ar sniegu*) to block [blɒk] up with snow; to cover [ˈkʌvə] with snow
aizrādījums **1.** (*piezīme*) remark; **2.** (*rājiens*) reproof [riˈpru:f]; reproach [riˈprəʊtʃ]
aizrādīt **1.** (*izteikt piezīmi*) to remark; **2.** (*izteikt rājienu*) to reprove [riˈpru:v]
aizrau||t **1.** to drag away; **2.** *pārn.* to carry [ˈkæri] away; ~jošs – thrilling
aizrauties (*ar kaut ko*) to be keen (*on smth.*); (*ar kādu*) to take* a fancy (*to smb.*)
aizrautīgs enthusiastic [inˌθju:ziˈæstik]
aizrīties to choke [tʃəʊk] (*with*)
aizrobežu- foreign [ˈfɒrin]; overseas [ˌəʊvəˈsi:z]
aizrunāties to forget* one's time in conversation
aizsardzība **1.** protection [prəˈtekʃn]; guarding [ˈgɑ:diŋ]; **2.** *mil.* defence [diˈfens]
aizsargāt to protect [prəˈtekt]; to guard [gɑ:d]
aizsegs cover [ˈkʌvə]; screen [skri:n]
aizsegt to cover [ˈkʌvər] up; to screen [skri:n]
aizsiet to tie [tai] up
aizsist **1.** (*ar dēļiem*) to board [bɔ:d] up; (*ar naglām*) to nail [neil] up; **2.** (*aizcirst, piem., durvis*) to slam [slæm]

A

aizskart **1.** (*pieskarties*) to touch [tʌtʃ]; **2.** (*aizvainot*) to hurt* [hɜ:t]; to offend
aizskriet 1. (*projām*) to run* away; **2.** (*pēc kaut kā*) to run* for
aizskrūvēt to screw [skru:]
aizslēgt to lock [lɒk]
aizslietnis screen [skri:n]
aizsmacis hoarse [hɔ:s], husky [ˈhʌski]
aizsniegt to reach [ri:tʃ]
aizspriedums prejudice [ˈpredʒədis]
aizsprostot to block [blɒk] up
aizsprosts **1.** dam [dæm]; **2.** *mil.* barrage [ˈbærɑ:ʒ]
aizstāt **1.** to substitute [ˈsʌbstitju:t] (*for*), to change [tʃeindʒ] (*for*); **2.** (*amatā*) to act (*for*)
aizstāvēt **1.** to defend [diˈfend]; a. disertāciju – to defend one's thesis*; **2.** *jur.* to plead [pli:d] (*for*)
aizstāvēties to defend oneself
aizstāvība *jur.* defence [diˈfens]
aizstāvis **1.** protector; **2.** *jur.* counsel [ˈkaʊnsəl] for the defence
aizsteigties **1.** to hasten [ˈheisn] away, to hurry [ˈhʌri] off; **2.**: a. priekšā – 1) to outstrip; 2) (*notikumiem u. tml.*) to anticipate
aizsūtīt to send* away; a. vēstuli – to send* a letter [ˈletə]
aizsviest (*projām*) to throw* [θrəʊ] away
aiztecēt to flow* [fləʊ] away
aizšūt to sew* [səʊ] up
aiztikt to touch [tʌtʃ]
aizturēt **1.** (*nelaist*) to detain [diˈtein], to keep* [off]; **2.** (*apcietināt*) to arrest [əˈrest]
aizturis *dat.* latch
aizvainojums offence [əˈfens]
aizvainot to offend [əˈfend], to hurt* [hɜ:t]
aizvakar the day before yesterday
aizvērt to close [kləʊz]; to shut [ʃʌt]
aizvest to take* away
aizvietot (*amatā*) to replace [riˈpleis]; to deputize [ˈdepjutaiz]
aizvilkt **1.** (*projām*) to drag away; **2.** (*priekškaru*) to draw* [drɔ:], to pull
aizzīmogot to seal [si:l] up
aizžogojums fencing [ˈfensiŋ]
aizžogot to fence [fens] in; to enclose [inˈkləʊz]
ak! oh [əʊ]!; ak tā! – oh, I see!
aka well [wel]; rakt aku – to sink* a well
akācija acacia [əˈkeiʃə]
akacis pool [pu:l] in a marsh [mɑ:ʃ]
akadēmija academy [əˈkædəmi]
akadēmisks academic [ˌækəˈdəmik]
akcents **1.** (*uzsvars*) stress [stres]; **2.** (*izrunas veids*) accent [ˈæksənt]
akcij‖a[a] *ek.* share; ~u sabiedrība joint-stock company
akcija[b] *pol.* action [ˈækʃn], campaign [kæmˈpein]
akcionārs *ek.* shareholder [ˈʃeəhəʊldə]; stockholder [stɒkhəʊldə]
akcīze *ek.* excise [ˈeksaiz]; ~s nodoklis – excise taxduty
aklimatizēt to acclimatize [əˈklaimətaiz]

A

aklimatizēties to acclimatize oneself
akl||s blind [blaind]; ~ā zarna *anat.* – blind gut [gʌt], caecum* [ˈsi:kəm]
aklums blindness [ˈblaindnəs]
akmens stone [stəʊn]; rock [rɒk]; (*laukakmens*) boulder [ˈbəʊldə]; kapakmens – tombstone [ˈtu:mstəʊn], gravestone [ˈgreivstəʊn]
akmeņdārzs rockery [ˈrɒkəri]
akmeņogles coal [kəʊl]
aknas liver [ˈlivə]
akordeons accordion [əˈkɔ:diən]
akords chord [kɔ:d]
akreditēt to acredid [əˈkredit]
akrobāts acrobat [ˈækrəbæt]
akselerators *tehn.* accelerator [əkˈseləreitə]
āksts (*klauns*) jester, fool [fu:l]; clown [klaʊn]
aktieris actor [ˈæktə]
aktivēt *ķīm.* to activate [ˈæktiveit]
aktivitāte activity [ækˈtivəti]
aktivizācija *dat.* activation [ˌæktiˈveiʃn]
aktivizēt to stir to activity
aktīvs[a] *īp. v.* active [ˈæktiv]
aktīvs[b] *lietv.* **1.** *ek.* assets [ˈæsəts] *dsk.*; **2.** *val.* active [ˈæktiv] voice [vɔis]
aktrise actress [ˈæktris]
akt||s[a] **1.** (*darbība*) act [ækt]; **2.** (*dokuments*) deed [di:d]; statement [ˈsteitmənt]; sastādīt ~u – to draw* [drɔ:] up a statement; **3.** (*mākslas darbs*) nude [nju:d]
akts[b] (*svinības*) celebration [ˌseləˈbreiʃn]
akts[c] (*mākslas darbs*) nude [nju:d]
aktuāls **1.** topical, timely; **2.** (*jautājums, problēma*) burning, pressing [ˈpresiŋ]
akumulators *el.* accumulator [əˈkju:mjuleitə]
akurāts **1.** accurate; exact; precise [priˈsais]; (*laika ziņā*) punctual; **2.** (*apģērbā*) neat, tidy [ˈtaidi]
akustika acoustics [əˈku:stiks]
akūts **1.** *med.* acute; **2.** *pārn.* urgent [ˈɜ:dʒənt]
akvalangists (skin) diver [ˈdaivə]
akvalangs scuba, aqualung [ˈækwəlʌŋ]
akvarelis water-colour [ˈwɔ:təˌkʌlə]
akvārijs aquarium [əˈkweəriəm]
āķis hook [hʊk]
ala **1.** cave; **2.** (*dzīvnieka*) hole; (*liela*) lair [leə]
albums album [ˈælbəm]
alegorija allegory [ˈæligəri]
aleja avenue [ˈævinju:], alley; (*parkā*) lane, path [pɑ:θ]
alerģija allergy [ˈælədʒi]
alerģisks allergic [əˈlɜ:dʒik] (*to*)
alfabēts alphabet [ˈælfəbet], ABC
alga **1.** (*strādnieka*) wages [ˈweidʒiz] *dsk.*; (*kalpotāja*) salary, pay [pei]; **2.** (*atalgojums*) reward [rəˈwɔ:d]
algot to hire [ˈhaiə], to engage [inˈgeidʒ]; ~s darbs – hired labour
alerģisks allergic [əˈlɜ:dʒik]
alimenti alimony [ˈæliməni]
āliņģis ice-hole [ˈaishəʊl]
alkoholisks alcoholic [ælkəˈhɒlik]

alkohols alcohol [ˈælkəhɒl]
alksnis alder [ˈɔ:ldə]
alkt to crave (*for*), to thirst (*for*)
allaž always [ˈɔ:lweiz], ever [ˈevə]
almanahs almanac [ˈɔ:lmənæk]
allaž always [ˈɔ:lweiz]
alnis elk [elk]
alpīnisms mountaineering [ˌmaʊntiˈniəriŋ]
alpu-: a. vijolīte – cyclamen
altāris altar [ˈɔ:ltə]
alts 1. (*instruments*) viola; **2.** (*balss*) alto [ˈəltəʊ]
alumīnijs aluminium [ˌæljʊˈminiəm]
alus beer [biə]; gaišais a. – pale beer; tumšais a. – stout, bitter
alusdarītava brewery [ˈbru:əri]
alts *mūz.* **1.** (*instruments*) viola [viˈəʊlə]; **2.** (*balss*) alto [ˈæltəʊ] singer
alva tin [tin]
alveja *bot.* aloe [ˈæləʊ]
alvot to tin [tin]
aļģe alga* [ˈælgə], seaweed [ˈsi:wi:d]
amatieris amateur [ˈæmətə]
amatnieks artisan [ˌɑ:tiˈzæn], craftsman* [ˈkrɑ:ftsmən]
amatpersona official [əˈfiʃl]
amat‖**s** trade; iecelt ~ā – to appoint (*to*); atbrīvot no ~a – to dismiss
ambulance out-patient [ˈaʊtˌpeiʃənt] department [diˈpɑ:tmənt]
amerikān‖**is** (~iete) American
amnestija amnesty [ˈæmnisti]
amorāls amoral [eiˈmɒrəl], immoral
amortizācija 1. *ek.* amortization; **2.** *tehn.* damping [ˈdæmpiŋ]
ampula ampoule [ˈæmpu:l]
amputēt to amputate [ˈæmpjʊteit]
amulets amulet [ˈæmjʊlət]
āmurs hammer [ˈhæmə]
analfabētisms illiteracy
analfabēts illiterate [person]
analītisks analytic [al] [ˌænəˈlitik(l)]
analīze 1. analysis*; **2.** (*asins*, *urīna*) test
analizēt to analyse [ˈænəlaiz]
analogdati *dat.* analog data
analogierīce *dat.* analog device
analogsignāls *dat.* analog signal
analogs[a] *lietv.* analogue [ˈænəlɒg]
analogs[b] *adj.* analogic [ˌænəˈlɒdʒik]
anarhija anarchy [ˈænəki]
anatomija anatomy [əˈnætəmi]
anekdote anecdote [ˈænikdəʊt]
angārs hangar [ˈhæŋə]
angīna quinsy [ˈkwinzi]; tonsillitis
angliete Englishwoman [ˈiŋgliʃˌwʊmən]
ang‖**lis** Englishman [ˈiŋgliʃmən]; ~ļu valoda – English [ˈingliʃ]
anketa form [fɔ:m]
anonīms *īp. v.* anonymous [əˈnɒniməs]
anotācija critical review [riˈvju:], summary [ˈsʌməri]
ansamblis ensemble [ɒnˈsɒmbl]
antagonisms antagonism [ænˈtægənizəm]
antena aerial [ˈeəriəl]
antibiotika antibiotics [ˌæntibaiˈɒtiks]
antīks antique [ænˈti:k], classical [ˈklæsikl]

A

antikvariāts second-hand bookshop [ˈbukʃɒp]
antilope *zool.* antelope [ˈæntiləʊp]
antipātija dislike [disˈlaik] (*to, for*)
antivīruss *dat.* antivirus
anulēt 1. to annul [əˈnʌl]; **2.** *jur.* to avoid [əˈvɔid]
ap 1. (*apkārt*) [a]round; ap stūri – round the corner; **2.** (*apmēram*) about; ap šo laiku – about this time
apakša bottom [ˈbɒtəm]
apakšā below [biˈləʊ]
apakšbikses pants [pænts]
apakšdaļa lower part, bottom [ˈbɒtəm]
apakšējs lower [ˈləʊə]
apakšmala lower edge [edʒ]
apakšsistēma *dat.* subsystem
apakšstāvs ground floor
apakštase saucer [ˈsɔ:sə]
apakšveļa underwear [ˈʌndəweə]
apakšzem‖e: ~es dzelzceļš – tube, underground [ˈʌndəgraʊnd] (*Anglijā*); subway (ASV)
apaļīgs roundish [ˈraʊndiʃ]
apaļš round [raʊnd]
aparāts apparatus; device [diˈvais]
apātija apathy
apavi footwear [ˈfʊtweə]
apbalvojums award [əˈwɔ:d]
apbalvot to award [əˈwɔ:d]
apbēdināt to grieve [gri:v]
apbedīt to bury [ˈberi]
apbērt to strew* [stru:], to sprinkle [ˈspriŋkl]
apbrīnojams admirable [ˈædmərəbl]
apbrīnot to admire [ədˈmaiə]
apbruņojums arms [ɑ:mz]
apbruņot to arm [ɑ:m]
apburošs charming [ˈtʃɑ:miŋ]
apbūve building [ˈbildiŋ]
apceļot to travel [ˈtrævl] all over
apcerējums sketch, essay [ˈesei]
apcerēt to consider [kənˈsidə]
apciemojums visit [ˈvizit]
apciemot to visit [ˈvizit], to call [kɔ:l] on
apcietinājums arrest [əˈrest]
apcietināt to arrest [əˈrest]
apcirpt 1. (*krūmus*) to trim, to prune [pru:n]; **2.** (*aitas*) to shear* [ʃiə]
apdare finish [ˈfiniʃ], decoration
apdāvināts gifted [ˈgiftid]
apdegums burn; (*no tvaika*) scald [skɒld]
apdomāt to think* over, to consider [kənˈsidə]
apdomīgs deliberate; cautious [ˈkɔ:ʃəs]
apdraudēt to endanger [inˈdeindʒə]
apdrošināšana insurance [inˈʃʊərəns]
apdrošināt to insure [inˈʃʊə]
apdullināt to stun [stʌn]
apdzīvot 1. to inhabit; **2.** (*telpu*) to occupy [ˈɒkjʊpai]
apdzīvotība density of population [ˌpɒpjʊˈleiʃn]
apelsīns orange [ˈɒrindʒ]
apēst to eat* [i:t] up, to consume
apetīt‖e appetite [ˈæpitait]; labu ~i! – enjoy your food!
apgabals region [ˈri:dʒən]; district [ˈdistrikt]
apgabaltiesa regional [ˈridʒənəl] court [kɔ:t]

apgādāt to supply (*with*)
apgāde supply [sə'plai]
apgādība maintenance ['meintenəns]
apgāds publishers ['pʌbliʃəz]
apgaismojums light [lait], lighting ['laitiŋ]
apgaismot to light* [lait]
apgaita inspection
apgalvojums statement; assertion [ə'sɜ:ʃn]
apgalvot to maintain; to assert [ə'sɜ:t]
apgāzt **1.** to upset*, to overturn; **2.** (*atspēkot*) to refute, to disprove [dis'pru:v]
apgāzties to overturn [əʊvə'tɜ:n], to tip over
apglabāt to bury ['beri]
apgrauzt to gnaw [nɔ:]
apgrieziens turn [tɜ:n], rotation [rəʊ'teiʃn]
apgriezt[a] (*matus*) to trim [trim]; (*nagus*) to pare [peə]; (*krūmus u. tml.*) to clip [klip]
apgriezt[b] to turn [tɜ:n] round; (*otrādi*) to turn upside-down
apgriezties to turn (swing*) [round]
apgrozīb‖a *ek.* circulation [ˌsɜ:kjʊ'leiʃn]; laist ~ā – to put* into circulation
apgrūtinājums **1.** bother ['bɒðə]; **2.** *jur.* lien ['liən]
apgrūtināt to bother ['bɒðə]; to trouble ['trʌbl]
apguldīt to put* to sleep
apgulties to lie* [lai] down
apgūt to master ['mɑ:stə]; to assimilate; acquire [ə'kwaiə]
apģērbs clothes [kləʊðz] *dsk.*; clothing ['kləʊðiŋ]
apģērbt to put* [put] on; to dress [dres]
apiet **1.** (*apkārt*) to round [raund], to go* (walk) round; **2.** (*izvairīties*) to avoid [ə'vɔid], to evade [i'veid]
apieties (*ar lietām*) to handle [hændl]
apjautāties to inquire [in'kwaiə] (*about*)
apjomīgs huge [hju:dʒ], big, great [greit]
apjoms volume ['vɒlju:m], amount [ə'maunt]
apjukt to get* confused; to lose* [lu:z] one's head
apjukums confusion [kən'fju:ʒn]
apkaisīt to strew* [stru:]; a. ar cukuru – to sugar ['ʃʊgə]; a. ar sāli – to salt
apkakle collar ['kɒlə]
apkalpe crew [kru:]
apkalpošana service ['sɜ:vis]; medicīniskā a. – medical (health) service
apkalpot (*pie galda*) to wait [weit] upon
apkalpotāja **1.** waitress ['weitris]; **2.** (*iestādē*) charwoman ['tʃɑ:ˌwʊmən]
apkalst to dry [drai]
apkampt to embrace [im'breis]; to take* in one's arms
apkarot to struggle [strʌgl] (*with, against*)
apkārt **1.** [a]round; **2.** about; slaistīties a. – to loaf [ləʊf] about
apkārtceļš circuitous [sə'kju:itəs]

A

apkārtne 1. (*apkaime*) neighbourhood [ˈneibəhʊd]; **2.** (*vide*) surroundings [səˈraʊndiŋz] *dsk.*
apkaunot to disgrace [disˈgreis]; to put* to shame [ʃeim]
apklāt to cover [ˈkʌvə]
apklusināt to silence [ˈsailəns]; (*bērnu*) to quieten [ˈkwaiətn]
apklust to fall* silent [ˈsailənt]; to shut* up *sar.*; (*par troksni*) to die [dai] away
apkop||e care [keə]; tehniskās ~es stacija – service [ˈsɜ:vis] station [steiʃn]
apkopot to sum up, to summarize
apkopt (*slimnieku, bērnu*) to nurse [nɜ:s], to look after; (*lopus*) to tend [tend]
apkrāpt to deceive [diˈsi:v], to cheat [tʃi:t]
apkure heating [ˈhi:tiŋ]
apķērīgs quick-witted [ˈkwikˌwitid]
apķert (*apskaut*) to embrace [imˈbreis]
aplams wrong [rɒŋ]
aplaudēt to applaud [əˈplɔ:d], to clap [klæp]
aplausi applause [əˈplɔ:z] *vsk.*, clapping [ˈklæpiŋ] *vsk.*
apledojis ice-covered [ˈaiskʌvəd]
apledojums ice-cover [ˈaiskʌvə]
apledot to ice [ais] up
aplenkt to besiege [biˈsi:dʒ]
aplenkums siege [si:dʒ]
apliecība certificate [səˈtifikət]; personas a. – identity card; dzimšanas a. – birth [bɜ:θ] certificate [sɜ:ˈtifikət]
apliecināt to testify [testifai], to witness [ˈwitnəs]
apliet 1. to pour [pɔ:] (*over*); **2.** (*aplaistīt*) to water [ˈwɔ:tə]
aplikt 1. to put* [put] round; **2.**: a. ar nodokli – to tax
aplinki: bez aplinkiem – straight [streit] to the point
aplis circle [ˈsɜ:kl]
aploksne envelope [ˈenvələʊp]
apmācība training [ˈtreiniŋ]
apmācies cloudy [ˈklaʊdi], overcast [ˈəʊvəkɑ:st]
apmācīt to train [trein]
apmainīt to exchange [iksˈtʃeindʒ]
apmainīties to exchange [iksˈtʃeindʒ] (*with*)
apmaisīt to stir [stɜ:]
apmaksāt to pay* [pei]
apmaldīties to lose* [lu:z] one's way
apmale border, edge [edʒ]
apmānīt to deceive [diˈsi:v], to cheat [tʃi:t]
apmātība daze [deiz]
apmeklējums visit [ˈvizit]
apmeklēt 1. to visit [ˈvizit]; **2.** (*lekciju*) to attend [əˈtend]
apmeklētājs caller [ˈkɔ:lə]
apmelot to slander [ˈslɑ:ndə]; to asperse [əˈspɜ:s]; to calumniate [kəˈlʌmnieit]
apmēram about [əˈbaʊt]
apmest 1. (*ap pleciem*) to put* (throw [θrəʊ]) round [raʊnd]; **2.** (*sienas*) to plaster [ˈplɑ:stə:]
apmesties (*uz dzīvi*) to settle [down]

apmetums plaster [ˈplɑ:stə:]
apmierināt (*prasības*) to satisfy [ˈsætisfai]
apmulst to get confused
apmulsums confusion [kɒnˈfju:ʒn]
apnēsāts shabby [ˈʃæbi]
apnicīgs tiresome [ˈtaiəsʌm], boring [ˈbɔ:riŋ]
apnikt to become tiresome [ˈtaiəsəm]; to get tired (*of*)
apņēmība resoluteness [ˌrezəˈlu:tnis]
apņēmīgs resolute [ˈrezəlu:t], determined
apostīt to smell* [smel], to sniff [snif]
apprecēties to get* married [ˈmerid]
aprakstīt (*parādību*) to describe [diˈskraib]
apraksts description [diˈskripʃn]
aprakt to bury [ˈberi]; to inter [inˈtɜ:]
apreibināt to intoxicate [inˈtɒksikeit]
apreibt to get* intoxicated [inˈtɒksikeitid]
aprēķināt to calculate [ˈkʌlkjuleit]
aprēķins 1. calculation [ˌkʌlkjuˈleiʃn]; **2.** (*izdevīgums*) advantage [ədˈvɑ:ntidʒ]
aprīkojums facilities [fæˈsilitiːz]
aprikoze apricot [ˈeiprikɒt]
aprīlis April [ˈeiprəl]
aprindas social [səʊʃl] circles [sɜ:klz]
apriņķis district [ˈdistrikt]
apriņķot to circle [sɜ:kl]
aprīt to devour [diˈvaʊə]
aprobežots 1. limited [ˈlimitid]; **2.** (*par cilvēku*) narrow-minded [ˌnærəʊˈmaindid]
aproce 1. cuff [kʌf]; **2.** (*rokassprādze*) bracelet [ˈbreislit]
aprunāt to slander [ˈslɑ:ndə], to gossip [ˈgɒsip]
aprunāties to have a talk [tɔ:k]
apsardze guard [gɑ:d]
apsargāt to guard [gɑ:d]
apsaukt to call [kɔ:l] to order [ˈɔ:də]
apse asp [æsp]
apsegt to cover [kʌvə]
apsēsties to sit* down
apsiet to tie [tai] round
apsīkt (*samazināties*) to run short [ʃɔ:t]
apsildīt 1. to warm; **2.** (*kurināt*) to heat
āpsis badger [ˈbædʒə]
apskatīt to inspect; to examine [igˈzæmin]
apskats survey [ˈsɜ:vei], review [rəˈvju:]
apskaust to envy [ˈenvi]
apskurbt to get* intoxicated [inˈtɒksikeitid]
apsmiet to mock [mɒk] (*at*)
apsolīt to promise [ˈprɒmis]
apspiest to suppress [səˈpres]
apspriede conference
apspriest to discuss [disˈkʌs]
apspriesties to discuss [disˈkʌs]; to talk [tɔ:k] things over
apstādījumi greenery [ˈgri:nəri] *vsk.*
apstāk‖lis circumstance [ˈsɜ:kəmstəns]; dzīves ~ļi – living conditions [kɒnˈdiʃnz]
apstarojums irradiation [iˌreidiˈeiʃn]

A

apstarot to irradiate; (*ar rentgena stariem*) to X-ray ['eksrei]
apstāties to stop [stɒp], to pause [pɔ:z]
apstiprināt to confirm [kɒn'fɜ:m], to assert
apstrādāt 1. to work [wɜ:k]; to process; **2.** (*zemi*) to till [til]; **3.** (*ķīmiski*) to treat [tri:t]
apstrīdēt to dispute [di'spju:t]; to contradict
apsūdzēt to accuse [ə'kju:z] (*of*), to charge [tʃɑ:dʒ] (*with*)
apsūdzība accusation, charge [tʃɑ:dʒ]
apsūnot to gather ['gæðə] moss [mɒs]
apsveikt to congratulate [kən'grætʃʊleit]
apsveikums congratulation [kən,grætʃʊ'leiʃn]
apsvērt to consider [kən'sidə]
apsvērums consideration [kən,sidə'reiʃn]
apšaubāms doubtful ['daʊtfəl]
apšaubīt to doubt [daʊt], to question ['kwestʃən]
apšaudīt to fire (*at, upon*); to shell [ʃel]
aptauj||a: ~as lapa – questionnaire [,kwestʃə'neə]
aptaustīt to touch [tʌtʃ]
aptieka chemist's [shop]; drugstore *amer.*
aptīt to twist [twist] round [raʊnd]
aptumsums *astr.* eclipse [i'klips]
aptumšot 1. to darken [dɑ:kn]; **2.** *mil.* to black [blæk] out
apturēt to stop [stɒp], to check [tʃek]
aptuvens approximate [ə'prɒksimət], rough [rʌf]
aptvert 1. (*ar rokām*) to clasp [klɑ:sp]; **2.** (*apjēgt*) to grasp [grɑ:sp]
apūdeņot to irrigate ['irigeit]
apvaicāties to inquire [in'kwaiə], to ask [ɑ:sk] (*about*)
apvainojums offence [ɒ'fens]
apvainot to offend [ɒ'fend]
apvainoties to get* offended
apvaldīt to check [tʃek], to restrain [ri'strein]
apvalks cover ['kʌvə]
apvārsnis horizon [hə'raizən]; skyline ['skailain]
apvedceļš bypass ['baipɑ:s]
apvelties 1. to roll [rəʊl] round; **2.** (*pieņemties svarā*) to gain weight [weit]
apvērsums revolution, upheaval; valsts a. – coup d'etat [,ku:dei'tɑ:]
apvidus locality [ləʊ'kæliti]; place [pleis]
apvienība union ['ju:niən], society [sə'saiəti]
apvienot to unite [ju:'nait]; a. spēkus – to combine efforts
apvienoties to unite ['ju:nait]
apzagt to rob, to steal [sti:l]
apzīmējums designation [,dezig'neiʃn]
apzīmētājs *gram.* attribute ['ætribju:t]
apzīmogot to stamp [stæmp]
apzināties to be aware (*of*), to be conscious ['kɒnʃəs] (*of*); to realize ['riəlaiz]

apzināts deliberate [di'libərət]
apziņa consciousness ['kɒnʃəsnis]; pienākuma a. – sense of duty
apžēlot to amnesty ['æmnisti]
apžēloties to take* pity ['piti]
apžilbināt to dazzle [dæzl]
ar 1. with; kafija ar pienu – coffee with milk; **2.** (*tulkojams dažādi*): ar vilcienu – by train [trein]; ar nolūku – on purpose; ar pirmo skatienu – at first sight [sait]; ar laiku – in the course [kɔ:s] of time
ārā 1. (*apzīmē vietu*) out [aʊt] of doors [dɔ:z]; outside ['aʊtsaid]; **2.** (*apzīmē virzienu*) out
arāb‖s (~iete) Arab ['ærəb]; ~u cipars – Arabic figure
arbitrs arbiter ['ɑ:bitə]
arbūzs watermelon ['wɔ:tə,melən]
ardievu! goodbye! [gʊd'bai], adieu! [ə'dju:]
ārdīt 1. (*vīli*) to rip; **2.** (*sienu*) to toss [tɒs]; **3.** (*postīt*) to destroy [di'strɔi]
ārdurvis outer (street) door [dɔ:]
ārējs outward ['aʊtwəd]; external [ik'stɜ:nl]
arestēt to arrest [ə'rest]
arests arrest [ə'rest]
arguments argument ['ɑ:gjumənt]
argumentēt to argue ['ɑ:gju:]
arheoloģija archaeology [,ɑ:ki'ɒlədʒi]
arhitekts architect ['ɑ:kitəkt]
arhitektūra architecture ['ɑ:kitektʃə]
arhīvs archives ['ɑ:kaivz] *dsk.*
arī also [ɔ:lsəʊ], as well, too [tu:]; (*nolieguma teikumos*) either ['aiðə]; neither ['naiðə]; mēs a. neiesim – we shall not go either
ārien‖e exterior [ik'stiəriə]; appearance [ə'piərəns]; looks *dsk.*; spriežot pēc ~es – judging by appearance
ārīg‖s external [ik'stɜ:nl]; ~ai lietošanai – for external use
ārija aria ['ɑ:riə], air [eə]
ārišķīgs ostentatious [,ɒsten'teiʃəs]
aritmētika arithmetic [æ'riθmətik]
ārkārtējs extraordinary [ik'strɔ:dnri]
ārkārtīgs extreme [ik'stri:m]
arkls plough [plaʊ]
ārlietas foreign ['fɒrin] affairs [ə'feəz]
armija army [ɑ:mi]
arodbiedrība trade-union [,treid'ju:njən]; labour ['leibə] union
arod‖s profession [prɒ'feʃn], trade; pēc ~a – by profession
ārpasaule outside [aʊt'said] world [wɜ:ld]
ārpolitika foreign ['fɒrin] policy ['pɒlisi]
ārprātīgs mad [mæd], insane [in'sein], crazy ['kreizi]
ārprāts madness ['mædnəs], insanity [in'sæniti]
ārpus outside ['aʊtsaid]; ā. kārtas – out of turn; ā. konkursa – out of competition
ārpusdarba: non-service [nɒn'sɜ:vis], leisure-time ['leʒetaim]
ārpuse outside [aʊt'said], exterior [ik'stiəriə]
ārs: uz āru – outwards ['aʊtwədz]

A

ārstēšana treatment [ˈtri:tmənt]; cure [kjʊə]
ārstēt to treat [tri:t]
ārstēties to take* a cure [kjʊə]
ārstniecisks curative [ˈkjʊərətiv]
ārsts physician [fiˈziʃən], doctor [ˈdɒktə]
art to plough [plaʊ]
artērija artery [ˈɑ:təri]; miega a. – carotid [kəˈrɒtid]
artikuls *gram.* article [ˈɑ:tikl]
arvien always [ˈɔ:lweiz]; a. vairāk – more and more; vēl a. – still
ārzem‖es foreign [ˈfɒrin] countries [ˈkʌntriz]; braukt uz ~ēm – to go* abroad [əˈbrɔ:d]
ārzemnieks foreigner [ˈfɒrinə]
asaka fish-bone [ˈfiʃbəʊn]
asambleja assembly [əˈsembli]
asambleris *dat.* assembler [əˈsemblə]
asamblervaloda *dat.* assembly language [ˈlæŋgwidʒ]
asamblēšana *dat.* assemblage
asara tear [tiə]
asaris perch [pɜ:tʃ]
asfaltēt to asphalt [ˈæsfælt]
asfalts asphalt [ˈæsfælt]
asignēt to allocate [ˈæləkəit], to grant [grɑ:nt]
asimilācija assimilation [əsimiˈleiʃn]
asins blood [blʌd]; pārliet asinis – to transfuse [trænsˈfju:z] blood
asinsanalīze blood-test [ˈblʌd,test]
asinsatriebība blood [blʌd] feud [fju:d]
asinsgrupa blood [blʌd] group [gru:p]
asinsizplūdums hemorrhage [ˈhemərid ʒ]
asinspārliešana blood transfusion [trænsˈfju:ʒn]
asinsradniecība consanguinity [kɒnsæŋˈgwinəti]
asinsrite circulation [sɜ:kjʊˈleiʃn] of the blood
asinssaindēšanās blood [blʌd] poisoning [ˈpɔizniŋ]
asinsspiediens blood pressure [ˈpreʃə]
asinsvads blood-vessel [ˈblʌd,vesl]
asinszāle *bot.* st.-Johnˈs-wort [sntˈdʒɒnzwɜ:t]
asiņains bloody [ˈblʌdi]; (*asinīm notraipīts*) blood-stained [ˈblʌdsteind]
asiņošana bleeding [ˈbli:diŋ], extravasation [ekstrævəˈseiʃn]
asiņot to bleed* [bli:d]
asistents assistant [əˈsistənt]
asmens blade [bleid]
asns sprout [spraʊt]
asociācija 1. association [əsəʊsiˈeiʃn]; **2.** (*apvienība*) association, company [kɒmpəni], group [gru:p]
aspirants post-graduate [,pəʊstˈgrædʒʊit]
aspirantūra post-graduate [,pəʊstˈgrædʒʊit] course [kɔ:s]
aspirīns aspirin [ˈæspərin]
asprātība wit [wit]
asprātīgs witty [ˈwiti]; smart [smɑ:t]
ass[a] *īp. v.* **1.** sharp [ʃɑ:p]; **2.** (*par redzi, dzirdi*) keen [ki:n]; **3.** (*par smaržu, garšu*) pungent [ˈpʌndʒənt]

ass[b] *lietv.* **1.** *mat., fiz.* axis*; **2.** (*riteņa*) axle ['æksl]
aste tail [teil]; (*lapsas*) brush [brʌʃ]; (*truša*) scut [skʌt]
astere aster ['æstə]
astronomija astronomy [ə'strɒnəmi]
asums 1. sharpness ['ʃɑ:pnis]; **2.** (*redzes, dzirdes*) keennes ['ki:nis]
atalgojums 1. (*samaksa*) pay [pei]; **2.** *pārn.* reward [ri'wɔ:d]
atalgot 1. (*samaksāt*) to pay [pei]; **2.** *pārn.* to reward [ri'wɔ:d]
atbalss 1. echo ['ekəʊ]; **2.** *pārn.* response [ri'spɒns]
atbalstīt 1. to prop up; **2.** *pārn.* to support [sə'pɔ:t]; to back [bæk] up
atbalsts 1. prop [prɒp]; **2.** *pārn.* support [sə'pɔ:t]
atbilde answer ['ɑ:nsə], reply [ri'plai]
atbildēt to answer ['ɑ:nsə], to reply [ri'plai]
atbildīb||a responsibility; saukt pie ~as – to call [kɔ:l] to account [ə'kaʊnt]
atbildīgs responsible [ri'spɒnsəbl]
atbilst to correspond [kɒri'spɒnd] (*with, to*), to serve [sɜ:v], to comply (*with*)
atbilstošs corresponding [kɒri'spɒndiŋ]; (*piemērots*) suitable ['su:təbl]; adequite ['ædikwət]
atblāzma reflection [ri'flekʃn]
atblokošana *dat.* deblocking [di'blɒkiŋ]
atbraukt to come*, to arrive [ə'raiv]
atbrīvošana release [ri'li:s]; (*no darba*) dismissal [dis'misəl]
atbrīvot to set* free; (*no darba*) to dismiss [dis'mis]
atbruņot to disarm [dis'ɑ:m]
atbruņoties to disarm [dis'ɑ:m]
atcelt 1. to abolish [ə'bɒliʃ]; **2.** (*likumu, spriedumu*) to repeal [ri'pi:l]
atcerēties to remember [ri'membə]; to recall [ri'kɔ:l]
atdarināt to imitate ['imiteit], to copy ['kɒpi]
atdot to give* back, to return [ri'tɜ:n]; (*naudu*) to pay* back
atdusēties to rest, to repose [ri'pəʊz]
atdzimt to revive [ri'vaiv]
atdzist to cool [ku:l]
atdzīvināt 1. to reanimate [ri:'ænimeit], to resuscitate [ri'sʌsiteit]; **2.** *pārn.* to brighten [braitn] up
ateja lavatory ['lævətəri]; toilet ['tɔilət] *amer.*
ateljē (*mākslinieka*) studio ['stju:diəʊ]; modes a. – fashion house [haʊs]
atelpa respite ['respait], breathing-space ['bri:ðiŋspeis]
atentāts attempt [ə'tempt] (*on, upon*)
atestāts certificate [sə'tifikət], diploma [di'pləʊmə] *amer.*
atgadījums event [i'vent]; incident ['insidənt], occurrence [ə'kʌrəns]; (*nelaimīgs*) accident ['æksidənt]
atgādināt to remind [ri'maind]
atgadīties to happen [hæpn], to occur [ə'kɜ:]; (*par negadījumu*) to befall* [bi'fɔ:l]
atgriezt (*krānu*) to turn [tɜ:n] on

A

atgriezties to return [ri'tɜ:n], to come* back

atgūt to recover [ri'kʌvə]; to retrieve [ri'tri:v]

atiešana (*vilciena u. tml.*) departure [di'pɑ:tʃə]

atiet (*par vilcienu u. tml.*) to leave* [li:v]; (*pēc saraksta*) to depart [di'pɑ:t]

atjaunošana **1.** (*līguma u. tml.*) renewal [ri'njuəl]; (*sarunu*) resumption [ri'zʌmpʃən]; **2.** (*ēku u. tml.*) reconstruction

atjaunot **1.** (*līgumu u. tml.*) to renew [ri'nju:]; (*sarunas*) to resume [rizju:m]; **2.** (*ēkas u. tml.*) to reconstruct

atjautība quick-wit ['kwikwit]

atjautīgs witty ['witi], ingenious [in'dʒenjʊes]

atjokot to return [ri'tɜ:n] a joke [dʒəʊk]

atkal again [ə'gen], once [wʌns] more [mɔ:]

atkala iceup ['aisʌp]

atkāpšanās **1.** *mil.* retreat [ri'tri:t]; **2.** (*no amata*) retirement [ri'taiəmənt]; **3.** *dat.* backoff ['bækɒf]

atkāpties **1.** *mil.* to retreat [ri'tri:t]; **2.** (*no amata*) to retire [ri'taiə]; **3.** (*no likuma*) to deviate ['di:vieit]

atkarīgs dependent [di'pendənt] (*on*)

atkārtojums repetition [repə'tiʃn]

atkārtot to repeat [ri'pi:t]

atkausēt to thaw [θɔ:]

atklājums discovery [dis'kʌvəri]

atklāšana **1.** (*atrašana*) discovery [dis'kʌvəri]; **2.** (*sēdes, izstādes*) opening; **3.** (*nozieguma*) detection [di'tekʃn]

atklāt **1.** (*atrast*) to discover [dis'kʌvə]; **2.** (*sēdi, izstādi*) to open; **3.** (*noziegumu*) to detect; **4.** (*noslēpumu*) to reveal [ri'vi:l]

atklāti **1**. (*vaļsirdīgi*) frankly ['frænkli]; **2.** (*publiski*) openly ['əʊpənli], publicly ['pʌblikli]

atklātība **1.** (*vaļsirdība*) frankness ['fræŋknis]; **2.** publicity [pʌb'lisiti]

atklātne postcard ['pəʊstkɑ:d]

atklāts **1**. (*vaļsirdīgs*) frank; **2.** (*neslēpts*) open ['əʊpən], public ['pʌblik]

atkļūdošana *dat.* debugging

atkorķēt to uncork [ʌn'kɔ:k], to open ['əʊpən]

atkritumi **1.** garbage ['gɑ:bidʒ]; **2.** (*rūpniecībā*) waste [weist]; remains [ri'meinz]

atkusnis thaw [θɔ:]; atkritumu tvertne – dustbin ['dʌstbin]

atlaisties (*atlidot*) to come* flying ['flaiiŋ]

atlants atlas ['ætləs]

atlase selection [sə'lekʃn]

atlasīt to select [sə'lekt], to choose* [tʃu:z]

atlējums *tehn.* cast [kɑ:st]

atlētisks athletic [æθ'letik]

atlīdzība reward [ri'wɔ:d]; recompense ['rekəmpəns]

atlīdzināt to recompense

[ˈrekəmpəns]; a. zaudējumu – to make* up for the loss [lɒs]

atliekas ēdiena a. – scraps of food; mirstīgās a. – [mortal] remains [riˈmeinz]

atlikt[a] **1.** (*atpakaļ*) to replace [riˈpleis]; **2.** (*uz vēlāku laiku*) to put* off; adjourn [əˈdʒɜ:n]

atlikt[b] (*palikt pāri*) to remain [riˈmein], to be left

atlikums rest [rest]; *ek.* balance [ˈbæləns]; residue [ˈrezidju:]

atlocīt to straighten [ˈstreitən] up; to unbend*

atloks (*svārku*) lapel [ləˈpel]; (*bikšu*) turn-up; (*piedurknes*) cuff [kʌf]

atlūgum‖s resignation [rezigˈneiʃn]; iesniegt ~u – to hand in one's resignation

atļauja permission [pɜ:ˈmiʃn]

atļaut to allow [əˈlaʊ], to permit [pɜ:ˈmit]

atļauties 1. to afford [əˈfɔ:d]; **2.** (*iedrošināties*) to take* the liberty [ˈlibəti]

atmaksa 1. (*parāda*) payment [ˈpeimənt]; **2.** (*atriebība*) retribution [ˌretriˈbju:ʃən]

atmaksāt 1. to pay* off; **2.** (*atriebt*) to pay* back

atmaskot to expose [ikˈspəʊz], to unmask [ʌnˈmɑ:sk]

atmazgāt *ek.* to launder [ˈlɔ:ndə]; naudas atmazgāšana – money laundering

atmest to give* up, to reject [riˈdʒekt], to dismiss [disˈmis], to cut down*

atmiņa memory [ˈmeməri]

atmiņas recollection [rikɒˈlekʃn], reminiscence [remiˈnisns]

atmosfēra atmosphere [ætməsˈfiə]

atmosties to wake* up

atnākt to come*; a. ciemos – to come* to see

atnest to bring*; to fetch [ˈfetʃ]

atņemt 1. to take* away; **2.** (*tiesības*) to deprive [diˈpraiv] (*of*); **3.** *mat.* to subtract [səbˈtrækt]

atņirgt: a. zobus – to show* [ʃəʊ] one's teeth [ti:θ]

atomenerģija nuclear [ˈnju:kliə] energy [ˈenədʒi]

atomieroči atomic [əˈtɒmik] weapons [ˈwepənz]

atoms atom [ˈætəm]

atpakaļ back [bæk]; atdot a. – to return [riˈtɜ:n]; biļete turp un a. – return ticket [ˈtikit], round [raʊnd] trip ticket *amer.*

atpakaļadrese return [riˈtɜ:n] address [əˈdres]

atpakaļatkāpe *dat.* backspace [ˈbækspeɪs]

atpakaļgaita backward [ˈbækwəd] movement [ˈmu:vmənt]

atpalicis backward [ˈbækwed]

atpalikt 1. to fall* [fɔ:l] (lag) behind; **2.** (*par pulksteni*) to be slow [sləʊ]; to lose* time

atpeldēt to come* swimming [ˈswimiŋ]

atpogāt to unbutton [ʌnˈbʌtn]

A

atpūsties to rest [rest], to take* a rest
atpūta rest [rest]; (*aktīva*) recreation [rikri'eiʃn]
atradums 1. (*lieta*) find [faind]; **2.** (*atklājums*) discovery [dis'kʌvəri]
atraidīt to refuse [ri'fju:z]; to reject
apmācīt to untie [ʌn'tai], to unbind* [ʌn'baind]
atraisīties to get untied [ʌn'taid]
atraitne widow ['widəʊ]
atraitnis widower ['widəʊə]
atraitnīte *bot.* pansy ['pænzi]
atrakstīt to write* [rait] (*to*)
atrast 1. to find* [faind]; **2.** (*atklāt*) to discover [dis'kʌvə]
atrasties 1. (*būt*) to be; to be situated; **2.** (*par kaut ko pazudušu*) to be found [faʊnd]
atraugāties to belch [beltʃ]
atraut 1. (*vaļā*) to throw* [θrəʊ] open; **2.** (*atpakaļ*) to jerk [dʒɜ:k] back; **3.**: a. kādu no darba – to disturb [di'stɜ:b] smb.
atrauties to come* off
ātri 1. quickly ['kwikli], fast [fɑ:st], swiftly ['swiftli]; **2.** (*drīz*) soon [su:n]
atriebība revenge [ri'vendʒ]
atriebties to take* revenge [ri'vendʒ] (*on smb., for smth.*)
atrisinājums 1. (*uzdevuma*) solution [sɒ'lu:ʃn]; **2.** (*strīda u. tml.*) settlement ['setlmənt]
atrisināt 1. (*uzdevumu*) to solve [sɒlv]; **2.** (*strīdu u. tml.*) to settle [setl]
ātrlaiva speed-boat ['spi:dbəʊt]
ātr||s fast [fɑ:st], swift, rapid ['ræpid]; quick [kwik]; ~ā palīdzība – 1) first aid [fɜ:st'eid]; 2) (*automobilis*) ambulance ['æmbjʊlens] car
ātrslidošana speed-skating ['spi:dskeitiŋ]
ātrums 1. speed [spi:d], rate [reit]; **2.** *fiz.* velocity [vi'lɒsəti]
atrunāt to dissuade [di'sweid] (*from*)
atrunāties to plead [pli:d] (*smth.*)
ātrvilciens express train [trein]
atsacīšanās 1. refusal [ri'fju:zl]; **2.** (*no kaut kā*) giving ['giviŋ] (*smth.*) up
atsacīties 1. to refuse [ri'fju:z]; **2.** (*no kaut kā*) to give* up
atsauce reference ['refrəns]
atsaucība responsiveness [ri'spɔnsivnis]; sympathy ['simpəθi]
atsaucīgs responsive [ri'spɒnsiv]
atsauksme reference ['refrəns]; (*recenzija*) review [ri'vju:]
atsaukt to recall [ri'kɔ:l], to call [kɔ:l] back
atsaukties 1. to answer ['ɑ:nse]; to reply; **2.** (*uz literāru avotu*) to refer [rə'fɜ:] (*to*); **3.** (*ietekmēt*) to affect [ə'fekt]
atsegt to uncover [ʌn'kʌvə], to bare [beə]
atsevišķs separate ['seprət]; a. numurs (*viesnīcā*) – single [siŋgl] room [rʊm]
atsisties (*pret kaut ko*) to strike* (*against*)

atskaite account [ə'kaʊnt]; report [ri'pɔ:t]
atskanēt to resound [ri'zaʊnd]
atskaņa rhyme [raim]
atskaņojums (*skaņdarba*) performance [pə'fɔ:məns]
atskaņot to play* [plei], to perform [pə'fɔ:m]
atskaņotājs record-player ['rekɔ:d,pleiə]
atskriet to come* running ['rʌniŋ], to run* up (to)
atskrūvēt to unscrew [ʌnskru:]
atslābināšanās relaxation [rilæk'seiʃn], loosening [lu:sniŋ]
atslēdznieks locksmith ['lɒksmiθ]
atslēga 1. lock [lɒk]; (*slēdzene*) key ['ki:]; (*patentatslēga*) latch [lætʃ]; uzgriežņu a. – wrench; **2.** *mūz.* clef [klef]
atslēgt to unlock [ʌn'lɒk]
atslīgt to sink* [sink]
atspere spring ['spriŋ]
atspīdēt to begin* to shine [ʃain]
atsplesties to lean* [li:n] (*on*)
atspirdzinājums refreshment [ri'freʃmənt]
atspirdzinošs refreshing [ri'freʃiŋ], bracing ['breisiŋ]
atspirgt to recover [ri'kʌvə], to revive [ri'vaiv]
atspoguļojums reflection [ri'flekʃn]
atspoguļot to reflect [ri'flekt], to display [dis'plei], to disclose [dis'kləʊz]
atstarpe 1. space [speis]; **2.** (*laika*) interval ['intəvl], period
atstāstījums retelling [ri'teliŋ]
atstāstīt to retell* [ri'tel]; (*cita vārdus*) to repeat [ri'pi:t]
atstāt 1. to leave* [li:v]; **2.** (*pamest*) to forsake*, to abandon [ə'bændən]
atstatums distance ['distəns]
atstumt 1. to push [puʃ] back; **2.** *pārn.* to repulse [ri'pʌls], to reject [ri'dʒekt]
atsūtīt to send*
atsvars weight [weit]
atsveicināties to say* [sei] goodbye [gʊd'bai], to bid* farewell [feə'well]
atšifrēt to decipher [di'saifə]; to make out
atšķaidīt to dilute [dai'lu:t], to rarefy ['reərifai]
atšķirība difference ['difrəns]
atšķirt 1. to separate ['sepəreit]; **2.** (*saskatīt atšķirību*) to distinguish [di'tiŋgwiʃ] (*between*); **3.** (*grāmatu*) to open ['əʊpən]
atšķirties to differ ['difə] (*from*)
attaisīt to open ['əʊpən]
attaisnojums excuse [ik'skju:s]; vindication [vindi'keiʃn]
attaisnot 1. to justify ['dʒʌstifai]; **2.** *jur.* to acquit [ə'kwit]
attaisnoties to justify ['dʒʌstifai] oneself
attālums distance ['distəns], space [speis]
attapīgs ingenious [in'dʒi:niəs], sharp [ʃɑ:p], quick-witted
atteikt 1. (*atbildēt*) to answer ['ɑ:nsə],

A

to retort [ri'tɔ:t], to reply [ri'plai]; **2.** (*atraidīt*) to refuse [ri'fju:z]

atteikties to abandon; to refuse [ri'fju:z]

atteikums refusal [ri'fju:zl]

attēlot to depict [di'pikt]; to portray [pɔ:'trei]; (*uz skatuves*) to represent [reprizent]

attēls picture ['piktʃə]; (*ilustrācija*) illustration [ilə'streiʃn]

attiecība relation [ri'leiʃn]

attiecīgs corresponding [kɒri'spɒndiŋ], conformable [kən'fɔ:məbl]

attieksme attitude ['ætitju:d] (*to*)

attiekties to concern [kən'sɜ:n], to refer [ri'fɜ:] (*to*)

attīstība development [di'veləpmənt]

attīstīt to develop [di'veləp], to evolve [i'vɒlv]

attīstīts **1.** (*fiziski*) developed [di'veləpt]; **2.** (*garīgi*) intelligent [in'telidʒənt]

atturēties to refrain [ri'frein] (*from*); to abstain [əb'steint] (*from*), to forbear* [fɔ:'beə] (*from*)

atturība **1.** reserve [ri'zɜ:v]; **2.** (*mērenība*) abstinence ['æbstinəns]

atturīgs reserved [ri'zɜ:vd]

atvadas parting ['pɑ:tiŋ], farewell [ˌfeə'wel]

atvadīties to take* leave [li:v] (*of*)

atvainošanās excuse [iks'kju:s], apology [ə'pɒlədʒi]

atvainot to excuse [iks'kju:z]

atvaino||ties to excuse oneself, to apologize, ~jiet! – excuse me!, sorry!

atvairīt to beat* [bi:t] off (back), to repulse [ri'pʌls]

atvaļinājums holiday ['hɒlədei]; vacation [və'keiʃn] *amer.*

atvars whirlpool ['wɜ:lpu:l], eddy ['edi]

atvasara Indian ['indiən] summer ['sʌmə]

atvērt to open ['əʊpən]

atveseļoties to recover [ri'kʌvə], to get* better

atvest to bring*; to take*

atvieglojums **1.** relief [ri'li:f]; **2.** (*priekšrocība*) privilege ['privilidʒ]; advantage [æd'vɑ:ntidʒ]

atvieglot to facilitate [fə'siliteit]; (*sāpes, ciešanas*) to relieve [ri'li:v]

atvienot **1.** to disconnect [diskə'nekt]; **2.** (*telefonu, elektrību*) to cut* off

atvilkt **1.** to drag [up]; **2.** (*atskaitīt*) to deduct [di'dʌkt]; ◇ atvilkt elpu – to take* a breath [breθ]

atvilktne drawer [drɔ:]

atzarkabelis *dat.* drop [drɒp] cable [keibl]

atzarojums branch [brɑ:ntʃ]

atzaroties to branch off

atzīme **1.** note [nəʊt]; remark [ri'mɑ:k]; **2.** (*vērtējums*) mark [mɑ:k]; grade [greid] *amer.*

atzīmēt **1.** to note, to mark; **2.** (*pieminēt*) to mention [menʃn], to remark

atzinība recognition [rekəg'niʃn], gratitude ['grætitju:d]

atzinums (*slēdziens*) conclusion [kən'klu:ʒn], resolution [rezə'lu:ʃn]

A

atzīšanās confession [kən'feʃn]; admission [əd'miʃn]
atzīt to acknowledge [ək'nɒlidʒ]; (*vainu*) to admit [əd'mit]
atzīties to confess [kən'fes], to own [əʊn]
audēja weaver ['wi:ve]
audekls 1. linen ['linin]; **2.** (*gleznotāja*) canvas ['kænvəs]
auditorija 1. (*telpa*) lecture-room ['lektʃəru:m]; **2.** (*klausītāji*) audience ['ɔ:diəns]
audums cloth [klɒθ], fabric ['fæbrik], material [mə'tiəriəl]
audzējs *med.* growth [grəʊθ], tumour ['tju:mə]; ļaundabīgs a. – cancer ['kænsə]
audzēknis pupil ['pju:pl]
audzēt 1. (*augus*) to cultivate ['kʌltiveit], to grow [grəʊ]; **2.** (*dzīvniekus*) to breed* [bri:d]; **3.** (*matus, bārdu*) to grow* [grəʊ]
audzināšana education [ˌedjʊ'keiʃn]
audzināt to bring* up, to educate ['edjʊkeit]
audzināts: labi a. – well-bred [wel'bred], polite [pɒlait]; slikti a. – ill-bred [il'bred]
audžubērns foster-child ['fɒstətʃaild]
audžuvecāki foster-parents ['fɒstəˌpeərənts]
augkopība cultivation [kʌlti'veiʃn] of plants [plɑ:nts]
auglīgs 1. (*par zemi*) fertile ['fɜ:tail]; (*par augiem*) fruitful [fru:tfl]; (*par dzīvniekiem*) fecund ['fekənd]; **2.** (*produktīvs, ražīgs*) prolific [prə'lifik]
auglis fruit [fru:t]
augonis boil [bɔil], abscess, furuncle ['fjuərʌŋkl]
aug||s plant ['plɑ:nt]; ārstniecības ~i – vulnerary plants
augsne soil [sɔil], ground [graʊnd]
augstāk||ais highest ['haiəst], supreme [su:'pri:m]; ~ā izglītība – higher education [ədjʊ'keiʃn]
augstceltne high-rise ['hairaiz] building, skyscraper ['skaiskreipə]
augstiene elevation [eli'veiʃn], upland ['ʌplend]
augstlēkšana *sp.* high [hai] jump ['dʒʌmp]
augstprātība haughtiness ['hɔ:tinəs], snobbery ['snɒbəri]
augstprātīgs haughty ['hɔ:ti]; snobbish ['snɒbiʃ]
augsts 1. high; tall [tɔ:l]; **2.** (*liels, ievērojams*) high [hai], elevated ['eliveitid]
augstsirdīgs generous ['dʒenərəs]
augstskola higher ['haiə] school [sku:l], university [ju:ni'vɜ:səti], college ['kɒlidʒ]
augstums height [hait], altitude ['æltitju:d]
augš||a top; no ~as – from above; uz ~u – up, upwards ['ʌpwədz]
augšā (*augšstāvā*) upstairs [ˌʌp'steəz]
augšupielāde *dat.* upload ['ʌpləʊd]
augt to grow* [grəʊ]

A

augums height [hait], stature [ˈstætʃə], build [bild], shape [ʃeip]
augusts August [ˈɔ:gəst]
aukla string [striŋ], cord [kɔ:d]
aukle nurse [nɜ:s]; sitter [ˈsitə]
auklēt to nurse [nɜ:s]
aukstasinība composure
aukstasinīgs composed [kəmˈpəʊzd], cool [ku:l]
auksti cold [kəʊld]
auksts cold [kəʊld], chilly [ˈtʃili], frosty [ˈfrɒsti]
aukstums cold [kəʊld], coldness [kəʊldnis]
aumaļām in streams [stri:mz]
auns ram [ræm]
Auns (*zvaigznājs un zodiaka zīme*) *astr.* Aries [ˈeəri:z]
auskari ear-rings [ˈiəˌriŋz]
ausma dawn [dɔ:n], day break [ˈdeibreik]
auss ear [iə]; ◇ laist gar ausīm – to turn a deaf ear (*to*); neticēt savām ausīm – not to believe one's ears
aust[a] (*audumu*) to weave* [wi:v]
aust[b] to dawn [dɔ:n]
austere *zool.* oyster [ˈɔistə]
austrumi east [i:st]
austuve weaving-mill [ˈwi:viŋmil]
aušīgs flighty [ˈflaiti]
autentisks authentic [ɔ:ˈθentik]
autobiogrāfija autobiography [ˌɔ:təbaiˈɒgrəfi]
autobuss bus [bʌs]; (*maršruta, tūristu*) coach [kəʊtʃ]
autoceļš motor road [ˈməʊtərəʊd] (highway [ˈhaiwei])
automobilis car [kɑ:]; kravas a. – lorry [ˈlɒri]; truck [trʌk] *amer.*
autonoms autonomus [ɔ:ˈtɒnəməs]
autoosta bus (coach) station [steiʃn]
autoritāte authority [ɔ:ˈθɒrəti]
autors author [ˈɔ:θə]; autora honorārs – royalty [ˈrɔiəlti]
autoserviss service [ˈsɜ:vis] station [steiʃn]
autostāvvieta car park [pɑ:k]
autostrāde motor [ˈməʊtə] highway [ˈhaiwei]
auz‖as oats [əʊts]; ~u pārslas – oatflakes [ˈəʊtfleiks]
avanss *ek.* (*avansa maksājums*) advance [ədˈvɑ:ns] payment [ˈpeimənt]
avārija **1.** (*motora*) breakdown [ˈbreikdaʊn]; **2.** (*kuģa*) shipwreck [ˈʃiprək]
avene raspberry [ˈrɑ:zbəri]
aveņkrāsas-: crimson [krimzn]
avēnija avenue [ˈævənju:]
aviācija aircraft [ˈeəkrɑ:ft]
aviolīnija air-route [ˈeəru:t], airway [ˈeəwei]
aviosabiedrība airline [ˈeəlain]
avīze newspaper [ˈnju:sˌpeipə]; *sar.* paper [ˈpeipə]
avokado avocado [ævəˈkɑ:dəʊ]
avots **1.** spring [spriŋ]; **2.** *pārn.* source [sɔ:s], channel [tʃænl]
āzis he-goat [ˈhi:gəʊt]; billy-goat [ˈbiligəʊt]
azote bosom [ˈbʊzəm]

B

bacilis bacillus* [bə′siləs]

badīgs greedy [′gri:di]

badīt to butt [bʌt]; to gore [gɔ:]

badoties (*ievērot diētu*) to fast [fɑ:st]

bad‖s hunger [′hʌŋgə]; (*ilgstošs*) starvation [stɑ:veiʃn]; pieteikt ~a streiku – to go* on hunger [′hʌŋə] strike [straik]

bagātība 1. wealth [welθ], riches [′ritʃiz] *dsk.* plenty [′plenti]; **2.** (*manta*) fortune [′fɔ:tʃen]

bagātīgs abundant [ə′bʌndənt]; plentiful [′plentifʊl]

bagāts rich [ritʃ]; wealthy [′welθi]

bagāž‖a luggage [′lʌgidʒ]; baggage [′bægidʒ] *amer.*; ~as glabātava – cloakroom [′kləʊkru:m] *amer.*; check-room [′tʃekrʊm] *amer.*

bagāžnieks (*velosipēda, motocikla*) luggage [′lʌgidʒ] (baggage) carrier [′kæriə]; (*automobiļa*) luggage compartment; boot [bu:t]

baidīt to frighten [′fraitn], to terrify [′terifai]

baidīties to fear [fiə], to be afraid [ə′freid] (*of*)

bailes fear [fiə], fright [frait], dread [dred]

bailīgs timorous [′timərəs]; *sar.* funky [′fʌŋki]

baiss eerie [′iəri], terrifying [′terifaiiŋ]

baits *dat.* byte [bait]

bāka lighthouse [′laithaʊs], beacon [′bi:kən]

bakas smallpox [′smɔ:lpɒks]; vējbakas – chickenpox [′tʃiknpɒks]

baklažāns eggplant [′egplɑ:nt]

baktērija bacterium* [bæk′tiəriəm]

balamute 1. (*pļāpa*) babbler [′bæblə]; **2.** (*lielībnieks*) braggart [′brægət]

balanda goose-foot [′gu:sfʊt]

baldriāns valerian [və′liəriən]

balēt to fade, to bleach [bli:tʃ]

baletdejotāj‖s (~a) balletdancer [′bæli,dɑ:nsə]

balets ballet [′bælei]

balināt to blanch [blɑ:ntʃ]; (*matus*) to bleach [bli:tʃ]

balkons balcony [′bælkəni]

balle[a] (*sarīkojums*) ball [bɔ:l], dance, evening [i:vniŋ]

balle[b] **1.** point [pɔint], force; **2.** (*atzīme skolā*) mark, grade [greid] *amer.*

ballistika ballistics [bə′listiks]

balodis pigeon [′pidʒin], dove [dʌv]

balons balloon [bə′lu:n]; gāzes b. – gas cylinder* [′silində]

bāls pale [peil]

balsīgs voiced [vɔ:ist]

balsināt to whitewash [′waitwɒʃ]

balsot to vote [vəʊt]

balss 1. voice [vɔis]; **2.** (*balsojot*) vote [vəʊt]

balstiesības the vote [vəʊt], right [rait] to vote

balstīties 1. to lean* [li:n] (*upon*), to rest (*upon*); **2.** *pārn.* to base [beis] (*on*)

balsts support [sə′pɔ:t], stay [stei]
B
baltalksnis (white) alder [ɔ:ldə]
baltmaize white [wait] bread [bred]
balts white [wait]
baltvīns white [wait] wine [wain]
balva (*apbalvojums*) reward [ri′wɔ:d]; prize [praiz]
baļķis (*neapstrādāts*) log [lɒg]; (*apstrādāts*) beam [bi:m]
banāns banana [bə′nɑ:nə]
banda gang [gæŋg]
bandīts brigand [′brigənd], gangster *amer.*
bandrol‖e printed matter [′mætə]; sūtīt ~ē – to send* by book-post [′bʊkpəʊst]
banga billow [′biləʊ], surf [sɜ:f]; ~s – breakers [′breikəz]
bangot to billow, to storm [stɔ:m]
banka bank [bænk]; ~s filiāle – branch [brɑ:ntʃ] bank; noguldīt naudu bankā – to deposit money with a bank; bankas konts – bank account [ə′kaʊnt]
banknote bank-note [′bæŋknəʊt]; bill *amer.*
bankrotēt to go* bankrupt [′bæŋkrʌpt], *sar.* to be* broke
bankrots bankruptcy [′bæŋkrəpsi]; insolvensy [in′sɒlvənsi]
baņķieris banker [′bæŋkə]
bārbele *bot.* barberry [′bɑ:bəri]
bārda beard [biəd], vaigubārda – whisker [′wiskəz]
bārenis orphan [′ɔ:fn]; bāreņu nams – orphanage [′ɔ:fənidʒ]
bargs severe [si′viə]; rigorous [′rigərəs]
barība **1.** food [fu:d]; **2.** (*lopu*) forage [′fɒridʒ]
barikāde barricade [bæri′keid]
barjera **1.** barrier [′bæriə]; **2.** *sp.* hurdle [′hɜ:dl]
barjerskrējiens *sp.* hurdle-race [′hɜ:dlreis]
bārmenis barkeeper [′bɑ:ki:pə], barman* [bɑ:mən], bartender [′bɑ:tendə] *amer.*
barometrs barometer [bə′rɒmitə], weather-glass [′weðəglɑ:s]
barošana feeding [′fi:diŋ]; (*zīdaiņa*) nursing [′nɜ:siŋ]
barot to feed*; (*zīdaini*) to nurse [nɜ:s]
bars (*ļaužu*) crowd [kraʊd]; (*lopu*) herd; (*putnu*) flock; (*suņu*) pack [pæk]
bārt to scold [skeʊld]
bārties **1.** to scold [skeʊld]; **2.** (*strīdēties*) to quarrel [′kwɒrəl]
barvedis ringleader [′riŋ,li:də]
baseins **1.** basin [′beisn]; **2.** pool [pu:l]; **3.**: akmeņogļu b. – coal-field [′kəʊlfi:ld]
basketbols basket-ball [′bɑ:skitbɔ:l]
bass[a] *lietv. mūz.* bass [beis]
bas‖s[b] *īp. v.*: ~ām kājām – barefooted [,beə′fʊtid]
baterija battery; kabatas b. – flash-light [′flæʃlait]
bauda delight [di′lait]; relish [′reliʃ]
baudīt to enjoy [in′dʒɔi], to take* delight (*in*)

baumas rumour ['ru:mə], *sar.* buzz [bʌz]

bauslis *rel.* commandment [kə'mɑ:ndmənt]; desmit baušļi – *rel.* Ten Commandments

bāze 1. (*pamats*) basis* ['beisiz], foundation [faʊn'deiʃən]; **2.** (*atbalsta punkts*) base [beis]; **3.** (*noliktava*) depot ['depəʊ]

bazilika basilica [bə'zilikə]

baznīca church [tʃɜ:tʃ]

bāzt to thrust* [θrʌst], to shove [ʃʌv]

bažas anxiety [æŋ'zaiəti], worry ['wʌri]

bažīties to be anxious [æŋkʃəs]

bebrs beaver ['bi:və]

bēdas grief [gri:f], sorrow ['sɒrəʊ], trouble [trʌbl]

bēdāties to grieve [gri:v]

bēdīgs sad [sæd], mournful ['mɔ:nfəl]

bedre pit [pit], hole [həʊl]

bēglis fugitive ['fju:dʒitiv], runaway ['rʌnəwei]

begonija *bot.* begonia [bi'gəʊniə]

bēgt to run* away, to flee* [fli:]

bēgums ebb [eb], paisums un b. – tide and ebb

beidzamais last [lɑ:st]

beidzot at last [lɑ:st], finally ['fainəli]

beig||as end [end]; finish [finiʃ]; ~u beigās – after all

beigt to end, to finish; (*augstskolu*) to graduate ['grædʒʊeit] (*from*)

beigties to come* to an end, to be over

bende hangman* ['hæŋmən]

bēniņi attic ['ætik]

benzīns petrol ['petrəl]; gasoline ['gæsəli:n], gas [gæs] *amer.*

bēres funeral ['fju:nrəl]

bērnība childhood ['tʃaildhʊd]

bērnišķīgs childish ['tʃaildiʃ]

bērns child* [tʃaild]; *sar.* kid; (*mazs*) infant ['infənt]

bērnudārzs kindergarten ['kindəgɑ:tn], nursery ['nɜ:sri] school [sku:l]

berzēt to rub [rʌb]; to grate [greit]

bērz||s birch [bɜ:tʃ]; ~a sula – birch sap [sæp]; ~u birzs – birch grove [grəʊv]

bestsellers bestseller [,best'selə]

bet but [bʌt], yet [jet], however [haʊ'evə]

betons concrete ['kɒŋkri:t]

bez 1. without [wi'ðaʊt]; b. šaubām – without doubt [daʊt], doubtless; **2.** (*izņemot*) but, except, save [seiv]

bezalkoholisks non-alcoholic [nɒnælkə'hɒlik]; b. dzēriens – non-alcoholic beverage ['bevəridʒ]; *sar.* soft drink

bezbailīgs fearless ['fiələs]

bezbēdīgs carefree [keəfri:], light-hearted, *sar.* happy-go lucky [hæpigəʊ'lʌki]

bezcerīgs hopeless ['həʊplis]

bezdarbniek||s unemployed [,ʌnim'plɔid]; ~u pabalsts – unemployment benefit ['benifit]

bezdarbs unemployment [ʌnim'plɔimənt]

bezdelīga swallow ['swɒləʊ]

B

B

bezdibenis abyss [ə'bis], gulf [gʌlf]
bezgalība endlessness ['endlisnis], infinity [in'finiti]
bezgalīgs endless ['endlis], infinite ['infinit]
bezgaumīgs tasteless ['teistləs], in bad* (poor [pʊə]) taste [teist]
bezizejas- hopeless ['həʊpləs], desperate ['despərət]
bezjēdzīgs senseless ['sensləs]; absurd [əb'sɜ:d]
bezkaunība shamelessness ['ʃeimləsnis]; cheek [tʃi:k] *sar.*
bezkaunīgs shameless [ʃeimləs]; cheeky ['tʃi:ki] *sar.*
bezmaksas- gratuitous [grə'tju:itəs], free [of charge]
bezmiegs insomnia [in'səʊmniə]; sleeplessness ['sli:pləsnis]
bezpajumtnieks tramp [træmp]
bezpeļņas- *ek.* profitless [prɒfitləs]; non-profit [nɒn'prɒfit]
bezrūpība carelessness ['keəlisnis]
bezrūpīgs carefree ['keəfri:]
bezsamaņa unconsciousness [ʌn'kɒnʃəsnis], coma
bezspēcīgs 1. feeble [fi:bl]; **2.** *pārn.* powerless ['paʊəlis]
bezsvara-: b. stāvoklis – weightlessness ['weitləsnəs]
beztermiņa- termless ['tɜ:mləs]
Bībele the Bible ['baibl]; Holy Scripture ['skriptʃə]
bibliotēka library ['laibrəri]
bibliotekārs librarian [lai'breəriən]
bīdīt to move [mu:v], to push [pʊʃ]
biedrība society [sə'saiəti]
biedrs 1. comrade ['kɒmreid], fellow ['feləʊ]; **2.** (*biedrības*) member ['membə]
biete beet [bi:t]
biezenis puree ['pjʊərei], mash [mæʃ]; kartupeļu b. – mashed potatoes
biezoknis thicket ['θikit]
biezpiens cottage cheese [tʃi:z]; curds [kɜ:ds] *dsk.*
biezputra porridge ['pɒridʒ], gruel ['gru:əl]
biezs thick [θik]; dense [dens]
biežs frequent ['fri:kwənt]
bifšteks beefsteak ['bi:fsteik]
bijība awe [ɔ:], reverance ['revrəns], piety ['pəiəti]
bikls shy [ʃai], timid ['timid]
bikses trousers ['traʊzez], pants [pænts] *amer.*
bikšturi braces ['breisiz]; suspenders [sə'spendəz] *amer.*
bilance *ek.* balance ['bæləns]; gada b. – annual ['ænjuəl] balance
bilancspējīgs: b. grāmatvedis – chartered ['tʃɑ:təd] accountant [ə'kaʊntənt]
bilde picture [piktʃə]
bildināt to propose [prə'pəʊz] (*to*)
biljards billiards ['biljədz] *dsk.*, pool [pu:l] *amer.*
biļe‖te 1. ticket ['tikit]; ~šu kase – booking office; **2.** (*pārbaudījuma*) examination paper
binoklis opera-glasses ['ɒpərəglɑ:siz]
biogrāfija biography [bai'ɒgrəfi]

bioloģija biology [bai'ɒlədʒi]
birojs office ['ɒfis]; apbedīšanas b. – undertaker's office; uzziņu b. – information office
birt to pour [pɔ:]; (*par koku lapām*) to fall* [fɔ:l]
birzs grove [grəʊv]
birža stock exchange [iks'tʃeindʒ]
bise gun [gʌn]
biskvīts biscuit ['biskit], cracker ['krækə] *amer.*
bīstams dangerous ['deindʒərəs]
biškopība bee-keeping ['bi:ki:piŋ]
bite bee [bi:]; zemes b. – bumble-bee ['bʌmblbi:], bišu māte – queen-bee ['kwi:nbi:]
bits *dat.* bit [bit] (binary edit)
bize plait [pleit]; (*īsa*) pigtail ['pigteil]
biznesmenis businessman* ['biznismæn]
bizness business ['biznis]
blakts bed-bug ['bedbʌg]
blakus 1. next (to); **2.** (*blakus esošs*) next, adjacent [ə'dʒeisənt]
blakusceļš by-way ['baiwei]
blakusdarbs by-work ['baiwɜ:k]
blāķis heap [hi:p], pile [pail]
blašķe flask [flɑ:sk], waterbottle [wɔ:təbɒtl]
blaugznas scurf [skɜ:f], dandruff ['dændraf]
blāvs dim, dull [dʌl], wan [wɒn]
blāzma glow [gləʊ]; rīta b. – dawn [dɔ:n], sunrise ['sʌnraiz]; vakara b. – sunset glow
blēdība cheating ['tʃi:tiŋ], deceit [di'si:t]
blēdīgs deceitful [di'si:tfəl]
blēdis cheat [tʃi:t], swindler ['swindlə]
blēņas 1. nonsence ['nɒnsəns]; **2.** (*nedarbi*) pranks [præŋks]
blēņoties to be naughty ['nɔ:ti]
blēt to bleat [bli:t]
blīkšķēt to bang [bæŋ]
blīvēt to pack [pæk] tight [tait]
blīvs compact ['kɒmpækt], dense [dens]
blīvums density ['densəti]
bloknots notebook ['nəʊtbʊk]
bloks bloc [blɒk]
bluķis log [lɒg], block [blɒk]
blusa flea [fli:]
blūze blouse [blaʊz]
blūzs *mūz.* blues [blu:z]
bļaut to bawl [bɔ:l], to yell [jel], to screem [skri:m]
bļāviens shout [ʃaʊt], yell [jel]
bļoda dish, bowl [bəʊl]; (*mazgājamā*) wash-basin ['wɒʃbeisn]; (*zupas*) tureen [tjʊ'ri:n]
bobslejs *sp.* bobsleigh ['bɒbslei]
bojā: iet b. – 1) to perish ['periʃ]; 2) (*par kuģi*) to be* wrecked
bojāeja destruction [di'strʌkʃn]; ruin ['ru:in]
bojājums damage ['dæmidʒ]; flaw [flɔ:]
bojāt to damage ['dæmidʒ]; to spoil [spɔil]
bokseris boxer ['bɒksə]
bokss boxing ['bɒksiŋ]
bolīt: b. acis – to goggle ['gɒgl]
borts board [bɔ:d]
botānika botany ['bɒtəni]

B

bozties (*par kaķi, suni*) to bristle [brisl] up; (*par cilvēku – arī*) to be* sulky ['sʌlki]

bradāt to wade [weid], to paddle [pædl]

brāķis spoilage ['spɔilidʒ], reject [ri:dʒekt] *dsk.*

brālēns cousin ['kʌzn]

brālis **1.** brother ['brʌðə]; **2.** *rel.* (*mūks*) friar ['fraiə], monk; ◇ pudeles b. – drinking cerony, bottle companion [kəm'pæniən]

brāļadēls nephew ['nevju:]

brāļameita niece [ni:s]

brāļasieva sister-in-law ['sistərinlɔ:]

brasls ford [fɔ:d]

brašs fine, dashing ['dæʃiŋ]

brauciens trip, journey ['dʒɜ:ni]; drive [draiv]; (*dienesta*) busines ['biznis] trip

braukt to go*; to drive*; b. ar autobusu – to go by bus; b. ar kuģi – to sail [seil]

brāzma gust [gʌst], blast [blɑ:st], rush [rʌʃ]

brēka hullabaloo ['hʌləbə'lu:]; noise [nɔiz]; ◇ liela brēka, maza vilna – much ado [ə'du:] about nothing

brēkt to cry [krai]; to wail [weil], to scream [skri:m]

bremze brake [breik]

bremzēt to apply [ə'plai] on the brakes [breiks]

brīdinājums warning ['wɔ:niŋ]

brīdināt to warn [wɔ:n], to admonish [ɔd'mɒniʃ]

brīd‖is moment; uz ~i – for a while [wail]; pirms brīža – a little while ago

bridžs bridge [bridʒ]

briedis deer*, stag [stæg]

briesmas danger ['deindʒə], peril ['peril]

briesmīgs dreadful ['dredfəl], terrible, awful ['ɔ:fəl]

briežāda deerskin ['diəskin], buckskin ['bʌkskin]

briežvabole stag-beetle ['stægbi:tl]

briga brig [brig]

brīkšķis crack [kræk], crash [kræʃ]

briljants diamond ['daiəmənd]

brilles glasses ['glɑ:siz]; briļļu ietvars – rim

brīnišķīgs wonderful ['wʌndəfʊl]

brīnīties to wonder ['wʌndə] (*at*); (*būt pārsteigtam*) to be surprised [sə'praizd] (*at*)

brīnumdaris miracle-worken ['mirəklwɜ:kə]; (*burvis*) magician [mə'dʒiʃn]

brīnums wonder ['wʌndə], miracle [mirəkl]

brīnumsvecīte sparkler ['spɑ:klə]

briti the British ['britiʃ]

brīvdabas- open-air [əʊpn'eə]

brīvdien‖a **1.** day [dei] off; **2.**: ~as (*skolēniem*) – holidays ['hɒlədeiz]; vacation [və'keiʃn] *amer. vsk.*

brīvība freedom ['fri:dəm], liberty ['libəti]; vārda b. – freedom of speech [spi:tʃ]

brīvprātīgs voluntary ['vɒləntəri]

brīvs 1. free; **2.** (*neaizņemts*) vacant
brīze breeze [bri:z]
brīžiem now and then, sometimes ['sʌmtaimz], from time to time [taim]
brokastis breakfast ['brekfəst]
brokastot to have breakfast ['brekfəst]
brokeris *ek.* broker ['brəʊkə]
bronhīts bronchitis [brɒŋ'kaitis]
bronza bronze [brɒnz]
brošūra brochure ['brəʊʃə], pamphlet ['pæmflit]
brūce wound [wu:nd]; apdeguma b. – burn [bɜ:n]; kosta b. – bite [bait]; durta b. – puncture ['pʌŋktʃə]
bruģis pavement ['peivmənt]
brūklene red bilberry ['bilbəri]
brunete brunette [bru:'net]
brūns brown [braʊn]
bruņas armour ['ɑ:mə]
bruņinieks knight [nait]
bruņot||s armed; ~ie spēki – armed forces
bruņurupucis tortoise ['tɔ:təs]; (*jūras*) turtle [tɜ:tl]
brutāls brutal ['bru:tl]; brutish ['bru:tiʃ]
bruto: b. svars – gross [grəʊs] weight [weit]
buča kiss [kis]; (*skaļa*) smack [smæk]
būda hut, cabin [kæbin]; (*suņa*) kennel [kenl]
budēlis *etn.* mummer ['mʌmə], masker [mɑ:skə]
budisms *rel.* Buddhism ['bʊdizəm]
budžets *ek.* budget ['bʌdʒit]
bufete 1. (*mēbele*) side-board ['said bɔ:d]; **2.** (*telpa*) [snack] bar
buklets booklet ['bʊklit]
buķete bunch [bʌntʃ] of flowers, bouquet [bu:'kei]
buldogs bulldog ['bʊldɒg]
bulciņa roll [rəʊl]
buljons broth [brɒθ], clear [kliə] soup [su:p]
bullis bull [bʊl]
bulta 1. (*šaujamā*) arrow ['ærəʊ]; **2.** (*aizbīdnis*) bolt [bəʊlt]
bulvāris boulevard ['bu:lvɑ:d]
bumba 1. (*rotaļu*) ball [bɔ:l]; **2.** *mil.* bomb
bumbieris pear [peə]
bundzinieks drummer ['drʌmə]
bundža tin, can [kæn] *amer.*
buras sail [seil], canvas ['kænvəs]
burbulis bubble [bʌbl]
būris cage [keidʒ]
burka jar [dʒɑ:], pot [pɒt]
burkāns carrot [kærət]
burts letter ['letə]
burve witch [witʃ]
būt 1. (*pastāvēt*) to be*; **2.** (*piederēt*) to have*
bute (*jūras*) plaice [pleis]; (*upes*) flounder ['flaʊndə]
būtne being ['bi:iŋ], creature ['kri:tʃə]
būve building ['bildiŋ]
būvēt to build* [bild], to erect [i'rekt]
būvmateriāli building materials [mə'tiəriəlz]

B

C

cālis chicken [ˈtʃikin], chick
cauna marten [ˈmɑ:tin]
caur through [θru:]; via [ˈvaiə]
caurduris streiner [ˈstreinə]
caureja *med.* diarrhoea [ˌdaiəˈri:ə], flux [flʌks]
cauri 1. through; laist c. – 1) (*šķidrumu*) to leak [li:k]; 2) (*ļaut iet*) to let* pass [pɑ:s]; **2.** (*beidzies*) over [ˈəʊvə]
caurlaide pass [pɑ:s]
caurmēr||**s** average [ˈævəridʒ]; ~ā – on the average
caurs with a hole [həʊl]; c. zobs – hollow [ˈhɒləʊ] tooth*
caurspīdīgs transparent [trænsˈpærənt]
caurule pipe [paip]; tube [tju:b]; kanalizācijas c. – sewer [ˈsju:ə]
caurums hole [həʊl]; gap; atslēgas c. – keyhole [ˈki:həʊl]; (*zobā*) cavity [ˈkævəti]
caurvējš draught [drɑ:ft]
cēliens 1. (*lugas*) act [ækt]; **2.**: rīta c. – morning; vakara c. – afternoon
celis knee [ni:]; stāvēt uz ceļiem – to kneel*
celms stump [ˈstʌmp]; stub [stʌb]
cēlonis cause [kɔ:z]; cēlonis un sekas – cause and effect
cēls noble [nəʊbl]
cēlonis cause [kɔ:z], reason [ˈri:zn]
cēlsirdīgs magnanimous [mægˈnæniməs]
celt 1. to lift, to raise [reiz]; **2.** (*būvēt*) to build* [bild]; **3.** (*uzlabot*) to improve [imˈpru:v]; **4.**: c. iebildumus – to raise [reiz] objections
celties 1. to rise* [reiz]; **2.** (*rasties*) to come* (*from*)
celtne building [ˈbildiŋ], edifice [ˈedifis]
celtniecība construction [kənˈstrʌkʃn], building
celtnieks builder [ˈbildə]
celtnis 1. crane [krein]; **2.** (*lifts*) lift, elevator [ˈeliveitə] *amer.*
ceļabiedrs fellow-traveller [ˌfeləʊ ˈtrævlə]
ceļasoma travelling-bag [ˈtrævliŋbæg]
ceļazīme voucher [ˈvaʊtʃə]
ceļgals knee-cap [ˈni:kæp]
ceļmala roadside [ˈrəʊdsaid]
ceļojošs travelling [ˈtrævliŋ]
ceļojums journey [ˈdʒɜ:ni]; (*neliels*) trip; jūras c. – voyage [ˈvɔiidʒ]; c. ar automobili – travelling [ˈtrævliŋ] by car
ceļot to travel [ˈtrævl], to make* a trip
ceļotājs traveller [ˈtrævlə], tourist
ceļrādis road-sign [ˈrəʊdsain]
ceļš way [wei], road [rəʊd]
ceļvedis (*grāmata*) guide-book [ˈgaid-bʊk]
cements cement [siˈment]
cena price [prais]; (*vērtība*) cost [kɒst]; ◇ par katru cenu – at any price (cost)
cenrādis prise-list [ˈpraislist]

censties to endeavour [in′devə]; to try; c. visiem spēkiem – to do* one's best

centība diligence [′dilidʒəns]; application [ˌæpli′keiʃn]

centīgs diligent [′dilidʒənt], hard-working [hɑ:d′wə:kiŋ]

centimetrs centimetre [′sentiˌmi:tə]

centrālapkure central heating [′hi:tiŋ]

centrāle: telefona c. – telephone exchange [iks′tʃeindʒ]

centrāls central [′sentrəl]

centrbēdzes- centrifugal [sen′trifjʊgl]

centrs centre [′sentə]; ◇ būt uzmanības centrā – to be* the focus* [fəʊkəs] of attention

cepešpanna dripping-pan [′dripiŋpæn]

cepetis roast [rəʊst] meat [mi:t]

cept (*krāsnī*) to roast [rəʊst]; (*uz pannas*) to fry; (*uz iesma*) to broil; (*maizi*) to bake

cepumi biscuits [′biskits]; crackers [′krækəz]; cookies [′kʊkiz] *amer.*

cepure cap [kæp]; (*platmale*) hat [hæt]

ceremonija ceremony [′seriməni]

cerēt to hope [həʊp] (*for*)

cerība hope [həʊp]

ceriņi lilac [′lailək]

ceturksnis quarter [′kwɔ:tə]; stundas c. – a quarter of an hour

ceturtdiena Thursday [′θɜ:zdi]; Zaļā c. – Maundy Thursday [mɔ:ndi′ θɜ:zdi]

cielava wagtail [′wægtail]

ciemakukulis gift to the hosts [həʊsts]

ciemats settlement [′setlmənt], village [′vilidʒ]

ciemiņš quest [gest], visitor [′vizitə]

ciems village [′vilidʒ]

cienasts refreshments [ri′freʃmənts] *dsk.*

cienīgs 1. worthy [′wɜ:ði]; uzmanības c. – deserving [di′zɜ:viŋ] attention; **2.** (*piem., izskats*) dignified [′dignifaid]

cienījams honourable [′ɒnərebl]

cienīt to respect [ri′spekt], to esteem [i′sti:m]

cieņ||a respect [ri′spekt], esteem [i′sti:m]; just ~u – to hold* in respect

ciest 1. to suffer [′sʌfə]; **2.** (*paciest*) to bear* [beə]; to tolerate; es nevaru c. – I can't stand it

ciešanas suffering [′sʌfəriŋ]; anguist [æŋgwis]

cieš||s close [kləʊs]; tight [tait]; ~i blakus – close by

ciete starch [stɑ:tʃ]

ciet||s hard; firm [fɜ:m]; ~a maize – stale bread; ◇ ciets miegs – sound sleep; cieta sirds – cruel heart

cietsirdīgs hardhearted [ˌhɑ:d′hɑ:tid]; heartless [′hɑ:tləs]

cietums prison [′prizn], jail [dʒeil]

cietušais victim [′viktim]

cigarete cigarette [sigə′ret]

cik 1. (*par daudzumu*) how much; how many; tik c. – as much as; as many as; **2.** how; c. ilgi? – how long?

cikls cycle; [saikl] lekciju c. – course [kɔ:s] of lectures

cikos at what time [taim]
cikreiz how many times
cilāt to raise [reiz]; to lift [lift]
cilindrs 1. *tehn., mat.* cylinder ['silində]; **2.** (*cepure*) top hat
cilpa 1. loop [lu:p]; noose [nu:s]; **2.** (*lamatas*) snare [sneə]
cilpot to lope [ləʊp], to double ['dʌbl]
cilts tribe [traib]
ciltskoks genealogical [dʒi:niəl'lɒdʒikl] tree
ciltsraksti pedigree ['pedigri:]
cilvēce mankind [ˌmæn'kaind], humanity [nju:'mænəti]
cilvēcisks human ['hju:mən]
cilvēk‖s man* [mæn], person; ~i – people ['pi:pl], men
cimds glove [glʌv]; dūraiņi – mitten ['mitn]
cīniņš struggle ['strʌgl], wrestle ['resl]
cinisms cynicism ['sinisizəm]
cīnītājs fighter [faitə]
cīnīties to struggle [strʌgl] (*with, for*), to fight* [fait] (*with, for*)
cīņa 1. struggle, fight [fait]; **2.** *sp.* wrestling ['restliŋ]
cipars figure ['figə]; *dat.* digit ['didʒit]
cipardati *dat.* digital date [deit]
ciparkods *dat.* digital code [kəʊd]
ciparraksts *dat.* digital signature ['signitʃə]
ciparvadība *dat.* digital controle [kən'trəʊl]
cīpsla sinew ['sinju:]
cirks circus ['sɜ:kəs]
cirpt to shear* [ʃiə], to clip [klip]
cirst 1. to cut*; to hew [hju:]; (*malku*) to chop [tʃɒp]; (*kokus*) to fell; **2.** (*ar pātagu*) to whip [wip]
cirta curl [kɜ:l], lock [lɒk]; ringlet ['riŋlət]
cirte (*meža*) cutting ['kʌtiŋ], felling ['feliŋ]
cirtējs (*koku*) woodcutter ['wʊdˌkʌtə]
cirtiens stroke [strəʊk]
cīrulis lark [lɑ:k], skylark ['skailɑ:k]
cirvis axe [æks]; ◇ kad cirvja kātam lapas plauks – when pigs fly; when two Sundays come together
cīsiņš frankfurter ['fræŋkfɜ:tə]; sausage ['sɔ:sidʒ]
citādi 1. differently ['difrəntli], in another way [wei]; **2.** (*pretējā gadījumā*) or, otherwise ['ʌðəwaiz]
citāds different; of another kind [kaind]
citēt to quote [kwəʊt]
cītīgs assiduous [ə'sidjʊəs], diligent ['dilidʒənt]
citreiz another time
citrons lemon ['lemən]
cit‖s another; kāds c. – somebody else; starp ~u – by the way
citur somewhere ['sʌmwcə] else [els]; nekur c. – nowhere else; visur c. – everywhere else
civildienests civil ['sivil] service ['sɜ:vis]
civillaulība civil ['sivil] marriage ['mæridʒ]
civilprasība *jur.* civil law [lɔ:]
civilizācija civilization [sivilai'zeiʃn]
colla inch [intʃ]
cūcība piggishness ['pigiʃnis], swinishness ['swainiʃnis]

cūciņa piglet ['piglət]; *med.* mumps [mʌmps]; (*jūrascūciņa*) guinea-pig ['gini:'pig]
cūka pig, swine* [swain], hog *amer.*; (*sivēnmāte*) sow
cūkgaļa pork [pɔ:k]
cūkkopība pig-breeding ['pigbri:diŋ], hog-breeding ['hɒgbri:diŋ] *amer.*
cūkpupas horse-beans ['hɔ:sbi:ns]
cukurbiete sugar-beet ['ʃʊgəbi:t]
cukurots candied ['kændid]
cukurs sugar ['ʃʊgə]; smalkais c. – granulated sugar; graudu c. – lump sugar
cukurslimība *med.* diabetes [daiə'bi:tiz]
cukurtrauks sugar-basin ['ʃʊgəbeisn]

Č

čabēt to rustle ['rʌsl]
čakls industrious [in'dʌstriəs], diligent ['dilidʒənt]
čalis *sar.* guy [gai], fellow ['feləʊ], kid
čāpstināt (*ēdot*) to champ [tʃæmp], to munch [mʌntʃ]
čaukstēt to rustle ['rʌsl]
čaumala shell [ʃel]
čeks 1. cheque [tʃek]; check *amer.*; **2.** (*kases*) receipt [ri'si:t]
čells *mūz.* cello ['tʃeləʊ]
čemodāns suitcase ['su:tkeis]
čempionāts championship ['tʃæmpiənʃip]
čempions champion ['tʃæmpiən]
čemurs cluster ['klʌstə], bunch [bʌntʃ]
četratā four [fɔ:] together [tə'geðə]
četrbalsīgs four-part ['fɔ:pɑ:t]
četrstūris quadrangle ['kwɒdræŋgl]
čības slippers ['slipəz]
čiekurs cone [kəʊn]
čiepstēt to chirp [tʃɜ:p], to pipe [paip]
čīkstēt to squeak ['skwi:k]
čivināt to twitter ['twitə], to chirp [tʃɜ:p]
čukstēt to whisper ['wispə]
čūla ulcer ['ʌlsə], sore [sɔ:]
čupa heap, pile [pail]
čūska snake [sneik]
čūskāda snake's skin [skin]

D

dab‖a 1. nature ['neitʃə]; brīvā ~ā – in the open ['əʊpən] air [eə]; ~as bagātības – natural ['nætʃərəl] resources [ri'sɔ:siz]; **2.** (*raksturs*) temper ['tempə]; pēc dabas – by nature
dabasskats view [vju:], landscape ['lændskeip]

dabisks 1. natural [ˈnætʃərəl]; **2.** (*nemākslots*) artless, ingenuous [inˈdʒi:niəs]

dabūt to get*; d. zināt – to learn* [lɜ:n]; d. iesnas – to catch* cold

D

dadzis thistle [ˈθisl]; burdock [bɜ:dʌk]; bur [bɜ:]

daiļamatnieks applied [əˈplaid] ast [ɑ:t] master [ˈmɑ:stə]

daiļliteratūra fiction [ˈfikʃn]

daiļrade creation [kriˈeiʃən]

daiļslidošana figure [ˈfigə] skating [ˈskeitiŋ]

daiļš beautiful [ˈbju:təfl], lovely [ˈlʌvli]

daiļums beauty [ˈbju:ti]

dakstiņš tile [ˈtail]

dakšas pitchfork [ˈpitʃfɔ:k]

dakšiņa fork [fɔ:k]; naži un dakšiņas – cutlery [ˈkʌtləri]; *sar.* tools [tu:lz]

dalīb‖a part [pɑ:t]; ņemt ~u – to participate [pɑ:ˈtisipeit] (*in*)

dalībnieks participant [pɑ:ˈtisipənt]

dalībvalsts member [ˈmembə] state [steit]

dālija dahlia [ˈdeiliə]

dalīt to divide [diˈvaid]

dalīties 1. (*daļās*) to divide; **2.** (*ar kādu*) to share [ʃeə] (*with*)

daltonisms red-blindness [ˌredˈblaindnəs]; daltonism [ˈdɔ:ltənizəm]

daļa 1. part [pɑ:t], share [ʃeə]; **2.** (*karaspēka*) unit [ˈju:nit]; **3.** (*iestādē*) department [diˈpɑ:tmənt]

daļskaitlis fraction [ˈfrækʃn]

dāma 1. lady [ˈleidi]; **2.** (*dejā*) partner; **3.** (*šahā, kāršu spēlē*) queen

dambis dam [dæm], dike [daik]

dambrete draughts [drɑ:fts] *dsk.*, checkers [ˈtʃekəz] *dsk. amer.*

darbabiedrs colleague [kɒli:g], *sar.* mate [meit]

darbalaiks working [ˈwɜ:kiŋ] time [taim]

darbdiena workday [ˈwɜ:kdei]

darbīb‖a action [ˈækʃn]; ~as vārds *gram.* – verb [vɜ:b]

darbīgs active [ˈæktiv]

darbinieks employee [imˈplɔii:] official [əˈfiʃl], worker [ˈwɜ:kə]; kantora d. – clerk [klɑ:k]

darbnīca 1. workshop [ˈwɜ:kʃɒp]; **2.** (*mākslinieka*) studio

darboties 1. (*strādāt*) to act [ækt], to work [wɜ:k]; **2.** (*funkcionēt*) to work, to function [ˈfʌŋkʃn]; (*par mašīnu – arī*) to run*; ◇ telefons nedarbojas – the telephone [ˈtelifəʊn] is out of order

darb‖s 1. work [wɜ:k]; labour [ˈleibə], toil; ~a laiks – office hours [aʊəz]; ~a birža – Labour exchange; **2.** (*darba rezultāts*) work; mākslas d. – work of art; **3.** (*rīcība*) act, deed [di:d]

darbuzņēmējs contractor [kənˈtræktə]

dārdēt to rumble [rʌmbl]; (*par lielgabalu, pērkonu*) to roar [ˈrɔ:]; to thunder [ˈθʌndə]

dārdzība highprices [praisiz] *dsk.*, expensiveness [ikˈspensivnes]

dārgakmens jewel [ˈdʒu:əl]

dārglietas jewelry [ˈdʒu:əlri]

dārgs 1. expensive [ik'spensiv]; **2.** (*mīļš*) dear [diə]
darījums bargain ['bɑ:gin]; deal [di:l]
darināt to make*; to form [fɔ:m]
darīt to do*; d. pāri (*kādam*) – to do (*smb.*) wrong [raŋ]; d. zināmu – to make* known [nəʊn]
darva tar [tɑ:], pitch ['pitʃ]
dārzeņi greens [gri:ns], vegetables ['vedʒtəbls]
dārzkopība horticulture [hɔ:ti'kʌltʃə], gardening
dārzs garden ['gɑ:dn]; augļu d. – orchard ['ɔ:tʃəd]; sakņu d. – kitchen ['kitʃən] garden
datēt to date [deit]
dati facts [fækts], data
dators computer [kəm'pju:tə], PC
datorkopne *dat.* common bus [bʌs]
datums date [deit]
daudz much [mʌtʃ]; many ['meni]; a lot of; diezgan d. – a great [greit] deal [di:l] (*of*)
daudzējāds various ['veəriəs]
daudzgadīgs *bot.* perennial [pə'reniəl]
daudzi many ['meni]
daudzkārt many times [taimz]
daudzmaz more or less
daudznozīmīgs significant [sig'nifikənt]
daudzpakāpju- multistage [,mʌlti'steidʒ]
daudzpunkte dots [dɒts] *dsk.*
daudzpusīgs many-sided; (*par zināšanām*) extensive [ik'stensiv]
daudzreiz many times, often
daudzskaitlis plural ['plʊərəl]
daudzsološs promising ['prɒmisiŋ]
daudzstāvu- many-stor(e)y, many-storied
daudzums amount [ə'maʊnt]; quantity ['kwɒntəti]
dauzīt to beat* [bi:t]; (*kājas*) to stamp; (*pie durvīm*) to bang [bæŋ]
dauzīties 1. to beat*; **2.** (*palaidņoties*) to knock [nɒk] about
dāvana present, gift [gift]
dāvināt to present [pri'zent] (*smb. with smth.*)
dažādība variety [və'raiəti]
dažāds 1. (*daudzveidīgs*) various ['veəriəs]; **2.** (*atšķirīgs*) different ['difrənt]
dažreiz sometimes ['sʌmtaimz], at times
dažǁs some; ~i – a few [fju:]
debates discussion [dis'kʌʃn]
debess sky [skai]; (*reliģiskos priekšstatos*) heaven ['hevn]
debesskrāpis sky-scraper ['skaiskreipə]
debitors debtor ['detə]
decembris December [di'sembə]
dedzība ardour ['ɑ:də], fervour ['fɜ:və]
dedzīgs ardent, fervent ['fɜ:vənt]
dedzināt 1. to burn*; **2.** (*par sauli*) to scorch [skɔ:tʃ]
defekts defect [di'fekt], blemish ['blemiʃ]
definēt to define [di'fain]
deglis 1. burner ['bɜ:nə]; **2.** fuse; primer ['praimə]

D

degošs **1.** burning ['bɜ:niŋ]; **2.** (*spējīgs degt*) combustible [kəm'bʌstəbl]
degt to burn* [bɜ:n]
degunradzis rhinoceros [rai'nɒsərəs]
deguns nose [nəʊz]; ◇ vazāt aiz deguna – to lead* smb. down the garden path; to bamboozle [bæm'bu:zl]
degviel‖a fuel [fjʊəl]; (*benzīns*) petrol ['petrəl]; gas *amer.*; iepildīt ~u – to fill up
degvīns vodka ['vɒdkə]
deja dance [dɑ:ns]
dejot to dance [dɑ:ns]
dēka adventure [əd'ventʃə]
dekanāts **1.** dean's [di:nz] office ['ɒfis]; **2.** *rel.* deanery ['di:nəri]
dekāns dean [di:n]
deklamēt to recite [ri'sait]
deklarācija statement [steitmənt]
deklinācija declension [di'klenʃn]
dekodētājs *dat.* decoder [di'kəʊdə]
dekorācija **1.** (*skatloga*) window-dressing; **2.** (*skatuves*) stage [steidʒ] set; scenery ['si:nəri]
dekorēt to decorate ['dekəreit]
dekrēts decree [di'kri:]
deldēt (*nolietot*) to wear* [weə] out
delegācija delegation [deli'geiʃn]
delegāts delegate ['deligət]
delfīns dolphin ['dɒlfin]
delikatese dainty ['deinti], delicacy
delikāts **1.** (*taktisks*) tactful; **2.** (*kutelīgs*) delicate ['delikət]
dēlis board ['bɔ:d]; plank
delna palm [pɑ:m]
dēls son [sʌn]; ◇ pazudušais dēls – prodigal ['prɒdigl] son
deltaplāns delta-glider ['deltə,glaidə]
dēļ **1.** (*norādot iemeslu*) because [bi'kɒz] of, on account [ə'kaʊnt] of, owing ['əʊiŋ] to; **2.** (*labā*) for
demobilizēt to demobilize [di:'məʊbilaiz], to demob [di:'mɒb] *sar.*
demokrātija democracy [di'mɒkrəsi]
demokrātisks democratic [dimə'krætik]
demolēt to smash [smæʃ]
demonstrācija **1.** demonstration [,demən'streiʃn]; **2.** display; show [ʃəʊ]
demonstrēt to demonstrate ['demənstreit]; to display
demultipleksors *dat.* demultiplexer
dendijs dandy ['dændi]; fop [fɒp]
dendrārijs arboretum [ɑ:bə'ri:təm]
deniņi temple ['templ] *vsk.*
depo depot ['depəʊ]; ugunsdzēsēju d. – firestation ['faiəsteiʃn]
deputāts deputy ['depjʊti]
derēt[a] **1.** (*atbilst*) to suit [su:t]; to fit; **2.** (*būt vēlamam*) to be worth [wɜ:θ]
derēt[b] (*slēgt derības*) to bet*, to wager ['weidʒə]
derība *rel.* testament ['testəmənt]; Jaunā D. – New Testament; Vecā D. – Old Testament
derības bet, wager ['weidʒə]
derīgs **1.** (*atbilstošs*) suitable ['su:təbl]; fit; **2.** (*par biļeti*) valid (*for*)
derīgums utility [ju:'tiləti]; validity [və'lidəti]

desa sausage ['sɒsidʒ]; asinsdesa – black pudding ['pʊdiŋ]; aknu d. – white pudding, liver sausage; žāvēta d. – smoked sausage
deserts dessert [di'zɜ:t]
deskriptors *dat.* descriptor
destilēt to distil [di'stil]
dēsts seedling ['si:dliŋ]; plant [plɑ:nt]
dēt to lay* [lei] [eggs]
detaļa 1. detail ['di:teil]; **2.** (*mašīnas*) part [pɑ:t]
detektīvfilma detective film [film]
detektors *tehn.* detector [di'tektə]
deva 1. ration [ræʃn]; **2.** (*zāļu*) dose [dəʊs]
devējs donor ['dəʊnə]; giver [givə]
devīgs generous ['dʒenərəs]; open-handed [əʊpən'hændid]
devīze motto ['mɒtəʊ]
dezinfekcija disinfection [,disin'fekʃn]
dezinfic||ēt to disinfect; ~ējošs līdzeklis – disinfectant [,disin'fektənt]
dezodorants (spray/robl-on) deodorant [di:'əʊdərənt]
dežūra duty ['dju:ti]
dežurants person on duty
dežūrārsts doctor ['dɒktə] on duty
dežurēt to be on duty
diabētiķis diabetic [daiə'betik]
diagnoze diagnosis* [,daiəg'nəʊsis]
diagonāle *mat.* diagonal [dai'egnl]
diagramma 1. diagram [daiəgræm], chart [tʃɑ:t]; **2.** *mat., fiz.* graph [grɑ:f]
diakons *rel.* deacon ['di:kən]
dialekts dialect ['daiələkt]
dialogs dialogue ['daiəlɒg]; dialog ['daiəlɒg] *amer.*
diametrs diameter [dai'æmitə]
diapozitīvs slide [slaid]
dibens 1. bottom ['bɒtəm]; (*jūras*) ground [grəʊnd]; **2.** (*sēžamvieta*) bottom, buttocks ['bʌtəks] *dsk.*, seat [si:t]; *sar.* bum
dibināt to found [faʊnd], to establish [i'stæbliʃ]
dīdžejs deejay ['di:dʒei]; DJ
dieg||s thread [θred], cotton [kʌtn]; (*vilnas*) yarn; ievērt adatā ~u – to thread a needle
diemžēl unfortunately [ʌn'fɔ:tʃʊnətli]; man d. jāiet – I am afraid I have to go
dien||a day [dei]; dzimšanas d. – birthday ['bɜ:θdei]; katru ~u – daily ['deili]; pa ~u – during the day; mūsu ~ās – today
dienasgaisma fluorescent [flʊə'resnt] lighting ['laitiŋ]
dienasgrāmata diary ['daiəri]
dienaskārtība agenda [ə'dʒendə]; dienaskārtībā – on the agenda [ə'dʒendə]
diendienā day after day
dienests service ['sɜ:vis]; duty ['dju:ti]
diennakts twenty-four hours ['aʊəz]; daily ['deili]
dienvid||i south [saʊθ]; ~u – southern ['sʌðən]
diēta diet ['daiət]
diēzs *mūz.* sharp [ʃɑ:p]
dievbijīgs devout [di'vaʊt]

dievināt to worship [ˈwɜ:ʃip]
dievkalpojums church [tʃɜ:tʃ] service [ˈsɜ:vis]
Dievs *mit.*, *rel.* god [gɒd]; (*kristīgo*) God; Father [ˈfɑ:ðə]; paldies Dievam! – thank [θænk] God!; lai Dievs nedod! – God forbid!
dievvārdi *rel.* divine [diˈvain] service
diezgan 1. (*pietiekami*) enough [iˈnʌf]; **2.** (*samērā*) rather [ˈrɑ:ðə]; *sar.* pretty [ˈpriti]
diferencēt to differentiate [difəˈrenʃieit]
difterija *med.* diphtheria [difˈθiəriə]
dīglis *bot.* germ [dʒɜ:m]
dīgt to germinate [ˈdʒɜ:mineit]
dīkdienis idler [ˈaidlə]; loafer [ˈləʊfə]; lazy-bones [ˈleizibəʊnz]
dīkt 1. (*par kukaiņiem*) to hum [hʌm], to buzz [bʌz]; (*par bērnu*) to wimper [ˈwimpə], to whine [wain]; **3.** (*par teļu*) to moo [mu:]
diktāts dictation [dikˈteiʃn]
diktatūra dictatorship [dikˈteitəʃip]
diktēt to dictate [dikˈteit]
diktofons dictophone, dictating machine [məˈʃi:n]
diktors announcer [əˈnaʊnsə], broadcaster [ˈbrɔ:dkɑ:stə] *amer.*
dīķis pond [pɒnd]
dilemma dilemma [diˈlemə]
diletants amateur [ˈæmətə]
dilles dill [dil] *vsk.*
dilstošs diminishing [diˈminiʃiŋ]; d. mēness – waning [weiniŋ] moon [mu:n]
dilt 1. (*par drēbēm*) to wear* [weə] out; **2.** (*par mēnesi*) to wane [wein]
dimants diamond [ˈdaiəmənd]
dimdēt to resound [riˈzaʊnd] (*with*)
dinamīts dynamite [ˈdainəmait]
diplomātisks diplomatic [dipləˈmætik]
diplomāts diplomat [ˈdipləmæt]
diplomdarbs diploma [diˈpləʊmə] (graduation [grædʒuˈeiʃn]) thesis* [ˈθi:sis]
diploms 1. (*vidusskolas*) diploma [diˈpləʊmə] *amer.*; certificate [səˈtifikət]; **2.** (*augstskolas*) degree [diˈgri:]; **3.** (*apbalvojums*) award [əˈwɔ:d]
direkcija 1. management [ˈmænidʒmənt]; **2.** (*telpas*) manager's office
direktore 1. (*skolas*) headmistress [ˌhedˈmistris]; principal [ˈprinsəpl] *amer.*; **2.** directress [diˈrektres], manageress [ˌmænidʒəˈres]
direktors director [diˈrektə], manager; (*skolas*) principal [ˈprinsəpl] *amer.*, headmaster [ˈhedmɑ:stə]
diriģents conductor [kənˈdʌktə]; leader [ˈli:də]
diriģēt to conduct [ˈkɒndəkt]
disciplīna 1. discipline [ˈdisiplin]; **2.** (*zinātnes nozare*) branch [brɑ:ntʃ] of science [ˈsaiəns]; **3.** (*mācību priekšmets*) subject [ˈsʌbdʒikt]
disertācij‖a thesis* [θi:sis]; aizstāvēt ~u – to defend one's thesis
disidents dissident [ˈdisədənt]
diskdzinis *dat.* disk drive [draiv]

diskete *dat.* floppy disc [ˌflapiˈdisk]
diskonts *ek.* discount [ˈdiskaʊnt]
diskotēka disco [ˈdiskəʊ] *sar.*
disks 1. disc; **2.** *sp.* discus* [ˈdiskəs]
diskusija discussion [diˈskʌʃn], debate [diˈbeit]
diskutēt to discuss [diˈskʌs], to debate, to argue [ˈɑ:gju:]
diskvalificēt to disqualify [disˈkwɒlifai]
diskvalifikācija disqualification [disˌkwɒlifiˈkeiʃn]
displejs display [unit]
disputs debate [diˈbeit]
distanc‖e distance [ˈdistəns]; ievērot ~i to keep* one's distance
dīvains strange [streindʒ], queer [kwiə], odd
dīvāns sofa [ˈsəʊfə], cauch [kaʊtʃ]
divarpus two and a half
divdabis *gram.* participle [ˈpɑ:tisipl]
divdaļīgs in two parts [ˈpɑ:ts]
divdomīgs ambiguous [æmˈbigjʊəs]; (*nepieklājīgs*) indecent [inˈdi:snt], slipery [ˈslipəri]
divējāds of two kinds [kaindz]
div‖i two; abi d. – both [bəʊθ]; pa ~iem – by twos, in pairs [ˈpeəz]
divīzija *mil.* division [diˈviʒn]
divkāršs double [ˈdʌbl]
divkauja duel [ˈdju:əl]; *mil.* single [ˈsiŋgl] combat [kɒmbæt]
divkosīgs double-faced [ˈdʌblfeist]
divpakāpju- two-stage [ˈtu:steidʒ] (*attr.*)
divreiz twice [twais]
divritenis bicycle [ˈbaisikl], bike [baik] *sar.*
divsēriju- two-part (*attr.*)
divsimt two hundred
divvirzienu- two-way (*attr.*)
dizainers designer [diˈzainə]
dizains design [diˈzain]
dīzeļvilciens diesel-engine [di:zlˈendʒin] train [trein]
dižciltīgs of noble [ˈnəʊbl] birth, highborn [ˈhaibɔ:n]
dižens stately [ˈsteitli]
dižoties to show* [ʃəʊ] off
dobe: puķu d. – flower [ˈflaʊə] bed
dobjš hollow [ˈhɒləʊ]
dobums 1. hollow [ˈhɒləʊ]; **2.** *anat.* cavity [ˈkævəti]
docents associate professor [prəˈfesə]
dogs (*suns*) [Great] Dane [dein]
doks dock [dɒk]
doktor‖s doctor [ˈdɒktə]; ~a grāds – doctorate [ˈdɒktərit]
dokumentāls documentary [ˌdɒkjʊˈmentəri]
dokuments document [ˈdɒkjʊmənt], paper
dolārs dollar [ˈdɒlə], *sar.* buck [bʌk] *amer.*
dom‖a 1. thought [θɔ:t]; idea [aiˈdiə]; **2.** (*uzskats*) opinion [əˈpinjən]; pēc manām ~ām – in my opinion
domāt 1. to think*; **2.** to mean* [mi:n]
domēnatmiņa *dat.* bubble memory [ˈmeməri]
domīgs thoughtful [ˈθɔ:tfəl]
domraksts composition, essay [ˈesei]
domstarpība difference of opinion [əˈpinjən]

D

domuzīme dash [dæʃ]
donors donor [ˈdəʊnə]
dopings dope [dəʊp]
dot to give*; d. piekrišanu – to consent; d. mājienu – to drop a hint; d. priekšroku – to prefer [priˈfɜ:]; ◇ dots pret dotu – tit for tat
dotācija *ek.* subsidy [ˈsʌbsədi]; grant [grɑ:nt]
dotības abilities [əˈbilətiz], makings [ˈmeikiŋz]
doties (*ceļā*) to set* out
doza dose [dəʊz]
draiskoties to romp, to play [plei] pranks [præŋks]
draiskulis romp, imp [imp]
drāma drama [ˈdrɑ:mə], play [plei]
dramatisks dramatic [drəˈmætik]
dramaturgs playwright [ˈpleirait]
drānas clothes [kləʊðz], clothing [ˈkləʊðiŋ], attire [əˈtaiə]
draudēt to threaten [ˈθretn]
draudošs impendent [imˈpendənt]
draudze *rel.* congregation [ˌkɒngriˈgeiʃn]; parish [ˈpæriʃ]
draudzene girl friend [ˈgɜ:lfrend]
draudzēties to be friends [frendz] (*with*)
draudzība friendship [ˈfrendʃip]
draudzīgs friendly [ˈfrendli]
draugs friend [frend]
drausmīgs dreadful [ˈdredfəl]
drazas rubbish [ˈrʌbiʃ] *vsk.*
drāzt to cut*; d. zīmuli – to sharpen a pencil [ˈpensl]
drāzties to rush [rʌʃ], to dash [dæʃ]
drēbe fabric [ˈfæbrik], cloth [klɒθ]
drēb‖es clothes [kləʊðz]; ~ju skapis – wardrobe [ˈwɔ:drəʊb]
drebēt to tremble [ˈtrəmbl], to shake*; (*par lūpām, balsi*) to quiver [ˈkwivə]
drebināties to shiver [ˈʃivə]; to quiver [ˈkvivə]
drēbnieks tailor [ˈteilə]
drebuļi shiver [ˈʃivə], shudder [ˈʃʌdə], chills
drēgns damp [dæmp], humid [ˈhju:mid]
drenas drain-pipes [ˈdreinpaips]
dresēt to train [trein]; (*plēsīgu zvēru*) to tame [teim]
dresētājs trainer [ˈtreinə]; (*plēsīgu zvēru*) tamer [ˈteimə]
driblēt *sp.* to dribble [ˈdribl]
drīkstēt to be allowed [əˈlaʊd] (*to*); may [mei]
drīz soon [su:n]; shortly [ˈʃɔ:tli], presently [ˈpreznt li]
drīzāk 1. sooner [ˈsu:nə]; **2.** (*labāk*) rather [ˈrɑ:ðə]
drogas drugs [ˈdrʌgz]; herbs [hɜ:bz]
drosme courage [ˈkʌridʒ]; bravery [ˈbreivəri]
drosmīgs courageous [kəˈreidʒəs]; brave [breiv]; *sar.* guts [gʌts]; nerve [nɜ:v]
droši 1. (*bez bailēm*) boldly [ˈbɒldli]; **2.** (*noteikti*) surely [ˈʃʊəli]; d. vien – probably
drošība safety [ˈseifti], security [siˈkjʊriti]; ~s dienests – security service [ˈsɜ:vis]

drošs 1. (*bezbailīgs*) courageous [kə'reidʒəs]; brave [breiv]; bold [bəʊld]; **2.** (*neizbēgams*) certain ['sɜ:tn], sure [ʃʊə]; **3.** (*neapdraudēts*) safe [seif], secure [si'kjʊə]

drudzis fever ['fi:və], ague ['eigju:]; siena d. – hay [hei] fever

drudžains feverish ['fi:vəriʃ]

drukāt to press [pres]; to print [print]

drukns sturdy ['stɜ:di], stocky ['stɒki]

drūms gloomy ['glu:mi], sullen ['sʌlən]

drumstala crumb [krʌm]; (*stikla u. tml.*) shiver ['ʃivə]

drupas ruins ['ru:inz], debris

drupata crumb ['krʌmb], bit

drupināt to crumble ['krʌmbl]

drupt to crumble ['krʌmbl]

druska scrap [skræp]

drusku a little (bit); somewhat ['sʌmwɒt]

druva cornfield ['kɔ:nfi:ld]

drūzma crowd [kraʊd]

drūzmēties to crowd [kraʊd]

dublējums *dat.* backup ['bækʌp]

dublēt 1. to duplicate [dju:plikeit]; d. lomu (*teātrī*) – to understudy ['ʌndəˌstʌdi] a part; **2.** (*filmu*) to dub [dʌb]

dublētājdatne *dat.* backup ['bækʌp] file [fail]

dublētājkopija *dat.* backup ['bækʌp] copy ['kɒpi]

dublētājserveris *dat.* backup ['bækʌp] server ['sɜ:və]

dublikāts dublicate ['dju:plikəit]; identical [ai'dentikl] copy [kɒpi]

dubļains muddy ['mʌdi]

dubļi mud [mʌd], dirt [dɜ:t]

dubļusargs mudguard ['mʌdgɑ:d]

dubultot to double [dʌbl]

dubults double ['dʌbl]

ducis dozen ['dʌzn]; velna d. – baker's ['beikəz] dozen

dūja dove [dʌv]

dūkt to hum [hʌm], to buzz [bʌz]

dulls crazy, mad; cracky ['kræki] *sar.*; nutty ['nʌti] *sar.*

duļķains turbid ['tɜ:bid], muddy ['mʌdi]

dūmaka haze [heiz]

dūmenis chimney ['tʃimni]

dūmi smoke [sməʊk], fume [fju:m]

dumjš foolish ['fu:liʃ], stupid ['stju:pid], silly ['sili]

dumpis rebellion [ri'beliən]

dumpoties to rebel ['rebəl]

dūmvads flue [flu:]

dūn||as (*putna*) down [daʊn]; ~u sega – eiderdown ['aidədaʊn]; down-quilt [daʊn'kwilt]

duncis dagger ['dægə]; (*virtuves*) large [lɑ:dʒ] knife [naif]

dundurs gadfly ['gædflai]; horsefly ['hɔ:sflai]; botfly ['bɒtflai]

dunēt to drone; (*par pērkonu*) to roll [rəʊl]

dunka nudge [nʌdʒ], poke [pəʊk]

dūņas 1. slime [slaim]; **2.** (*ārstnieciskas*) mud [mʌd]

dupsis *sar.* (*bērna*) bottom ['bɒtəm], cheeks [tʃi:ks]

dūraiņi mittens ['mitns]

D

dūre fist [fist]
dūriens 1. prick; (*naža*) stab [stæb]; **2.** (*šujot*) stitch [stitʃ]
durstīt to prick [prik]
durt to prick; (*ar nazi*) to stab [stæb]; man dur sānos – I have a stitch [stitʃ] in my side
durvis door [dɔ:]; balkona d. – French window [ˈwindəʊ]; ◇ parādīt kādam durvis – to show [ʃəʊ] smb. the door
dusmas anger [ˈæŋgə]; (*lielas*) fury [ˈfjʊə:ri], rage [reidʒ]
dusmīgs (*uz*) angry [ˈæŋgri] (*with, at*); (*par*) angry (*about, at*); cross
dusmoties to be angry [ˈæŋgri] (*with smb., about smth.*)
duš‖a shower [ˈʃaʊə]; mazgāties ~ā – to take* a shower courage [ˈkʌridʒ]
dūša: tukšā dūšā – on an empty [ˈempti] stomach [ˈstʌmək]; man ir slikta dūša – I feel sick [sik]; ◇ zaudēt dūšu – to lose* heart
dūšīgs 1. plucky [ˈplʌki]; **2.** (*spēcīgs*) strapping [ˈstræpiŋ]
dūzis 1. (*kāršu spēlē*) ace [eis]; **2.** *pārn.* bigwig
dvaša breath [breθ]
dvēsele soul [səʊl]; ◇ tur nav nevienas dzīvas dvēseles – there is not a living soul there
dvielis towel [ˈtaʊəl]; frotē d. – terry [ˈteri]
dvīņi 1. twins [twins]; **2.** *zod.* Gemini [ˈdʒeminai]
dzedrs 1. (*vēss*) fresh [freʃ]; **2.** (*skarbs*) abrupt [əˈbrʌpt]
dzeguze cuckoo [ˈkʊku:]
dzeja poetry [ˈpəʊitri]
dzejnieks poet [ˈpəʊit]
dzejolis poem [ˈpəʊim]
dzēliens sting [stiŋ]
dzēlīgs stinging; (*par piezīmi*) caustic [ˈkɔ:stik]
dzelme depth [depθ]
dzelonis 1. (*bites*) sting [stiŋ]; **2.** (*ērkšķis*) thor [θɔ:n], prickle [ˈprikl]
dzeloņstieple barbed [bɑ:bd] wire [ˈwaiə]
dzelt to sting [stiŋ]; (*par čūsku*) to bite [ˈbait]
dzeltens yellow [ˈjeləʊ]
dzelzceļnieks railwayman [ˈreilweimən]
dzelzceļš railway [ˈreilwei]; railroad [ˈreilrəʊd] *amer*; apakšzemes dz. – underground; metro; (*Londonā*) tube [tju:b]; subway [ˈsʌbwei] *amer.*
dzelzs iron [ˈaiən]
dzelzsbetons reinforced concrete [ˈkɒnkri:t]
dzemdēt to give* birth (*to*), to bear* [beə]
dzemdības childbirth [ˈtʃaildbɜ:θ], delivery [diˈlivəri]
dzenis woodpecker [ˈwʊd,pekə]
dzērājs drunkard [ˈdrʌnkəd]
dzeramnaud‖a tip [tip]; dot ~u – to tip
dzēriens drink [driŋk]; beverage [ˈbevəridʒ]
dzert 1. to drink*; **2.** (*žūpot*) to booze [bu:z]
dzērve crane [krein]

dzērvene cranberry ['krænbəri]
dzēst to extinguish [iks'tiŋgwiʃ], to put* [pʊt] out
dzestrs fresh [freʃ], cool [ku:l]
dzēšamgumija eraser [i'reizə], rubber ['rʌbə]
dzidrs clear [kliə], lucid ['lu:sid]
dziedāt to sing* [siŋ]
dziedātājs singer ['siŋgə]
dziedēt to heal [hi:l], to cure ['kjʊə]
dziednieks healer ['hi:lə]
dziedzeris gland [glænd]
dziesma song [sɒŋ]; tautas dz. – folksong ['fəʊksɒŋ]; šūpļa dz. – lullaby ['lʌləbai]
dzija wool [wʊl], yarn [jɑ:n]
dziļš deep; profound [prə'faʊnd]
dziļums depth [depθ]
dzimis born [bɔ:n]
dzimšan‖a birth [bɜ:θ]; ~as diena – birthday ['bɜ:θdei]
dzimt to be born [bɔ:n]
dzimte *gram.* gender ['dʒendə]
dzimtene native country ['kʌntri], motherland ['mʌðəlænd], homeland ['həʊmlænd]
dzimt‖s native ['neitɪv]; ~ā valoda – mother ['mʌðə] tongue [tʌŋ]
dzimum‖s sex [seks]; sieviešu ~a – female ['fi:meil]; vīriešu ~a – male [meil]
dzimumzīme birth-mark ['bɜ:θmɑ:k]
dzinējs *tehn.* motor [məʊtə], engine ['endʒin]
dzintars amber ['æmbə]
dzinums shoot [ʃu:t], sprout [spraʊt]
dzirdamība audibility
dzirdams audible ['ɔ:dəbl]
dzirde ear [iə], hearing ['hiəriŋ]
dzirdēt to hear* [hiə]
dzīres feast [fi:st]; banquet ['bæŋkwit]
dzirkstele spark [spɑ:k]
dzirkstīt to sparkle [spɑ:kl]
dzirkstošs sparkling ['spɑ:kliŋ]; dz. vīns – sparkling wine
dzirnavas mill [mil]
dzīsla vein [vein]
dzist 1. (*par uguni*) to go* out; **2.** (*atdzist*) to cool [ku:l]
dzīt[a] to drive* [draiv]; dz. bārdu – to shave* [ʃeiv]; ◇ dz. velnu – to make* fun [fʌn]
dzīt[b] (*par brūci*) to heal [hi:l]
dzīties 1. (*pakaļ*) to pursue [pə'sju:]; **2.** (*tiekties*) to strive* (*for*)
dzīve life [laif], lifetime ['laif'taim]
dzīvesbiedr‖s (~e) spouse [spaʊz]
dzīvespriecīgs joyful [dʒɔifl]
dzīvesveids way [wei] of life, life style [stail]
dzīvesvieta residence ['rezidəns]
dzīvīb‖a life [laif]; ~as apdrošināšana – life-insurance [ˌlaifin'ʃʊərəns]
dzīvīgs vital ['vaitl], tenacious [ti'neiʃəs]
dzīvniek‖s animal ['ænimәl]; savvaļas ~i – wildlife ['waildlaif]
dzīvojam‖s: ~ā ēka – dwelling-house ['dweliŋhaʊs]; ~ā platība – floorspace
dzīvoklis flat [flæt]; apartament [ə'pɑ:tmənt] *amer.*
dzīvot 1. to life [liv]; to exist [ig'zist];

D

dz. plaši – to live in style [stail]; dz. vienkārši – to lead* a simple [ˈsimpl] life; **2.** (*uzturēties*) to live, to dwell* [dwel]
dzīvotgriba will of life [laif]
dzīvs alive [əˈlaiv], living [ˈliviŋ]
dzīvsudrabs mercury [ˈmɜ:kjʊri], quicksilver [ˈkwikˌsilvə]
dzīvžogs hedge [hedʒ]
džemperis jumper [ˈdʒʌmpə], jersey [dʒɜ:si]
džems jam [dʒæm]
džentlmenis gentleman* [ˈdʒentlmən]
džezs jazz [dʒæz]
džins gin [dʒin]
džinkstēt to whiz[z] [wiz]; to zip [zip]; to jangle [ˈdʒiŋgl]
džinsi jeans [dʒi:nz] *dsk.*
džips jeep [dʒi:p]
džouls *el.* joule [dʒu:l]
džungļi jungle [ˈdʒʌŋgl] *vsk.*

E

E

ecēt to harrow [ˈhærəʊ]
ēdamais food; eats *dsk., sar.*
ēdamistaba dining-room [ˈdainiŋrʊm]
ēdamkarote tablespoon [ˈteiblspu:n]
ēdienkarte menu [ˈmenju:]; bill of fare [feə]
ēdienreize mealtime [ˈmi:ltaim], meal [mi:l]
ēdiens (*uzturs*) food; (*maltīte*) meal [mi:l]; (*maltītes sastāvdaļa*) course [kɔ:s], dish [diʃ]
ēdnīca canteen [kænˈti:n], eating-place
efeja ivy [ˈaivi]
efektīgs effective [iˈfektiv]; striking [ˈstraikiŋ]; showy [ˈʃəʊi]
efektīvs effective; efficient [iˈfiʃənt]
egle fir[tree] [ˈfɜ:(tri:)]; ~s čiekurs – fir-cone [ˈfɜ:kəʊn]
egoists selfish [ˈselfiʃ] person [pɜ:sn]
eiro *ek.* euro [ˈjʊərəʊ]
Eiropa Europe [ˈju:ərəp]
eja passage [ˈpæsidʒ]
ēka building [ˈbildiŋ]
ekoloģija 1. ecology [ˌi:ˈkɒlədʒi]; **2.** bionomics [ˌbaiəˈnɒmiks]
ekonomika economics [ˌikəˈnɒmiks]
ekonoms housekeeper [ˈhaʊski:pə]
ekosistēma ecosystem [ˈi:kəʊsistəm]
ekranizējums screen [skri:n] version [vɜ:ʃn]
ekranizēt to film, to screen [skri:n]
ekrāns screen [skri:n]
eksakts: eksaktās zinātnes – the sciences [ˈsaiəns]
eksāmens examination [igˌzæmiˈneiʃn]; exam [igˈzæm] *sar.*
eksaminēt to examine [igˈzæmin]
ekscentrisks eccentric [ikˈsentrik]
eksemplārs 1. copy [ˈkɒpi]; **2.** (*paraugs*) specimen [ˈspesimən], sample [ˈsampl]

eksistenc||**e** existence [ig'zistəns]; ~es līdzekļi – means of existence; ~es minimums – living-wage
eksistēt to exist [ig'zist]
ekskavators excavator ['ekskəveitə]
ekskursants tourist ['tʊərist]
ekskursija excursion [ik'skɜ:ʃən], trip [trip]
eksotisks exotic [ig'zɒtik]
ekspedīcija expedition [,ekspi'diʃn]
eksperimentāls experimental [,ekspəri'mentl]
eksperiments experiment [ik'sperimənt]
eksperts expert ['ekspɜ:t]
eksplodēt to burst [bɜ:st]*, to blow* [bləʊ] up; to explode [ik'spləʊd]
eksplozija explosion [ik'spləʊʒn], blast [blɑ:st]
ekspluatācij||**a** **1.** exploitation [,eksplɔi'teiʃn]; **2.** (*uzņēmuma*) operation ['ɒpəreiʃn]; nodot ~ā – to launch, to put* into operation
ekspluatēt to exploit [ik'splɔit]
eksponāts exhibit [ig'zibit]
eksportēt to export [ek'spɔ:t]
eksports export ['ekspɔ:t]
ekspozīcija **1.** exposition [ekspə'ziʃən]; **2.** (*foto*) exposure [ək'spəʊʒə]
ekspresis **1.** (*bagāžas nesējs*) porter ['pɔ:tə]; **2.** (*ātrgaitas transports*) express [ik'spres]
ekspresīvs expressive [ik'spresiv]
ekstāze ecstasy ['ekstəsi]
eksterjers exterior [ik'stiəriə]
ekstrakts extract ['ekstrækt]
ekvators equator [i'kweitə]
elastīgs elastic [i'læstik]; resilient [ri'ziliənt], flexible [flæksibl]
elegants elegant ['eligənt]; smart [smɑ:t]; stylish ['stailiʃ]
elektrība electricity [i,lek'trisiti]
elektriķis electrician [i,lek'triʃn]
elektrisks electric [i'lektrik], power ['paʊə]
elektrostacija power ['paʊə] station [steiʃn]
elektrovilciens electric [i'lektrik] train [trein]
elementārs elementary [,eli'mentəri]
elements element ['eliment]; (*sastāvdaļa*) component
elkonis elbow ['elbəʊ]
elle hell [hel]; ~s tumsa – pitch [pitʃ] darkness ['dɑ:knəs]; ◇ ej ellē! – go to hell!; the hell with you!
elpa breath [breθ]; bez ~s – out of breath
elpināšana: mākslīgā e. – artificial [ɑ:ti'fiʃl] breathing ['bri:ðiŋ]
elpot to breathe [bri:ð], to respire [ri'spaiə]
elsas sobs [sɒbz]
elsot to sob [sɒb]
eļļ||**a** oil [ɔil]; ~as glezna – oil-painting
eļļot to oil [ɔil]
emalja enamel [i'næməl]
emigrants emigrant ['emigrənt]
emigrēt to emigrate ['emigreit]
emisija *ek.* issue ['iʃʊ]
emulācija *dat.* emulation
emulsija *ķīm.* emulsion [i'mʌlʃn]
ēna shadow ['ʃædəʊ]; shade [ʃeid]

E

ēnains shady [ˈʃeidi]
encefalīts *med.* encephalitis [enkəfəˈlaitis]; ērču e. – tick-bone [ˈtikbəʊn] encephalitis
enciklopēdija encyclop[a]edia [inˌsaikləˈpi:diə]
enerģija energy [ˈenədʒi]
enerģisks energetic [ˌenəˈdʒetik]
enkurs anchor [ˈæŋkə]
ēnojums shading [ˈʃeidiŋ]
entuziasts enthusiast [inˈθju:ziæst]; fan [fæn] *sar.*
eņģelis angel [ˈeindʒəl]
epidēmija epidemic [ˌepiˈdemik]
ēr‖a era [ˈiərə]; 300. gadā pirms mūsu ~as – 300 B. C.; mūsu ~as 300. gadā – 300 A. D.
ērce tick [tik]
ērglis eagle [ˈi:gl]
ērģeles organ [ˈɔ:gən]
ērkšķis thorn [θɔ:n], prickle [prikl]; ◇ ērkšķains ceļš – thorny path
ērkšķoga gooseberry [ˈgʊzbəri]
ērms buffon [bəˈfu:n]
ērtība comfort [ˈkʌmfət]
ērts 1. comfortable [ˈkʌmftəbl]; **2.** (*piemērots*) convenient [kənˈvi:niənt]
es I [ai]; tas esmu es – it is I; *sar.* it's me
esamība existence [igˈzistəns]; being [ˈbiing]
eseja essay [ˈesei]
eskalators escalator [ˈeskəleitə]
ēsma bait [beit]
ēst to eat [i:t]; ē. pusdienas – to have (take*) dinner
estētisks aesthetic [i:sˈθetik]
ēstgriba appetite [ˈæpitait]
ēšana eating [ˈi:tiŋ]
etalonuzdevums *dat.* benchmark [ˈbentʃmɑ:k]
ēteris ether [ˈi:θə]
etīde (*zīmējums*) sketch [sketʃ]
etiķete label [leibl]
etiķis vinegar
ētisks ethical [ˈeθikəl]
etvija case [keis]
evakuēt to evacuate [iˈvækjʊeit]
evaņģēlijs evangel [iˈvændʒəl]; Gospel [ˈgɒspəl]
ēvele plane [plein]
ēvelēt to plane [plein]
ēveļskaidas shavings [ˈʃeiviŋz]
ēzelis donkey [ˈdɒŋki], ass [æs]
ezers lake [leik]
ezis hedgehog [ˈhedʒhɒg]; jūras e. – sea-urchin [ˈsi:ˈɜ:tʃin]

F

fabrika factory [ˈfæktəri], mill [mil]
fabula fable [ˈfeibl]
fails [data] file [fail]
faksimils fascimile [fækˈsimili]
fakss fax [fæks]
faktisk‖s real [riəl], actual [ˈæktʃʊəl]; ~i – in fact, actually

fakts fact [fækt]; minēt faktus – to mention ['menʃən] facts
faktūra 1. (*rēķins*) invoice ['invɔis]; **2.** *mūz.*, *glezn.* texture ['tekstʃə]
fakultāte faculty ['fækəlti], department
fakultatīvs optional ['ɒpʃənəl]; elective [i'lektiv]
falsificēt to falsify ['fɔ:lsifai]
familiārs unceremonious [ˌʌnseri'məʊniəs]; familiar [fə'miliə]
fanātisks fanatic[al]
fantastika fantasy ['fæntəsi]
fantastisks fantastic [fæn'tæstik]
fantāzija fancy ['fænsi]; imagination [iˌmædʒi'neiʃn]
faraons Pharaon ['feərəʊ]
farmaceits pharmacist ['fɑ:məsist], chemist ['kəmist]
fasons fashion [fæʃn], style [stail]
favorīts favorite [feivərit]
fāz‖e stage [steidʒ]; phase [feiz]; Mēness ~es – phases of the Moon
faziloģika *dat.* fuzzy ['fʌzi] logic ['lɒdʒik]
februāris February ['februəri]
federācija federation [ˌfedə'reiʃn]
fenomenāls phenomenal
fēns hair-dryer ['heədraiə]
feodālisms feudalism ['fju:dəlizəm]
ferma farm [fɑ:m]; piena f. – dairy-farm ['deərifɑ:m]; lopkopības f. – stockbreeding farm; putnu f. – poultry-farm
fermeris farmer ['fɑ:mə]
festivāls festival ['festivl]
figūra 1. figure ['figə]; **2.** (*šahā*) chess-piece [pi:s]
figurēt to figure (*as*)
figūriekavas braces ['breisiz]
fikcija fiction ['fikʃən]
fiksēt to fix [fiks]
filcs felt [felt]
fileja *kul.* fillet ['filit]
filharmonija philharmonic [ˌfilə'mɒnik]
filiāle 1. (*nodaļa*) branch [brɑ:ntʃ]; **2.** (*meitas uzņēmums*) subsidiary [səb'sidiəri]; bankas f. – branch bank
filigrāns filigree ['filigri:]
filma film; movie ['mu:vi] *amer.*
filmēt to film, to shoot* [ʃu:t] a film
filologs philologist [fi'lɒlədʒist]
filoloģija philology [fi'lɒlədʒi]
filozofija philosophy [fi'lɒsəfi]
filtrs filter ['filtə]
fināls 1. ending ['endiŋ], end; **2.** *mūz.* finale [fi'nɑ:li]; **3.** *sp.* final ['fainl]
finālspēle final ['fainl]
finanses finances [fai'nænsiz]
finansēt to finance [fai'næns]
finansists financier
finieris veneer [vi'niə]
finišs finish ['finiʃ]
firma firm [fɜ:m]; company ['kɒmpəni]; firmas zīme – trade [treid] mark [mɑ:k]
fizika physics ['fiziks]
fiziķis physicist ['fizisist]
fizionomija physiognomy [fizi'ɒnəmi]
fizisks physical ['fizikəl]

F

fizkultūra physical [ˈfizikl] culture [ˈkʌltʃə]; physiceal education, fitness
flanelis (*vilnas*) flannel; (*kokvilnas*) flannelette [ˌflænlˈet]
flauta flute [flu:t]
flīze tail [teil]; (*grīdas*) flag [flæg]; flīzēt – to tile, to flag
flomāsters felt-tipped pen, felt-tip [ˈfelttip]
flote fleet [fli:t]; jūras kara f. – navy; gaisa kara f. – air [eə] force
foksterjers fox-terrier [fɒksˈteriə]
folklora folklore [ˈfəʊklɔ:]
fonds fund, stock [stɒk]
fonogramma phonogram
fonotēka record library [ˈlaibrəri]
fons background [ˈbækgraʊnd]
forma 1. (*veids*) shape [ʃeip]; **2**. (*tērps*) uniform [ˈju:nifɔ:m]
formalitāte formality
formāls formal [fɔ:ml]
formāts size [saiz]
formula formula* [ˈfɔ:mjʊlə]
formulēt to define; (*vārdos*) to word [wɜ:d]
fosfors phosphorus [ˈfɒsfərəs]
fotoaparāts camera [ˈkæmərə]
fotogēnisks photogenic [ˌfəʊtəʊˈdʒenik]
fotografēt to photograph, to take* a picture (snapshot)
fotogrāfija photography [fəˈtɒgrəfi]
fotogrāfs photographer [fəˈtɒgrəfə]
fotokopija photostatic copy [ˈkɒpi]
fragments fragment [ˈfrægmənt]
frāze phrase [freiz]
frekvence *fiz*. frequency [ˈfri:kwənsi]
freska fresco [ˈfreskəʊ]
frēze mill, cutter
frizētava hairdresser's [ˈheəˌdresəz]
frizieris hairdresser [ˈheəˌdresə]
frizūra (*sieviešu*) hair [heə] style, hair-do; (*vīriešu*) hair-cut [ˈheəkʌt]
frontāls frontal [ˈfrɒntl]
fronte front [frʌnt]
funkcija function [ˈfʌŋkʃn]
futbolists football-player [ˈfʊtbɔ:l ˌpleiə], soccer-player *sar*.
futbols football [ˈfʊtbɔ:l], soccer [ˈsɒkə] *sar*.
futrālis case [keis], box [bɒks]

G

gabaldarbs piecework [ˈpi:swɜ:k]
gabals piece [pi:s]; (*maizes*) hunk; slice [slais]; (*cukura*) lump [lʌmp]; (*ziepju*) cake [keik]; (*zemes*) plot
gadadiena anniversary [ˌæniˈvɜ:səri]
gadalaik‖s season [ˈsi:zn]; četri ~i – the four seasons
gādāt 1. (*rūpēties*) to see* (*to*); to take* care (*of*); **2.** (*sagādāt*) to provide [prəˈvaid]
gadatirgus fair [feə]

gādība 1. care [keə]; **2.** (*apgādība*) charge [tʃɑ:dʒ]

gādīgs solicitous [sə'lisitəz] (*about, for*)

gadījums 1. (*notikums*) incident ['insidənt]; nelaimes g. – accident ['æksidənt]; **2.** (*parādība, fakts*) case; **3.** (*izdevība*) opportunity; chance, occasion; jebkurā ~ā – in any case; pretējā ~ā – otherwise

gadīties to chance [tʃɑ:ns]; to happen; to occur [ə'kɜ:]

gads year [jiə]; garais g. – bisextile [bi'sekstail]; dzimšanas g. – year of birth

gadsimts century ['sentʃəri]

gaidas expectations [ˌekspək'teiʃnz]

gaidīt to wait [weit] (*for*); to expect

gailis cock [kɒk]

gaiļpieši larkspur ['lɑ:kspɔ:]

gaisīgs (*vieglprātīgs*) light-minded

gaisma light [lait]; dienas g. – daylight; saules g. – sunlight, sunshine

gaismeklis lighting ['laitiŋ] appliance [ə'plaiəns]

gaisotne atmosphere; mood [mu:d]

gaiss air [eə]

gaišmatains fair [feə], blond [blɒnd]

gaišs 1. light [lait]; **2.** *pārn.* bright [brait]

gaita 1. gait [geit], pace [peis]; **2.** *pārn.* course [kɔ:s]

gaitenis passage ['pæsidʒ], corridor ['kɔridɔ:]

gājējs 1. walker ['wɔ:kə]; **2.** (*pretstatā braucējam*) pedestrian [pi'destriən]

gājiens 1. procession; **2.** (*šahā*) move [mu:v]

gājputns bird [bɜ:d] of passage ['pæsidʒ]

galantērija haberdashery ['hæbəˌdæʃəri]; fancy goods *dsk.*

galants courteous ['kɜ:tiəs], polite [pə'lait]

galaprodukts *ek.* end-product ['endprɒdʌkt]

galapunkts the last stop [stɒp]

galastacija terminal ['tɜ:minl], terminus* [tɜ:minəs]

galdauts table-cloth ['teiblklɒθ]

galdnieks joiner ['dʒɔinə], carpenter

gald‖s table [teibl]; klāt ~u – to lay* the table; sēsties pie ~a – to sit* down to table; pie ~a – at table

galējība extreme [ik'stri:m]

galerija gallery ['gæləri]

galīgs 1. final ['fainl]; complete [kəm'pli:t]; **2.** (*pilnīgs*) utter ['ʌtə]

galoda whetstone ['wetstəʊn]

galošas rubbers ['rʌbəz] (*tikai dsk.*)

galotne 1. top; **2.** *gram.* ending ['endiŋ]

gals 1. end [end]; **2.** (*nāve*) end

galv‖a 1. head [hed]; **2.** *pārn.* brains [breinz] *dsk.*; no ~as – by heart [hɑ:t]

galvaspilsēta capital ['kæpitəl], metropolis [mə'trɒpəlis]

galvassāpes headache ['hedeik]

galvenais chief [tʃi:f], main [mein], central ['sentrl]

galvgalis head of the bed

galvenokārt chiefly ['tʃi:fli], mainly ['meinly]

G

galviņa: naglas g. – head of the nail; kāpostg. – cabbage-head [ˈkæbidʒhəd]

galvojums warranty [ˈwɒrənti]

galvot to vouch (*for*); (*par kādu*) to answer [ˈɑ:nsə] (*for*); (*par kaut ko*) to guarantee [ˌgærənˈti:]

gaļ‖a meat [mi:t]; cūkas g. – pork; teļa g. – veal [vi:l]; vērša g. – beef; putna g. – fowl; maltā g. – ground meat; ~as veikals – butcher's [ˈbʊtʃəz] shop

G

gaļasmašīna mincing-machine [ˈminsiŋməˈʃi:n], meatchopper [ˈmi:tˌtʃɒpə]; meatgrinder [ˈmi:tˌgraində] *amer.*

gaļīgs fleshy [ˈfleʃi], meaty [ˈmi:ti]

gan: g. jau viņš zinās – he is sure [ʃʊə] to know [nəʊ]; g. jau būs labi – it will be all [ɔ:l] right [rait]; g. ..., g. ... – both [bəʊθ] ... and ...; g. šā, g. tā – now [naʊ] one way [wei], now the other

ganāmpulks herd [hɜ:d]

gandarījums satisfaction [ˌsætisˈfækʃn]

gandrīz almost [ˈɔ:lməʊst], nearly [ˈniəli]; es g. iesmējos – I almost laughed

gangsteris gangster [ˈgæŋstə], racketeer [ˌrækiˈtiə]

ganības pasture [ˈpɑ:stʃə]

ganīt to shepherd [ˈʃepəd], to tend [tend]

gans herdsman [ˈhɜ:dsmən]

gar along, past [pɑ:st]

garaiņi vapour [ˈveipə], steam [sti:m]

garām 1. past [pɑ:st], by; **2.** (*pāri*) past, over [ˈəʊvə]

garāmejot in passing [ˈpɑ:siŋ]; casually [ˈkæʒʊəli]

garāmgājējs passer-by [pɑ:səˈbai] (*dsk.* passers-by)

garantēt to warrant; to guarantee [ˌgærənˈti:]

garantija warranty; guaranty [ˈgærənti:]

garastāvoklis mood [mu:d]

garāža garage [ˈgærɑ:dʒ]

garderobe cloak-room [ˈkləʊkru:m]; check-room *amer.*

garens oblong [ˈɒblɒŋ]

gardums delicacy [ˈdelikəsi], dainty [ˈdeinti]

garīdznieks clergyman [ˈklɜ:dʒimən], pastor [ˈpɑ:stə], (*katoļu*) priest [ˈpri:st]

garīgs mental [mentl], spiritual [spiˈritʃʊəl]

garlaicīgs tedious [ˈti:diəs], dull [dʌl], boring [ˈbɔ:riŋ]

garlaikoties to be bored [bɔ:d]

garmatains long-haired [lɒŋheəd]

garnizons garrison [ˈgærisn]

garoza crust [krʌst]; ledus g. – ice crust; Zemes g. – Earth [ɜ:θ] crust

gars 1. (*apziņa*) mind [maind], intellect [ˈintələkt]; **2.** (*pārdabiska būtne*) spirit [ˈspirit]; ghost [gəʊst]; Svētais g. – *rel.* the Holy Spirit; ◇ lēnā garā – calmly [kɑ:mli:]

garš 1. long [lɒŋ]; **2.** (*augumā*) tall [tɔ:l]

garša taste [teist]; flavour ['fleivə]
garšīgs delicious [di'liʃəs], tasty ['teisti]
garšot 1. to like, to relish; **2.** (*nogaršot*) to taste [teist], to try [trai]
garšviela spice [spais]
garums 1. length [leŋθ]; **2.** (*auguma*) height [hait]
gatavība readiness ['redinəs]
gatavot 1. to prepare [pri'peə]; to make* ready ['redi]; **2.** (*ēdienu*) to cook [kʊk]
gatavoties 1. to prepare [pri'peə]; to get* ready ['redi]; **2.** (*par notikumiem*) to be ahead; to be in the offing
gatavs 1. ready ['redi]; **2.** (*nobriedis*) ripe; **3.** finished
gatve walk [wɔ:k], avenue ['ævənju:]
gaudot to howl [haʊl]
gaum‖e taste [teist]; ~es lieta – a matter of taste
gaumīgs tasteful ['teistfl], in good taste
gauss slow [sləʊ], tardy ['tɑ:di]
gausties to gripe [graip], to complain [kəm'plein]
gauži much, greatly ['greitli]
gavēnis Lent
gavilēt to exult [ig'zʌlt] (*at*)
gāze gas [gæs]
gāzesvads gasmain
gāzmaska gasmask ['gæsmɑ:sk]
gāzt 1. (*apgāzt*) to throw* down, to knock [nɒk] down; **2.** (*valdību*) to overthrow* [,əʊvə'θrəʊ]
gāzties to fall* [fɔ:l], to tumble [tʌmbl]
gēns *biol.* gene [dʒi:n]
gigantisks gigantic ['dʒai'gæntik]
glabāt 1. to keep* [ki:p]; **2.** (*nosargāt*) to save; **3.** (*apbedīt*) to bury
glabātava storehouse ['stɔ:haʊs], warehouse ['weəhaʊs]
glabāties to be kept
glābšana saving ['seiviŋ], rescue ['reskju:]; ~s josta – lifebelt ['laifbelt]
glābt to save, to rescue ['reskju:]
glābties to escape [i'skeip]
glaimi flattery ['flætəri]
glaimot to flatter ['flætə]
glāstīt to caress ['keərəs], to stroke [strəʊk]
glaudīt to stroke [strəʊk]
glaust to smooth [smu:θ]; to pet [pet]
glāze 1. glass [glɑ:s]; **2.** (*kā mērvienība*) glassful ['glɑ:sfʊl]
glezna picture ['piktʃə], painting ['peintiŋ]
gleznains picturesque [,piktʃə'resk]
glezniecība painting ['peintiŋ]
gleznot to paint [peint]
gleznotājs painter ['peintə]
glicerīns glycerin(e)
gliemezis snail [sneil]; (*kailais*) slug
gliemežnīca shell [ʃel]
gliseris speed-boat ['spi:dbəʊt]
glītrakstīšana calligraphy
glīts pretty ['priti], handsome [hænsəm]
globāls global ['gləʊbl]
globuss globe [gləʊb]
gludeklis iron ['aiən]
gludināt to iron ['aiən]
gluds smooth [smu:θ]; even ['i:vn]

gluži quite ['kwaiət]; fairly ['feəli]
gļēvs cowardly ['kaʊədli]; (*vājš*) feeble ['fi:bl]
gļēvulība cowardice ['kaʊədis]
gļotas mucus ['mju:kəs]
goba elm
godalga prize [praiz]
godalgot to award [ə'wɔ:d] a prize [praiz]
godāt to honour ['ɒnə]
godavārds g.! – upon my word [wɜ:d]!; honour bright [brait]!
godbijīgs reverential [,revə'renʃl]
godīgs honest ['ɒnist]
godīgums honesty ['ɒnisti]
godināt to pay* [pei] homage (*to*)
godkārīgs ambitious [æm'biʃəs]
gods honour ['ɒnə]
gongs gong [gɒŋg]
gov‖s cow [kaʊ]; slaukt ~i – to milk [milk] a cow
gozēties to bask [bɑ:sk], to wallow ['wɒləʊ]
grabažas lumber [lʌmbə]
grābeklis rake [reik]
grabēt to rattle [rætl]; to clatter ['klætə]
grābstīties to fumble ['fʌmbl]; (*tumsā*) to grope [grəʊp]
grābt 1. (*tvert*) to grab; **2.** (*sienu*) to rake [reik]
graciozs graceful [greisfəl]
grāds 1. degree; zinātnisks g. – academic degree [di'gri:]; **2.** (*alkohola saturs*) volume
grafēt to rule [ru:l]
grafika graphic ['græfik] arts *dsk.*, black-and-white art
grafiķis graphik ['græfik] artist ['ɑ:tist]
grafiks 1. (*saraksts*) schedule ['ʃedju:l]; timetable ['taim,teibl]; **2.** graph [græf], diagram ['daiəgræm]
grāfiste (*Anglijā*) county ['kaʊnti]
graizīt (*mazos gabalos*) to mince [mins]; (*strēmelēs*) to shred* [ʃred]
grāmata book [bʊk]; mācību g. – textbook ['tekstbʊk]
gramatika grammar ['græmə]
grāmatiņa booklet; darba g. – work-record card [kɑ:d]; piezīmju g. – notebook ['nəʊtbʊk]
grāmatnīca bookshop ['bʊkʃɒp], bookstore ['bʊkstɔ:]
grāmatplaukts bookshelf ['bʊkʃelf]
grāmatskapis bookcase ['bʊkkeis]
grāmatvedība 1. book-keeping ['bʊk,ki:piŋ]; **2.** (*telpa*) accounts department
grāmatvedis accountant [ə'kaʊntənt]; book-keeper ['bʊkki:pɔ]; galvenais g. – accountant-general [ə'kaʊntəntdʒenerəl], chief [tʃi:f] accountant [ə'kaʊntənt]
grāmatzīme 1. ex-libris [,eks'laibris]; **2.** (*grāmatā ieliekama*) book-mark [bʊkmɑ:k]
gramba rut [rʌt], groove [gru:v]
grams gram [græm]
granāta grenade [gri'neid]
granātābols pomegranate ['pɒmi,grænət]
grandiozs grand [grænd]

grants gravel [ˈgrævəl]
granula granule [ˈgrænju:l]
graudaugi grain-crops [ˈgreinkrɒps]
graud‖s 1. grain [grein]; labības ~i – corn [kɔ:n]; **2.** (*cukurgrauds*) lump [lʌmp]; ◇ maksāt graudā – to pay* in kind [kaind]
graudzāles cereals [ˈsiəriəlz]
graujošs 1. destructive [diˈstrʌktiv]; **2.** *pārn.* subversive
graut 1. to destroy [diˈstrɔi]; **2.** (*piem., autoritāti*) to undermine [ˌʌndəˈmain]
grauzdēt to toast [təʊst]
grauzdiņš *kul.* toast [təʊst]
grauzējs *zool.* rodent
grauzt to gnaw [nɔ:], to nibble [nibl]; g. kaulu – to pick a bone [bəʊn]
grava ravine [rəˈvi:n], glen
gravīra engraving [inˈgreiviŋ], print [print]
grāvis ditch [ditʃ]
gražīgs capricious [kʌˈpriʃəs]
gražoties to be whimzical [ˈwimzikəl]
grēcinieks sinner [ˈsinə]
grēda 1. pile [pail]; **2.** (*kalnu*) range [reindʒ]
gredzens ring [riŋ]
greizs crooked [ˈkrʊkid]; bent [bent]
greizsirdība jealousy [ˈdʒeləsi]
greizsirdīgs jealous [ˈdʒeləs]
grēkot to sin [sin], to live in sin
grēk‖s sin [sin]; sūdzēt ~us – to confess [kənˈfes]; nožēlot ~us – to repent [riˈpent]
grēksūdze *rel.* confession [kənˈfeʃn]
gremdēt to immerse [iˈmɜ:s]
gremošan‖a digestion [daiˈdʒestʃən]; ~as traucējumi – indigestion [ˌindaiˈdʒestʃən]
gremot to digest [ˈdaidʒəst]
greznība luxury [ˈlʌkʃəri]
greznot to adorn [əˈdɔ:n], to decorate [ˈdekəreit]
grezns splendid [ˈsplendid], luxuriant [lʌgˈzjʊəriənt]
griba will [wil]; brīva g. – free will
gribasspēks will-power [ˈwilˌpaʊə]
gribēt to want [wɒnt]; (*vēlēties*) to wish [wiʃ]
gribēties to want [wɒnt]; to like [laik]
grīda floor [flɔ:]
grīdsega carpet [ˈkɑ:pit], rug [rʌg]; (*kājslauķis*) doormat [ˈdɔ:mæt]
griešanās rotation [rəʊˈteiʃn]
griesti ceiling [ˈsi:liŋ]
griezīgs piercing [ˈpiəsiŋ], shrill [ʃril]
griezt[a] to cut* [kʌt]
griezt[b] to turn [tɜ:n]; g. riņķī – to turn round
griezties 1. to turn round; to revolve; **2.** (*pie kāda*) to apply [əˈplai] (*to*)
griezums 1. cut; **2.** (*zīmējumā*) section [ˈsekʃn]
griķi buckwheat [ˈbʌkwi:t]
griljāža caramel [ˈkærəmel]
grīļoties to reel [ri:l], to sway [swei]
grims make-up [ˈmeikʌp]
grimt to sink* [siŋk], to go down
gripa grippe [grip], flu[e] [flu:] *sar.*, cold [kəʊld]
grīva mouth [maʊθ]; firth [fɜ:θ]

G

groks grog [grɒg]
grozījums change [tʃeindʒ], alteration [ˌɔ:ltə'reiʃn]
grozīt 1. (*mainīt*) to change [tʃeindʒ], to alter ['ɔ:ltə]; **2.** (*griezt*) to turn
grozīties 1. (*mainīties*) to change [tʃeindʒ], to alter ['ɔ:ltə]; **2.** (*kustēties*) to fidget ['fidʒit]
grozs basket ['bɑ:skit]; (*ar vāku*) humper ['hæmpə]
groži reins [reinz]
grūdiens push [pʊʃ], shove [ʃʌv]
grumba wrinkle [riŋkl], line [lain]
gruntsgabals site [sait]; landed estate [i'steit]
grupa group [gru:p]
grupējums grouping ['gru:piŋ]
grupēt 1. to group; **2.** (*klasificēt*) to classify
grūst to push [pʊʃ], to shove [ʃʌv]
grūstīties to push [pʊʃ], to jostle ['dʒɒsl]
grūti difficult ['difikəlt], hard [hɑ:d]
grūtības hardships ['hɑ:dʃips], difficulties ['difikəlti:z]
grūtniecība pregnancy ['pregnənsi]
grūts hard, difficult ['difikəlt], tough [tʌf]
grūtsirdīgs melancholy ['melənkəli], downcast ['daʊnkɑ:st]
gruveši rubble ['ru:bl]; (*drupas*) ruins ['ru:inz]
gruzdēt to smoulder ['sməʊldə], to glow [gləʊ]
gruzis mote [məʊt]
guba heap [hi:p]
gudrība wisdom ['wizdəm], cleverness ['klevənəs], wit
gudrs wise [waiz], clever ['klevə], smart [smɑ:t]
gulbis swan [swɒn]
guļamvagons couchette [ku'ʃet]
gulēt 1. to sleep*, to be asleep; iet g. – to go* to bed; likt g. – to put* to bed; **2.** (*atrasties*) to be, to lie* [lai]
gulta bed; (*bez gultasveļas*) bedstead ['bedsted]
gulties to lie* [lai] [down]
gultne bed [bed]; upes g. – river-bed
gultnis *tehn.* bearing ['beəriŋ]; lodīšu g. – ball-bearing ['bɔ:lbeəriŋ]
guļamistaba bedroom ['bedrʊm]
guļammaiss sleeping-bag ['sli:piŋbæg]
guļus lying ['laiiŋ]
gumija rubber ['rʌbə]; ieveramā g. – elastic; košļājamā g. – chewing ['tʃu:iŋ] gum [gʌm]
gundega buttercup ['bʌtəkʌp]; kingcup [kiŋkʌp]
gurdens weary ['wiəri]
gurķis cucumber ['kju:kʌmbə]
gurns hip [hip]
gūsteknis prisoner ['priznə]
gūsts captivity [kəp'tivəti]
gūt to get*, to gain [gein]
guvernante babysitter ['beibisitə]; (*bērnaukle*) au pair [ˌəʊ'peə]
guvums gain [gein]; achievement [ə'tʃi:vmənt]
gūža haunch [hɔ:ntʃ]
gvarde guards [gɑ:dz] *dsk.*

Ģ

ģeķība foppery [ˈfɒpəri]
ģenealoģija genealogy [ˌdʒi:niˈælədʒi]
ģenerālis general [ˈdʒenərəl]
ģenerālprokurors Solicitor-General [səˈlisitəˈdʒenərəl]
ģenerators *tehn.* generator [ˈdʒenəreitə]
ģenēze genesis [ˈdʒenəsis], origin [ˈɒridʒin]
ģeniāls of genius [ˈdʒi:niəs]; (*par darbu*) great [greit]
ģēnijs genius* [ˈdʒi:niəs], prodigy [ˈprɒdədʒi]
ģenitīvs *gram.* possessive [pəˈzesiv] (genitive) case [keis]
ģeogrāfija geography [dʒiˈɒgrəfi]
ģeogrāfs geographer [dʒiˈɒgrəfə]
ģeoloģija geology [dʒiˈɒlədʒi]
ģeologs geologist [dʒiˈɒlədʒist]
ģeometrija geometry [dʒiˈɒmətri]
ģerbonis coat [kəʊt] of arms [ɑ:mz]
ģērbt to dress; ģ. virsū – to put* [put] on; ģ. nost – to take* off
ģērbties to dress [oneself]
ģērbtuve cloakroom [ˈkləʊkru:m]
ģībonis faint [feint]
ģībt to faint [feint]
ģimene family [ˈfæmli]
ģīmetne portrait [ˈpɔ:trit]
ģimnāzija secondary school, grammar school
ģipsis **1.** gyps[um]; **2.** *med.* plaster [ˈplɑ:stə]
ģitāra guitar [giˈtɑ:]
ģitārists guitarist [giˈtɑ:rist]

H

haizivs shark [ʃɑ:k]
halāts dressing-gown [ˈdresiŋgaʊn]; (*ārsta*) smock [smɒk]
halle hall [hɔ:l]
hallo! hallo!; hullo!; hello! *amer.*
haltūra *sar.* hack-work [ˈhækwɜ:k]
hamburgers hamburger [ˈhæmbɜ:gə]
hantele *sp.* dumb-bell [ˈdʌmbəl]
haoss chaos [ˈkeiɒs], havoc [ˈhævək], mess [mes]
harmonēt to harmonize [ˈhɑ:mənaiz] (*with*); (*par krāsām*) to go* (*with*), to match [mætʃ]
harmonija harmony [ˈhɑ:məni], concord
harmonikas accordion, concertina [ˌkɒnsəˈti:nə]
helikopters helicopter [ˈhelikɒptə]
henna (*krāsa, augs*) henna
hercogs duke [dju:k]
hibrīdtīkls *dat.* hybrid network [ˈnetwɜ:k]
hidrāts *ķīm.* hydrate
hiēna hyena [haiˈi:nə]
higiēna hygiene [ˈhaidʒi:n]
higiēnisks hygienic [ˌhaiˈdʒi:nik]

himna hymn; valsts h. – national [ˈnæʃənəl] anthem [ˈænθəm]
hipijs hippie [ˈhipi]
hipodroms hippodrome; race course [ˈreiskɔ:s]
histērija hysterics [hiˈsteriks]
histērisks hysteric[al] [hiˈsterik(əl)]
hobijs hobby [ˈhɒbi]
hokej||s hockey [ˈhɒki]; ~a nūja – hockey-stick; ~ ripa – hockey puck
hologramma hologram [ˈhɒləgræm]
honorārs fee; (*autora h.*) royalties
horizontāls horizontal [ˌhɒriˈzɒntl]
hospitālis hospital [ˈhɒspitl]
hronika 1. chronicle [ˈkrɒnikl]; **2.** (*laikrakstā u. tml.*) news [nju:z]; **3.** (*kino*) newsreel [ˈnju:zri:l]
hronisks chronic [ˈkrɒnik]
huligāns hooligan; ruffian
humanitārs humanitarian [hju:ˌmæniˈteəriən]
humāns humane [hju:ˈmein]
humoristisks humorous, comic [ˈkɒmik]
humors humour [ˈhju:mə]
hurma persimmon [pɜ:ˈsimən]

I

idealizēt to idealize [aiˈdiəlaiz]
ideāls[a] *lietv.* ideal [aiˈdiəl]
ideāls[b] *īp. v.* ideal [aiˈdiəl], perfect [ˈpɜ:fəkt]
ideja idea [aiˈdiə]
identificēt to identify [aiˈdentifai]
identisks identic[al] [aiˈdentik(l)]
ideoloģisks ideological [ˌaidiəˈlɒdʒikl]
idiots idiot [ˈidiət]
iebaidīt to intimidate [inˈtimideit], to cow, to browbeat [ˈbraʊbi:t]
iebāzt to thrust* [θrʌst] (*into*)
iebērt to pour [pɔ:r] in
iebildums objection [əbˈdʒekʃn], protest [ˈprəʊtest]
iebilst 1. (*protestēt*) to object; **2.** (*piebilst*) to observe [əbˈzɜ:v]
iebirdināt to strew* [stru:] (*into*)
iebirt to fall* [fɔ:l] (*into*)
iebļauties to cry [krai] out
iebraucējs newcomer [ˈnju:kʌmə]
iebraukšana entry [ˈentri]; arrival [əˈraivl]; entrance [ˈentrəns]
iebraukt to arrive [ɔˈraiv], to come* [kʌm]
iebrauktuve drive [draiv], approach [əˈprəʊtʃ]
iebrucējs invader [inˈveidə]
iebrukt[a] to cave in; to collapse [kəˈlæps]
iebrukt[b] *mil.* to invade [inˈveid]
iecelt 1. (*ratos u. tml.*) to lift in; **2.** (*amatā*) to appoint [əˈpɔint]
iecelot to come*; to immigrate [ˈimigreit]
iecere 1. (*nodoms*) intention [inˈtenʃn]; **2.** (*mākslas darba*) idea [aiˈdiə]; conception [kənˈsepʃn]

iecienīt to take* a fancy (*to*)
iecienīts favourite ['feivərit]
iecietība tolerance ['tɒlərəns]
iecietīgs tolerant ['tɒlərənt]
iecirknis district ['distrikt]
iecirst to cut* [kʌt]
iečukstēt to whisper ['wispə(r)]
iedalījums division [di'viʒn], classification [klæsifi'kəiʃn]
iedalīt 1. to divide [di'vaid]; **2.** *ek.* (*ierādīt*) to allocate ['æləkeit]
iedaļa point [pɔint]; rubric ['ru:brik]
iedarbība influence ['inflʊəns] (*on, upon*), effect [i'fekt]
iedarbīgs effective [ə'fektiv]
iedarbināt to put* [pʊt] in motion [məʊʃn], to set* going, to start [stɑ:t]
iedegt (*gaismu*) to light* [lait]
iedegties to light* [lait] up
iedegums sunburn ['sʌnbɜ:n], tan
iederēties to fit in
iedēstīt to plant; (*podā*) to pot
iedobums cavity ['kævəti]
iedoma imagination [i'mædʒineiʃn], fancy ['fænsi]; (*pieņēmums*) presumption [pri'zʌpʃn]
iedomāties to imagine [i'mædʒin]; to fancy
iedomīgs conceited [kən'si:tid]
iedot to give* [giv]
iedragāt *pārn.* to undermine [ˌʌndə'main]
iedrošināties to dare* [deə], to venture ['ventʃə]
iedurt to prick [prik]; (*ar nazi*) to stab
iedvesma inspiration [ˌinspi'reiʃn]
iedvesmot to inspire [ˌin'spaiə]
iedzelt to sting* [stiŋ]
iedzert to drink*[diŋk], to have* a drink
iedziļināties to go* deep (*into*)
iedzimts inborn ['inbɔ:n], innate
iedzīt (*naglu*) to drive* [draiv] in
iedzīve things [θiŋgs] *dsk.*, belongings [bi'lɒŋiŋz] *dsk.*, goods [gʊdz]
iedzīvotāj‖**s** inhabitant [in'hæbitənt]; ~i – population [pɒpju'leiʃn], inhabitants [in'hæbitənts]
ieej‖**a** entrance ['entrəns]; ~as maksa – admission fee [fi:]
ieelpot to inhale [in'heil], to breath [bri:ð] in
iegādāties to get*, to obtain [ɒb'tein]
iegāde acquisition [ˌækwi'ziʃn]
iegalvot to assure [ə'ʃʊə]
iegansts pretext ['pri:təkst]
iegaumēt to fix* in mind [maind]
iegāzt 1. (*iesviest*) to throw* [θrəʊ] (*into*), to tumble [tʌmbl] (*into*); **2.** *pārn.* to do* (smb.) an ill turn
iegāzties 1. to fall* [fɔ:l] in; **2.** *pārn.* to fail [feil]
iegravēt to engrave [in'greiv], to etch [etʃ]
iegriba whim [wim], fancy ['fænsi]
iegriezt to cut* [kʌt]
iegriezties (*apciemot*) to drop [drɒp] in; to call [kɔ:l] round (*at*)
iegrimt to sink* [in]; i. domās – to plunge into thought
iegrūst to push [pʊʃ] in (into)
iegrūt to cave [keiv] in
ieguldījums 1. *ek.* investment

[in'vestmənt]; **2.** *pārn.* contribution [,kɒntri'bju:ʃn]
iegūt to get*, to obtain [əb'tein]; acquire [ə'kwaiə]
ieguve extraction [ik'strækʃn]
ieguvums acquisition [,ækwi'ziʃn]; output ['aʊtpʊt]
ieģipsēt to put* in plaster
ieiet to enter ['entə], to go* in; ie. istabā – to enter the room
ieilgt to drag [dræg] on
ieinteresēts concerned [kən'sɜ:nd]; interested (*in*)
iejaukšanās interference [intə'fiərəns]
iejaukt 1. to mix [miks] in; **2.** *pārn.* to involve [in'vɒlv] (*in*)
iejaukties to interfere [intə'fiə]; to meddle ['medl] (*in*)
iejūgt to harness [hɑ:nəs]
iejukt (*pūlī*) to mix (*with*)
iejusties to fit in
iekaisis *med.* inflamed [in'fleimd]
iekaisums *med.* inflammation [,inflə'meiʃn]
iekāms before [bi'fɔ:]
iekāpt (*automobilī*) to get* in; (*autobusā, vilcienā*) to get* on
iekarot to conquer ['kɒŋkə]
iekarotājs conqueror ['kɒŋkərə]
iekārta 1. system, order [ɔ:də]; **2.** (*dzīvokļa*) furniture ['fɜ:nitʃə]
iekārtojums arrangement [ə'reindʒmənt]; layout ['leiaʊt]
iekārtot 1. to arrange [ə'reindʒ]; **2.** (*darbā*) to set* up
iekārtoties to settle [down]
iekasēt to cash [kæʃ] in, to collect [kə'lekt], to levy
iekavas brackets ['brækits]
ieklepoties to give* a cough
iekliegties to cry [krai] out, to give* a cry
iekļūt to get* in
iekniebt to pinch [pintʃ]
iekost 1. to bite* [bait]; **2.** (*ieēst*) to have a snack [snæk]
iekrāt to save [seiv] up
iekraut to load [ləʊd]
iekrist 1. to fall* [fɔ:l] in; **2.** (*gadīties*) to hapen; to be
iekš‖a inside ['insaid]; ~ā – within [wi'ðin]; (*telpās*) indoors ['indɔ:z]
iekšas internal [in'tɜ:nl] organs, inside *vsk.*; guts [gʌts] *sar.*
iekšējs inner ['inə], internal [in'tɜ:nl]
iekšlietas home [həʊm] affairs [ə'feəz]
iekšpilsēta centre of the city
iekšpuse inside ['insaid]; (*ēkas*) interior
iekustināt to set* in motion [məʊʃn]
ieķerties to catch* [kætʃ] hold [həʊld] (*of*)
ieķīlāt to pawn [pɔ:n]; to mortgage ['mɔ:gidʒ]
iela street [stri:t]
ielaist to let* in
ielaisties[a] (*ielidot*) to fly* [flai] in
ielaisties[b] *pārn.* to have* to do (*with*); i. sīkumos – to enter into details
ielāps patch [pætʃ]
ielauzties to break* [breik] in
ielavīties to steal* [sti:l] in (into)
ieleja valley ['væli]

ielēkt to jump [dʒʌmp] in
ielenkt **1.** to surround; **2.** *mil.* to encircle [in'sɜ:kl]
ielenkums *mil.* encirclement [in'sɜ:klmənt]
ieliekts turned in
ieliekums curve [kɜ:v]
ieliet to pour [pɔ:]
ielīksmot to make* happy
ielikt to put* [pʊt] in
ielīmēt to stick* [stik] in
ielīst to crawl [krɔ:l] in
ieloce fold [fəʊld], pleat [pli:t]
ielūgt to invite [in'vait]
ielūgums invitation [invi'teiʃn]
ielūzt to crack [kræk]
iemācīt to teach* [ti:tʃ]
iemācīties to learn* [lɜ:n]
iemainīt to exchange [iks'tʃeindʒ] (*for*)
iemaksa payment ['peimənt]
iemaņa skill, knack [næk]
iemarinēt to pickle [pikl]
iemesls reason ['ri:zn], cause [kɔ:z]
iemest to throw* [θrəʊ] in
iemigt to fall* [fɔ:l] asleep [ə'sli:p]
iemīlēties to fall* [fɔ:l] in love [lʌv]
iemīļot to become* attached (*to*)
iemīļots favourite ['feivərət], popular ['pɒpjʊlə]
iemirdzēties to flash up
iemitināties to settle [setl]
ienaidnieks enemy ['enəmi]
ienaids hate [heit], hatred ['heitrid]
ienākt to come* in; to enter ['entə]
ienākums income ['inkʌm]; earnigs ['ɜ:niŋz]
ienesīgs profitable ['prɒfitəbl], paying ['peiiŋ]
ienest to carry (bring*) in
ienīst to hate [heit], to detest [di'test]
ieņemt to occupy ['ɒkjʊpai], to take*
ieņurdēties to growl [grəʊl]
iepatikties to take* a fancy ['fænsi] (*to*)
iepazīstināt to introduce [,intrə'dju:s] (*to*)
iepazīties to get* acquainted [ə'kweintid] (*with*)
iepirkties to shop [ʃɒp]
iepirkums purchase ['pɜ:tʃəs]
ieplest: ie. acis – to stare (*at*); ie. muti – to gape [geip]
ieplēst to tear* [teə]
ieplīsis (*par trauku*) cracked [krækt]; (*par audumu*) torn [tɔ:n]
ieplūst to flow [fləʊ] in
iepotēt **1.** to vaccinate ['væksineit]; **2.** *pārn.* to implant [im'plɑ:nt]
iepretī opposite ['ɒpəzit]
iepriecināt to give* pleasure ['pleʒə], to please [pli:z], to delight [di'lait]
iepriecinošs comforting ['kʌmfətiŋ]
iepriekš **1.** beforehand [bi'fɔ:hænd]; in advance [əd'vɑ:ns]; **2.** (*agrāk*) previously ['pri:viəsli]
iepriekšapmaksāts prepaid [,pri:'peid]
iepriekšējs former ['fɔ:mə]
iepuvis rotten [rɒtn], bad [bæd]
ieradums habit ['hæbit]
ierakstīt **1.** to put* [pʊt] down; **2.** (*sarakstā*) to enter ['entə] (*in, on*)
ieraksts entry ['entri], note [nəʊt], record ['rekɔ:d]

I

ierakums entrenchment [in′trentʃmənt], dugout [′dʌgaʊt]
ierāmēt to frame [freim]
ierasties to arrive [ə′raiv]; to turn up *sar.*
ierasts habitual [hə′bitʃʊəl]
ierašanās arrival [ə′raivl]
ieraudzīt to catch* sight [sait] (*of*)
ieraugs yeast [ji:st]
ieraut to pull [pul] in
ieraža custom [′kʌstəm]; habit [′hæbit]; way

I

ierēdnis clerk [klɑ:k], official [ə′fiʃl]
ieredzēt to like [laik]
ieredzēts esteemed [ə′sti:md]
iereibis tipsy [′tipsi]
ierīce device [di′vais]; *sar.* gadget [′gædʒit]
ierīkot to fix [fiks] up; to arrange [ə′reindʒ]
ierīkoties to establish [i′stæbliʃ] oneself, to set* oneself up
ierinda *mil.* formation [fɔ:′meiʃn], line [lain]
ierindot to rank (*among*)
ieripot to roll [rəʊl] in (into)
ierīvēt to rub [rʌb] [in], to anoint (*with*)
ierobežojums restriction [ris′trikʃn], limitation [,limi′teiʃn]
ierobežot to restrict, to limit [′limit]
ierobežots 1. restricted, limited [′limitid]; **2.** (*par līdzekļiem*) insufficient [,insə′fiʃiənt]
ierocis weapon [′wepən]; arms [ɑ:mz] *dsk.*
ierosinājums suggestion [sʌ′dʒestʃn], proposal [prə′pəʊzl]
ierosināt to suggest [sʌ′dʒəst], to propose [prə′pəʊz]
ierosme 1. (*iniciatīva*) initiative [i′niʃətiv]; **2.** motive [′məʊtiv], impulse
ieruna objection [ɒb′dʒekʃn], protest [′prəʊtest]
ierūsējis 1. rusty; **2.** *pārn.* obsolate
iesācējs beginner [bi′ginə], learner [′lɜ:nə]
iesaiņot to pack (wrap) up
iesaistīt to involve [in′vɒlv] (*in*)
iesaistīties to join [dʒɔin] (*in*), to take* part (*in*), to be enrolled (*in*)
iesākt to begin* [bi′gin], to start [stɑ:t]
iesaldēt to deepfreeze [′di:pfri:z]
iesālīt to salt [sɔ:lt]; to corn [kɔ:n], to pickle [′pikl]
iesalt to freeze* [fri:z]; iesalis – frozen [′frəʊzen] in
iesānis aside [ə′said], apart [ə′pɑ:t]
iesauka nickname [′nikneim]
iesaukt 1. to call [kɔ:l] in; **2.** (*karadienestā*) to call up; **3.** (*iedēvēt*) to name [neim]
iesaukties to call [kɔ:l] out, to exclaim [ik′skleim]
iesaukums call-up [′kɔ:lʌp], draft [drɑ:ft] *amer.*
iesēdināt 1. to seat [si:t]; **2.** (*cietumā*) to imprison [im′prizn]
iesējums (*grāmatas*) binding [′baindiŋ]
iesēt to sow*
iesildīšanās *sp.* warming-up [′wɔ:miŋ,ʌp]

iesilt to get* warm [wɔ:m]
iesist 1. to strike* [straik]; **2.** (*bumbu vārtos*) to score [skɔ:] a goal; **3.** (*naglu*) to drive* in
ieskābt to turn [tɜ:n] sour [saʊə], to sour
ieskaidrot to make* understand [ˌʌndəˈstænd], to bring* home (*to*)
ieskaite test [test]
ieskaitīt to include [inˈklu:d]
ieskatīties to look [lʊk] (*into*)
ieskats (*uzskats*) opinion [əˈpinjən]
ieskrāpēt to scratch [skrætʃ]
ieskrējiens *sp.* running [ˈrʌniŋ] start [stɑ:t]
ieskriet to run* in
ieskrieties to take* a run, to run*
ieskrūvēt to screw [skru:] in
ieslēgt 1. (*telpā*) to lock [lɒk] in; **2.** (*elektrību, radio*) to switch [switʃ] on; (*gāzi*) to turn [tɜ:n] on; **3.** (*motoru*) to start [stɑ:t]
ieslodzījums imprisonment [imˈpriznmənt], confinement [kənˈfainmənt], detention [diˈtenʃən]
ieslodzīt 1. to lock [lɒk] up; **2.** (*cietumā*) to imprison [imˈprizn], to confine
iesmaržoties 1. to scent [sent] oneself; **2.** (*sākt smaržot*) to begin* to smell
iesmelt (*ar karoti*) to spoon [spu:n] up; (*ar zupas kausu*) to ladle [ˈleidl] out
iesnas head [hed] cold [kəʊld]; dabūt ie. – to catch* a cold
iesniegt to hand [hænd] in
iesniegums application [ˌæpliˈkeiʃn]; (*sūdzība*) complaint [kəmˈpleint]
iespaidīgs impressive [imˈpresiv]; (*par cilvēku*) influential [influˈenʃəl]; *sk.* big-fish
iespaids impression [imˈpreʃn]
iespēja 1. possibility; **2.** (*izdevība*) opportunity
iespējams possible [ˈpɒsibl], potential [pəˈtenʃəl]
iespert to kick [kik]; (*par zibeni*) to strike* [straik]
iespiedkļūda misprint [misˈprint]
iespiegties to utter [ˈʌtə] a scream
iespiest[a] to press [pres] in
iespiest[b] *poligr.* to print [print]
iespiesties to squeeze [skwi:z] in
iespītēties to get* stubborn
iespļaut to spit* [spit] (*into*)
iespraust to stick* [stik] in
iesprūst to jam [dʒæm]
iesprostot (*dzīvnieku*) to pen [pen] in
iestāde office [ˈɒfis]; institution [instiˈtju:ʃən], establishment [isˈtæbliʃmənt]; valsts i. – public agency [ˈeidʒənsi]
iestādīt to plant [plɑ:nt]
iestājeksāmens entrance [ˈentrəns] examination [igˌzæmiˈneiʃn]
iestāšanās 1. entrance [ˈentrəns]; **2.** (*sākums*) setting [ˈsetiŋ] in, onset
iestāties 1. to enter [ˈentə]; to join [dʒɔin]; **2.** (*sākties*) to set* in
iestiklot to glaze [gleiz]
iestudēt (*lomu*) to rehearse [riˈhɜ:s]; (*lugu*) to stage [steidʒ]

I

iesūdzēt: ie. tiesā – to bring* an action ['ækʃn] (*against*)
iesvētīt to confirm [kən'fɜ:m]; (*ēku*) to consecrate ['kɒnsikreit]
iesviest to throw* [θrəʊ] in
iešana walking ['wɔ:kin]
iešķilt: i. uguni – to strike* [straik] fire ['faiə]
iešļircināt to inject [in'dʒekt]
iet 1. to walk [wɔ:k]; to go*; iet kājām – to go* on foot*, to walk; i. garām – to pass (by); i. gulēt – to go* to bed; **2.** (*darboties – par mehānismu*) to work [wɜ:k]
ietaukot to grease [gri:s]
ietaupījums 1. (*naudas*) savings ['seiviŋz] *dsk.*; **2.** (*laika*) economy [i'kɒnəmi]
ietaupīt to save up; to put* [pʊt] aside
ietecēt to flow [fləʊ] (*into*)
ieteicams advisable [ʌd'vaizəbl]; recommendable [rekə'mendəbl]
ieteikt to advise, to recommend
ieteikums 1. advice [əd'vais], suggestion; **2.** recommendation ['rekəmən'deiʃn]
ietekme influence ['inflʊəns] (*on, upon*)
ietekmēt to influence ['inflʊəns], to tamper ['tæmpə]
ietērpt to clothe [kləʊð], to dress up
ietiepīgs obstinate ['ɒbstinit], stubborn ['stʌbən]
ietiepties to be obstinate ['ɒbstinət]
ietilpība capacity [kə'pæsiti]
ietilpīgs capacious; (*par telpu*) roomy ['ru:mi]
ietīt to wrap [ræp] up
ietriekt to drive* in; (*nazi*) to stick* [stik] (*into*)
ieturēt (*naudas summu*) to deduct [di'dʌkt]; i. nodokļus – to withold* [wið'həʊld] taxes ['tæksiz]
ietvars frame; mounting ['maʊntiŋ]; (*briļļu*) rim
ietve pavement ['peivmənt], sidewalk ['saidwɔ:k] *amer.*
ietvert 1. to include [in'klu:d]; to contain; **2.** (*ieskaut*) to surround [sə'raʊnd], to enclose [in'kləʊz]
ieurbt to drill [dril]
ieva bird-cherry ['bɜ:d-tʃeri] tree [tri:]
ievade *dat.* input ['inpʊt]
ievadintensitāte *dat.* arrival rate [reit]
ievadīt 1. to introduce [,intrə'dju:s]; **2.** *med.* to injeck [in'dʒekt]; to infuse [in'fju:z]
ievadraksts leading ['li:diŋ] article, leader
ievads introduction [,intrə'dʌkʃn]; (*grāmatas*) preface ['prefis]
ievaimanāties to raise a howl
ievainojums wound [wu:nd], injury ['indʒəri]
ievainot to wound [wu:nd], to injure ['indʒə]
ievākt (*ražu*) to reap [ri:p], to harvest ['hɑ:vist]
ievārījums jam; preserves [pri'zɜ:vz] *dsk.*
ievaskot to wax ['wæks]

I

ievedmuita *ek.* import ['impɔ:t] duty ['dju:ti]

ieveidot (*matus*) to set* [set] hair [heə]

ievēlēt to elect [i'lekt]

ievērība attention [ə'tenʃən]

ievērojami considerably [kən'sidərəbli]

ievērojams remarkable [ri'mɑ:kəbl]

ievērot 1. (*pamanīt*) to notice ['nəʊtis]; **2.** (*ņemt vērā*) to take* into consideration [kənsidə'reiʃən]

ievērt: ie. diegu adatā – to thread [θred] a needle [ni:dl]

ievest 1. to lead* (take*) in; **2.** (*importēt*) to import ['impɔ:t]

ievietot to put* [pʊt] in; (*rakstu*) to insert [in'sɜ:t]

ievilkt 1. to drag in; **2.** (*elektrību u. tml.*) to install [in'stɔ:l]

iezemēt (*antenu*) to ground [grəʊnd], to earth [ɜ:θ]

iezibēties to flash [flæʃ] up

ikmēneša- monthly ['mʌnθli]

iknedēļas- weekly ['wi:kli]

ieziepēt to lather ['lɑ:ðə], to soap [səʊp]

ieziest to grease [gri:z], to lubricate

iezīme feature ['fi:tʃə]; trait [treit]

iezīmēt to mark, to note

iezis rock [rɒk]

iežēloties to feel* pity ['piti] (*for*), to feel sorry (*for*)

iežogojums fence; hoarding ['hɔ:diŋ]

iežogot to fence [fens] in

ignorēt to disregard [,disri'gɑ:d]

īgns sullen ['sʌlən], cross [krɒs]

ik every ['evri]; ik dienas – every day; ik brīdi – every moment

ikdiena week-day ['wi:kdei]

ikdienišķs everyday ['evridei]; commonplace ['kɒmənpleis]

ikkatrs, **ikkurš** everyone ['evriwʌn], everybody

ikri[a] (*kāju*) calf [kɑ:f]

ikri[b] (*ēdiens*) caviar[e] ['kæviɑ:]

īkšķis (*rokas*) thumb [θʌm]; (*kājās*) toe [təʊ]; ◇ turēt īkšķi – to keep* one's fingers ['fingəz] crossed [krɒst]

īlens awl [ɔ:l]

ilgas longing ['lɒŋgiŋ], desire [di'zaiə]

ilgi long, for a long time

ilgoties to long [lɒŋ] (*for*)

ilgs long [lɒŋ], lengthy ['leŋθi]

ilgstoš‖s lasting ['lɑ:stiŋ]; ~ie laiki *gram.* – continuous tenses

ilgt to last [lɑ:st]

ilgtermiņa- *ek.* long-term ['lɒŋtɜ:m]

ilgums length, duration [djʊ'reiʃn]

ilgviļņi permanent ['pɜ:mənənt] wave [weiv], perm *sar.*

ilknis (*ziloņa*) tusk [tʌsk]; (*vilka*) fang [fæŋ]

iluminācija illumination(s) [i'lju:mineiʃən(z)], fireworks ['faiəwɜ:ks] *dsk.*

ilustrācija illustration, picture ['piktʃə]

ilustrēt to illustrate ['iləstreit]

ilūzija illusion [i'lu:ʒən]

imigrants immigrant ['imigrənt]

imitācija imitation [,imi'teiʃn]

imperiālisms imperialism [im'piəriəlizəm]
impērija empire ['empaiə]
importēt to import [im'pɔ:t]
imports import ['impɔ:t]
impresionisms *mūz., glezn.* impressionism [im'preʃnism]
improvizēt to improvise ['imprəvaiz]
impulss impulse ['impʌls]
incidents incident ['insidənt]
inde poison ['pɔizn], toxic ['tɒksik]
indīgs poisonous ['pɔiznəs], toxic
individuāls individual [indi'vidʒʊəl]
industrija industry ['indʌstri]
infekcija infection [in'fekʃn]
inficēt to infect [in'fekt]
infinitīvs *gram.* infinitive [in'finitiv]
inflācija *ek.* inflation [in'fleiʃən]
informācija information [infə'meiʃn]
informēt to inform [in'fɔ:m] (*of*)
informātika information [infə'meiʃən] science
inhalācija inhalation [inhə'leiʃən]
iniciāļi initials [i'niʃəlz]
iniciatīva initiative [i'niʃətiv]
injekcija injection [in'dʒekʃən]
injicēt to inject [in'dʒekt]
iestudējums stage [steidʒ] version [vɜ:ʃn]
inscenētājs director [di'rektə]
inscenēt to stage [steidʒ]
insekts insect ['insəkt]
inspektors inspector [in'spektə]
instinktīvs instinctive [in'stiŋktiv]
instinkts instinct ['instiŋkt]
institūts institute ['institju:t]; college ['kɒlidʒ]
instrukcija instructions [in'strʌkʃns] *dsk.*
instruktors instructor [in'strʌktə]
instruments instrument ['instrʊmənt]; (*darbarīks*) tool [tu:l]
insults *med.* cerebral ['seribrəl] trombosis [θrɒm'bəʊsis]; stroke [strəʊk], attack [ə'tæk]
intelektuāls intellectual [,inte'lektʃʊəl]
inteliģence intellectuals [,inte'lektʃʊəlz] *dsk.*; eggmass ['egmæs]
inteliģents *īp. v.* cultured ['kʌltʃəd], educated ['edjʊkeitid]
intensīvs intense [in'tens]
interesants interesting ['intrestiŋ]
interese interest ['intrest]
interesēt to be interest [intrest] (*to*)
interesēties to be of interested ['intrestid] (*in*)
interjers interior [in'tiəriə]
internātskola boarding-school ['bɔ:diŋ,sku:l]
intervija interview ['intəvju:]
intīms intimate ['intimeit]
intonācija intonation [intə'neiʃn]
intriga intrique [in'tri:g]; scheme [ʃi:m]; plot [plɒt]
intuīcija intuition [,intjʊ'iʃn]
invalīds invalid ['invəli:d]
inventarizācija stock-taking ['stɒkteikiŋ]
inventārs stock [stɒk]
investēt to invest [in'vest]
investīcija investment [in'vestmənt]
inženieris engineer [,endʒi'niə]
īpašīb‖a quality ['kwɒliti]; property;

~as vārds *gram.* – adjective [ˈædʒəktiv]

īpašnieks owner [ˈəʊnə]

īpašs special [ˈspeʃəl]; particular [pɑːˈtikjʊlə]

īpašum||**s** property [ˈprɒpəti]; ~a tiesības – title [ˈtaitl]; ownership [ˈəʊnəʃip]; nekustams ī. – real estate [isˈteit]; kustams ī. – personal property

īpatnējs peculiar [piˈkjuːljə], specific

īpatnība peculiarity [piˌkjuːliˈæriti]

irbe partridge [ˈpɑːtridʒ]

irdens loose [luːs], light [lait]

īre renting [ˈrentiŋ]; īres maksa – rent

īrēt to hire [ˈhaiə]; to rent

īriss (*konfekte*) toffee [ˈtɒfi]

īrnieks tenant [ˈtenənt]; lodger [ˈlɒdʒə]

ironija irony [ˈaiəreni]

ironisks ironic[al] [aiˈrɒnik(əl)]

irt (*plīst*) to fall* to pieces [ˈpiːsiz]

īsi shortly [ˈʃɔːtli]; briefly [ˈbriːfli]

īslaicīgs short; brief [briːf]; of short duration [djʊˈreiʃən]

īss short [ʃɔːt]; brief [briːf]

istaba room [rʊm]

īstenība reality [riˈæliti]; truth [truːθ]

īstenot to realize [ˈriəlaiz], to carry [ˈkæri] out

īsts real [riəl], genuine [ˈdʒenjʊin]

īsum||**s**: ~ā – briefly [ˈbriːfli]; in short [ʃɔːt]; to sum up

īsviļņi short waves [weivz]

izaicināt to challenge [ˈtʃælindʒ]; to defy [diˈfai]

izaicinošs defiant [diˈfaiənt]

izārdīt (*šuvi*) to unpick, to unrip [ˌʌnˈrip]

izārstēt to cure [ˈkjʊə], to heal [hiːl]

izaudzēt (*dzīvniekus*) to raise [reiz], to breed* [briːd]; (*augus*) to grow*

izaudzināt to bring* [briŋ] up

izaugt to grow* [greʊ] up

izbadējies hungry [ˈhʌŋgri], famished [ˈfæmiʃt]

izbailes scare [skeə], fright [frait], shock [ʃɒk]

izbalējis faded [ˈfeidid], discoloured [disˈkʌləd]

izbalēt to fade, to discolour

izbalināt to bleach [bliːtʃ]

izbaudīt **1.** to enjoy [inˈdʒɔi]; to relish [reliʃ]; **2.** (*pārdzīvot*) to experience [iksˈpiəriəns]; to feel [fiːl]

izbāzt **1.** to put* [pʊt] out; **2.** (*dzīvniekus*) to stuff* [stʌf]

izbēgt to run* away, to escape [isˈkeip]

izbeigt to stop [stɒp], to end

izbeigties to end [end]

izbērt to pour [pɔːr] out; (*nejauši*) to spill* [spil]

izbiedet to frighten [ˈfraitn]

izbirt to spill*; to scatter [ˈskætə]

izbīties to get* frightened [ˈfraitnd]

izbrauciens trip [trip], outing [ˈaʊtiŋ]; excursion [iksˈkɜːʃən]

izbraukt to go* away

izbrīnījies surprised [səˈpraizd]

izbrīnīties to be surprised [səˈpraizd]

izbrīns surprise [səˈpraiz], wonder [ˈwʌndə]

I

izbrist to ford [fɔ:d], to wade [weid] (through)
izcelšanās **1.** origin ['ɒridʒin]; **2.** (*ugunsgrēka, kara*) outbreak ['aʊtbreik]
izcelt **1.** to take* out; **2.** (*izvirzīt*) to distinguish [di'stiŋgwiʃ]
izcelties **1.** to come* (*from*), to rise* (*from*); **2.** (*par ugunsgrēku, karu*) to break* [breik] out
izceļot to emigrate ['emigreit]
izcept (*maizi*) to bake [beik]; (*gaļu*) to roast [rəʊst]; (*zivis*) to fry [frai]
izciest to bear*, to suffer ['sʌfə]
izcili exceedingly [ik'si:diŋli]
izcils prominent, outstanding [ˌaʊt'stændiŋ]
izcīnīt **1.** to win* [win]; **2.** (*balvu*) to carry ['kæri] (*off*), to win*
izcirst to cut* (hew*) out
izcirtums clearing ['kliəriŋ]
izdabāt to oblige [ə'blaidʒ], to please [pli:z]
izdaiļot to adorn [ə'dɔ:n], to decorate ['dekəreit]
izdalīt to distribute [dis'tribju:t] (*among*); to divide [di'vaid]
izdarīgs efficient [i'fiʃənt]
izdarīt to do*; to carry ['kæri] out
izdauzīt **1.** to beat* [bi:t] out; **2.** (*stiklu*) to break* [breik]
izdedži slag [slæg]
izdegt to burn* [bɜ:n] out
izdemolēt to raid [reid], to loot [lu:t]
izdēt to lay* [lei]
izdevējs publisher ['pʌbliʃə]
izdevība chance [tʃɑ:ns], opportunity [ɒpə'tju:niti]
izdevīgs advantageous [ˌædvən'teidʒəs]; convenient [kən'vi:njənt]
izdevniecība publishers ['pʌbliʃəz]
izdevumi expense[s]; expenditure [iks'penditʃə]
izdevums (*grāmatas*) edition [e'diʃn]; atkārtots i. – reprint [ri'print]
izdibināt to find* [faind] out
izdilis (*par drēbēm*) worn out, threadbare ['θredbeə]
izdilt to wear* out
izdoma imagination [iˌmædʒi'neiʃn]
izdomāt **1.** to think* of; to devise [di'vaiz]; **2.** (*nepatiesību*) to make* up; to invent [in'vent]
izdošanās good luck [lʌk], success [sək'ses]
izdot **1.** to hand [hænd] out; **2.** (*naudu*) to spend* [spend]; **3.** (*likumu*) to issue; **4.** (*grāmatu*) to publish ['pʌbliʃ]
izdoties to be a success [sək'ses]
izdruka listing ['listiŋ]
izdurt to prick [prik]
izdzert to drink* up, to empty ['empti]
izdzēst **1.** (*gaismu*) to switch [switʃ] off, to turn out; **2.** (*uguni*) to put* [pʊt] out; **3.** (*uzrakstīto*) to erase [i'reiz]; to rub [rʌb] out
izdzist (*par gaismu u. tml.*) to go out*
izdzīt to drive* out, to turn [tɜ:n] out
izdzīvot **1.** (*iztikt*) to manage ['mænidʒ]; **2.** (*dzīvot*) to live, to pull [pʊl] through [θru:]

izeja 1. (*telpas*) exit; (*nama*) street [stri:t] door [dɔ:]; **2.** *pārn.* way [wei] out; ◇ man nav nekādas izejas – I am at a loss
izejviela raw [rɔ:] material [mə'tiəriəl]
izgaist to vanish ['væniʃ]
izgarot to evaporate [i'væpəreit]
izgatavot to make*; (*rūpnieciski*) to manufacture [ˌmænjʊ'fæktʃə]
izgāzt to throw* [θrəʊ] out
izgāztuve dump [dʌmp]
izglābt to save [seiv], to rescue ['reskju:]
izglābties to escape [i'skeip]; (*palikt dzīvam*) to survive [sə'vaiv]
izglītība education [ˌedjʊ'keiʃn]
izglītot to educate ['edjʊkeit]
izglītots educated ['edjʊkeitid], to train [trein]
izgludināt to iron ['aiən]
izgreznot to decorate ['dekəreit]
izgriezt (*ar nazi*) to cut* out
izgriezums cut [kʌt]
izgrūst to push [pʊʃ] out
izgudrojums invention [in'venʃn]
izgudrot to invent [in'vent]
izgudrotājs inventor [in'ventə]
izgulēties to have a good sleep [sli:p]
izģērbties to undress [ˌʌn'dres]
iziet to go* out, to leave* [li:v]
izīrēt to let*
izirt to rip [rip] open, to come* undone [ʌn'dʌn]
izjaukt 1. (*mašīnu u. tml.*) to dismantle [dis'mæntl], to dismount [dis'maʊnt]; **2.** (*plānu u. tml.*) to derange [di'reindʒ]
izjokot to make* fun (*of*)
izjukt 1. to get* into disorder [dis'ɔ:də]; **2.** (*par plānu u. tml.*) to fail [feil]
izjūta sense [sens], feeling ['fi:liŋ]
izkaisīt to scatter ['skætə]
izkāmējis famished ['fæmiʃt]
izkāpt to get* out (off)
izkapts scythe [saið]
izkārt 1. to hang* out; **2.** (*apskatei*) to display [dis'plei]
izkārtne signboard ['sainbɔ:d]
izkausēt to melt [melt]; to fuse [fju:z]
izklaidēties to amuse [ə'mju:z] (enjoy) oneself, to have* a good time
izklaidība absent-mindedness [ˌæbsənt'maindidnəs]
izklaidīgs absent-minded [ˌæbsənt'maindid]
izklāt to spread* [spred] out, to cover ['kʌvə] (with)
izklausīties to seem [si:m]; sound [saʊnd]
izklīdināt 1. to disperse [dis'pɜ:s]; to break* up; **2.** (*aizdomas u. tml.*) to dispel
izklīst to disperse [dis'pɜ:s]; to break* up
izkļūt to get* out
izkopt to cultivate ['kʌltiveit], to develop [di'veləp]
izkrāsot to paint [peint], to colour ['kʌlə]
izkratīt to shake* [ʃeik] out
izkraut to unload [ʌn'ləʊd]
izkravāt to unpack [ʌn'pæk]

I

izkrist 1. to fall* out; **2.** (*eksāmenā*) to fail [feil]
izkust (*par metālu*) to melt [melt]; (*par sniegu*) to thaw [θɔ:]
izkustēties 1. (*par naglu*) to get* loose [lu:s]; **2.** (*izvingrināties*) to stretch [stretʃ] one's legs
izkustināt to move [mu:v]
izķemmēt to comb [kəʊm]
izlabot 1. to repair [ri:peə]; to mend [mend]; **2.** (*kļūdas*) to correct [kə′rekt]
izlādēt to unload [ˌʌn′ləʊd]
izlaidīgs (*morāli*) dissolute [′disəlu:t]; (*nedisciplinēts*) undisciplined [ʌn′disiplind]
izlaidums 1. (*naudas u. tml.*) issue [′iʃu:]; emission; **2.** (*skolēnu*) leavers [′li:vəz]; (*studentu*) graduates; **3.** (*tekstā*) omission [ə′miʃən]
izlaist 1. (*ārā*) to let* out; **2.** (*naudu u. tml.*) to emit [i′mit]; **3.** (*vārdus u. tml.*) to omit [ə′mit]; **4.** (*produkciju*) to turn [tɜ:n] out
izlase selection [si′lekʃn], choice [tʃɔis]
izlasīt[a] (*tekstu*) to read* [ri:d]
izlasīt[b] (*atlasīt*) to choose* [tʃu:z], to select, to pick out
izlaupīt to plunder [′plʌndə], to loot [lu:t]
izlauzt to break* [breik]
izlēkt to jump [dʒʌmp] out
izlemt to decide [di′said]
izlepis fastidious [fæ′stidiəs]
izlidošana 1. departure [di′pɑ:tʃə], flying [′flaiiŋ] out; **2.** *av.* take-off [′teik-ɒf], start [stɑ:t]
izlidot depart, to fly out
izlīdzēties to manage [′mænidʒ] (*with*)
izlīdzināt to smooth [smu:θ] out
izliekt to bend*, to curve [kɜ:v]
izliekties 1. to bend*, to curve; **2.** (*pa logu*) to lean [li:n] out
izliet to pour [pɔ:r] out, to spill* [spil]
izlietne sink [siŋk]
izlietot to use [ju:z], to utilize [′ju:tilaiz]
izlīgt to make* it up
izlīgums reconciliation [ˌrekənsili′eiʃən]
izlikšanās pretence [pri′tens]
izlikt 1. to put* [pʊt] out; **2.** (*apskatei*) to display [dis′plei]; **3.** (*no dzīvokļa*) to turn out
izlikties 1. to pretend [pri′tend], to sham; **2.** (*šķist*) to appear [ə′piə], to seem [si:m]
izlīst to creep [kri:p] out
izlīt to pour [′pɔ:r] out; to spill* [spil]
izlobīt to husk [hʌsk], to hull [hʌl]; (*zirņus*) to shell [ʃel]
izlocīties 1. (*par čūsku*) to coil [kɔil]; **2.** *pārn.* to evade [i′veid], to dodge [dɒdʒ]
izloksne dialect [′daiələkt]
izlūgties to beg [beg]
izlūkošana reconnaissance [ri′kɒnisəns]
izlūks scout [skaʊt], spy [spai]
izlutināt to spoil*, to pamper [′pæmpə]
izmācīties to learn* [lɜ:n]; i. no galvas – to learn by heart [hɑ:t]

izmaks‖a 1. (*algas*) payment ['peimənt]; **2.**: ~as *ek.* – outlay ['aʊtlei] *vsk.*

izmaksāt 1. to pay* [pei]; **2.** (*par vērtību*) to cost*

izmantot to utilize [ˌju:tilaiz]; to make* use [ju:s]

izmazgāt to wash [wɒʃ]

izmēģinājums test; trial ['traiəl]

izmēģināt to test; to try [trai]

izmeklēšana *jur.* investigation [inˌvesti'geiʃən]

izmeklēt 1. (*slimnieku*) to examine; **2.** *jur.* to investigate [in'vestigeit]

izmeklēts selected [si'lektid], picked [pikt]

izmērīt to measure ['meʒə]

izmērs measure ['meʒə]; size [saiz]

izmest to throw* [θrəʊ] out

izmesties (*ārā*) to rush [rʌʃ] out

izmētāt to scatter ['skætə]

izmete *dat.* dump [dʌmp]

izmežģīt to dislocate ['disləkeit]; to sprain

izmirkt to get* drenched [drentʃt]; to get* wet

izmirt to die [dai] out, to perish ['periʃ]

izmisis despaired [di'speəd], desperate ['despərit]

izmisums despair [di'speə]

izmukt to slip [slip] away [ə'wei]

izmuļķot to fool [fu:l]

iznākt 1. to come* out; **2.** (*par grāmatu u. tml.*) to appear [ə'piə], to be published ['pʌbliʃt]

iznākums result, outcome ['aʊtkʌm]

iznesīgs stately ['steitli]

iznīcināšana destruction [dis'trʌkʃən]

iznīcināt to destroy [di'strɔi]

iznīkt to perish ['periʃ], to decay [di'kei]

iznomāt 1. to let*; **2.** (*mantas*) to hire ['haiə]

izņemot except [ik'sept], save [seiv]

izņemt to take* out

izņēmums exception [ik'sepʃn]

izolēt to isolate ['aisəleit]

izpalīdzēt to help out, to lend a help

izpalīdzīgs helpful ['helpfəl]

izpārdošana sale [seil]; selling ['seliŋ] off

izpatikt to please [pli:z]

izpausme manifestation [ˌmænifəs'teiʃn]

izpausties to manifest ['mænifəst] itself (*in*)

izpeļņa (*kalpotāja*) earnings ['ɜ:niŋz] *dsk.*; (*strādnieka*) wages ['weidʒiz] *dsk.*

izpildadrese *dat.* effective address [ə'dres]

izpilde fulfilment [fʊl'filmənt]

izpildījums performance [pə'fɔ:məns]

izpildīt to fulfil [fʊl'fil]; to execute ['eksikju:t]

izpirkt 1. to buy* [bai] out; **2.** (*vainu*) to atone [ə'təʊn] (*for*)

izplānot to plan [plæn] out

izplatījums space [speis]

izplatīt to spread* [spred], to distribute [dis'tribju:t]

izplatīties to spread* [spred]

izplatīts widespread [ˈwaidspred], common [ˈkɒmən], popular [ˈpɒpjulə]
izplaukt to blossom [ˈblɒsəm], to flower [ˈflaʊə]
izplest (*spārnus, rokas*) to spread* [spred] out, to stretch
izplēst to tear* [teə] out
izplesties 1. to widen [waidn], to stretch [stretʃ]; **2.** *fiz.* to dilate [daiˈleit]
izpletnis parachute [ˈpærəʃu:t]; *sar.* chute; *sar.* silk
izpletņlēcējs paratrooper [ˈpærətru:pə]
izplūst to flow [fləʊ] out
izpļāpāt to let* out
izpostīt to wreck [rek], to ruin [ˈru:in]
izprast to understand* [ˌʌndəˈstænd], to make* out
izprieca pleasure [ˈpleʒə]
izpūst to blow* out
izpušķot to decorate [ˈdekəreit]
izputēt 1. (*zaudēt mantu*) to go* bankrupt [ˈbænkrəpt]; *sar.* to go* broke [brəʊk]; **2.** (*izpirkt*) to come* to nothing
izrāde performance [pəˈfɔ:məns]
izrādīt to show* [ʃəʊ], to display [disˈplei]
izrādīties to prove [pru:v]; to turn (to be) out
izraidīt 1. to turn out, to expel; **2.** (*trimdā*) to exile [ˈeksail]
izraisīt to cause [kɔ:z]
izrakstīt 1. (*rēķinu u. tml.*) to make* out; **2.** (*no slimnīcas*) to discharge [disˈtʃɑ:dʒ]; (*no dzīvesvietas*) to strike* [straik] off the list
izrakt to dig* [dig] up/out
izrakteņi minerals [ˈminərəlz]
izraut to pull [pʊl] out, to extract [iksˈtrækt]; *sar.* to yank [jæŋk] out
izredzes prospect [ˈprɒspəkt], chance [tʃɑ:ns]
izrēķināt to figure [ˈfigə] out; i. uzdevumu – to do* a sum
izremontēt to repair [riˈpeə]
izrotāt to decorate [ˈdekəreit]
izruna pronunciation [prənʌnsiˈeiʃn]
izrunāt to pronounce [prəˈnaʊns]
izrunāties 1. to have a heart-to-heart-talk; **2.** (*runāt pretī*) to contradict [kɒntrəˈdikt]
izsacīties to have* one's say, to express one's opinion [əˈpinjen]
izsalcis hungry [ˈhʌŋgri], famished [ˈfæmiʃt], starving [ˈstɑ:viŋ]
izsalkums hunger [ˈhʌŋgə]
izsargāties to beware [biˈweə] (*of*)
izsaucējs *gram.* exclamation [ˌekskləˈmeiʃən] mark [mɑ:k]
izsaukt to call [kɔ:l]; (*skolā*) to ask [ɑ:sk]
izsaukties to exclaim [ikˈskleim], to call out, to cry out
izsēdināt 1. (*pasažieri*) to drop; to set* down; **2.** (*krastā*) to land, to disembark [ˌdisimˈbɑ:k]
izsekot to spy [spai]; to track [træk]; to trail; to trace [treis]
izsijāt to sift [sift] out
izsīkt 1. (*par avotu*) to dry up; **2.** (*par spēkiem*) to be exhausted

[ig'zɔ:stid]; (*par līdzekļiem*) to run* short
izsist to knock out; (*logu*) to break* [breik]
izsitumi *med.* rash [ræʃ]
izskaidrojums explanation
izskaidrot to explain [iks'plein]
izskaitīt to count [kaʊnt]
izskalot 1. to rinse [rins]; **2.** (*krastu*) to wash [wɒʃ] out; **3.** (*krastā*) to wash ashore [ə'ʃɔ:]
izskaņa 1. final ['fainl] sound [saʊnd]; **2.** *pārn.* end; **3.** *val.* suffix ['sʌfiks]
izskatīgs good-looking [,gʊd'lʊkiŋ]
izskatīt 1. (*grāmatu*) to look through; **2.** *jur.* to try [trai] a case [keis]
izskatīties to look [lʊk] (like)
izskats appearance [ə'piərəns], look [lʊk]
izskaust to exterminate [iks'tɜ:mineit]
izslāpis thirsty ['θɜ:sti]
izslaucīt (*ar lupatu*) to wipe [waip]; (*ar slotu*) to sweep* [swi:p]
izslaukt to milk [milk]
izslēgt 1. (*strāvu*) to switch [switʃ] off; **2.** (*no skolas*) to expel [iks'pel] (*from*)
izslieties to straighten ['streitn] oneself
izsludināt to advertise ['ædvətaiz]
izsmalcināts refined [ri'faind], subtle ['sʌtl]
izsmeļošs exhaustive [ig'zɔ:stiv]
izsmiekls derision [di'riʒən]
izsmiet to mock [mɔk], to laugh [lɑ:f] (*at*), to deride [di'raid]
izsniegt to hand [hænd] out
izsole auction ['ɔ:kʃən], sale [seil]
izspiest 1. to squeeze [skwi:z] out; **2.** (*naudu*) to blackmail ['blækmeil]
izspiesties to appear [ə'piə]; to come* out
izspļaut to spit* [spit] out
izsprukt to slip away, to elude [i'lu:d]
izspūris tousled ['taʊzld]
izstāde exhibition [,eksi'biʃən]; show [ʃəʊ]
izstādīt to exhibit [ig'zibit]; to display [dis'plei], to expose [iks'pəʊz]
izstaipīties to stretch [stretʃ] oneself
izstarot to radiate ['reidieit]
izstāstīt to tell*; to relate [ri'leit]
izstāties to retire [ri'taiə]; (*no skolas*) to leave [li:v]; (*no organizācijas*) to secede [sisi:d]
izstīdzējis lanky ['læŋki]
izstiept to stretch [stretʃ]
izstiepties to stretch [stretʃ] oneself
izstrādājum‖s article ['ɑ:tikl]; goods [gʊdz] *dsk.*; māla ~i earthenware ['ɜ:θənweə]; tautas daiļamata ~i – craft [krɑ:ft]
izstrādāt to work [wɜ:k] out
izstumt 1. to push [pʊʃ] out; **2.** (*no sabiedrības*) to banish ['bæniʃ]
izsūkt to suck out
izsūtāmais errand-boy ['erəndbɔi], call-boy ['kɔ:lbɔi]
izsūtīt 1. to send*; **2.** (*trimdā*) to exile ['eksail], to deport [di'pɔ:t]
izsviest to throw* [θrəʊ] out; *sar.* to kick [kik] out
izsvītrot to cross [krɒs] out, to strike* [straik] off

I

izšķērdēt to waste [weist]; (*svešu mantu*) to embezzle [im'bezl]
izšķērdīgs extravagant [iks'trævigənt], wasteful [weistfəl]
izšķiest (*naudu*) to waste [weist], to squander ['skwɒndə]
izšķilties to hatch [hætʃ]
izšķirošs decisive [di'saisiv]
izšķirties to part; (*par vīru un sievu*) to divorce [di'vɔ:s]
izšķīst to dissolve [di'zɒlv]
izšņaukt: i. degunu – to blow* [bləʊ] one's nose
izšūt to embroider [im'brɔidə]
iztaisīt to make*
iztapīgs obliging [ə'blaidʒiŋ], servile ['sɜ:vail]
iztapt to oblige [ə'blaidʒ], to please [pli:z]
iztaujāt to question ['kwestʃən], to interview ['intəvju:]
izteicējs *gram.* predicate ['predikət]
izteiciens expression [iks'preʃən]
izteiksme 1. expression; **2.** *gram.* mood [mu:d]
izteiksmīgs expressive [iks'presiv]
izteikt to express [iks'pres], to utter ['ʌtə], to declare [di'kleə]
izteikties to speak* [spi:k], to express [iks'pres] one's opinion [ə'pinjən]; īsi izsakoties – in brief [bri:f]
iztēle imagination [imædʒi'neiʃən], fancy ['fænsi]
iztērēt to spend* [spend]; (*izšķērdēt*) to waste [weist]
iztiesāt to try (*a case*)
iztika living ['liviŋ]
iztikt 1. to live (*on*); **2.** (*apmierināties*) to manage ['mænidʒ], to do*
iztīrīt to clean [kli:n], to brush [brʌʃ]
iztirzāt to analyse ['ænəlaiz], to discuss [di'skʌs]
iztīt to unwrap [ʌn'ræp]
iztrakoties 1. to romp [rɒmp]; **2.** (*uzdzīvot*) to sow* one's wild oats [əʊts]
iztraucēt to disturb [dis'tɜ:b]
iztrūkt (*par pogu*) to come* off
iztrūkums deficit ['defisit]
iztukšot to empty ['empti]
iztulkot to translate [træns'leit]
izturēšanās behaviour [bi'heiviə]
izturēt 1. to stand* [stænd], to bear* [beə]; **2.** (*eksāmenu*) to pass [pɑ:s]
izturēties 1. (*pret kādu*) to treat [tri:t]; **2.** (*uzvesties*) to behave [bi'heiv]
izturība 1. (*cilvēka*) hardiness ['hɑ:dinəs]; **2.** (*materiāla*) durability [,djʊərə'biliti]
izturīgs 1. (*par cilvēku*) hardy ['hɑ:di]; **2.** (*par materiālu*) durable ['djʊərəbl]
iztvaikot to evaporate [i'væpəreit]
izurbt to bore [bɔ:], to drill [dril]
izvadāt 1. (*preces*) to deliver [de'livə]; **2.** (*izrādot*) to show* [ʃəʊ] round [raʊnd]
izvade output ['aʊtpʊt]
izvadīšana 1. (*ceļā*) seeing-to ['si:iŋɒf]; **2.** (*bēres*) funeral ['fju:nərəl]
izvadīt 1. to see* [si:] off, to escort [is'kɔ:t]; **2.** (*mirušo*) to attend a funeral

izvaicāt to question [ˈkwestʃən]
izvairīties 1. to dodge [dɒdʒ], to sidestep [ˈsaidstep]; **2.** (*no kā*) to shun; to avoid [əˈvɔid]
izvākt to remove [riˈmu:v]
izvārīt to boil [bɔil], to cook [kʊk]
izvēdināt to air [eə]; to ventilate [ˈventileit]; ◇ i. galvu – to blow the cobwebs [ˈkɒbwelz]
izvedmuita export [ˈekspɔ:t] duty [ˈdju:ti]
izveicība skill [skil]
izveicīgs skilful, dexterous [ˈdekstərəs], agile [ˈædʒail]
izveidot 1. to form; **2.** (*organizēt*) to organize [ˈɔ:gənaiz]
izveidoties 1. to take* shape [ʃeip]; **2.** (*organizēties*) to be organized [ˈɔ:gənaizd]
izvēle choice [tʃɔis]; selection [siˈlekʃən]; pēc izvēles – at (by) choise
izvēlēties to choose* [tʃu:z], to select
izvēlīgs fastidious [fəsˈtidiəs], choosy [tʃu:zi], picky [ˈpiki] *amer.*
izveseļoties to recover [riˈkʌvə]
izvest 1. to take* out; **2.** (*eksportēt*) to export [ˈekspɔ:t]; ◇ i. no pacietības – to exasperate [igˈzɑ:spəreit]
izvietot to place, to distribute [disˈtribju:t], to accommodate [əˈkɔmədeit]
izvilkt to draw* [drɔ:] out
izvilkums extract [ˈekstrækt]
izvirdums eruption [iˈrʌpʃən]
izvirzīt 1. (*par kandidātu*) to nominate; **2.** (*darbā*) to promote [prəˈməʊt]
izziņa reference [ˈrefrəns]
izzobot to mock [mɒk] (*at*)
izžāvēt 1. to dry [drai]; **2.** (*gaļu, zivis*) to smoke [sməʊk]
izžūt to dry [up]

J

ja if; in case [keis]; ja jūs esat aizņemts, nāciet rīt – if you are busy [ˈbizi] come tomorrow [təˈmɒrəʊ]; gadījumā, ja tu viņu satiec – in case you see him
jā yes [jes]
jaguārs jaguar [ˈdʒægjʊə]
jahta yacht [jɒt]
jaka (*adīta*) cardigan [ˈkɑ:digən]; (*auduma, ādas*) jacket [dʒækit]
janvāris January [ˈdʒænjʊəri]
Jāņi St. [seint] John's [dʒɔns] Day [dei]; Midsummer [ˈmidsʌmə] Day; summer solstice [ˈsɔlstis]
jāņogas currants [ˈkʌrənts]
jāņubērni revellers [ˈrevələ(r)z] on Līgo night [nait]
jāņugunis Līgo bonfire [ˈbɔnfaiə]
jards yard [jɑ:d]
jasmīns mock [mɒk] orange [ˈɒrindʒ]
jāt to ride* [raid]
jātnieks rider [ˈraidə]

jau already [ɔ:l'redi]
jauda *fiz., tehn.* capacity [kə'pæsiti]
jauks pretty ['priti]; nice [nais], lovely ['lʌvli]
jaukt 1. to mix [miks]; **2.** (*kārtību*) to disorganize [dis'ɔ:gənaiz]; **3.** (*sajaukt*) to take for
jaukt‖**s** mixed [mikst]; ~ais koris – mixed choir ['kwaiə]
jaukties to interfere [intə'fiə] (*with*); to meddle [medl] (*in*)
jaunākais 1. (*par cilvēku*) youngest ['jʌŋgəst]; (*par priekšmetu*) newest ['nju:ist]; **2.** (*pēdējais*) latest ['leitist]
jaunatne youth [ju:θ]
jaunattīstīb‖**a**: ~as valstis – developing countries ['kʌntriz]
jaunava young [jʌŋ] girl [gɜ:l]
Jaunava *astr.* (*zvaigznājs un zodiaka zīme*) Virgin ['vɜ:dʒin]
jauneklis youth [ju:θ], young [jʌŋ] man*
Jaungads New [nju:] Year [jiə]; Vecgada vakars – New Year Eve
jaunība youth [ju:θ]
jauns (*par cilvēku*) young [jʌŋ]; (*par priekšmetu*) new [nju:]
jaunum‖**s** novelty ['nɒvəlti]; ~i – news *vsk.*
jautājums question ['kwestʃən]; query ['kwiəri]; dzīvības un nāves j. – matter of life and death [deθ]
jautāt to ask; to inquire [in'kwaiə]
jautrs merry ['meri], gay [gei]
jeb or [ɔ:]
jebkurš whichever [ˌwitʃ'evə]
jēdziens notion, idea [ai'diə]
jēga sense [sens]; runāt bez jēgas – to talk nonsense
jēls 1. raw [rɔ:]; **2.** (*noberzts*) sore [sɔ:]
jēr‖**s** lamb [læm]; ~a gaļa – mutton [mʌtn]
jezga hustle [hʌsl]; *sar.* rumpus ['rʌmpəs]
Jēzus Jesus ['dʒi:zəs], Jesus Crist [kraist]
jo because [bi'kɒz]
jocīgs 1. funny ['fʌni]; **2.** (*dīvains*) queer ['kwiə], strange [streindʒ]
jods *ķīm.* iodine ['aiədi:n]
jogurts yoghurt ['jɒgət]
jokot to joke [dʒəʊk]; to make* fun
jok‖**s 1.** joke [dʒəʊk], jest [dʒest]; pa ~am – in jest; **2.** (*nedarbs*) trick [trik]
joprojām still; un tā j. – and so on
josla zone [zəʊn]
josta belt [belt]; girdle ['gɜ:dl]
jubileja anniversary [ʌni'vɜ:səri]
juceklis muddle ['mʌdl], confusion [kən'fju:ʒn]; chaos ['keiɔs]
jucis crazy ['kreizi], mad [mæd]
jūdze mile [mail]
jūgs yoke [dʒəʊk]
jūgt to harness ['hɑ:nis]
jūlijs July [dʒʊ'lai]
jumts roof [ru:f]; dakstiņu j. – tile [tail] roof; šīfera j. – slate [sleit] roof; salmu j. – thatched [θætʃid] roof
jūnijs June [dʒu:n]
jupis devil ['devl], evil; ◇ kad tevi j. – damn [dæm] it!
jūr‖**a** sea [si:]; ~as krasts – seashore

[ˈsi:ʃɔ:]; ~as šaurums – strait [streit]; ◇ piliens jūrā – drop in the ocean [ˈəʊʃən]
jūrascūciņa cavy [ˈkeivi]
juridisks legal [ˈli:gəl]
jurists lawyer [ˈlɔ:jə]; jurist [ˈdʒʊərist]
jūrmala seaside [ˈsi:said]; (*pludmale*) coast [kəʊst] beach [bi:tʃ]
jūrnieks sailor [ˈseilə]
jūrskola naval college [ˈkɒlidʒ]
jūs you [ju:]
jūsmot to admire [ədˈmaiə]
just to feel* [fi:l]
justīcija justice [dʒʌstis]
justies to feel* [fi:l]
jūtas feelings [ˈfi:liŋz], emotions, sentiments
jūtīgs sensitive [ˈsensitiv], emotional [iˈməʊʃnəl]
juvelieris jeweller [ˈdʒu:ələ]
juvelierizstrādājums jewellery [ˈdʒu:əlri]

K

ka that [θæt]; tāpēc ka – because [biˈkɒz]
kā 1. how; kā klājas? – how are you?; **2.** what; kā jūs sauc? – what is your name?; **3.** as; kā, piemēram – as for instance
kabacis marrow [ˈmærəʊ]
kabata pocket [ˈpɒkit]; ◇ nav pa kabatai – beyond [biˈjɒnd] one's pocket
kabatlakatiņš handkerchief [ˈhæŋkətʃif], hanky [ˈhæŋki] *sar.*
kabatnazis pocket-knife [ˈpɒkitnaif]
kabelis cable [keibl]
kabīne booth [bu:ð]
kabinets 1. office; (*mājās*) study [stʌdi]; **2.** (*speciāls*) room [rʊm]
kad when [wen]
kādēļ why [wai]; for what reason [ˈri:zn]
kadiķis juniper [ˈdʒu:nipə]
kādreiz 1. once [wʌns]; **2.** (*dažreiz*) now and then; sometimes
kadri personnel [pɜ:səˈnel], staff [stɑ:f]; cadres [kɑ:drs]
kadrs (*kino*) shot [ʃɒt]
kāds 1. what; **2.** somebody [ˈsʌmbʌdi], anybody [ˈenibʌdi]
kafejnīca cafe [ˈkæfei]
kafija coffee [ˈkɒfi]; maltā k. – ground [graʊnd] coffee
kafijkanna coffee-pot [ˈkɒfi,pɒt]
kaija sea-gull [ˈsi:gʌl]
kails naked, bare [beə], nude [nju:d]
kailsals black [blæk] frost [frɒst]
kaimiņš neighbour [ˈneibə]
kaimiņvalsts neighbour [ˈneibə] country [ˈkʌntri]
kairināt to irritate [ˈiriteit]
kaisīt to scatter [skætə]
kaislība passion [ˈpæʃn]
kaislīgs passionate [ˈpæʃənit]

kaite ailment [ˈeilmənt], ilness [ˈilnəs]
kaitēklis pest; vermin [ˈvɜ:min]
kaitēt to harm [hɑ:m], to demage [ˈdæmidʒ]
kaitīgs harmful [ˈhɑ:mfəl]; (*veselībai*) unhealthy [ʌnˈhelθi]; k. paradums – bad* habit
kaitināt to tease [ti:z]
kāj||a leg; (*pēda*) foot*; ~as pirksts – toe [təʊ]; ◇ no galvas līdz kājām – from top [tɒp] to toe, from head to foot
kājām on foot [fʊt]
kājāmgājējs pedestrian [piˈdestriən], walker [ˈwɔ:kə]

K

kājceliņš foot-path [ˈfʊtpɑ:θ], footway
kajīte cabin [ˈkæbin]
kakao cocoa [ˈkəʊkəʊ]
kaklarota necklace [ˈneklis]
kaklasaite tie [tai]
kaklauts muffler [ˈmʌflə]
kakls neck [nək]; (*rīkle*) throat [θrəʊt]; iekaisis k. – sore [sɔ:] throat; ◇ dabūt pa kaklu – to get* in the neck; man tas ir līdz kaklam – I am sick [sik] and tired [ˈtaiəd] (*of*)
kakts corner* [ˈkɔ:nə], nook [nʊk]
kaktuss cactus [ˈkæktəs]
kaķēns kitten [kitn]
kaķis cat [kæt]; gib [dʒib]; (*runcis*) tom-cat [ˈtɒmˈkæt]; ◇ dzīvot kā sunim ar kaķi – to lead* [li:d] a cat-and-dog life [laif]
kalējs blacksmith [ˈblæksmiθ], smith [smiθ]
kalendārs calendar [ˈkælində]
kalnains hilly [ˈhili]
kalnracis miner [ˈmainə]
kalns mountain [ˈmaʊntin]; (*neliels*) hill [hil]
kalpone maid [meid]
kalpot to serve [sɜ:v]
kalpotājs employee [emplɔiˈi:]
kalps servant [ˈsɜ:vənt]
kalsnējs lean [li:n]; thin [θin]
kalst to dry up; (*par augiem*) to wither [ˈwiðə]
kalt 1. to forge [fɔ:dʒ]; **2.** (*naudu*) to coin; **3.** (*par dzeni*) to peck [pek]
kaltēt to dry [drai]
kalts chisel [ˈtʃizl]
kalve forge [fɔ:dʒ], smithy [ˈsmiθi]
kaļķakmens limestone [ˈlaimstəʊn]
kaļķi lime [laim]; (*balsināšanai*) whitewash
kamanas sledge [sledʒ], sleigh [slei]
kamene bumble-bee [ˈbʌmblbi:]
kamēr 1. (*pa to laiku*) while; **2.** (*līdz tam laikam*) till
kamera 1. (*cietuma*) cell; **2.** (*riepas*) inner tube
kamerkoncerts chamber [ˈtʃeimbə] concert
kamermūzika chamber music [ˈmju:zik]
kamielis camel [ˈkæməl]
kamīns fire-place [ˈfaiəpleis]
kāmis hamster [ˈhæmstə]
kamols ball [bɔ:l]; putekļu k. – dustmice
kampaņa campaign [kəmˈpein]
kampt to grip [grip]
kanalizācija sewerage [ˈsju:əridʒ]

kanāls channel [tʃænl]; (*mākslīgs*) canal [kə'næl]
kanārijputniņš canary [kə'neəri]
kanceleja office ['ɒfis]
kanclers chancellor ['tʃɑ:nsələ]
kandidāts candidate ['kændidət]
kandidatūra candidature ['kændidetʃə]
kandidēt to stand* [stænd] (*for*)
kanēlis cinnamon ['sinəmən]
kanna jug [dʒʌg], can [kæn]
kantoris office [ɒfis]
kaņepes hemp [hemp]
kāpa dune [dju:n]
kapakmens gravestone ['greivstəʊn], tombstone ['tu:mstəʊn]
kapāt to chop [tʃɒp]
kāpēc why [wai], for what reason ['ri:zn]
kāpējs climber ['klaimə]
kāpināt to raise [reiz]
kapitāls capital ['kæpitl]
kaplēt to hoe [həʊ]
kapliča 1. chapel ['tʃæpl]; **2.** (*mirušo novietošanai*) mortuary ['mɔ:tʃuəri]
kaplis hoe [həʊ]; spud [spʌd]
kāpnes stairs [steəz]; (*pieslienamās*) ladder ['lædə]
kāpostgalva cabbage-head ['kæbidʒhed]
kāposti cabbage ['kæbidʒ]; ziedkāposti – cauliflower ['kɒli,flaʊə]; skābēti k. – sauerkraut ['saʊəkraʊt], pickled ['pikld] cabbage
kaprīzs capricious [kə'priʃəs]
kaprons nylon ['nailɒn]
kaps grave [greiv]; ◇ kapa klusums – deathlike ['deθlaik] silence ['sailens]
kapsēta graveyard; God's acre ['gɒdz,eikə]; cemetery ['semitri]
kāpslis step [step]
kāpt 1. to climb [klaim]; k. augšā pa kāpnēm – to go* upstairs; k. lejā pa kāpnēm – to go* downstairs; **2.** (*pieaugt*) to increase [in'kri:s]; to rise*
kapteinis captain ['kæptin]
kāpurs caterpillar ['kætəpilə]
karadienests military service ['sɜ:vis]
karafe carafe [kə'ræf]
karagūsteknis prisoner ['priznər] of war [wɔ:]
karaliene queen [kwi:n]
karalis king [kiŋ]
karalisks royal ['rɔiəl]
karaliste kingdom ['kiŋdəm], realm [relm]
karamele hard candy ['kændi]
karaspēks troops [tru:ps] *dsk.*
karāties to hang* [hæŋ]
karavīrs soldier ['səʊldʒə]
kārba box [bɒks]; (*skārda*) tin
karbonāde (*cūkas*) pork chop [tʃɒp]; (*teļa*) veal [vi:l]
kārdinājums temptation [temp'teiʃn]
kārdināt to tempt [tempt]
kāre[a] (*vēlēšanās*) craving, desire [di'zaiə]
kāre[b] (*medus*) honeycomb ['hʌnikəʊm]
karjera career [kə'riə]
karjerisms self-seeking [self'si:kiŋ]
kārkls osier ['əʊʒə], sallow ['sæləʊ]

K

karnevāls carnival [ˈkɑ:nivl]
karogs flag [flæg], banner [bænə]
karot to be at war (*with*)
karote spoon [spu:n]
karpa carp [kɑ:p]
kārpa wart [wɔ:t]
kārs greedy (*of*)
karsēt to heat [hi:t]
karstasinīgs hot-blooded [hɒtˈblʌdid]
karsts hot [hɒt]
karstums heat [hi:t], glow [gləʊ]
karš war [wɔ:]
kārt to hang* [hæŋ]; ◇ k. zobus vadzī – to tighten [ˈtaitn] one's belt [belt]
kārta 1. layer [ˈleiə]; **2.** (*secība*) turn; **3.** *gram.* voice [vɔis]
kārtain||s flaky [ˈfleiki]; ~ā mīkla – flaky paste [peist]
karte 1. (*ģeogrāfiskā*) map [mæp]; **2.** card
kārtējs regular [ˈregjulə], ordinary [ˈɔ:dnri]
kārtība 1. order; **2.** (*secība*) sequence [ˈsi:kwens]
kārtīgs (*darbā*) accurate; (*apģērbā*) tidy
kartīte card [kɑ:d]
kartons cardboard [ˈkɑ:dbɔ:d]
kārtot to put* [pʊt] in order; to settle [ˈsetl]
kārts 1. pole [pəʊl]; **2.** (*spēļu*) card [kɑ:d]
kartupe||lis potato [pəˈteitəʊ]; spud [spʌd] *sar.*; ~ļi ar mizu – jaketed [ˈdʒækitid] potatoes; cepti ~ļi – fried potatoes; ~ļu biezenis – mashed potatoes
kas 1. (*par cilvēkiem*) who; (*par priekšmetiem*) what; **2.** (*attieksmes vietniekvārds*) that
kase (*biļešu*) booking-office; (*veikalā*) cashbox [ˈkæʃbɒks]
kasete casette [kəˈset]
kasetne *dat.* cartridge [ˈkɑ:tridʒ]
kasieris cashier [kæˈʃiə]
kāsis hook [hʊk]
kasīt to scratch [skrætʃ]
kastanis chestnut [ˈtʃesnʌt]
kaste chest [tʃest], box [bɒks]
kastrolis saucepan [ˈsɔ:spən]
katalogs catalogue [ˈkætəlɒg]; list [list]
katastrofa catastrophe [kəˈtæstrəfi]; accident [ˈæksidənt]; crash [kræʃ]
katedra chair [tʃeə]
katedrāle cathedral [kəˈθi:drəl]
kategorija 1. category [ˈkætəgəri]; **2.** grade [greid]
kategorisks explicit [ikˈsplisit]; categoric[al] [ˈkætəgɒrik(l)]
katlakmens scale [skeil]
katliņš (*cepure*) bowler [ˈbəʊlə]
katls 1. pot; kettle; **2.** *tehn.* boiler [ˈbɔilə]
katolis *rel.* Catholic [ˈkæθəlik]
katrs every, each [i:tʃ]; (*vienalga kāds*) any
kāts 1. (*auga*) stalk [stɔ:k]; **2.** (*rīka*) handle [ˈhændl]; slotas k. – broomstick [ˈbru:mstik]; makšķeres k. – (fishing) rod [rɒd]; karoga k. – flagstaff [ˈflægstɑ:f]

katūns cotton [ˈkɒtn]
kaudze heap [hi:p], pile [pail]; siena k. – haystack [ˈheistæk]
kauja battle [ˈbætl]; fight [fait]
kaukt to howl [haʊl], to roar [rɔ:]
kaulains bony [ˈbəʊni]
kauls bone [bəʊn]; ◇ kaulu kambaris – beg of bones
kaunēties to be (feel*) ashamed [əˈʃeimd]
kaunīgs timed [ˈtimid], shy [ʃai]
kauns shame [ʃeim]
kausēt 1. to melt; **2.** (*sniegu*) to thaw [θɔ:]
kauslis bully [ˈbʊli]
kauss 1. bowl [bəʊl]; smeļamais k. – ladle [ˈleidl]; **2.** (*godalga*) cup
kaut 1. (*izsaka vēlējumu*) if only; **2.**: k. gan – although [ɔ:lˈðəʊ]; k. kā – somehow [ˈsʌmhaʊ]; k. kāds – some; any; k. kur – somewhere [ˈsʌmweə]
kauties to fight* [fait]
kautiņš brawl [brɔ:l], fight [fait]
kautrēties to feel* shy [ʃai]
kautrība shyness [ˈʃainis]
kautrīgs shy, timid [ˈtimid]
kavējums (*neierašanās*) absence [ˈæbsəns]
kavēklis 1. obstacle [ˈɒbstəkl]; hindrance [ˈhindrəns]; **2.**: laika k. – pastime [ˈpɑ:staim]
kavēt 1. (*traucēt*) to hinder [ˈhində]; to prevent; **2.** (*nodarbības*) to miss [mis]
kavētājs (*darba*) shirk [ʃɜ:k], truant [ˈtru:ənt]
kavēties 1. to be delayed [diˈleid]; **2.** *pārn.* to linger [ˈliŋgə] (*on, over*)
kaza goat [gəʊt]
kāzas wedding [ˈwediŋ]; bridal [ˈbreidl]
kazene blackberry [ˈblækbəri]
kažokāda fur [fɜ:]; furriery [ˈfʌriəri]
kažoks fur coat [kəʊt]
kēkss (*ar riekstiem, sukādi*) fruitcake [fru:tkeik]
keramika ceramics [siˈræmiks]
kešatmiņa *dat.* cache [kæʃ] memory [ˈmeməri]
kibernētika cybernetics [ˌsaibəˈnetiks]
kilobaits kilobyte [ˈkiləbait]
kilograms kilogram [ˈkiləgræm]
kilometrs kilometre [ˈkiləmi:tə]
kino cinema [ˈsinəmə]; pictures *dsk.*; movies [ˈmu:viz] *dsk. amer.*
kinoaktieris film (screen) [skri:n] actor [ˈæktə]
kinoaktrise film (screen) actress [ˈæktris]
kinofilma film, picture [ˈpiktʃə]; movie [ˈmu:vi] *amer.*
kinooperators cameraman [ˈkæmərəmæn]
kinorežisors film director
kinoscenārijs scenario [siˈnɑ:riəʊ]
kinostudija film studio [ˈstju:dıəʊ]
kinozvaigzne film star [stɑ:]; muvie star *amer.*
kiosks booth [bu:ð]; laikrakstu k. – news-stand; grāmatu k. – bookstall
klaidonis tramp [træmp]
klaips loaf [ləʊf]
klājs deck [dek]

K

klase 1. (*skolā*) class, form [fɔ:m]; grade [greid] *amer.*; (*telpa*) classroom [ˈklɑ:srʊm] **2.** *sp.* class [klɑ:s]
klasisks classic[al] [ˈklæsik(l)]
klasteris *dat.* cluster [ˈklʌstə]
klāt[a]: k. galdu – to lay* [lei] the table; k. gultu – to make* [meik] the bed [bed]
klāt[b]: iet k. – to go* up (*to*); būt k. – to be present [ˈpreznt]
klātbūtne presence [ˈprezns]
klausīt to obey [əˈbei]
klausītāj‖**s** listener [ˈlisnə]; ~i – audience *vsk.*
klausīties to listen [ˈlisn]
klausule (*telefona*) receiver [riˈsi:və]
klauvēt to knock [nɒk]
klavieres piano [ˈpjɑ:nəʊ]
kleita dress, frock [frɒk]
klejot to wander [ˈwɒndə]
klēpis lap [læp]; klēpja suns – lapdog [ˈlæpdɒg]
klēpjdators *dat.* laptop [ˈlæptɒp] computer [kəmˈpju:tə]
klepot to cough [kɒf]
klepus cough [kɒf]; garais k. – whooping-cought [ˈhu:piŋkɒf]
klibot to limp [limp]
klibs lame [leim]
kliedziens cry [krai]; shout [ʃaut]; ◇ pēdējais modes kliedziens – the last word in fashion [fæʃn]
kliegt to cry [krai], to yell [jel]
klients client [ˈklaiənt], customer [ˈkʌstəmə]
klijas bran [bræn]
klikatas clog [klɒg] sandals [ˈsændls]
klimats climate [ˈklaimit]
klinčs *dat.* clinch [klintʃ]
klīnika clinic [ˈklinik], hospital [ˈhɒspitl]
klints rock [rɒk], crag [kræg]
kliņģeris big pretzel [ˈpretsl]
kliņģerīte *bot.* marigold [ˈmærigəʊld]
kliņķis (*durvju*) handle [ˈhændl]
klīst to wander [ˈwɒndə], to roam [rəʊm]
klosteris cloister [ˈklɔistə], (*katoļu*) abbey [ˈæbi]; (*vīriešu*) monastery [mɒnəstri]; (*sieviešu*) nunnery [ˈnʌnəri], convent [ˈkɒnvənt]
klubs club [klʌb]
klupt to stumble [stʌmbl]
klukstēt to cluck [klʌk]
klusām silently [ˈsailəntli], quietly [ˈkwaiətli]
klusēt to keep* silent; (*neatbildēt*) to be silent
kluss silent; quiet [ˈkwaiət]; Klusā nedēļa – Passion week [ˈpæʃnwi:k]; ◇ klusie ūdeņi ir dziļi – still waters [ˈwɔ:təz] run [rʌn] deep [di:p]
klusums silence [ˈsailəns], calm [kɒ:m]; ◇ klusums pirms vētras – the calm [kɑ:m] before [biˈfɔ:] the storm [stɔ:m]
kļava maple [ˈmeipl]
kļūda mistake [misˈteik]; error [ˈərə]
kļūdīties to make* a mistake
kļūt to become*; to grow* [grəʊ], to get*

K

knābis beak [bi:k], bill [bil]
knaibles pincers ['pinsəz], tongs [tɒŋz]
kniebt to pinch [pintʃ]
knipis snap [snæp], flip
kņada bustle [bʌsl]
ko what
koalīcija *pol.* coalition [kəʊə'liʃn]
kode moth [mɒθ]
kodiens bite [bait]
kodīgs acrimonius [,ækriməʊniəs], caustic ['kɔ:stik]
kodolieroči nuclear ['nju:kliə] weapons ['wepənz]
kodols 1. kernel ['kɜ:nl]; **2.** (*šūnas*) nucleus*
koja *jūrn.* bunk [bʌŋk]
kokaīns cocaine [kəʊ'kein]
koks 1. tree; **2.** (*materiāls*) wood [wʊd]
kokteilis cocktail ['kɒkteil]
kokvilna cotton ['kʌtn]
koledža college ['kɒlidʒ]
kolēģis colleague [kɒli:g]
kolekcija collection [kə'lekʃn]
kolektīvs collective [kə'lektiv]
kolibri humming-bird ['hʌmiŋbɜ:d]
kolonija colony ['kɒləni]
kolonna 1. column ['kɒləm]; **2.** *arhit.* pillar ['pilə]
kolrābis kohlrabi [,kəʊl'rɑ:bi]
komanda 1. command [kə'mɑ:nd]; **2.** *sp.* team [ti:m]; **3.** (*kuģa*) crew [kru:]
komandējum||s mission ['miʃn], business ['biznis] trip; ~a nauda – traveling [trævliŋ] allowance [ə'laʊəns]
komandēt to command
komandieris commander [kə'mɑ:ndə]
komats comma ['kɒmə]
kombains combine ['kɒmbain]
kombinē slip [slip]
kombinēt to combine ['kɒmbain]
kombinezons overalls ['əʊvərɔ:lz] *dsk.*
komēdija comedy ['kɒmədi]
komentārs commentary ['kɒməntəri]
komentēt to comment ['kɒmənt] (*upon*)
komercbanka commercial [kə'mɜ:ʃl] bank [bæŋk]
komikss comic ['kɒmik]; (*zīmējumu sērija*) comic strip
komisija committee [ke'miti]
komisks comic[al], funny ['fʌni]
kompānija company ['kʌmpəni]
kompass compass ['kʌmpəs]
komplekss[a] *lietv.* complex ['kɒmpleks]
komplekss[b] *īp. v.* complex; combined [kəm'baind]
komplekts set [set]
komplicēts complicated ['kɒmplikeitid]
kompliments compliment ['kɒmplimənt]
komponēt to compose [kəm'pəʊz]
komponists composer [kəm'pəʊzə]
kompots stewed [stju:d] fruit [fru:t]
komprese compress ['kɒmprəs]
komunāl||s communal; ~ie pakalpojumi – service ['sɜ:vis]
komunikabls communicative [kə'mju:nikətiv]
komutators switchboard ['switʃbɔ:d]

K

koncentrācija concentration [kɒnsən'treiʃən]
koncertēt to give* concert [kɒnsət]
koncerts 1. concert; (*viena atskaņotājmākslinieka*) recital [ri'saitl]; **2.** (*skaņdarbs*) concerto [kən'tʃɜ:təʊ]
koncertzāle concert hall [hɔ:l]
kondicionētājs air-conditioner ['eəkən'diʃnə]
konditorej||a confectionery [kən'fekʃənəri]; ~as izstrādājumi – pastry
konduktors conductor [kən'dʌktə]; (*vilciena*) guard [gɑ:d]

K

konfekte sweet [swi:t]; candy ['kændi] *amer.*
konference conference ['kɒnfərəns]
konflikts conflict ['kɒnflikt]
kongress congress ['kɒŋgres]
konjaks cognac ['kɒnjæk]; brandy
konkrēts specific [spə'sifik], particular [pə'tikjʊlə]
konkurence competition [kɒmpi'tiʃn]
konkurēt to compete [kəm'pi:t]
konkurss competition [kɒmpi'tiʃn]
konsekvents consistent [kən'sistənt]
konservatīvs conservative [kən'sɜ:vətiv]
konservēt to preserve [pri'zɜ:v], to make* preserves
konservi tinned (canned) food [fʊd]
konspekts epitome [i'pitəmi]
konstatēt to state [steit]
konstitūcija constitution [kɒnsti'tju:ʃən]
konstrukcija structure; desigh [di'zain]
konstruktors 1. designer [di'zainə]; **2.** (*rotaļlieta*) meccano [mi'kænəʊ]
konsuls consul ['kɒnsəl]
kontakts contact ['kɒntækt]
konteiners container [kən'teinə]
kontinents continent ['kɒntinənt]
kontrabanda smuggling ['smʌgliŋ], contraband ['kɒntrəbænd]
kontrabass contrabass [kɒntrə'beis]
kontrakts contract; agreement [ə'gri:mənt]
kontrasts contrast ['kɒntrɑ:st]
kontrole inspection; control [kən'trəʊl], checkup ['tʃekʌp]
kontrolēt to inspect; to check up
kontrolieris 1. inspector; **2.** (*biļešu*) ticketcollector ['tikitkəlektə]
kontrolpunkts *dat.* checkpoint ['tʃekpɔint]
kontrolsumma *dat.* checksum ['tʃeksʌm]
konts *ek.* account [ə'kaʊnt]
konuss cone [kəʊn]
kopā together [tə'geðə], jointly ['dʒɔintli]
kopējs *īp. v.* common ['kɒmən]
kopiena community [kə'mju:nəti]
kopīgs common, joint [dʒɔint]
kopija copy ['kɒpi]; (*gleznas*) replica
kopīpašums intercommunity [,intəkə'mju:nəti]
kopmītne hostel ['hɒstl], dormitory ['dɔ:mətri] *amer.*
kopš since [sins]; k. seniem laikiem – from the earliest ['ɜ:list] times
kopšana 1. (*slimnieka, bērna*) nursing

[ˈnɜ:siŋ]; **2.** (*zemes*) cultivation; **3.** (*lopu*) tending [ˈtendiŋ]
kopt 1. (*slimnieku, bērnu*) to nurse [nɜ:s]; **2.** (*zemi*) to cultivate [ˈkʌltiveit]; **3.** (*lopus*) to tend [tend]
korekts proper, correct [kəˈrekt]
korespondents correspondent [kɒriˈspɒndənt]
koris choir [ˈkwaiə], chorus [ˈkɔ:rəs]
korists chorister [ˈkɔ:ristə]
korķis cork [kɔ:k]
korķviļķis cork-screw [kɔ:kˈskru:]
korpulents stout [staʊt]
korpuss 1. (*ēka*) building [ˈbildiŋ]; **2.** (*kuģa*) hull
kosmētika cosmetics [kɒzˈmetiks]
kosmētisks cosmetic
kosmetologs beautician [bju:ˈtiʃn]
kosmisks space [speis]; cosmic [ˈkɒzmik]
kosmonauts spaceman, astronaut
kosmoss space, cosmos [ˈkɒzmɒs]
kost 1. to bite* [bait]; **2.** (*par dūmiem*) to sting [stiŋ]; ◇ suns, kas rej, nekož – barking dogs don't bite
kostīms costume, suit [su:t]
košļāt to chew [tʃu:]
košs bright [brait]
košumkrūms decorative [ˈdekərətiv] shrub [ʃrʌb]
kotlete rissole [ˈrisəʊl], chop [tʃɒp], meatball [ˈmi:tbɔ:l]
kovārnis jackdaw [ˈdʒækdɔ:]
kovbojs cowboy [ˈkaʊbɔi]
krāce rapid [ˈræpid]
krājums collection; (*pārtikas*) store; rakstu k. – symposium
krākt to snore [snɔ:]
krampji *med.* cramps [kræmps], spazms [ˈspæzəmz], convulsions [kənˈvʌlʃənz]
krāns tap [tæp]
krāpnieks cheat [tʃi:t]; impostor [imˈpɒstə]
krāpšana fraud [frɔ:d], deceit [diˈsi:t]
krāpt to cheat [tʃi:t]
krāsa colour [ˈkʌlə]; (*krāsviela*) paint [peint]; dye [dai]
krāsains coloured [ˈkʌləd]
krāsns stove [stəʊ]; elektriskā k. – electric stove; podiņu k. – tile stove
krāsot to paint [peint]; (*audumu*) to dye [dai]; k. lūpas – to put* on lipstick
krāsotājs painter [ˈpeintə]
krass sudden; sharp [ʃɑ:p]
krastmala embankment [imˈbæŋkmənt]
krasts (*jūras*) shore [ʃɔ:], coast [kəʊst]; (*upes*) bank
krāšņs splendid [ˈsplendid]
krāt to save; (*markas u. tml.*) to collect
krātiņš cage [keidʒ]
kratīt to shake* [ʃeik]
krauja steep [sti:p] bank [bæŋk]
krauklis raven [ˈreivn]
kraukšķīgs crisp, crunchy [ˈkrʌntʃi]
kraut (*kaudzē*) to pile; (*ratos*) to load [ləʊd]
krava load [ləʊd]; (*kuģa*) freight [freit], cargo

krāvējs loader [ˈləʊdə]; (*ostā*) stevedore [ˈsti:vidɔ:], docker

kredītkarte credit card [ˈkredit kɑ:d]

kredīts credit [ˈkredit]

kreis‖ais left; ~ā puse – left side; pa ~i – to the left

krējums (*saldais*) cream [kri:m]; (*skābais*) sour [saʊə] cream

krekls (*vīriešu*) shirt; (*sieviešu*) chemise [ʃəˈmi:z]

krelles beads [bi:dz]

krēms cream [kri:m]; apavu k. – shoepolish [ˈʃu:ˈpɒliʃ]

krese cress [kres]

K

krēsla twilight [ˈtwailait]

krēslot to be* getting dark

krēsls chair [tʃeə]

krietns 1. (*par cilvēku*) upright [ˈʌprait]; 2. (*pamatīgs*) considerable [kənˈsidərəbl]

krikets cricket [ˈkrikit]

krimināllieta *jur.* criminal case [keis]

kriminālromāns detective (crime) novel

krimināls criminal

kripata crumb [krʌmb], bit [bit]

krist to fall* [fɔ:l], to drop [drɒp]

kristāls cut glass [kʌtˈglɑ:s]

kristības baptism [ˈbæptizəm]

kristiet‖is (~iete) Christian [ˈkristʃən]

kristies to fall* [fɔ:l]; to decrease [diˈkri:s]

kristīt to baptize [bæpˈtaiz]

kritiens fall [fɔ:l]

kritika criticism [ˈkritisizəm]

kritiķis critic [ˈkritik], reviewer [riˈvju:ə]

kritizēt to criticize [ˈkritisaiz]

krītpapīrs art [ɑ:t] (coated [ˈkəʊtid]) paper [ˈpeipə]

krīts chalk [tʃɔ:k]; ◇ bāls kā krīts – (as) white as a sheet [ʃi:t]

krizantēma *bot.* chrysanthemum [kriˈsænθəməm]

krīze crisis* [ˈkraisis]

krogs pub [pʌb], tavern [ˈtævən]

krokodils crocodile [ˈkrɒkədail]

kronis crown [kraʊn]

kropls crippled [ˈkripld]

kross *sp.* cross-country [krɒsˈkʌntri] race [reis]

kruķis 1. crutch [krʌtʃ]; 2. (*krāsns*) poker [ˈpəʊkə], rake [reik]

krūms bush [bʊʃ], shrub [ʃrʌb]

krunka wrinkle [ˈriŋkl]

krunkains wrinkled [ˈriŋkld]

krupis toad [təʊd]

krusa hail [heil]

krustām crosswise; k. šķērsām – crisscross

krustbērns godchild [ˈgɒdtʃaild]

krustceļš cross-road [ˈkrɒsrəʊd]

krustdēls godson [ˈgɒdsʌn]

krustmāte godmother [ˈgɒdmʌðə]

krustmeita goddaughter [ˈgɒddɔ:tə]; niece

krustnagliņa clove [kləʊv]

krustojums 1. crossing; 2. *biol.* crossbreed

krusts cross [krɒs]

krusttēvs godfather [ˈgɒdfɑ:ðə]

krustvecāki godparents [ˈgɒdpeərənts]

krūškurvis *anat.* thorax [ˈθɔ:ræks]

krūšturis bra [brɑ:]
krūšutēls bust
krūts breast [brest]; barot ar krūti – to suckle
krūze jug [dʒʌg], pitcher ['pitʃə]
kserokss xerox ['ziərɒks]
kubs *mat.* cube [kju:b]
kuce bitch [bitʃ]
kucēns puppy ['pʌpi]
kūdīt to set* on
kūdra peat [pi:t]
kuģis ship, boat [bəʊt]; (*okeāna*) liner [lainə]
kuģot to navigate ['nævigeit]
kuilis boar [bɔ:]
kūka pastry ['peistri], cake [keik]
kukainis insect ['insekt]
kukulis loaf [ləʊf]
kukurūza maize [meiz]; corn [kɔ:n] *amer.*
kūlenis somersault ['sʌməsɔ:lt]
kūlis sheaf [ʃi:f]
kulises wings [wiŋz], coulisses [ku:'li:siz]
kult 1. to thresh [θreʃ]; **2.** (*sviestu*) to churn; to beat [bi:t]; ◇ kult tukšus salmus – to mill the wind
kultūra culture ['kʌltʃə]; ~s vēsture history of civilization
kulturāls cultured ['kʌltʃəd]
kumeļš colt [kəʊlt]
kumoss morsel ['mɔ:səl], bit
kundze lady; (*uzrunā*) madam ['mædəm]; (*pie uzvārda*) Mrs. ['misiz]
kungs gentleman; (*uzrunā*) Sir; (*pie uzvārda*) Mr. ['mistə]
kuņģ||is stomach ['stʌmək]; ~a čūla – stomach ulcer ['ʌlsə]
kupeja compartment [kəm'pɑ:tmənt]
kupena heap [hi:p] of snow
kūpēt to smoke [sməʊk]
kupls (*par krūmu*) leafy ['li:fi]; (*par uzacīm, bārdu*) bushy ['bʊʃi]; (*par tērpu*) full
kupols dome [dəʊm]; (*lampas*) shade [ʃeid]
kupris hunch [hʌntʃ], hump [hʌmp]
kur where; kaut k. – somewhere ['sʌmweə]
kurināt to heat [hi:t]
kurlmēms deaf-and-dumb [defən'dʌm]

kurls deaf [def]
kurmis mole [məʊl]
kurnēt to grumble (*at*)
kūrorts spa [spɑ:], health [helθ] resort [ri'zɔ:t]
kurpe shoe [ʃu:]; rītakurpes – mules [mju:lz], slippers
kursi courses ['kɔ:siz]
kurss 1. (*virziens*) course [kɔ:s]; **2.** (*mācību gads*) year [jiə]; **3.** (*valūtas*) rate
kurš (*jautājamais un attieksmes vietniekvārds*) who (*par cilvēku*); which (*par dzīvniekiem un priekšmetiem*); that (*tikai attieksmes vietniekvārds*)
kurvis basket ['bɑ:skit]
kūsāt to fizz [fiz], to foam [fəʊm]
kust (*par sniegu*) to thaw [θɔ:]; (*par metālu*) to melt [melt]

kustēties to move [mu:v], to stir [stɜ:]
kustība movement [ˈmu:vmənt]; motion [ˈməʊʃn]
kustīgs mobile [ˈməʊbail]
kustināt to move [mu:v]
kustonis animal [ˈænimal], beast [bi:st]
kušete couch [kaʊtʃ]
kutēt to tickle [ˈtikl]
kutināt to tickle [ˈtikl]
kūtrs idle [ˈaidl], lazy [ˈleizi]
kūts cattle-shed [ˈkætlʃəd]; aitu k. – sheepfold [ˈʃi:pfəʊld], cūku k. – pigsty [ˈpigstai]; putnu k. – hen-house [ˈhenhaʊs]
kūtsaugša hayloft [ˈheilɒft]
kvadrātiekavas square brackets [ˈbrækits]
kvadrāts square [skweə]; quadrate [ˈkwɒdrət]
kvalificēts qualified [ˈkwɒlifaid]; skilled [skild]
kvalifikācija qualification [ˌkwɒlifiˈkeiʃən]
kvalitāte quality [ˈkwɒləti]
kvartāls (*pilsētas daļa*) block [blɒk]
kvartets *mūz.* quartet[te] [kwɔ:ˈtet]
kvēlot to glow [gləʊ]
kvēpi soot [sʊt]
kviekt to squeak [skwi:k], to squeal [skwi:l]
kvieši wheat [wi:t]
kvīts receipt [riˈsi:t]

K

Ķ

ķeblis stool [stu:l]
ķecerība heresy [ˈherəsi]
ķeceris heretic [ˈherətik]
ķēde chain [tʃein]
ķeizars emperor [ˈempərə]
ķekars cluster [ˈklʌstə]; bunch [bʌntʃ]
ķekatas[a] morris [ˈmɒris] dancing [ˈdɑ:nsiŋ], mummery [ˈmʌməri]
ķekatas[b] (*koka kājas*) stilts
ķekatnieks mummer, maske [ˈmɑ:skə]
ķeksis hook [hʊk]
ķelle trowel [ˈtraʊəl]
ķemme comb [kəʊm]
ķemmēt to comb [kəʊm]
ķēmoties to fool [fu:l] about, to play the fool
ķengāties to gibe [dʒaib] (*at*)
ķengurs kangaroo [kæŋgəˈru:]
ķepa paw [pɔ:]
ķepuroties to wriggle [ˈrigl], to struggle [ˈstrʌgl]
ķērkt to caw [kɔ:]
ķermenis body [ˈbɒdi]
ķērpis lichen [ˈlaikən]
ķerra wheelbarrow [ˈwi:lˌbærəʊ]
ķert to catch* [kætʃ]; ķ. putnus – to fowl [faʊl]; ķ. zivis – to fish [fiʃ]
ķerties 1. (*tvert*) to catch* hold [həʊld] (*of*); **2.** (*uzsākt*) to set* (*to*)

ķēve mare [meə]
ķeza scrape; fix [fiks]
ķieģelis brick [brik]
ķīla 1. deposit [di'pɒzit]; **2.** (*rotaļā*) forfeit ['fɔ:fit]
ķilava sprat [spræt]
ķilda quarrel ['kwɒrəl], spat
ķildoties to quarrel ['kwɒrəl]
ķīlis wedge [wedʒ]
ķimenes (*augs*) caraway ['keərəwei]; (*sēklas*) carawayseeds
ķīmija chemistry ['kemistri]
ķīmisk||s chemical ['kemikəl]; ~ā tīrīšana – drycleaning [drai'kli:-niŋ]
ķīn||ietis (~iete) Chinese [tʃai'ni:z]
ķiploks garlic [gɑ:lik]
ķirbis pumpkin [pʌmpkin]
ķircināt to tease [ti:z]
ķirsis cherry ['tʃeri]
ķirurgs surgeon ['sɜ:dʒən]
ķirzaka lizard ['lizəd]
ķīselis [thin] jelly
ķite pytty ['pʌti]

L

labā for; for the sake [seik] of
lab||ais right [rait]; ~ā puse – right (raithand) side [said]
labāk better ['betə]
labdarība benefaction [,benifækʃn]; boon [bu:n]
labdien! hallo!; how do you do ['haʊdjə'du:]!
labi well [wel]; good [gʊd]
labība (*graudi*) corn; (*nepļauta*) crop [krɒp]
labierīcības 1. conveniences [kən'vi:niənsiz]; facilities [fə'siləti:z]; **2.** (*tualete*) toilet
labklājība welfare ['welfeə], prosperity [prɒs'perəti]
labojums correction [kə'rekʃən]
laborants laboratory assistant [ə'sistənt]
laboratorija laboratory [lə'bɒrətri], lab *sar.*
labot 1. (*kļūdu*) to correct; **2.** (*priekšmetu*) to repair [ri'peə]
laboties to reform [ri'fɔ:m]; to improve [im'pru:v]
labprāt with pleasure ['pleʒə], gladly ['glædli]
labrīt! good morning ['mɔ:niŋ]!
lab||s good; visu ~u – good-bye [gʊd'bai]!; ar ~u nakti! – good night!
labsajūta feeling ['fi:liŋ] of comfort ['kʌmfət]
labsirdīgs good-natured [,gʊd'neitʃəd]; kind-hearted [,kaind'hɑ:tid]
labums benefit ['benifit]; good [gʊd]
labvakar! good evening ['i:vniŋ]!
labvēlīgs favourable; (*par cilvēku*) kindly ['kaindli] disposed [dis'pəʊzd]
lācis bear [beə]; lāčumāte – she-bear;

pelēkais l. – grizzly ['grizli] bear; baltais l. – polar [pəʊle] bear

lāde chest [tʃest]

lādēt (*ieroci*) to load [ləʊd], to charge [tʃɑ:dʒ]

lādiņš charge [tʃɑ:dʒ]

lādzīgs good-natured [ˌgʊd'neitʃəd]

lāgiem now and then; occasionally [ə'keiʒnəli]

lai 1. let; l. tā notiek! – let it be so!; l. tev labi veicas! – good luck [lʌk] to you!; l. dzīvo! – long live!; **2.** (*apzīmē nolūku*): in order; so that; **3.**: l. gan – although [ɔ:l'ðəʊ]

laikā 1. in time; **2.**: būt l. (*par apģērbu u. tml.*) to fit [fit]

laikabiedrs contemporary [kən'tempəri]

laikam probably ['prɒbəbli], possibly ['pɒsəbli]

laikmets age [eidʒ]; epoch ['i:pɒk]

laikraksts newspaper ['nju:sˌpeipə]

laik‖s 1. time; pa to ~u – meanwhile ['mi:nwail]; pēdējā ~ā – lately; ir l. – it is time; ~a gaitā – in the course of time; kopš kura ~a? – since when?; **2.** (*meteoroloģiskais*) weather ['weðə]; **3.** *gram.* tense [tens]

laim‖e 1. happiness ['hæpinis]; vēlēt ~es – to congratulate; daudz ~es dzimšanas dienā! – happy birthday!; **2.** (*laimīgs gadījums*) luck, fortune ['fɔ:tʃən]

laimīgs happy ['hæpi]; lucky [lʌki]

laineris liner ['lainə]

laipa plank-way ['plæŋkwei], footbridge ['fʊtbridʒ]

laipnība kindness ['kaindnəs]

laipns kind [kaind], polite [pə'lait]

laist to let*; l. klajā (*grāmatu*) – to publish ['pʌbliʃ]

laisties to fly* [flai]; ◇ laisties lapās – to take* flight

laistīt to water ['wɔ:tə]

laiva boat [bəʊt]

laizīt to lick [lik]

laka varnish ['vɑ:niʃ]; matu l. – hair [heə] spray [sprei]

lakāda patent ['peitənt] leather ['leðə]

lakats (*galvas*) kerchief ['kɜ:tʃif]; (*ap kaklu*) neckerchief ['nekətʃif]

lakstīgala nightingale ['naitiŋgeil]

laksts top [tɒp]

lamatas trap [træp]

lamāties to swear* [sweə]; to call [kɔ:l] names

lampa lamp [læmp]

lapa 1. leaf [li:f]; **2.** (*papīra*) sheet

lāpa torch [tɔ:tʃ]

lāpīt to mend; (*zeķes*) to darn [dɑ:n]

lapkritis autumn ['ɔ:təm], fall [fɔ:l] *amer.*

lappuse page [peidʒ]

lapsa fox [fɒks]

lapsene wasp [wɒsp]

lāpsta spade [speid]

lāpstiņa 1. (*liekšķere*) shovel ['ʃʌvl]; **2.** *anat.* shoulder-blade ['ʃəʊldə-bleid]

lāse drop [drɒp]

lasis salmon* ['sæmən]; žāvēts l. – cured ['kjʊed] salmon

lasīt[a] to read* [ri:d]; l. lekciju – to lecture [ˈlektʃə]
lasīt[b] (*vākt*) to gather [ˈgæðə], to pick [pik]
lasītājs reader [ri:də]
lasītava reading-room [ˈri:diŋru:m]
lasītnepratējs illiterate [iˈlitərit] person [pɜ:sn]
lāsteka icicle [ˈaisikl]
lāsts curse [kɜ:s]
latvisk||s Latvian; runāt ~i – to speak* [spi:k] Latvian [ˈlætviən]
laucinieks countryman [ˈkʌntrimən], peasant [ˈpezənt]
laukā out of doors [dɔ:z]
lauki (*pretstatā pilsētai*) country [ˈkʌntri]
lauks 1. field [fi:ld]; **2.** (*zinātnes*) sphere, line [lain]
lauksaimniecība agriculture [ˈægrikʌltʃə]; farming [fɑ:miŋ]
laukums square [skweə], place [pleis], ground [graʊnd]
laulība marriage [ˈmæridʒ]
laulības wedding [ˈwediŋ]
laupīt to rob [rɒb]
laupītājs robber [ˈrɒbə]
laureāts laureate [ˈlɔ:riit]; prize [praiz] winner [ˈwinə]
lauri laurels [ˈlɒrəlz]
lauva 1. lion [ˈlaiən]; **2.** Lauva (*zvaigznājs un zodiaka zīme*) Leo [ˈli:əʊ]
lauvene lioness [ˈlaiənes]
lauvēns whelp [welp], cub [kʌb]
lauzīt to break* [breik]; ◇ lauzīt galvu – to sack one's brains [breinz]
lauzt to break* [breik]
lazda hazel [heizl]
lāzers laser [ˈleizə]
lecamaukla skipping-rope [ˈskipiŋrəʊp]
lēciens jump [dʒʌmp], leap [li:p]
lēdija lady [ˈleidi]
ledlauzis ice-breaker [ˈais,breikə]
ledus ice [ais]
ledusjahta ice-boat [ˈaisbəʊt]
leduspuķe 1. *bot.* begonia [biˈgəʊniə]; **2.** (*uz loga rūts*) ice-flower [ˈaisˈflaʊə]
ledusskapis ice-box [ˈaisbɒks]; (*liels*) refrigerator
lefkoja gillyflower [ˈdʒili,flaʊə]
legāls legal [ˈli:gəl]
leģenda legend [ˈledʒənd]
leģendārs legendary [ˈledʒəndəri]
leiborists Labourite [ˈleibərait]
leiputrija lotus-land [ˈləʊtəslænd]
leitnants lieutenant [lefˈtenənt]
lejā 1. (*lejup*) down [daʊn]; **2.** (*apakšstāvā*) downstairs [daʊnˈsteəz]
lejkanna watering-can [ˈwɔ:təriŋkæn]
lejtece lover [ˈləʊvə] (reaches of the river)
lēkāt to jump [dʒʌmp], to skip [skip]
lekcija lecture [ˈlektʃə]
lēkme attack [əˈtæk]
leksika vocabulary [vəˈkæbjuləri]
lēkt 1. to jump, to leap* [li:p], **2.** (*par sauli un mēnesi*) to rise*
lelle doll; leļļu teātris – puppet-show [ˈpʌpitʃəʊ]

L

lempīgs clumsy [ˈklʌmzi]
lemt to decide [diˈsaid]
lēmums decision [diˈsiʒən], resolution [ˌrezəˈlu:ʃən]
lēnām slowly [ˈsləʊli]
lēns slow [sləʊ]
lente 1. ribbon [ˈribən]; **2.** *tehn.* tape [teip]
lentprinteris *dat.* band printer [printə]
leņķis angle [ˈæŋgl]; taisns l. – right [rait]angle
leopards leopard [ˈlepəd]
lepnība haughtiness [ˈhɔ:tinəs]
lepns proud [praʊd]; (*iedomīgs*) haughty [ˈhɔ:ti]
lepnums pride [praid]
lepoties to be proud [praʊd] (*of*)
lete counter [ˈkaʊntə]
lēts cheap [tʃi:p]; l. pirkums – bargain [ˈbɑ:gin]
lēzens flat [flæt], shallow [ˈʃæləʊ]
liberāls liberal [ˈlibərəl]
līcis gulf [gʌlf], bay [bei]
līdaka pike [paik]
lidmašīna aeroplane [eərəplein], aircraft [ˈeəkrɑ:ft]; airplane *amer.*
lidojums flight [flait]
lidosta airport [ˈeəpɔ:t]
lidot to fly* [flai]
lidotājs pilot [ˈpailət], flier [ˈflaiə]
līdums clearance [ˈkliərəns]
līdz 1. (*norādot laiku*) till, until; **2.** (*norādot vietu*) as far as
līdzās nex to
līdzāspastāvēšana coexistence [ˌkəʊigˈzistəns]
līdzdalība participation [pɑ:tisiˈpeiʃn]
līdzeklis means [mi:nz]
līdzenums plain [plein]
līdzi with [wið]
līdzība resemblance [riˈzembləns], likeness [ˈlaiknəs]
līdzīg‖**s** alike [əˈlaik]; similar; ~i likewise [ˈlaikwaiz]
līdzināties to resemble [riˈzembl]; to be* like
līdzjūtīgs compassionate [kəmˈpæʃnət], sympathetic
līdzskanis consonant [ˈkɒnsənənt]
līdzstrādnieks (*žurnāla, laikraksta*) contributor, correspondent; zinātniskais l. – research [riˈsɜ:tʃ] associate [əˈsəʊʃiit]
līdzstrāva *el.* direct current [ˈkʌrənt]
līdzsvars balance [ˈbæləns]
liecība 1. evidence [ˈevidəns]; **2.** (*skolēna*) term's report
liecināt to give* evidence
liecinieks witness [ˈwitnəs]
liedags beach [bi:tʃ]
liegs gentle [ˈdʒentl]
liegties to deny [diˈnai]
lieks 1. superfluous [sju:ˈpɜ:flʊəs], odd [ɒd]; **2.** (*pārpalicis*) spare [speə]
liekšķere shovel [ˈʃʌvl]
liekt to bend*, to bow [baʊ]
liekties to bend*, to bow [baʊ]
liekulība hypocrisy [hiˈpɒkrəsi]
liekulis hypocrite [ˈhipəkrit]
lielceļš highway [ˈhaiwei]
Lieldien‖**as** Easter [ˈi:stə]; ~u – paschal [ˈpɑ:skl]

lielgabals gun [gʌn]
lielīgs boastful ['bəʊstfəl]
lielisk||s excellent, splendid; ~i! – well done!
lielīties to boast [bəʊst]; to brag
liellopi cattle [kætl]
lielpilsēta city ['siti]
liels big; large; great [greit]; ◇ liela brēka, maza vilna – much ado [ə'diu] about nothing ['nʌθiŋ]
lielvalsts power ['paʊə], state [steit]
liepa lime [laim]
liesma flame [fleim]
liesmot to flame [fleim]
liess lean [li:n]
liet 1. (*šķidrumu*) to pour [pɔ:]; **2.** (*metālu*) to found [faʊnd], to cast*
liet||a 1. thing [θiŋ]; **2.** *jur.* case [keis]; ierosināt ~u pret kādu – to bring* an action against smb.
lietains rainy ['reini], wet
lietderība usefulness ['ju:sfəlnəs]
lietišķ||s 1. matter-of-fact; runāt ~i – to talk [tɔ:k] to the point; **2.**: ~ā māksla – applied art
lietojumpakotne *dat.* application package ['pækidʒ]
lietojumprocess *dat.* application process
lietojumprogrammatūra *dat.* application software ['sɒftweə]
lietošana use [ju:s]
lietot to use [ju:z]
lietus rain [rein]
lietusgāze heavy ['hevi] shower ['ʃaʊə]
lietusmētelis raincoat ['reinkəʊt]
lietussargs umbrella, brolly *sar.*
lietvārds *gram.* noun [naʊn]
lievenis porch [pɔ:tʃ]
lifts lift; elevator ['eliveitə] *amer.*
līgava bride [braid]; fiancee [fi'ɒnssei]
līgavainis bridegroom ['braidgrʊm], fiance [fi'ɒnsei]
līgoties to sway [swei], to swing*
līgum||s agreement [ə'gri:mənt]; treaty ['tri:ti]; noslēgt ~u – to conclude a treaty
ligzda nest [nest]; vīt ligzdu – to build* a nest
līkne curve [kɜ:v]
līks crooked ['krʊkid]
līksmot to rejoice [ri'dʒɔis]
līksms joyous ['dʒɔiəs]
liksta trouble [trʌbl]
likt[a] to put* [pʊt], to place [pleis]
likt[b] (*pavēlēt*) to order; to make*
liktenis fate [feit], destiny ['destini]
likties to seem [si:m], to appear [ə'piə]
likumdevējs legislator ['ledʒisleitə]
likumīgs lawful ['lɔ:fəl]
likums 1. law; **2.** (*noteikums*) rule [ru:l]
līkums 1. curve [kɜ:v]; **2.** (*apkārtceļš*) detour ['di:tʊə]
likvidēt to abolish [ə'bɒliʃ]
liķieris liqueur [li'kjʊə]
līķis corpse [kɔ:ps]; ◇ iet pāri līķiem – to stop at nothing
lilija lily ['lili]
līme glue [glu:], paste [peist]
līmenis level ['levl]; dzīves l. – living standard

L

līmēt to glue [glu:], to paste [peist]
limonāde lemonade ['lemәneid]
lineāls ruler ['ru:lә]
lini flax [flæks]
līnija line [lain]; līka l. – curve; lauzta l. – broken line
līnijpapīrs ruled(lined) paper
lipīgs 1. sticky; **2.** (*par slimību*) contagious [kәn'teidʒәs], catching ['kætʃiŋ] *sar.*
lipt to stick* (*to*)
lirika poetry ['pәʊәtri]
līst to creep*, to crawl [krɔ:l]
lišķīgs ingratiating [in'greiʃieitiŋ]
līšus crawling ['krɔ:liŋ]
līt 1. to flow [flәʊ], to pour [pɔ:]; **2.** (*par lietu*) to rain [rein]
literatūra literature ['litrәtʃә]
litrs litre ['li:tә]
loceklis 1. (*ķermeņa*) limb [lim]; **2.** (*sabiedrības*) member ['membә]
locījums *gram.* case [keis]
lociņi spring [spriŋ] onions ['ʌnjәns]
locīt to bend*, to fold [fәʊld]
locītava *anat.* joint [dʒɔint]
lode 1. ball [bɔ:l]; **2.** (*ieroču*) bullet ['bʊlit]; **3.** *sp.* shot [ʃɒt]
logs window ['windәʊ]
loģisks logical ['lɒdʒikl]
lokans flexible ['fleksibl]
loki spring onions ['ʌnjәnz]
lokomotīve engine ['endʒin]
loks bow [bәʊ]; arch [ɑ:tʃ]
loksne sheet [ʃi:t]
lolot to cherish [tʃeriʃ]
loma part, role [rәʊl]
loms catch [kætʃ]
lopkopība cattle-breeding ['kætlbri:diŋ]
lopkopis cattle-breeder ['kætlbri:dә]
lops beast [bi:st], animal [æniml]
lords lord [lɔ:d]
loterija lottery, raffle ['ræfl]
loze lot; lottery ticket [tikit]
ložņāt to crawl [krɔ:l]
lūdzu! please [pli:z]!; (*pasniedzot*) here you are!
luga play [plei]
lūgt to ask [ɑ:sk], to beg; l. atļauju – to ask permission; l. padomu – to ask for advice
lūgumraksts petition [pi'tiʃn]
lūgums request [ri'kwest]
lūkoties to look (*at*)
luksofors traffic lights [laits] *dsk.*
luncināt: l. asti – to wag [wæg] one's tail [teil]
lūpa lip [lip]; ◇ uzmest lūpu – to pout [paʊt]
lupata rag [ræg]
lūsis bobcat ['bɒbkæt]
luterānis Lutheran ['lu:θәrәn]
lutināt to spoil*, to pamper ['pæmpә]
lūzt to break* [breik]
lūzums breach [bri:tʃ]; (*kaula*) fracture ['fræktʃә]
lūžņi scrap [skræp], waste [weist] *vsk.*

Ļ

ļaudis people [ˈpi:pl]
ļaundabīgs *med.* malignant [məˈlignənt]; ļ. audzējs – malignant tumour [ˈtju:mə]
ļaunprātīgs malicious [məˈliʃəs]
ļauns evil [ˈi:vl], wicked; vicious [ˈviʃəs]
ļaunums harm [hɑ:m], evil [ˈi:vl]
ļaut to allow [əˈlaʊ], to let*, to permit [pəˈmit]
ļimt to collapse [kəˈlæps], to sink [sink] down
ļipa scut [skʌt]
ļodzīties to sway [swei]; (*par mēbelēm*) to be rickety
ļoti very, greatly [ˈgreitli]; very much; ļ. pateicos – thank you very much; man ļ. žēl – I am awfully sorry

M

māceklis apprentice [əˈprentis]
mācēt to know* [nəʊ] how [haʊ]; can
mācīb||a 1. (*teorija*) teaching [ˈti:tʃiŋ]; doctrine; **2.**: ~as (*augstskolā u. tml.*) – studies [ˈstʌdiz]; ~u plāns – curriculum*; ~u gads – 1) (*skolā*) schoolyear [ˈsku:ljiə]; 2) (*augstskolā*) academic year; ~u līdzekļi – teaching aids
mācīt to teach* [ti:tʃ]; to train [trein]
mācītājs clergyman* [ˈklɜ:dʒimən], pastor [ˈpɑ:stə]
mācīties to learn* [lɜ:n]; to study [ˈstʌdi]
magnetofons tape-recorder [ˈteipriko:də]
magnēts magnet [ˈmægnit]
magone poppy [ˈpɒpi]
maģistrāle highway [ˈhaiwei]
maģistrs master [ˈmɑ:stə]
maigs gentle [dʒentl], tender [ˈtendə], soft [sɒft]
maijs May [mei]
maijvabole charfer [ˈtʃeifə]
mainīgs changeable [ˈtʃeindʒəbl]
mainīt to change [tʃeindʒ]; (*grozīt*) to alter [ɔ:ltə]
mainīties 1. (*apmainīties*) to exchange [iksˈtʃeindʒ]; **2.** (*grozīties*) to alter [ɔ:ltə]
maiņa 1. exchange [iksˈtʃeindʒ]; **2.** (*darbā*) shift [ʃift]
maisījums mixture [ˈmikstʃə], medley [ˈmedli]
maisīt (*sajaukt*) to mix; (*apmaisīt*) to stir [stɜ:]
maiss sack [sæk]; bag [bæg]
maize bread [bred]; klona m. – country bred; pašcepta m. – home-made bred; rudzu m. – rye bread
maizīte bun [bʌn], roll [rəʊl]
maiznīca baker's [shop], bakery [ˈbeikəri]
māj||a house [haʊs]; (*ģimenes mītne*) home; būt ~ās – to be at home, to

be in *sar.*; nebūt ~ās – not to be at home, to be out *sar.*; palikt ~ās – to stay at home

mājiens (*ar acīm*) wink; (*ar galvu*) nod; (*ar roku*) wave [weiv]

mājīgs cosy [ˈkəʊzi]

mājlopi domestic animals [ˈænimәlz]

majonēze mayonnaise [meiəˈneiz]

mājsaimniece housewife [ˈhaʊswaif]

mājsaimniecība household, housekeeping [ˈhaʊski:piŋ]

māka knowledge [ˈnɒlidʒ], skill; know-how [ˈnəʊhaʊ] *sar.*

makaroni macaroni [ˌmækəˈrəʊni]

makets model [mɒdl]; mock-up [ˈmɒkʌp] *sar.*

mākonis cloud [klaʊd]

maks purse [pз:s]

maksa pay [pei]; fee [fi:]; īres m. – rent; ieejas m. – admission fee

M

maksājums payment [ˈpeimənt]; m. skaidrā naudā – payment in cash; avansa m. – advance payment

maksāt 1. to pay [pei]; **2.** (*par cenu*) to cost*

maksimāls maximum [ˈmæksiməm]

māksla art [ɑ:t]; lietišķā m. – decorative [ˈdekərətiv] arts

mākslīg||s artificial [ˌɑ:tiˈfiʃəl]; ~ā šķiedra – synthetic (man-made) fibre; ~ie zobi – false [fɔ:ls] teeth [ti:θ]

mākslinieciski artistic [ɑ:ˈtistik]

mākslinieks artist [ɑ:tist]

mākslots artificial [ˌɑ:tiˈfiʃəl]; (*par izturēšanos*) affected

makšķere fishing-rod [ˈfiʃiŋrɒd]

makšķerēt to angle [ˈæŋgl]; to fish

makulatūra spoilage [ˈspɔilidʒ], wastepaper [ˈweistpeipə]

mala 1. edge [edʒ]; (*meža*) border; (*trauka u. tml.*) rim; **2.** (*lappuses*) margin [ˈmɑ:dʒin]

maldīgs erroneous [iˈrəʊniəs], false [fɔ:ls]

maldināt to deceive [diˈsi:v]

maldīties 1. (*nezinot ceļu*) to get* lost, to lose* one's way; **2.** *pārn.* to be mistaken

malka firewood [ˈfaiəwʊd]

malks sip; gulp; mouthful [ˈmaʊθfʊl]

māllēpe *bot.* coltsfoot [ˈkəʊltsfʊt]

māl||s clay [klei]; ~a trauki – crockery, pottery [ˈpɒtəri]

malt 1. to grind* [graind]; (*gaļu*) to mince [mins]; **2.** (*par kaķi*) to purr [pз:]

maltīte meal [mi:l]

mandarīns tangerine [ˌtəndʒəˈri:n]

mandāts mandate [ˈmændeit]

mandele 1. *bot.* almond [ˈɑ:mənd]; **2.** *anat.* tonsil

maniere manner [ˈmænə]; style [stail]

manifests manifesto [mæniˈfestəʊ]

manikīr||s manicure [ˈmænikjʊe]; taisīt ~u – to do* one's nails

manipulēt to manipulate [məˈnipjʊleit]

manīt to notice [ˈnəʊtis]

mānīt to deceive [diˈsi:v]; to cheat [tʃi:t]

manna semolina [ˌseməˈli:nə]

mans my; mine [main]

mant||a 1. (*īpašums*) property [ˈprɒpəti]; **2.** (*bagātība*) fortune

[ˈfɔ:tʃən]; **3.**: ~as – belongings [biˈlɒŋgiŋz]
mantinieks heir [eə], legatee [legəˈti:]
mantkārīgs greedy [gri:di]
mantojums inheritance; *pārn.* heritage
mantot to inherit [inˈherit]
mantrausība avarice [ˈævəris]
manufaktūra textiles *dsk.*; drapery [ˈdreipəri]
manuskripts manuscript [ˈmænjʊskript]
māņticīgs superstitious [ˌsu:pəˈstiʃəs]
mape folder [ˈfɒldə]; (*dokumentu*) case [keis]
maratonskrējiens *sp.* Marathon [race]
mārciņa pound [paʊnd]
margarīns margarine [ˌmɑ:dʒəˈri:n], marge *sar.*
margas railing [ˈreiliŋ]; (*kāpņu*) banisters [ˈbænistəz]
margrietiņa daisy [ˈdeizi]
marihuāna marijuana; pot [pɒt]; hemp *sar.*
marinēt to pickle [pikl]
mārīte ladybird [ˈleidibɜ:d]
marka 1. stamp [stæmp]; **2.** (*šķirne*) brand [brænd]
marle gauze [gɔ:z]
marmelāde candied fruit [fru:t] jelly, marmalade [ˈmɑ:məleid]
marmors marble [mɑ:bl]
mārrutks horse-radish [ˈhɔ:srædiʃ]
maršals marshal [ˈmɑ:ʃl]
maršruts route [ru:t]
marts March [mɑ:tʃ]
masa mass; (*mīksta*) pulp [pʌlp]
māsa 1. sister [ˈsistə]; **2.** (*medicīnas*) trained [treind] nurse [nɜ:s]
masalas measles [ˈmi:zlz]
masaliņas German measles [ˈmi:zlz]
mas‖as the masses [ˈmæsiz]; ~u informācijas līdzekļi – mass media [ˈmi:diə]; ~u produkcija – large-scale production
māsasdēls nephew [ˈnevju:]
māsasmeita niece [ni:s]
māsasvīrs brother-in-law [ˈbrʌðərinlɔ:]
masāža massage [ˈmæsɑ:ʒ]
māsīca cousin [ˈkʌzn]
masīvs *īp. v.* bulky [ˈbʌlki], massive; *dat.* array
mask‖a mask; ~u balle – fancydress ball
maskēt to disguise [disˈgaiz]
masts mast [mɑ:st]
mašīna 1. machine [məˈʃi:n]; engine [ˈendʒin]; **2.** car *sar.*
mašīnists engine-driver [ˈendʒindraivə]
mašīnrakstītāja typist [ˈtaipist]
māt (*ar roku*) to wave; (*ar galvu*) to nod
māte mother [ˈmʌðə]
matemātika mathematics [mæθəˈmætiks], math *sar.*
materiālisms materialism
materiāls[a] *lietv.* **1.** material [məˈtiəriəl]; stuff; **2.** (*audums*) fabric, cloth [klɒθ]
materiāl‖s[b] *īp. v.* material; ~ais stāvoklis – financial position
matērija matter [ˈmætə]
Mātes diena Mother's Day

M

matracis mattress ['mætrəs]
matrozis sailor ['seilə]
mat||s hair [heə]; ~i – hair; gaiši ~i – fair [feə] hair; bez ~iem – hairless; ◇ plēst matus – to tear* one's hair
mauriņš lawn [lɔ:n]
maut to bellow ['beləʊ], to moo [mu:]
maz (*ar lietvārdu vienskaitlī*) little [litl]; (*ar lietvārdu daudzskaitlī*) few [fju:]
mazākais 1. (*no diviem*) the smaller ['smɔ:lə]; (*no vairākiem*) the smallest; the least [li:st]; **2.** (*vismaz*) at least [li:st]
mazākums minority [mai'nɒrəti]
mazbērn||s 1. baby; ~u novietne – day-nursery; **2.** grandchild ['græntʃaild]
mazdēls grandson ['grænsʌn]
mazgāšana washing; (*veļas*) laundering ['lɔ:ndəriŋ]
mazgāt to wash [wɒʃ]; (*veļu*) to launder; (*traukus*) to wash up; ◇ mazgāt kādam galvu – to scold smb., to dress smb. down
mazgātava (*veļas*) laundry ['lɔ:ndri]
mazgāties to wash [oneself]
mazliet a little, a bit
mazlietots almost new [nju:]
mazmeita granddaughter ['græn,dɔ:tə]
maznozīmīgs unimportant [ʌnim'pɔ:tənt]
mazotne childhood ['tʃaildhʊd]
mazrunīgs taciturn ['tæsitɜ:n], reserved [ri'zɜ:vd]
mazs little, small [smɔ:l]
mazulis little one; baby ['beibi]
mazumiņš little bit
mazumtirdzniecība retail ['ri:teil] trade [treid]
mazvērtīgs of little value ['vælju:]
mēbele piece [pi:s] of furniture ['fɜ:nitʃə]; ~es – furniture *vsk.*
mēbelēt to furnish ['fɜ:niʃ]
medains honeyed ['hʌnid]; ◇ medainā balsī – honey-tongued ['hʌnitʌŋd]
medaļa medal ['medl]
mediāna *mat.* median ['mi:diən]
medības hunt, hunting ['hʌntiŋ]
medicīna medicine ['medsn]; tautas m. – ethnoscience ['eθnəʊsains]; tiesu m. – medical ['medikl] jurisprudence [dʒʊeris'pru:dəns]
medicīnisks medical ['medikl]
medījums game [geim]
medikamenti drugs [drʌg], medicine
medīt to hunt [hʌnt]
mēdīt to ape [eip], to mimic ['mimik]
mednieks hunter ['hʌntə]; malumednieks – poacher ['pəʊtʃə]; meitumednieks – *pārn.* skirt [skɜ:t] chaser [tʃeisə] *amer.*
mednis capercaillie [kæpə'keili], wood [wʊd] grouse [graʊs]; ◇ labāk zīle rokā nekā mednis kokā – a bird in the hand is worth two in the busts
medus honey ['hʌni]; liepu m. – lime-blossom ['blɒsəm] honey; sūnu m. – honey in combs [kəʊmz]; mutē medus, sirdī ledus – soft of

speach, hard of heart; m. mēnesis – honeymoon [ˈhʌnimu:n]

mēgt to be used (*to*); to be in the habit (*of*)

mēģinājums **1.** experiment, test; **2.** trial [ˈtraiəl], attempt; **3.** *teātr.* rehearsal [riˈhɜ:səl]

mēģināt **1.** to experiment; **2.** to try, to attempt; **3.** *teātr.* to rehearse [riˈhɜ:s]

mehānika mechanics [məˈkæniks]

mehānisms mechanism [ˈmekənizəm]

mehanizēt to mechanize [ˈmekənaiz]

meistarība **1.** skill; mastery [ˈmɑ:stəri]; (*darbā*) mastership [ˈmɑ:stəʃip]; **2.** (*sportā*) championship [ˈtʃæmpiənʃip]

meistars **1.** (*rūpnīcā*) foreman [ˈfɔ:mən]; **2.** (*lietpratējs*) expert, master [ˈmɑ:stə]

meistarsacīkstes championship [ˈtʃæmpiənʃip]

meita daughter [ˈdɔ:tə]

meitasvīrs son-in-law [ˈsʌninlɔ:]

meitene girl [gɜ:l]

meklēt to search [sɜ:tʃ] (*for*); to look (*for*)

meldri bulrush [ˈbʊlrʌʃ] *vsk.*

mēle **1.** tongue [tʌŋ]; **2.** (*zvanu*) clapper [ˈklæpə]; ◇ veikla m. – ready tongue; turēt mēli aiz zobiem – to hold* one's tongue; mēles galā – on the tip of one's tangue

meli lie [lai]

melīgs false [fɔ:ls]

melis liar [ˈlaiə]

mellene bilberry [ˈbilbəri]

melns black [blæk]

melodija melody, tune [tju:n]

melone melon [ˈmelən]

melot to lie [lai], to tell* lies [laiz]

mēms dumb [dʌm], mute [mju:t]; ◇ mēms kā zivs – close [kləʊz] as an oyster [ˈɔistə]

menca cod [kɒd]

mēnesis month [mʌnθ]

mēnesnīca moonshine [ˈmu:nʃain]

mēness moon [mu:n]; augošs m. – increasing [inˈkri:siŋ] moon; dilstošs m. – decreasing [ˈdi:kri:siŋ] moon; pilns m. – full moon

mēnešalga salary [ˈsæləri]

mente stirrer [ˈstɜ:rə]

mērce gravy [ˈgreivi]; (*gaļas*) sauce [sɔ:s]; (*salātu*) dressing [ˈdresiŋ]

mērcēt to soak [səʊk]

mērens moderate, temperate [tempərət]

mērīt to measure [ˈmeʒə]; m. temperatūru – to take* the temperature

mērkaķis monkey [ˈmʌŋki], ape [eip]

mērķēt to aim [eim] (*at*)

mērķis **1.** (*šaušanā*) target [ˈtɑ:git]; **2.** aim [eim]; goal [gəʊl]; (*nolūks*) purpose; **3.** *sp.* finish [ˈfiniʃ], goal

mērķtiecīgs purposeful [ˈpɜ:pəsfəl]

mērogs scale [skeil]

mērs **1.** measure [ˈmeʒə]; **2.** *pārn.* limit [ˈlimit]; **3.** measurements [ˈmeʒəmənts] *dsk.*

mēs we

mēsli **1.** manure [məˈnjʊə]; dung [dʌŋ]; (*mākslīgie*) fertilizer

M

[ˈfɜ:tilaizə]; **2.** (*atkritumi*) refuse [ˈrefju:s]; rubbish [ˈrʌbiʃ]
mest to throw* [θrəʊ]; to cast*
mesties to throw* [θrəʊ] oneself (*at, upon*)
metāllūžņi scrap-iron [ˈskræpˌaiən]
metāl||s metal [ˈmetl]; krāsainie ~i – non-ferrous [nɒnˈferəs] metals
metalurģija metallurgy [məˈtælədʒi]
mētāt to toss [tɒs]
mētelis overcoat [ˈəʊvəkəʊt]; lietusmētelis – mackintosh [ˈmækintɒʃ], raincoat [ˈreinkəʊt]
meteors meteor [ˈmi:tiə]
metiens 1. (*mazuļu*) litter [ˈlitə]; **2.** *poligr.* edition [əˈdiʃn]
metināt to weld [weld]
metode 1. method [ˈmeθəd]; **2.** *ek.* approach [əˈprəʊtʃ]
M
metro underground [ˈʌndəgraʊnd]; subway *amer.*; (*Londonā*) tube [tju:b] *sar.*
metrs metre [ˈmi:tə]
Mežāzis *astr.* (*zvaigznājs un zodiaka zīme*) Capricorn [ˈkæprikɔ:n]
mezgls 1. knot [nɒt]; **2.** (*dzelzceļa u. tml.*) junction [ˈdʒʌŋkʃn]
mežābele crab-tree [ˈkræbtri:]
mežābols crab [kræb]
mežacūka wild [waild] boar [bɔ:]
mežģīnes lace [leis]
mežkopība forestry [ˈfɒristri]
mežonīgs wild [waild], savage [ˈsævidʒ]
mežrags *mūz.* French horn [hɔ:n]
mežrozīte *bot.* sweetbriar [ˈswi:tbraiə], briar-rose [ˈbraiərəʊz]
mežs wood [wʊd]; forest [ˈfɒrist]
mežsargs forester [ˈfɒristə]
mežstrādnieks woodman [ˈwʊdmən]
mīcīt to knead [ni:d]
mīdīt to trample [træmpl], to tread* [tred]
midzenis den, lair [leə]
miegains sleepy, drowsy [ˈdraʊzi]
miegazāles somnifacient [ˌsɒmniˈfeiʃnt]
mieg||s sleep [sli:p]; ~a zāles – soporific [sɒpəˈrifik], sleeping drug [drʌg]
mieloties to feast [fi:st]
mierīgs quiet [ˈkwaiət], calm [kɑ:m]; cool [ku:l]
mierinājums comfort [ˈkʌmfət], consolation [kɒnsəˈleiʃn]
mierināt to comfort [ˈkʌmfət], to console [kənˈsəʊl]
miermīlīgs peaceful [ˈpi:sfl], pacific [pəˈsifik]
miers peace [pi:s]; calm, stillness
miesa flesh [fleʃ]; body [ˈbɒdi]
miesassods corporal [ˈkɔ:prəl] punishment [ˈpʌniʃmənt]
miesnieks butcher [ˈbʊtʃə]
miests hamlet [ˈhæmlit]
miets pole [pəʊl]
miež||i barley [ˈbɑ:li]; ~u putraimi – barley groats [grəʊts]
miga den, lair [leə]
migla fog; mist [mist]; ceļas m. – the mistis rising [ˈraiziŋ]; m. izklīst – the mist is clearing [ˈkliəriŋ] away [əˈwei]; ◇ dzīvot kā pa miglu – to be* in a fog

miglains foggy; misty; *pārn.* vague [veig]

mīkla[a] *kul.* dough ['dəʊ], pastry ['peistri]

mīkla[b] **1.** riddle [ridl], puzzle [pʌzl]; **2.** (*noslēpums*) mystery ['mistri], enigma [i'nigmə]

mīklains mysterious [mis'tiəriəs], puzzling ['pʌzliŋ]

mikroautobuss minibus ['minibʌs]

mikrobs microbe ['maikrəʊb]

mikrofons microphone ['maikrəfəʊn], mike *sar.*

mikroskops microscope ['maikrəskəʊp]

mikseris mixer ['miksə]

mīkst||s soft; ~ais krēsls – easy chair [tʃeə]; ~a maize – fresh [freʃ] bread [bred]

miķelīte aster ['æstə]

Miķeļdiena Michaelmas ['miklməs]

mīla love [lʌv]; ~s dēka – love affair [ə'feə]

mīlestība love [lʌv]

mīlēt to love [lʌv]; to be* in love

mīlīgs lovely ['lʌvli], sweet [swi:t]

milimetrs milimetre ['milimi:tə]

militārs military ['militəri]

miljonārs millionaire [,miljə'neə]

milti flour ['flaʊə]; kartupeļu m. – potato-starch [pə'teitəʊstɑ:tʃ]; ◇ samalt miltos – to make* mincemeat ['minsmi:t] (*of smb.*)

mīlulis darling ['dɑ:liŋ]; pet

milzīgs huge [hju:dʒ]; immense [i'mens]

milzis giant ['dʒaiənt]

milzums great [greit] amount [ə'maʊnt] (*of*)

mīļš dear [diə]; m. sveicieni! – kind [kaind] regards!

mīna mine [main]

minerāls mineral ['minrəl]

minerālūdens mineral water ['wɔ:tə]

minēt 1. (*mīklu*) to guess [ges]; **2.** (*pieminēt*) to mention ['menʃn]

ministrija ministry ['ministri]; department *amer.*; Ārlietu m. – (*Anglijā*) Foreign ['fɒrin] Office; (*ASV*) State Department; Finanšu m. – (*Anglijā un ASV*) Treasury ['treʒəri]

ministrs Minister ['ministə]; Secretary ['sekritri]

mīnus *mat.* minus ['mainəs]

minūt||e minute ['minit]; bez divdesmit ~ēm pieci – twenty to five; desmit ~es pāri trijiem – ten minutes past three

mirdzēt to glitter ['glitə]; to sparkle [spɑ:kl]; (*par zvaigznēm*) to twinkle ['twiŋkl]

mirdzošs glittering ['glitəriŋ]; sparkling ['spɑ:kliŋ]

miris dead [ded]

mirklis moment ['məʊmənt]

mirt to die [dai]

mirte myrtle ['mɜ:tl]

mise: Sv. Mise – *rel.* Mass, mass [mæs]

misija mission ['miʃn]

misiņš brass [brɑ:s]

mīt to tread* [tred]

mitēties to stop, to leave* [li:v] off

M

mītiņš meeting; (*masu*) rally [ˈræli]
mitrs[a] moist, damp [dæmp]
mitrs[b] moist [mɔist], humid [ˈhju:mid], damp [dæmp]
mitrums humidity [hju:ˈmiditi], dampness [ˈdæmpnis]
mīts myth [miθ]
miz||a (*koka*) bark; (*augļa*) peel [pi:l], skin; (*nolobītas*) ~as – parings
mizot (*augļus*) to peel, to pare [peə]
mocība torment [ˈtɔ:mənt]
mocīt **1.** to torment; **2.** *pārn.* to worry [ˈwʌri]
mocīties to suffer [ˈsʌfə] pain (torment)
mode fashion [ˈfæʃn], vogue [vəʊg]
modelis model [ˈmɒdl]
modernizācija modernisation [mɒdənaiˈzeiʃn]
moderns **1.** modern [ˈmɒdn]; advanced [ədˈvɑ:nst]; up-to-date; **2.** fashionable [ˈfæʃnəbl]
modināt **1.** to wake*; **2.** *pārn.* to awaken, to arouse [əˈraʊz]
modinātājs (*pulkstenis*) alarmclock [əˈlɑ:mklɒk]
modrība vigilance [ˈvidʒiləns]
modrs unsleeping [ˌʌnˈsli:piŋ], alert [əˈlɜ:t]
mokas torment [ˈtɔ:mənt]
moments moment [ˈməʊmənt]
monarhija monarchy [ˈmɒnəki]
monēta coin [kɔin]
monitors monitor [ˈmɒnitə]
monolīts *īp. v.* monolithic [mɒnəˈliθik]
monologs monologue [ˈmɒnəlɒg]
monopols monopoly [məˈnɒpəli]
montāža **1.** assembling, mounting [ˈmaʊntiŋ]; **2.** (*filmas*) cutting [ˈkʌtiŋ]
montēt to assemble, to mount [maʊnt]
mopsis pug-dog [ˈpʌgdɒg]
morāle morality [məˈræləti]
morāls moral [ˈmɒrəl]
morfijs morphine [ˈmɔ:fi:n]
mosties to wake* up
motocikls motorcycle [ˈməʊtəsaikl], motorbike [ˈməʊtəbaik] *sar.*
motokross scramble [skræmbl], motocross
motorollers scooter [ˈsku:tə]
motors engine [ˈendʒin], motor [ˈməʊtə]
možs alert [əˈlɜ:t], lively [ˈlaivli]
muca barrel [ˈbærəl]
muciņprinteris *dat.* barrel printer [ˈprintə]
mudināt to urge [ɜ:dʒ], to stimulate [ˈstimjuleit]
mudžēt to abound [əˈbaʊnd] (*in*)
mugura back [bæk]
mugurkauls spine [spain], backbone
mugurpuse backside [ˈbæksaid], back
mugursoma knapsack [ˈnæpsæk], rucksack [ˈrʌksæk]
muita customs *dsk.*; duty [ˈdju:ti]
muitot to tax [tæks]
muiža estate [iˈsteit]
muižnieks landlord, squire [ˈskwaiə]
muklājs bog [bɒg], swamp [swɒmp], marsh [mɑ:ʃ]
mūks monk [mʌŋk]
mūķene nun [nʌn], sister [ˈsistə]
mulsināt to bewilder [biˈwildə]

M

multiplikācij‖a: ~as filmas – animated cartoon

muļķīb‖a folly; runāt ~as – to talk [tɔ:k] nonsense; ~as! – rubbish!, rot!

muļķīgs foolish [ˈfu:liʃ], stupid [ˈstju:pid], silly [sili]

muļķis fool [fu:l]

mundrs lively, brisk [brisk]

munīcija *mil.* ammunition [æmjuˈniʃn]

municipāls municipal [mju:nisipl]

mūrēt to build* [bild] in bricks [briks]

murgi nightmares [ˈnaitmeəz]; (*drudža*) ravings [ˈreiviŋz]

murgot to rave [reiv]

mūris brick (stone) wall [wɔ:l]

murmināt to murmur [ˈmɜ:mə], to mumble [ˈmʌmbl]

mūrnieks mason, bricklayer [ˈbrik,leiə]

murrāt to purr [pɜ:]

mūsdienu- contemporary [kənˈtempəreri]; later-day [ˈlætədei]

musināt to instigate [ˈinstigeit], to incite [inˈsait]

muskatrieksts nutmeg [ˈnʌtmeg]

muskulis muscle [ˈmʌsl]

mūsu our; ours

muša fly [flai]

mušmire toadstool [ˈtəʊdstu:l]

mute mouth [maʊθ]

mutisks oral [ˈɔ:rəl]

muzejs museum [mju:ˈziəm]

mūzika music [ˈmju:zik]

mūziķis musician [mju:ˈziʃən]

mūzikls musical [ˈmju:zikl]

mūžība eternity [iˈtɜ:nəti]

mūžīgs eternal [iˈtɜ:nl], everlasting [,evəˈlɑ:stiŋ]

mūžs life [laif]; age [eidʒ]

mūžzaļš evergreen [ˈevəgri:n]

N

N

naba navel [ˈneivl]

nabadzība poverty [ˈpɒvəti], need [ni:d]

nabadzīgs poor [pʊə], needy [ˈni:di]

nācija nation [neiʃn]; ANO – United [ju:naitid] Nations Organization [ɔ:gənaizeiʃn], UNO

nacionāls national [ˈnæʃənəl]

nafta oil [ɔil], petroleum [piˈtrəʊliəm]

naftasvads pipeline [ˈpaiplain]

nagl‖a nail [neil]; iedzīt ~u – to drive in a nail

nags (*cilvēka*) nail [neil]; (*zirga*) hoof [hu:f]; (*putna*) talon [ˈtælən]; ◇ dabūt pa nagiem – to get* a rap on the knuckles

naidīgs hostile [hɒstail]

naids hate, hatred [ˈheitrid]

nākamais next [nekst]

nākotne future [ˈfju:tʃə]

nākt to come* [kʌm]

nakt‖s night [nait]; Jaungada n. – watch-night; pa ~i – by night; ar labu ~i! – good night!

naktsgaldiņš bed-side table [teibl]
naktskrekls night-gown [ˈnaitgaʊn]
naktslampa night-light [ˈnaitlait]
naktsmājas shelter for the night [nait]
naktsvijole wild [waild] orchid [ˈɔ:kid]
namamāte hostess [ˈhəʊstəs]
namatēvs host [həʊst]
nams house [haʊs]
narcise narcissus [nɑ:ˈsisəs]
narkomāns addict [ˈædikt], druggie [ˈdrʌgi] *sar.*
narkotika narcotic [nɑ:ˈkɒtik]; drug [drʌg] *sar.*
narkoze anaesthesia [ˌænisˈθi:ziə]
nāss nostril [ˈnɒstril]
nasta burden [bɜ:dn]; weight [weit]
nātre nettle [netl]; baltās ~s – dead-nettle [ˈdednetl]
nauda money [ˈmʌni]; skaidra n. – cash [kæʃ]; maksāt skaidrā naudā – to pay in cash; ◇ ne par kādu naudu – not for love for money
naudīgs rich [ritʃ], wealthy [ˈwelθi]
naudassods fine [fain]
nav no [nəʊ], not [nɒt]
nāve death [deθ], decease [diˈsi:s]
nāvessods capital punishment [ˈpʌniʃmənt]
nāvīgs fatal [ˈfeitl], mortal [ˈmɔ:tl]
nāvinieks prisoner [ˈpriznə] sentenced [ˈsentənst] to death [deθ]
nazis knife [naif]
ne not; ne ..., ne ... – neither [ˈnaiðə] ... nor; nemaz ne – not at all; vēl ne – not yet; vai ne? – isn't it so?
nē no [nəʊ]
neaicināts unasked [ʌnˈɑ:skt]
neaizmirstule *bot.* forget-me-not [fəˈgetminɒt]
neaizsalstošs ice-free [ˈaisfri:]
neapdāvināts untalented; (*mācībās*) dull [dʌl], slow [sləʊ]
neapdomīgs thoughtless [ˈθɔ:tləs], rash [ræʃ]
neapdzīvots uninhabited; (*pamests*) desert [ˈdezət]
neapmierināts dissatisfied [disˈsætisfaid]
neaprakstāms beyond description [diˈskripʃn]
neapstrādāts 1. (*par zemi*) untilled; **2.** (*par vielu*) raw [rɔ:]
neapšaubāms indubitable [inˈdju:bitəbl]
neapturams no to be stopped
neapzināties to be unaware [ʌnəˈweə] (*of*)
neapzinīgs irresponsible [iriˈspɒnsəbl]
neārstējams incurable [inˈkjʊərəbl]
neass blunt [blʌnt]
neatkarība independence [indiˈpendəns]
neatkarīgs independent [indiˈpendənt]
neatlaidīgs persistent [pəˈsistənt]
neatliekams urgent [ˈɜ:dʒənt]
neatrisināts unsolved [ʌnˈsɒlvd]
neauglīgs 1. barren; **2.** *pārn.* fruitless [ˈfru:tləs]
nebēdnīgs mischievous [ˈmistʃivəs], naughty [ˈnɔ:ti]
nebeidzams endless [ˈendləs], infinite [ˈinfinit]

nebrīve captivity [kæp'tivəti]
neburzīgs crease-proof ['kri:spru:f]
nebūt 1. not to be; viņas nav mājās – she is not at home; **2.** not to have; man nav laika – I have no time
necaurlaidīgs impervious [im'pɜ:viəs]
necaurredzams impenetrable [im'penitrəbl], pitchdark [pitʃ'dɑ:k]
necienīgs unworthy [ʌn'wɜ:ði] (*of*); undignified
necieņa contempt [kən'tempt]
neciešams intolerable [in'tɒlərəbl]
nedabisks unnatural [ʌn'nætʃərəl]; artificial [ɑ:ti'fiʃl]
nedarbs mischief ['mistʃif]
nedaudz a little [litl]
nedaudzi a few, some
nedēļa week [wi:k]; ~s avīze – weekly; ~s atvaļinājums – one week's leave
nederīgs useless ['ju:sləs], unfit [ʌn'fit]
nedrošs unsafe [ʌn'seif]; (*nestabils*) unsteady [ʌn'stedi]
nedzērājs abstainer [əb'steinə], non-drinker ['nɒndriŋkə]
nedzirdēts unheard-of [ʌn'hɜ:dɒv]
nedzīvs lifeless ['laifləs]; inanimate [in'ænimət]
neērts 1. uncomfortable [ʌn'kʌmftəbl]; **2.** (*neveikls*) awkward ['ɔ:kwəd]
neesošs non-existent
negadījums accident ['æksidənt]
negaidīts unexpected [ʌnik'spektid]
negaiss thunderstorm ['θʌndəstɔ:m]
negaršīgs unsavoury [ʌn'seivəri]
negatīvs *īp. v.* negative ['negətiv]
neglābjams hopeless ['həʊpləs]; past [pɑ:st] help
neglīts ugly ['ʌgli]
negodīgs dishonest [dis'ɒnəst]; unfair [ʌn'feə]
negods dishonour [dis'ɒnə]; disgrace [dis'greis]
negribot inadvertently [inəd'vɜ:təntli]
negrozāms (*lēmums*) irrevocable [iri'vəʊkəbl]
nēģeriete Negro ['ni:grəʊ] woman*
nēģeris Negro ['ni:grəʊ]
nēģis lamprey ['læmpri]
neierašanās absence ['æbsəns]
neieredzēt to hate [heit]; to dislike
neierobežots unlimited; boundless ['baʊndləs]
neiespējams impossible [im'pɒsibl]; vēlēties neiespējamo – to cry for the moon
neievērojams insignificant [insig'nifikənt]
neievērot 1. to ignore, to take* no notice ['nəʊtis] (*of*); **2.** (*nepamanīt*) to miss [mis]
neilgi shortly ['ʃɔ:tli]
neilons nylon ['nailɒn]
neīsts 1. false [fɔ:ls]; **2.** (*liekuļots*) pretended [pri'tendid], simulated
neitrāls neutral ['nju:trəl]
neizbēgams inevitable [in'evitəbl]
neizdevies (*plāns u. tml.*) abortive [ə'bɔ:tiv]
neizdevīgs disadvantageous [,disædvɑ:n'teidʒəs]
neizdoties to fail [feil], to flop *sar.*

N

neizglītots uneducated [ʌn'edjʊkeitid], unlearned [ʌn'lɜ:nd]
neizpratne incomprehension [inkɒmpri'henʃn]
neizsakāms inexpressible [inik'spresəbl]
neizskatīgs plain [plein]
neizšķirti: nospēlēt n. – to draw* [drɔ:]
neizšķirts undecided; (*par jautājumu*) open [əʊpn]
neizturīgs not solid ['sɒlid]; (*par audumu*) flimsy ['flimzi]
nejauks nasty ['nɑ:sti]
nejaušība accident; coincidence [kəʊ'insidəns]
nejauš‖s accidental [æksi'dentl]; chance [tʃɑ:ns]; ~i – accidentally, by chance
nejēdzīgs absurd [əb'sɜ:d]
nejutīgs insensitive [in'sensətiv]
nejūtīgs (*cietsirdīgs*) unfeeling [ʌn'fi:liŋ], hard-hearted [hɑ:d'hɑ:tid]
nekā than; labāk n. ... – better than...
nekad never ['nevə]; gandrīz n. – hardly ever ['evə]
nekāds no, none [nʌn]
nekaitīgs harmless ['hɑ:mləs]
nekārtība disorder [dis'ɔ:də]
nekārtīgs disorderly; (*nevīžīgs*) untidy [ʌn'taidi]
nekārtns *gram.* irregular [i'regjʊlə]
nekas nothing ['nʌθiŋ]; tas n. – it does not matter!, never mind [maind]!
nekaunība impudence ['impjʊdəns], cheek [tʃi:k] *sar.*
nekaunīgs impudent, cheeky ['tʃi:ki] *sar.*
nekautrīgs immodest [i'mɒdəst]
nekavējoties without delay [di'lei]
neklātiene correspondence [kɒri'spɒndəns] courses [kɔ:siz]
neklātnieks extra-mural [ˌekstrə'mjʊərəl] student ['stju:dənt]
nekopts neglected [ni'glektid]
nekrietns base [beis], mean [mi:n]
nekur nowhere ['nəʊweə]
nekustīgs immobile [i'məʊbail]
neķītrs obscene [əb'si:n]
nelabojams 1. incorrigible [in'kɒridʒəbl]; **2.** (*par kļūdu u. tml.*) fatal [feitl]
nelabvēlis ill-disposed [ildis'pəʊzd] person
nelaikā at the wrong time
nelaiķis the dead [ded], the departed [di'pɑ:tid]
nelaim‖e misfortune [mis'fɔ:tʃən]; ~es gadījums – accident ['æksidənt]; tā nav n. – it doesn't matter ['mætə]
nelaimīgs unhappy; unlucky [ʌn'lʌki]
nelaipns unkind [ʌn'kaind], unfriendly [ʌn'frendli]
nelegāls illegal [i'li:gəl]
nelīdzens uneven [ʌn'i:vn]
neliels small [smɔ:l]
nelietis scoundrel ['skaʊndrəl]
nelikumīgs unlawful [ʌn'lɔ:fəl]; unlicensed [ˌʌnlaisənst]
neļaut not to allow [ə'laʊ]
neļķe carnation [kɑ:'neiʃn], pink
nemainīgs invariable [in'veəriəbl]
nemākulīgs inefficient [ˌini'fiʃənt], clumsy ['klʌmzi]
nemaldīgs infallible [in'fæləbl]

nemanāms imperceptible [impə'septəbl], intangible [in'tændʒəbl]
nemaz not at all [ɔ:l]
nemierīgs restless ['restləs]
nemiers unrest; (*rūpes*) anxiety [æŋ'zaiəti]
nemīlēts unloved [,ʌn'lʌvd]
nemirstīgs immortal [i'mɔ:tl]
nemitīgs continuous [kən'tinjʊəs]
nemoderns unfashionable [ʌn'fæʃnəbl], out-of-date [aʊtəv'deit]
nenormāls abnormal [æb'nɔ:ml]; (*psihiski*) insane [in'sein]
nenoteikts indefinite [in'definit]; (*ne-skaidrs*) vague [veig]
nenovēršams inevitable [in'evitəbl]
nenovīdīgs envious ['enviəs]
nenozīmīgs insignificant, trifling ['traifliŋ]
neobjektīvs partial ['pɑ:ʃl]
neomulīgs comfortless ['kʌmfətləs], bleak [bli:k]
nepacietīgs impatient [im'peiʃnt]
nepaklausīgs disobedient [disə'bi:diənt]; (*par bērnu – arī*) naughty ['nɔ:ti]
nepamatots groundless ['graʊndləs]
neparasts uncommon, unusual [ʌn'ju:ʒʊəl]
nepārdomāts unreasoned [ʌn'ri:znd]
neparedzēts unforeseen [ʌnfɔ:'si:n]
nepareizs wrong [rɒŋ], false [fɔ:ls]; n. uzskats – wrong opinion [ə'piniən]
nepārskaitlis odd number ['nʌmbə]
nepārspējams invincible [in'vinsəbl]
nepārtraukts continuous [kən'tinjʊəs]
nepārvarams (*par šķērsli, grūtībām*) unsurpassable [ʌnsə'pɑ:səbl]
nepastāvīgs (*par laiku*) changeable ['tʃeindʒəbl]; (*par raksturu*) fickle
nepateicīgs ungrateful [ʌn'greitfəl]
nepatiesība falsehood ['fɔ:lshʊd]
nepatiess false [fɔ:ls]
nepatika dislike [dis'laik] (*to, for*)
nepatīkam||s unpleasant [ʌn'pleznt]; cik ~i! – what a nuisance ['nju:sns]!
nepatikšanas trouble ['trʌbl]; problems ['prɒbləmz]
nepatstāvīgs dependent [di'pendənt]
nepazīstams strange [streindʒ] (*to*), unfamiliar [ʌnfə'miliə] (*to*); n. cilvēks – stranger ['streindʒə]
nepelnīts undeserved [ʌndi'zɜ:vd]
nepieciešamība necessity [nə'sesiti]
nepieciešams necessary ['nesəsri]
nepiedodams inexcusable [,inəks'kju:zəbl]
nepieejams **1.** inaccessible [inæk'sesəbl]; **2.** *pārn.* forbidding [fə'bidiŋ]
nepiekāpīgs obstinate ['ɒbstinət]
nepieklājīgs impolite [impə'lait]; (*par uzvedību*) improper [im'prɒpə]
nepiekrist to disagree [disə'gri:] (*with*)
nepiemērots unsuitable [ʌn'su:təbl]; nepiemērotā laikā out of time
nepierasts unusual [ʌn'ju:ʒʊəl]
nepietiekams insufficient [insʌ'fiʃənt], scanty ['skænti]
nepietikt to be short [ʃɔ:t] (*of*), to lack [læk]
nepilnīgs incomplete [inkəm'pli:t]

N

neprātīgs 1. unreasonable [ʌn'ri:znəbl], irrational [i'ræʃnəl]; **2.** (*pārsteidzīgs*) imprudent [im'pru:dənt], rash [ræʃ]
neprecējies single, unmarried [ʌn'mærid]
neprecīzs inaccurate [in'ækjʊrət]
neproduktīvs unproductive [ʌnprə'dʌktiv]
nerātns naughty ['nɔ:ti]
nereāls unreal [ʌn'riəl]
neredzīgs blind [blaind]
nerunīgs taciturn ['tæsitɜ:n]
nervozēt to feel* nervous ['nɜ:vəs]
nervozs nervous; irritable
nervs nerve [nɜ:v]; ◇ krist kādam uz nerviem – to get* on smb.'s nerves
nesaistīts unrelated [ʌnri'leitid]
nesakarīgs incoherent [inkəʊ'hiərənt]
nesalīdzināms incomparable [in'kɒmpərəbl]
nesamaksājams invaluable [in'væljʊəbl], priceless ['praisləs]
nesamaņ||a unconsciousness [ʌn'kɒnʃəsnis]; krist ~ā – to lose* [lu:z] consciousness ['kɒnʃəsnis], to faint [feint], to swoon [swu:n]
nesamērīgs disproportionate [disprə'pɔ:ʃnət]
nesāpīgs painless ['peinləs], acheless ['eikləs]
nesaprotams incomprehensible [inkɒmpri'hensəbl]
nesaskaņa discord ['diskɔ:d]
nēsāt 1. to carry (about); **2.** (*valkāt*) to wear* [weə]
nesaticīgs quarrelsome ['kwɒrəlsəm], waspish ['wɒspiʃ]
nesatricināms imperturbable [impə'tɜ:bəbl]; unshakable [ʌn'ʃeikəbl]
nesaudzīgs ruthless ['ru:θlis]
nesavaldīgs uncontrolled [ʌnkən'trəʊld]
nesavtīgs unselfish [ʌn'selfiʃ]
nesējs porter ['pɔ:tə]
nesekmīgs (*mācībās*) backward ['bækwəd]
nesen recently ['ri:sntli], not long ago
neskaidrs indistinct [indi'stiŋkt]; (*rokraksts*) illegible [i'ledʒəbl]; (*attēls*) dim; (*priekšstats*) vague [veig]
neskaitāms countless ['kaʊntləs]
neslēpts undisguised [ʌndis'gaizd]
nesmēķētājs non-smoker [nɒn'sməʊkə]
nespēcīgs feeble [fi:bl], weak [wi:k]
nespēja incapability; incapacity [inkə'pæsəti]
nespēks feebleness ['fi:blnəs], weakness ['wi:knəs]
nest to carry ['kæri]; to bear* [beə]
nesvarīgs unimportant [ʌnim'pɔ:tənt]
nešaubīgs unswerving [ʌn'swɜ:viŋ]
nešķirams inseparable [in'sepərəbl]
netaisnība injustice [in'dʒʌstis]
netaisns unjust [ʌn'dʒʌst]
netaktisks tactless ['tæktləs]
netālu not far [fɑ:] (*from*)
neticams incredible [in'kredibl]
neticīgs *rel.* irreligions [iri'lidʒəs]
netiešs indirect ['indirəkt]

netikums vice [vais]
netīrība uncleanliness [ʌn′kli:nlinis]
netīrs dirty [′dɜ:ti]
netīrumi dirt [dɜ:t], filth
netīšām (*nejauši*) by accident [′æksidənt]; (*bez iepriekšēja nodoma*) unintentionally
neuzkrītošs simple [simpl], modest [mɒdəst]
neuzmanīgs inattentive; careless [′keələs]
neuzticams unreliable [ʌnri′laiəbl]
neuzticība 1. faithlessness [′feiθləsnəs]; disloyalty; **2.** (*neuzticēšanās*) distrust
neuzticīgs 1. unfaithful [ʌn′feiθfəl], disloyal; **2.** (*nepaļāvīgs*) distrustful
neuzvarams invincible [in′vinsibl]
nevainīgs innocent [′inɒsənt]
nevainojams irreproachable [iri′prəʊtʃəbl]
nevajadzīgs unnecessary; needless [ni:dləs]
nevaļīgs busy [′bizi]
nevarīgs helpless [′helpləs]
neveikls clumsy [′klʌmzi]
neveiksm‖e failure [′feiljə]; ciest ~i – to fail [feil]
nevērīgs careless [′keələs], negligent [′neglidʒənt]
neveselīgs unhealthy [ʌn′helθi]
nevesel‖s unwell [ʌn′wel]; justies ~am – to feel unwell
neviens nobody [′nəʊbɒdi]; not a single [siŋgl]
neviesmīlīgs inhospitable [in′hɒspitəbl]
nevietā out of place [pleis]
nevīžīgs (*par darbu u. tml.*) careless [′keələs], slipshod; (*apģērbā*) slovenly [′slʌvnli]
nezāle weed [wi:d]
nezināms unknown [ʌn′nəʊn]
nezināšana ignorance [′ignərəns]
nežēlastība disgrace [dis′greis]
nežēlīgs merciless [′mɜ:siləs]; cruel [′kru:əl]
nicināt to despise [dis′paiz], to scorn [skɔ:n]
nicinošs contemptuous [kən′temptʃʊəs], scornful [′skɔ:nfəl]
niecīgs trifling [′traifliŋ]
niedre reed [ri:d], cane [kein]
nieks trifle [′traifl]
niere kidney [′kidni]; ◇ dzīvot kā nierei taukos – to live in clover [′kləʊvə]
niezēt to itch [itʃ]
nikns furious [′fjʊəriəs], fierce [fiəs]
niknums fury [′fjʊəri], rage [reidʒ]
nīkuļot (*par augu*) to wither [wiðə] (*away*); (*par dzīvnieku, cilvēku*) to pine (*away*)
niķelis nickel [′nikl]
niķīgs capricious [kə′priʃəs]
niķis caprice [kə′pri:s], whim [wim]
nirt to dive, to go snorking [′snɔ:kiŋ]
nīst to hate [heit]
no 1. from; no sākuma – from the beginning; **2.** (*izsakot cēloni*) from; out of; **3.** (*norādot materiālu*) out of
noasināt to sharpen [′ʃɑ:pən], to whet
noasiņot to bleed* [bli:d] profusely [prə′fju:sli]; to bleed* to death [deθ]

N

nobālēt to turn pale [peil]
nobēdzināt to conceal [kən′si:l]
nobeigt to finish [′finiʃ], to end [end]
noberzt 1. to rub off; **2.** (*jēlu*) to chafe [tʃeif]
nobiedēt to frighten [′fraitn], to scare [skeə]
nobirt to fall* [fɔ:l] off
nobīties to get* frightened [′fraitnd]
nobrāzums scratch [skrætʃ]
nobriedis ripe [raip]; *pārn.* mature [mə′tʃʊə]
nocelt to take* (lift) off
nocenots cut-price [′kʌtprais] (*attr.*)
nociesties to keep* [ki:p] (*from*)
nocirst to cut* [kʌt] off; (*koku*) to fell
nodalījums (*telpā*) compartment [kɒm′pɑ:tmənt]; (*grāmatā*) section [′sekʃn]
nodalīt to separate [′seprət]
nodaļa 1. department [di′pɑ:tmənt]; **2.** (*grāmatā*) chapter [′tʃæptə]
nodarbība 1. occupation [,ɒkjʊ′peiʃn], busines [′biznis]; **2.** classes [′klɑ:siz]; studies [′stʌdi:z]
nodarbināt to employ [im′plɔi]
nodarbošanās occupation, trade [treid]
nodarboties to do*; to go* in (*for*), to be* engaged [in′geidʒ] (*in*)
nodarīt to cause [kɔ:z]
nodegt to burn* [bɜ:n] down
noderēt to come* in useful [′ju:sfəl]
noderīgs useful [′ju:sfəl]
nodeva tax [tæks], duty [′dju:ti]
nodevējs traitor [′treitə]
nodevība treason [′tri:zn]
nodibināt to found [faʊnd], to establish [i′stæbliʃ]
nodilis threadbare [′θredbeə]
nodoklis tax [tæks], duty; ienākuma n. – income-tax [′inkəmtæks]; īpašuma n. – property tax; pievienotās vērtības n. – valueadded tax [,vælju:′ædid tæks]
nodomāt to intend [in′tend]
nodom‖s purpose [′pɜ′pəs]; intention; ar ~u – deliberately [di′libərətli]
nodot 1. to hand [hænd] over, to give*; **2.** (*par nodevēju*) to betray [bi′trei]; to give* away
nodoties to devote [di′vəʊt] oneself (*to*); to go* in (*for*)
nodrebēt to shudder [′ʃʌdə]
nodriskāts ragged [rægd]
nodrose (*vietas u. tml.*) reservation; (*dokuments – arī*) warrant [′wɒrənt]
nodrosēt to reserve [ri′zɜ:v]
nodrošināt 1. to ensure [ən′ʃʊə]; **2.** (*materiāli*) to provide [prə′vaid] (*for*)
nodzēst 1. (*elektrību*) to switch [switʃ] off; **2.** (*uzrakstīto*) to wipe [waip] off; (*ar dzēšamgumiju*) to erase [i′reiz]
nodzīvot 1. to live [liv]; **2.** (*uzturēties*) to stay [stei]
noenkurot to anchor [′æŋkə], to moor [mʊə]
noēst to eat* [i:t] up
nogādāt to deliver [di′livə]
nogaidīt to wait [weit]
nogaid‖ošs waiting [′weitiŋ]; expec-

tant; ~oša politika – temporizing policy; wait-and-see policy [ˈpɒlisi]
nogale: nedēļas n. – weekend [ˈwi:kənd]
nogalināt to kill, to murder [ˈmɜ:də]
nogaršot to taste [teist], to try [trai]
nogatavoties to ripen [ˈraipən]
nogāzt to cast* [kɑ:st] down
nogāzties to fall down
nogrieznis *mat.* line [lain] segment [ˈsegmənt]
nogriezt to cut* off
nogriezties (*sānis*) to turn aside [əˈsaid]
nogrimt to sink*
nogrūst to push [pʊʃ] off (down)
noguldījums deposit [diˈpɒzit]; (*uz cita vārda*) endowment [inˈdaʊmənt]
noguldīt 1. (*gultā*) to put* [pʊt] to bed; **2.** (*naudu*) to deposit [diˈpɒzit]
nogulsnes grounds [graʊndz]
nogurdināt to wear* [weə] out; to tire [taiə] out
noguris tired [ˈtaiəd]; (*ļoti*) exhausted [igˈzɔ:stid]
nogurt to get* tired [ˈtaiəd]
nogurums tiredness, fatigue [fəˈti:g]
noģērbt to undress [ʌnˈdres]; to take* off
noģērbties to undress [ʌnˈdres], to take* off one's things [θiŋz]
noiet 1. to walk [wɔ:k], to cover [ˈkʌvə]; **2.** (*lejā*) to come* down
noindēt to poison [ˈpɔizn]
nojaukt to pull [pʊl] down
nojaust to foresee* [fɔ:ˈsi:], to suspect [səˈspekt]
nojauta surmise [səˈmaiz]; (*ļauna*) foreboding [fɔ:ˈbəʊdiŋ]
nojume shed [ʃəd]
nokāpt to come* down; to descend
nokarāties to hang* down, to droop [dru:p]
nokārt to hang* [hæŋ]
nokārtot to settle [setl]; n. eksāmenu – to pass [pɑ:s] an examination
nokaunēties to feel* ashamed [əˈʃeimd] (*of*)
nokavēt to be late (*for*); to miss [mis]
nokavēties to be late (*for*)
noklausīties 1. to listen [ˈlisn] (*to*); **2.** (*slepus*) to eavesdrop [ˈi:vzdrɒp]
noklusēt to keep* silent [ˈsailənt]
nokļūt to get* (*to*); kā es tur varu n.? – how do I get there?
nokrāsot to paint [peint]; (*audumu*) to dye [dai]
nokratīt to shake* [ʃeik] off
nokrist to fall* [fɔ:l] down
nokristīt 1. to baptize [bæpˈtaiz], to christen [ˈkrisn]; **2.** *sar.* (*iesaukt*) to call [kɔ:l]
nokrišņi precipitations [prisipiˈteiʃnz]
nokust (*par sniegu*) to thaw [θɔ:]
noķert to catch* [kætʃ]; (*bēgli*) to hunt down
nolādēt to curse [kɜ:s], to damn
nolaidība carelessness [ˈkeələsnis], negligence [ˈneglidʒəns]
nolaidīgs careless, negligent [ˈneglidʒənt]
nolaist to let* down; n. priekškaru – to drop the curtain; n. buras – to take* in sail; n. acis – to cast* down one's eyes

N

nolaisties (*par lidmašīnu*) to land [lænd]; (*par putnu*) to fly* [flai] down

nolaišanās (*lidmašīnas*) landing [ˈlændiŋ]

nolasīt (*stāstu*) to read* [ri:d]; (*dzejoli*) to recite [riˈsait]

nolaupīt to steal [sti:l]; (*cilvēku*) to kidnap [ˈkidnæp]; (*lidmašīnu*) to hijack [ˈhaidʒæk]

nolauzt to break* [breik] off

nolemt to decide [diˈsaid], to determine [diˈtɜ:min]

noliegt 1. to deny [diˈnai]; **2.** (*aizliegt*) to forbid* [fɔ:ˈbid]

noliekt to bend* [down]

noliesējis emaciated [iˈmeiʃieitid]

nolietot to wear* [weə] out, to use up

nolīgums agreement [əˈgri:mənt]

nolikt to put* [pʊt] down

noliktava storehouse [ˈstɔ:haʊs]

N

nolobīt to peel [pi:l]

nolūk‖**s** purpose [ˈpɜ:pəs]; ar ~u – on purpose; ~ā – with a view [vju:] (to)

nolūzt to break* [breik] off

nomaksa 1. payment [ˈpeimənt]; **2.** instalment [inˈstɔ:lmənt]

nomākt 1. (*apspiest*) to suppress [səˈpres], to oppress; **2.** to depress [diˈpres]

nomākts 1. (*apspiests*) suppressed; **2.** depressed [diˈprest], lowspirited [ˌləʊˈspiritid]

nomaldīties to lose* one's way, to get* lost

nomale (*pilsētas*) suburb [ˈsʌbɜ:b], outskirts [ˈaʊtskɜ:ts] *dsk.*

nomaļš remote [riˈməʊt], out-of-the-way

nomāt to hire [haiə], to take* on hire [haiə], to rent

nomazgāt to wash [wɒʃ]; (*vannā*) to bathe [beið]

nomazgāties to wash [wɒʃ] oneself; (*vannā*) to take* a bath [bɑ:θ]

nomedīt to shoot* [ʃu:t]

nomest to throw* [θrəʊ] down (off)

nometne camp [kæmp]

nomierināt to calm [kɑ:m]

nomierināties to calm [kɑ:m] down

nominālvērtība face value [ˈvælju:]

nomirt to die [dai]

nomizot to peel [pi:l]

nomocīties to wear* [weə] oneself out

nomod‖**s**: būt ~ā – to be awake

nonākt to come* (get*) (*to*), to arrive [əˈraiv] (*at, in*)

nonāvēt to kill [kil], to murder [mɜ:də]

nonēsāt to wear* [weə] out

nonīkt (*par augiem*) to wither [ˈwiðə] away

noņemt to take* away; (*no augšas*) to take* down

nopelnīt to earn [ɜ:n]

nopeln‖**s** merit [ˈmerit]; pēc ~iem – according to the deserts

nopelt to condemn [kənˈdem]; to find* fault [fɔ:lt] (*with*)

nopērt to thrash [θræʃ]

nopietns serious [ˈsiəriəs], earnest [ˈɜ:nəst]

nopirkt to buy* [bai]
noplēst to tear* [teə] off
noplīsis worn [wɔ:n]; ragged [rægd]
noplūkt to pick [pik]
nopratināt to question [ˈkwestʃən]
nopurināt to shake* [ʃeik] off
nopūst to blow* out
nopūsties to give* a sigh [sai]
nopūta sigh [sai]
norādījums direction [daiˈrekʃn], instruction [inˈstrʌkʃn]
norādīt 1. (*virzienu*) to show* [ʃəʊ], to point (*to, at*); **2.** (*aizrādīt*) to point [pɔint] out, to indicate [ˈindikeit]
noraidīt 1. to refuse [riˈfju:z]; to reject [riˈdʒekt]; to turn down; **2.** (*pa telegrāfu, radio*) to broadcast [ˈbrɔ:dkɑ:st]
norakstīt to copy [ˈkɒpi]
noraksts copy [ˈkɒpi]; duplicate [ˈdju:plikət]
noraut to tear* [teə] off
norēķināties to settle [ˈsetl] accounts [əˈkaʊnts]
norimt 1. (*par troksni*) to cease [si:s]; **2.** (*par satraukumu*) to abate [əˈbeit], to subside [səbˈsaid]
norise procedure [prəˈsi:dʒə]
norisināties to take* place, to happen [ˈhæpən]
norīt to swallow [ˈswɒləʊ]
noritēt to proceed [prəˈsi:d], to go* on
norma 1. rate [reit], quota; **2.** *pārn.* standard, norm [nɔ:m]
normāls normal [nɔ:ml]
norūdīties to harden [hɑ:dn] [oneself]
norūdīts (*tērauds*) tempered [ˈtempəd]; (*raksturs*) hardened [ˈhɑ:dnd]
norun‖a agreement [əˈgri:mənt]; ar ~u, ka ... – on condition that ...
norunāt (*vienoties*) to agree [əˈgri:], to make* an agreement
nosacījums condition [kənˈdiʃn]
nosalis 1. cold [kəʊld], frozen [ˈfrəʊzn]; **2.** (*par augu*) frostbitten [ˈfrɒstbitn]
nosalt to be* cold, to freeze to deth
nosargāt to safeguard [ˈseifgɑ:d] (*from*)
nosarkt to blush; to flush [flʌʃ]
nosaukt 1. to call [kɔ:l]; **2.** (*dot vārdu*) to name [neim]
nosaukums name [neim]; (*grāmatas*) title [ˈtaitl]
nosēdēt to sit*
nosēdināt to seat [si:t]; to offer [ˈɒfə] a seat [si:t]
nosegt to cover [ˈkʌvə]
nosēkties to wheeze [wi:z]
nosirmot to go* grey [grei]
nosist (*nogalināt*) to kill [kil]; (*par pulksteni*) to strike* [straik]
noskaidrot to clear [kliə] up, to find* out
noskaņojums mood [mu:d], temper [ˈtempə]
noskaņot 1. (*instrumentu*) to tune [up]; **2.** (*cilvēku*) to dispose [disˈpəʊz]
noskatīties (*filmu, lugu*) to see*, to watch [wɒtʃ]
noskumis sad [sæd]
noskumt to grow* [grəʊ] sad
noskūpstīt to kiss [kis]
noskūties to shave* [ʃeiv], to have* a shave *sar.*

N

noslāpt 1. (*nosmakt*) to choke [tʃəʊk]; **2.** (*par motoru*) to stall [stɔ:l]
noslaucīt to sweep*; to wipe [waip]; (*putekļus*) to dust [dʌst]
noslaucīties to dry [drai] oneself
noslēdzies 1. (*par cilvēku*) secluded [si'klu:did]; **2.** (*beidzies*) finished ['finiʃt]
noslēgt 1. to lock [lɒk] [up]; **2.** (*elektrību u. tml.*) to cut* off; **3.** (*līgumu*) to conclude [kən'klu:d]; n. darījumu – to strike* [straik] a bargain; n. derības – to bet
noslēgums conclusion [kən'klu:ʒən]
noslepkavot to murder [mɜ:də], to kill
noslēpumains mysterious; secret [si:krət]
noslēpums mystery ['mistəri]; secret ['si:krət]
noslīkt to get* drowned [draʊnd]
nosmērēt to soil [sɔil], to dirty ['dɜ:ti]
nosmērēties to get* dirty ['dɜ:ti]
nosnausties to take* a nap [næp], to have* a snooze [snu:z]
nosodīt to blame [bleim], to condemn [kən'dem]
nospēlēt to play [plei]; (*lugu*) to perform [pə'fɔ:m]
nospiedums imprint ['imprint], mark [mɑ:k]
nospiest 1. (*saspiest*) to crush; **2.** (*piespiest*) to press [pres]; **3.** (*nomākt*) to depress [di'pres]
nost away, off
nostādīt 1. to place [pleis]; to stand [stænd]; **2.** (*noregulēt*) to adjust [ə'dʒʌst]; to set*
nostāja attitude [ætitju:d], point of view [vju:]
nostāties to station [steiʃn] oneself
nostāvēt to stand* [stænd]
nostiprināt 1. to fasten; **2.** *pārn.* to strengthen ['streŋθn]
nosūdzēt to report [ri'pɔ:t] (*on*)
nosusināt to dry (*up*)
nosūtīt to send*; to post [pəʊst]; (*preces*) to consign [kən'sain]
nosvērt to weigh [wei]
nosvērts (*raksturs*) steady ['stedi], composed [kəmpəʊzd]
nosviest (*zemē*) to throw* [θrəʊ] down; to drop
nosvinēt to celebrate ['seləbreit]
nosvītrot to cross [krɒs] out
nošaut to shoot* [ʃu:t] down; ◇ ar vienu šāvienu nošaut divus zaķus – to kill [kill] two birds [bɜ:dz] with one stone
nošķirt to separate; to isolate ['aisəleit]
nošļakstīt to splash [splæʃ]
nota *pol.* note [nəʊt], memorandum* [memə'rændəm]
notālēm from afar [ə'fɑ:], from a distance ['distəns]
notārs notary ['nəʊtəri]
noteikt 1. to determine [di'tɜ:min]; **2.** (*cenu, termiņu*) to fix [fiks]
noteikti 1. definitely ['definitli], for certain [sɜ:tn]; **2.** (*stingri*) resolutely ['rezəlu:tli]
noteikts definite ['definit]; fixed [fikst]
noteikti defi nitely ['definitli], for certain ['sɜ:tn]

noteikum||**s 1.** rule [ru:l]; satiksmes ~i – traffic [træfik] regulations; **2.** condition; bez ~iem – unconditionally

noteka drain [drein]; (*ielas*) gutter [gʌtə]

notiesāt to condemn [kən′dem], to sentence [′sentəns]

notikt 1. to happen; to occur [ə′kɜ:]; **2.** (*norisināties*) to take* place

notikums event; (*atgadījums*) incident [′insidənt], happening

notīrīt to clean [kli:n]

notraipīt to stain [stein], to spot

notriekt to knock (bring*) down

not||**s** note [neʊt]; ~is – music

noturēt 1. to hold* [həʊld]; **2.** (*par ko*) to take* for

noturē||**ties 1.** to hold* at; **2.** (*savaldīties*) to check [tʃek] oneself

notvert to catch* [kætʃ], to seize [si:z], to grasp [grɑ:sp]

novads region [′ri:dʒən]; district [′distrikt]

novājējis thin, wasted [′weistid]

novājēt to grow* thin, to become* wasted [′weistid]

novājināt to weaken [′wi:kn]

novakare eventide [i′ventid]; novakarē – towards evening

novākt 1. to clear [kliə] away; **2.** (*ražu*) to harvest, to gather [′gæðə] in

novalkāt to wear* [weə] out

novārījums infusion [in′fju:ʒn]

novārīt to boil [bɔil]

novārtā: pamest n. – to neglect [ni′glekt]

novecojis out-of-date; antiquated [′æntikweitid]

novecot 1. (*par cilvēku*) to become* (grow*) old; **2.** (*par uzskatiem*) to become* old-fashioned

novele short [ʃɔ:t] story [stɒri]

novēlēt to wish; n. laimes – to congratulate [kən′grætʃʊleit]

novembris November [nəʊ′vembə]

novērojums observation [ˌɒbzə′veiʃən]

novērot to watch [wɒtʃ], to observe [əb′zɜ:v]

novērst 1. (*skatienu*) to turn off, to avert [ə′vɜ:t]; **2.** (*uzmanību*) to divert

novērtēt to estimate [′estimeit]

novest 1. (*lejā*) to lead* [li:d] down; **2.** (*līdz kādam stāvoklim*) to bring* (*to*)

novietne 1. stand [stænd]; **2.**: bagāžas n. (*automobilī*) – boot [bu:t]

novietot to place [pleis]; to put* [pʊt]

novilkt 1. to pull [pʊl] down; **2.** (*drēbes*) to take* off

novirze deflection [di′flekʃn]

novirzīties to deviate, to diverge [dai′vɜ:dʒ]

novīst to fade [feid], to wither [′wiðə]

novīt to weawe [wi:v]; n. vainagu – to make* a wreath [ri:θ]; n. ligzdu – to build* a nest

nozāģēt to saw* [sɔ:] [off, down]

nozare branch [brɑ:ntʃ], field [fi:ld]

nozarojums branch [brɑ:ntʃ]

noziedzība criminality [ˌkrimi′næləti]

noziedznieks criminal [′kriminəl]

N

noziegums crime ['kraim]
nozīme meaning ['mi:niŋ], sense; (*svarīgums*) importance [im'pɔ:təns]
nozīmēt to mean [mi:n]
nozīmīgs significant [sig'nifikənt]
nozust to disappear [disə'piə]
nožēla regret [ri'gret]; remorse
nožēlojams miserable ['mizərəbl]
nožēlot to regret [ri'gret]
nožņaugt to strangle [stræŋgl]
nožūt to dry [drai]
nu well, now [naʊ]
nūdeles noodles [nu:dlz]
nūja stick [stik]
nulle zero [ziərəʊ], nought [nɔ:t]
numerācija numeration [ˌnju:mə'reiʃn]
numurs 1. number; **2.** (*lielums*) size [saiz]; **3.** (*viesnīcas*) room [rʊm], apartment [ə'pɑ:tmənt]; **4.** (*programmas*) item ['aitəm]
nupat just [dʒʌst] now [naʊ]

Ņ

ņaudēt to miaow [mi'aʊ], to mew [mju:]
ņemt to take * [teik]
ņemties 1. (*uzņemties*) to undertake* [ˌʌndə'teik]; **2.** (*strādāt*) to spend*; **3.** (*draiskoties*) to romp [rɒmp]
ņiprs brisk [brisk]
ņirgāties to jeer [dʒiə] (*at*), to scoff [skɒf] (*at*)
ņirgt to grin [grin]
ņurcīt to crumple [krʌmpl]
ņurdēt to growl [graʊl]
ņurrāt to purr [pɜ:]

Ņ
O

O

obelisks obelisk ['ɒbelisk]
objektīvs *īp. v.* objective [əb'dʒektiv]
objekts object [əb'dʒekt]
objektvaloda *dat.* object language ['læŋgwidʒ]
obligāts compulsory [kəm'pʌlsəri]
oda ode [əʊd]
odekolons Eau-de-Cologne [ˌəʊdəkə'ləʊn]; toilet water ['tɔilətˌwɔ:tə]
odere lining ['lainiŋ]
ods gnat [næt]; ◇ iztaisīt no oda ziloni – to make* a mountain ['maʊntin] out of a molehill ['məʊlˌhil]
odze viper [vaipə]; adder ['ædə]
oficiāls official [ə'fiʃəl]; formal ['fɔ:məl]
oficiante waitress ['weitrəs]
oficiants waiter ['weitə]
oga berry ['beri]
ogle coal [kəʊl]
ogleklis carbon ['kɑ:bən]

ogļracis collier ['kɒliə], miner ['mainə]
ogļraktuve coal-mine ['kəʊlmain]
ogot to pick berries ['beriz]
okeāns ocean ['əʊʃən]
oksidēt 1. *ķīm.* to oxidize ['ɒksidaiz]; **2.** *tehn.* to blue [blu:]
okšķerēt to nose [nəʊz] about
oktobris October [ɒk'təʊbə]
okupēt to occupy ['ɒkjʊpai]
ola egg [eg]; olas baltums – white [wait]; olas dzeltenums – yolk [jəʊk]
olbaltumviela protein ['prəʊti:n]; albumen ['ælbjʊmin]
olimpisk||s: ~ās spēles – Olympic games, Olympics
olis pebble ['pebl]
olīva olive ['ɒliv]
oma mood [mu:d], humour ['hju:mə]
omlete omelet(te) ['ɒmlit]
omulīgs 1. cosy ['kəʊzi], smug; **2.** (*jautrs*) cheerful ['tʃiəfl]
opcija *ek.* option ['ɒpʃn]
opera 1. opera; **2.** (*ēka*) opera-house ['ɒpərəhaʊs]; ◇ tā ir cita opera – that's another [ə'nʌðə] cup of tea
operācija operation [ɒpə'reiʃn]
operatīvs 1. (*ķirurģisks*) operative ['ɒpərətiv]; **2.** *mil.* operational [ɒpə'reiʃnəl]
operēt to operate ['ɒpereit] (*on*)
operete operetta [ɒpə'retə]
optimists optimist ['ɒptimist]
orangutans orangutang [ɔ:,ræŋu:'tæŋ]
orbīta orbit ['ɔ:bit]
ordenis order ['ɔ:də]
organisms organism ['ɔ:gænizəm]
organizācija organization [ɔ:gənai'zeiʃn]
organizēt to organize ['ɔ:gənaiz]; to arrange [ə'reindʒ]
orgāns 1. organ; **2.** *pārn.* body ['bɒdi]
orientēties to find* [faid] one's bearings ['beəriŋz]
oriģināls *īp. v.* original [ə'ridʒnəl]
orkāns huricane ['hʌrikən], tornado [tɔ:'neidəʊ]
orķestris orchestra ['ɔ:kistrə]; pūtēju o. – brass [brɑ:s] band [bænd]
ornaments ornament ['ɔ:nəmənt]
osa handle [hændl], ear [iə]
osis ash-tree ['æʃtri:]
ost to smell* [smel]
osta port, harbour ['hɑ:bə]
ota brush [brʌʃ]
otrādi 1. the wrong ['rɒŋ] side out; **2.** (*pretēji*) the other way round
otrais second ['sekənd]; o. stāvs – first floor; second floor *amer.*
otrdiena Tuesday ['tju:zdi]; otrdien – on Tuesday
otr||s (*cits*) another [ə'nʌðə]; viens [illegible]u – one another; ne viens, ne o. – neither ['naiðə]
ovāls *īp. v.* oval [əʊvl]
ozols oak [əʊk]
ozolzīle acorn ['eikɔ:n]
ozons *ķīm.* ozone ['əʊzəʊn]
oža smell [smel]

P

pa 1. along [ə'lɒŋ]; on; **2.** through; pa durvīm – through the door [dɔ:]; **3.** during; in; pa vasaru – during the summer; **4.** by; pa pastu – by post [pəʊst]; **5.**: pa vienam – one by one

paātrinājums *fiz.* acceleration [əksələ'reiʃn]

paātrināt to hasten ['heisn]; to speed [spi:d] up

paaudze generation [,dʒenə'reiʃn]

paaugstinājums 1. elevation [eli'veiʃn]; platform; **2.** (*cenu*) rise [raiz]; **3.** (*amatā*) promotion

paaugstināt 1. to elevate ['eliveit]; **2.** (*cenu*) to raise [reiz]; **3.** (*amatā*) to promote

paaugties to grow [grəʊ] up

pabalsts 1. (*atbalsts*) support; **2.** allowance [ə'laʊəns]; pay

pabarot to feed* [fi:d]

pabāzt to push [pʊʃ] (*under*)

pabeigt to finish ['finiʃ]; to complete [kəm'pli:t]

P

pabīdīt to move [mu:v], to push [pʊʃ]

pacelt to raise [reiz], to lift [lift]; (*kaut ko nokritušu*) to pick [pik] up

pacelties to rise* [raiz]; (*par lidmašīnu*) to take* off

pacensties to try [trai]

paciest to bear* [beə], to stand* [stænd]

paciesties to have patience ['peiʃəns]

pacietība patience ['peiʃəns]

pacietīgs patient ['peiʃənt]

pacifisms pacifism ['pæsifizəm]

pacilāts elated [i'leitid]

paciņa packet ['pækit]

padarīt to do; to make*

padeve *tehn.* feeding ['fi:diŋ]

padevīgs submissive [səb'misiv] (*to*)

padomāt to think* [θiŋk] over

padomdevējs adviser [əd'vaizə]

padome council ['kaʊnsl]; Ministru Padome – Council of Ministers

padoms advice [əd'vais]

padot to pass [pɑ:s], to hand [hænd], to give* [giv]

padoties 1. to surrender [se'rendə], to yield [ji:ld]; **2.** (*pakļauties*) to submit; **3.** (*sekmēties*) to come* easy ['i:zi]

padus||e arm-pit ['ɑ:mpit]; ~ē – under one's arm

padzert: p. tēju (kafiju) – to have tea [ti:] (coffee)

padzīt to drive* [draiv] off

paēdis: esmu p. – I have had enough [i'nʌf], I am full up

paēna shade [ʃeid]

paēst to eat* [i:t], to have a meal [mi:l]

pagaidām for the time being, for the present ['preznt]

pagaidīt to wait [weit] (*for*)

pagājušais past [pɑ:st]; (*pēdējais*) last [lɑ:st]

pagale log [lɒg]

pagalms yard [jɑ:d]

pagalvis pillow ['piləʊ]

pagarināt 1. to lengthen [ˈleŋθən]; **2.** (*termiņu*) to prolong [prɒˈlɒŋ]
pagasts rural [ˈrʊərəl] distrikt [ˈdistrikt]
pagatavot 1. to make*; **2.** (*ēdienu*) to prepare [priˈpeə]
pagātne 1. the past [pɑ:st]; **2.** *gram.* past [tense]
paglābt 1. (*izglābt*) to save [seiv]; **2.** (*pasargāt*) to shelter [ˈʃeltə]
pagrabs cellar [ˈselə]
pagrīde underground [ˈʌndəgraʊnd]
pagrieziens turning [ˈtɜ:niŋ]; bend
pagriezt to turn [tɜ:n]
pagriezties to turn (swing*) round
pagrimt to decay [diˈkei], to decline [diˈklain]; (*morāli*) to go* to seed [si:d]
pagrimums decay [diˈkei], decline [diˈklain]
pagrūst to push [pʊʃ], to give* a push
pagūt to manage [ˈmænidʒ]
paiet 1. to go*; **2.** (*par laiku*) to pass [pɑ:s]; **3.** (*beigties*) to be over
pajautāt to ask [ɑ:sk]; to inquire [inˈkwaiə]
pajokot to joke [dʒəʊk]
pajūgs cart [kɑ:t]
pajumte shelter [ˈʃeltə]
paka package [ˈpækidʒ]; (*pasta*) parcel [ˈpɑ:sl]
pakaiši litter [ˈlitə], bedding [ˈbediŋ]
pakalpīgs obliging [əˈblaidʒiŋ]
pakalpojums service [ˈsɜ:vis]
pakaļ after; iet p. – to follow; dzīties p. – to pursue [pɜ:ˈsju:], to chase [tʃeis]
pakaļējs back [bæk], rear [riə]
pakāpe 1. degree [diˈgri:]; extent; **2.** *gram.* degree
pakāpeniski gradually [ˈgrædʒʊəli], by degrees
pakāpiens step [step]
pakāpties to climb [klaim] up
pakaramais: drēbju p. – 1) clothes-rack [ˈkləʊðzræk]; 2) (*pie apģērba*) tab; hanger [ˈhæŋgə]
pakārt to hang* [hæŋ] up
pakausis back of the head [hed]
pakavēties 1. (*pabūt*) to stay; **2.** (*pie kā*) to linger [ˈliŋgə] (*on, upon*)
pakavs horseshoe [ˈhɔ:sʃu:]
pakete 1. package [ˈpækidʒ]; **2.** *med.* field dressing
paklājs carpet [ˈkɑ:pit], rug [rʌg], mat [mæt]
paklanīties to bow [baʊ] (*to*)
paklausīgs obedient [əˈbi:diənt]
paklausīt to obey [əˈbəi]
paklupt to stumble [ˈstʌmbl], to trip
paklusām softly [ˈsɒftli], noiselessly [ˈnɔizləsli]
pakļaut to subordinate [səˈbɔ:dinət], to subject [səbˈdʒekt]
pakļauties to submit [səbˈmit] (*to*)
pakot to pack [pæk] (up)
pakrist to fall* [fɔ:l] [down]
pakrūte pit [pit] of the stomach [ˈstʌmək]
pāksts pod [pɒd]
pākšaugi legumes [ˈlegju:mz]
pakts *pol.* pact [pækt]
pakurls hard [hɑ:d] of hearing [ˈhiəriŋ]

P

pakustēties to move [mu:v], to stir [stɜ:]
pakustināt to move [mu:v], to stir [stɜ:]
palags sheet [ʃi:t]
palaidnīgs naughty [ˈnɔ:ti]
palaist to let*; p. vaļā – to let go; p. garām – 1) (*atļaut paiet garām*) to let* pass; 2) (*neievērot*) to miss
palama nickname [ˈnikneim]
palāta **1.** (*slimnīcā*) ward [wɔ:d]; **2.** (*augstākā likumdošanas institūcija*) chamber [ˈtʃeimbə]; lordu p. – House [haʊs] of Lords
paldies thank you!; liels p.! – many thanks! ◇ p. Dievam! – thank goodnes!
palēnām slowly [ˈsləʊli]
palēnināt to slacken [ˈslækən], to slow [sləʊ] down
pali flood [flʌd]
palīdzēt to help [help], to aid [eid]
palīdzība help, aid; ātrā medicīniskā p. – first aid
paliekas remnants [ˈremnənts]; leftovers
paliekošs lasting [ˈlɑ:stiŋ], permanent [ˈpɜ:mənənt]
palielināt to increase [inˈkri:s]
palīgatmiņa *dat.* auxiliary [ɔ:gˈziliəri] storage [ˈstɔ:ridʒ]
palīgs assistant [əˈsistənt], help
palikt to remain [riˈmein], to stay [stei]; p. dzīvam – to survive [səˈvaiv]
palma palm [pɑ:lm]
palodze window-sill [ˈwindəʊsil]
palūgt to ask [ɑ:sk] (*for*)
paļauties to rely [riˈlai] (*upon*)
pamācība instruction [inˈstrʌkʃn]
pamācīt to teach* [ti:tʃ], to instruct [inˈstrʌkt]
pamale horizon [həˈraizn]
pamanīt to notice [ˈnəʊtis]
pamāt (*ar galvu*) to nod; (*ar roku*) to wave [weiv]
pamatdatne *dat.* master [ˈmɑ:stə] file [fail]
pamāte stepmother [ˈstepˌmʌðə]
pamatiedzīvotāji natives [ˈneitivz]
pamatīgi thoroughly [ˈθʌrəli], properly [ˈprɒpəli]
pamatīgs thorough [ˈθʌrə]; solid [ˈsɒlid], well-founded [welˈfaʊndid]
pamatlicējs founder [ˈfaʊndə]
pamatot to base [beis] (*on*)
pamatoties to be based [beist] (*on*)
pamatots well-founded [welˈfaʊndid], well-grounded
pamat||s **1.** (*ēkas*) foundation [faʊndeiʃn], base [beis]; **2.** (*galvenais*) basis*; principle; **3.** (*iemesls*) reason; grounds *dsk.*; **4.**: ~i – principles
pamatskola elementary [eliˈmentəri] (primary) school [sku:l]
pamattīkls *dat.* backbone network [ˈnetwɜ:k]
pamazām little by little
pamēģināt to try [trai], to attempt [əˈtempt]
pameita stepdaughter [ˈstepdɔ:tə]
pameklēt to look [lʊk] (*for*)
pamest to abandon [əˈbændən], to forsake*; p. novārtā – to neglect [niˈglekt]

pamiers armistice [ˈɑ:mistis], truce [tru:s]
pamīšus alternately [ɔ:lˈtɜ:nətli]
pamodināt to wake*, to call [kɔ:l]
pamosties to wake* [weik] up
pampt to swell* [swel]
pamudināt to urge [ɜ:dʒ]
panākt[a] **1.** to catch* [kætʃ] up (*with*); (*nokavēto*) to make* up (*for*); **2.** (*sasniegt*) to achieve, to attain [əˈtein]
panākt[b] to come* [kʌm]
panākums success [səkˈses]; gūt ~us – to be a success
panest 1. to carry [ˈkæri]; **2.** (*paciest*) to stand* [stænd], to bear*
panika panic [ˈpænik]; krist panikā – to be* in a flap
panīkt to decay [diˈkei]
paniņas buttermilk [ˈbʌtəmilk]
pankūka pancake [ˈpæŋkeik]
panna frying-pan [ˈfraiiŋpæn]
panorāma panorama [pænəˈrɑ:mə]
pansija boarding-house [ˈbɔ:diŋˌhaʊs]
pant||s 1. *lit.* verse; **2.**: sejas ~i – features [ˈfi:tʃəz]
paņēmiens method [ˈmeθəd], way [wei]
paņemt to take* [teik]
papagailis parrot [ˈpærət]
papaja papaya [pəˈpaiə]
paparde fern [fɜ:n]
pape tar-paper [ˈtɑ:ˌpeipə]
papēdis heel [hi:l]
papele poplar [ˈpaplə]
papildinājums supplement [ˈsʌplimənt]
papildināt to supplement [ˈsʌplimənt] (*with*), to add
papildinātājs *gram.* object [ˈɒbdʒikt]
papildizdevums supplementary impression [imˈpreʃn]
papildizeja emergensy [iˈmɜ:dʒənsi] exit
papildmetiens extra impression
papildus in addition [əˈdiʃn]
papilnam in plenty [ˈplenti]
papīrgrozs waste-paper [weistˈpeipə] basket [ˈbɑ:skit]
papīrnauda paper currency [ˈkʌrənsi]
papīrnazis paper-knife [ˈpeipəˌnaif]
papiross cigarette [ˌsigəˈret]
papīrs paper [peipə]
paplašināt 1. to enlarge, to broaden [ˈbrɔ:dn]; **2.** (*apjomā*) to increase [inˈkri:s]; to extend; **3.** (*padarīt plašāku*) to broaden; to extend [iksˈtend]
paplašināties to broaden [ˈbrɔ:dn]
paplāte tray [trei]
paprasīt to ask [ɑ:sk]
paprika paprika [ˈpæprikə], sweet [swi:t] pepper [ˈpepə]
papuve fallow [ˈfæləʊ]
par 1. of; about; p. ko jūs runājat? – what are you speaking [ˈspi:kiŋ] about?; **2.** than; mazāk p. – less than; **3.** too; p. daudz – too much
pār over [ˈəʊvə]; across [əˈkrɒs]; pāriet p. tiltu – to cross the bridge
parabola 1. *mat.* parabola [pəˈræbələ]; **2.** *lit.* parable [ˈpærəbl]
parāde parade [pəˈreid]; *mil.* review [riˈvju:]

P

parādība 1. fact, thing; phenomenon* [fə'nɒminən]; **2.** ghost [gəʊst]

parādīt to show* [ʃəʊ]; ◇ parādīt kādam durvis – to show smb. the way

parādīties to appear [ə'piə]

paradīze *rel.* Paradise ['pærədais], Eden ['i:dn]

parād‖s debt [det]; būt ~ā – to owe [əʊ], to be* indebt

paradums habit ['hæbit]; custom ['kʌstəm]

pārāk too [tu:]

pārāks superior [su:'piəriə]

parakstīt 1. to sign [sain]; **2.** (*zāles*) to prescribe [pri'skraib]

parakstīties 1. to sign [sain] one's name; **2.** (*abonēt*) to subscribe [səb'skraib]

paraksts signature ['signətʃə]

paralēle parallel ['pærələl]

parasti usually ['ju:ʒʊəli], normally ['nɔ:məli]

parasts usual ['ju:ʒʊəl]; ordinary; common ['kʌmn]

pāraudzināt to reeducate [ri:'edjʊkeit]

P

paraugs 1. (*preču*) sample ['sɑ:mpl]; (*auduma*) pattern; **2.** (*priekšzīme*) example [ig'zɑ:mpl]; model ['mɒdl]

paraža habit; custom ['kʌstəm]

pārbaude 1. control [kən'trəʊl], checking; **2.** (*izmēģinājums*) testing

pārbaudījums 1. trial; **2.** (*eksāmens*) examination [ig,zæmi'neiʃn]

pārbaudīt 1. to control [kən'trəʊl]; to check up; to verify; **2.** (*izmēģināt*) to test

pārbiedēt to frighten ['fraitn], to scare [skeə]

pārbīlis shock

pārbīties to get* frightened ['fraitnd]

pārbraukt to come*; to return [ri'tɜ:n]

pārbrauktuve crossing ['krɒsiŋ]

pārciest to endure, to suffer ['sʌfə]; p. operāciju – to undergo* an operation

pārdevēja saleswoman, shopgirl ['ʃɒpgɜ:l]

pārdevējs salesman ['seilsmæn], shop-assistant

pārdomas reflection [ri'flekʃn], contemplation

pārdom‖āt 1. to think* over; to reflect (*on, upon*); ~āts – well considered; **2.** (*mainīt domas*) to change one's mind

pārd‖ot to sell*; ~odams – for sale, on sale

pārdrošība audacity [ɔ:'dæsəti], daring ['deəriŋ]

pārdrošs audacious [ɔ:'deiʃəs], daring ['deəriŋ], rash [ræʃ]

pārdurt to pierce [piəs], to puncture ['pʌŋktʃə]

pārdzīvot 1. to experience [iks'piəriəns]; **2.** (*dzīvot ilgāk par kādu*) to survive [sə'vaiv], to outlive [aʊt'liv]

paredzēt 1. to anticipate [æn'tisipeit], to foresee* [fɔ:si:]; **2.** (*plānā*) to envisage [in'vizidʒ]

pareizi right [rait]; correctly [kə'rektli]

pareizrakstība spelling ['speliŋ]

pareizs right [rait]; correct [kə'rekt]
pāreja passage ['pæsidʒ]; ielas p. – crossing ['krɒsiŋ]
pārēj‖ais **1.** the rest; **2.**: ~ie – the others
pārejošs **1.** transient ['trænziənt]; (*īslaicīgs*) temporary ['tempərəri]; **2.** *gram.* transitive ['trænsətiv]
pārestība wrong [rɒŋ], injury ['indʒəri]
pārgājiens hike [haik], trek
pārgalvīgs reckless ['rekləs]
pārgriezt to cut* [through]
pārgudrs overwise [əʊvə'waiz]
pārģērbties to change [tʃeindʒ] one's clothes [kləʊðz]
pāri **1.** over; (*aiz*) beyond; **2.** past [pɑ:st]; piecas minūtes p. pieciem – five minutes past five
pāriet **1.** to get* (*across*), to cross; **2.** (*mitēties*) to cease [si:s]
pārinieks mate [meit]
pāris pair [peə], couple ['kʌpl]
parīt the day [dei] after tomorrow
pārkāpt **1.** (*pāri*) to climb [klaim] (*over*); **2.** (*likumu, noteikumu*) to trespass ['trespəs] (*against*)
pārkāpums trespass ['trespəs]; offence [ə'fens]
pārkārtot to rearrange [,ri:ə'reindʒ]
parkets parquet ['pɑ:kei]
pārklājs cover ['kʌvə]
pārklāt to cover ['kʌvə] (*with*)
pārklāties to get* covered ['kʌvəd] (*with*)
parks park [pɑ:k]
parlaments parliament ['pɑ:ləmənt]
pārlauzt to break* [breik]
pārliecība conviction [kən'vikʃn], credo ['kri:dəʊ]
pārliecināt to convince (*of*); to persuade [pə'sweid]
pārliecināties to make* certain ['sɜ:tn] (sure)
pārliecinošs convincing [kən'vinsiŋ]
pārliet **1.** to pour [pɔ:]; **2.** (*asinis*) to transfuse [,træns'fju:z]
pārmācīt **1.** to teach* [ti:tʃ] a lesson; **2.** (*sodīt*) to punish ['pʌniʃ]
pārmainīt to change [tʃeindʒ], to transform [træns'fɔ:m]
pārmaiņa change [tʃeindʒ]
pārmaksāt to overpay [,əʊvə'pei] (*for*)
pārmākt to overrun [,əʊvə'rʌn]
pārmeklēt to search [sɜ:tʃ], to ransack ['rænsæk]
pārmērīgi excessively [ik'sesivli]; too
pārmērīgs excessive [ik'sesiv]
pārmest to reproach [ri'prəʊtʃ]
pārmetums reproach [ri'prəʊtʃ], reproof [ri'pru:f]
pārnākt to come* back [bæk], to return [ri'tɜ:n]
pārnese *dial.* carry [kæri]
pārņemt **1.** to take* over; to adopt; **2.** (*par jūtām*) to seize [si:z], to overpower [əʊvə'paʊə]
parole password ['pɑ:swɜ:d], watchword ['wɒtʃwɜ:d]
pārpalikums rest; (*auduma*) remnant ['remnənt]
pārpeldēt to swim* [swim] (*across*)
pārpildīts crowded [kraʊdid]

P

pārpilnība abundance [ə'bʌndəns], plenty [plenti]
pārplīst to tear* [teə]
pārplūst to overflow ['əʊvəfləʊ]
pārprast to misunderstand* [mis,ʌndə'stænd]
pārpratums misunderstanding [mis,ʌndə'stændiŋ]
pārpūlēties to overstrain [əʊvə'strein] oneself
pārraide broadcast ['brɔ:dkɑ:st]; transmission [træns'miʃn]
pārraidīt to broadcast; to transmit; (*pa televīziju*) to televize
pārrakstīt to rewrite* ['ri:rait], to tipe
pārrunas discussion [dis'kʌʃn]
pārrunāt to discuss [dis'kʌs], to debate [di'beit]
pārsējs bandage ['bændidʒ]; (*brūces*) dressing ['dresiŋ]
pārsēsties to change [tʃeindʒ] (*for*)
pārsēšanās (*ceļā*) change [tʃeindʒ]
pārsiet to bandage ['bændidʒ]; (*brūci*) to dress [dres]
pārskatīties 1. to make* a mistake; **2.** (*noturēt par kādu citu*) to mistake* (*for smb. else*)
pārskats 1. (*apskats*) survey [sɜ:vi], review, round-up; **2.** (*atskaite*) account
pārsl||a 1. flake [fleik]; **2.** auzu ~as – rolled [rəʊld] oats [əʊts]
pārslēgt to switch; (*ātrumu*) to shift [ʃift]
pārslodze overload; (*darbā*) overwork [,əʊvə'wɜ:k]
pārslogot to overload; (*darbā*) to overwork
pārsniegt to surpass [sə'pɑ:s]
pārspēks superiority [,su:piəri'ɒriti]
pārspēt (*darbā*) to outwork; (*sportā*) to outmatch [aʊt'mætʃ]
pārspīlēt to exaggerate [ig'zædʒəreit]
pārsprāgt to burst* [bɜ:st]
pārstādīt to transplant ['træns,plɑ:nt]
pārstāvēt to represent [,repri'zent]
pārstāvis representative [,repri'zentətiv]; (*firmas*) agent ['eidʒənt]
pārstāvniecība agency ['eidʒənsi]
pārsteidzīgs rash, reckless ['reklis]
pārsteidzošs surprising [sə'praiziŋ], astonishing
pārsteigt to surprise, to astonish [ə'stɒniʃ]
pārsteigums surprise, astonishment [ə'stɒniʃmənt]
pārstrādāt (*izejvielas*) to process ['prəʊsəs]
pārsvars predominance [pri'dɒminəns]
pārtaisīt 1. to remake* [ri:'meik]; **2.** (*drēbes*) to remake; to alter ['ɔ:ltə]; (*atdodot drēbniekam*) to have altered
pārteikties to make* a slip [slip]
pārticīb||a prosperity [prɒs'perəti]; dzīvot ~ā – to be well off
partija party ['pɑ:ti]
pārtik||a food, victuals ['vitlz] *dsk.*; ~as veikals – grocery ['grəʊsəri], food shop
pārtikt to live [li:v] (*on*)
partneris partner ['pɑ:tnə]

P

pārtraukt to interrupt [intə'rʌpt]; (*apstādināt*) to stop; (*runu*) to cut* short

pārtraukums 1. interruption [intə'rʌpʃn]; (*apstāšanās*) pause, stop, break [breik]; **2.** interval ['intəvl]

pārtulkot to translate [træns'leit]; (*mutiski*) to interpret [in'tɜ:prət]

paruna saying ['seiiŋ]

parunāt to speak* [spi:k]; to talk [tɔ:k] (*with*)

pārvadāt to transport ['trænspɔ:t]

pārvākties to move [mu:v] (*to*)

pārvalde administration [ədmini'streiʃn]; board [bɔ:d]

pārvaldīt to administer; (*uzņēmumu*) to run*, to manage ['mænidʒ]

pārvaldnieks manager ['mænidʒə]

pārvalks case [keis], cover ['kʌvə]

pārvarēt to overcome* ['əʊvəkʌm], to get* over

pārvedums: naudas p. – remittance [ri'mitəns]; pasta p. – postal order

pārveidot to alter ['ɔ:ltə]; to modify ['mɒdifai]

pārveidotājs *dat.* converter [kən'vɜ:tə]

pārvērst to change [tʃeindʒ] (*into*); to convert [kən'vɜ:t] (*into*)

pārvērsties to turn [tɜ:n] (*into*)

pārvietot to move [mu:v]; to shift; to displace [dis'pleis]

pārvietoties to move [mu:v]

pārvilkt (*ar drānu*) to cover [kʌvə] (*with*)

pārzināt to manage ['mænidʒ], to be in charge [tʃɑ:dʒ] (*of*)

pārziņ‖a: būt kāda ~ā – to be under authority [ɔ:'θɒrəti] of smb.

pasaka fairy-tale ['feəriteil]

pasākums enterprise ['entəpraiz], activity [æk'tivəti]

pasargāt to protect (guard [gɑ:d]) (*against, from*)

pasaukt to call [kɔ:l]

pasaule world [wɜ:ld]

pasaulslavens world-famous ['wɜ:ldfeiməs]

pasažieris passenger ['pæsindʒə]

pase 1. passport ['pɑ:spɔ:t]; **2.** (*mašīnas*) certificate [sə'tifikət]

pasildīties to warm [wɔ:m] oneself

pasīvs *īp. v.* passive ['pæsiv]

paskaidrojums explanation [ˌeksplə'neiʃn]

paskaidrot to explain [iks'plein]

paskatīties to have (take*) a look (*at*)

paslēpt to hide* [haid]

paslēpties to hide* [haid] oneself

paslepus on the sly [slai], secretly

pasliktināties to grow* [grəʊ] worse [wɜ:s]

pasludināt to proclaim [prɒ'kleim], to declare [di'kleə]

pasniedzējs lecturer ['lektʃərə]

pasniegt 1. to hand*; (*pie galda*) to pass [pɑ:s]; **2.** (*mācīt*) to teach* [ti:tʃ]

paspēlēt (*zaudēt*) to lose* [lu:z]

paspēt 1. to manage ['mænidʒ]; **2.** (*tikt laikā*) to be in time

pastaiga walk [wɔ:k]

pastaigāties to go* for a walk [wɔ:k], to take* a walk

P

pastaipīties to stretch [stretʃ] oneself
pastāstīt to tell* [tel]
pastāvēt (*eksistēt*) to be, to exist; (*ilgstoši*) to last [lɑ:st]
pastāvīgi constantly [ˈkɒnstəntli]
pastāvīgs constant; permanent [ˈpɜ:mənənt]
pasteigties to hasten [heistn], to hurry [ˈhʌri]
pastelis *glezn.* crayon [ˈkreiən], pastel
pastēte pie [pai], pate [ˈpætei]
pastiprināt to strengthen; to intensify [inˈtensifai]
pastkarte postcard [ˈpəʊstkɑ:d]
pastkastīte letter-box [ˈletəbɒks]; postbox; mailbox *amer.*
pastmarka stamp [stæmp]
pastnieks postman* [pəʊstmæn]
past||s post [pəʊst]; mail [meil]; ~a nodaļa – post-office; ~a sūtījums – parcel; ~a pārvedums – remittance; ~a indekss – postcode
pasūtījum||s order [ɔ:də]; izgatavots pēc ~a – made to order; custommade
pasūtīt 1. to order [ˈɔ:də]; **2.** (*laikrakstus*) to subscribe [səbˈskraib] (*to, for*)
pasveicināt to greet [gri:t]; (*nodot sveicienu*) to give* (send*) one's regards (*to*)
pasviest to throw [θrəʊ]
pasvītrot to underline [ˌʌndəˈlain]
paša- own [əʊŋ]
pašaizliedzīgs selfless [ˈselfləs]
pašapkalpošanās self-service [selfˈsɜ:vis]
pašapzinīgs self-confident [selfˈkɒnfidənt]
pašcieņa self-respect [selfriˈspekt]
pašdarbība amateur [ˈæmətə] performances [pəˈfɔ:mənsiz]
pašdarināts self-made, home-made [ˈhəʊmˌmeid]
pašizmaksa prime [praim] cost [kɒst]
pašlaik just [dʒʌst] now [naʊ], at present
pašmācība self-instruction [selfˌinˈstrʌkʃn]
pašnāvība suicide [ˈsu:isaid]; izdarīt ~u – to commit suicide
pašpārliecināts self-confident [selfˈkɒnfidənt]
pašportrets self-portrait [selfˈpɔ:trit]
pašreizējs present [ˈpreznt]
pašūt to sew* [səʊ]
pašvaldība self-government [selfˈgʌvəmənt]; pilsētas p. – municipality [mju:ˌnisiˈpæləti]
pat even [ˈi:vən]
pātaga whip [wip]
pateicīb||a gratitude [ˈgrætitju:d]; būt ~u parādā – to be obliged [əˈblaidʒd]
pateicīgs grateful [greitfʊl] (*to*), thankful [ˈθæŋkfl]
pateikt to tell* [tel], to say*
pateikties to thank [θæŋk]; pateicos! – thank you!, thanks!
patentēt to patent [ˈpeitnt]
patents patent [ˈpeitnt]
patērēt to consume [kənˈsju:m]
patēriņš 1. consumption [kənˈsʌmpʃn]; **2.** (*strāvas, ūdens u. tml.*) expenditure

patēvs stepfather ['step,fa:ðə]

patiesīb||**a** truth [tru:θ]; ◇ ~ā – in reality, in fact

patiess true [tru:], real [riəl]

patiešām indeed, really ['riəli]

patika pleasure ['pleʒə]

patīkams pleasant ['pleznt], agreeable [ə'gri:əbl]

patikt to like [laik]

patmīlīgs selfish [selfiʃ]

patoloģija pathology [pə'θɒlədʒi]

patriotisks patriotic [pætri'ɒtik]

patriots patriot ['pætriət]

patrona 1. cartridge [ka:tridʒ]; **2.** *el.* lamp-socket ['læmpsɒkit]

patruļa patrol [pə'trəʊl]

pats 1. myself [mai'self]; yourself; himself, herself; itself; ourselves [aʊvə'selvz]; yourselves; themselves; **2.** very; p. sākums – the very beginning

patskanis *gram.* vowel ['vaʊəl]

patstāvība independence [indi'pendəns]

patstāvīgs independent [indi'pendənt]

paturēt to keep* [ki:p]; p. acīs – to keep* in view [vju:]

patvaļīgs arbitrary ['a:bitrəri]

patvertne shelter ['ʃeltə]

patvērums refuge ['refju:dʒ]

paugurs hill [hil], hillock ['hilək]

paukošana fencing ['fensiŋ]

pauna bundle ['bʌndl], pack [pæk]

pauze pause [pɔ:z], interval ['intəvl], break [breik]

pavadība accompaniment [ə'kʌmpəniment]

pavadīt 1. to accompany [ə'kʌmpəni]; to see* [off]; **2.** (*laiku*) to pass, to spend*

pavadonis 1. (*vilcienā*) guard [ga:d]; conductor [kən'dʌktə] *amer.*; **2.** (*gids*) guide [gaid]; **3.** *astr.* satellite

pavairot 1. to increase ['inkri:s], to multiply ['mʌltiplai]; **2.** (*ar kopētāju*) to copy ['kɒpi], to xerox ['ziərɒks]

pavalstniecīb||**a** citizenship ['sitiznʃip]; pieņemt ~u – to take* out citizenship

pavalstnieks subject ['sʌbdʒikt], citizen ['sitizən]

pavārgrāmata cookery-book ['kʊkəri,bʊk]

pavārs cook [kʊk]

pavasaris spring ['spriŋ]

pavediens thread [θred]

pavedināt to entice [in'tais] (*to*)

paveikt to accomplish [ə'kʌmpliʃ]

pavēl||**e** order, command [kə'ma:nd]; ~es izteiksme *gram.* – imperative mood

pavēlēt to order [ɔ:də], to command [kə'ma:nd]

pavērst to turn [tɔ:n]

pavērt 1. to open slightly ['slaitli]; **2.** *pārn.* to open; to clear [kliə]

pavēste summons ['sʌməns]

pāvests Pope [pəʊp]; pāvesta- – papal ['peipl]

paviršs superficial ['su:pə'fiʃəl]; (*nolaidīgs*) careless ['keələs]

pavisam 1. (*gluži*) quite [kwait],

entirely [en′taiəli]; **2.** (*kopā*) in all [ɔ:l]
pāvs peacock [′pi:kɒk]
pazaudēt to lose* [lu:z]
pazemīgs humble [hʌmbl]
pazemināju̦ms fall [fɔ:l]; reduction [ri′dʌkʃn]
pazemināt to lower [′ləʊə]; to reduce [ri′dju:s]
pazemojošs humiliating [hju:′milieitiŋ]
pazemojums humiliation [hju:mili′eiʃn]
pazemot to humiliate [hju:′milieit]
pazīme sign [sain]; mark; (*slimības*) symptom [′simptəm]
paziņa acquaintance [ə′kweintəns]
paziņojum‖s announcement [ə′naʊnsmənt]; notice [′nəʊtis]; izlikt ~u – to put* [pʊt] up a notice
paziņo‖t to announce [ə′naʊns]; es jums ~šu – I shall let you know [nəʊ]
pazīstams 1. (*ar kādu*) acquainted [ə′kweintid] (*with*); **2.** (*populārs*) well-known [,wel′nəʊn]
pazīt 1. (*kādu*) to be acquainted [ə′kweintəd] (*with*); **2.** (*pēc balss, pēc izskata u.c.*) to recognize [′rekəgnaiz]
pazole sole [səʊl]
pazust to get* lost
pēc 1. after [′ɑ:ftə]; viens p. otra – one after another; **2.** in; p. mirkļa – in a minute; **3.** for; jautāt p. kāda – to ask [ɑ:sk] for smb.
pēcizmete *dat.* postmortem dump [dʌmp]
pēcnācējs descendant [di′sendənt]
pēcpusdiena afternoon [ɑ:ftə′nu:n]
pēcvārds epilogue [′epilɒg]
pēd‖a 1. foot*; **2.**: ~as – foot-marks [′fʊtmɑ:ks]
pedagogs teacher [′ti:tʃə]
pedagoģisks pedagogic [,pedə′gɒdʒik]
pedālis pedal [′pedl]
pēdēj‖ais 1. final [′fainl], last [lɑ:st]; ~ā laikā – lately, recently; **2.** (*pats jaunākais*) the latest [′leitəst]; ◇ p. piliens – the last straw [strɔ:]
pēkšņi suddenly [′sʌdnli]
pēkšņs sudden [′sʌdn]
pelašķi yarrow [′jærəʊ], milfoil [′milfɔil]
peldbaseins swimming-pool [′swimiŋpu:l]
peldbikses swimming-trunks [′swimiŋ,trʌŋks]
peldcepure bathing-cap [′beiðiŋkæp]
pelde (*vannā*) bath [bɑ:θ]; (*jūrā u.tml.*) bathe [beið]
peldēšana swimming [′swimiŋ]
peldēt to swim*; (*par priekšmetu*) to float [fləʊt]
peldēties to bathe [beið]
peldkostīms bathing-suit [′beiðiŋsu:t]
pele mouse* [maʊs]
pelēks grey [grei]
pelēt to grow* [grəʊ] mouldy [′məʊldi]
peln‖i ashes [æʃiz]; ~u trauks – ashtray [′æʃtrei]
pelnīt to earn [ɜ:n]
Pelnrušķīte Cinderella [,sindərelə]

P

pelt to find* [faind] fault [fɔ:lt] (*with*)
peļķe puddle [ˈpʌdl], pool [pu:l]
peļņa 1. earnings [ˈɜ:niŋz] *dsk.*; **2.** profit [ˈprɒfit]
penijs penny (*dsk.* pennies – *atsevišķi naudas gabali,* pence – *vērtības apzīmējums*)
pensij||a pension; vecuma p. – retirement pension; invaliditātes p. – disability pension; aiziet ~ā – to retire on pension
pensionārs pensioner [ˈpenʃnə]
penss penny; *sk.* **penijs**
perfekts perfect [ˈpɜ:fikt]
perfokarte punch[ed] card [kɑ:d]
perforators punch [pʌntʃ]
pēriens thrashing [ˈθræʃiŋ]; strapping [ˈstræpiŋ]
perimetrs *mat.* perimeter [pəˈrimitə]
periodisks periodic[al] [ˌpiəriˈɒdik(l)]
periods period [ˈpiəriəd]
pērkon||s thunder [ˈθʌndə]; ~a negaiss – thunderstorm; p. rūc – it thunders
pērle pearl [pɜ:l]
perons platform [ˈplætfɔ:m]
persiks peach [pi:tʃ]
person||a person [pɜ:sn]; ~as apliecība – identity card
personālizstāde one-man show [ʃəʊ]
personālsastāvs personnel [pɜ:səˈnel]
personiski personally; in person [pɜ:sn]
personisks private [ˈpraivit], personal [pɜ:snəl]
perspektīva 1. perspective; **2.** *pārn.* prospect, outlook [ˈaʊtlʊk]
perspektīvs 1. perspective [pəˈspektiv]; **2.** longterm [ˈlɒŋtɜ:m] (*attr.*)
pērt to thrash; to strap [stræp]
pērtiķis monkey [ˈmʌŋki]
pesimists pessimist [ˈpesimist]
Pestītājs *rel.* Redeemer [riˈdi:mə]
pētersīlis parsley [ˈpɑ:sli]
pētījums investigation [ˌinvestiˈgeiʃn], research [riˈsɜ:tʃ]
pētīt to investigate [inˈvestigeit]
pētniecīb||a investigation, research [riˈsɜ:tʃ]; zinātniskās ~as institūts – research institute
pētnieks researcher [riˈsɜ:tʃə]
petroleja kerosene [ˈkerəsi:n], petroleum [piˈtrəʊliəm], paraffin [ˈpærəfin] *amer.*
pianists pianist [ˈpiənist]
pica pizza [ˈpi:tsə]
pidžama pyjamas [pəˈdʒɑ:məz] *dsk.*
pie 1. at; with; p. galda – at [the] table; dzīvot p. kāda – to live with smb.; **2.** to; pieiet p. loga – to go to the window
pieaugt to increase [inˈkri:s], to grow*
pieaugums increase [ˈinkri:s]; growth [grəʊθ]
pieaugušais adult [ˈædʌlt], grown-up [ˈgrəʊnʌp]
piebāzt to stuff (fill) (*with*)
piebiedroties to join [dʒɔin]
piebilst to add [æd], to remark [riˈmɑ:k]
piebraukt to drive* up (*to*)
pieccīņa *sp.* pentathlon [ˌpenˈtæθlən]

P

pieceltics to rise* [raiz]; to stand* up
piecskaldnis *mat.* penthaedron [ˌpentə'hi:drɒn]
piedalīties to take* part (*in*), to participate [pɑ:'tisipeit] (*in*)
piedāvājums offer ['ɒfə]
piedāvāt to offer ['ɒfə]
piederēt to belong [bi'lɒŋ] (*to*)
piederība membership ['membəʃip] (of)
piederīgie relatives ['relətivz]
piederumi accessories [ək'sesəriz]; fittings; gultas p. – bedding; skūšanas p. – shaving-set
piedošan‖a forgiveness [fə'givnis]; lūgt ~u – to ask (beg) pardon ['pɑ:dn]
piedo‖t to forgive* [fə'giv]; ~diet! – excuse me!, sorry!
piedurkne sleeve [sli:v]
piedzēries drunk [drʌŋk], tipsy [tipsi]
piedzerties to get* drunk
piedzimt to be born [bɔ:n]
piedziņa *tehn.* drive [draiv]
piedzīvojums adventure [əd'ventʃə]
pieeja approach [ə'prəʊtʃ]
piegādāt (*preces, vēstules*) to deliver [di'livə] (*to*); to supply (*with*); (*ziņas*) to furnish (*with*)
piegāde delivery [di'livəri]
piegrūst 1. to move [mu:v] (*to*); **2.** (*piebikstīt*) to nudge
pieiet to go* up (*to*)
piejaukt to add [æd], to admix [æd'miks]
piejūras- seaside ['si:said] (*attr.*)
piekabe trailer ['treilə]
piekāpīgs yielding ['ji:ldiŋ], compliant [kəm'plaiənt]
piekāpties to give* in, to yield [ji:ld] (*to*)
piekaram‖s: ~ā slēdzene – padlock ['pædlɒk]
piekaut to beat* [bi:t]; to give* a licking ['likiŋ]
pieklājība politeness [pə'laitnəs]; decency ['di:snsi]; propriety [prə'praiəti]
pieklājīgs polite; decent ['di:snt]; proper ['prɒpə]
pieklāties to become* [bi'kʌm], to be fit
pieklauvēt to knock [nɒk] (*at*)
piekļūt to get* at, to reach [ri:tʃ]
piekodināt to admonish [əd'mɒniʃ]
piekrāpt to cheat [tʃi:t], to deceive [di'si:v]
piekrist to agree [ə'gri:] (*with, to*); to consent (*to*); es pilnīgi piekrītu – I quite agree
piekrišana 1. agreement [ə'gri:mənt]; consent; **2.** (*panākumi*) success [sək'ses]
piekritējs supporter [sə'pɔ:tə]
piektdiena Friday ['fraidi]; Lielā p. – Good-Friday
piekusis tired ['taiəd], exhansted [ig'zɔ:stid]
piekust to get* tired
pieķerties 1. to catch* hold [həʊld] (*of*); **2.** *pārn.* to become* attached (*to*)
pielādēt to load [ləʊd], to charge [tʃɑ:dʒ]
pielāgoties to adapt [ə'dʌpt] oneself (*to*)
pielaist to admit [əd'mit] (*to*)
pieliekamais larder, pantry ['pæntri]

P

pieliekties to stoop [stu:p]
pielikt to add [æd]
pielikums 1. (*pie algas*) rise [raiz], increase [ˈiŋkri:s]; **2.** (*grāmatas*) supplement [ˈsʌplmənt]
pielīmēt to glue [glu:] (*to*), to paste [peist] (*to*), to stick* (*to*)
pielipt 1. to stick* (*to*); to cling* (*to*); **2.** (*par slimību*) to contract
pieļaut to tolerate [ˈtɒləreit]
piemēram for example [igˈzɑ:mpl]
piemērots suitable [ˈsu:təbl], fit
piemēr||s example [igˈzɑ:mpl]; ~am – for example, for instance [ˈinstəns]
piemīlīgs sweet [swi:t]
piemineklis monument [ˈmɒnjʊmənt]
pieminēt 1. to mention [menʃn]; **2.** (*atcerēties*) to remember [riˈməmbə], to recall [riˈkɔ:l]
piemiņa memory [ˈmeməri]
piemiņlieta keepsake [ˈki:pseik]
pienācīgs due [dju:]; proper [prɒpə]
pienākt 1. (*klāt*) to come* up (*to*); **2.** (*par vilcienu*) to arrive; **3.** (*iegriezties*) to drop in
pienākties to be* due [dju:] (*to*)
pienākums duty [ˈdju:ti]
pienene dandelion [dəndəˈlaiən]; blowball [bləʊbɔ:l]
pienotava dairy [ˈdeəri]
pien||s milk [milk]; ~a produkti – dairy [ˈdeəri] produce [ˈprɒdju:s]
pieņemams acceptable [əkˈseptəbl]
pieņemšan||a 1. reception [riˈsepʃn]; ~as stundas – reception hours [aʊəz]; (*ārsta*) consulting hours; **2.** (*priekšlikuma u. tml.*) acceptance [əkˈseptəns]
pieņemt 1. to receive [riˈsi:v]; **2.** (*priekšlikumu u. tml.*) to accept; **3.** *pārn.* to assume, to suppose [səˈpəʊz]
pieņemts accepted [əkˈseptid]; adopted
pieņēmums presumption [priˈzʌmpʃən]
piepamt to swell* [swel]
piepildīties to come* true [tru:]
piepilsēt||a suburb [ˈsʌbɜ:b]; ~as vilciens – local [ˈləʊkl] train, shuttle [ˈʃʌtl]
pieplūdums flow [fləʊ]
pieprasījum||s 1. demand [diˈmɑ:nd], request [riˈkwest]; pēc kāda ~a – at smb.'s request; **2.** *ek.* demand; requirement [riˈkwaiəmənt]; apmierināt ~u – to meet* the requirement
pieprasīt to demand [diˈmɑ:nd], to require [riˈkwaiə]
piepūle effort [ˈefət], exertion [igˈzɜ:ʃn]
piepūšams inflatable [inˈfleitəbl]
pieputināt (*ar sniegu*) to fill up with snow
pierādījums proof [pru:f], evidence [ˈevidəns]
pieradināt 1. to accustom [əˈkʌstəm] (*to*); **2.** (*dzīvnieku*) to tame [teim]
pieradis used [ju:st] (*to*)
pierādīt to prove [pru:v]
pierakstīt to take* down; to record [riˈkɔ:d]
pieraksts registration [ˌredʒiˈstreiʃn] of residence [ˈrezidəns]

pierast habitual [hə'bitʃuel]
piere forehead ['fɒrid]
pieredze experience [ik'spiəriəns]
pieredzējis experienced [ik'spiəriənst]
pierunāt to persuade [pə'sweid]
piesalt to freeze* [fri:z] (*to*)
piesardzība precaution [pri'kɔ:ʃən]; (*apdomīgums*) prudence ['pru:dns]
piesardzīgs cautious ['kɔ:ʃəs]; wary ['weəri]
piesarg||āties to beware [bi'weə] (*of*); ~ies! – look out!
piesārņojums pollution [pə'lu:ʃn]
piesaule sunny ['sʌni] side [said]; piesaulē – right in the sun
piesavināties to appropriate [ə'prəʊprieit]; to usurp [ju:'zɜ:p]
piesēdētājs *jur.* assessor [ə'sesə]
piesiet to tie [tai] (*to*)
piesist 1. to knock [nɒk] (*at*); **2.** (*ar naglām*) to nail [neil] (*to*)
pieskaitīt to add [æd] (*to*)
pieskare *mat.* tangent ['tændʒənt]
pieskāriens touch [tʌtʃ]
pieskarties to touch [tʌtʃ]
piespiest 1. to press; p. (*zvana*) pogu – to push [pʊʃ] a button; **2.** *pārn.* to force
piespraude drawing-pin ['drɔ:iŋ-pin]
piespriest (*sodu*) to fine; to sentence ['sentəns]
piestāt to stop [stɒp]
piestātne stop; kuģa p. – pier [piə]; (*vilciena*) station ['steiʃn]; gala p. – terminal ['tɜ:minl]
piestāvēt to suit [su:t], to become* [bi'kʌm]
piestiprināt to attach (*to*), to fasten ['fɑ:sn] (*to*)
piesūtīt to send*
piešķire *dat.* assignment [ə'sainmənt]
piešķirt 1. to assign [ə'sain]; (*pabalstu*) to grant [grɑ:nt]; **2.** (*nosaukumu, apbalvojumu*) to award [ə'wɔ:d]; **3.** (*nozīmi*) to attach [ə'tʌtʃ] (*to*)
piešūt to sew* [səʊ] on
pietāte piety ['paiəti]
pieteikt to announce [ə'naʊns]
pieteikties to apply (*for*); (*brīvprātīgi*) to volunteer [,vɒlən'tiə]
pieteikums 1. announcement [ə'naʊnsmənt]; kara p. – declaration [deklə'reiʃn] of war; **2.** (*dokuments*) application [æpli'keiʃn]
pieticīgs modest ['mɒdəst]
pietiekams sufficient [sə'fiʃənt]
pietikt to be sufficient [sə'fiʃənt], to be enough [i'nʌf]
pietrūkt to lack; to be short [ʃɔ:t] (*of*)
pietura stop [stɒp]
pieturēt 1. to stop; (*automobili*) to pull up; **2.** (*atbalstīt*) to support [sə'pɔ:t]
pieturēties to hold* [həʊld] on (*to*)
pieturzīmes *val.* punctuation [pʌŋktʃu'eiʃn] marks [mɑ:ks]
pietvīkt to flush [flʌʃ]
pievārte gateway ['geitwei]
pievērst to turn [tɜ:n] (*to*)
pievienot to add [æd]

pievienoties 1. to join [dʒɔin]; **2.** (*domām, uzskatiem*) to subscribe [səb'skraib] (*to*); to associate (*with*)
pievilcīgs attractive [ə'træktiv], charming ['tʃɑ:miŋ]
piezīme 1. remark [ri'mɑ:k]; **2.** (*rakstiska*) note [nəʊt]; **3.** (*pārmetums*) reproof [ri'pru:f]
piezīmēt 1. to remark [ri:'mɑ:k]; **2.** (*pierakstīt*) to note [nəʊt]
piezvanīt 1. (*pie durvīm*) to ring*; **2.** (*pa telefonu*) to ring* (call) up, to phone [fəʊn]
piketēt to picket ['pikit]
pikniks picnic ['piknik]
pikoties to snowball ['snəʊbɔ:l]
pīkstēt to squeak [skwi:k], to pipe [paip]
pīlādzis mountain ['maʊntin] ash [æʃ]; rowan-tree ['rəʊəntri]
pildīt 1. to fill; **2.** (*pavēli*) to fulfil [fʊlfil]; p. solījumu – to keep* a promise ['prɒmis]
pildspalva fountain-pen ['faʊntinpən]
pile drop [drɒp]
pīle duck [dʌk]
pīlēns duckling ['dʌkliŋ]
pilēt to drop [drɒp]
piliens drop [drɒp]
pilngadīb||a majority [mə'dʒɒriti]; sasniegt ~u – to come* of age [eidʒ]
pilngadīgs of age [eidʒ]
pilnība perfection [pə'fekʃn]
pilnīgi absolutely ['æbsəlu:tli], completely [kəm'pli:tli], quite [kwait]
pilnīgs absolute ['æbsəlu:t]; complete [kəm'pli:t]; total ['təʊtəl]
pilns full [fʊl]; p. autobuss – crowded bus; ◇ pilns kā mārks – drunk as a lord
pilntiesīgs enjoying full [fʊl] rights [raits]
pilnvara (*dokuments*) warrant ['wɒrənt]
pilnvaras (*tiesības*) authority [ɔ:'θɒrəti] *vsk.*, power ['paʊer]
pilnvarot to authorize ['ɔ:θəraiz]
pilots pilot ['pailət]
pils palace ['pælis]; castle ['kɑ:sl]
pilsēta town [taʊn]; city ['siti]
pilsētniece town dweller ['dwelə]
pilsētnieks townsman ['taʊnzmən]; citizen ['sitizn]
pilsonīb||a citizenry ['sitiznri]; saņemt ~u – to be* granted ['grɑ:ntid] citizenship; pieprasīt ~u – to apply [ə'plai] for citizenship
pilsonis citizen ['sitizn]
pincete tweezers ['twi:zəz] *dsk.*
pīne (*matu*) braid [breid], plait [plæt]
pingvīns penguin ['peŋgwin]
pinumi basketry ['bɑ:skitri]
pipari pepper ['pepə]
piparkūka gingerbread ['dʒindʒəbred]
piparmētra peppermint ['pepəmint]
pīpe pipe [paip]
pīpene daisy ['deizi]
pīpēt to smoke [sməʊk]
pīrāgs pie [pai]
pircējs customer ['kʌstəmə], buyer ['baiə]

P

pirksts finger [ˈfiŋgə]; (*kājas*) toe [təʊ]
pirkt to buy* [bai]
pirkums purchase [ˈpɜ:tʃəs], bargain [ˈbɑ:gin]
pirm‖ais first [fɜ:st]; ~o reizi – for the first time; ~ā palīdzība – first aid; p. stāvs – ground floor
pirmdiena Monday [ˈmʌndi]
pirmizrāde first-night [fɜ:stˈnait]
pirmkārt first [fɜ:st], first of all
pirms before [biˈfɔ:]; ago; p. nedēļas – a week ago
pirmšķirīgs first-rate [fɜ:stˈreit]; high-quality [ˌhaiˈkwɒliti] (*attr.*), top-quality (*attr.*)
pirts bath-house [ˈbɑ:θhaʊs]
pīšļi dust, earth [ɜ:θ]
pīt (*matus*) to braid [breid], to plait [plæt]
pitons python [ˈpaiθən]
pīts braided [ˈbreidid], plaited [ˈplætid]; p. krēsls – wicker chair [tʃeə]
plaisa split [split]; chink [tʃiŋk]
plaisāt to split* [split]
plakans flat [flæt], level [ˈlevel]
plakāts poster [ˈpəʊstə]
plāksne plate [pleit]; slab
plāksteris plaster [ˈplɑ:stə]
plakstiņš eyelid [ˈailid]
plakt to subside [səbˈsaid]
plandīties to flutter [ˈflʌtə]
planēta planet [ˈplænit]
plankums spot [spɒt]
plānot to plan [plæn] out
plāns[a] plan [plæn]
plāns[s] *īp. v.* thin [θin]
plānveidīgs planned [plænd]
plastilīns plasticine [ˈplæstəsi:n]
plastmasa plastic [material]
plaši wide; widely [ˈwaidli]; p. izplatīts – widespread [ˈwaidspred]
plašs wide [waid]; broad [brɔ:d]
plate **1.** plate; **2.** (*skaņu*) record [ˈrekɔ:d], disc
platība space [speis]; dzīvojamā p. – dwelling [ˈdweliŋ] space
platmale hat [hæt]
plats wide [waid], broad [brɔ:d]
platums width [widθ], breadth [bredθ]
plauksta palm [pɑ:m]
plaukt to blossom [ˈblɒsəm], to bloom [blu:m]
plaukts shelf [ʃelf]
plauš‖as lung [lʌŋg]; ~u karsonis – pneumonia [nju:ˈməʊniə]
plecīgs broad-shouldered [ˌbrɔ:dˈʃəʊldəd]
plecs shoulder [ˈʃəʊldə]
plēsīgs predatory [ˈpredətəri]
plēsīgs predatory [ˈpredətəri]
plēsoņa beast [bi:st] of prey [prei]
plēst to tear* [teə]; (*traukus*) to break* [breik]; (*zeķes*) to wear* [wer] out
pletne lash [læʃ]
plēve *anat.* membrane [ˈmembrein]
pliekans flat, insipid [inˈspid]
plikpaurains bold [bɒld]
pliks naked [neikid]; nude [nju:d]; ◇ pliks kā baznīcas žurka – as poor as a church [tʃɜ:tʃ] mouse [maʊs]
plīst to break* [breik]; to burst*; (*par audumu*) to tear* [teə]
plīsums tear [teə], rent [rent]

plītiņa: elektriskā p. – electric cooker [ˈkʊkə]
plīts stove [stəʊ], cooker
plīvot to flutter [ˈflʌtə], to fly [flai]
plīvurs veil [veil]
plomba 1. seal [si:l]; **2.** (*zobu*) filling [ˈfiliŋ]
plosīties (*par vētru*) to rage [reidʒ]; to storm [stɔ:m]
plosts raft [rɑ:ft]
plovs *kul.* pilau [ˈpi:laʊ]
plūdi flood [flʌd]
plūdlīnija streamline [stri:mlain]
pludmale beach [bi:tʃ]; seashore [ˈsi:ʃɔ:]
plūkt to pick [pik]; (*spalvas*) to pluck [plʌk]
plūme plum [plʌm]; (*koks*) plum-tree; žāvēta p. – prune [pru:n]
plunčāties to splash [splæʃ]
plūsma stream [stri:m]; (*gaisa*) flow [fləʊ]
pluss plus [plʌs]
plūst to flow [fləʊ], to stream [stri:m]
plušķis shaggy [ˈʃægi] dog [dɒg], cur [kɜ:]
pļāpāt to chat [tʃæt]; to gossip [ˈgɒsip]
pļāpīgs talkative [ˈtɔ:kətiv]
pļauja (*labības*) harvest; (*siena*) mowing [ˈməʊiŋ]
pļaujmašīna (*labības*) harvester; (*zāles*) mover [ˈməʊə]
pļauka box on the ear [iə]
pļaut (*labību*) to cut*; (*zāli*) to mow* [məʊ]; ◇ ko sēsi, to pļausi – as you sow [səʊ], so shall you reap
pļava meadow [ˈmedəʊ]
podnieks potter [ˈpɒtə]
pods pot [pɒt]; māla p. – crock [krɒk]
poga button [ˈbʌtn]
pogāt to button [ˈbʌtn]
pogcaurums buttonhole [ˈbʌtnhəʊl]
polār||s polar; ~ais loks – polar circle [ˈsɜ:kl]
policija police [pəˈli:s]
policists policeman [pəˈli:smən], copper [ˈkɒpə] *sar.*, cop [kɒp] *sar.*
poliklīnika outpatients [aʊtˈpeiʃənts] clinic [ˈklinik],health [helθ] centre [ˈsentə]
pol||is (~iete) Pole
politehnisks polytechnical [pɒliˈteknikəl]
politika politics; policy [ˈpɒləsi]
politisks political [pəˈlitikl]
pols pole [pəʊl]
populārs popular [ˈpɒpjʊlə], well-known [welˈnəʊn]; būt populāram – to enjoy great popularity
populārzinātnisks popular-science [ˈpɒpjʊləˌsaiəns] (*attr.*)
porcelāns china [ˈtʃainə]
porcija portion [pɔ:ʃn]; (*ēdiena*) helping [ˈhelpiŋ]
pornogrāfija pornography [pɔ:ˈnɒgrəfi]
portatīvs portable [ˈpɔ:təbl]
portfelis briefcase [ˈbri:fkeis]; kabatas p. – wallet [ˈwɒlit], pocket-book [ˈpɒkitbʊk]
portfeļdators briefcase computer
portrets portrait [ˈpɔ:trit]
portvīns port [pɔ:t]
posms 1. stage [steidʒ]; **2.** (*laika*) period [ˈpiəriəd]; **3.** (*ķēdes*) link

postaža waste [weist]
postenis post [pəʊst]
posties to make* ready [ˈredi]
postīt to devastate [ˈdevəsteit], to ravage [ˈrævidʒ]
posts distress, disaster [diˈzɑ:stə]
pote *med.* vaccine [ˈvæksi:n]
potēt **1.** *bot.* to inoculate [iˈnɒkjʊleit]; **2.** *med.* to vaccinate [ˈvæksineit]
potīte ankle [ˈæŋkl]
pozīcija position [pəˈziʃən]; (*attieksme*) attitude [ˈætitju:d]
pozitīvs *īp. v.* positive [ˈpɒzətiv]
praks‖e practice [ˈpræktis]; ~ē – in practice
praktisks practical [ˈpræktikəl]
prasīb‖a **1.** demand [diˈmɑ:nd]; request; atbilst ~ām – to meet* the requirements [riˈkwaiəmənts]; **2.** *jur.* claim; action
prasīt **1.** (*jautāt*) to ask [ɑ:sk]; **2.** (*pieprasīt*) to demand [diˈmɑ:nd]; to claim [kleim]
prasme skill [skil]
prasmīgs skilful [ˈskilfʊl], able [eibl]
P
prast to know* [nəʊ], can, to be* able
prātīgs **1.** sensible, reasonable [ˈri:znəbl]; **2.** (*gudrs*) wise [waiz]; **3.** (*piesardzīgs*) prudent [ˈpru:dnt]
pratināt to examine [igˈzæmin]
prātot to reason [ˈri:zn]
prāts mind [maind], sense [sens]
prāva *jur.* case [keis], legal proceedings [prəˈsi:diŋ]
prāvs considerable [kənˈsidəræbl]
prece article; ~s – goods [gʊdz] *dsk.*; plaša patēriņa ~s – consumer goods; pārtikas preces – foodstuffs [ˈfu:dstʌfs]
precējies married [ˈmærid]
precēties to get* married [ˈmærid], to marry
precīzs exact [igˈzækt]; accurate [ˈækjʊreit]; punctual [ˈpʌŋktʃʊəl]
prečzinis goods [gʊdz] manager
prēmēt to give* a bonus
prēmija bonus; prize [praiz]
premjerministrs prime [praim] minister
prepozīcija *gram.* preposition [ˌprepəˈziʃən]
prese the press [pres]
pret **1.** against [əˈgenst]; p. jūsu gribu – against your wish; **2.** on; p. kvīti – on receipt [riˈsi:t]
pretējs **1.** opposite [ˈɒpəzit]; **2.** (*atšķirīgs*) contrary [ˈkɒntreri] (*to*)
pretenzija **1.** claim [kleim]; **2.** (*sūdzība*) petition [pəˈtiʃn], claim
pretestība opposition [ˌɒpəˈziʃən], resistance [riˈzistəns]; izrādīt pretestību – to put* up resistance
pretī opposite [ˈɒpəzit]; iet p. – to go* to meet smb.; runāt p. – to answer back; turēties p. – to resist [riˈzist]; man nav nekas p. – I don't mind [maind]
pretīgs disgusting [disˈgʌstiŋ]; repulsive [riˈpʌlsiv], nasty [ˈnɑ:sti]
pretinieks opponent [əˈpəʊnənt]; (*ienaidnieks*) enemy [ˈenəmi]
pretoties to oppose, to resist [riˈzist]

pretrun||a contradiction [kɒntrə'dikʃn]; nonākt ~ā – to come* in conflict
pretsāpju: p. līdzeklis – pain killer ['kilə]
pretspēks counter-force ['kaʊntəfɔ:s]
pretstat||s opposite ['ɒpəzit]; ~ā – contrary ['kɒntrəri] (*to*)
prezidents president ['prezidənt]
prezidijs presidium [pri'sidiəm]
priec||āties to rejoice (*in, at*); to be glad; ~ājos ar jums iepazīties – I am glad to meet you
priecīgs glad [glæd], joyous ['dʒɔiəs]
priede pine [pain]
prieks joy, gladness ['glædnis], pleasure ['pleʒə]
priekš||a front [frʌnt]; uz ~u – forward[s]
priekšā in front [frʌnt] (*of*); ahead [ə'hed] (*of*); ◇ likt p. – to suggest [sə'dʒest], to propose [prə'pəʊz]
priekšapmaksa advance [əd'vɑ:ns] payment ['peimənt]
priekšdurvis 1. (*ārdurvis*) outer ['aʊtə] door [dɔ:]; **2.** (*piem., automobiļa*) front door
priekškarams: priekškaramā atslēga – padlock ['pædlɒk]
priekšauts apron ['eiprən]
priekškars curtain [kɜ:tn]
priekšlikums proposal [prə'pəʊzəl]; (*sapulcē*) motion ['məʊʃn]
priekšmets object ['ɒbdʒikt], thing [θiŋ], subject ['sʌbdʒikt]
priekšnams entrance hall [hɔ:l]
priekšnesums performance [pə'fɔ:məns]
priekšnieks chief [tʃi:f], head [hed], boss [bɒs] *sar.*
priekšpilsēta suburb ['sʌbɜ:b], outskirts ['aʊtskɜ:ts] *dsk.*
priekšpusdiena forenoon ['fɔ:nu:n]
priekšrocība advantage [əd'vɑ:ntidʒ]
priekšrok||a preference ['prefərəns]; dot ~u – to prefer
priekšsēdētājs chairman* ['tʃeəmæn]
priekšstats notion ['nəʊʃən], idea [ai'diə]
priekštecis 1. (*sencis*) forefather; **2.** (*darbā*) predecessor ['pri:disesə]
priekšvakars eve [i:v]
priekšvārds (*grāmatas*) preface ['prefəs]
priekšzīm||e example [ig'zɑ:mpl]; rādīt ~i – to set* an example
primitīvs primitive ['primitiv]
princip||s principle; ~ā – in principle
prioritāte anteriority [ˌæntiəri'ɒrəti]
privātpersona individual [ˌindi'vidʒʊəl] person
privāts private ['praivit]
problēma problem ['prəʊbləm]
procedūra procedure [pre'si:dʒə]
procents per cent [pə'sent]
process process ['prəʊsəs]
produkcija production, output ['aʊtpʊt]
produktīvs productive [prə'dʌktiv]
produkts product ['prɒdəkt]
profesija profession, trade [treid]
profesionāl||s professional; ~ā izglītība – vocational training
profesors professor [prə'fesə]
prognoze forecast ['fɔ:kɑ:st]

P

programma program[me] [ˈprəʊgræm]; mācību p. – syllabus, curriculum [kəˈrikjʊləm]; teātra p. – playbill [ˈpleibil]
programmaparatūra *dat.* firmware [ˈfɜ:mweə]
programmētājs programmer [ˈprəʊgræmə]
progresēt to make* progress, to advance [ədˈvɑ:ns]
progress progress [ˈprəʊgrəs]
projām away [əˈwei]; off
projekts project [prəˈdʒekt], design [diˈzain]; blueprint [ˈblu:print]
prombūtne absence [ˈæbsəns]
proporcionāls proportional; proportionate
protams certainly [ˈsɜ:tnli], of course [kɔ:s]
protestēt to protest [prəˈtəst] (*against*)
protests protest [ˈprəʊtəst]
proti namely [ˈneimli]
protokol||s minutes [ˈminits] *dsk.*; rakstīt ~u – to keep* the minutes
province province [ˈpravins]
provokācija provocation [ˌprəvəˈkeiʃn]
proza prose [prəʊz]
pseidonīms pseudonym [ˈsju:dənim]; (*literārs*) pen-name [ˈpenˌneim]
psihisk||s mental [mentl]; ~a slimība – mental desease
psiholoģija psychology [saiˈkɒlədʒi]
publicēt to publish [ˈpʌbliʃ]
publika public; audience [ˈɔ:diəns]
publisks public [ˈpʌblik]
pūce owl [aʊl]; ◇ kad pūcei aste ziedēs – when two Sundays come together; when pigs fly
pudele bottle [ˈbɒtl]
pūdercukurs caster [ˈkɑ:stə] sugar [ˈʃʊgə]
pūderēties to powder [ˈpaʊdə]
pūderis powder [ˈpaʊdə]
puika boy [bɔi], lad
puisis fellow [ˈfeləʊ]; lad, chap [tʃæp] *sar.*; guy *amer.*
pūkains fluffy [ˈflʌfi], wooly [ˈwʊli]
puķ||e flower [ˈflaʊə]; ~u pušķis – bouquet [bəʊˈkei]; istabas p. – window plants, house plants *amer.*
puķzirnīši sweet [ˈswi:t] peas [pi:z]
pulcēties to assemble, to gather [ˈgæðə]
pulciņš group [gru:p], circle [sɜ:kl]
pūles trouble [ˈtrʌbl], effort [ˈefət]; pielikt p. – to take* pains [peinz]
pūlēties to toil [tɔil]; to labour (*at*); nepūlieties! – don't trouble [ˈtrʌbl]!
pūlis crowd [kraʊd]
pulks 1. *mil.* regiment [ˈredʒimənt]; **2.** (*ļaužu*) crowd, crush [krʌʃ]
pulkstenis clock [klɒk]; (*rokas*) watch [wɒtʃ]; cik p.? – what time is it?, what's the time?
pulkstenīte bluebell [ˈblu:bəl]
pulksteņdarbnīca watch-repair [ˌwɒtʃriˈpeə] shop [ʃɒp]
pulkvedis colonel [ˈkɜ:nl]
pulovers pullover [ˈpʊləʊvə]
pulss pulse [pʌls]
pulveris powder [ˈpaʊdə]
pulverizators pulverizer, sprayer spray [sprei]

pumpurs bud [bʌd]
punktmatrica *dat.* dot matrix ['meitriks]
punkts 1. point [pɔint]; **2.** (*pieturzīme*) full [fʊl] stop; **3.** (*vieta*) point; spot; post; **4.** *sp.* point
puns bump [bʌmp], lump [lʌmp]
pupa bean [bi:n]
pūpēdis puff-ball ['pʌfbɔ:l]
pupiņas haricot ['hærikəʊ], kidney (French) beans [bi:nz]
pūpoli 1. willow-catkins ['wiləʊkætkinz]; **2.** (*zari*) willow branches
Pūpolsvētdiena Palm Sunday [ˌpɑ:m'sʌndi]
puravs leek [li:k]
purene marsh [mɑ:ʃ] marigold ['mærigəʊld]
purināt to shake* [ʃeik]
purns muzzle ['mʌzl], snout [snaʊt]
purvs swamp [swɒmp]; marsh [mɑ:ʃ]
pusaudzis adolescent [ˌædə'lesnt]; teenager ['ti:nˌeidʒə]
pusdiena 1. noon [nu:n]; **2.**: ~as (*maltīte*) dinner; ~as pārtraukums – lunchhour [lʌntʃ'aʊə]
puse 1. half [hɑ:f]; uz ~ēm – half-and-half; **2.** side; labā p. – the right [rait] side
pusfabrikāts half-stuf [ˌhɑ:f'stʌf]; convenience [kən'vi:niəns] foods [fu:dz]
puskažoks short [ʃɔ:t] fur [fɜ:] coat [kəʊt]
puslaiks *sp.* halftime ['hɑ:ftaim]
pūslis bladder ['blædə]
puslode hemisphere ['hemisfiə]
pusmūž||**s**: ~a cilvēks – middle-aged person
pusnakts midnight ['midnait]
pusslodze halftime [ˌhɑ:f'taim]
pusstunda half [hɑ:f] an hour [aʊə]
pūst to blow* [bləʊ]
puszābaki low [ləʊ] boots [bu:ts]
pušķis (*puķu*) bunch [bʌntʃ], bouquet [bəʊ'kei]
pušu 1. asunder [ə'sʌndə]; **2.** (*ievainots*) hurt [hɜ:t]
pūt to rot; to decay [di'kei]
putas foam [fəʊm]
putekļi dust [dʌst] *vsk.*
putenis snow-storm ['snəʊstɔ:m]
putns bird [bɜ:d]; putna piens – pigeon's ['pidʒənz] milk
putot to foam [fəʊm]
putra (*bieza*) porridge ['pɒridʒ]; (*šķidra*) gruel ['gru:əl]
putot to foam [fəʊm]
putraimi groats [grəʊts]
putukrējums whipped ['wipt] cream [kri:m]
putuplasts foam-plastic ['fəʊmˌplæstik]
puve rot; decay [di'kei]
pūžņot to fester ['festə]

R

rabarbers rhubarb [ˈru:bɑ:b]
rācenis turnip [ˈtɜ:nip]
radi relatives [ˈrelətivz]; attāli r. – distant [ˈdistənt] relations [riˈleiʃnz]
radiators radiator; pipes [paips] *dsk.*
radījums creature [ˈkri:tʃə]
radikāls radical [ˈrædikl], drastic [ˈdræstik]
radio radio [ˈreidiəʊ], wireless [ˈwaiələs]; klausīties r. – to listen to the radio
radioaktīv‖s radioactive; ~as vielas – radioactive materials
radioaparāts radio [ˈreidiəʊ] set
radiopārraide broadcast [ˈbrɔ:dkɑ:st], transmission [trænzˈmiʃən]
radīt[a] **1.** to create [kriˈeit]; **2.** (*izraisīt*) to cause [kɔ:z]; to arouse [əˈraʊz]
rādīt[b] to show* [ʃəʊ]; (*priekšzīmi*) to set an example [igˈzɑ:mpl]
rādītājs 1. (*bultiņa uz skalas*) pointer [ˈpɔintə]; indicator; **2.** (*grāmatā*) index [ˈindeks]; **3.** *ek.* indicator
radniecisks kindred [ˈkindrəd]
radošs creative [kriˈeitiv]
raduraksti pedigree [ˈpedigri:], family [ˈfæmili] tree [tri:]
rafinēts refined [riˈfaind]
ragana witch [witʃ]
ragavas sledge [sledʒ], sleight [slait]
rags horn [hɔ:n]; maksāt ragā – to pay* up
raibs motley [ˈmɒtli]; gay [gei]
raidījums (*radio*) broadcast [ˈbrɔ:dkɑ:st], transmission; (*televīzijas*) telecast [ˈtelikɑ:st]
raits nimble [ˈnimbl]
raizes worry [ˈwʌri], trouble [ˈtrʌbl]
raizēties to worry/trouble (*about*)
rājiens rebuke [riˈbju:k], reproof [riˈpru:f]; (*oficiāls*) reprimand [ˈreprimɑ:nd]
rajons district [ˈdistrikt]
rakete *sp.* racket [ˈrækit]
rakņāties 1. to dig*; **2.** *pārn.* to rummage [ˈrʌmidʒ]
rakstāmgalds writing-table [ˈraitiŋˌteibl]
rakstāmpapīrs writing-paper [ˈraitiŋpeipə], notepaper *amer.*
rakstība spelling [ˈspeliŋ]
rakstisks written [ritn]
rakstīt to write* [rait]
rakstnieks writer [ˈraitə], author [ˈɔ:θə]
rakst‖s 1. article [ˈɑ:tikl]; **2.**: ~i – works [wɜ:ks]; kopoti ~i – complete works
raksturīgs characteristic [ˌkæriktəˈristik]
raksturot to characterize [ˈkæriktəraiz]
raksturs character [ˈkæriktə], temper [ˈtempə]
rakstzīme *dat.* character [ˈkæriktə]
rakt to dig* [dig]
raktuve mine [main], pit
raķete rocket [ˈrɒkit]
rallijs rally [ˈræli]
rāmis frame [freim]
rāms 1. (*par laiku*) quiet [ˈkwaiət],

R

calm [kɑ:m]; **2.** (*par cilvēku*) quiet, gentle [ˈdʒentl]
randiņš date [deit]
rāpot to crawl [krɔ:l]
rāpties (*augšā*) to climb [klaim] [up]
rāpulis reptile [ˈreptail]
rasa dew [dju:]
rase race [reis]; rasu naids – racehatred [ˈreisheitrid]
rasējums draught [drɑ:ft]; draft *amer.*
rasties to arise* [əˈraiz]; (*negaidot*) to crop [krɒp] up
rāt to scold [skəʊld], to chide* [tʃaid]
rati cart [kɑ:t]; (*vieglie*) carriage [ˈkæridʒ]
ratiņi: bērnu r. – pram; baby carriage [ˈkæridʒ] *amer.*
rātns obedient [əˈbi:diənt]
rats wheel [wi:l]
raudāt to weep* [wi:p], to cry [krai]
raugs yeast [ji:st]; alus r. – barm; rauga mīkla – yeast dough [dəʊ]
raupjš rough [rʌf]
raustīt to pull [pʊl]
raut 1. to pull [pʊl], to jerk [dʒɜ:k]; (*plēst*) to tear* [teə]; **2.** (*plūkt*) to pluck [plʌk], to pick [pik]
rāvējslēdzējs zipper [ˈzipə]
ravēt to weed [wi:d]
rāviens jerk, wrench [rentʃ]
raž||a harvest [ˈhɑ:vəst], crop; dot ~u – to yield [ji:ld]
ražīgs 1. (*par šķirni*) high-yielding; **2.** productive [prəˈdʌktiv], efficient [iˈfiʃiənt]
ražojums produce, product [ˈprɒdʌkt]
ražošana production [prəˈdʌkʃn]
ražot to produce [prəˈdju:s]
reaģēt 1. to react [riˈækt] (*upon*); **2.** *pārn.* to respond [riˈspɒnd] (*to*)
reakcija reaction [riˈækʃn]
reakcionārs *lietv.* reactionary [riˈækʃnəri]
reaktīvs *īp. v.* jet [dʒət]
realizēt to carry [ˈkæri] out, to fulfil [fʊlˈfil]
reāls real [riəl], realistic [riəˈlistik]
reanimācija reanimation [ˌri:æniˈmeiʃn]
receklis (*asiņu*) clot [klɔt]
recenzija review [riˈvju:]
recepte prescription [priˈskripʃən]; (*ēdiena u. tml.*) recipe [ˈresipi]
redakcija 1. editorial office; **2.** (*kolektīvs*) editorial staff [stɑ:f]
redaktors editor [ˈeditə]; galvenais r. – editor-in-chief
redīss radish [ˈrædiʃ]
redzams visible [ˈvizəbl]; acīm r. – obvious [ˈɒbviəs]
redze eyesight [ˈaisait]
redzēšan||ās meeting [ˈmi:tiŋ]; uz ~os! – good-bye [gʊdˈbai]!
redzēt to see* [si:]
referāts lecture [ˈlektʃə]; (*rakstisks*) paper [ˈpeipə]
referents lecturer [ˈlektʃərə]; speaker [ˈspi:kə]
referēt to lecture [ˈlektʃə] (*on*)
reforma reform [ˌri:ˈfɔ:m]
reformēt to reform [ˌri:ˈfɔ:m]
regate *sp.* regatta [riˈgætə]
regbijs *sp.* rugby [ˈrʌgbi]
reglaments 1. regulations

R

[regjʊ'leiʃns] *dsk.*; **2.** (*sēdes*) time-limit ['taim,limit]
regulārs regular ['regjʊlə]
regulēt to regulate ['regjʊleit], to adjust
reģistrēt to register; to file ['fail]
rehabilitēt to rehabilitate [,ri:hə'biliteit]
reibonis dizziness ['dizinəs]; vertigo ['vɜ:tigəʊ]
reibt to get* giddy ['gidi] (dizzy); (*no alkoholiska dzēriena*) to become* intoxicated [intɒksi'keiʃn]
reimatisms rheumatism ['ru:mətizəm]
reiss trip [trip]; *jūrn.* voyage ['vɔiidʒ]
reiz once [wʌns]
reize time [taim]; pa reizei – at times; reizi pa reizei – now and then
reizē together [tə'geðə]
reizēm sometimes ['sʌmtaimz]
reizināšana multiplication [mʌltipli'kəiʃn]
reizināt to multiply ['mʌltiplai] (*by*)
reklāma advertisement [əd'vɜ:tismənt]
reklamēt to advertise ['ædvətaiz]
rekonstrukcija reconstruction [ri:kən'strʌkʃn]
rekordists record-holder ['rekɔ:d,həʊldə]
rekords record ['rekɔ:d]
rēkt to roar [rɔ:]
rektors rector ['rektə]; (*Anglijā*) chancellor ['tʃɑ:nsələ]
rekvizīti 1. *teātr.* properties ['prɒpətiz]; **2.** *ek.* requisite ['rekwizit]
rēķināšana counting ['kaʊntiŋ]
rēķināt to count [kaʊnt]; (*skolā*) to do sums [sʌmz]
rēķināties to consider [kən'sidə], to take* into consideration [kən'sidə'reiʃn]
rēķins 1. bill [bil]; **2.** account [ə'kaʊnt]; tekošais r. – current ['kʌrənt] account
relatīvs relative ['relətiv]
reliģija religion [ri'lidʒn]
reliģisks religious [ri'lidʒəs]
remdens tepid, lukewarm [,lu:k'wɔ:m], warmish ['wɔ:miʃ]
remdēt (*sāpes*) to alleviate; (*slāpes*) to quench; (*izsalkumu*) to satisfy ['sætisfai]
remontdarbnīca repair [ri'peə] shop
remontēt to repair [ri'peə]
remonts repair[s] [ri'peə(z)]
reorganizēt to reorganize [ri'ɔ:gənaiz]
rentgens (*caurskate*) X-ray photography [,fəʊ'tɒgrəfi]
repertuārs repertoire ['repətwɑ:]
reportāža reporting; (*spēles laikā*) commentary ['kɒməntəri]
reportieris reporter [ri'pɔ:tə]
represija repression [ri'preʃn]
reprezentēt to represent [,repri'zent]
reprodukcija reproduction [ri,prə'dʌkʃn]
republika republic [ri'pʌblik]
resns 1. thick [θik]; **2.** (*par cilvēku*) stout [staut], fat [fæt]
respekts respect, esteem [i'sti:m]
restes 1. bars [bɑ:z]; **2.** (*cepšanai*) grill [gril]
restorāns restaurant ['restərɒnt]
rēta scar [skɑ:]
reti seldom ['seldəm], rarely ['reəli]

R

rets 1. rare [reə]; uncommon; **2.** (*pretstatā biezam*) thin [θin], sparse [spɑ:s]
revīzija inspection [in'spekʃn]
revolūcija revolution [ˌrevə'lu:ʃn]
revolveris revolver [ri'vɒlvə]
rezerv‖e reserve; ~es daļas – spare ['speə] parts; ~es izeja – emergency exit; ~ē – in store
rezervēt to reserve [ri'zɜ:v]
rezolūcija resolution [ˌrezə'lu:ʃən]
rezultāt‖s result [ri'zʌlt]; outcome ['aʊtkʌm]; ~ā – as a result
režģis grating ['greitiŋ]
režīms regime [rei'ʒi:m]
režisors producer [prə'dju:sə]
riba rib [rib]
rīcība action ['ækʃən]; deed [di:d]; (*izturēšanās*) behaviour [bi'heiviə]
riebīgs disgusting; repulsive [ri'pʌlsiv]
riebums disgust [dis'gʌst], loathing ['ləʊðiŋ]
rieciens slice [slais]; chunk [tʃʌŋk]
rieksts nut [nʌt]
riep‖a tyre ['taiə]; ~as plīsums – puncture ['pʌŋktʃə]
riet to bark [bɑ:k]; ◇ suns, kas rej, nekož – barking dogs don't bite
rietēt (*par sauli*) to set*
riets 1. (*saules*) sunset ['sʌnsət]; **2.** *pārn.* decline [di'klain]
rietumi west [west]
rieva wrinkle [riŋkl]
rifs reef [ri:f]
rijīgs gluttonous ['glʌtnəs]
rīkle throat [θrəʊt]
rīkojums order [ɔ:də]; decree [di'kri:]
rīkot to organize ['ɔ:gənaiz], to arrange [ə'reindʒ]
rīkoties 1. to act; **2.** (*apieties*) to handle [hændl]
rīks instrument ['instrʊmənt]
rīkste rod [rɒd]
rikšot to trot [trɒt]
rinda 1. row [rəʊ]; **2.** queue [kju:]; line ['lain] *amer.*
rindkopa paragraph ['pærəgrɑ:f]
riņķis circle ['sɜ:kl]
riņķot to circle ['sɜ:kl]
ripa 1. disc [disk]; **2.** *sp.* puck [pʌk]
ripot to roll [rəʊl]
riskēt to run* the risk [risk]; to risk
rīss rice [rais]
rīt[a] to swallow ['swɒləʊ]; ◇ rīt asaras – to choke [tʃəʊk] down one's tears [teəz]
rīt[b] tomorrow [tə'mɒrəʊ]
rītakleita dressing-gown ['dresiŋgaʊn]
rītakurpe slipper ['slipə]
rītausma dawn [dɔ:n], day-break ['deibreik]
ritenis wheel [wi:l]
riteņbraucējs cyclist ['saiklist]
ritēt 1. (*par asaram*) to flow [fləʊ]; **2.** (*par laiku*) to pass [pɑ:s]
ritms rhythm ['riðəm]
rīts morning ['mɔ:niŋ]
rīvēt to grate [greit]
rīvmaize grated ['greitid] bread [bred]
robeža 1. boundary ['baʊndəri]; borderline ['bɔ:dəlain]; (*valsts*) frontier; **2.** *pārn.* limit ['limit]
robežsargs frontier-guard ['frʌntiəˌgɑ:d]

R

robežvalsts border-state [ˈbɔ:dəsteit]
robs 1. notch; **2.** *pārn.* gap [gæp]
rok‖a hand; (*visa roka*) arm; spiest ~u – to shake* [ʃeik] hands (*with*)
rokasbumba *sp.* handball [ˈhændbɔ:l]
rokasgrāmata reference book, handbook [ˈhændbʊk]
rokasspiediens handshake [ˈhændʃeik]
rokassprādze bracelet [ˈbreislit]; circlet [ˈsɜ:klit]
rokdarbs needlework [ˈni:dlwɜ:k]
rokraksts 1. handwriting; **2.** manuscript [ˈmænjʊskript]
rokturis handle [hændl]
romāns 1. novel [ˈnavl]; **2.** (*mīlas*) (love) affair [əˈfeə]
romantisks romantic [rəʊˈmæntik]
ronis seal [si:l]
rosīgs active [ˈæktiv]
rot‖a[a] ornament; ~as lietas – jewel[le]ry [ˈdʒu:əlri]
rota[b] *mil.* company [ˈkʌmpəni]
rotaļa game [geim]
rotaļlieta toy [tɔi]
rozā pink [piŋk]
roze rose [reʊz]
rozete rosette [rəʊˈzet]
rozīne raisin [ˈreizn]
rubenis black-cock [ˈblakkɒk]
rūda ore [ɔ:]
rudens autumn [ˈɔ:təm]
rūdīts hardened [ˈhɑ:dnd]
rudzi rye [rai]; rudzu maize – rybread [ˈraibred]
rudzupuķe corn-flower [ˈkɔ:nˌflaʊə]; bluet [ˈblu:it]
rugāji stubble [ˈstʌbl]
rūgt to ferment [ˈfɜ:ment]
rūgts bitter [ˈbitə]; ◇ rūgta patiesība – bitter truth [tru:θ]
rūgušpiens sour [ˈsaʊə] milk
rukšķēt to grunt [grʌnt]
rūkt (*par zvēru*) to roar [rɔ:], to growl [grəʊl]
rūķis dwarf [dwɔ:f], gnome [nəʊm]
rulete 1. *kul.* Swiss roll [rəʊl]; **2.** (*spēle*) roulette [ru:ˈlet]
run‖a speech [spi:tʃ]; teikt ~u – to make* a speech; par to nevar būt ne ~as – it is out of the question [ˈkwestʃən]
runāt to speak* [spi:k]; to talk [tɔ:k]
runcis tom-cat [tɒmˈkæt]
runīgs talkative [ˈtɔ:kətiv]
rūp‖es 1. trouble [ˈtrʌbl]; bez ~ēm – carefree [ˈkeəfri:]; **2.** (*gādība*) care [keə] (*for*); concern (*for*)
rūpēties to take* care [keə] (*of*)
rūpīgs 1. (*gādīgs*) careful [ˈkeəfʊl]; solicitous; **2.** (*par darbu*) accurate [ˈækjʊrət]
rupjmaize rye-bread [ˈraibred]
rupjš 1. rough [rʌf], coarse [kɔ:s]; **2.** (*bezkaunīgs*) rude [ru:d]
rūpnīca works [wɜ:ks]; mill, plant [plɑ:nt]
rūpniecība industry [ˈindʌstri]
rūsa rust [rʌst], corrosion [kəˈrəʊʒn]
rūsēt to rust [rʌst]
rūtains checked [tʃekt]
rūts pane [pein]

S

saaicināt to call [kɔ:l]
saasināties to become* aggravated [ˈægrəveitid]
saaugt to grow* together; (*par kauliem*) to knit [nit]
saaukstēšanās cold [kəʊld]
saaukstēties to catch* [a] cold [kəʊld]
sabaidīt to frighten [ˈfraitn]
sabalansēt to balance [ˈbæləns]
sabārt to reprove [riˈpru:v]
sabāzt to stuff [stʌf] in, to cram [kræm] in
sabiedrība 1. society [səˈsaiəti]; **2.** (*apvienība*) company [ˈkʌmpəni]
sabiedrisks social [ˈsəʊʃəl]; public [ˈpʌblik]
sabiedrotais *lietv*. ally [ˈælai]
sabīties to get* frightened [ˈfraitnd]
sablokošana *dat*. blocking [ˈblɒkiŋ]
sabojāt to spoil* [spɔil]
sabozties sullen [ˈsʌlən], morose [məˈrəʊs]
sabraukt (*kādu*) to run* [rʌn] over
sabrukt to collapse [kəˈlæps], to fall* [fɔ:l] in
sabrukums collapse [kəˈlæps]; breakdown [ˈbreikdaʊn]
saburzīts to crease [kri:s]
sacelšanās revolt [riˈvəʊlt]; mutiny [ˈmju:təni]
sacelties 1. to rise* [raiz]; to revolt; **2.** (*par vēju*) to spring* [spriŋ] up
sacensība competition [kɒmpiˈtiʃn]; (*sportā – arī*) contest [ˈkɒntəst]
sacensties to compete (*with*), to contend (*with*)
sacepums pudding [ˈpʊdiŋ]
sacerējums composition [kɒmpəˈziʃən]; essay [ˈesei]
sacerēt to write* [rait]; (*skaņdarbu*) to compose [kəmˈpəʊz]
sacīkstes contest; match [mætʃ]; (*skriešanas*) rase [reis]
sacīt to say* [sei]; to tell* [tel]
sadale distribution [ˌdistriˈbju:ʃn]
sadalīt to divide [diˈvaid] (*in, into*)
sadarbība cooperation [ˌkəʊɒpəˈreiʃn]
sadārdzināt to raise [reiz] the cost [kɒst] (*of*)
sadedzināt to burn* [bɜ:n]; (*kremēt*) to cremate [kriˈmeit]
sadegt to be reduced [riˈdju:st] to ashes [ˈæʃiz]
saderēt[a] to bet* [bet]
saderēt[b] (*kopā*) to match [mætʃ]
saderīgs well-matched [ˈwelˈmætʃt]
saderināšanās betrothal [biˈtrəʊðl]
saderināties to become* engaged [inˈgeidʒd]
sadursme 1. collision [kəˈliʒn]; **2.** (*interešu*) clash
sadurt to prick [prik]; (*ar nazi*) to stab [stæb]
sadusmoties to become* angry [ˈæŋgri]
sadzelt to sting* [stiŋ], to bite* [bait]
sadzirdēt to catch* [kætʃ], to hear* [hiə]
sadzīt[a] (*kopā*) to drive* [draiv] together
sadzīt[b] (*par brūci*) to heal [hi:l] up

S

sadzīve social [səʊʃl] life [laif]
sādža village [ˈvilidʒ]
sagādāt 1. to procure [prəˈkjʊə], to obtain [əbˈtein]; **2.** (*radīt*) to cause [kɔ:z]
sagāde state [steit] purchases *dsk.*
sagaidīt (*kādu*) to meet*; to welcome [ˈwelkʌm]
sagatavošana 1. preparation [prepəˈreiʃn]; **2.** (*apmācība*) training [ˈtreiniŋ]
sagatavot 1. to prepare [priˈpeə]; **2.** (*apmācīt*) to train [trein]
sagatavoties to get* ready [ˈredi]
sagrābt 1. to seize [si:z]; to grip; **2.** (*ar grābekli*) to rake [reik] up; **3.** (*varu*) to seize, to capture [ˈkæptʃə]; (*nelikumīgi*) to usurp [ju:ˈzɜ:p]
sagraut to ruin [ˈru:in]; to smash [smæʃ]
sagriezt to cut*; (*šķēlēs*) to slice [slais]
sagrozīt (*vārdus u. tml.*) to distort [diˈstɔ:t]
saguris seedy [ˈsi:di] *sar.*; exhausted [igˈzɔ:stid]
sagūstīt to capture [ˈkæptʃə]
saīdzis peevish [ˈpi:viʃ], sulky [sʌlki]
saiet 1. (*ieiet*) to go* in; **2.** (*kopā*) to come* together [təˈgeðə]
saieties to associate [əˈsəʊʃieit] (*with*)
saime household [ˈhaushəʊld]
S **saimniece 1.** housekeeper [ˈhaʊsˌki:pə]; (*namamāte*) hostess [ˈhəʊstis]; **2.** (*dzīvokļa*) landlady [ˈlændleidi]
saimniecība 1. economy [iˈkɒnəmi]; **2.** farm [fɑ:m]
saimniecisks economic [i:kəˈnɒmik]
saimniekot to keep* house [haus]
saimnieks 1. master [ˈmɑ:stə]; (*namatēvs*) host [həʊst]; **2.** (*dzīvokļa*) landlord; (*laukos*) farmer [fɑ:mə]
saindēšanās poisoning [ˈpɔizniŋ]
saindēties to poison [pɔizn] oneself
sainis parcel [pɑ:sl], bundle [ˈbʌndl]
saiņot to pack [pæk]
sairt to disintegrate [disˈintəgreit]
saīsināt to shorten [ʃɔ:tn]; to abbreviate [əˈbri:vieit]
saistīb‖a obligation, engagement [inˈgeidʒmənt]; izpildīt ~as – to meet* one's engagements
saistīt to tie [tai], to bind* [baind]
saistošs 1. (*obligāts*) compulsory [kəmˈpʌlsəri]; **2.** (*aizraujošs*) fascinating [ˈfæsineitiŋ]
saišķis bundle [bʌndl], bunch [bʌntʃ]
sait‖e (*aukla*) **1.** lace, string; (*suņa*) leash [li:ʃ]; **2.**: ~es *pārn.* – ties [taiz], bonds [bɒndz]
sajaukt 1. to mix [up]; **2.** (*padarīt nekārtīgu*) to disarrange [ˌdisəˈreindʒ]
sajēga idea [aiˈdiə], notion [nəʊʃn]
sajukums disorder [disˈɔ:də], confusion [kənˈfju:ʒən]
sajūsma delight [diˈlait], enthusiasm [inˈθju:ziæzəm]
sajūsmināties to be carried [ˈkærid] away (*by*)
sajust to feel* [fi:l]
sajūta sensation [sənˈseiʃn], feeling
sakalst to dry [drai] up; (*pārklājoties ar garozu*) to crust [krʌst]; (*novīst*) to wither [ˈwiðə]
sakāmvārds saying [ˈseiiŋ], proverb [ˈprɒvɜ:b]

sakapāt 1. to chop [tʃɒp] (*up*); **2.** (*par krusu*) to beat* down
sakāpināt to raise [reiz], to heighten ['haitn]
sakāpt (*automobilī*) to get* [get] in; (*autobusā*) to get on*
sakari 1. communication [kəmju:ni'keiʃn]; **2.** (*pazīšanās*) connections ['kə'nekʃnz]
sakarība connection [kə'nekʃn]; coherence
sakarīgs connected; coherent [kəʊ'hiərənt]
sakar||s 1. connection [kə'nekʃn], relation [ri'leiʃn]; **2.**: (*telegrāfa, dzelzceļa*) ~i – communication
sakarsēt to heat [hi:t]
sakarst to get* [get] hot
sakārtojums arrangement [ə'reindʒmənt]
sakārtot to arrange [ə'reindʒ]; to put* [pʊt] in order [ɔ:də]
sakaut to defeat [di'fi:t]
sakāve defeat [di'fi:t]
sakliegties to hallov [hə'lu:] to each other
sakļaut to fold [fəʊld]
sak||ne 1. root [ru:t]; izraut ar ~nēm – to uproot; laist ~nes – to take* root; **2.**: ~nes (*dārzeņu*) – vegetables ['vedʒtəblz]; ~ņu dārzs – kitchen garden
sāknēšana *dat.* boot [bu:t]
sakopot to combine [kəm'bain]
sakost 1. to bite* [bait]; **2.** (*barību*) to chew [tʃu:]
sakrāt to amass [ə'mæs]; (*naudu*) to save [seiv] up
sakrāties to accumulate [ə'kju:mjʊleit]
sakraut to pile, to heap [hi:p]; (*vezumā*) to load [ləʊd]
sakrist 1. to fall*; **2.** (*sagadīties*) to coincide [kəʊ,in'said] (*with*)
sakropļot to cripple [kripl]; to disfigure [dis'figə]
sakrustot to cross [krɒs]
saksofons saxophone ['sæksəfəʊn]
sākt to begin*, to start [stɑ:t]
sakta brooch [brəʊtʃ]
sākties to begin* [bi'gin], to start; to set* in
sakult to whip [wip]
sākum||s beginning [bi'giniŋ], start; ~ā – at first
saķemmēt to comb [kəʊm]
saķert to catch* [kætʃ]; to catch hold [həʊld] (*of*)
sala island ['ailənd]
salabot to mend, to repair [ri'peə]
salaka smelt [smelt]
salāpīt to mend [mend]; (*zeķes*) to darn [dɑ:n]
salapot to burst* [bɜ:st] into leaf [li:f]
salasīt[a] (*rokrakstu*) to make* out
salasīt[b] to gather ['gæðə]; to collect
salāti 1. lettuce ['letis]; **2.** *kul.* salad ['sæləd]
salaulāt to marry ['mæri]
salauzt to break* [breik]
saldējums ice-cream [,ais'kri:m]
saldēt to freeze* [fri:z]
salds sweet [swi:t]
saldskābmaize fine [fain] rue-bread ['raibred]

S

saldumi sweets [swi:ts]; candy [ˈkændi] *vsk. amer.*
salīcis bent [bent], stooping [ˈstɒpiŋ]
salidojums rally [ˈræli], meeting [ˈmi:tiŋ]
salīdzinājum‖s comparison [kəmˈpærisn]; ~ā ar... – in comparison with...
salīdzināt to compare [kəmˈpeə] (*with*)
saliekams folding [ˈfəʊldiŋ]; collapsible [kəˈlæpsəbl]
saliekt to bend* [bend]
saliekties to bend*; to stoop [stu:p]
salikt to put* [pʊt]; to place [pleis]
salikts compound [kəmˈpaʊnd]; complex [ˈkɒmpləks]
salīmēt to glue [glu:] together
sālīts 1. salty [ˈsɔ:lti], salted; **2.** (*konservēts*) pickled [ˈpikld]
salkans *pārn.* soppy [ˈsɒpi], mawkish [ˈmɔ:kiʃ]
salms straw [strɔ:]; ◇ kult tukšus salmus – to beat* the air; to waste [weist] words [wɜ:dz]
salna frost [frɒst]
salocīt to fold [fəʊld] up
salodēt to solder [ˈsɒldə]
sals frost [frɒst]; (*aukstums*) cold [kəʊld]
S
sāls salt [sɔ:lt]; vārāmais s. – common [ˈkɒmən] salt
sālstrauks salt-cellar [ˈsɔ:ltsələ]
salt to freeze* [fri:z]; man salst – I am cold [kəʊld]
salūzt to break* [breik]
salvete napkin [ˈnæpkin]
sāļš salty [ˈsɔ:lti]

samaksa pay [pei], payment [ˈpeimənt]
samaksāt to pay* [pei]
samalt to grind* [graind], (*gaļu*) to mince [mins]
samaņa consciousness [ˈkɒnʃəsnis]
samazgas slops [slɒps]
samazināt to diminish [diˈminiʃ], to decrease [diˈkri:s]
samērā comparatively [kəmˈpærətivli]
samērīgs proportionate [prəˈpɔ:ʃnət]
samest to throw* [θrəʊ]
samiegojies sleepy [ˈsli:pi]
samierināt to reconcile [ˈrekənsail]
samierināties to reconcile [ˈrekənsail] oneself (*to*); to put* [pʊt] up (*with*)
samīļot to caress [kəˈres]
samīt to trample [træmpl]
samts velvet [ˈvelvət]
samulsis embarrassed, confused [kənˈfju:zd]
samulst to get* embarrassed [imˈbærəst]
sanaglot to nail [neil] up
sanāksme meeting [ˈmi:tiŋ], gathering [ˈgæðəriŋ]
sanākt to come*; s. kopā – to come* together, to assemble
sanatorija sanatorium* [sænəˈtɔ:riəm]
sānceļš by-road [ˈbairəʊd], by path [ˈbaipɑ:θ]
sāncensis rival [raivl]; competitor [kəmˈpetitə]
sandale sandal [ˈsændl]
sāneja side-passage
sanest 1. to bring*; **2.** (*iekšā*) to take* (*in*), to carry [ˈkæri] (*in*)
sāniela by-street [ˈbaistri:t]

saniknots enraged [in'reidʒd], furious ['fjʊəriəs]
sānis aside [ə'said]; skatīties s. – to look away
sanitāre junior ['dʒu:niə] nurse [nɜ:s]
sanitārs *lietv.* hospital ['hɒspitl] attendant
sankcija approval [əp'ru:vəl]
sāns side [said]; no sāniem – from the side
santehnika plumbing ['plʌmiŋ]
santīms santim, centime ['sɒnti:m]
saņēmējs *dat.* destination [desti'neiʃn]
saņemt 1. to take*; **2.** (*viesus*) to receive [ri'si:v]; **3.** (*iegūt*) to get*
saņemties to pull [pʊl] oneself together
saost to smell [smel]
sapelējis mouldy ['məʊldi]
sapelnīt to ean [ɜ:n], to make* money [mʌni]
sāpes pain [pein]; (*ilgstošas*) ache [eik]; ausu s. – earache ['iəeik]; galvas s. – headache ['hedeik]; kakla s. – sore [sɔ:] throat [θrəʊt]; zobu s. – toothache ['tu:θeik]; (*asas*) smart [smɑ:t]; (*sūrstošas*) tab
sāpēt to hurt* [hɜ:t] ache [eik]
sapīcis peevish ['pi:viʃ]; grumpy ['grʌmpi]; (*dusmīgs*) annoyed [ə'nɔid]
sāpīgs painful ['peinfʊl], sore [sɔ:]
sāpināt to hurt* [hɜ:t], to pain [pein]
saplēst (*drānu*) to tear* [teə]; (*traukus*) to break* [breik]
saplīst (*par drānu*) to be torn [tɔ:n]; (*par trauku*) to break* [breik]
saplosīt to tear* [teə] to pieces ['pi:siz]
sapnis dream [dri:m]; kā sapnī – as if dreaming
sapņot to dream* [dri:m]
sapogāt to button ['bʌtn] up
saprast to understand*; es saprotu! – I see!
saprātīgs intelligent [in'telidʒent], sensible ['sensibl]; reasonable ['ri:znʌbl]
saprāts intellect, sense [sens]; reason ['ri:zn]
saprotams intelligible; clear [kliə]
sapulce meeting ['mi:tiŋ], gathering ['gæðəriŋ]
sapulcēties to gather ['gæðə], to assemble
sapūt to rot [rɒt], to decay [di'kei]
saputināt to drift
saputot to froth up
sapuvis rotten [rɒtn]
sarakstīt to write* [rait]
sarakstīties to correspond [kɒri'spɒnd] (*with*)
sarakst||s 1. list; roll; ~ā – on the list; **2.** (*grafiks*) time-table ['taim,teibl]; vilcienu s. – schedule ['ʃedju:l]; stundu s. – time-table
saraukt: s. pieri – to frown [fraʊn]
saraut to tear* [teə]; s. attiecības – to break* (off); (*saplūkt*) to pick [pik]
sarauties 1. (*par drēbi*) to shrink* [ʃriŋk]; **2.** (*bailēs*) to start [stɑ:t]; (*sāpēs*) to wince [wins]
sardīne sardine [sɑ:'di:n]
sardze guard [gɑ:d], watch [wɒtʃ]; godasardze – guard of honour ['ɒnə]
sarecēt to curdle [kɜ:dl]; (*par asinīm*) to clot [klɒt]; *kul.* to jelly ['dʒeli]

sarēķināt to calculate ['kælkjʊleit]
sarežģījums complication [,kɒmpli'keiʃn]
sarežģīts complicated ['kɒmplikeitid]
sargāt to guard [gɑ:d] (*from, against*); to watch [wɒtʃ] (*over*); to protect
sargeņģelis guardian ['gɑ:diən] angel ['eindʒəl]
sargs watchman* ['wɒtʃmæn], guard
sarīkojums party; social ['səʊʃəl], gathering ['gæðəriŋ]
sarīkot to organize ['ɔ:gənaiz]; to arrange [ə'reindʒ]
Sarkangalvīte Little ['litl] Red [red] Riding ['raidiŋ] Hood [hʊd]
sarkankrūtītis robin ['rɒbin], redbreast ['redbrest]
sarkans red; (*spilgti*) scarlet ['skɑ:lət]
sarkanvīns red wine [wain]
sarkt to turn [tɜ:n] red; (*aiz kauna*) to blush [blʌʃ]
sarma hoarfrost ['hɔ:frɒst]
sārts *īp. v.* pink, rosy ['rəʊzi]
sarūgtinājums embitterment [im'bitəmənt]
sarūgtināt to embitter [im'bitə]
sarun||a 1. conversation [kɒnvə'seiʃn], talk [tɔ:k]; chat [tʃæt]; **2.**: ~as – negotiations [ni,gəʊʃi'eiʃnz], talks
sarunāties to talk [tɔ:k], to speak* [spi:k] (*witch*), to chat
sarunvārdnīca phrase-book ['freizbʊk]
sasalt to freeze* [fri:z] [up]
sasaukt to call [kɔ:l]; (*konferenci u. tml.*) to convoke [kən'vəʊk]
sasiet to tie [tai] up
sasildīt to warm [wɔ:m], to heat [hi:t]
sasildīties to get* warm [wɔ:m]
sasirgt to fall* ill
sasist 1. to smash [smæʃ], to break* [breik]; **2.** (*savainot*) to hurt* [hɜ:t]
sasisties to hurt* oneself
saskaitīt to count [kaʊnt] up; to add [up]
saskaldīt (*malku*) to chop [tʃɒp]
saskanēt 1. to correspond [kɒri'spɒnd] (*with*), to coincide [kəʊin'said]; **2.** to harmonize ['hɑ:mənaiz]; (*par krāsām*) to match [mætʃ]; to go* (*with*)
saskaņ||a 1. correspondence; ~ā ar ... – according (*to*); **2.** harmony ['hɑ:məni]
saskaņot to coordinate [kəʊ'ɔ:dineit]
saskare contact ['kɒntækt]
saskatīt to discern [di'sɜ:n]; to make* out
saskrāpēt to scratch [skrætʃ]
saslaucīt to sweep* [swi:p] together
saslimt to fall* [fɔ:l] ill
sasmacis (*par gaisu*) stuffy ['stʌfi]
sasniegt to reach [ri:tʃ]; (*mērķi*) to achieve [ə'tʃi:v]
sasniegums achievement [ə'tʃi:vmənt]
saspiest to squeeze [skwi:z]; to press [pres]
saspiesties (*kopā*) to move [mu:v] together
saspīlējums tension [tenʃn], strain [strein]; (*nervu*) stretch [stretʃ]
saspraude (*papīra*) clip [klip]
saspraust to pin up (together)
sasprēgāt to chap [tʃæp], to split*
sasprindzināt to strain [strein]
sastādīt 1. (*piem., kokus*) to plant

[plɑ:nt]; **2.** (*veidot*) to make*, to compose [kəm'pəʊz]; (*dokumentu, plānu*) to draw* [drɔ:] up
sastāvdaļa component [kəm'pəʊnənt] part [pɑ:t]
sastāvēt to consist [kən'sist] (*of*)
sastāvēties to become* stale [steil], to stale
sastāvs 1. composition; structure ['strʌktʃə]; **2.** (*ļaužu kolektīvs*) staff [stɑ:f]
sastindzis (*no aukstuma*) stiff [stif], numb [nʌm]; (*bailēs u. tml.*) stunned [stʌnd]
sastingt to stiffen ['stifn]; to become* numb [nʌm]
sastrēgums obstruction; satiksmes s. – traffic-jam ['træfik dʒæm]
sastrīdēties to quarrel ['kwɒrəl] (*with*)
sasukāt to comb [kəʊm], to brush [brʌʃ]
sasveicināties to greet [gri:t]; (*paspiežot roku*) to shake* hands (*with*)
sasvīdis sweaty ['sweti]; (*par rokām*) clammy ['klæmi]
sašūt to sew [səʊ] up
sašutis indignant [in'dignənt]
saticība concord ['kɒŋkɔ:d]
saticīgs easy ['i:zi] to get on with
sātīgs nourishing ['nʌriʃiŋ], substantial [səb'stænʃl]
satiksme communication [kəmju:ni'keiʃn]; ielu s. – street traffic; dzelzceļa s. – railway ['reilwei] service [sɜ:vis]; dzīva s. – heavy ['hevi] traffic
satikšanās meeting; (*norunāta*) appointment [ə'pɔintmənt], date [deit]
satikt 1. to meet* [mi:t]; (*nejauši*) to run* into; **2.** (*sadzīvot*) to get* on (*with*)
satīrisks satirical [sə'tirikl]
satīt 1. (*rituli*) to roll [rəʊl] up; **2.** (*ietīt*) to wrap [ræp] up
satraukt to excite [ik'sait]
satraukums excitement [ik'saitmənt]
satricinājums shock [ʃɒk]
satricinošs stunning ['stʌniŋ]; shattering
satriekt to crush [krʌʃ], to smash [smæʃ]
satūkt to swell* [swel]
satumst to grow* [grəʊ] dark [dɑ:k]
saturēt (*ietvert*) to contain [kən'tein], to comprise [kəm'praiz]
saturs content[s] ['kɒntənts]
satvert to seize [si:z], to grasp [grɑ:sp]
sauciens call [kɔ:l], cry [krai]
saudzēt to spare [speə]; to take* care (*of*)
saudzīgs considerate [kən'sidərət]
sauja hollow ['hɒləʊ] of the hand
saukt 1. to call [kɔ:l]; to shout [ʃaʊt]; **2.** (*vārdā*) to name; kā jūs sauc? – what is your name?
saule sun [sʌn]; saulriets – sunset ['sʌnset]; saullēkts – sunrise ['sʌnraiz]
saulesbrilles sun-glasses ['sʌnglɑ:siz]
saulespuķe sunflower ['sʌnflaʊə]
saulgrieži solstice ['sɒlstis]
saullēkts sunrise ['sʌnraiz]
sauļoties to sunbathe ['sʌnbeið]
sausiņš rusk [rʌsk]
sauss dry [drai]
sausums aridity [æ'ridəti]; drought [draʊt]

S

sauszeme land [lænd]
sautēt to stew [stju:]
savād‖s strange [streindʒ]; odd, queer [kwiə]; ~i – strangely enough [i'nʌf]
savākt to collect [kə'lekt]
savaldīgs self-possessed [,selfpə'zest]
savaldīt to restrain [ri'strein]; to check [tʃek]
savaldīties to control [kən'trəʊl] oneself; to keep* a cool head
savdabīgs original [ə'ridʒnəl]
savelt to roll [rəʊl], to ball [bɔ:l]
savest to bring* together
saviebties to make* a wry [rai] face [feis]
savienība union ['ju:niən]
savienojums junction ['dʒʌŋkʃn]; telefona s. – connexion
savienot to join [dʒɔin], to link
savienoties **1.** to join [dʒɔin], to connect [kɒ'nekt]; **2.** to unite [ju:'nait]
savienots united [ju:'naitid]
savilkt to tighten ['taitən]
savilkties to tighten ['taitən]
saviļņojums animation [æni'meiʃn]
saviļņot to move [mu:v]
savrups separate ['seprət]
savs my; his; her; its; our; your; their
savstarpēj‖s mutual ['mju:tʃʊəl]; ~i sakari – intercommunication
savtīgs selfish ['sclfiʃ]
sazāģēt to saw* [sɔ:] [up]
sazināties to communicate [kə'mju:nikeit]
sazvērestība conspiracy [kən'spirəsi]
scenārijs scenario [si'nɑ:riəʊ], script [skript]
scenogrāfija stage [steidʒ] design [di'zain]
scenogrāfs stage [steidʒ] designer [di'zainə]
seanss (*kino*) show [ʃəʊ]
secība succession [sək'seʃən]
secinājums conclusion [kən'klu:ʒən]
sēde meeting ['mi:tiŋ]
sēdeklis seat [si:t]
sēdēt to sit* [sit]; ◇ sēdēt kā uz adatām – to be* on pins and needles
sega blanket ['blæŋkit]; vatētā s. – quilt [kwilt]
segli saddle [sædl]
segt to cover ['kʌvə]
segums covering ['kʌvəriŋ]
seifs safe [seif], strong-box ['strɒŋbɒks]
sej‖a face [feis]; ~as vaibsti – features ['fi:tʃəz]
sēja sowing ['səʊiŋ]
sējums (*grāmatas*) volume ['vɒlju:m]
sekas consequence ['kɒnsikwəns]
sēkla seed [si:d]
sēklis sandbank ['sændbæŋk]
sekls shallow ['ʃæləʊ]
sekmes progress ['prəʊgrəs]; advance; (*panākumi*) success [sək'ses]
sekmēt to further ['fɜ:ðə]; to favour ['feivə]; to promote [prə'məʊt]
sekmīgs successful [sək'sesfəl]
sekojošs following ['fɒləviŋ]; (*nākamais*) succeeding [sək'si:diŋ]
sekot **1.** to follow; **2.** (*nākt pēc kārtas*) to succeed [sək'si:d]
sekretārs secretary ['sekrətəri]
sekta sect [sekt]

S

sekunde second ['sekənd]
selerija celery ['seləri]; (*sakne*) celerian
semestris term [tɜ:m]
seminārs (*nodarbība*) seminar ['seminɑ:]
sen long ago [ə'gəʊ]; (*ilgu laiku*) for long time
senatne ancient ['einʃənt] times ['taimz]
senators senator ['senətə]
sēne (*ēdama*) mushroom ['mʌʃrʊm]; (*neēdama*) toadstool ['təʊdstu:l]
sens old [əʊld], ancient ['einʃənt]
sensācija sensation [sen'seiʃn]
sentimentāls sentimental [,senti'mentl]
sēņot to gather ['gæðə] mushrooms ['mʌʃrʊms]
septembris September [səp'tembə]
sēras mourning ['mɔ:niŋ]
serde core [kɔ:]
serdenis refil ['ri:fil]
serdeņatmiņa *dat.* core [kɔ:] storage ['stɔ:ridʒ]
serenāde serenade [,serə'neid]
sērfings *sp.* surf-riding ['sɜ:fraidiŋ], surfing ['sɜ:fiŋ]
seriāls serial ['siəriəl], soap [səʊp] opera
sērīgs mournful ['mɔ:nfəl], sad [sæd]
sērija series* ['siəri:z]; (*filmas*) part [pɑ:t]
sērkociņš match [mætʃ]
sērot to mourn [mɔ:n]
sērs sulphur ['sʌlfə]
sērsna frozen ['frəʊzn] snow-crust ['snəʊkrʌst]
sertifikāts certificate [sə'tifikət]
servīze set [set]
seržants sergeant ['sɑ:dʒənt]
sesija sitting ['sitiŋ], session ['seʃn]
sestdiena Saturday ['sætədi]
sēsties to sit* down
sēt to sow* [səʊ]
sēta 1. fence [fens]; **2.** (*pagalms*) yard [jɑ:d]
sētnieks yard-keeper ['jɑ:dki:pə]; janitor *amer.*; sweep [swi:p]
sev [for] myself; [for] yourself; [for] himself; [for] herself; [for] itself; [for] ourselves; [for] yourselves; [for] themselves
sevišķi particularly [pə'tikjʊləli], especially [i'speʃəli]
sevišķs particular [pə'tikjʊlə], special ['speʃəl]
sezona season ['si:zn]
sēžamvieta buttocks ['bʌtəks]
sfēra sphere [sfiə]
shēma scheme [ski:m]
siekalas saliva [sə'laivə], sputum
siena wall [wɔ:l]
sienāzis grasshopper ['grɑ:shɒpə]
sien‖s hay [hei]; ~a laiks – haymaking ['heimeikiŋ]
siers cheese [tʃi:z]
siet to bind* [baind], to tie [tai] up
siets sieve [siv]; ◇ caurs kā siets – full of holes [həʊlz]
sieva 1. (*precēta*) wife [waif]; **2.** (*sieviete*) woman* ['wʊmən]
sievasbrālis brother-in-law ['brʌðərinlɔ:]
sievasmāsa sister-in-law ['sistərinlɔ:]
sievasmāte mother-in-law ['mʌðərinlɔ:]
sievastēvs father-in-law ['fɑ:ðəinlɔ:]
sieviete woman* ['wʊmən]

S

sievišķīgs feminine [ˈfemənin]
signalizācija alarm [əˈlɑ:m]
signalizēt to signal [signl], to give* signals
signāls signal [ˈsignl]
sija beam [bi:m]
sijāt to sift [sift]
sīknauda small [smɔ:l] change [tʃeindʒ]
sīks 1. tiny [ˈtaini]; small; fine; (*par balsi*) thin [θin]; (*par augumu*) slight [slait]; **2.** (*detalizēts*) detailed [ˈdi:teild], elaborate [iˈlæbərət]
siksna strap [stræp]; (*josta*) belt [belt]
sikspārnis bat [bæt]
sīksts tough [tʌf]
sīkt to buzz [bʌz]
sīkums 1. trifle [ˈtrifl]; **2.** (*detaļa*) detail [ˈdi:teil]
sildīt 1. to warm [wɔ:m], to heat [hi:t]; **2.** to give* out warmth [wɔ:mθ]
sildītājs hot-water [hɒtˈwɔ:tə] bottle [bɒtl], footwarmer
sīlis jay [dʒei]
sils coniferous [kəˈnifrəs] forest [ˈfɒrist]
silts warm [wɔ:m]
siltumizolācija heat isolation [aisəˈleiʃn]
siltumnīca hothouse [ˈhɒthaʊs], greenhouse [ˈgri:nhaʊs]
siltums 1. warmth [wɔ:mθ]; **2.** *fiz.* heat [hi:t]
siļķe herring [ˈheriŋ]
simbols symbol [ˈsimbəl]
simetrisks symmetric[al] [siˈmetrik(l)]
simfonija symphony [ˈsimfəni]
simpātisks pleasant [ˈpleznt], likeable [ˈlaikəbl]
simptoms symptom [ˈsimptəm]
simtkājis centipede [ˈsentipi:d]
sinepes mustard [ˈmʌstəd]
sindroms syndrome [ˈsindrəʊm]
singls *mūz.* single [siŋgl]
sinhrons simultaneous [ˌsiməlˈteiniəs]
sinonīms synonym [ˈsinɒnim]
sinoptiķis weatherman* [ˈweðəmən]
sintētisks synthetic [sinˈθetik]
sīpols 1. onion [ˈʌnjən]; (*puķu*) bulb [bʌlb]
sirds heart [hɑ:t]; s. slimība – heart disease [diˈzi:z]
sirēna syren [ˈsairən]
sirdsapziņa conscience [ˈkɒnʃəns]
sirsenis hornet [ˈhɔ:nit]
sirdslēkme heart [hɑ:t] attack [əˈtæk]
sirdstrieka heart [hɑ:t] failure [ˈfeiljə]
sirmgalvis old [əʊld] man*
sirms grey [grei]
sirpis sickle [sikl]
sirsnīgs hearty [ˈhɑ:ti], cordial [kɔ:diəl]
sīrups treacle [ˈtri:kl], syryp [ˈsirəp]
sist to beat* [bi:t]; to strike* [straik], to hit*
sistēma system [ˈsistim]
sistemātisks systematic [ˌsistəˈmætik]
sistematizēt to systematize [ˈsistimətaiz]
sitiens blow [bləʊ], stroke [strəʊk], hit
sivēn‖s piglet [ˈpiglət]; ~a gaļa – young [jʌŋ] pork
sīvs 1. pungent [ˈpʌndʒənt]; poignant [ˈpɔinənt]; **2.** *pārn.* fierce [fiəs]
sižets plot [plɒt]
skabarga splinter [ˈsplintə]

S

skābbarība silage ['sailidʒ]
skābe acid ['æsid]
skābeklis oxygen ['ɒksidʒən]
skābenes sorrel ['sɒrəl]
skābēt to pickle [pikl]
skābs sour [saʊə]
skafandrs diving-suit ['daiviŋ,su:t]; (*kosmonauta*) full-pressure suit, space-suit
skaid||a chip [tʃip]; sliver ['slivə]; zāģu ~as – sawdust ['sɔ:dʌst] *vsk.*
skaidrība clarity ['klæriti]
skaidr||s 1. clear [kliə]; pure [pjʊə]; **2.** (*viegli saprotams*) clear [kliə]; plain; [plein]; **3.** (*neapmācies*) clear ['kliə], cloudless; **4.**: ~a nauda – cash [kæʃ]
skaists beautiful ['bju:təfəl]; (*par vīrieti*) handsome ['hænsəm]
skaistule beauty ['bju:ti]
skaistums beauty ['bju:ti]
skaitīt to count [kaʊnt], to number ['nʌmbə]
skait||lis number ['nʌmbə], figure; ~ļa vārds *gram.* – numeral ['nju:mərəl]
skaitļošan||a calculation ['kælkjʊ'leiʃn], computation; ~as centrs – computation centre; ~as tehnika – computing machinery, computer engineering
skaitļotājs computer [kəm'pju:tə]
skaits number ['nʌmbə]
skala scacle [skeil]
skaldīt (*malku*) to chop [tʃɒp]
skalot to rinse [rins]; (*kaklu*) to gargle [gɑ:gl]
skaļi loud [laʊd]; aloud [ə'laʊd]
skaļš loud [laʊd]; (*trokšņains*) noisy ['nɔizi]
skandāls scandal ['skændl], row [raʊ]
skanēt 1. to sound [saʊnd]; to ring*; **2.** (*par tekstu*) to read* [ri:d]
skanīgs loud [laʊd], sonorous [sə'nɔ:rəs]
skaņa sound [saʊnd]
skaņdarbs composition [,kɒmpə'ziʃn]
skapis cupboard ['kʌbəd]; (*drēbju*) wardrobe ['wɔ:drəʊb]; sienas s. – built-in closet ['klɒzit]; virtuves s. – dresser ['dresə]
skarbs 1. harsh [hɑ:ʃ]; **2.** (*par klimatu*) severe [si'viə]
skārds tin
skārnis butcher's [bʊtʃəz] (shop)
skatiens look [lʊk]; (*neatlaidīgs*) stare [steə]
skatītāj||s spectator ['spekteitə]; ~i – audience ['ɔ:diəns]
skatīties to look [lʊk] (*at*); (*neatlaidīgs*) to stare [steə] (*at*)
skatlogs shop-window ['ʃɒpwindəʊ]
skats 1. sight [sait]; view [vju:]; **2.** *teātr.* scene [si:n]
skatuve stage [steidʒ], boards [bɔ:dz]
skaudīgs envious ['enviəs]
skava *tehn.* clip [klıp]
skenēt to scan [skæn]
skeptisks sceptic[al] ['skeptik(l)]
skice sketch [sketʃ], draft [drɑ:ft]
skijorings *sp.* ski-joring ['ski:dʒɔ:riŋ]
skol||a school [sku:l]; iet ~ā – to attend school [sku:l]

skoln||ieks (~iece) pupil [ˈpju:pl]
skolotāj||s (~a) teacher [ˈti:tʃə]
skops miserly [ˈmaizəli], stingy [ˈstindʒi]
skorpions 1. scorpion [ˈskɔ:piən]; **2.** *astr.* (*zvaigznājs un zodiaka zīme*) Scorpio [ˈskɔ:piəʊ]
skraidīt to run* [about]
skrandains ragged [ˈrægid]
skrāpēt to scratch [skrætʃ]
skrejceļš running [ˈrʌniŋ] track [træk]
skrējējs runner [ˈrʌnə]; sprinter [ˈsprintə]; long-distance [ˌlɒŋˈdistəns] runner
skrējiens run; (*sportā*) race [reis]; lēns s. – jogging
skrejrats scooter [sku:tə]
skriet to run* [rʌn]
skrituļdēlis skateboard [ˈskeitbɔ:d]
skrituļslidas roller [ˌrəʊlə] skates [ˈskeits], rollers
skropstas eyelashes [ˈailæʃiz]
skrubināt to nibble [ˈnibl], to gnaw [nɔ:]
skrūve screw [skru:]
skudr||a ant [ænt]; ~u pūznis – ant-hill [ˈænthil]
skuj||a needle [ni:dl]; ~u koks – conifer [ˈkəʊnifə]
skulptūra sculpture [ˈskʌlptʃə]
skumjš sad [sæd]
skumt to be sad [sæd], to grieve [gri:v]
skūpstīt to kiss [kis]
skūpsts kiss [kis]
skurbt to become* giddy [ˈgidi]
skurstenis chimney [ˈtʃimni]
skursteņslauķis chimney-sweep [ˈtʃimniswi:p]
skūties to shave [ʃeiv]
skuveklis razor [ˈreizə], shaver [ˈʃeivə]
skvērs square [ˈskweə]
slaids slim [slim]; slender [ˈslendə]
slaists loafer [ˈləʊfə]
slaloms *sp.* slalom [ˈsleiləm]
slānis layer [ˈleiə], stratum* [ˈstrɑ:təm]
slāpeklis *ķīm.* nitrogen [ˈnaitrədʒən]
slāpes thirst [θɜ:st]
slapjdraņķis slush [slʌʃ]
slapjš wet [wet]
slāpt to thirst [θɜ:st]; man slāpst – I am thirsty
slaucēja milkmaid [milkˈmeid]
slaucīt to wipe [ˈwaip]; to sweep* [swi:p]
slava glory [ˈglɒri]; fame [feim]
slavens famous [ˈfeiməs]
slavēt to praise [preiz]
slazds trap [træp]; snare [sneə]
slēdzene lock [lɒk]
slēdziens conclusion [kənˈklu:ʒən]
slēdzis *el.* switch [switʃ]
slēgt 1. to lock [lɒk]; s. vaļā – to unlock; **2.** (*veikalu, sapulci*) to close [kləʊz]; **3.** (*līgumu, mieru*) to conclude [kənˈklu:d]
slēgt||s closed [ˈkləʊzd]; ieeja ~a – no entrance; izeja ~a – no exit
slēģis shutter [ˈʃʌtə]
sleja column [ˈkɒləm]
slepeni secretly [ˈsi:krətli]; by stealth [stelθ]
slepens secret [ˈsi:krət]
slēpes skis [ski:z]
slepkava murderer [ˈmɜ:dərə]

S

slepkavība murder ['mɜ:də]
slēpnis ambush ['æmbʊʃ]
slēpot to ski [ski:]
slēpotājs skier ['ski:ə]
slēpt (*arī – pārn.*) to hide*, to conceal [kən'si:l]
slēpties to hide* [haid], to conceal [kən'si:l] oneself
slidas skates [skeits]
slidens slippery ['slipəri]
slīdēt to slide*; (*paslīdēt*) to slip [slip]
slidkalniņš slide [slaid]
slīdošs sliding; moving ['mu:viŋ]
slidot to skate [skeit]
slidotājs skater ['skeitə]
slidotava skating-rink ['skeitiŋriŋk]
sliede rail [reil]
slieka earthworm ['ɜ:θwɜ:m], dew-worm ['dju:wɜ:m]
slieksnis threshold ['θreʃhəʊld]
sliktāk worse [wɜ:s]
slikti bad, badly ['bædli]
slikts bad; (*par kvalitāti – arī*) poor [pʊə]
slimība illness ['ilnəs]; (*noteikta*) disease [di'zi:z]
slimīgs sickly [sikli]
slimnīca hospital ['hɒspitəl]; infirmary [in'fɜ:məri]
slimnieks patient ['peiʃənt]
slimokase sickness ['siknis] insurance [in'ʃʊərəns] institution [insti'tju:ʃən]
slimot to be ill [il]
slims sick; ill *predic.*
slinkot to be lazy ['leizi], to loaf [ləʊf]
slinks lazy, indolent ['indələnt]
slīps slanting ['slɑ:ntiŋ], oblique [ə'bli:k]
slīpums slant [slɑ:nt], slope [sləʊp]
slodze load [ləʊd]
slogs load [ləʊd], weight [weit]
slota broom [bru:m]
sludinājums announcement [ə'naʊnsmənt]; (*avīzē*) advertisement [əd'vɜ:tismənt]
sludināt to preach [pri:tʃ]
slūžas sluice [slu:s], lock [lɒk]
smacīgs stuffy ['stʌfi], stifling ['staifliŋ]; airless ['eəlis]
smadzenes brain [brein]
smaganas gums [gʌmz]
smagatlētika *sp.* heavy ['hevi] athletics [æθ'letiks]
smag||s **1.** heavy ['hevi]; ~ais automobilis – lorry ['lɒri], truck [trʌk]; **2.** *pārn.* hard, difficult
smagums heaviness ['hevinəs]; weight [weit]; (*nasta*) burden [bɜ:dn]
smaidīt to smile [smail]
smaids smile [smail]
smaile **1.** (*torņa*) spire ['spaiə]; **2.** (*kalna*) peak [pi:k]
smailīte canoe [kə'nu:]
smails pointed ['pɔintid]
smaka stench [stentʃ], stink [stiŋk]
smalkjūtīgs tactful ['tæktfəl], delicate ['delikit]
smalkmaizīte bun [bʌn], sweet roll
smalks **1.** fine ['fain]; thin; **2.** *pārn.* refined [ri'faind]; delicate ['delikit]; **3.** (*par dzirdi*) keen [ki:n]
smarža smell [smel]; odour ['əʊdə]
smaržas scent [sent], perfume ['pɜ:fju:m]

smaržot to smell* [smel]
smēķēt to smoke [sməʊk]; s. aizliegts! – no smoking!
smēķētājs smoker [ˈsməʊkə]
smelt to draw* [drɔ:]; (*ar kausu*) to ladle [ˈleidl]; (*ar karoti*) to spoon [spu:n]
smērēt to smear [smiə] (*with*), to spread [spred] (*on*)
smidzināt to drizzle [drizl]
smiekli laughter [ˈlɑ:ftə], laugh [lɑ:f]
smieklīgs ridiculous [riˈdikjʊləs]
smieties to laugh [lɑ:f]
smilga spear-grass [ˈspiəgrɑ:s]
smilškrāsa beige [beiʒ]
smiltis sand [sænd]
smīnēt to smirk [smɜ:k]; (*nicinoši*) to sneer
smirdēt to stink* (*of*), to smell foul [faʊl]
smirdošs stinking
snaust to slumber [ˈslʌmbə], to doze [dəʊz]
sniegavīrs snowman [ˈsnəʊmən]
Sniegbaltīte Snow Maiden [ˈsnəʊˈmeidn]
sniegpārsla snowflake [ˈsnəʊfleik]
sniegpulkstenīte snowdrop [ˈsnəʊdrɒp]
sniegputenis snow-storm [ˈsnəʊstɔ:m]; blizzard; snowfall [ˈsnəʊfɔ:l]
snieg‖s snow [snəʊ]; ~a pika – snowball [ˈsnəʊbɔ:l]; ~a kupena – snow-dritt
sniegt to hand [hænd], to offer [ˈɒfə]
sniegties **1.** to stretch [stretʃ], to reach [ri:tʃ]; **2.** (*pēc kaut kā*) to reach out (*for*)
snigt to snow [snəʊ]
snuķis (*ziloņa*) trunk [trʌŋk]; (*cūkas*) snout [snaʊt]
sociālisms socialism [ˈsəʊʃəlizəm]
sociāls social [ˈsəʊʃəl]
sodīt to punish [ˈpʌniʃ]
sodrēji soot [sʊt]
sod‖s punishment [ˈpʌniʃmənt]; ~a nauda – fine; naudas s. – mulct [mʌlkt]; ~a sitiens *sp.* – penalty kick
solījums promise [ˈprɒmis]
solis step; stride [straid]
solists soloist [ˈsəʊləʊist]
solīt to promise [ˈprɒmis]
sols bench [bentʃ]; skolas s. – desk [desk]
soļot to walk [wɔ:k]; to pace [peis]
soma bag [bæg]
som‖s (~iete) Finn [fin]
soprāns soprano [səˈprɑ:nəʊ]
spaidi compulsion [kəmˈpʌlʃən]
spainis bucket [ˈbʌkit], pail [peil]
spalgs shrill [ʃril]
spalva **1.** (*putna*) feather [ˈfeðə]; **2.** (*dzīvnieka*) hair [heə]; **3.** (*rakstāmā*) pen [pen]; nib
spaniels spaniel [ˈspænjəl]
spārdīties to kick [kik]
spārns wing [wiŋ]
spars energy [ˈenədʒi]; drive [draiv], sap; pep *amer.*
speciālists specialist [ˈspeʃəlist] (*in*)
specialitāte speciality [ˌspeʃiˈæliti]
speciāls special [ˈspeʃəl]
spēcīgs vigorous [ˈvigərəs]; strong [strɒŋ]

S

spēj||a 1. ability [ei'biliti]; **2.**: garīgās ~as – mental faculties ['fæklti:s]

spējīgs 1. able ['eibl] (*to*); **2.** (*apdāvināts*) capable ['keipəbl], gifted ['giftid]

spējš sudden [sʌdn]

spēk||s 1. strength [streŋθ], force [fɔ:s]; **2.**: stāties ~ā – to take* effect; zaudēt ~u – to lose* [lu:z] validity; **3.**: gara spēks – forfitude [fɔ:titju:d]

spēkstacija power ['paʊə] station [steiʃn]

spekulēt to speculate ['spekjʊleit] (*in*)

speķis bacon [beikn]; lard

spē||le play [plei]; game [geim]; (*aktiera*) acting ['æktiŋ]; neizšķirta s. *sp.* – draw [drɔ:]; ~les rezultāts *sp.* – score [skɔ:]

spēlēt to play [plei]; (*par aktieri*) to act [ækt]

spēlēties to play [plei]; (*ar kaut ko*) to toy [tɔi] (*with*)

spert to kick [kik]

spīdēt to shine* [ʃain]

spīdīgs shining ['ʃainiŋ]; glossy ['glɒsi]

spidometrs *tehn.* speedometer [spi:'dɒmitə]

spīdzināt to torment ['tɔ:mənt]

spiediens pressure ['preʃə]; augsts s. – hig hpressure; asinsspiediens – blood [blʌd] pressure

spiegot to spy [spai] (*on*)

spiegt to shriek [ʃri:k], to scream [skri:m], to squall [skwɔ:l]

spieķis stick [strik]; cane [kein]

spiest 1. to press [pres]; (*par apaviem*) to pinch [pintʃ]; **2.**: s. roku (*sasveicinoties*) – to shake [ʃeik] hands (*with*)

spiesties 1. (*klāt*) to press close [kləʊs] (*to*); **2.** (*drūzmēties*) to crowd [kraʊd]

spiestuve printing-house ['printin,haʊs]

spīles (*vēža*) claws [klɔ:z]

spilgts bright [brait]; gaudy [gɔ:di]

spilvendrāna pillow-case ['piləʊkeis]

spilvens pillow ['piləʊ]; (*dīvāna*) cushion ['kʊʃən]

spirāle spiral ['spaiərəl]

spirgts brisk [brisk], lively ['laivli]

spirts spirits, alcohol ['ælkəhɒl]

spītīgs stubborn ['stʌbən]

spīt||s spite [spait], obstinacy ['ɒbstinəsi]; par ~i – in spite [spait] of

spļaut to spit* [spit]

spodrība cleanliness ['klenlinəs]

spodrināt to polish ['pɒ:liʃ], to shine [ʃain]

spoks ghost [gəʊst]

spogulis looking-glass ['lʊkiŋglɑ:s], mirror

spole (*diegu*) reel [ri:l], bobbin ['bɒbin]

sportists sportsman* ['spɔ:tsmən]

sport||s sport [spɔ:t]; ~a zāle – gymnasium, gym *sar*; nodarboties ar ~u – to go* in for sports

spožs lustrous ['lʌstrəs]; bright [brait]

sprādze clasp [klɑ:sp], clip [klip]

sprādzienkļūda *dat.* burst [bз:st] error ['erə]

sprādziens explosion [ik'pləʊʒən], blast

S

sprāgt (*eksplodēt*) to burst* [bɜ:st], to blow* up
sprakšķēt to crackle ['krækl]
sprauga chink [tʃiŋk]; (*šķēlums*) slot [slɒt]
sprauktiés: s. iekšā – to edge [edʒ] in
spraužamadata safety-pin ['seifti,pin]
sprediķis gospel; sermon [sɜ:mən]
Sprīdītis Tom [tɒm] Thumb [θʌm]
spridzināt to blow* [bləʊ] up
spriedums 1. opinion [ə'pinjən]; **2.** (*tiesas*) sentence ['sentəns]
spriest to judge [dʒʌdʒ]
sprints *sp.* sprint [sprint]
sprogains curly ['kɜ:li], frizzy ['frizi]
sprosts cage [keidʒ]
spuldze bulb [bʌlb]
stabils stable [steibl]
stabs pole [pəʊl], post [pəʊst], pillar ['pilə]
stabule pipe [paip]
stacija station [steiʃn]; galastacija – terminal ['tɜ:minl]
stadija stage [steidʒ], phase [feiz]
stadions stadium* ['steidiəm]
stādīt 1. to plant [plɑ:nt]; **2.**: s. priekšā – to introduce [intrə'dju:s] (*to*)
stāds plant [plɑ:nt]
stafete relay-race [ri'leireis]
staigāt to walk [wɔ:k]
staipīgs viscous ['viskəs]
staipīt to stretch [stretʃ]
stāja poise [pɔiz]; bearing ['beəriŋ]
stallis stable [steibl]
stalts stately ['steitli]
stampāt to pound [paʊnd]; (*kartupeļus*) to mash [mæʃ]
standarts standard ['stændəd]
starot to beam [bi:m], to shine* [ʃain]
starp (*diviem*) between [bi'twi:n]; (*daudziem*) among [ə'mʌŋ]
starpa interval ['intəvəl]; (*tukša*) gap [gæp]
starpbrīdis interval ['intəvəl]; (*skolā*) break [breik]
starpgadījums incident ['insidənt]
starpība difference ['difrəns]
starpnieks go-between [gəʊbi'twi:n]
starptautisks international [,intə'næʃənəl]
stars ray [rei], beam [bi:m]
starts start [stɑ:t]; (*lidmašīnas, raķetes*) blast-off, take-off
stāstīt to tell* [tel]
stāsts story ['stɒri]
stāties to stand* [stænd]; ◇ s. spēkā – to come* into force
statistika statistics [stə'tistiks] *dsk.*
statīvs stand [stænd]
statuja statue ['stætʃu:]
statuss status ['steitəs]
stāvēt 1. to stand* [stænd]; **2.** to stop [stɒp]
stāvlampa floor [flɔ:] lamp [læmp]
stāvoklis condition [kən'diʃən]; state [steit]; (*ģimenes, sabiedriskais*) status
stāvs[a] *lietv.* (*nama*) floor [flɔ:]; storey ['stɔ:ri]
stāvs[b] *īp. v.* steep [sti:p]
stāvvieta (*automobiļu*) parkingplace ['pɑ:kiŋ,pleis], parking-lot *amer.*

S

stāžs (*darba*) record of service ['sɜ:vis]

steidzams urgent ['ɜ:dʒənt], pressing ['presiŋ]; (*par vēstuli*) express [iks'pres]; s. pasūtījums – rush [rʌʃ], order ['ɔ:də]

steiga hurry ['hʌri], haste [heist]

steigties to hurry ['hʌri]

stenēt to groan [grəʊn]

sterils sterile ['sterail]

stiebrs stalk [stɔ:k]

stienis bar [bɑ:]

stieple wire [waiə]

stiept 1. to draw* [drɔ:]; to drag [dræg]; **2.** (*izstiept*) to stretch [stretʃ]

stīga string [striŋ]

stikls glass [glɑ:s]

stilbiņš *kul.* drumstick ['drʌmstik]

stilbs *anat.* shin [ʃin], shank [ʃæŋk]

stils style [stail]

stingrs 1. strict [strikt]; severe [si'viə]; **2.** (*lēmums u. tml.*) firm

stīpa hoop [hu:p]

stipendija grant [grɑ:nt]

stiprs strong [strɒŋ]

stiprums strength [streŋθ], force [fɔ:s]

stirna roe [rəʊ]

stīvs stiff [stif]

stjuarte stewardess [,stju:ədəs]

stobrs (*šautenes*) barrel ['bærəl]

stomīties to falter ['fɔ:ltə], to stumble ['stʌmbl]

stostīties to stammer ['stæmə]

strādāt 1. to work [wɜ:k]; smagi s. – to toil; **2.** (*būt atvērtam*) to be open

strādīgs industrious [in'dʌstriəs]; hardworking ['hɑ:dwɜ:kiŋ]

strādnieks worker ['wɜ:kə]

straujš 1. fast [fɑ:st], quick [kwik], swift; rapid ['ræpid]; **2.** (*ātras dabas*) quick-tempered [,kwik'tempəd]

straume stream [stri:m], flow [fləʊ]

strauss ostrich ['ɒstritʃ]

strauts brook [brʊk]

strāva current ['kʌrənt]

strazds thrush [θrʌʃ]; melnais s. – black-bird ['blækbɜ:d]

streikot to strike* [straik], to go* on strike

streiks strike [straik]

streipuļot to reel [ri:l], to stagger ['stægə]

strēlnieks rifleman* ['raiflmən]

Strēlnieks *astr.* (*zvaigznājs un zodiaka zīme*) the Sagittarius [,sædʒi'teəriəs]

strēmele strip [strip]

stress stress [stres]

strīdēties to argue ['ɑ:gju:] (*with*); (*ķildoties*) to quarrel ['kwɒrəl] (*with*)

strīdīgs (*par jautājumu*) disputable [dis'pju:təbl], contestable; quarrelsome ['kwɒrəlsəm]

strīds argument ['ɑ:gjʊmənt], dispute; (*ķilda*) quarrel ['kwɒrəl]

strūkla jet [dʒet], spurt [spɜ:t]

strūklaka fountain ['faʊntin]

strūklprinteris *dat.* ink jet [dʒet] printer ['printə]

struktūra structure ['strʌktʃə]

strupceļš 1. blind [blaind] alley ['æli]; **2.** *pārn.* impasse [æm'pɑ:s]; **3.** *dat.* dead lock

S

strups 1. stumpy [ˈstʌmpi]; (*par degunu*) snub; **2.** *pārn.* curt [kɜ:t]
strutas pus [pʌs]
strutene greater [ˈgreitə] celandine [ˈseləndain]
students student [ˈstju:dənt]
studēt to study [ˈstʌdi]
studija studio [ˈstju:diəʊ]
studijas studies [ˈstʌdiz]
stulbs dull [dʌl], stupid [ˈstju:pid]
stulms top [tɒp]
stumbrs trunk [trʌŋk]
stumt to push [pʊʃ], to shove [ʃʌv]
stunda 1. hour [ˈaʊə]; **2.** (*mācību*) lesson [ˈlesn]
stūre (*kuģa*) helm [helm]; (*automobiļa*) wheel [wi:l]
stūrgalvīgs obstinate [ˈɒbstinət], headstrong [ˈhedstrɒŋ]
stūris corner [kɔ:nə]
subjektīvs subjective [sʌbˈdʒektiv]
sūce leak [li:k]
sūcējs: putekļu s. – vacuum cleaner [ˈvækjʊəmˌkli:nə]
sudrabs silver [ˈsilvə]
sudrabkalis silversmith [ˈsilvəsmiθ]
sūdzēt (*tiesā*) to sue [sju:]
sūdzēties to complain [kəmˈplein] (*of*)
sūdzība complaint [kəmˈpleint]
suflēt to promt [prɒmt]
suga species* [ˈspi:ʃi:z], breed [bri:d]
suka brush [brʌʃ]; zobu s. – toothbrush [ˈtu:θbrʌʃ]
sukāde *kul.* candied [ˈkændid] peel [pi:l]
sukāt (*matus*) to brush [brʌʃ]
sūklis sponge [spʌndʒ]
sūknēt to pump [pʌmp]
sūknis pump [pʌmp]
sūkt to suck [sʌk]
sūkties to ooze [u:z]
sula juice [dʒu:s]
sulīgs juicy [ˈdʒu:si], succulent [ˈsʌkjʊlənt]
summa sum [sʌm]
summators *dat.* adder [ˈædə]
sūnas moss [mɒs]
suns dog; (*medību*) hound [haʊnd]; gundog [gʌndɒg]; ganu s. – shepherd's [ˈʃepədz] dog; sētas s. – house [haʊs] dog
suņabūda kennel [kenl]
sūtība mission [ˈmiʃən]
sutināt to steam [sti:m], to stew [stju:]
sūtīt to send* [send]
sūtniecība embassy [ˈembəsi]
sūtnis ambassador [əmˈbesədə], envoy [ˈenvɔi]
suvenīrs souvenir [ˌsu:vəˈniə]
svaigs fresh [freʃ]
svaine sister-in-law [ˈsistəinlɔ:]
svainis brother-in-law [ˈbrʌðəinˌlɔ:]
svarcelšana *sp.* weight-lifting [ˈweitliftiŋ]
svari scales [skeilz]
svarīgs important [imˈpɔ:tənt]
svārki 1. (*vīriešu*) coat [kəʊt]; **2.** (*sieviešu*) skirt [skɜ:t]
svars weight [weit]
svārstīties *pārn.* to hesitate [ˈheziteit], to waver [ˈweivə]

svārsts pendulum [ˈpendjʊləm]
svece candle [kændl]
svečturis candlestick [ˈkændlstik]
sveicien||s 1. greeting [ˈgri:tiŋ]; **2.** regards [riˈgɑ:dz] *dsk.*; love [lʌv]; sūtīt ~us – to send* one's love
sveicināt to greet [gri:t]
sveiki! 1. (*sasveicināties*) hallo! [həˈləʊ], hullo! [hʌˈləʊ], hello!, hi! *sar.*; **2.** (*atvadoties*) goodbye [gʊdˈbai]!; so long!
sveķi resin [ˈrezin]
svelme heat [hi:t]
svērt to weigh [wei]
svešinieks stranger [streindʒə]; foreigner [ˈfɒrinə], alien [ˈeiliən]
svešķermenis foreign [ˈfɒrin] body
svešs strange [streindʒ]; foreign [ˈfɒrin]
svešvaloda foreign [ˈfɒrin] language [ˈlæŋgwidʒ]
svētdiena Sunday [ˈsʌndi]
svētki holiday [ˈhɒlədei]; festivity [fəsˈtivəti]
svēt||s 1. sacred [ˈseikrid]; **2.** holy [ˈhəʊli]; ~ā pilsēta – Holy City; Klusā nedēļa – Holy Week; Bībele – Holy Writ
sviedri sweat [swet], perspiration [ˌpɜ:spəˈreiʃn]; ◇ vaiga sviedros – in(by) the sweat of one's brow [braʊ]
sviest to throw* [θrəʊ]; to fling* [fliŋ]
sviestmaize bread [bred] and butter [ˈbʌtə]; sandwich [ˈsænwidʒ]
sviests butter [ˈbʌtə]
svilpe whistle [ˈwisl]
svilpot to whistle [ˈwisl]
svinēt to celebrate [ˈselebreit]
svinības festivity [fəsˈtivəti]
svinīgs solemn [ˈsɒləm]
svins lead [led]
svira lever [ˈlevə]
svīst to sweat [swet], to perspire [pəˈspaiə]
svītra 1. line [lain]; **2.** (*audumā*) stripe [straip]
svītrains striped [ˈstraipt]
svītrkods barcode [ˈbɑ:kəʊd]
svītrot to cross [krɒs] out

Š

šā thus [ðʌs]
šablons pattern [ˈpætən]
šad: š. un tad – now and then
šādi thus, in this way [wei]
šāds such [sʌtʃ]
šahists chess-player [ˈtʃesˌpleiə]
šahs chess [tʃes]
šahta mine [main]
šaipus on this side [said] (*of*)
šakālis jackal [ˈdʒækəl]
šalkt to rustle [rʌsl]
šalle scarf [skɑ:f]; shawl [ʃɔ:l]; (*vilnas*) muffler [ˈmʌflə]
šampanietis champagne [ʃæmˈpein]

šampinjons (field) mushroom [ˈmʌʃru:m]
šampūns shampoo [ʃæmˈpu:]
šantāža blackmail [ˈblækmeil]
šaržs cartoon [kɑ:ˈtu:n]
šašliks *kul.* barbecue [ˈbɑ:bikju:]
šaubas doubt [daʊt]
šaubīgs suspicious [səsˈpiʃəs], doubtful [ˈdaʊtfəl], shady [ˈʃeidi]
šaubīties to doubt [daʊt]
šaurs narrow [ˈnærəʊ]; (*par apaviem, apģērbu*) tight [tait]
šausmas horror [ˈhɒrə], terror [ˈterə]
šausmīgs awful [ˈɔ:fəl], horrible [ˈhɒrəbl], terrible [ˈterəbl]
šaut to shoot* [ʃu:t] (*at*), to fire [ˈfaiə] (*at*)
šautene gun [gʌn]; rifle [ˈraifl]
šāviens shot [ʃɒt]
šedevrs masterpiece [ˈmɑ:stəpi:s]
šefība patronage [ˈpætrənidʒ]
šefpavārs head-cook [ˈhedkʊk], chef [ʃef]
šefs chief [tʃi:f], boss [bɒs] *sar.*
šeit here [hiə]
šejien‖e: no ~es – from here
šīferis slate [sleit]
šifrēšana *dat.* encryption [inˈkripʃn]
šiliņš shilling [ˈʃiliŋ]
šinelis greatcoat [ˈgreitkəʊt]
šis this [ðis]
šķaudīt to sneeze [sni:z]
šķautne edge [edʒ]
šķēle slice [slais]
šķelmīgs impish [ˈimpiʃ], roguish [ˈrəʊgiʃ]
šķelt to split* [split], to cleave* [kli:v]
šķemba splinter [ˈsplintə]; shiver [ˈʃivə]
šķendēties to complain [kəmˈplein]
šķēps spear [spiə]; (*sportā*) javelin [ˈdʒævlin]
šķēres scissors [ˈsizəz]
šķērsām across [əˈkrɒs], crosswise [ˈkrɒswaiz]
šķērsiela side-street [ˈsaidstri:t], bystreet [ˈbaistri:t]
šķērslis obstacle [ˈɒbstəkl]
šķērsot to cross [krɒs]
šķērsruna *dat.* crosstalk [ˈkrɒstɔ:k]
šķērstroksnis *dat.* babble [bæbl]
šķībs slanting [ˈslɑ:ntiŋ], oblique [əˈbli:k]
šķīdonis slush [slʌʃ]
šķidrs liquid [ˈlikwid]; fluid [flu:id]
šķidrums liquid [ˈlikwid]; fluid [ˈflu:id]
šķīdums solution [səˈlu:ʃn]
šķiebties to incline [inˈklain]
šķiedra fibre [ˈfaibə]
šķielēt to squint [skwint]
šķiest (*naudu, spēkus*) to waste [weist]
šķiltavas cigarette-lighter [sigəˈretˌlaitə]
šķindēt to chink [tʃiŋk]; (*par glāzēm*) to clink [kliŋk]
šķiņķis ham [hæm]
šķipsna (*matu*) whisp [wisp]
šķira[a] sort [sɔ:t], kind [kaind]
šķira[b] *pol.* class [klɑ:s]
šķirba split [split], gap [gæp]
šķirn‖e **1.** sort [sɔ:t]; kind [kaind]; **2.** (*mājdzīvnieku*) race [reis], breed; ~es lopi – pedigree [ˈpedigri:] cattle [kætl]
šķirot to sort [sɔ:t]

šķirstīt to turn over [the pages], to leaf [li:f]
šķiršanās **1.** parting ['pɑ:tiŋ]; **2.** (*laulībā*) divorce [di'vɔ:s]
šķirt **1.** to part; **2.** (*laulību*) to divorce [di'vɔ:s]
šķirties **1.** to part; **2.** (*laulībā*) to divorce [di'vɔ:s]
šķist to seem [si:m], to appear [ə'piə]; šķiet – it seems
šķīst to dissolve [di'zɒlv]
šķīvis plate [pleit]
šķūnis shed [ʃed]; (*labības*) barn [bɑ:n]
šļakstēt to splash [splæʃ]
šļūkt to shuffle [ʃʌfl]
šļupstēt to lisp [lisp]
šļūtene hose [həʊz]
šņākt **1.** to hiss [his]; **2.** (*par jūru u. tml.*) to roar [rɔ:]
šņaukt: š. degunu – to blow* [bləʊ] one's nose
šņukstēt to sob [sɒb]
šodien today [tə'dei]
šoferis driver ['draivə], chauffeur ['ʃəʊfə]
šogad this year [jiə]
šokēt to shock [ʃɒk]
šokolāde chocolate ['tʃɒklit]
šoks shock [ʃɒk]
šonakt tonight [tə'nait]
šoreiz this time, for this once [wʌns]
šorīt this morning [mɔ:niŋ]
šorti shorts [ʃɔ:ts]
šoseja highway ['haiwei], motorway ['məʊtəwei], highroad ['hairəʊd]
šovakar tonight [tə'nait]
špikeris crib [krib], cab [kæb]
šprotes sprats [spræts]
štābs headquarters ['hed,kwɔ:təz], staff [stɑ:f]
štats[a] staff [stɑ:f]; (*personāls*) personnel [pɜ:sə'nel]
štats[b] state [steit]
šujmašīna sewing-machine ['səʊiŋmə,ʃi:n]
šūna **1.** cell [sel]; **2.**: bišu šūnas – honeycombs ['hʌnikəʊmz]
šūpoles swing [swiŋ]
šūpot to swing*, to rock [rɒk]
šūpoties to swing*, to rock; to sway [swei]
šūpulis cradle ['kreidl]
šūpuļdziesma lullaby ['lʌlʌbai]
šūpuļkrēsls rocking ['rɒkiŋ] chair [tʃeə]
šūpuļtīkls hammock
šur: š. un tur – here and there
šurp here [hiə]
šūt to sew [səʊ]
šuve seam [si:m]
šuvēj||s (–a) dressmaker ['dresmeikə]; tailor ['teilə]
šveicars porter, door-keeper ['dɔ:,ki:pə]
švīka line [lain]
švīts dandy ['dændi], swell *amer.*

Š

T

tā[a] *vietniekv.* that, that one, she
tā[b] *apst. v.* so; thus; tā? – indeed?
tabaka tobacco [tə'bækəʊ]
tablete tablet ['tæblit], pill
tabula table [teibl]
taburete stool [stu:l]
taču however [haʊ'evə], yet [jet]
tad then; kā t.! – of course [kɔ:s]!
tādēļ therefore ['ðeəfɔ:]; t. ka – because [bi'kɒz]
tād||s such; ~ā veidā – thus [ðʌs]
tāfele blackboard ['blækbɔ:d]
tagad now, at present ['preznt]
tagadne 1. the present ['preznt]; **2.** *gram.* present ['preznt] tense [tens]
tahta couch [kaʊtʃ]
taifūns typhoon [tai'fu:n]
taisīt to make* [meik]
taisīties to get* ready ['redi] (*for*); to be going (*to*)
taisne *mat.* straight [streit] line [lain]
taisni 1. straight [streit]; **2.** (*tieši*) directly [di'rektli], straight; **3.** (*precīzi*) exactly [ig'zæktli]
taisnība truth [tru:θ]; jums t. – you are right [rait]
taisnīgs just [dʒʌst], upright ['ʌp'rait]
taisns straight [streit]
taisnstūris *mat.* rectangle ['rektæŋgl]
taka path [pɑ:θ]
taksis (*suns*) dachshund ['dækshʊnd]
taksometrs taxi ['tæksi], cab [kæb]
taksētājs *dat.* clock [klɒk]
taktisks tactful ['tæktfəl]
takts[a] time [taim]
takts[b] (*smalkjūtība*) tact [tækt]
tālāk farther ['fɑ:ðə]; iet t. – to go* along [ə'lɒŋg]; padot t. – to pass [pɑ:s] on
talants talent ['tælənt], gift [gift]
tālejošs far-reaching [,fɑ:'ri:tʃiŋ]
tālredzīgs far-sighted [,fɑ:'saitid]
tāls remote [ri'məʊt]
tālsaruna trunk-call ['trʌŋkkɔ:l]
tālu far [fɑ:]
tāme *ek.* estimate ['estimit]; estimated ['estimeitid] cost [kɒst]
tamlīdzīgs: kaut kas t. – something like this; nekas t. – nothing of the kind [kaind]
tanks tank [tæŋk]
tante aunt [ɑ:nt]
tapa plug [plʌg], pin
tāpat in the same way [wei], just [dʒʌst] (as)
tapetes wall-paper ['wɔ:lpeipə]
tapt to become* [bi'kʌm], to get*, to grow* [grəʊ] (*into*)
tarakāns cockroach ['kɒkrəʊt], black-beetle ['blækbi:tl]
tarifs tariff ['tærif]
tārps worm [wɜ:m]; grāmatu t. – bookworm ['bʊkwɜ:m]
tas that; it; t. pats – the same; tieši t. – the very thing
tās those
tase cup [kʌp]
tātad so, then

T

taukains greasy [ˈgri:zi]; oily [ˈɔili]
tauki fat; grease [gri:s]
taukvielas fats [fæts]
taupīgs thrifty [θrifti]
taupīt to save [seiv], to economize [iˈkɒnəmaiz]
taure trumpet [ˈtrʌmpit]; (*rags*) horn [hɔ:n]
tauriņš butterfly [ˈbʌtəflai]
tauste touch [tʌtʃ]
taustiņš (*klavieru, datora*) key [ki:]
taustīt to touch [tʌtʃ]; to feel*
tauta people [ˈpi:pl], nation [ˈneiʃən], population [ˈpɒpjʊˈleiʃən]
tautasdziesma folk-song [ˈfəʊksɒŋg]
tautas paraža folk [fəʊk] custom [ˈkʌstəm]
tautastērps national [ˈnæʃənəl] costume [ˈkɒstjʊm]
tautība nationality [næʃəˈnæliti]
tautisks national [ˈnæʃənəl]
tauva rope [rəʊp]
taverna tavern [ˈtævən]
tavs your [jɔ:]; yours [jɔ:z]; pēc tava prāta – as you wish [wiʃ]
te here [hiə]
teātris theatre [ˈθiətə]
tecēt to flow [fləʊ]
tehnika 1. engineering; technology [təkˈnɒlədʒi]; **2.** (*darba paņēmieni*) technique [tekˈni:k]; **3.** (*mašīnas*) machinery [məˈʃi:nəri]
tehniķis technician [tekˈniʃən]
tehnisk||**s** technical [ˈteknikəl]; ~ā apkope – servicing [ˈsɜ:visiŋ]
teicami very well, excellently [ˈeksələntli], perfectly [ˈpɜ:fiktli]
teiciens expression [iksˈpreʃən]
teika tale [teil], legend [ˈledʒənd], story [ˈstɔ:ri]
teikt to tell*; to say* [sei]
teikums sentence [ˈsentəns]
tēja tea [ti:]; pēcpusdienas t. – five o'clock tea
tējkanna teapot [ˈti:pɒt]
tējkarote teaspoon [ˈti:spu:n]
tekošs 1. flowing [ˈfləʊiŋ]; **2.** *pārn.* fluent [ˈflu:ənt]
tekstilpreces textiles [ˈtekstailz]
teksts text [tekst]
telefon||**s** telephone [ˈtelifəʊn]; phone [fəʊn] *sar.*; ~a kabīne – public callbox; phone booth; phone box *amer.*; tevi sauc pie ~a – you are wanted on the phone
telegramma telegram [ˈteligræm], wire [ˈwaiə] *sar.*
telekarte phonecard [ˈfəʊnkɑ:d]
telekss telex [ˈteləks]
televīzija television [ˈteliviʒn], TV [ˈti:ˈvi:]; telly *sar.*; televīzijas pārraide – television broadcast [ˈbrɔ:dkɑ:st]
televizors television (TV [ˈti:ˈvi:]) set, telly *sar.*
tēlniece sculptress [ˈskʌlptris]
tēlnieks sculptor [ˈskʌlptə]
tēlot 1. to describe [diˈskraib]; **2.** (*uz skatuves*) to act, to perform [pəˈfɔ:m]
tēlotājmāksla fine [fain] art

T

telpa 1. space [speis]; **2.** (*dzīvojamā u. tml.*) room [ru:m]
tēls image ['imidʒ]
telts tent [tent]
teļ‖š calf [kɑ:f]; ~a gaļa – veal [vi:l]
tēma theme [θi:m]
temats subject ['sʌbdʒikt]; topic ['tɒpik]
tembrs timbre ['tæmbə], tone [təʊn]
tēmēt to aim [eim] (*at*)
temperatūr‖a temperature ['tempritʃə]; paaugstināta t. – high [hai] temperature; mērīt ~u – to take* the temperature
temps pace [peis], rate [reit]; speed [spi:d]
tendence tendency (*to*)
teniss tennis ['tenis]
tenkas gossip ['gɒsip] *vsk.*
tenkot to gossip
tenors tenor ['tenə]
teoloģija theology [θi'ɒlədʒi]
teorija theory ['θiəri]
tepiķis carpet ['kɑ:pit]
terapija therapy ['θerəpi]
terase terrace ['terəs]
tērauds steel [sti:l]
tērēt to spend* [spend]; to waste [weist]
teritorija territory ['teritɒri]
termiņš term [tɜ:m], date [deit]
termofors hot-water ['hɒt,wɔ:tə] bottle
termometrs thermometer [θə'mɒmitə]
termoss thermos, vacuum flask
terors terror ['terə]
tērps clothes [kləʊðz] *dsk.*; (*sieviešu*) dress [dres]
tesmenis udder ['ʌdə]
testaments will; testament ['testəmənt]
testprogramma *dat.* test routine [program]
tētis dad [dæd] *sar.*, daddy ['dædi], pop [pɒp] *amer.*
tēvija native ['neitiv] land
tēviņš male [meil]; (*dzīvniekiem – arī*) he-, (*piem.*, he-buck, he-dog)
tēvocis uncle [ʌŋkl]
tēvs father ['fɑ:ðə]
tēvreize Our Father ['aʊə'fɑ:ðə]
ticams credible ['kredibl]
ticēt 1. to believe [bi'li:v]; **2.** (*uzticēties*) to trust [trʌst]
ticība 1. faith [feiθ]; belief [bi'li:f]; **2.** (*konfesija*) religion [ri'lidʒn], creed [kri:d]; kristīgā t. – Christian faith
tie they [ðei]; those [ðəʊz]
tieksme disposition [dispə'ziʃən] (*to*); inclination [iŋkli'neiʃn] (*to*)
tiekties to strive* [straiv] (*for*); to be inclined (*to*)
tiepties to persist [pə'sist] (*in*)
ties‖a[a] court [kɔ:t]; ~as spriedums – verdict
tiesa[b] truth [tru:θ]
tiesāt 1. to try [trai]; **2.** (*sportā*) to referee, to umpire
tiesības right [rait]; (*atļauja*) licence ['laisəns]
tiesnesis 1. judge [dʒʌdʒ]; **2.** (*sportā*) referee, umpire ['ʌmpaiə]
tiešām really ['riəli]
tieši 1. directly [di'rektli]; straight [streit]; **2.** *pārn.* just [dʒʌst]

T

tiešs direct [di'rekt]; immediate [i'mi:diət]

tievs 1. thin [θin]; **2.** (*augums*) slim, slender ['slendə], slight [slait]

tīģeriene tigrees ['taigris]

tīģeris tiger ['taigə]

tik so; t. un tā – all the same

tikai only, but

tīkams pleasant ['pleznt]

tikko 1. (*ar grūtībām*) hardly ['hɑ:dli]; **2.** (*nupat*) just [dʒʌst]; **3.** (*tiklīdz*) as soon as; **4.** (*gandrīz*) almost ['ɔ:lməʊst], nearly ['niəli]

tīkls 1. net; web; zirnekļa t. – spider's web; cobweb ['kɒbweb]; televīzijas tīkls – TV web; **2.** (*dzelzceļu u. tml.*) network ['netwɜ:k]

tikmēr meanwhile ['mi:nwail]; t., kamēr – until, till

tīkot to covet ['kʌvit]; to lay* [lei] claim [kleim] (*to*)

tikpat as much as; many as

tikšķēt to tick [tik]

tikt to get* (*to*); t. galā – to manage ['mænidʒ]

tiktāl so far [fɑ:]

tiktics (*satiktics*) to meet* [mi:t]

tikumīgs virtuous ['vɜ:tʃʊəs]

tikums virtue ['vɜ:tʃu:]

tilpums capacity [kə'pæsiti]; volume ['vɒlju:m]

tilts bridge [bridʒ]

tinte ink [iŋk]

tipisks typical ['tipikəl]

tipogrāfija printing-house ['printiŋhaʊs]

tips type [taip]

tipveida- 1. sample [sɑ:mpl] (*attr.*), model (*attr.*); **2.** (*standartveida-*) standard; standardized

tirānija tyranny ['tirəni]

tirāns tyrant ['taiərənt]

tirāža print [print]; grāmatas t. – edition [ə'diʃn]

tirdziņš fair [feə]; Ziemassvētku t. – Christmas ['kristməs] sale(s)

tirdzniecīb||a trade [treid]; ~as līgums – commercial treaty ['tri:ti]

tirgotājs merchant ['mɜ:tʃənt], tradesman* ['treidsmæn]

tirgoties to trade [treid] (*in*)

tirgus market ['mɑ:kit]

tirgzinība marketing ['mɑ:kətiŋ]

tīrīgs clean [kli:n], cleanly ['klenli]

tīrīšana cleaning ['kli:niŋ]; (*dzīvokļa*) clean up; ķīmiskā t. – drycleaning

tīrīt to clean [kli:n]

tirpt to grow* numb [nʌm]

tīrs clean [kli:n]; pure ['pjʊə]

tīrums field [fi:ld]

tīrvilnas- pure-wool [ˌpjʊə'wu:l] (*attr.*)

tīšām intentionally, on purpose ['pɜ:pəs]

tīšs intentional [in'tenʃənəl], deliberate [di'libərit]

tīt 1. to wind* [waind]; **2.** (*ietīt*) to wrap [ræp]

tītars 1. turkey ['tɜ:ki]; **2.** bubbly-joc ['bʌblidʒɒk]

tituls title ['taitl]

tomāts tomato [tə'mɑ:təʊ]

tomēr still, yet

tonējums shading ['ʃeidiŋ]

tonis tone [təʊn]

tonna ton [tʌn]
toreiz at that time
tornis tower [ˈtaʊə]
torte fancy [fænsi] cake [keik]; (*augļu*) tart [tɑ:t]
tost‖**s** toast [təʊst]; uzsaukt ~u – to drink* smb.'s health [helθ]
toveris tub [tʌb]
tracis row [raʊ]; sarīkot traci – to make* a row
tradīcija tradition [træˈdiʃn]
traģēdija tragedy [ˈtrædʒədi]
traģisks tragic [ˈtrædʒik]
traips spot, stain [stein]
trakot to rage [reidʒ]
traks mad [mæd], crazy [ˈkreizi]
traktors tractor [ˈtræktə]
trakumsērga hydrophobia [ˌhəidrəˈfəʊbiə]
traleris trawler [ˈtrɔ:lə]
tramdīt to chase [tʃeis] about
tramplīns *sp.* spring-board [ˈspriŋbɔ:d]
tramvaj‖**s** tram [træm]; braukt ar ~u – to go* by tram
translēt to broadcast [ˈbrɔ:dkɑ:st]; to transmit [trænsˈmit]
transportēt to convey [kənˈvei]
transportlīdzekļi means [mi:nz] of conveyance
transports transport [ˈtrænspɔ:t]
tranšeja trench [trentʃ]
tranzīts transit [ˈtrænsit]
tranzītvīza transit visa [ˈvi:zei]
trapece *mat.* trapezium [trəˈpi:ziəm]
trāpīt to hit*; t. mērķī – to hit* the jackpot [ˈdʒækpɒt]
trase route [ru:t]
traucējums disturbance [disˈtɜ:bəns], trouble [ˈtrʌbl]
traucēt to disturb [disˈtɜ:b]
trauk‖**s** vessel; ~i – plates and dishes; tējas ~i – tea-things
trauksme alarm [əˈlɑ:m], alert [əˈlɜ:t]
trauma *med.* trauma [ˈtrɔ:mə]
trausls **1.** fragile [ˈfrædʒail]; **2.** (*par veselību*) delicate [ˈdelikit]
trekns fat; (*par ēdienu*) rich [ritʃ]
treneris trainer [ˈtreinə], coach [kəʊtʃ]
trenēties to train [trein] (oneself)
treniņš training [ˈtreiniŋ]
treniņtērps tracksuit [ˈtræksu:t]
trepes (*nama*) stairs [ˈsteəz]; (*pieslienamās*) ladder [ˈlædə] *vsk.*
trests trust [trʌst]
trešais third [θɜ:d]
trešdaļa a (one) third [θɜ:d]
trešdiena Wednesday [ˈwenzdi]
treškārt thirdly [ˈθɜ:dli]
tribīne **1.** platform; **2.** (*stadionā*) stand [stænd]
trīcēt to tremble [ˈtrembl], to shake* [ʃeik]
trīcošs trembling [ˈtrembliŋ]
trieciens blow [bləʊ], stroke [strəʊk]
trieka stroke [strəʊk]
trigeris *dat.* flip-flop
trikotāža **1.** (*audums*) knitted [ˈnitid] fabric [ˈfæbrik]; (*vilnas*) jersey; **2.** (*izstrādājumi*) knitted goods *dsk.,* knitwear [ˈnitweə]
triks trick [trik]
trimda exile [ˈeksail]

T

trīnīši triplets [ˈtriplits]
trīsas shiver [ˈʃivə]; thrill [θril]
trīsciņa *sp.* triple event, triple combination
trīsstūris *mat.* triangle [ˈtraiəŋgl]
trīt sharpen [ˈʃɑ:pn]
triumfs triumph [ˈtraiəmf]
trofeja trophy [ˈtrəʊfi]
troksnis noise [nɔiz]
trokšņains noisy [ˈnɔizi]
trokšņot to make* a noise
trolejbuss trolley-bus [ˈtrɒlibʌs]
tronis throne [θrəʊn]
tropi the tropics [ˈtrɒpiks]
tropisks tropic[al] [ˈtrɒpik(l)]
trose wire [ˈwaiə], rope [rəʊp]
trotuārs pavement [ˈpeivmənt], sidewalk [ˈsaidwɔ:k] *amer.*
trūcīgs 1. (*nabadzīgs*) poor [pʊə]; **2.** (*nepietiekams*) scanty [ˈskænti]
trūdēt to decay [diˈkei]
trūkt to be short (*of*), to lack [læk]
trūkums 1. (*nabadzība*) poverty [ˈpɒvəti], need; **2.** (*nepietiekams daudzums*) lack; shortage [ˈʃɔ:tidʒ]; **3.** (*defekts*) fault [fɔ:t], defect
truls blunt [blʌnt]
trumpis trump [trʌmp]
trusis rabbit [ˈræbit]
tu you
tualete 1. (*apģērbs*) dress [dres]; **2.** (*ģērbšanās*) toilet [ˈtɔilət], dressing; **3.** (*telpa*) lavatory [ˈlævətəri], toilet
tuberkuloze tuberculosis [tju:bɜ:kjuˈləʊsis]; phthisis [ˈθaisis]
tukls corpulent [ˈkɔ:pjʊlənt]; obese [əʊˈbi:s]
tuksnesis desert [ˈdezət], waste [weist]
tukšs 1. empty [ˈemti]; **2.** (*par sarunu*) idle [ˈaidl]
tukšumzīme *dat.* blank [blæŋk] character [ˈkæriktə]
tūlīt at once [wʌns], immediately [iˈmi:diətli]
tulkojums translation [trænsˈleiʃn]
tulkot to translate [trænsˈleit]
tulpe tulip [ˈtju:lip]
tulzna blister [ˈblistə]
tūļa muff [mʌf]
tūļīgs slow [sləʊ], sluygish [ˈslʌgiʃ]
tumsa darkness [ˈdɑ:knəs]
tumst to grow* dark [dɑ:k]
tumšs dark [dɑ:k]
tuncis tuna-fish* [ˈtju:nəfiʃ], tuna* [tju:nə]
tunelis tunnel [tʌnl]
tupele slipper [ˈslipə]; (*koka*) clog
tur there [ðeə]
turēt to hold* [həʊld]; to keep*
turēties to hold* [həʊld] [on] (*to*)
turīgs prosperous [ˈprɒspərəs], well-to-do
tūrisms tourism [ˈtʊərizəm]
tūrist||s tourist [ˈtʊərist]; ~u bāze – tourist centre
turnīrs tournament [ˈtʊənəmənt]
turp there [ðeə]; biļete t. un atpakaļ – return [riˈtɜ:n] ticket [ˈtikit], two-way [ˈtu:wei] ticket
turpat in the same place [pleis]
turpinājums continuation [kəntinjuˈeiʃən]; (*stāsta*) sequel [ˈsi:kwəl]

turpināt to continue, to go* on
turpināties to continue, to last, to go*, to be in progress [ˈprəʊgrəs]
turpmāk henceforth [ˌhensˈfɔ:θ], in the future [ˈfju:tʃə]
turpretī whereas [ˌweərˈæz], on the other hand
turza paper-bag [ˈpeipəbæg]
tuša Indian ink [iŋk]
tuvāk nearer [ˈniərə], closer [ˈkləʊsə]
tuvāk||ais nearest [ˈniərəst], closest [ˈkləʊssəst]; ~ajā laikā – before long
tuvinieki one's people [ˈpi:pl]
tuvoties to approach [əˈprəʊtʃ]
tuvplāns foreground [ˈfɔ:graʊnd]; (*kino*) close-up [ˈkləʊsʌp]
tuvredzīgs short-sighted [ʃɔ:tˈsaitid]
tuvs near [niə], close [kləʊs]
tuvu near [niə], close [kləʊs] by
tvaikonis steamer [ˈsti:mə]; (*okeāna*) liner [ˈlainə]
tvaiks steam [sti:m]
tveicīgs sultry [ˈsʌltri]
tvert to seize [si:z], to grab [græb]
tvertne basin; container [kɒnˈteinə]
tvīkt to be flaming [ˈfleimiŋ]
tvirts firm [fɜ:m], solid [ˈsɒlid]

U

ubagot to beg [beg]
ūdele mink [miŋk]
ūdens water [ˈwɔ:tə]; ◇ klusie ūdeņi ir dziļi – still waters run deep
ūdenskritums waterfall [ˈwɔ:təfɔ:l]
ūdenslīdējs diver [ˈdaivə]
ūdensnecaurlaidīgs waterproof [ˈwɔ:təpru:f]
ūdensputns waterfowl [ˈwɔ:təfaʊl]
ūdensroze waterlilly [ˈwɔ:təˌlili]
ūdenssports aquatics [əˈkwætiks] *dsk.*
ūdensvads water-pipe [ˈwɔ:təpaip]
Ūdensvīrs *astr.* (*zvaigznājs un zodiaka zīme*) Water Bearer [ˈwɔ:təˌbeərə]
ūdeņradis hydrogen [ˈhaidridʒən]
uguns **1.** fire; **2.** (*gaismas avots*) light [lait]
ugunsdrošs fireproof [faiəpru:f]
ugunsdzēsējs fireman* [ˈfaiəmæn]
ugunsgrēks fire [ˈfaiə]
ugunskurs fire; (*liels*) bonfire [ˈbɒnfaiə]
uguņošana firework [ˈfaiəwɜ:k]
un and
ungār||s (~iete) Hungarian
universāls universal [ˌju:niˈvɜ:səl]
universālveikals department store; supermarket [ˈsju:pəmɑ:kit]
universitāte university [ju:niˈvɜ:siti]
untumains whimsical [ˈwimzikəl]
upe river [ˈrivə]
upene black [blæk] currant [ˈkʌrənt]
ūpis eagle-owl [i:glaʊ]
upmala riverside [ˈrivəsaid]
upurēt to sacrifice [ˈsækrifais]
upuris **1.** sacrifice [ˈsækrifais]; **2.** (*cietušais*) victim [ˈviktim]

urāns uranium [jʊ'reiniəm]
urbis borer, drill [dril]
urbt to bore [bɔ:], to drill
urīns urine [jʊərin]
urrā! hurray [hʊ'rei]!
ūsas moustache [mə'stɑ:ʃ]; (*dzīvnieku*) whiskers ['wiskəz]
ūtrupe auction ['ɔ:kʃən]
uts louse [laʊs], lice [lais]
uvertīra *mūz.* ouverture
uz 1. to; iet uz darbu – to go* to work; **2.** on; uz grīdas – on the floor; **3.** for; uz laiku – for a time; **4.** in; uz ielas – in the street
uzacs eyebrow ['aibraʊ]
uzaicinājums invitation [ˌinvi'teiʃən]
uzaicināt to invite [in'vait]
uzaudzināt to bring* [briŋ] up
uzaugt to grow* [grəʊ] up
uzbaroties to put* [pʊt] on weight [weit]
uzbāzīgs obtrusive [əb'tru:siv]
uzbērt to strew* [stru:] (*upon*)
uzbērums (*dzelzceļa*) embankment [im'bæŋkmənt]
uzberzt to rub [rʌb] sore [sɔ:]
uzbraukt 1. (*augšā*) to go* (*drive**) up; **2.** (*virsū*) to run* (*into*)
uzbrucējs 1. attacker [ə'tækə]; **2.** *sp.* forward ['fɔ:wəd]
uzbrukt to attack [ə'tæk]
uzbrukums attack [ə'tæk]
uzbudināt to agitate ['ædʒiteit]
uzbudinošs stimulating ['stimjʊleitiŋ]
uzbūve structure ['strʌktʃə]; formation [fɔ:'meiʃn]
uzcelt 1. to lift, to raise [reiz]; **2.** (*ēku*) to build* [bild]
uzcelties to get* up; to rise* [raiz]
uzcītīgs diligent ['dilidʒənt]
uzdāvināt to give*; to present [pri'zent] (*with*)
uzdevums 1. task [tɑ:sk]; **2.** (*matemātikā*) problem [prɒbləm]
uzdot to give*; to set*; u. jautājumu – to ask a question
uzdoties to pretent to be* smb.
uzdrāzties (*virsū*) to run* (*into*)
uzdrošināties to dare* [deə]
uzdzīvot to revel ['revl]
uzgaidīt to wait [weit]
uzglabāt to keep*, to preserve [pri'zɜ:v]
uzgleznot to paint [peint]
uzgriezt (*radio*) to tune [tju:n] in; (*pulksteni*) to wind* [waind] up; (*telefona numuru*) to dial ['daiəl]
uzjautrināt to amuse [ə'mju:z], to cheer [tʃiə] up
uzkalniņš hillock ['hilək]
uzkāpt to climb [klaim], to ascend [ə'send]
uzkavēties to stay [stei], to delay [di'lei]
uzklāt: u. galdu – to lay* [lei] the table; u. gultu – to make* the bed
uzklausīt to lend* an ear [iə] (*to*), to hear* out
uzkliegt to shout [ʃaʊt] (*at*)
uzklupt to fall* (*on*)
uzkoda gorp [gɔ:p]; snack [snæk]
uzkopt to tidy ['taidi] up
uzkrāsot to paint [peint]
uzkrāt to accumulate [ə'kju:mjʊleit],

U

to store [stɔ:]; (*naudu – arī*) to save [seiv] (*up*)
uzkraut to load [ləʊd]
uzkrist to drop (*on*), to fall* (*on*)
uzkrītošs striking ['straikiŋ]
uzlabojums improvement [im'pru:vmənt]
uzlabot to improve [im'pru:v]; to perfect [pə'fekt]
uzlaikot (*citam*) to fit on; (*sev*) to try [trai] on
uzlasīt to pick [pik] up
uzlauzt to break* [breik] open, to force [fɔ:s]
uzlēkt 1. to jump [dʒʌmp] up; **2.** (*par sauli, mēnesi*) to rise* [raiz]
uzliesmot to blaze [bleiz] up; to catch* fire [faiə]
uzlikt to put* [pʊt] on; u. zīmogu – to apply [ə'plai] a seal [si:l]
uzlīmēt to stick* on, to paste [peist] on
uzlīt to spill* [spil]
uzlūgt to ask [ɑ:sk], to invite [in'vait]
uzlūkot to look [lʊk] (*at*), to eye [ai]
uzmācīgs obtrusive [əb'tru:siv], importunate [im'pɔ:tʃʊnit]
uzmanība 1. attention [ə'tenʃn]; **2.** (*piesardzīgs*) careful ['keəfəl]
uzmanīg||s attentive [ə'tentiv]; ~i! – look out!
uzmanīt to look (*after*); to keep* an eye (*on*)
uzmanīties to be careful ['keəfʊl]
uzmaukt to put* [pʊt] on
uzmava *tehn.* coupling ['kʌpliŋ]
uzmest 1. to throw* [θrəʊ] up; **2.** to sketch [sketʃ]
uzmetums sketch, draft [drɑ:ft]; (*melnraksts*) rough [rʌf] copy ['kɒpi]
uzminēt to guess [ges]
uzmodināt to wake* [weik]
uzmosties to wake* [weik] up
uzmundrināt to cheer [tʃiə] up
uzmūrēt to build* [bild] in stone(bricks)
uznākt 1. to come* [kʌm] up; **2.** (*pārņemt*) to seize [si:z]; **3.** (*sākties*) to begin*
uzņēmējs undertaker [,ʌndə'teikə]; employer [im'plɔiə]
uzņēmīgs enterprising ['entəpraiziŋ]
uzņemšana 1. (*viesu*) reception [ri'sepʃn]; **2.** (*mācību iestādē*) enrolment [in'rəʊlmənt]; **3.**: filmas u. – shooting a film
uzņemt 1. (*viesus*) to receive [ri'si:v]; **2.** (*mācību iestādē*) to enrol[l] [in'rəʊl]; **3.** (*fotografēt*) to photograph; u. filmu – to shoot* a film
uzņemties to undertake* [,ʌndə'teik]
uzņēmums 1. enterprise; **2.** (*fotogrāfija*) snapshot
uzpilēt to drop [drɒp]
uzplaukt 1. to blossom ['blɒsəm] out; **2.** *pārn.* to flourish ['flʌriʃ]
uzplaukums flourishing ['flʌriʃiŋ], prosperity
uzplūds (*piem., prieka*) flood; surge [sɜ:dʒ]
uzpurnis muzzle [mʌzl]
uzpūst to blow* [bləʊ]
uzpūtīgs conceited [kən'si:tid]

U

uzrādīt to show* [ʃəʊ], to produce [prəˈdju:s]
uzrakstīt to write* [down]
uzraksts inscription [inˈskripʃən]
uzrāpties to climb [klaimb] up
uzraudzība supervision [ˌsu:pəˈviʒn]
uzraudzīt to supervise [ˈsu:pəvaiz]
uzraugs custodian [kʌˈstəʊdiən]
uzreiz at once [wʌns]; (*pēkšņi*) suddenly [ˈsʌdnli]
uzruna address [əˈdres]
uzrunāt to address [əˈdres], speech [spi:tʃ]
uzsākt to begin* [biˈgin], to start [stɑ:t]
uzsaukt to hail [heil]; to call [kɔ:l]
uzsegt to cover [ˈkʌvə]
uzsildīt to warm [wɔ:m] up
uzskaite 1. accounting [əˈkaʊntiŋ], calculation; (*preču*) stock-taking [ˈstɒkˌteikiŋ]; **2.** registration
uzskaitīt to enumerate [iˈnju:məreit], to count [kaʊnt]
uzskat||**e**: ~es līdzekļi – visual [ˈviʒuəl] aids [eidz]
uzskatīt to regard [riˈgɑ:d] (*as*); to consider [kənˈsidə]
uzskats opinion [əˈpinjən], view [vju:]
uzskicēt to sketch [sketʃ]
uzskriet 1. (*augšā*) to run* up; **2.** (*virsū*) to run* into
uzslava praise [preiz]
uzslavēt to praise [preiz]
uzsmaidīt to smile [smail] (*at*)
uzsnigt to snow [snəʊ]
uzspiest 1. to press; **2.** *pārn.* to impose [imˈpəʊz] (*on*); to force (*on*)
uzspridzināt to blow* [bləʊ]; up; to blast [blɑ:st]
uzstādīt to put* [pʊt] up, to set* up
uzstājīgs insistent [inˈzistənt]
uzstāšanās 1. (*publiska*) speech [spi:tʃ]; **2.** (*uz skatuves*) performance [pəˈfɔ:məns]
uzstāties (*publiski*) to speak* [spi:k]; (*par aktieri*) to perform [pəˈfɔ:m]
uzsūkt to absorb [əbˈsɔ:b]
uzsvārcis overall [ˈəʊvərɔ:l]; (*ārsta*) smock [smɒk]
uzsvars stress [stres], accent [ˈæksənt]
uzšķirt to open [ˈəʊpən]
uztaisīt to make* [meik]
uzteikt 1. (*darbu*) to give* smb. notice; **2.** (*uzslavēt*) to praise [preiz]
uzticams reliable [riˈlaiəbl], believable [biˈli:vəbl]
uzticēt to entrust [inˈtrʌst] (*to*)
uzticēties to trust [trʌst]
uzticība confidence [ˈkɒnfidəns], trust [trʌst]
uzticīgs faithful [ˈfeiθfəl], loyal [ˈlɔiəl]
uztraukt to excite [ikˈsait], to alarm [əˈlɑ:m]
uztraukties to be excited [ikˈsaitid]
uztraukums excitement [ikˈsaitmənt], agitation [ædʒiˈteiʃn]
uztūkums swelling [ˈsweling]
uzturēšanās stay [stei]
uzturēt to support [səˈpɔ:t], to keep*; u. ģimeni – to support a family
uzturēties to stay [stei]; (*pastāvīgi*) to reside [riˈzaid]
uzturs food [fu:d], nutrition [nju:ˈtriʃn]

U

uzturvērtība food [fu:d] value ['vælju:]
uztvert to perceive [pə'si:v], to comprehend [,kɒmpri'hend]
uzupurēties to sacrifice ['sækrifais] oneself
uzvalks suit [su:t]
uzvara victory ['viktəri]; (*spēlē*) win, success [sək'ses]
uzvārds family name [neim], surname ['sɜ:neim]
uzvarēt to gain [gein] a victory ['viktəri] (*over*)
uzvārīt to boil [bɔil]; u. tēju – to make* tea [ti:]
uzvedums performance [pə'fɔ:məns]
uzveikt to overcome* [əʊvə'kʌm]
uzvelt 1. (*augšā*) to roll [rəʊl] up; **2.** (*virsū*) to roll (*on*)
uzvesties to behave [bi'heiv]
uzvešanās behaviour [bi'heiviə], conduct ['kɒndʌkt]
uzvilkt 1. pull [pʊl] up; **2.** (*uzģērbt*) to put* [pʊt] on; **3.** (*uzgriezt*) to wind* [waind] up
uzziedēt to blossom ['blɒsəm] out
uzziedināt to force [fɔ:s] into blossom ['blɒsəm]
uzziest to smear [smiə] (*with*), to spread* [spred] (*on*)
uzzīmēt to draw* [drɔ:]; to sketch [sketʃ]
uzzināt to find* [faind] out; to learn [lɜ:n]
uzziņa 1. information [infə'meiʃn]; **2.** (*dokuments*) certificate [sə'tifikət]

V

vabole beetle [bi:tl]; bug [bʌg] *amer.*
vadāms controlable [kən'trəʊləbl]
vadība 1. leadership ['li:dəʃip], guidance ['gaidəns]; (*operatora*) console [kən'səʊl]; **2.** (*uzņēmuma u. tml.*) managers ['mænədʒəz] *dsk.*
vadīt 1. to lead* [li:d]; **2.** (*uzņēmumu u. tml.*) to manage ['mænidʒ]; to run*; **3.** (*automobili u. tml.*) to drive* [draiv]
vadītājs 1. chief [tʃi:f], head [hed]; (*sapulces*) chairman* ['tʃeəmen]; **2.** (*automobiļa u. tml.*) driver ['draivə]
vadmala fulled [fʊld] cloth [klɒθ]
vadonis leader ['li:də]
vads 1. (*stieple*) wire ['waiə]; **2.** (*ūdens, gāzes*) pipe [paip]
vadzis peg [peg]; ◇ kārt zobus vadzī – to tighten [taitn] one's belt
vafele wafer ['weifə], waffle ['wɒfl]
vaga furrow ['fʌrəʊ]
vagons (*pasažieru*) carriage ['kæridʒ]; coach [kəʊtʃ]; car [kɑ:] *amer.*; (*preču*) wagon *amer.*
vai[a] **1.** (*saiklis*) whether ['weðə], if; or; **2.** (*jautājumā netulko*): vai viņš nāks? – is he coming?
vai[b] oh! [əʊ], ah! [ɑ:]

vaibsts feature [ˈfi:tʃə]
vaicāt to ask [ɑ:sk] (*for, about*)
vaidēt to moan [məʊn], to groan [grəʊn]
vaigs cheek [tʃi:k]; ◇ vaigu vaigā – face to face
vaimanāt to lament [ləˈment]
vaina fault [fɔ:lt]; guilt [gilt]
vainags crown [kraʊn], wreath [ri:θ]
vainīgs guilty [ˈgilti] (of); culpabl [ˈkʌlpəbl]
vainot to blame [bleim]
vairāk more [mɔ:]; v. neko – nothing else
vairāki several, some
vairākkārt repeatedly [riˈpi:tidli], several times
vairākums majority [məˈdʒɒrəti]
vairogs shield [ʃi:ld]
vairoties *biol.* to breed [bri:d], to reproduce [riprəˈdju:s]
vairs v. ne – no more [mɔ:], no longer [ˈlɒŋə]
vairums (*vairākums*) majority [məˈdʒɒriti]; (*daudzums*) quantity [ˈkwɒntəti]
vairumtirdzniecība wholesale [ˈhəʊlseil] trade [treid]
vajadzēt 1. to need [ni:d], to want; **2.** to have to; must [mʌst]
vajadzība necessity [nəˈsesiti]; need; want; (*pieprasījums*) requirement [riˈkwaiəmənt]
vajadzīgs necessary [ˈnesəsəri]; needed [ˈni:did]
vajāt to pursue [pəˈsju:]; to haunt [hɔ:nt]
vājība weakness [ˈwi:knəs]
vājš weak [wi:k], feeble [fi:bl]
vakar yesterday [ˈjestedi]
vakarēdiens: *rel.* Svētais vakarēdiens – the Last Supper
vakariņas supper [sʌpə], dinner [dinə]
vakariņot to have* supper
vakar||s 1. evening [ˈi:vniŋ]; Vecgada v. – New Year's Eve [i:v]; vakar ~ā – last [lɑ:st] night [nait]; **2.** (*sarīkojums*) party, social [ˈsəʊʃəl]
vakarskola night-school [ˈnaitsku:l]
vakartērps evening [ˈi:vniŋ] dress [dres]
vāks 1. lid; **2.** (*grāmatas*) cover [ˈkʌvə]
vākt to collect [kəˈlekt]
valde board [bɔ:d]
valdība government [ˈgʌvnmənt]; administration *amer.*
valdīt 1. to govern [ˈgʌvn], to rule [ru:l]; **2.** (*dominēt*) to prevail [priˈveil]
valdnieks governor [ˈgʌvənə], ruler [ˈru:lə]
valdonīgs domineering [dɒmiˈniəriŋ], dictatorial [diktəˈtɔ:riəl]
valdošs 1. ruling [ˈru:liŋ]; **2.** (*dominējošs*) prevalent [ˈprevələnt]
valdzinājums charm [tʃɑ:m]
valdzinošs charming [tʃɑ:miŋ]
valdziņš stitch [stitʃ]
valgans moist [mɔist], humid [ˈhju:mid]; damp [dæmp]
valgs *lietv.* rope [rəʊp], (*lopiem*) tether [ˈteðə]
valis whale [weil]
valkāt to wear* [weə]

valoda language ['læŋgwidʒ], tongue [tʌŋ]; dzimtā v. – native ['nəitiv] language, mother ['mʌðə] tongue
valodnieks linguist ['liŋgwist]
vālodze yellow ['jeləʊ] thrush [θrʌʃ]
valrieksts walnut ['wɔ:lnʌt]
valsis waltz [wɔ:ls]
valst‖s state [steit]; ~s iekārta – political system
valūta currency ['kʌrənsi]; valūtas kurss – exchange rote; valūtas politika – monetary ['mʌnitəri] policy ['pɒləsi]
vaļa leisure ['leʒə]
vaļā 1.: vērt v. – to open [əʊpn]; **2.**: palaist v. – to set* free
vaļējs open [əʊpn]
vaļīgs loose [lu:s]
vaļsirdīgs frank [fræŋk], openhearted [əʊpən'hɑ:tid]
vanags hawk [hɔ:k], falcon ['fɔ:lkən]
vandīt to rummage ['rʌmidʒ]
vanna bath [bɑ:θ]
var‖a 1. power ['paʊə]; **2.** violence ['vaiələns]; ar ~u – by force
varavīksne rainbow ['reinbəʊ]
varbūt perhaps [pə'hæps], maybe ['meibi], probably ['prɒbəbli]
varbūtība possibility [pɒsə'biləti]
vardc frog [frɒg]
vārdnīca dictionary ['dikʃənəri]
vārds 1. word [wɜ:d]; **2.** (*cilvēka*) name [neim]; ~a diena – name day
varens mighty ['maiti]
varēt 1. (*spēt*) to be able [eibl]; can; vai jūs varat uzgaidīt? – can you wait? **2.** (*bezpersoniski*) to be* possible ['pɒsibl]; **3.** (*drīkstēt*) to be* allowed [ə'laʊd]; may; vai es varu iet? – may I go?
vārgs sickly ['sikli]
variants version ['vɜ:ʃn]
variēt to vary ['veəri], to modify ['mɒdifai]
vārīgs delicate ['delikət], frail [freil]
vārīt to boil; (*ēdienu*) to cook [kʊk]; to make*
vārīties to boil [bɔil]
vārna crow [krəʊ]
varonība heroism ['herəʊizəm]
varonīgs heroic [hi'rəʊik]
varonis hero ['hiərəʊ]
varoņdarbs feat [fi:t], heroic [hi'rəʊik] deed
vārpa ear [iə]
varš copper ['kɒpə]
vārti 1. gate [geit]; **2.** *sp*. goal [gəʊl]
vārtīties to wallow ['wɒləʊ]; to loll about
vārtsargs *sp*. goalkeeper [gəʊlki:pə]
varžacs corn [kɔ:n], wart [wɔ:t]
vasara summer ['sʌmə]
vasarnīca summer-house ['sʌməhaʊs], bungalow
vasarraibumi freckles [frekls]
Vasarsvētki *rel*. Whitsunday, Whitsun ['witsn]
vasks wax [wæks]
vate cotton [kʌtn] wool [wu:l]
vāvere squirrel ['skwirəl]
vazāt to drag [dræg] about; to draggle [drægl]; ◇ v. aiz deguna – to lead* by the nose

vāze vase [vɑ:z]; (*zema*) bowl [bəʊl]
važas chains [tʃeinz]
vecākais *īp. v.* **1.** (*pēc vecuma*) older [ˈəʊldə]; elder [ˈeldə]; **2.** (*pēc stāvokļa*) senior [ˈsi:niə]
vecāki parents [ˈpeərənts]
vecāmāte grandmother [ˈgrænˌmʌðə]
veclaicīgs ancient [ˈeinʃənt]
vecmāte midwife [ˈmidwaif], accoucheuse [ˈæku:ˈʃɜ:z]
vecmodīgs old-fashioned [ˈəʊldfæʃnd]
vecs old [əʊld]
vectēvs grandfather [ˈgrændˌfɑ:ðə]
vecums old [əʊld] age [eidʒ]
vedējdators master [ˈmɑ:stə] computer [kəmˈpju:tə]
vedējsekotājsistēma *dat.* master-slave system [ˈsistim]
vedekla daughter-in-law [ˈdɔ:tərinlɔ:]
vēders stomach [ˈstʌmək]; belly [ˈbeli], abdomen [ˈæbdəmən]
vēdersāpes stomach-ache [ˈstʌməkeik]
vēdināt to air [eə]
veģetārietis vegetarian [vedʒiˈteəriən]
veicināt to favour [ˈfeivə], to further [ˈfɜ:ðə]
veidlapa form [fɔ:m]
veidot to form [fɔ:m], to shape [ʃeip]
veids **1.** form, shape; **2.** (*darbības*) manner [ˈmænə], way, mode [məʊd]
veikalnieks shopkeeper [ˈʃɒpˌki:pə]
veikals shop [ʃɒp], store [stɔ:]; pārtikas v. – grocery [ˈgrəʊsəri]; dārzeņu v. – greengrocery; gaļas v. – the butcher's [ˈbʌtʃəz]; piena v. – dairy; maizes v. – bakery [ˈbeikəri]; universālv. – supermarket; grāmatnīca – bookshop; aptieka – chemist's [ˈkemists]
veikls clever [ˈklevə], crafty [ˈkrɑ:fti]
veiksme success [səkˈses], luck [lʌk]
veiksmīgs successful [səkˈsesfəl], lucky [ˈlʌki]
veikt to carry [ˈkæri] out, to perform [pəˈfɔ:m]
veikties to get* on, to do well
veikums achievement [əˈtʃi:vmənt]
vējains windy [ˈwindi], breezy [ˈbri:zi]
vējbakas chickenpox [ˈtʃikinpɒks]
vējdēlis *sp.* surfboard [ˈsɜ:fbɔ:d]
vējš wind [wind]
vektors *mat.* vector [ˈvektə]
vēl still; yet; v. viens – one more
vēlāk later [ˈleitə] [on]; (*pēc tam*) afterwards [ˈɑ:ftəwədʒ]
vēlams desirable [diˈzaiərəbl]; welcome [ˈwelkʌm]
veldze refreshment [rəˈfreʃmənt]
vēlējums wish [wiʃ]
vēlēšanas election[s] [iˈlekʃn[z]]
vēlēšanās wish (*for*), desire [diˈzaiə] (*for*)
vēlēt[a] (*balsot*) to elect [iˈlekt]
vēlēt[b] (*novēlēt*) to wish [wiʃ]
vēlētājs voter [ˈvəʊtə]; elector [iˈlektə]
vēlēties to wish, to want; kā vēlaties – as you like
velnābols thorn-apple [ˈθɔ:næpl]
velnarutks hemlock [hemlɒk]
velnišķīgs devilish [ˈdevliʃ]
velns devil [devl]; deuce [dju:s]; ◇ pie velna, ko tu dari? – what the hell are you doing?

velobrauciens cyclerace ['saiklreis]
velosipēdists cyclist ['saiklist]
velosipēds bicycle ['baisikl], bike [baik] *sar.*
vēlreiz once [wʌns] more [mɔ:]
vēls late [leit]
velt to roll [rəʊl]
velti in vain [vein], vainly ['veinli], for nothing
veltīgs vain [vein], futile ['fju:tail]
veltīt to dedicate ['dedikeit]; (*sevi*) to devote [di'vəʊt]
veltņploteris *dat.* drum [drʌm] plotter ['plɒtə]
vēlu late [leit]; ◇ labāk vēlu nekā nekad – better late than never
velve vault [vɔ:lt]
veļa linen ['linin]; underwear ['ʌndəweə]; gultas v. – bedclothes ['bedkləʊðz]
vemt to vomit ['vɒmit]
vēna vein [vein], vena ['vi:nə]
ventilācija ventilation [venti'leiʃn]
ventilators fan [fæn]
ventilis *tehn.* valve [vælv]
vērā: ņemt v. – to take* into consideration
vergs slave [sleiv]
vērīb||a: griezt ~u – to take* notice ['nəʊtis] (*of*)
vēriens scope [skəʊp]
vērīgs observant [əb'zɜ:vənt]
vērmeles wormwood ['vɜ:mwʊd]
vermuts vermouth ['vɜ:məθ]
vērot to observe [əb'zɜ:v], to watch [wɒtʃ]
vērpt to spin* [spin]
vēr||sis ox* [ɒks]; ~ša gaļa – beef [bi:f]
Vērsis *astr.* (*zvaigznājs un zodiaka zīme*) Taurus ['tɔ:rəs]
vērst to direct [di'rekt] (*towards*)
vērsties 1. (*pie*) to turn [tɜ:n] (*to*); **2.**: v. plašumā – to expand [ik'spænd]
vērt 1.: v. vaļā – to open; v. ciet – to close [kləʊz]; **2.** (*krelles*) to string* [striŋ]
vērtēt to value ['vælju:]
vērtība value ['vælju:]
vērtīgs valuable ['væljʊəbl]
vertikāle vertical ['vɜ:tikl]
vērts worth [wɜ:θ]
vērtslietas valuables ['væljʊəblz]
veselība health [helθ]
veselīgs healthy ['helθi]
vesels 1. well (*predic.*); es esmu v. – I am well; **2.** (*neskarts*) intact; whole [həʊl]; **3.** (*pilns*) whole [həʊl]
veseļoties to recover [ri'kʌvə]
veseris hammer ['hæmə]
vēsma breeze [bri:z], whiff [wif] of wind
vēss cool [ku:l], fresh [freʃ], cold [kəʊld]; vēsa uzņemšana – cold reception [ri'sepʃn]
vest 1. conduct [kən'dʌkt], to lead* [li:d]; **2.** (*ar transportlīdzekli*) to take*
veste vest [vest], waistcoat ['weistkəʊt]
vēstniecība embassy ['embəsi]
vēstnieks ambassador [æm'bæsədə]; ārkārtējais un pilnvarotais v. – Extraordinary and Plenipotentiary ambassador
vēsts news [nju:z] *vsk.*

vēstule letter ['letə]

vēsture history ['histəri]; jauno laiku v. – recent ['ri:snt] history; seno laiku v. – ancient ['einʃənt] history

vēsturisks historical [his'tɒrikl]

veterinārārsts veterinary ['vetrənəri], vet *sar.*

vētra storm [stɔ:m]; tempest ['tempist]

vētrains stormy ['stɔ:mi]

vēzis 1. crawfish ['krɔ:fiʃ]; **2.** *med.* cancer ['kænsə]; **3.**: *astr.* (*zvaigznājs un zodiaka zīme*) Cancer; ◇ sarkans kā vēzis – red as a lobster

vezums cart [kɑ:t]; ◇ mazs cinītis gāž lielu vezumu – little strokes felt greet oaks

vica rod [rɒd], twig

vicināt to swing* [swiŋ]

vide environment [in'vairənmənt]

vidēj‖s middle [midl]; mean [mi:n]; average ['ævəridʒ]; ~ā izglītība – secondary education

videoieraksts video ['vidiəʊ] recording [ri'kɔ:diŋ]

videolente videotape ['vidiəʊteip]

videomagnetofons video ['vidiəʊ] recorder

vidū 1. in the middle [midl] (*of*); **2.** (*starp vairākiem*) among [ə'mʌŋ]; **3.** (*starp diviem*) between [bi'twi:n]

vidus middle [midl]

vidusskola secondary ['sekəndəri] school [sku:l]; high school *amer.*

viedoklis point of view [vju:], attitude ['ætitju:d]

vieglatlētika track [træk] and field [fi:ld] athletics [æθ'letiks] *dsk.*

viegli 1. lightly ['laitli]; slightly ['slaitli]; **2.** (*bez grūtībām*) easily ['i:zili]

vieglprātīgs light-minded ['lait,maindid], frivolous ['frivələs]

viegls 1. light [lait]; slight [slait]; **2.** easy ['i:zi]

viela matter ['mætə], substance ['sʌbstæns]

vielmaiņa metabolism [mə'tæbəlizəm]

vien: ko v. – whatever; kas v. – whoever; kur v. – wherever; kad v. – whenever

vienādi alike [ə'laik]; similarly ['siminləli]

vienāds identical [ai'dentikl] (*with*); the same (*as*)

vienaldzīgs indifferent [in'difrənt] (*to*)

vienalga all the same

vienība unit ['jʊnit]

vienīgs only ['əʊnli]

vienkārši simply ['simpli]

vienkāršs simple [simpl], plain [plein]

vienlīdzība equality [i:'kwɒliti]

vienlīdzīgs equal ['i:kwəl] (*to*)

vienmēr always ['ɔ:lweiz]

vienmērīgs even ['i:vən]; regular ['regjʊlə]

vienmuļš monotonous [mə'nɒtənəs]

viennozīmīgs unequivocal [,ʌni'kwivəkl]

vienošanās agreement [ə'gri:mənt]

vienoties to agree [ə'gri:] (*on*); to come* to an agreement, to come* to terms

vienots united [ju:ˈnaitid]; joint [dʒɔint]
vienprātīgs unanimous [ju:ˈnænimәs]
vien‖s one; v. otru – each [i:tʃ] other; one another; v. pats – alone; pa ~am – one by one
vientiesīgs simple-minded [simplˈmaindid]
vientulība solitude [ˈsɒlitju:d]
vientuļš lonely [ˈlәʊnli], solitary [ˈsɒlitәri]
vienvirziena- one way [wei]
viesības party [pɑ:ti], gathering [ˈgæðәriŋ]
viesis guest [gest], visitor [vizitә]
viesistaba drawing-room [ˈdrɔ:iŋru:m]
viesizrāde guest [gest] performance [pәˈfɔ:mәns]
viesmīlīgs hospitable [ˈhɒspitәbl]
viesmīlis waiter [ˈweitә]
viesnīca hotel [hәʊˈtel]
viesoties to stay [stei] (*with*)
vieta 1. place [pleis]; spot [spɒt]; atrašanās v. – location; the whereabouts [ˈweәbaʊts]; **2.** (*darbs*) job; **3.** (*telpa*) room [ru:m]; space [speis]; **4.** (*teātrī, kino*) seat [si:t]
vietējs local [lәʊkl]
vietnieks deputy [ˈdepjuti]; substitute [ˈsʌbstitju:t]
vīģe fig
vietniekvārds *gram.* pronoun [ˈprәʊnaʊn]
vijole violin [ˌvaiәˈlin]; fiddle [fidl] *sar.*
vijolīte violet [ˈvaiәlәt], viola [ˈvaiәlә]
vijolnieks violinist [ˈvaiәlinist]
vilcēns wolf-cub [ˈwʊlfkʌb]
vilciens[a] train [trein]; piepilsētas v. – local train
vilciens[b] (*rakstura*) trait [treit]
vilcināties to hesitate [ˈheziteit]
vīle[a] file [fail]
vīle[b] (*drēbju*) seam [si:m]
vilinošs tempting [ˈtemptiŋ]
vilks wolf [wʊlf]; ◇ kā vilku piemin, tā vilks klāt – talk of the devil and he issure to come
vilkt 1. to pull [pʊl], to draw* [drɔ:]; (*pa zemi*) to drag [dræg]; **2.** (*mugurā*) to put* [pʊt] on
vilkties 1. to drag oneself along; **2.** (*ilgt*) to last [lɑ:st]; (*par laiku*) to drag on
viln‖a wool [wu:l]; ~as izstrādājumi – woollens, woollen goods
vilnis wave [weiv]
vilties to be disappointed [disәˈpɔinted]
viltīgs cunning [ˈkʌniŋ], sly [slai]
viltot to falsify [ˈfɔ:lsifai]; to forge [fɔ:dʒ]
viltots false [fɔ:ls]; forged [fɔ:dʒd]; adulterate [әˈdʌltәrit]
viļķis: korķv. – corkskrew [ˈkɔ:kskru:]
vingrinājums exercise [ˈeksәsaiz]
vingrināties to practise [ˈpræktis]
vingrošana gymnastics [dʒimˈnæstiks]
vingrot to do gymnastics [dʒimˈnæstiks]
vingrs agile [ˈædʒail]
vinnēt to win* [win]
vīnogas grapes [greips]
vīns wine [wain]
viņa she [ʃi:]
viņš he [hi:]

V

violets violet [ˈvaiələt]
vīramāte mother-in-law [ˈmʌðəinlɔ:]
vīratēvs father-in-law [ˈfɑ:ðəinlɔ:]
vīrietis man* [mæn], male [meil]
vīrišķīgs manly [ˈmænli]
virkne row [reʊ], line [lain]
virpa lathe [leið]
virpot to turn [tɜ:n]
virpulis whirlwind [ˈwɜ:lwind]
virs over [ˈəʊvə]; above [əˈbʌv]
vīrs husband [ˈhʌzbənd]
virsa top [tɒp]
virsnieks officer [ˈɒfisə]
virsotne summit [ˈsʌmit]
virspalags upper [ˈʌpə] sheet [ʃi:t]
virspuse surface [ˈsɜ:fəs]
virsraksts heading [ˈhediŋ], title [ˈtaitl]; (*laikrakstā*) headline [ˈhedlain]
virsroka upper [ˈʌpə] hand [hænd]
virsū on, on top [tɒp] (*of*)
virši *bot.* heather [ˈheðə]
virtuļi *kul.* doughnuts [ˈdəʊnʌts], puffs [pʌfs]
virtuv‖e kitchen [kitʃn]; ~es piederumi – kitchen utensils [ju:ˈtensəlz]
vīruss virus [ˈvaiərəs]
virve rope [rəʊp]
virziens **1.** direction [daiˈrekʃn], course [kɔ:s]; **2.** *pārn.* current [ˈkʌrənt], trend
virzīt to move [mu:v], to direct [diˈrekt]
virzīties to move [mu:v]; v. uz priekšu – to advance [ədˈvɑ:ns]
visai rather [ˈrɑ:ðə]; particularly [pəˈtikjʊləli]
visi everybody [ˈevriˌbʌdi], everyone
viskijs whisk[e]y [ˈwiski]
vislabāk best of all
vislabākais the very best [best]
vismaz at least [li:st]
vispār in general [ˈdʒenərəl]
vispārējs general [ˈdʒenərəl], universal [ju:niˈvɜ:sl]
vispārināt to generalize [ˈdʒenərəlaiz]
vispirms first of all
vispusīgs many-sided [ˌmeniˈsaidid]
viss all, the whole [həʊl]
vist‖a hen; ~u kūts – henhouse [ˈhenhaʊs]; *kul.* fowl [faʊl], chicken [tʃikn]
vīstoklis bundle [ˈbʌndl]
visur everywhere [ˈevriweə]
vīt to wind* [waind]
vitamīns vitamin [ˈvitəmin]
vīteņaugs creeper [ˈkri:pə], climber [ˈklaimə], twiner
vīties to twine [twain]
vītols willow [ˈwiləʊ]; sēru v. – weeping [ˈwi:piŋ] willow
vizbulīte *bot.* anemone [əˈneməni]
vizēt to glimmer [ˈglimə]
vizināties to take* a drive [draiv]
vizīte visit [ˈvizit], call [kɔ:l]
vizulis spoonbait [ˈspu:nbeit]
volejbols volley-ball [ˈvɒlibɔ:l]
vulgārs vulgar, common [kʌmn]
vulkāns volcano [vɒlˈkeinəʊ]

Z

zābaks boot [bu:t]; ◇ pilns kā zābaks – dead [ded] drunk [drʌŋk]
zābakziede shoe-polish [ˈʃu:pɒliʃ]
zādzība theft [θeft]
zaglis thief [θi:f]; kabatas z. – pickpocket [ˈpikpɒkit]
zagšus furtively [ˈfɜ:tivli]
zagt to steal* [sti:l], to thieve [θi:v]
zāģēt to saw* [sɔ:]
zāģis saw [sɔ:]
zaigot to glimmer [ˈglimə]
zaimot to blaspheme [blæsˈfi:m]
zaķis 1. hare [heə]; **2.** (*bezbiļetnieks*) bilker [ˈbilkə]
zāle[a] (*telpa*) hall [hɔ:l]
zāle[b] grass [grɑ:s]; (*ārstnieciskā*) herb
zāles medicine [ˈmedsin], medicament [məˈdikəmənt]
zāliens lawn [lɔ:n]
zalktis grass-snake [ˈgrɑ:ssneik]
zaļot to be verdant; (*augt*) to grow* [grəʊ]
zaļš 1. green [gri:n]; **2.** (*neienācies*) unripe [ʌnˈraip]; **3.** (*nevārīts*); raw [rɔ:]; ◇ zaļa dzīve – jolly [ˈdʒɒli] life [laif]
zaļumballe an open-air [əʊpnˈeə] party [ˈpɑ:ti]
zaļumi 1. greens; **2.** greenery [ˈgri:nəri]
zārks coffin [ˈkɒfin]
zarna intestine [inˈtestin], gut [gʌt]
zarojumpunkts *dat.* branching [ˈbrɑ:ntʃiŋ]
zars bough [baʊ], branch [brɑ:ntʃ]; (*ziedošs*) spray [sprei]
zaudējums 1. loss; (*laika*) waste; **2.** (*sportā*) defeat [diˈfi:t]
zaudēt to lose* [lu:z]; z. laiku – to waste [weist] time; z. prātu – to go* mad
zeķbikses tights [taits]; pantyhose [ˈpæntihəʊz] *amer.*
zeķe stocking [ˈstɒkiŋ]; (*vīriešu*) sock [sɒk]
zeķturis suspender-belt [səˈspendəˌbelt]
zelts gold [gəʊld]; ◇ ne viss ir zelts, kas spīd – all that glitters [ˈglitəz] is not gold; zelta rokas – a dab [dæb] hand [hænd]
zem under; beneath [beˈni:θ]; zemāk par – bellow [biˈləʊ]
zeme 1. (*augsne*) earth [ɜ:θ]; soil [sɔil]; ground [graʊnd]; **2.** (*planēta*) the Earth; **3.** (*teritorija*) land; **4.** (*sauszeme*) ground; **5.** (*valsts*) country [ˈkʌntri]
zemene strawberry [ˈstrɔ:bəri]
zemeslode globe [gləʊb]
zemesrieksts earthnut [ˈɜ:θnʌt]
zemesšaurums isthmus [ˈisməs]
zemestrīce earthquake [ˈɜ:θkweik]; seism [ˈsaizm]
zemiene lowland [ˈləʊlænd]
zemisks base, mean [mi:n]
zemkopība agriculture [ˈægrikʌltʃə]
zemnieks farmer [ˈfɑ:mə]

zems low [ləʊ]; (*par balsi, skaņu – arī*) deep [di:p]
zemūdene submarine [ˈsʌbməri:n]
zēns boy [bɔi], lad
zibens lightning [ˈlaitniŋ]; lodveida z. – ball [bɔ:l] lightning; ◇ kā zibens no skaidrām debesīm – like a bolt from the blue
zibsnīt to flash [flæʃ]
zīdainis infant [ˈinfənt], baby *sar.*
zīds silk [silk]; mākslīgais z. – rayon [ˈreiɒn]
ziede ointment [ˈɔintmənt]
ziedēt to blossom [ˈblɒsəm], to flower [ˈflaʊə]
ziedkāposti cauliflower [ˈkɒliflaʊə]
ziedlapiņa petal [petl]
ziedlapķēde *dat.* daisychain [ˈdeizitʃein]
ziedlapprinteris *dat.* daisywheet printer [printə]
ziedojums donation [dəʊˈneiʃn]
ziedonis spring [spriŋ], springtime [ˈspriŋtaim]
ziedot 1. to sacrifice (*to*); **2.** to donate [dəʊˈneit]
zieds flower [ˈflaʊə]; (*kokam*) blossom [ˈblɒsəm]
ziema winter [ˈwintə]
Ziemassvētki Christmas [ˈkrisməs], Xmas [ˈkrisməs]
ziemeļblāzma artic [ˈɑ:ktik] lights [laits] *dsk.*
ziemeļbriedis reindeer* [ˈreindiə]
ziemeļi north [nɔ:θ]
ziemeļpols North [nɔ:θ] Pole [pəʊl]
ziepes soap [səʊp]
zilbe *gram.* syllable [ˈsiləbl]
zīlīte *ornit.* titmouse [ˈtitmaʊs], tit
zīle acorn [ˈeikɔ:n]
zilene bluebery [ˈblu:bəri]
zīlniece fortune-teller [ˈfɔ:tʃəntələ]
zilonis elephant [ˈelifənt]
ziloņkauls ivory [ˈaivəri]
zils blue [blu:]; ◇ no zila gaisa – out of the blue
zīme sign [sain]
zīmējums drawing [ˈdrɔ:iŋ], picture [ˈpiktʃə]
zīmēt to draw* [drɔ:]
zīmīgs significant [sigˈnifikənt]
zīmogs seal [si:l]
zīmulis pencil [ˈpensil]
zināms 1. known [nəʊn]; **2.** certain [sɜ:tn]
zināšanas knowledge [ˈnɒlidʒ]
zināt to know* [nəʊ]
zinātkārs inquisitive [inˈkwizətiv], curious [ˈkjʊəriəs]
zinātne science [ˈsaiəns]
zinātnieks scientist [ˈsaiəntist]
zinātnisk‖s scientific [ˌsaiənˈtifik]; ~i pētniecisks darbs – research [riˈsɜ:tʃ] work [wɜ:k]; ~ās pētniecības institūts – research institute
ziņ‖a news [nju:z] *vsk.*; message [ˈmesidʒ]; ~as – information; laika ~as – weather-report; ~u birojs – inquiry [inˈkwaiəri] office [ˈɒfis]
ziņģe popular song
ziņkāre curiosity [ˌkjʊəriˈɒsəti]
ziņkārīgs curious [ˈkjʊəriəs], inquisitive [inˈkwizətiv]

Z

ziņojums information; notice [ˈnəʊtis]
ziņot to report [riˈpɔ:t]
zirgs horse [hɔ:s]
zirgspēks horsepower [ˈhɔ:spaʊə]
zirneklis spider [ˈspaidə]
zirnis pea [pi:]
zīst to suck [sʌk]
zivs fish [fiʃ]
Zivis (*zvaigznājs un zodiaka zīme*) Pisces [ˈpaisi:z]
znots son-in-law [ˈsʌninlɔ:]
zobārsts dentist [ˈdentist]
zobens sword [sɔ:d]
zobgalīgs bantering [ˈbæntəriŋ]
zoboties to banter, to make* fun (*of*)
zobrats cog-wheel [ˈkɒgwi:l]
zob||s tooth [tu:θ]; ~u sāpes – toothache [ˈtu:θeik]
zodiaks *sar.* zodiac [ˈzəʊdiæk]; Auns – Ram; Vērsis – Bull; Dvīņi – Twins; Lauva – Lion; Jaunava – Virgin; Svari – Scales; Vēzis – Crab; Skorpions – Scorpion; Strēlnieks – Archer; Mežāzis – Goat; Ūdensvīrs – Waterman; Zivis – Pisces
zods chin [tʃin]
zole sole [səʊl]
zona zone [zəʊn]
zooloģisk||s zoological [ˌzəʊəˈlɒdʒikəl]; ~ais dārzs – the Zoo [zu:]
zooveikals pet-shop [ˈpetʃɒp]
zoss goose* [gu:s]
zupa soup [su:p]
zust to disappear [ˌdisəˈpiə]
zutis eel [i:l]; ◊ glums kā z. – slippery [ˈslipəri] as an eel
zvaigzne star [stɑ:]; Zvaigznes diena – Epiphary; ekrāna z. – filmstar, movie star *amer.*
zvanīt to ring* [riŋ]
zvans bell [bel]; durvju z. – doorbell [ˈdɔ:bəl]; telefona z. – telephone [ˈtelifəʊn] call [kɔ:l]
zveja fishing [ˈfiʃiŋ]
zvejnieks fisherman* [ˈfiʃəmən]
zvejot to fish [fiʃ]
zvērāda fur [fɜ:]
zvērests oath [əʊθ]
zvērēt to swear* [sweə]
zvērisks brutal [ˈbru:tl]
zvērkopība fur-farming [fɜ:ˈfɑ:miŋ]
zvērs beast [bi:st]; plēsīgs z. – beast of prey [prei]
zviedr||s (~iete) Swede [swi:d]
zviegt to neigh [nei]
zvīņas scales [skeils]
zvirbulis sparrow [ˈspærəʊ]
zvirgzdi gravel [grævl]

Ž

žagari (*pērienam*) birch [bɜ:tʃ]
žagars switch [switʃ], rod [rɒd]
žagas hiccough, hiccup [ˈhikʌp]
žagata magpie [ˈmægpai]
žagoties to hiccough, to hiccup [ˈhikʌp]
žakete jacket [ˈdʒækit]; coat [kəʊt]
žalūzija Venetian [vəˈni:ʃn] blind [blaind]
žanrs genre [ˈʒɒnrə]; style [stail]
žargons slang [slæŋ]
žaunas gills [dʒilz]
žaut to hang* [hæŋ] out
žāvas yawn [jɔ:n]
žāvāties to yawn [jɔ:n]
žāvēt to dry [drai]; (*gaļu, zivis – dūmos*) to smoke [sməʊk]
žāvēts dried [draid]; (*par gaļu*) smoked [sməʊkt]
žēl: cik ž.! – what a pity; man ž. – I am sorry
žēlabains petulant [ˈpetʃʊlənt]
žēlastība mercy [ˈmɜ:si]; pity [piti]
želatīns gelatine [ˈdʒeləti:n], jelly [ˈdʒeli]
želeja jelly [ˈdʒeli]
žēlot to pity [ˈpiti]
žēloties to complain [kəmˈplein]
žēls plaintive [ˈpleintiv]
žēlsirdība compassion [kəmˈpæʃn], mercy [ˈmɜ:si]
žēlsirdīgs compassionate [kəmˈpæʃnət], merciful [ˈmɜ:sifəl]
žeņšeņs ginseng [ˈdʒinseŋ]
žestikulēt to gesticulate [dʒəˈstikjʊleit]
žests gesture [ˈdʒestʃə]
žetons badge [bædʒ]
žigls agile [ˈædʒail], quick [kwik]
žilbinošs dazzling [dæzliŋ]
žilbt to be dazzled [dæzld]
žilete safety [ˈseifti] razor [ˈreizə]
žirafe giraffe [dʒəˈrɑ:f]
žirgts sprightly [ˈspraitli]
žņaugt to strangle, to throttle [ˈθrɒtl]
žogs fence [fens]; (*dzīvžogs*) hedge [hedʒ]
žoklis jaw [dʒɔ:]
žonglēt to juggle [dʒʌgl]
žonglieris juggler [ˈdʒʌglə]
žubīte finch [fintʃ]
žuburs forked [fɔ:kt] branch [brɑ:ntʃ]
žūksnis (*naudas*) wad [wɒd]
žults bile [bail]
žūrija jury [ˈdʒʊəri]
žurka rat [ræt]
žurnālistika journalism [ˈdʒɜ:nəlizəm]
žurnālists journalist [ˈdʒɜ:nəlist]
žurnāls journal [ˈdʒɜ:nl], magazine [ˌmægəˈzi:n]
žūt to dry [drai]
žvadzēt to clink [kliŋg], to chink [tʃiŋk]

VĀRDU PĀRNESUMI

Angļu tekstā nav ieteicams pārnest vārdus.
Nekad nepārnes
īpašvārdus;
vienzilbes vārdus vai divzilbju vārdus;
vārdus rindkopas vai lappuses pēdējā rindā;
vārdus juridiskā tekstā.

Ja nevar iztikt bez pārnesuma, atdala piedēkli, galotni, bet trīszilbju vārdus dala pa zilbēm divās daļās.

Dalot blakusstāvošus patskaņus vai līdzskaņus, katrs paliek savā dalījuma pusē.

KĀ RAKSTĪT VĒSTULES

Vēstulēs stingri jāievēro formas, stila un satura noteikumi. Trīs galvenie noteikumi:
pareizs iekārtojums;
pieklājīga un vispārpieņemta izteiksme;
domas skaidrība.

Lietišķās vēstulēs var dažādi izkārtot tekstu.
Kreisajā pusē augšā raksta adresāta vārdu, uzvārdu un adresi.
Adresāta un sava adrese vienmēr rakstāma oriģinālvalodā. Adreses un latviešu vārdi un uzvārdi nav «jāanglisko». Adresē pieturzīmes nelieto.
Rakstītāja adrese rakstāma augšā lapas vidū vai labajā augšējā stūrī virs datuma.
Labajā pusē augšā raksta datumu un atsauci uz dokumenta numuru (ja tāda vajadzīga).
Angļu valodā nav ieteicams datumu rakstīt tikai ar cipariem, jo briti un amerikāņi tos sapratīs dažādi. Anglijā 10.04.47. nozīmē 10. aprīli, bet

Amerikā – 4. oktobri, tāpēc datumu vajadzētu rakstīt pēc parauga:

4. April 1997.

Garākos mēnešu nosaukumus drīkst saīsināt:

January–Jan	September–Sept
February–Febr	October–Oct
April–Apr	November–Nov
August–Aug	December–Dec

Pieļaujama arī šāda rakstība:

April 4, 1997 vai April 4 th 1997.

Kreisajā pusē zem adreses rakstāma uzruna:

Dear Sirs	– firmai
Dear Sir	– vīrietim ar nezināmu vārdu
Dear Madam	– sievietei ar nezināmu vārdu
Dear Mr. Turner	– vīrietim ar zināmu vārdu
Dear Mrs. Turner	– precētai sievietei ar zināmu vārdu
Dear Miss Turner	– neprecētai sievietei ar zināmu vārdu
Dear Ms. Turner	– precētai vai neprecētai sievietei ar zināmu vārdu
Dear Henry	– vīrietim, kurš labi pazīstams
Dear Rose	– sievietei, kura labi pazīstama

Kreisajā pusē vai vidū zem teksta un pirms paraksta raksta sveicienu vēstules beigās.

Uzruna	**Noslēguma sveiciens**
Uzvārda nav	Yours faithfully
Uzvārds minēts	Yours sincerely
Minēts vārds	Best wishes

Amerikāņi šos noslēguma sveicienus raksta citādi:

Ar sveicienu–

Sincerely yours.

Vēstules teksts sastāv no

ievada, kas paskaidro vēstules rakstīšanas nolūku;

galvenā satura un sīkākiem paskaidrojumiem;

norādījumiem par turpmāko.

Tekstā nelieto rindu atkāpes, rindkopas atdala ar līniju izlaidumu.

Paraksts kopā ar sveicienu atrodas zem teksta lapas kreisajā pusē vai vidū.Amats rakstāms zem paraksta. Vienīgā pieturzīme (komats) var būt aiz sveiciena.

Dažas personīgo vēstuļu īpatnības:

kreisā pusē augšā adresāta adresi neraksta;

lietojamas saīsinātās palīgdarbības vārdu izteiksmes: ir's, you'd, I'd,I'll, wouldn't, don't, couldn't u.c.;

noslēgumā lieto -ing formu; piemēram, Looking forward to hearing from you.

APSVEIKUMI

Priecīgus Ziemassvētkus un laimīgu Jauno gadu!
Merry Christmas and a Happy New Year!

Vēlu Jums daudz laimes Jaunajā gadā.
I wish you much happiness in the coming New Year.

Vislabākie novēlējumi Jaunajā gadā.
Best wishes for a happy New Year.

Priecīgas Lieldienas!
We wish you a good Easter.

Apsveicam kāzu gadadienā!
Greetings on you wedding anniversary.

Apsveicu dzimšanas dienā!
Happy birthday!
Many happy returns of the day!

Lai visi Tavi sapņi piepildās!
Let all your dreams come true.

Apsveicu ar panākumiem.
I congratulate you on your success.

LĪDZJŪTĪBA

Lūdzu, pieņemiet manu līdzjūtības apliecinājumu.
Please accept my deepest sympathy.

Mēs izsakām Jums vissirsnīgāko līdzjūtību sakarā ar lielo zaudējumu.
We express our heartfelt condolences on the occasion of your great loss.

Jūtam līdzi lielajās bēdās.
We sympathize with you in your grief.

Es dziļi jūtu Tev līdzi.
I deeply sympathize with you.

NOVĒLĒJUMI

Labu veiksmi!
Good luck!

Lai Jums šonedēļ veicas!
Have a good week!

Novēlu panākumus darbā.
I wish you success in your work.

Lai panākumi Jūs nepamet.
May all success attend you.

Laimīgu lidojumu!
Have a good flight!

Pasveiciniet visus mājiniekus.
Give my regards to everybody at home.

ATZĪMES UZ APLOKSNES

Gaisa pasts – **Airmail**

Ierakstīts – **Registered**

Iespieddarbi – **Printed matter**

Nodot personīgi – **Personal**

Personīgs – **Private**

Konfidenciāli – **Confidential**

Slepeni – **Confidential**

Steidzami – **Urgent**

Uz pieprasījumu – **To be called for**

Plīstošs – **Fragile**

ĪSĀ SARUNVĀRDNĪCA
Sasveicināšanās un atvadīšanās

Sveicināti!
Hello!

Sveiki!
Hi!

Labrīt!
Good morning!

Labdien!
Good afternoon!

Labvakar!
Good evening!

Laipni lūdzam!
Welcome!

Kā klājas?
How have you been doing?

Kā iet?
How's it going?

Kas jauns?
What's up?

Kas notiek?
What's happening?

Ko tu darīji?
What have you been doing?

Sen neesmu tevi saticis (-kusi).
Haven't seen you around for a while.

Uz redzēšanos!
Good-bye!

Atā!
Bye-bye!

Arlabunakti!
Good night!

Laimīgu ceļu!
Have a nice trip!

Veiksmīgi!
Good luck!

Visu labu!
All the best!

Bija jauki jūs satikt.
It was nice meeting you.

Ceru jūs satikt vēl.
I'm looking forward to seeing you again.

Tiksimies nākamnedēļ.
See you next week.

Iepazīšanās

Iepazīsimies, mani sauc...
Let me introduce myself, my name is...

Esmu Latvijas pilsonis.
I am a citizen of Latvia.

Es esmu no Rīgas.
I am from Riga.

No kurienes jūs esat?
Where do you come from?

Aļaujiet iepazīstināt ar savu kolēģi.
May I introduce my colleague?

Viņu sauc...
His/her name is...

Ļoti patīkami.
Nice to meet you.

Vai jūs runājat
Do you speak

– angliski
– English

– krieviski
– Russian

– vāciski
– German

Es (mazliet) saprotu.
I understand (a little).

Lūdzu, runājiet lēnāk.
Speak more slowly, please.

Es slikti dzirdēju.
I couldn't hear.

Es nesaklausīju.
I didn't hear.

Neruna tik skaļi.
Don't talk so loudly.

Runā skaļāk.
Speak up.

Runā lēnāk.
Speak more slowly.

Pasaki to vēlreiz.
Say it again.

Dažādās situācijās

Vai jums ir karte?
Do you have a road map?

Vau jūs nepateiktu, kā nokļūt...?
Can you tell me the way to...?

Kā nokļūt līdz ... ielai?
How do I get to the ... street?

Kā es varu nokļūt līdz centram?
How can I get to the city centre?

Uz kurieni ved šis ceļš?
Where does this road lead to?

Cik stundu (minūšu) brauciens ir līdz ...?
How many hours (minutes) to ...?

Atvainojiet, vai jūs nepateiktu, kur atrodas ...?
Excuse me, could you tell where is ...?

Es meklēju
I am looking for

– autobusa pieturu
– a bus stop

– viesnīcu
– a hotel

– banku
– a bank

– metro staciju
– a subway station

– tualeti
– a toilet

– šo adresi
– this address

– valūtas maiņas punktu
– an exchange office

Vai šeit ir ...?
Is there ...?

Kur šeit ir ...?
Where is there ...?

Ar autobusu.
By bus.

Kājām.
On foot.

Ar vilcienu.
By train.

Ar metro.
On the Underground (*Lielbritānijā*).
On the Subway (*ASV*).

Esmu apmaldījies (-usies).
I got lost.

Es dzīvoju ... viesnīcā ... ielā.
I stay in ... hotel, it is on ... street.

Tas ir piecu minūšu gājienā.
It's a five minutes walk.

Vai braucat uz ...?
Do you go to ...?

Vienu biļeti līdz ...
One ticket to...

Pasakiet, lūdzu, kad man jāizkāpj.
Tell me where to get off, please.

Kur atrodas taksometru stāvvieta?
Where's the taxi stop?

Cik man jāmaksā?
How much do I owe you?

Cik maksā brauciens līdz ... ?
What is the fare of ...?

Restorānā

Es vēlētos rezervēt galdiņu.
I would like to reserve a table.

Uz rītdienu, pulksten sešos vakarā.
For six tomorrow evening.

Mani sauc...
My name is...

Mums vajadzētu galdiņu.
We need a table.

Mēs varam pasūtīt.
We are ready to order.

Mēs vēlētos pasūtīt
We would like to order.

Pie telefona

Hallo.
Hello.

Runā Ilze.
Ilze speaking.

Šeit Ilze.
This is Ilze here.

Es vēlētos runāt ar...
I would like to speak to...

Es zvanu sakarā ar...
I'm calling about...

Mani sauc...
My name is...

Varētu runāt ar...?
Is ... there?

Tas/tā esmu es...
It's me...

Es piezvanīšu vēlāk.
I'll phone back later.

Pasakiet viņam, ka es zvanīju.
Tell him I called.

Tas ir steidzami.
It's urgent.

Runājiet lēnāk.
Speak more slowly.

Atvainojiet?
Pardon?

Uzgaidiet brītiņu.
Hang on a minute.

Nenolieciet klausuli.
Hold the line.

Paskatīšos, kur viņš ir.
I'll check where he is.

Viņš ir izgājis.
He is out.

Patlaban viņa ir aizņemta.
She is busy now.

Viņš/viņa būs
He'll/she'll be here

– pēc stundas
– in an hour

– rīt
– tomorrow

– nākamnedēļ
– next week

Vai kaut ko pateikt?
Can I take a message?

Satikšanās

Kā tevi sauc?
What's your name?

Uzmini!
Guess what it is!

Ko tu teici?
What did you say?

No kurienes tu esi?
Where do you come from?

Cik tev ir gadu?
How old are you?

Vai tu esi students (-e)?
Are you a student?

Par ko tu strādā?
What's your job?

Kā tu pavadi laiku?
How do you spend your time?

Vai tu bieži te nāc?
Do you come here often?

Vai neesmu saticis (-kusi) tevi agrāk?
Have I seen you before?

Tu labi runā angliski.
Your English is good.

Kāda mūzika tev patīk?
What music do you like?

Vai zini šo dziesmu?
Do you know this song?

Vai tev ir labs garastāvoklis?
Are you in the mood?

Vai uzdejosim?
Shall we dance?

Tu labi dejo.
You're a good dancer.

Iedzersim!
Let's have drink!

Varbūt tev nevajadzētu vairāk dzert.
Maybe you should stop drinking.

Vai tev viss kārtībā?
Are you okay?

Tu esi ļoti mīļš (-a).
You're kind.

Cikos tu šeit atnāci?
What time did you come here?

Cikos tev jābūt mājās?
What time is your curfew?

Cikos tu iesi prom?
What time are you leaving?

Ja būs jautri, es palikšu.
If I have a good time, I'll stay.

Ja kļūs garlaicīgi, iešu projām.
If this gets boring, I'll go home.

Ko darīsim tālāk?
What's next?

Vai esi izlēmis (-usi)?
Have you decided?

Es vēl neesmu izlēmis (-usi).
I haven't decided yet.

Tas atkarīgs no tevis.
It's up to you.

Ejam projām?
Shall we leave?

Vai iesim kur citur?
Shall we go somewhere else?

Es gribētu palikt ilgāk.
I'd like to stay here longer.

Es tevi aizvedīšu mājās.
I'll take you home.

Ko tas nozīmē?
How does that sound?

Es gribu ar tevi tuvāk iepazīties.
I wanna know more about you.

Vai gribi iedzert kafiju ar mani?
Do you want to drink some coffee together?

Mūsu domas saskan, vai ne?
Our thinking is the same, isn't it?

Vai mēs vēl tiksimies?
Shall we meet again?

Kad es tevi atkal satikšu?
When can I see you next time?

Vai varu tev piezvanīt?
Can I call you?

Vai drīkstu uzzināt tavu telefona numuru?
Can I have your phone number?

Vai tev ir kāds rakstāmais?
Do you have something to write with?

Es labi pavadīju laiku.
I enjoyed myself.

Esi uzmanīgs (-a).
Take care.

Uz redzēšanos.
See you later.

Uz redzēšanos rīt.
See you tomorrow.

Man būs skumji bez tevis.
I'll miss you.

Vispārējās frāzes

Labprāt.
With pleasure.

Viss kārtībā.
That's all right.

Nekas.
Not at all.
It doesn't matter.

Nav par ko.
Don't mention it. (You're welcome!)

Vai viss kārtībā?
Everything all right?

Nesūdzos.
Can't complain.

Neuztraucieties!
Don't worry!

Ko, lūdzu?
I beg your pardon?

Vai netraucēju?
Am I disturbing you?

Piedodiet, ka traucēju.
I'm sorry to have troubled you.

Lieliski.
That's fine.

Paldies par palīdzību.
Thank you for your help.

Ļoti laipni no jūsu puses.
That's very kind of you.

Es vēlētos jūs uzaicināt uz...
I'd like to invite you to...

Vai jūs mums pievienosieties?
Would you join us?

Vai jūs vēlētos...?
Would you like to...?

Kādēļ gan mums...?
Why don't we...?

Paldies. Pieņemšu ar prieku.
Thank you. I'd be delighted to accept.

Paldies. Ļoti labprāt.
Thank you. I'd love to.

Paldies. Tas būtu jauki.
Thank you. I'd enjoy that.

Labprāt, bet...
I'd love to, but...

Liels paldies, bet...
Thanks a lot, but...

Manuprāt...
To my opinion...

Es domāju...
I think...

Es piekrītu.
I agree.

Es pilnīgi piekrītu.
I agree completely.

Diemžēl es nepiekrītu.
I'm afraid I don't agree.

Atvainojiet, bet es nepiekrītu.
I'm sorry, but I disagree.

Vai tu (jūs) vari (varat)...?
Can you...?

Vai tu (jūs) varētu...?
Could you...?

Vai tu (jūs)...?
Would you...?

Jā, protams.
Yes, of course.

Vai tu (jūs) neiebilstu, ja...
Would you mind if...?

Nē, protams ne.
No, of course not.

Diemžēl nevarēšu.
I'm afraid I can't.

Atvainojos, bet tas nav iespējams.
I'm sorry, but that's not possible.

Redaktore *G. Aizstrauta*

Korektore *I. Čerņevska*

Datormaketētāja *N. Bespaļčikova*

Reģistrācijas apl. Nr. 000330791.
Formāts 70×100/32. SIA «Izdevniecība Avots»,
Puškina ielā 1a, Rīgā LV 1050. Iespiesta un iesieta a/s «Preses nams»,
Balasta dambī 3, Rīgā LV 1081

Angļu–latviešu, latviešu–angļu vārdnīca: ap 25 000 vārdu. – R., Avots, 543 lpp.

Vārdnīcas pamatdaļā iekļauts ap 25 000 plašāk lietojamo vārdu.

Vārdnīcai ir vairāki pielikumi: ģeogrāfiskie nosaukumi, plaši izplatītie saīsinājumi, personvārdi un uzvārdi, lietvārdu un darbības vārdu neregulārās formas, kā arī sarunvalodas frāzes un norādes, kā rakstīt vēstules.

Vārdnīca īpaši noderēs skolu jaunatnei un visiem, kas gatavojas doties ceļojumos.